ROSIE W

Ein ganzes l

Ohne ein ei

Rosie Walsh

Ein ganzes Leben lang

Seite 7

Ohne ein einziges Wort

Seite 585

Penguin Random House Verlagsgruppe FSC® N001967

Buch 1:
Deutsche Erstveröffentlichung Juli 2021
Copyright © der Originalausgabe by Rosie Walsh
Copyright © 2022 dieser Sonderausgabe Wilhelm Goldmann Verlag, München,
in der Penguin Random House Verlagsgruppe GmbH,
Neumarkter Straße 28, 81673 München
Redaktion: Dr. Ann-Catherine Geuder

Buch 2:
Deutsche Erstveröffentlichung Mai 2018
Copyright © der Originalausgabe 2018 by Rosie Walsh Ltd
Copyright © 2022 dieser Sonderausgabe Wilhelm Goldmann Verlag, München,
in der Penguin Random House Verlagsgruppe GmbH,
Neumarkter Straße 28, 81673 München
Redaktion: Lisa Caroline Wolf

Umschlaggestaltung: Weber Kommunikationsdesign, Georg Weber, Köln
Umschlagmotiv: Blumen: istockphoto/DesignToons
Hintergrundaquarell: istockphoto/stellalevi
Paarsilhouette: istockphoto/4x6
Druck und Bindung: GGP Media GmbH, Pößneck
Printed in Germany

www.goldmann-verlag.de

Rosie Walsh

Ein ganzes Leben lang

ERSTER TEIL
LEO & EMMA

Prolog

Wir spazierten gen Norden, getrennt vom weiten Sandstrand durch Seetangstreifen und Gezeitentümpel, die sich im Wind kräuselten. Schaumkronen tanzten auf dem Meer, und die wenigen Wolken warfen im Vorbeiziehen spiralige Schatten auf den Sand.

Es fühlte sich gut an, zusammen dort zu sein, an diesem Ort zwischen den Welten, wo das Land sich ins Meer neigte. Das waren nicht unsere Gefilde. Sie gehörten den Seesternen und Napfschnecken, den Anemonen und Einsiedlerkrebsen. Niemand nahm Notiz von unserer Zweisamkeit; niemand scherte sich darum.

Es regnete ein Weilchen, und wir hockten uns in eine Hütte inmitten der Dünen und futterten Sandwiches. In den Ecken lagen vertrocknete Schafköttelhäufchen, und der Regen trommelte auf das Dach wie eine Maschinengewehrsalve. Ein Plätzchen ganz für uns allein.

Wir gingen es ganz langsam an, während Wetterfronten weiter unten über den Strand jagten. In meinem Herzen wuchs die Hoffnung.

Nach unserem kleinen Picknick-Lunch entdeckten wir das Krabbenskelett am anderen Ende des Strands. Mittelgroß, tot, allein im Schwemmsaum zwischen Treibholz und eingetrocknetem Spiraltang. Am Hinterleib klebten Scheidenmuschelfragmente, ein ausgeblichenes, verzwirbeltes Stück Schleppnetz hatte sich an einem leblosen Fühler verheddert, und sie hatte eigenartige signalrote Punkte an Rumpf und Scheren.

Erschöpft setzte ich mich, um sie mir genauer anzusehen. Vier ausgeprägte Grate zogen sich über den Panzer. Die Scheren waren mit Borsten überzogen.

Ich schaute in blicklose Augen und versuchte mir auszumalen, woher sie wohl gekommen sein mochte. Ich hatte gelesen, Krabben trieben manchmal über gewaltige Strecken auf Flößen aus Plastikmüll oder Seetangbüscheln, manchmal sogar an einen seepockigen Bootsrumpf geklammert. Was wusste ich schon, vielleicht war dieses eigenartige Geschöpf aus Polynesien hierhergereist und hatte Tausende Meilen auf hoher See überlebt, nur um dann an einem Strand in Northumberland zu verenden.

Ich sollte lieber ein paar Fotos schießen. Meine Tutoren würden sicher wissen, was das war.

Aber als ich in meiner Tasche nach der Kamera kramte, wurde mir mit einem Mal ganz schummerig. Schwindel überkam mich wie plötzlich aufziehender Küstennebel, und ich musste über meine

Tasche gebeugt reglos dasitzen und abwarten, bis er wieder verging.

»Niedriger Blutdruck«, erklärte ich, als ich mich schließlich wieder aufrichten konnte. »Hatte ich schon als Kind.«

Wir wandten uns wieder der Krabbe zu. Ich ging auf Hände und Knie, um sie von allen Seiten zu fotografieren.

Gerade als ich die Kamera verstaute, setzte der Schwindel wieder ein, aber diesmal kam und ging er in Wellen, wie das Meer. Ein eigenartiger Schmerz breitete sich in meinem Rücken aus, zusammen mit einem dunkleren, mächtigeren Gefühl, das mir vertraut war, das ich aber nicht zuordnen konnte. Wieder ging ich in die Knie, klemmte meine Hände zwischen die Beine, und der Schwindel übermannte mich.

Ich zählte langsam bis zehn, atmete tief ein und aus. Besorgte Worte, in denen Angst mitschwang, schwirrten mir um den Kopf. Der Wind drehte sich.

Als ich endlich die Augen wieder aufmachte, hatte ich Blut an der Hand.

Ich schaute genauer hin. Tatsächlich, es war Blut, ganz ohne Frage. Frisch, feucht, über meine rechte Handfläche verschmiert.

»Alles bestens«, hörte ich mich sagen. »Kein Grund zur Beunruhigung.«

Panik stieg in mir auf, unaufhaltsam wie die Flut.

Erstes Kapitel

Leo

Beim Aufwachen sind ihre Wimpern oft so feucht, als sei sie im Schlaf in einem Meer aus traurigen Träumen geschwommen. »Muss so ein Augendings sein«, sagt sie dann immer. »Albträume habe ich jedenfalls nie.« Dann gähnt sie wie ein Nilpferd, wischt sich den Schlaf aus den Augen und schlüpft rasch aus dem Bett, um sich zu vergewissern, dass Ruby noch lebt und atmet. Eine Angewohnheit, die sie einfach nicht abschütteln kann, obwohl Ruby inzwischen beinahe drei ist.

»Leo!«, sagt sie, wenn sie wieder zu mir ins Bett schlüpft. »Aufwachen! Küss mich!«

Es vergeht ein Moment, bis ich aus den trüben Untiefen heraufsteige ins Licht des anbrechenden Tages. Von Osten zieht die Morgendämmerung mit bernsteingoldenen Schatten auf, und wir kuscheln uns ganz eng aneinander, während Emma plappert wie ein Wasserfall – nur gelegentlich unterbricht sie sich mitten im Satz, um mich unvermittelt zu küssen. Um Viertel vor sieben schauen wir auf Wikideaths nach, ob über Nacht jemand gestorben ist, und um sieben lässt sie einen fahren und schiebt das Geknatter auf ein zufällig vorbeifahrendes Moped.

Ich weiß nicht mehr, wie lange wir schon zusammen waren, als sie damit angefangen hat. Vermutlich nicht sehr lange. Aber sie muss gewusst haben, dass ich da längst mit im Boot war und es genauso unwahrscheinlich gewesen wäre, dass ich über die Reling ins eiskalte Wasser springe und wieder an Land zurückschwimme, wie mir Flügel wachsen zu lassen und zurückzufliegen.

Wenn unsere Tochter bis dahin nicht zu uns ins Bett gekrabbelt ist, krabbeln wir in ihrs. Die Luft im Kinderzimmer ist süßlich und heiß, und unsere frühmorgendlichen Gespräche, die sich meist um Ente drehen, gehören zu den glücklichsten Momenten, die mein Herz kennt. Ente, die sie im Schlaf immer ganz fest an sich drückt, erlebt nachts die wildesten Abenteuer.

Meistens ziehe ich Ruby dann an, während Emma schon mal nach unten geht und »Frühstück macht«, wobei sie sich allerdings mit schönster Regelmäßigkeit von den Meeresdaten ablenken lässt, die sich über Nacht in ihrem Labor angesammelt haben, weshalb Ruby und ich uns dann meistens ums Essen kümmern. Meine Frau kam gut zwanzig Minuten zu spät zu ihrer eigenen Hochzeit, weil sie unterwegs unbedingt anhalten musste, um im Brautkleid die Gezeitenzonen am Restronguet Creek zu fotografieren. Und niemanden, außer den Standesbeamten vielleicht, hat das gewundert.

Emma ist Gezeitenforscherin, das heißt, sie erforscht Orte und Kreaturen, die bei Flut unter Wasser liegen und bei Ebbe trockenfallen. Der wundersamste und aufregendste Lebensraum überhaupt auf unserem Planeten, findet sie. Schon als kleines Mädchen war sie fasziniert von Gezeitentümpeln. Es liegt ihr einfach im Blut. Ihr Spezialgebiet sind Krabben, aber ich glaube, ihr ist eigentlich jedes Krustentier recht. Derzeit hält sie im Institut vor allem kleine Krabbler mit dem klingenden Namen Hemigrapsus takanoi in riesigen Aquarien. Ich weiß, dass das eine invasive Art ist und dass Emma sich vor allem für gewisse morphologische Eigenheiten interessiert, die sie schon seit Jahren zuzuordnen versucht, aber das ist eigentlich auch schon alles, was ich von ihrer Arbeit verstehe. Der Durchschnittsmensch kennt nicht einmal ein Drittel der Wörter, die Biologen so verwenden. Bei einer Party versehentlich in einen Trupp von Biologen zu geraten ist der reinste Albtraum.

Als Ruby und ich an diesem Morgen in die Küche kommen, singt sie gerade John Keats etwas vor. Gezackte Sonnenstrahlen fallen auf die Arbeitsflächen, und unsere aufgeweichten Frühstücksflocken sind dabei, in ihren Schälchen zu Beton auszuhärten. Ihr Laptop, darauf eine dicht beschriebene Seite voller schwindelerregender Wörter und Schnörkel, spielt gerade einen Track mit dem klingenden Titel »Killermuffin«. Als wir John Keats aus dem Tierheim geholt haben, wurde uns erklärt, leiser Jungle wirke beruhigend auf ihn, und unversehens ist das zum Soundtrack unseres Lebens geworden.

Ruby auf dem Arm bleibe ich in der Tür stehen und sehe zu, wie meine Frau den Hund schief ansingt. Trotz einer beachtlichen Ahnenreihe von Musikern in ihrem Stammbaum kann Emma nicht mal die Melodie von »Happy Birthday« singen, was sie allerdings nicht davon abhält, es trotzdem zu tun, laut und schräg. Eines der vielen Dinge, die ich an meiner Frau so liebe.

Sie sieht uns beide in der Tür und tanzt zu uns herüber, während sie haarsträubend falsch weiterträllert. »Meine Lieblingsmenschen«, flötet sie, gibt uns beiden einen Kuss und pflückt Ruby aus meinen Armen. Dann wirbelt sie mit ihr davon, und das schiefe Gesinge wird immer lauter.

Ruby weiß, dass Mummy krank war. Sie hat mitbekommen, wie ihr die Haare ausfielen, wegen der Medizin, die sie im Krankenhaus bekommen hat, aber sie denkt, dass Emma jetzt wieder ganz die Alte

16

ist. Dabei wissen wir selbst nicht so genau, wie es um sie steht. Gestern war ihr Abschluss-PET-Scan, und nächste Woche haben wir einen Termin zur Befundbesprechung. Wir hoffen. Wir bangen. Wir schlafen schlecht.

Meine Zeitung liegt auf dem Tisch, aufgeschlagen auf der Seite mit den Nachrufen. Nach einem kurzen Tänzchen mit ihrer Mutter, bei dem Ente schwungvoll über ihren Köpfen herumgeschleudert wurde, schwänzelt Ruby davon, weil sie Wichtigeres zu tun hat.

»Komm zurück!«, ruft Emma. »Ich will kuscheln!«

»Zu viel zu tun«, sagt Ruby bedauernd.

Dann flüstert sie der Pflanze, um die sie sich kümmern soll – ihr Kindergartenprojekt –, ein lautes »Hey Ho« zu. »Ich gebe dir jetzt was zu trinken.«

»Was Neues?«, frage ich und nicke Richtung Computer. Emma hat vor ein paar Jahren mal eine Dokuserie der BBC über die heimische Fauna moderiert und bekommt seitdem immer wieder Nachrichten von irgendwelchen komischen Käuzen, obwohl sie seitdem nicht mehr im Fernsehen zu sehen war. Aber die Serie ist erst kürzlich wiederholt worden, und infolgedessen sind auch die Nachrichten wieder mehr geworden. Sonst lachen wir eigentlich darüber, aber gestern Abend hat sie mir gestanden, dass in letzter Zeit einige dabei waren, die ihr Angst gemacht haben.

»Zwei Stück. Eine ganz brav, eine obszön. Aber ich hab den Typen schon blockiert.«

Ich sehe ihr zu, wie sie unsere Wassergläser füllt, aber sie scheint unbesorgt. Ich glaube, man kann mit Fug und Recht behaupten, dass diese Nachrichten mir mehr zu schaffen machen als ihr. Immer wieder habe ich sie gedrängt, ihre öffentliche Facebook-Seite zu löschen, aber sie weigert sich standhaft. Die Leute posten wohl immer noch ihre Wildtierbeobachtungen, und sie möchte die Seite nicht »bloß wegen ein paar einsamer Männer« aus dem Netz nehmen.

Ich hoffe inständig, dass sie wirklich bloß einsam sind.

»Dein Text über Kenneth Delwych gefällt mir«, sagt Emma zu mir, ein Auge auf Ruby, die gerade mit der Gießkanne in der Hand an der Spüle hochkraxelt.

Ich gehe rüber zu John Keats und wickele mir eins seiner seidenweichen Ohren um den Finger, warte auf das Aber. Der Hund riecht nach Keksen und verbranntem Fell, Folge eines kleinen Zwischenfalls mit dem Bügeleisen.

»Aber?«, helfe ich ihr auf die Sprünge.

Sie verstummt, wie auf frischer Tat ertappt. »Kein Aber.«

»Ach, Emma. Hör schon auf.«

Nach kurzem innerem Kampf muss sie lachen. »Also gut. Ich finde ihn gut, aber der Artikel über die Geistliche ist um Klassen besser. Hey, Ruby, genug gegossen.«

John Keats seufzt tief, und ich beuge mich vor, um einen Blick auf meine Artikel zu werfen. Kenneth Delwych, ein Altersgenosse, berühmt-berüchtigt für die barocken Saufgelage, die er in seinem Weingut in Sussex zu veranstalten pflegte, teilt sich die Nachrufseite mit einem Bomberflottennavigator aus dem Zweiten Weltkrieg und einer Geistlichen, die letzte Woche während einer Trauung einem Herzinfarkt erlag. »Am besten bist du, wenn du todernst bleibst«, stellt Emma fest und steckt zwei Brotscheiben in den Toaster. »Dieser Schauspieler von letzter Woche – der Schotte, wie hieß er noch? Ruby, könntest du bitte das arme Pflänzchen nicht ertränken…«

»David Baillie?«

»David Baillie. Ja. Besser geht's nicht.«

Ich lese mir den Nachruf auf Kenneth Delwych noch mal durch, während Emma die unvermeidliche Überschwemmung rund um Rubys Pflanze aufwischt. Sie hat natürlich recht – die Geistliche, deren Nachruf merklich kürzer ausgefallen ist, liest sich deutlich besser. Emma hat immer recht. Leider. Mein Ressortleiter, der, wie ich vermute, heimlich in meine Frau verschossen ist, scherzt oft, sollte sie die Meeresforschung irgendwann an den Nagel hängen, würde er mich vor die Tür setzen und stattdessen sie einstellen. Was ich eine ziemliche Unverschämtheit finde, denn wenn er nicht zufällig ein paar ihrer wissenschaftlichen Aufsätze gelesen hat, stützt sich seine Meinung zur Gänze auf einen einzigen veröffentlichten Artikel von ihr, den sie irgendwann mal für die *Huffington Post* geschrieben hat.

Emma ist wissenschaftliche Mitarbeiterin der Marine Biological Association in Plymouth, wo sie zwei Tage die Woche arbeitet. Die restliche Zeit verbringt sie bei uns in London, wo sie an der UCL Mündungsgewässerschutz lehrt. Und sie ist tatsächlich eine begnadete Schreiberin – ihre Intuition ist viel verlässlicher als meine. Außerdem liebt sie es, sich durch Wikideaths zu scrollen. Das hat allerdings mehr mit ihrem Hang zu guten Geschichten zu tun, als dass sie mir meinen Job abspenstig machen wollte. Als so ein neunmalkluger Dreikäsehoch mir damals die Stelle als stellvertretender Ressortleiter vor der Nase wegschnappen wollte, schlug Emma vor, doch einfach Kugelfischgift zu besorgen, um ihn beiseitezuschaffen, und ich glaube nicht, dass es ein Scherz war. Jedenfalls bin ich mir sicher, dass sie nicht vorhat, sich meinen Job unter den Nagel zu reißen.

Emma lässt Ruby und John Keats in den Garten, wo die Sonne sich durch die Lücken im Astwerk der Nachbarsplatane stiehlt und unsere winzige Rasenfläche mit goldenen Flecken sprenkelt. Durch die Tür wehen die Düfte der frühsommerlichen Stadt herein: noch sattgrün glänzendes Gras, Geißblatt, sich langsam erwärmender Asphalt.

Ich versuche, unsere Frühstücksflocken zu rehydrieren, während der Hund draußen um unseren Gartenteich jagt und aufgeregt bellt. Darin wimmelt es derzeit von klitzekleinen Fröschchen, was er allem Anschein nach als unerträgliche Zumutung empfindet. »John Keats, still jetzt!«, ruft Emma durch die offene Tür. Der Hund überhört sie. »Die armen Nachbarn.«

»JOHN!«, brüllt Ruby. »WIR HABEN NACH-BARN!«

»Nicht so laut, Ruby…«

Ich krame Löffel aus der Schublade und trage unser Frühstück raus auf die Terrasse.

»Entschuldige«, sagt Emma und hält mir die Tür auf. »Muss echt nervig sein, dir ständig ungefragt meine Meinung zu deiner Arbeit anhören zu müssen.«

»Ist es.« Wir setzen uns draußen an den Gartentisch, an dem noch die Tautropfen hängen. »Aber du bist meistens sehr taktvoll. Dumm ist nur, dass du fast immer recht hast.«

Sie lächelt. »Ich finde, du bist ein großartiger Autor, Leo. Ich lese deine Nachrufe, noch ehe ich morgens meine E-Mails abrufe. Und ich bin jedes Mal so stolz auf dich.«

Mit hochgezogener Augenbraue schaue ich sie an.

»Hmm.« Ich lasse Ruby nicht aus den Augen, die sich ein kleines bisschen zu dicht am Teich herumdrückt.

»Wirklich wahr! Deine Texte machen dich nur noch sexyer.«

»Ach, Emma, jetzt reicht es aber.«

Emma schaufelt sich einen Löffel Frühstücksflocken in den Mund. »Ich meine das todernst. Du bist der beste Autor in eurer Redaktion. Punkt.«

Peinlich, aber ich kann mir das breite Grinsen einfach nicht verkneifen. »Danke«, murmele ich schließlich, weil ich weiß, dass sie das wirklich so meint. »Aber nervig bist du trotzdem.«

Sie seufzt. »Ich weiß.«

»Und das aus einer ganzen Reihe von Gründen«, setze ich hinterher, und sie muss lachen. »Du hast einfach zu allem eine Meinung.«

Emma greift über den Tisch und drückt meinen Daumen und sagt mir, dass ich ihr Lieblingsmensch bin, und ich muss einfach mitlachen. So ist das bei uns. Das sind wir. Seit sieben Jahren sind wir verheiratet, seit beinahe zehn Jahren zusammen, und ich kenne sie in- und auswendig.

Ich glaube, es war Kennedy, der gesagt hat, wir alle sind ans Meer gebunden – und wenn wir zurückkehren, zum Sport oder Vergnügen oder was auch immer, kehren wir zurück an den Ort, von dem wir einst gekommen sind. So geht es mir mit uns. Meiner Frau Emma nahe zu sein ist, wie an den Ursprung allen Seins zurückzukehren.

Weshalb ich, als ich in den Tagen nach diesem Morgen – diesem unschuldigen, ganz gewöhnlichen Morgen mit Hunden und Fröschen und Kaffee und toten Geistlichen – einsehen muss, dass ich rein gar nichts weiß über diese Frau, beinahe daran kaputtgehen werde.

Zweites Kapitel

Eine Woche später

Emma

»Alles wird gut«, wiederhole ich in die Dunkelheit unseres Schlafzimmers hinein. Ich habe jegliches Zeitgefühl verloren. Die Stunden sind verschmolzen, ineinandergelaufen und -getropft, und erst als ich von Leo keine Antwort bekomme, geht mir auf, dass er gar nicht neben mir im Bett liegt. Ich muss eingenickt sein.

Ein Blick auf die Uhr: 3:47 Uhr. Heute ist mein Arzttermin.

Ich warte auf das Rauschen der Klospülung und das Kreischen unserer knarzenden Dielen, aber alles bleibt still. Bestimmt ist Leo unten und schiebt sich im gelben Schein des Kühlschranks stehend irgendwas in den Schlund. Eine Notration Schinken vermutlich: Er hat versprochen, vegan zu werden, sollte die Chemo nicht anschlagen. Um mich zu unterstützen. Ich habe meine Ernährung nach der Erstdiagnose vor vier Jahren umgestellt, obwohl ich gestehen muss, mir mehr als einmal auf dem Sainsbury-Parkplatz in Camden den Cheddar gierig gleich aus der Packung in den Mund gestopft zu haben.

Ich stehe auf. Vor Leo habe ich nie gesteigerten Wert auf Kuscheln im Bett gelegt, aber wenn er nicht da ist, sehnt sich mein ganzer Körper nach ihm.

Auf dem Klo ist er nicht, also gehe ich nach unten in die Küche. Im Hinuntergehen streiche ich mit der Hand über die Wand, die uneben und knubbelig ist von den unzähligen, immer wieder überstrichenen Farbschichten. »I'm a survivor«, singe ich leise vor mich hin.

Ich drücke mich an dem hohen Bücherstapel vorbei. Darauf steht eine emaillierte Schale voller Krimskrams, den wir nie benutzen – Schlüssel für unbekannte Schlösser, Büroklammern, eine Vorratspackung Nähvlies. Leo stellt den Stapel beharrlich immer wieder mitten in die Diele, damit ich mich endlich um den Plunder kümmere, und ich schiebe ihn jedes Mal beharrlich zurück an seinen Platz. Die Lösung wären mehr Regale, aber Möbel zusammenbauen ist einfach nicht meins.

Dummerweise ist das auch für Leo nichts, und so drehen wir uns endlos im Kreis.

»Leo?«, flüstere ich.

Nichts. Nur das fast schon theatralische Knarzen der Treppenstufen, das unsere Babysitter allesamt so gruselig finden, dass sie nach dem ersten Besuch nie wiederkommen.

Ich habe das Häuschen von meiner Großmutter geerbt. Die ist nicht nur Mitglied des Unterhauses und Hobbyviolinistin gewesen, sondern hat sich im Alter auch zu einer mehr oder minder schlimmen Hamsterin entwickelt, die in den letzten zehn Jahren ihres Lebens rein gar nichts mehr weggeschmissen hat. Leo behauptet, ich zeige ernst zu nehmende Anzeichen, ihr kleines Problem geerbt zu haben, und meine Therapeutin ist, sehr zu meinem Verdruss, ganz seiner Meinung. Wenn wir einen unerträglichen Verlust erleiden, so sagt sie, klammern wir uns selbst an die belanglosesten Kleinigkeiten.

Unser Häuschen gehört zu einem Ensemble putziger kleiner Reihenhäuschen aus der Zeit von King George, ganz am Ende der Heath Street, wo Hampstead Village in die weitläufige Parklandschaft von Hampstead Heath übergeht. Es ist ziemlich heruntergekommen und unglaublich beengt, und bestimmt würden wir ein kleines Vermögen dafür bekommen, wenn wir es verkaufen würden, – oder zumindest mehr als genug, um irgendwo in einer weniger gefragten Wohngegend ein wesentlich großzügigeres Haus zu kaufen –, aber diese vier Wände

26

sind so sehr Teil meiner Geschichte, Teil meines Überlebenskampfs, dass ich es einfach nicht über mich bringe, sie zu verlassen.

Erst letzte Woche hat Leo mir eine Anzeige für ein geräumiges Reihenhäuschen mit drei Schlafzimmern in Tufnell Park gezeigt. »Schau dir nur mal an, wie groß die Schlafzimmer sind!«, hat er mit hoffnungsvoll strahlendem Gesicht geflüstert. »Wir hätten ein Gästezimmer! Eine Toilette im Erdgeschoss!«

Ich habe ihm zwar mit meiner Bemerkung, dass Hampstead mein Biom und dieses Haus mein Ökosystem sei, ein Lächeln abgerungen, doch er ist sichtlich enttäuscht gewesen. Ich kam mir richtig mies vor. Ich würde fast alles tun, um Leo glücklich zu machen, aber das kann ich nicht. Dieses Haus ist mein einziger sicherer Hafen.

Leo ist nicht in der Küche. Und er ist auch nicht in unserem winzig kleinen Büro, sehr zu meiner Erleichterung. Einen schrecklichen Augenblick lang hatte ich befürchtet, er könne womöglich gerade einen Nachruf auf mich schreiben. Den Gedanken könnte ich nicht ertragen. Sämtliche Zeitungen haben vorgeschriebene Nachrufe auf alle möglichen Prominenten in der Schublade. Nachrufschreiber leben in der ständigen Angst, ein ganz großer Todesfall könne sie eiskalt erwischen. Ich bin zwar kein Promi, aber seine Zeitung würde vermutlich einen Nachruf auf mich bringen.

Ich singe weiter leise »I'm a survivor« vor mich hin, weil das der einzige Textfetzen ist, an den ich mich erinnern kann, und versuche es im kleinen Esszimmerchen, in das wir uns eigentlich nie verirren. Es ist beinahe unbenutzbar, überall türmen sich Grannys Krempel und Geigennoten zu wackeligen Stapeln, aber ich habe Leo versprochen, mich bald darum zu kümmern. Sobald ich die Abschlussarbeiten des diesjährigen Masterstudiengangs korrigiert habe.

»Leo?« Meine Stimme klingt wie immer. Von Krebs keine Spur. Ich frage mich, ob womöglich noch immer etwas Bösartiges durch meinen Körper kreist wie billiger Wein, aber irgendwie kommt mir das ziemlich unwahrscheinlich vor.

Aus dem Nichts überfällt mich eine bodenlose Angst: Was, wenn Ruby ebenfalls verschwunden ist? Ich hechte die Treppe hinauf, so schnell, dass ich stolpere und hinfalle und auf Händen und Knien lande, aber sie ist da.

Natürlich ist sie da. Und natürlich atmet sie noch.

Ich suche Leo im Wäscheschrank, hinter der Falltür zu unserer gemeingefährlichen Dachterrasse. Keine Spur.

Langsam wird mir mulmig. Was, wenn einer dieser durchgeknallten Typen aus dem Netz die Nase gestrichen voll davon hat, dass ich seine Nachrichten geflissentlich ignoriere, und sich jetzt meinen Mann vorknöpft?

Lächerlich, sage ich streng zu mir, aber diese Horrorvorstellung lässt sich nicht mehr abschütteln. Ich sehe Leo, wie er die Haustür aufmacht und niedergeknüppelt wird. Leo, wie er John Keats vor dem Schlafengehen noch mal in den Garten lässt und von einem einsamen Irren erschlagen wird, der glaubt, ich gehörte ihm, weil er mir so gerne dabei zuschaut, wie ich im Fernsehen über Lappentaucher rede.

Ganz so schlimm ist es natürlich nicht, aber ein bisschen schlimmer, als ich Leo bisher eingestanden habe. Manche von diesen Typen werden wütend, wenn ich nicht auf ihre Nachrichten reagiere. Natürlich blockiere ich sie alle, aber ein paar erfinden einfach neue Profilnamen, lassen sich partout nicht abwimmeln. Für eine Weile habe ich das mit einem Achselzucken abgetan, aber so langsam macht es mir doch zu schaffen. Angst habe ich eigentlich keine, ich habe es bloß satt.

Obwohl, ganz sicher bin ich mir nicht, aber ich glaube, letzte Woche hat jemand auf mich gewartet, als ich aus dem Labor in Plymouth gekommen bin. Da saß ein Mann auf der grasbewachsenen Böschung gleich neben der Auffahrt. Ungewöhnlich daran war nur, dass er mit dem Rücken zum Meer saß. Wer setzt sich denn bitte an einem sonnigen Nachmittag auf eine Böschung, um eine Auffahrt anzustarren, wenn gleich hinter ihm der atemberaubende Blick auf den glitzernden Plymouth Sound lockt? Und wie er die Baseballkappe ins Gesicht gezogen hat, als ich die Auffahrt entlanggelaufen bin, und sich dann weggedreht hat, fand ich auch eigenartig.

Ich bin runtergegangen an den steinigen Strand, um mich ein bisschen umzuschauen, und ein paar Minuten später ist er ebenfalls aufgetaucht. Normalerweise ermuntere ich ja alle und jeden, sich die Gezeitentümpel doch einmal etwas genauer anzuschauen, aber ich glaube nicht, dass dieser Typ sich auch nur im Entferntesten für marine Ökosysteme interessierte. Kurz darauf kam Nin, meine wissenschaftliche Mitarbeiterin, dazu, und kaum war sie da, war er plötzlich wie vom Erdboden verschluckt. Bestimmt ganz harmlos, aber es gefiel mir nicht.

Ich setze mich auf das Bett und versuche, mich zu konzentrieren. Meinen verschwundenen Ehemann zu finden hat jetzt oberste Priorität.

Ich schaue aufs Handy. Selten, sehr selten, wenn jemand wirklich Wichtiges gestorben ist, muss Leo mitunter auch mal mitten in der Nacht an den Laptop. Vielleicht ist eine echte Bombe eingeschlagen, vielleicht ist die Queen gestorben oder der Premierminister. Vielleicht musste er in die Redaktion.

Keine Nachrichten von ihm auf dem Handy. Nur meine Google-Suche nach einem Mann, den ich nicht hätte suchen sollen. Das Letzte, was ich getan habe, ehe ich einschlief.

Die Erinnerung an das morgendliche Telefonge-spräch sickert in mein Bewusstsein wie Hochwasser unter einer Tür hindurch. *Ich will doch bloß mit dir reden,* hatte er zu mir gesagt. *Bitte, können wir uns nicht irgendwo treffen, unter vier Augen?*

Ich hatte wortlos aufgelegt.

»Leo?«, flüstere ich. Nichts. »Leo?«, flüstere ich, lauter diesmal. »Ich könnte immer noch Krebs ha-ben! Du kannst mich jetzt nicht verlassen!«

Dann, nach einer kurzen Pause: »Ich liebe dich. Wo bist du?«

Noch immer keine Antwort. Mein Mann ist spur-los verschwunden.

Ich finde ihn schließlich im Gartenschuppen. Vor un-gefähr fünf Jahren hat er sich so über den unzumut-baren Zustand des Hauses geärgert, dass ich jemanden dafür bezahlt habe, den Schuppen zu entrümpeln. Anschließend haben wir ihn gedämmt und ein wet-terfestes Kabel nach draußen verlegt, damit er dort arbeiten kann. Ich habe ein Sofa und einen Teppich und ein Bücherregal hineingestellt und ihm hoch und heilig versprochen, nichts von meinem Kram »zum Aussortieren« hier zwischenzulagern. Leo ist hin und weg gewesen und hat dann prompt wieder vergessen, dass der Schuppen überhaupt existiert.

Nun sitzt er in einer Wolke Zigarettenrauch in seinem vergessenen Heiligtum und hustet.

»Ach herrje«, sage ich und bleibe in der Tür stehen. »Was machst du denn da?«

Kleinlaut guckt er mich an. »Ich rauche eine Notfallzigarette.« Neben ihm liegt eine Schachtel Zigaretten, hastig aufgerissen. Daneben das lange Plastikdings, das wir immer benutzen, um den Gasherd anzuzünden.

Der Hund, der mir nach draußen gefolgt ist, schaut erst Leo an und dann mich, als wolle er sagen: *Aber er raucht doch gar nicht.* »Aber du rauchst doch gar nicht«, sage ich.

»Ich weiß.« Er nimmt den Herdanzünder und drückt auf das Zündknöpfchen. Eine blau-orange Flamme beleuchtet sein Gesicht, müde und verängstigt, und obwohl das Bild mir beinahe das Herz bricht, muss ich lachen. Mein Mann sitzt in seinem Schuppen und raucht eine Notfallzigarette, angezündet mit einem Hausfrauenflammenwerfer.

»Lach nicht«, brummt er und muss selbst ein bisschen lachen. »Ich habe Angst.«

Ich höre auf zu lachen. Wie oft habe ich während meiner Krankheit daran denken müssen, was wohl wäre, wenn ich diesem Mann wegsterben würde, dessen gesamte emotionale Landschaft geformt ist von Verlust. Klar habe ich Angst um mich gehabt, selbstredend, und mir Rubys Kummer vorzustellen ist schier unerträglich, aber in gewisser Hinsicht bereitet Leo mir die größten Sorgen. Die meisten

Menschen sehen meinen Mann vermutlich als stillen, in sich selbst ruhenden Menschen; einen schlagfertigen Kerl, ein helles Köpfchen. Aber das ist nur die eine Seite.

Unsere kleine Familie ist der erste Ort, an dem er sich wirklich zu Hause fühlt.

»Ach, Leo...«, sage ich. »Liebling, kannst du nicht einfach einen Whiskey trinken oder so was?«

Er schüttelt den Kopf. »Ich habe dir versprochen, keinen Alkohol mehr zu trinken. Und daran halte ich mich.«

Ich setze mich zu ihm aufs Sofa, aus dem eine kleine Staubwolke aufsteigt, und halte seine Hand, während er mir kleinlaut gesteht, mit John Keats eine Alibigassirunde zum Kiosk gedreht zu haben, um heimlich Zigaretten zu besorgen. Und Schokolade ohne Kuhmilch habe er auch mitgebracht.

»Ekelhaft war die«, gesteht er mit jämmerlicher Miene.

Ich hake mich bei ihm unter. Er ist so angespannt, als rechne er jeden Augenblick mit einem tödlichen Angriff. »Du brauchst meinetwegen nicht auf Alkohol zu verzichten«, sage ich. »Oder auf Fleisch oder Milchprodukte.« Seine Haare stehen wirr in alle Richtungen ab, außerdem hat er tiefe Ringe unter den Augen und müsste sich dringend mal wieder rasieren, aber, Himmel, er sieht einfach umwerfend aus, dieser Mann.

Ich betrachte ihn und wünschte, ich könnte ihm irgendwie zeigen, wie sehr ich ihn liebe. Wie sehr ich ihn vor dem beschützen möchte, was womöglich mit mir geschieht.

John Keats lässt sich brummend zu Leos Füßen nieder.

»Alles wird gut«, sage ich. »Wir spazieren morgen zu diesem Termin in die Praxis, und Dr. Moru gibt uns die Entwarnung, während du wieder dasitzt und ihn wortlos bezichtigst, in mich verknallt zu sein...«

»... weil es stimmt«, brummt Leo.

»Ist er *nicht*. Jedenfalls wird er mir sagen, dass der Krebs weg ist, und dann können wir endlich weitermachen mit unserem Leben. Wir holen Ruby aus der Kita und gehen mit ihr schaukeln, und dann fahren wir nach Hause und bringen sie ins Bett, und danach gibt es ein schönes Essen und Wein und vielleicht ein bisschen Beischlaf. Alles wird gut.«

Schweigen. »Vielleicht entrümpele ich sogar das Haus«, füge ich hinzu. »Wobei ich mich an deiner Stelle da besser nicht zu früh freuen würde.«

Er betätigt abermals den Anzünder und leuchtet mir mit der Flamme ins Gesicht. Ich streiche ihm mit dem Finger über die Wange, und er zieht mich an sich.

»Es tut mir leid«, sagt er. »Eigentlich war ich ganz zuversichtlich, was deinen Termin morgen angeht, aber dann bist du ins Bett gegangen, und ich...« Er bricht ab.

»Und irgendwie schien es mir grundfalsch, mich mit Milchprodukten oder Whiskey zu trösten«, sagt er schließlich. »Ich habe es dir schließlich versprochen.«

»Vegane Schokolade und Nikotin und sonst gar nichts«, pflichte ich ihm bei. »Wobei du ja nur gesagt hast, dass du darauf verzichtest, wenn es morgen nicht so gut läuft. Heißt das, du weißt was, was ich nicht weiß?«

Er schüttelt den Kopf und lächelt schief. »Nein, Emma, das heißt es nicht. Es heißt, ich mache das … ich weiß auch nicht. Um deiner würdig zu sein.«

Eine Weile sieht er mich nur an, dann küsst er mich. Sein Atem stinkt abscheulich nach Zigarette, aber in diesem kalten Schuppen, unsere Zukunft in den Akten des NHS verschlüsselt, ist mir das gerade schnuppe. Mein Mann ist ein Meisterküsser. Zehn Jahre, und es kribbelt immer noch.

»Ich liebe dich«, sagt er. »Und es tut mir leid, dass ich ausgetickt bin. Das ist nicht gerade hilfreich.«

Ich lehne den Kopf an seine Schulter und merke da erst, wie müde ich bin. Hundemüde, todmüde, so müde, wie ich es zuletzt gewesen bin, als ich in der achten Woche schwanger war und auch mit dem Gesicht auf einer Käsereibe eingeschlafen wäre.

Extreme Erschöpfung, stelle ich fest. Seit ein Assistenzarzt mir vor vier Jahren bedauernd mitteilte, ich hätte da etwas, das sich extranodales MALT-Lymphom nennt, habe ich jede noch so kleine Regung meines Körpers so akribisch wie argwöhnisch beäugt, als sei es einer meiner Meeresorganismen im Labor. Und immer wenn mir etwas Neues oder Ungewöhnliches auffiel, spürte ich, wie sich in meinem Bauch ein kleines klaffendes Loch purer Angst auftat.

Zuerst wurde ich als niedriggradig eingestuft, so niedrig sogar, dass sich aus einer Behandlung keine »klinischen Vorteile« ergäben. Damals standen Leo und ich gerade am Anfang unserer dritten Kinderwunschbehandlung, und vonseiten der behandelnden Ärzte gab es keinerlei Einwände, diese Behandlung fortzusetzen. In einem Jahr würden sie sich alles noch einmal anschauen und dann neu entscheiden.

Ich vertraute den Ärzten, als sie sagten, es gebe keinen Grund, mich gleich zu behandeln. Dass es noch Jahre dauern würde, bis eine Chemotherapie notwendig würde, und eine vierteljährliche Mammografie würde jede noch so kleine Veränderung rechtzeitig erfassen. Aber die Angst saß mir wie ein Betäubungsbolzen im Gehirn. Es kam mir vor, als stünde ich neben mir.

Längst vergessene Gedanken und Gefühle überfielen mich rücklings aus dem Hinterhalt. Nachts lag ich wach, und in meinem Kopf spukten wirre Bilder und Schuldgefühle herum. Unablässig musste ich an meine Zeit an der Uni denken, damals, in meinen Zwanzigern.

Und natürlich an ihn.

Ich träumte lebensechte, fotorealistische Träume über unser Wiedersehen, das Gefühl seiner Haut an meiner, den Duft seiner Haare. Und als mir dann der Gedanke kam: *Ich will ihn anrufen,* verwarf ich ihn nicht gleich wieder.

Diesen Gedanken wurde ich einfach nicht mehr los. *Ich muss ihm sagen, dass ich krank bin. Ich muss ihn sehen.*

Ein paar Tage nach der Diagnose knickte ich ein und rief ihn an.

Die ersten beiden Male trafen wir uns in einem Hotel meilenweit außerhalb Londons, das dritte Mal in einem billigen Schnellrestaurant unweit von Oxford Circus. Zitternd saß ich da, umwabert von einem undurchdringlichen Nebel aus emotionaler Bedürftigkeit und Fruchtbarkeitshormonen, die ich mir jeden Tag selbst spritzen musste. Und jedes Mal versuchte ich mir einzureden, es ginge schon in Ordnung und es käme dabei ja niemand zu Schaden. Es war schlicht und einfach dasselbe Gespräch, das ich schon seit neunzehn Jahren mit mir führte. Aber natürlich ging es nicht in Ordnung. Es gab keine Lösung für uns, bei der wir nicht eine Familie zerstören würden.

Am Ende willigte ich ein, den Kontakt ein weiteres Mal abzubrechen.

Sechs Wochen später hielt ich einen positiven Schwangerschaftstest in der Hand. Ich zeigte ihn

Leo, wir waren beide sprachlos. Am nächsten Tag machte ich noch einen Test und dann noch einen und noch einen, bis ich irgendwann darauf kam, dass so viele Tests unmöglich alle falsch sein konnten. Es ist schon schwer genug, den Kreislauf des Lebens zu begreifen, wenn man jahrelang vergeblich versucht hat, schwanger zu werden, aber mit der Krebsangst im Nacken schien es schier unmöglich.

Das war vor vier Jahren.

Der Krebs blieb eine ganze Weile unverändert, die gesamte Schwangerschaft und die harte erste Zeit als junge Mutter hindurch. Die Röntgenaufnahmen meiner Brust waren unauffällig, und alles andere war, wie es sein sollte. Leo und ich hatten alle Hände voll damit zu tun, ein Neugeborenes zu versorgen, da vergaßen wir gelegentlich, dass ich Blutkrebs hatte.

Aber so konnte es nicht ewig weitergehen. Letztes Jahr dann, Ruby war gerade zwei, fing ich plötzlich an, ganz unerklärlich an Gewicht zu verlieren, und bekam Bauchschmerzen, und nach einer massiven Magenblutung machten sie eine Magenspiegelung. Ein paar Tage später präsentierten sie mir ein Bild eines bösartigen Geschwürs, das sich in meinem Magen eingenistet hatte. »Es ist leider gewachsen«, erklärte Dr. Moru, mein Hämatologe, mir. Sein sonst so sonniges Lächeln war verschwunden, als er mir erklärte, wir hätten es mit einer aggressiven

Form eines Non-Hodgkin-Lymphoms zu tun und keine Zeit mehr zu verschwenden. Ich müsse mich unverzüglich in Behandlung begeben.

»Aber wir wollen doch noch ein zweites Kind«, versuchte ich einzuwenden. Er hob bloß die Hand.

»Über ein Geschwisterchen für Ruby können Sie sich Gedanken machen, wenn Sie dem Tod nicht mehr ins Gesicht starren.«

Er ist normalerweise sonst nicht so streng.

Nun, Monate später, ist die Behandlung endlich abgeschlossen. Wir haben gebetet, gehofft und gebangt, dass ich wieder gesund werde, aber diese elende Müdigkeit… Die macht mir am meisten Angst. Dieser Zug ins Bodenlose, diese stille, tiefe, undurchdringliche Dunkelheit darunter.

Vielleicht bin ich doch kein Survivor.

Leo verriegelt den Schuppen, und wir gehen langsam zurück zum Haus. Der Rasen unter unseren Füßen schmatzt vor Nässe, obwohl es seit Tagen nicht mehr geregnet hat. Es wird bald dämmern.

Wir schließen die Küchentür gegen die Düfte unseres nächtlichen Gartens, und Leo wirft seine Notfallzigaretten in den Mülleimer.

»Versprichst du mir eins?«, frage ich. Er steht vor dem offenen Kühlschrank und beäugt neugierig den Inhalt, auch wenn er längst weiß, was er eigentlich will. Mein Mann würde als Veganer keine Woche überleben.

»Alles.«

»Ach Mensch, Leo, jetzt iss schon den verdammten Schinken!«

Er verzieht das Gesicht und öffnet die Gemüseschublade. »Was soll ich dir versprechen?«, fragt er und kramt dickköpfig im verwelkenden Grünzeug.

»Sollten wir morgen wider Erwarten *wirklich* schlechte Nachrichten bekommen, fängst du auf keinen Fall an, an meinem Nachruf zu schreiben.«

Er richtet sich auf und zieht hastig eine Scheibe Schinken heraus. »Natürlich nicht.« Er dreht den Schinken zu einer labbrigen Zigarre zusammen und fängt an zu mümmeln.

»Womöglich hast ja du das Gefühl, mir das schuldig zu sein. Ich weiß nicht – professionell, persönlich, beides. Aber ich möchte nicht, dass irgendwer über meinen Tod schreibt, solange ich noch am Leben bin. Und du am allerwenigsten.«

»Emma. Darauf würde ich im Traum nicht kommen.«

Ich beobachte ihn eine Weile. »Ganz sicher nicht?«

»Nein!«

Er wirkt ziemlich angefasst. »Entschuldige, Schatz.« Ich setze mich. »Entschuldige. Ich kann mir nur nichts Schlimmeres vorstellen als dich, wie du leise in deine Tastatur heulst und dir ausmalst, ich sei schon hinüber. Das ertrage ich nicht.«

Leo schließt die Kühlschranktür ein wenig zu

heftig. »Schon klar«, sagt er. Er kniet sich vor mich. »Schon klar.«

John Keats guckt uns verunsichert an. Leo streicht mir über die Haare. Er weiß, es ist besser, nichts zu sagen.

Und ich ertappe mich, wie schon so oft in den vergangenen Jahren, bei der Frage, wie er wohl ist, dieser Moment, in dem man stirbt. Wie viel wissen wir darüber; und sollte man dann einfach loslassen? Ich glaube nicht, dass man durch einen Tunnel in ein helles Licht geht, aber ich glaube schon, dass es den Moment gibt, in dem wir wissen, dass es vorbei ist, in dem wir aufhören zu kämpfen.

Und genau da liegt des Pudels Kern: Ich *will* nicht aufhören. Ich will nicht, dass es vorbei ist.

Irgendwann steht Leo auf und legt die ruhige Musik auf, die wir nachts für John laufen lassen. »Und denk nicht mal dran, vor sechs aufzuwachen«, ermahnt er John und gibt ihm seinen Gutenacht-keks.

Dann richtet er sich auf und schaut mich an. »Würde tanzen helfen?«, fragt er.

Leo und ich hatten uns gerade erst kennengelernt, als wir das erste Mal zusammen tanzen gingen. Eigentlich wollten wir bloß im Pub was trinken. Aber aus einem Drink wurden mehrere und daraus dann spätabendliche Spaghetti mit Hackbällchen in einem winzigen italienischen Restaurant gleich um die Ecke von Leos alter Wohnung in Stepney Green und daraus ein paar Gläser Rum in einer Bar voller Zahnmedizinstudenten, die gerade ihr Examen gemacht hatten. Schnell freundeten wir uns mit ihnen an, und die Studenten waren nur allzu bereit, uns ins East End in einen Club in Whitechapel mitzunehmen, wo alle tanzten, als sei das Ende der Welt nahe.

»Ist das okay für dich?«, brüllte er mir ins Ohr. Leo. Fünfunddreißig Jahre alt, bildhübsch und so witzig, auf seine ruhige, treffsichere Art. »Wir können auch irgendwohin gehen, wo es nicht so laut und voll ist, wenn du …?«

»Auf keinen Fall!«, brüllte ich zurück. »Ich bin happy!«

Und das war ich auch. Alles war so unkompliziert mit Leo. *Er* war so unkompliziert. Wachsam vielleicht, weil er in der Vergangenheit verletzt worden war, aber so geradeheraus, dass ich all die anstrengenden Männer bereute, mit denen ich in den Jahren davor angebandelt hatte, mit ihrer Gier nach Aufmerksamkeit, nach Bewunderung, so raumgreifend und laut. Leo schien nichts von mir zu brauchen, nur mich selbst. Ich hielt seine Hand ganz fest. Sie war kühl und verlässlich, sogar in diesem völlig überhitzten Kellergebäude.

Und dann sagte er: *Na schön, tanzen wir.*

»Ich bin ziemlich gut«, warnte er mich, was ich als »Ich bin eine Niete« auffasste. Aber, Himmel, konnte der Mann tanzen! Ich fand immer schon, dass es kaum etwas Anziehenderes gibt als einen Mann, der tanzen kann, und Leo, in schmaler Jeans und T-Shirt, mit Brille und undefinierbarer Frisur, war der Stoff, aus dem Mädchenträume sind. Er bewegte sich durch den Raum, durch die dicht gedrängten Menschen um uns herum, wie ein Fisch im Wasser. Mit offenem Mund schaute ich ihm zu, bis er mich um die Taille fasste, sehr sachlich und bestimmt, und mich über die klebrige Tanzfläche bugsierte, als sei ich ebenfalls eine derart begnadete Tänzerin, dass die Leute alles stehen und liegen ließen, um ihr zuzusehen.

»Ich bin mir sicher, es wird alles gut«, sagt er nun, während wir ganz langsam, ganz leise, in unserer dunklen Küche tanzen. Er klingt müde, aber wild entschlossen. »Was anderes kommt nicht in die Tüte.«

Ehe wir ins Bett gehen, husche ich rasch ins Kinderzimmer und schaue nach Ruby. Zusammengeringelt liegt sie in einer Ecke ihres Bettes, mit dem Gesicht nach unten, einen Arm um Ente gelegt. Ich atmete den Duft meines schlafenden kleinen Mädchens ein, meines Wunderkindes.

Wir hatten die Hoffnung schon aufgegeben, noch

ein eigenes Kind zu bekommen. Drei Jahre des Hoffens und Bangens, unzählige Termine bei Schulmedizinern, Quacksalbern und allem dazwischen. Wir hatten uns jedem nur erdenklichen Test unterzogen, aber niemand konnte mir sagen, warum es nicht klappen wollte mit dem Schwangerwerden. Das Einzige, worauf sich letzten Endes alle irgendwie einigen konnten, war, dass es höchst unwahrscheinlich, wenn nicht gar gänzlich unmöglich für mich war, auf natürlichem Wege ein Kind zu empfangen.

Schließlich nahmen wir eine neue Hypothek auf das Haus auf und zahlten die unverschämt teure neue »Wundermethode«, die Leos Schwägerin bekommen hatte. Und es funktionierte. In einem anderen Teil meines Körpers wuchs ein Krebstumor, aber in meinem Schoß entwickelte sich ein Kind.

Eine zweite Chance, denke ich jetzt und strecke die Hand nach der sachte sich hebenden und senkenden Brust meiner Tochter aus. *Bitte, Dr. Moru, bitte geben Sie mir morgen noch eine zweite Chance, damit ich meinen Mann und meine Tochter lieben kann, wie ich es versprochen habe.*

Wenn alles gut ist, werde ich ihn loslassen. Ganz gleich, wie schwer es auch sein mag, ich werde ihn loslassen.

Drittes Kapitel

Leo

Als Emma endlich schläft, schleiche ich mich zurück in den Schuppen. Ich nehme das Notizbüchlein und halte es zwischen zwei Fingern wie ein schmutziges Wäschestück.

Sie lag goldrichtig: Ich schreibe tatsächlich ihren Nachruf. Sitze in der U-Bahn und kritzele vor mich hin, während wildfremde Menschen mir neugierig über die Schulter spähen. Spätabends, wenn Emma längst im Bett liegt und nur noch ich und John Keats und ein schwarzes Loch nackter Angst übrig sind.

Natürlich kann ich nur zu gut verstehen, warum sie das nicht wollen würde, aber diese Worte sind alles andere als ein Verrat. Sie sind etwas Wunderschönes. Eine Lobpreisung dieser Frau, die ich so sehr und aus ganzem Herzen liebe.

Ich muss dafür sorgen, dass die Welt sie so in Erinnerung behält wie ich. Das ist mir wichtig.

Tu, was immer dir guttut, hatte sie gesagt, als sie

damals die Diagnose bekam. *Such dir eine Selbsthilfe-gruppe, geh zu einem Therapeuten. Das wird für dich genauso schwer wie für mich.*

Also habe ich getan, was ich konnte, und es hat geholfen.

Oben in unserem Bett hat sie im Schlaf eine Hand nach meiner Seite ausgestreckt, als wüsste sie insgeheim längst, was ich im Schilde führe, hätte mir aber schon verziehen.

Viertes Kapitel

Leo

Der nächste Tag

Die Nachricht von Janice Rothschilds Verschwinden kommt als Eilmeldung, kurz nachdem ich die Redaktion betreten habe. Ich schaue mir gerade die Nachrufseiten der Konkurrenz an, als meine Kollegin Sheila die Empfangsklingel auf ihrem Schreibtisch läutet. *Ding!* Das macht sie immer, wenn jemand gestorben ist. Offiziell sind wir selbstredend der einhelligen Meinung, wie furchtbar geschmacklos das doch eigentlich ist, aber insgeheim finden wir es alle irgendwie auch witzig.

Ding! Alle schauen auf. »O nein«, sagt Sheila. Sie starrt auf ihren Monitor. Ganz kurz blickt sie hoch. »Entschuldigt, bitte ignoriert die Bimmel. War ein Reflex. Ach – o Gott.« Sie greift nach ihrem Handy, schaut irgendwas nach, dann wendet sie sich wieder dem Monitor zu.

Wir warten. Sheila macht grundsätzlich alles mit Ruhe und Bedacht.

Schließlich lehnt sie sich zurück und fährt sich mit den Händen übers Gesicht. »Janice Rothschild ist verschwunden. Ist einfach aus der Probe für ein Theaterstück marschiert. Vor drei Tagen. Niemand weiß, wo sie ist.«

Kelvin, der Ressortleiter, fragt: »Was, wirklich? Was für ein Stück denn?«

Selbst Kelvin mit seiner etwas eingeschränkten Gefühlswelt lässt das nicht kalt. Janice Rothschild und ihr Mann Jeremy gehören zu Sheilas engsten Freunden. Kelvin weiß das. *Wir alle* wissen das.

Jonty, ein anderer Kollege mit einer viel zu überbordenden Gefühlswelt, beantwortet Kelvins Frage. »Sie probt gerade für *Alle meine Söhne*«, sagt er. »Ich habe Tickets für die Vorstellung im Juli. O Gott, ich halte das nicht aus – Sheila, sag mir bitte, dass das ein Witz ist?«

Sheila reibt sich die Schläfen und überhört sie beide.

»Wie furchtbar«, sage ich leise. »Sheila, das tut mir wirklich leid.«

Sie überhört auch mich. »Ich … o Gott«, murmelt sie. »Der arme Jeremy. In der Meldung steht, sie habe in letzter Zeit depressiv gewirkt, aber … ich kann das einfach nicht glauben. Sie schien immer so … so *okay*.«

Kelvin fällt wieder ein, wieso wir eigentlich da sind. »Wirklich sehr beunruhigend. Aber – ähm… Haben wir da was auf Halde?«

Soll heißen, einen vorbereiteten Nachruf. Wir haben Tausende davon in unseren Aktenschränken, aber Janice Rothschild, die gerade einmal fünfzig ist und bisher keinerlei Anzeichen für ein baldiges Ableben gezeigt hat, hat es nicht einmal auf unsere »Vorsicht ist die Mutter der Porzellankiste«-Liste geschafft. Sie ist gerade in einer BBC-Verfilmung von *Madame Bovary* zu sehen gewesen, verdammt noch mal – die habe ich mir am Sonntagabend selbst noch angeschaut. Emma ist nach ein paar Minuten unter Protest ins Bett gegangen und hat irgendwas gemurmelt, sie könne Janice Rothschild nicht ausstehen, aber ich finde sie großartig.

Sheila steht auf, um Jeremy anzurufen.

»Das klingt nicht gut«, meint Kelvin. Er ruft in der Bildredaktion an. »Könnten wir bitte eine Fotoauswahl zu Janice Rothschild haben? Vielleicht auch ein paar Fotos von ihr in *Madame Bovary*… Was? Ach Entschuldigung – wir haben gerade erfahren, dass sie verschwunden ist. Ich weiß… furchtbar. Wir wissen auch nicht, warum. Wie dem auch sei, könnten wir auch welche mit ihrem Mann bekommen? Nur für den Fall der Fälle?«

Jeremy Rothschild moderiert die Sendung *Today* auf Radio 4. Er und Janice Rothschild sind seit Urzeiten miteinander verheiratet. Ich gehe auf seinen Twitter-Account, aber in den vergangenen zweiundsiebzig Stunden hat er rein gar nichts gepostet. Alle anderen Kollegen in der Nachrufredaktion machen genau dasselbe. Wie auf Kommando gehen wir auf Janice' Twitter-Account, auf dem seit drei Wochen Schweigen im Walde herrscht, und Jonty steht auf und stapft in die Küche, um Tee zu kochen. »Sie ist einfach großartig«, brummt er aufgebracht. »Ich ertrage es nicht, wenn sie sich etwas angetan hat.«

Ich setze mir die Kopfhörer auf, weil ich das Gerede der Kollegen nicht mehr aushalte, und lese ein paar Minuten alles unter dem Hashtag #JaniceRothschild – die Meldung ist wirklich brandaktuell, gerade einmal fünf Minuten sind die ersten Tweets alt. Ich sehe mir einen fast schon schmerzlich komischen Clip von ihr als Gaststar bei *Ab Fab* an und einen sehr rührenden Beitrag, wie sie für Sport Relief ihre schreckliche Höhenangst überwindet und für den guten Zweck eine steile Felswand hinaufklettert. Oben angekommen sind alle in Tränen aufgelöst, einschließlich des Kameramanns.

Keiner dieser frühen Tweeter scheint auch nur die leiseste Ahnung zu haben, was wohl hinter ihrem Verschwinden stecken könnte. Rasch überfliege ich unser Archiv und finde nur einen einzigen möglichen Anhaltspunkt: ein Foto, neunzehn Jahre alt, aufgenommen, als sie wenige Wochen nach der Geburt ihres Sohnes gerade im Begriff war, eine psychiatrische Klinik zu verlassen. Seitdem nichts mehr. Sie ist eine dieser gnadenlos witzigen, gut gelaunten Frohnaturen, wie man sie sich als beste Freundin wünscht, wenn man im Fernsehen sieht, wie sie sich mit Graham Norton kabbelt. Aber ich schätze, heutzutage wissen wir, dass psychische Probleme sich auch hinter der sonnigsten Fassade verbergen können.

Sheila kehrt mit einer großen Tüte Weingummis an ihren Schreibtisch zurück. Sie sagt, sie hat Jeremy noch nicht erreichen können. Sie bietet niemandem etwas von den Weingummis an, sondern stopft sie sich nur mechanisch in den Mund.

»Bittet mich bloß nicht, einen Nachruf auf sie zu schreiben«, sagt sie nach einer Weile. »Ich glaube nicht an einen Suizid. Ich will damit nichts zu schaffen haben.«

»Aber du kennst sie doch so gut«, hakt Kelvin nach kurzem Schweigen vorsichtig nach. »Das würde sicher ein schöner persönlicher Artikel.«

»Und genau deshalb will ich es nicht machen«, gibt Sheila spitz zurück. »Ich möchte eine kerngesunde, sehr liebe Freundin nicht zum Tode verurteilen.«

Kelvin nickt zustimmend. Er ist der Ressortleiter, und ich bin sein Stellvertreter, aber wir alle wissen, dass in dieser Redaktion eigentlich alles nach Sheilas Pfeife tanzt.

Kelvin gibt mir den Nachruf, und ich fange an zu schreiben. Ich weiß, meine Kollegen bei den anderen Zeitungen machen gerade genau dasselbe. Wir arbeiten alle gegen die Zeit und vergewissern uns zwischendurch immer wieder, ob die Leiche schon gefunden wurde.

Ich versuche, nicht daran zu denken, was Sheila damit gemeint hat, ihre Freundin nicht zum Tode »verurteilen« zu wollen. Habe ich das getan, mit Emmas Nachruf?

In der Nachrichtenredaktion läuft der Fernseher, ein Sprecher der Metropolitan Police bestätigt, dass sie nach einer Frau Mitte fünfzig fahnden. Dann kommt ein Schauspieler, der keinen Schimmer hat, wo Janice steckt, und weitschweifig erklärt, dass er keinen Schimmer hat, wo Janice steckt.

Sheila stopft sich weiter ununterbrochen Weingummis in den Mund und verschickt dabei eine Textnachricht nach der anderen, bis sie schließlich erklärt, sie müsse kurz raus. »Ich muss irgendwohin, wo ich um diese Zeit schon einen Brandy bekomme«, erklärt sie. »Die ersten Bekloppten mailen schon ihre Amateurnachrufe auf Janice.«

Die Leute wollen mir meist nicht glauben, wenn ich ihnen sage, dass unsere Redaktion die lustigste im ganzen Haus ist und unsere Nachbarn sich regelmäßig über das laute Gelächter beschweren. Aber wenn man mal kurz darüber nachdenkt, ist es eigentlich ganz logisch. Nachrichten und Politik sind beständig ernsthafte, eher deprimierende Gebiete, wohingegen wir unseren Tag damit verbringen, außergewöhnliche Persönlichkeiten zu feiern. Das Geschäft eines Nachrufschreibers ist das Leben, nicht der Tod. Ich konzentriere mich immer auf das Porträt, das ich zu zeichnen versuche: Farben, Licht und Schatten, Strukturen. Natürlich ist es eine traurige Angelegenheit, aber es hat eben auch etwas Tröstliches. Selbst einen Nachruf auf Halde zu schreiben hat etwas Friedliches, wenn der Betreffende auf ein langes Leben zurückblicken kann.

Aber ein Vorabnachruf wie dieser – ein tragischer Verkehrsunfall mit einem Heer an Pressevertretern, die vor dem Krankenhaus ihr Lager aufschlagen, eine unerwartete Krebsdiagnose oder ein unerklärtes Verschwinden wie jetzt im Fall von Janice Rothschild –, diese Vorbereitung auf einen Tod, der noch lange nicht hätte sein sollen, das ist das Schlimmste an meinem Job. Vor allem wenn man gleich mit der eigenen Frau zum Termin beim Hämatologen muss.

Gegen Mittag endlich meldet Jeremy sich bei Sheila. Rasch springt sie vom Schreibtisch auf und bleibt eine ganze Weile verschwunden.

»Nichts Neues«, sagt sie, als sie schließlich wiederkommt. »Einer ihrer Schauspielkollegen hat die Geschichte ausgeplaudert. Sich im Pub verplappert – als hätte er sich nicht denken können, dass sich das wie ein Lauffeuer in ganz London verbreitet. Die Presse lauert wie die Aasgeier vor Jeremys Haustür. Er ist außer sich.«

Ich persönlich würde mich lieber vor einen Bus werfen, als es mir mit Jeremy Rothschild zu verscherzen. Er ist so etwas wie ein Nationalheiligtum, das stimmt schon, aber seine Fähigkeit, Politiker unbarmherzig auszuweiden, ist echt zum Gruseln. Außerdem hat er einmal einem Paparazzo einen Kopfstoß verpasst – wobei ich das durchaus nachvollziehen kann.

»Es gibt nichts Neues«, muss Sheila gestehen, als sie sich hinsetzt. »Vor drei Tagen ist Janice wie immer aus dem Haus und dann zur Arbeit gegangen. Sie proben wohl im Cecil Sharp House in Camden, und sonst wird sie immer von einem Wagen abgeholt, aber an dem Tag wollte sie unbedingt selbst mit dem Auto fahren. Die Probe lief bestens, es schien ihr gut zu gehen – und dann ist sie aufs Klo gegangen und nicht mehr wiedergekommen. Das Auto hat wohl erst eine Parkkralle verpasst bekommen und ist dann abgeschleppt worden. Keinerlei Bilder von ihr in der U-Bahn.«

»Aber wir reden hier von Camden«, wirft Jonty ein. »Da muss es doch von Überwachungskameras nur so wimmeln?«

»Das war in Primrose Hill, nicht weit von Regent's Park. Da gibt's so was nicht.«

Kelvin bedenkt mich mit einem vielsagenden Blick, um sich zu vergewissern, dass der Nachruf in der Schublade liegt. Widerstrebend nicke ich. Sheila entgeht das alles nicht, aber sie sagt keinen Ton. Sie weiß, was wir zu tun haben.

»Sie finden sie schon«, sagt sie. »Und alles wird wieder gut. Ich glaube nicht an diese Depressionsstory. Vor drei Wochen war ich noch zum Abendessen bei ihnen. Sie hat ein Gläschen zu viel getrunken, genau wie ich. Wir haben bis um zwei Uhr morgens Queen-Songs gegrölt. Es ging ihr blendend.«

»Keine Hinweise auf Probleme in der Partnerschaft?«, erkundigt Jonty sich. »Denkst du nicht, sie hat ihn vielleicht einfach sitzen gelassen?«

»Nein, das denke ich nicht«, erwidert sie, und in ihrer Stimme schwingt eine unmissverständliche Warnung mit.

Die Jonty geflissentlich überhört. »Es gibt also *rein gar nichts* Ungewöhnliches?«

»Nichts«, antwortet sie kurz angebunden, und damit ist die Sache für sie beendet. Ich sehe zu, wie sie ihren Schreibtisch aufräumt, die restlichen Weingummis in den Abfall wirft und dann die Schultern hochzieht und wieder fallen lässt. Was bedeutet, dass sie sämtliche Gefühle, die sie im Fall Janice wo-

55

möglich hat, erst einmal beiseiteschiebt, bis sie Genaueres weiß. Sie gehört zu den wenigen Menschen, die ich kenne, die so etwas wirklich können.

Sheila ist zwar bloß rund zehn Jahre älter als ich, hat aber in ihrem Leben bereits hochrangige Positionen sowohl beim MI5 als auch im diplomatischen Dienst bekleidet. Zu meiner großen Freude hat sie mich damals, vor ein paar Jahren, als sie zu unserer Redaktion gestoßen ist, zu ihrem Saufkumpan auserkoren, und unsere Mittagspausen im Plumbers Arms sind bis heute das unumstrittene Highlight meines Arbeitstags. Sheila leert drei Pints in einer Stunde und ist immer noch die Redegewandteste weit und breit.

Niemand weiß so recht, wieso, weshalb, warum sie hier bei uns arbeitet, aber irgendwie glaube ich fest daran, dass sie eines schönen Tages genauso klammheimlich und spurlos verschwinden wird, wie sie gekommen ist. Eines Morgens wird jemand anderer an ihrem Schreibtisch sitzen, und ich werde mir immer ausmalen, was sie wohl gerade macht. Ich würde Geld darauf verwetten, dass sie der Kopf eines milliardenschweren Drogenkartells ist. Sich in einem gepanzerten Humvee herumchauffieren lässt, mit Präsidenten und Monarchen im Schlepptau.

»Übrigens, ich habe Emma gesehen«, sagt sie jetzt, als wir wieder an unsere Rechner gehen. »Gestern.«

»Ach ja?« Sheila hat die Angewohnheit, vollkommen zusammenhanglos von einem Thema zum nächsten zu springen. Bei Redaktionssitzungen können wir ihr mit schöner Regelmäßigkeit nach kurzer Zeit schon nicht mehr folgen.

»Sie wirkte ganz aufgewühlt. Es geht mich natürlich nichts an, aber ich hoffe, bei euch ist alles in Ordnung?«

Emma hat das mit keinem Wort erwähnt.

»Bestimmt ist sie ein bisschen nervös wegen der Testergebnisse«, entgegne ich, weil ich nicht will, dass eine meiner Arbeitskolleginnen mehr über meine Frau weiß als ich selbst. »Wir haben heute Nachmittag einen Termin bei ihrem Hämatologen.«

Gerade will ich Emma eine Nachricht schreiben, ob alles okay ist, als Sheila sich noch einmal zu Wort meldet: »Das war in Waterloo Station.«

»Ja. Sie ist zwei Tage die Woche in Plymouth«, sage ich, ohne aufzuschauen. Sheila weiß das. Wir haben uns gerade vor ein paar Tagen noch über den langen Arbeitsweg meiner Frau unterhalten.

»Darum habe ich mich auch so gewundert, sie in Waterloo Station zu sehen – die Züge nach Plymouth fahren doch von Paddington?«

Ich höre auf zu tippen und denke kurz nach. »Da hast du wohl recht«, sage ich schließlich. »Gestern ist sie nach Dorset gefahren, Feldforschung. Darum wohl Waterloo.«

Eigenartig, Emma hatte gestern Abend gar nichts

davon erzählt, und ich hatte glatt vergessen nach-zufragen.

»Ach, wie schön«, sagt Sheila. Ihre Stimme klingt jetzt wieder ganz nett, als säßen wir beide zusammen im Pub. »Wo denn in Dorset? Ich liebe die Küste dort.«

Diese Fragerei ist nicht nur nervig, sie sieht Sheila auch so gar nicht ähnlich. »Wo auch immer dieser Freund von ihr gerade Phytoplanktonproben sammelt«, antworte ich. »Ich weiß nicht mehr, wo genau.«

»Vermutlich Poole Harbour«, sagt Sheila nickend.

Was? Wieso kennt sie sich denn jetzt auch noch mit *Phytoplankton* aus, verdammt?

»Es war am späteren Vormittag«, fügt sie hinzu. Sie schenkt mir ein eigenartiges – beinah mitleidiges – Lächeln und wendet sich dann wieder ihrem Monitor zu.

Jonty schaut von seinem Schreibtisch auf. Er hat alles mitbekommen.

Worauf will sie hinaus? Sheila und ich haben im Pub schon öfter über Emma geredet, wie man halt über die Familie redet, aber das hier ist anders. Ich habe das Gefühl, gerade einen flüchtigen Eindruck davon zu bekommen, wie sie als Vernehmungsbeamtin gewesen sein muss (auf keinen Fall hat sie beim MI5 einen drögen Schreibtischjob gemacht). Sie ist höflich und ruhig, aber unterschwellig schwingt etwas mit, das mir weder gefällt noch verstehe ich es.

»Bestimmt mussten sie auf die Flut warten«, sage ich schließlich.

Ich erwähne nicht, dass Emma es in letzter Zeit nicht so hat mit der Pünktlichkeit – manchmal ein frühes Warnzeichen ihrer einsetzenden Depressionen –, aber das spielt keine Rolle. Das Gespräch scheint hiermit beendet.

Um drei Uhr stehe ich auf und mache mich auf den Weg ins Krankenhaus, und niemand weiß so recht, was sagen. »Alles Gute«, ruft Sheila mir im Hinausgehen nach.

Fünftes Kapitel

Leo

Ich kann es nicht ausstehen, wenn die Leute immer über das britische Gesundheitssystem meckern, aber während wir vierzig, fünfzig, fünfundsechzig Minuten vor Dr. Morus Sprechzimmer sitzen und warten, warten, warten, endlich hineingerufen zu werden, beginne ich vor Wut langsam zu brodeln wie ein giftiges Gasgemisch. Ich versuche, mich mit dem Nachruf auf einen ehemaligen Abgeordneten zu beschäftigen, eingeschickt von einem unserer Mitarbeiter aus Westminster, aber ich bin viel zu fahrig und fertig, um mich zu konzentrieren. Über den stummen Fernseher, der von der Decke des Wartezimmers hängt, flimmern Aufnahmen vom Haus der Rothschilds, einem hübschen alten Reihenhaus in Highbury, die zeigen, dass dort rein gar nichts geschieht.

Emma sitzt ganz still neben mir und starrt reglos auf ihr Handy.

Inzwischen sind ihre Haare gut sechs Zentimeter

lang. Sie hat immer recht kurze Haare gehabt, kurz und lockig umspielten sie ihr Kinn, aber es werden wohl noch Monate vergehen, bis sie wieder so lang sind. Heute trägt sie einen schmalen schwarzen Clip in den Haaren. Selbst nach Monaten hochgiftiger Medikamente und Mörderstrahlen, die auf ihren Körper abgefeuert wurden, nach endlosen Bluttests und Tränen und Telefonanrufen und stiller Todesangst ist sie immer noch bildschön.

Ich beuge mich zu ihr hinüber, um ihr das zu sagen, aber mein Blick bleibt an ihrem Telefon hängen.

»Was zum *Teufel*?«, flüstere ich aufgebracht.

Sie ist doch tatsächlich gerade auf Amazon und sieht sich Särge an.

»Ich möchte einen geflochtenen Weidensarg«, flüstert sie zurück. »Wenn ich sterbe. Und ein naturnahes Begräbnis.«

Wie gelähmt starre ich auf das Display. Der Weidensarg, den sie sich gerade anschaut, geziert von einem bunten Wildblumenstrauß, kostet knapp fünfhundert Pfund und steht in einem sonnigen Wald voller wild wuchernder Glockenblumen.

»Emma, *nein*!«, sage ich. »Hör sofort auf damit.«

»Das Futter ist aus Biobaumwolle«, erklärt sie zu ihrer Verteidigung. »Aber es wird alles gut. Ich sehe mich bloß ein bisschen um.«

»Süße«, wispere ich und reibe mir die Stirn. »Bitte nicht.«

»Wir werden alle irgendwann sterben, Leo. Besser, man hat seine Schäfchen im Trockenen.«

»Ich … Okay. Tu, was du tun musst.«

Ein heißes Loch öffnet sich in meiner Brust. Ich könnte sie verlieren. Ich könnte sie wirklich verlieren.

Emma, die vermutlich merkt, was das mit mir macht, legt das Handy beiseite und schiebt ihre Hand in meine, aber ich halte das nicht mehr aus. Erbost marschiere ich zur Anmeldung, und just in dem Moment wird ihr Name aufgerufen.

Sechstes Kapitel

Emma

Das Problem dabei, den eigenen Ehemann anzulügen, ist, dass es alles und gar nichts verändert.

Ich liebe Leo. Keine Teilzeit- oder Schönwetterliebe, nein, die große wahre Liebe. Eine unverzichtbare Liebe, so sehr Teil meiner biologischen Grundfunktionen wie Leber und Milz. Ich liebe seine Leoismen: die eigenartigen kleinen Snacks, die er sich zusammenstellt, die Sorgfalt, mit der er seine Wäsche faltet, die vielen Stunden, die er mit den erfolglosen Versuchen zubringt, die ersten Takte von Bruce Hornbys »The Way It Is« auf dem alten Klavier meiner Großmutter zu klimpern. Wie er mich im Bett ansieht, mit seiner langen, schmalen Nase, und sich versaute Limericks ausdenkt, ganz ernst, als verlese er den Seewetterbericht.

Ich glaube, man kann ohne Übertreibung behaupten, dass dieser Mann mir das Leben gerettet hat.

Als ich mit Ruby schwanger war, warnten uns

viele Freunde, ein Kind werde unsere große Liebesgeschichte nach und nach zerstören. Was sie damit
meinten, verstand ich erst, als unsere Tochter geboren wurde: das Chaos und der Schlafmangel, das Gefühl, nicht mehr hinterherzukommen – mit allem –,
vernichteten jede Hoffnung auf ein Gespräch unter
Erwachsenen oder irgendeine Form von Intimität,
aber nach diesem ersten Jahr wusste ich noch be-
stimmter als zuvor, dass Leo das Beste war, was mir
je hätte passieren können. Wir hatten eine Krebsdiagnose durchgestanden, ein Schwangerschafts-
wunder, eine schlimme postnatale Depression, und
doch waren wir immer noch da, einander still liebend, einträchtig gemeinsam unseren Weg gehend.
Wenn wir vor Erschöpfung nicht gerade im Stehen
einschliefen, lachten wir abends vor dem Einschlafen im Bett immer noch, bis uns der Bauch wehtat.
Wir küssten uns immer noch wie Frischverliebte.

Wie gerne wollte ich ihm alles sagen. Es riskieren,
dass er erfuhr, mit was für einer Frau er da verheiratet war und was ich getan hatte.

Doch der Grund, warum ich das nicht kann, ist
heute noch derselbe wie an dem Tag, als wir uns
kennenlernten. Leo würde das niemals, *könnte* das
niemals hinnehmen. Es gibt vielleicht eine Handvoll Männer, die das könnten, aber mein Mann gehört nicht dazu.

Und selbst wenn er ein anderer wäre, einer mit

einer unkomplizierteren Vorgeschichte – einer, der mir verzeihen könnte, was ich getan habe –, nie würde er mir die Tricks und Lügen verzeihen, die es brauchte, um das alles zu vertuschen. Leo wurde vom Tag seiner Geburt an belogen, und Unehrlichkeit in jedweder Form ist für ihn unerträglich und unverzeihlich. Voriges Jahr hat er unser Kindermädchen hochkant vor die Tür gesetzt, weil sie behauptet hatte, mit Ruby im Park gewesen zu sein, während sie in Wahrheit zu Hause bei ihrem Freund gewesen waren. Als ich abends nach Hause kam, hatte er bereits einen Personaldisponenten konsultiert und sich bestätigen lassen, dass das Verhalten des Kindermädchens eine grobe Verletzung der Aufsichtspflicht darstellte, und sie dann umstandslos gefeuert.

Und recht hatte er. Wir konnten unser Kind schließlich nicht in die Obhut eines Menschen geben, dem wir nicht vertrauten. Aber die schiere Heftigkeit seines Zorns zerschmetterte alle Hoffnung, die ich vielleicht noch gehabt hatte, ihm eines Tages doch noch die Wahrheit gestehen zu können.

Tatsache ist: Wenn ich schon unfähig bin, mir zu vergeben, wird Leo es erst recht nicht können.

Dr. Moru sagt es uns, noch ehe wir durch die Tür gekommen sind.

»Gute Nachrichten!«, verkündet er strahlend und schließt mich herzlich in die Arme.

»Es ist alles gut? *Es ist alles gut?*«

»Alles ist gut. Zumindest fürs Erste.«

Leo flüstert: »Gott sei Dank«, pflückt Dr. Moru von mir ab und zieht mich fest in seine Arme.

»Der PET-Scan ist ohne Befund, und die Biopsie zur Stadienbestimmung des Tumors sieht auch gut aus. Genau wie Ihre Blutwerte«, sagt Dr. Moru und sitzt ganz ruhig an seinem Schreibtisch, als wäre er nicht gerade einer seiner Patientinnen stürmisch um den Hals gefallen. Er beginnt, über die kommenden Monate zu reden, muss aber schließlich aufhören, weil Leo ununterbrochen Taschentücher aus der bereitgestellten Schachtel zieht, um sich damit die Augenwinkel zu tupfen.

Ich halte die Hand meines Mannes, während er um Fassung ringt. Ich weiß natürlich, dass er sich Sorgen gemacht hat, aber das schiere Ausmaß seiner Angst, das jetzt sichtbar wird, ist kaum auszuhalten. »Es tut mir leid«, sagt er gefasst, als liefen ihm die Tränen nicht gerade in Strömen über die Wangen. »Ignoriert mich einfach.«

Ich solle jedes halbe Jahr zur Nachuntersuchung kommen, sagt Dr. Moru, aber fürs Erste dürften wir optimistisch in die Zukunft schauen.

»Sie sollten ein Statement dazu auf Ihrer Face-book-Seite posten«, meint er fröhlich und gesteht damit, dass er auf meiner Seite gewesen ist. »Ihre Fans werden außer sich sein vor Begeisterung!«

In den Jahren nach meiner Diagnose habe ich die Memoiren unendlich vieler Krebspatienten gelesen. Überlebensgeschichten mit sonnigem Happy End die einen, abrupt abbrechende Geschichten mit dem Nachwort eines trauernden Hinterbliebenen die anderen. Manche erzählen von Heilung und innerem Wachstum, andere von Kummer und Leid, aber jeder Bericht, jeder einzelne, erzählte von der Liebe. Darüber, dass wir uns unabdingbar, so wir uns dem Ende unseres Lebens nähern, jenen Dingen und Menschen zuwenden, die uns am meisten bedeuten, um dem Tod mutig und gelassen entgegentreten zu können.

Meine eigene Reise hat vor vier Jahren mit einer Obsession begonnen, die meine Ehe zerstören könnte. Sie hat sich um die Angst vor Entdeckung gedreht und um tief empfundene Reue. Eine Geschichte, die ich niemals zu Papier bringen könnte.

Wir fahren nicht gleich zu Rubys Kita, sondern legen zuerst einen kleinen Zwischenstopp am South End Green ein, wo wir an der Theke eines lauschigen Pubs ein Glas Wein trinken. Ich bestelle eine Käseplatte dazu, und wir machen uns mit einer stummen Entschlossenheit darüber her, die für Außenstehende sicher verstörend ist.

Ich muss die ganze Zeit grinsen, während ich mir vorstelle, wie ein winzig kleiner Teil von mir irgendwo auf einem Gewebeprobenträger archiviert ist, frei von invasiven Zellen, in eine Datenbank eingetragen und längst schon vergessen. Selbst in den wunderschönen zellbiologischen Bildgebungsverfahren, die wir heutzutage haben, sind Lymphknotenkrebszellen einfach nur furchterregend.

»Was willst du jetzt machen?«, fragt Leo und strahlt mich an. Er ist so glücklich. Ich bin so glücklich.

Ich frage, was er damit meint.

»Du hast gesagt, du hast tausend Pläne, wenn du den Arschloch-Krebs besiegst. Tausend Dinge, die du dann machen willst.«

Ich denke eine Weile darüber nach. Eigentlich will ich nichts anderes, als ihn und Ruby aus ganzem Herzen zu lieben.

Das sage ich ihm.

Er küsst mich, und dann küsst er mich noch mal. Ich bemerke eine ältere Dame an einem Ecktisch, die uns zulächelt. Ich lächele zurück. *Das ist mein Mann*, möchte ich ihr am liebsten sagen. Ältere Damen lächeln Leo ständig zu. Ich glaube, das liegt an seinen unverschämt langen Wimpern. Oder vielleicht auch daran, wie seine Mundwinkel sich nach oben kräuseln, wenn er versucht, sich ein Grinsen zu verkneifen.

»Der Plan gefällt mir«, sagt er. »Aber was ist mit deinen Krabben? Wolltest du die nicht endlich dingfest machen?«

Ich lächle. »Klar! Ich fahre einfach nach Northumberland und mache die Kolonie ausfindig, jetzt, wo ich nicht mehr ständig im Krankenhaus sein muss. Ein Klacks!«

»Ach bitte«, erwidert er. Er winkt dem Barmann, uns noch zwei Gläser Wein zu bringen.

Vor beinahe zwanzig Jahren, als junge Studentin, habe ich an einem Strand in Northumberland eine tote Krabbe gefunden. Ich habe sie fotografiert, weil mir gleich klar war, was für ein ungewöhnlicher Fund das war, aber der Strandspaziergang nahm eine unerwartete Wendung, und der Tag endete für mich im Krankenhaus. Fünf Jahre vergingen, bis ich zufällig über den Film stolperte und ihn entwickeln ließ.

Als ich das Foto schließlich in der Hand hielt, studierte ich Meeresbiologie an der Plymouth University. Ich ging damit schnurstracks zu einer meiner Tutorinnen, einer Expertin für Zehnfußkrebse.

Sie schaute es sich eine ganze Weile an, dann setzte sie die Brille ab und sagte nur: »Wow.«

Es gab da eine Grapsidae-Art, in Japan heimisch, sagte sie mir, die wahrscheinlich im Ballastwasser eines japanischen Containerschiffs nach Europa eingeschleppt worden war. Die erste wurde 1993 in La Rochelle entdeckt. In den darauffolgenden Jahren verbreitete sie sich entlang der französischen und spanischen Küste und drang schließlich sogar in skandinavische Gewässer vor.

»Aber in Großbritannien ist sie bisher nicht verbreitet«, erklärte sie mir. »Es sei denn, du hast vor fünf Jahren das erste Exemplar entdeckt.«

Die Krabbenart hieß Hemigrapsus takanoi. »Aber diese hier passt nicht so recht auf die Beschreibung«, sagte sie. »Sie hat einige eher ungewöhnliche Merkmale.« Sie zeigte mir, dass die Hemigrapsus takanoi eigentlich kleine Borsten – oder Setae – auf den Scheren hat und versprengte Farbpunkte auf dem Panzer. Außerdem hatte sie drei deutlich erkennbare Grate.

»Aber deine hat vier! Schau mal! Vier Grate! Bemerkenswert! Die Borsten bedecken die gesamte Chelae, und die Flecken sind rot, so was habe ich noch nie gesehen. Das könnte ein bedeutender Fund sein, Emma.«

Ich wurde in zahllosen E-Mails zwischen meiner Tutorin und Dekapoden-Kollegen um die ganze Welt ins cc gesetzt. Vieles von dem, was da gesagt wurde, verstand ich nicht, aber in einem schienen sich alle einig zu sein: Es war gut möglich, dass ich unwissentlich einen neuen Phänotyp von Hemigrapsus takanoi entdeckt hatte. Einen Phänotyp, so deutlich anders, dass er vermutlich auf bestem Wege schien, sich zu einer eigenen Art zu entwickeln.

Ein ganz schön dickes Ding für eine Masterstudentin.

Kurze Zeit später fuhr ich wieder nach Northumberland, an denselben Küstenabschnitt, und weil ich nichts fand, kehrte ich wieder und wieder dorthin zurück. Im Laufe der Jahre bin ich bestimmt an die vierzig, vielleicht auch fünfzig Mal dort gewesen, um die Strände von Alnmouth, Boulmer und viele weitere mehr abzugrasen.

Meine Tutorin war überzeugt davon, dass, wenn dies wirklich eine neue Spezies war, sie sich nur in absoluter Isolation hätte entwickeln können, fernab der anderen Hemigrapsus-takanoi-Populationen in der Nordsee. Also durchkämmte ich auch die entlegensten Buchten – jeden wellengepeitschten Felsvorsprung, jeden unzugänglichen Steinstrand zwischen High Hauxley und Berwick. Aber alles umsonst.

Ich fahre auch heute noch gelegentlich dorthin. Wenn meine Stimmung im Keller ist, mache ich mich auf die Suche – und Leo hat mich darin immer unterstützt. Ich miete mich in einem winzigen Bed & Breakfast in Alnmouth ein und laufe und suche und laufe und suche. Außerdem führe ich im Labor in Plymouth eine eigene Studie durch, ich weigere mich standhaft aufzugeben. Ich werde »meine Krabbe«, wie Leo immer sagt, finden. Eines schönen Tages.

»Du hast recht«, sage ich, spieße das letzte Stückchen Tunworth auf und biete es Leo an, der es mit

71

einem Happs vom Messer nimmt. »Es ist ewig her, seit ich das letzte Mal da war. Lass uns mal schauen, wann ich wieder hinfahren könnte.«

Ich esse den letzten Cracker, obwohl ich schon pappsatt bin. »Vielleicht könnten wir ja auch alle zusammen hinfahren. Ruby wären meine endlosen Suchspaziergänge sicher zu viel, aber ihr beide könntet doch lustige Strandsachen machen, während ich unterwegs bin.«

Leo schluckt den Happen Käse herunter und küsst seine Fingerspitzen. »Klingt herrlich. Das sollten wir wirklich machen. Ach, weißt du was, fahren wir doch gleich nächste Woche! Ich muss mir ohnehin noch ein bisschen Urlaub nehmen.«

»Ich… Na ja, vielleicht. Ich muss das erst mit der Arbeit klären. Aber wenn nicht gleich nächste Woche, dann ganz bald.«

Den kurzen Panikanfall meinerseits bemerkt er nicht. Dazu ist er viel zu glücklich.

Mit Käse vollgefuttert holen wir unser kleines Mädchen schließlich aus der Betreuung ab und gehen mit ihr zu unserem sommerlichen Lieblingsort oben auf der Heide, wo London sich am staubigen Horizont verliert und das lange Gras endlose Verlockungen für die unbändige Abenteuerlust einer Dreijährigen bietet. Ich erkläre Ruby, dass ich nicht mehr ins Krankenhaus gehen und meine besondere Medizin nehmen muss, und sie sagt mir, sie sei ein Käfer namens Mr Cloris.

Leo schießt unentwegt Fotos von uns, aber das macht er schon, seit ich damals die Diagnose bekommen habe. In meiner Lymphom-Facebook-Gruppe beschweren sich alle immer, ihre Familien würden sie fast zwanghaft überall und ständig fotografieren. Als verstünden wir ihre Beweggründe nicht. Aber was sollten wir auch dagegen sagen? Wenn wir sterben, bleiben ihnen nur noch die Erinnerungen.

Als Ruby schläft, trinken wir im Garten noch ein paar Gläser Wein, und Leo sagt mir, wie glücklich er ist. Ich fühle mich quicklebendig und geliebt und ziemlich hübsch dazu, was ziemlich sicher darauf hindeutet, wie angeglimmert ich bin. Leo klampft leise auf dem Banjo, bis ihm irgendwann fast die Augen zufallen vor Erschöpfung. Um fünf vor zehn liegt er mit dem Gesicht nach unten im Gras und schläft. So was passiert öfter.

Ich schreibe meinen Freunden und Kollegen, Leos Bruder und Eltern, meiner alten Mitbewohnerin und guten Freundin Jill. Ich lege mich auf den Rücken und schaue hinauf in den Himmel, folge dem fahlen orangen Schein des Lichtersmogs der Großstadt, bis er vom tintenschwarzen All verschluckt wird, dem Juwelenfunkeln einzelner Sterne, bevor sie hinter anderen Sternenschleiern verschwinden. Erleichterte Antworten trudeln pingend auf meinem Handy ein. Noch mehr Sterne erscheinen am Himmel, weit, weit weg; verschwommene Lichtflecke.

Ich muss an meinen Vater denken, der mir einmal den großen Wagen gezeigt hat, kurz bevor er mit seiner Marineeinheit zu einem Rettungseinsatz nach einem Vulkanausbruch abkommandiert worden ist. Nach seiner Rückkehr erzählte er mir zwar, die Mission sei erfolgreich gewesen, schien sich aber nicht weiter unseren astronomischen Studien widmen zu wollen. Oft starrte er den ganzen Abend in den Himmel, reglos, wortlos.

Ich gehe zu Ruby, sehe nach, ob sie noch atmet, und gehe mit einer Decke für Leo zurück in den Garten. Das habe ich am Abend unserer Hochzeit auch machen müssen, nachdem ich ihn um 22:35 Uhr schlafend in einer Ecke entdeckt hatte.

Erst dann, als alles getan ist, nehme ich all meinen Mut zusammen und denke über den Anruf nach.

Er hat mich gestern in der Waterloo Station überrumpelt, den Kaffee noch ungetrunken in der Hand, während die Pendler mich umspülten. Er klang ganz weit weg, als riefe er von einem Berg an, Tausende Meilen entfernt.

Ich bat ihn, es noch einmal zu sagen, aber er wusste, ich hatte es ganz genau gehört. Ich wollte nur nicht wahrhaben, was er gesagt hatte.

Ich schaffte es nicht aus Waterloo Station hinaus,

geschweige denn bis nach Poole Harbour. Die Abfahrttafel blätterte weiter und weiter, den ganzen Morgen hindurch, der Strom der Pendler verebbte, und ich stand da, mittendrin, mit pochendem Herzen, besorgt, verängstigt. Besorgt, verängstigt.

Erst mit Jills Hilfe schaffte ich es hinaus.

»Das könnte einen Stein ins Rollen bringen«, sagte sie mir am Telefon. »Du solltest auf das Schlimmste gefasst sein.«

Also ging ich rasch nach Hause, ehe Leo von der Arbeit kam, und leerte den Ordner mit meinen persönlichen Unterlagen.

Nur für den Fall.

Ich stopfte den Inhalt unter einen Stapel alter Musiknoten, Erbstücke meiner Großmutter, in einer Ecke des Esszimmers, weit weg von der Tür. Dort würde Leo nie danach suchen.

Nur für den Fall.

Sechsunddreißig Stunden später sitze ich, eine Frau ohne Krebs, in der samtweichen Dunkelheit meines Gartens und lese noch einmal die Nachrichten, die er mir nach dem Anruf geschickt hat. Ich habe sie per Screenshot gesichert und die Fotos in den Untiefen meines Handys versteckt.

Glaub bitte nicht, ich würde es dabei belassen, hat er geschrieben. *Das werde ich bestimmt nicht. Wir müssen reden. Unter vier Augen.*

Und dann, als ich darauf nicht antwortete: *Das*

ist mein voller Ernst. Ich stehe bei dir auf der Matte, wenn's sein muss.

Die ältere Dame von nebenan putzt sich am Bade-zimmerfenster die Zähne. Sie schaut hinaus auf das dunkle Gewirr der Bäume, das unsere Gärten überspannt, in Gedanken an eine andere Zeit, ein anderes Leben vielleicht.

Ich kann mich, ich darf mich nicht mit ihm tref-fen. Ich brauche kein weiteres Risiko in meinem Leben.

Und doch ertappe ich mich dabei, wie ich ihm ein paar Minuten später antworte: *Okay. Von mir aus können wir uns sehen.*

Siebtes Kapitel

Leo

Kelvin, mein Ressortleiter, ist ein schüchterner Mensch. Besprechungen werden hinter dem Bollwerk unserer jeweiligen Schreibtische abgehalten, und unser jährliches Mitarbeitergespräch findet digital statt. Mit vertraulichen Gesprächen unter vier Augen hat er es nicht so.

Darum bin ich auch so erstaunt, als er mir eine E-Mail schickt und vorschlägt, »heute Morgen mal kurz zu reden«. Ich drehe mich zu ihm um und will ihn fragen, wann und wo, schließlich sitzt er gleich nebenan, aber er hat die Zähne zusammengebissen und hackt hoch konzentriert auf seine Tastatur ein, also tippe ich rasch eine Antwort und schlage vor, uns in fünf Minuten an der Kaffeebar zu treffen.

Wir gehen in den Innenhof, wo geometrische Lichtblöcke uns in den heißen Kubus gleich unterhalb des Glasdachs zwingen. Kelvin tritt unbehaglich von einem Bein aufs andere und weicht meinem Blick aus. Die Geräusche aus der Nachrichtenredaktion dringen in unsere lichthelle Enklave: Tastaturgeklapper, leise Gespräche, die Nachrichten, die über gigantische, von der Decke hängende Bildschirme flimmern. Ich frage mich, ob er mich jetzt vor die Tür setzen will und, wenn ja, warum. Wegen meiner unentschuldbaren Mittelmäßigkeit? Ich schreibe zwar ganz passable Nachrufe, aber leider ohne Sheilas Intellekt und forensische Expertise oder Jontys trockenen Humor.

»Freut mich für Emma«, brummt Kelvin schließlich, nachdem er sich ausführlich geräuspert hat. »Wenn ich das so sagen darf, deine Frau ist echt toll.«

Immerhin ist er ehrlich.

Ich leiere mir ein paar abgedroschene Sätze aus den Rippen, weil mir die Worte fehlen, in die ich meine Erleichterung fassen könnte. Natürlich muss Emma auch weiterhin regelmäßig zur Nachkontrolle, und es besteht immer die Gefahr, dass sich entlang der Lymphbahnen Metastasen bilden – aber diesmal scheint das Glück auf unserer Seite. Die Rückfallrate ist recht gering, und Emma ist jung und gesund.

Ich warte darauf, dass er mich rausschmeißt, jetzt, wo meine privaten Probleme sich in Wohlgefallen aufgelöst haben.

Kelvin nestelt nervös an seiner Kaffeetasse. »Wir

haben einen Nachruf auf sie geschrieben«, murmelt er schließlich. »Auf Emma. Er ist nicht im System, weil wir nicht wollten, dass du zufällig darüber stolperst. Aber wir konnten nicht dasitzen und Däumchen drehen. Das war noch während ihrer Chemo.«

Ich schlucke beim Gedanken an die vergangenen Monate. Stehen gelassenes Essen, Geschwüre im Mund, winzige wütende Flecke auf Emmas Haut. Ruby, die eine dicke Mandelentzündung hat, und Emma, die heult und heult, weil sie nicht in ihre Nähe darf.

»Ich weiß, das ist kein schönes Thema«, setzt Kelvin gleich hinterher. »Aber würde sie sterben, wir würden natürlich einen Nachruf auf sie bringen.«

Emma hat vor ein paar Jahren ein paar Naturdokus auf BBC2 comoderiert, eine wundervolle Serie über die unterschiedlichen Lebensräume entlang der britischen Küste. Ein Formatentwickler der BBC hatte sie »entdeckt«, als sie eine Diskussionsrunde der British Ecological Society moderierte. Er war auf Anhieb entzückt von ihrer Schlagfertigkeit und ihrer unangepassten Art, so wie die meisten Menschen, und hatte sie in den Sender eingeladen, um verschiedene Formatideen mit ihr zu besprechen.

Einige der daraus entstandenen Konzepte durfte ich mir anschließend ansehen. Meine Frau wurde darin als *strahlendes neues Talent* bezeichnet. Sie fand das schrecklich peinlich, ich fand es schrecklich komisch.

Ein Jahr später stand Emma als Co-Moderatorin an der Seite eines bekannten BBC-Naturforschers vor der Kamera und steckte ihn – wie ich fand – mit ihrer frischen, unkomplizierten Art ganz locker in die Tasche. Noch vor Ausstrahlung der letzten Sendung hatte sie eine Vertragsverlängerung für die zweite Staffel in der Tasche, und ihr Co-Moderator landete auf dem Abstellgleis. Die Zuschauer liebten sie, weil sie selbst dann noch witzig war, wenn sie wie eine Seepocke an einer Felswand klebte und unter ihr die Wellen tosten.

Natürlich ist Emma kein Promi, und ich sehe sie bis heute nicht mal als bekanntes Gesicht. Sie ist ein Nerd, wie sie selbst sagt, Akademikerin durch und durch. Sie hat diesen Job damals nur aus Liebe zu jenem besonderen Ort angenommen, den sie den Zuschauern näherbringen wollte, dort, wo das Land langsam in den unbekannten Untiefen des Ozeans versinkt. Den Rummel um ihre Person hat sie abgrundtief gehasst und nur die allernötigsten Interviews gegeben, selbst als *Unser Land* gerade richtig Quote machte. Bis heute weigert sie sich standhaft, mich zu Zeitungspartys zu begleiten. Wenn es nach ihr geht, sind wir alle Aasgeier.

Aber noch lange nachdem sie von den Bildschirmen verschwunden war, wurde sie auf der Straße angesprochen und um Autogramme gebeten oder von nerdigen Männern in Diskussionen um Felszonierung verwickelt. Einmal kam sogar eine Anfrage für diese Promi-Tanzsendung. (Ihre Antwort lautete wie erwartet Nein.)

Vermutlich würden die meisten Zeitungen einen Nachruf auf sie bringen, sollte sie in absehbarer Zeit sterben.

»Aber jetzt sieht alles ja … na ja, prima aus«, sagt Kelvin, »und da dachte ich, vielleicht möchtest du dir mal anschauen, was wir geschrieben haben?«

»Wie es der Zufall so will, habe ich da selbst was vorbereitet.«

Kelvin guckt ganz komisch. »Ach tatsächlich?«

»Ja. Eigentlich war es mehr als kleines Ablenkungsmanöver für mich gedacht, aber bestimmt kann einer von euch was daraus stricken.«

Kurze Pause. Dann: »Das war bestimmt nicht leicht für dich, noch während der Chemo.« Kelvin wird ganz grau im Gesicht vor Anspannung. Das hier ist viel zu viel Gefühligkeit für ihn. »Aber ich bin mir sicher, jeder Nachruf, den du auf sie schreiben würdest, wäre zehnmal persönlicher und ehrlicher.«

Ich muss beinahe lachen angesichts der Ironie des Ganzen. Tatsache ist nämlich, mein Nachruf auf Emma ist löchriger als ein Schweizer Käse.

Emma hatte damals eine Agentin, ein quirliger, kaum zu bremsender Wirbelwind namens Mags

Tenterden, die Emma förmlich anbetete. Mags war in Verhandlungen mit der BBC wegen der geplanten dritten Staffel, als Emma urplötzlich vom Sender fallen gelassen und an ihrer Stelle ein BBC-Urgestein verpflichtet wurde. Dazu gab es eine eher zweifelhafte Geschichte über Umstrukturierungsmaßnahmen, aber keine plausible Erklärung, warum ausgerechnet Emma die Leidtragende war.

Ich war bei ihr, damals, als der Anruf kam. Ich glaube, ihr Gesicht in dem Moment werde ich nie vergessen.

Zuerst habe ich mich gefragt, ob sie vielleicht einfach nicht das Risiko eingehen wollten, eine solche Wackelkandidatin zu verpflichten, schwanger und mit Krebs im Anfangsstadium, aber wie sich herausstellte, hatte Emma ihnen weder das eine noch das andere erzählt.

In einem Akt unerklärlicher Grausamkeit hatte Mags Tenterden Emma gleich in der darauffolgenden Woche aus ihrer Klientenkartei gelöscht. Ich glaube, derart unbeschreiblich kaltschnäuzig abserviert zu werden war der Tropfen, der das Fass zum Überlaufen brachte, denn in den darauffolgenden Monaten erlebte Emma eine ihrer längsten depressiven Episoden überhaupt. Drei ganze Wochen verkroch sie sich mutterseelenallein irgendwo an der einsamen Küste von Northumberland, vollkommen abgeschieden, bis auf meine Wochenendbesuche.

Gelegentlich kamen E-Mails von ihr an, eigenartige Absätze abstrakter Prosa über die Geheimnisse des Meeres, aber meist blieb sie stumm, selbst wenn ich sie besuchte. »Ich suche bloß noch die Krabben«, sagte sie eines Abends in ihrem Bed & Breakfast. »Mehr geht gerade nicht. Bloß Krabben suchen.«

Der Weg hinaus aus der schwarzen Zeit, wie ich sie immer nannte, begann sonst laut Emma stets mit einem »medikamentösen Arschtritt«, aber mit einem Baby im Bauch wollte sie keine Antidepressiva nehmen. Zurück in London erklärte sie mir, diesmal gebe es nur einen Weg: »Augen zu und durch.«

Sie hatte gerade erst angefangen, sich ein wenig zu erholen, als Ruby geboren wurde. Und dann erwischte sie eine schwere postnatale Depression. Ich glaube, so richtig über den Berg war sie erst, als Ruby gut dreizehn Monate alt war und einigermaßen durchschlief. Doch die depressiven Phasen kommen und gehen bis heute. Und die eindeutigen Messie-Tendenzen scheinen sich in letzter Zeit unübersehbar zu verschlimmern.

Nichts von alledem steht in dem Artikel, den ich in mein geheimes Notizbuch geschrieben habe.

»Bestimmt wird sie sich sehr geschmeichelt fühlen«, sage ich zu Kelvin. »Aber sie hat mir ausdrücklich verboten, einen Nachruf auf sie zu schreiben. Sie hat keine Ahnung, dass ich daran arbeite.«

»Ach. Tja, du brauchst ihn natürlich nicht selbst

zu schreiben, mir würde es schon reichen, wenn du Jonty oder Sheila ein paar Notizen zukommen lässt, wenn das… Und es ist natürlich überhaupt nicht eilig. Ich möchte nur, dass wir sie auf dem Zettel haben…«

»Gut«, sage ich. »Ich leite alles an Sheila weiter. Oder Jonty vielleicht«, setze ich hinterher, als mir Sheilas unerklärliches Interesse an meiner Frau neulich wieder einfällt.

»Ausgezeichnet«, murmelt Kelvin und guckt über die Schulter nach hinten. Der Mann sehnt sich offensichtlich nach seinem ruhigen Schreibtisch, also danke ich ihm, das Thema mit so viel Feingefühl angesprochen zu haben, und er sieht zu, dass er wegkommt.

Zweimal erlitt Emma in der Zeit, als wir versuchten, schwanger zu werden, eine Fehlgeburt. Als wir nach dem zweiten Mal aus dem Krankenhaus nach Hause zurückkehrten, steckte ich sie oben ins Bett und ging dann nach unten in die Küche, um Tee aufzusetzen. Als ich kurz darauf wieder nach oben ging, um nach ihr zu schauen, liefen ihr die Tränen lautlos über die Wangen, und John Keats' treue kalte Hundenase lag auf ihrer alten Blinddarmnarbe.

»Alles ist gut«, versicherte sie ihm gerade. »Alles ist bestens, John, du brauchst dir um mich keine Sorgen zu machen.«

Nicht einmal dem Hund vertraut sie ihre geheimsten Gedanken und Gefühle an. Nur ich darf sie kennen, und ihre Freundin Jill, sonst niemand.

Darum zögere ich auch, Jonty einfach meine Aufzeichnungen zu überlassen. Auch wenn es gegen alles geht, wofür ich als Nachrufschreiber stehe, empfinde ich es als meine Pflicht, die volle Wahrheit über meine Frau für mich zu behalten. Warum der Welt nicht einfach eine Version von Emma präsentieren, die sie bereits kennt und liebt? Die lachende TV-Moderatorin mit der ausholenden Windmühlengestik, Halterin von Tierheimhunden mit klingenden Namen wie FrogMan, Jesus und Michael Potillo, Enkelin der fluchenden, kettenrauchenden Gloria Bigelow, eine der ersten weiblichen Abgeordneten des britischen Parlaments?

Von dieser Emma gibt es mehr als genug Geschichten, um sie der Nachwelt zu erzählen.

Es fühlt sich so falsch an, einen Nachruf auf sie zu schreiben, gerade jetzt, wo wir wieder zur Tagesordnung übergehen, aber noch mieser fühlt es sich an, einfach alles einem Dritten vor die Füße zu kippen. Es gibt so vieles, was sie vor fremden Blicken geschützt wissen will.

Ich schicke Kelvin eine E-Mail und sage ihm, dass ich den Nachruf auf Emma doch lieber selbst schreiben möchte.

In den kommenden Wochen werde ich oft an diesen Nachmittag zurückdenken, an diese letzten Augenblicke, ehe meine Welt sich aus den Angeln hob, und ich werde mich beneiden um diese Illusion – die Vorstellung, als einer von wenigen die geheimsten Winkel von Emmas Seele zu kennen.

Die Illusion, sie auch nur im Geringsten zu kennen.

Achtes Kapitel

Leo

Emma hat eine alte Freundin aus Unizeiten, Jill, mit der sie sich einmal im Monat zum Essen trifft. Sie haben zusammen Meeresbiologie studiert und in St. Andrews im selben Wohnheim gewohnt, und obwohl mir ihre Freundschaft immer eigenartig überspannt erschien, ist Emma ihrer Jill über die Jahre geradezu verbissen treu geblieben.

Nur ganz selten werde ich zu einem ihrer Dinner eingeladen, aber das ist wohl auch besser so, denn obwohl ich Jill eigentlich mag, werde ich nicht recht schlau aus ihr. Sie gehört zu den Leuten, die in geschriebenen Sätzen reden, nicht in hundsgewöhnlicher Umgangssprache, was Unterhaltungen mit ihr eher anstrengend macht – als wäre man unversehens in einem Theaterstück gelandet und hätte seinen Text vergessen. Außerdem finde ich ihren Humor ziemlich beißend, um nicht zu sagen ätzend, auch wenn Emma sich über ihre Witze schlapplacht.

Aber ich glaube, Jill und ich wären nie aneinandergeraten, hätte sie vor drei Jahren nicht unangekündigt bei uns auf der Matte gestanden und wäre einfach bei uns eingezogen.

Pünktlich zu Rubys errechnetem Termin war sie da. Ist ganz selbstverständlich unseren Gartenpfad hochspaziert, als ich gerade mit der watschelnden Emma zum Brunch gehen wollte, in der Hand eine große Übernachtungstasche und eine Schachtel dunkler Schokoladentrüffel. (Ich kann dunkle Schokoladentrüffel auf den Tod nicht ausstehen, aber gut, Geschmäcker sind halt verschieden.)

»Einen wunderschönen guten Morgen euch beiden«, flötete sie, als sei nach ihrer Anwesenheit verlangt worden. »Ich richte mich schon mal ein, während ihr unterwegs seid, und beginne mit einigen leichten Haushaltstätigkeiten.«

Emma hatte mich an die Hand genommen und sanft die Straße hinuntergezogen. »Ich hab dir doch gesagt, dass sie uns ein bisschen unterstützen soll, wenn das Baby kommt.«

Was sie tatsächlich gesagt hatte, war, sie mache sich Sorgen um ihre psychische Verfassung nach der Geburt des Kindes und wolle Jill bitten, auf Abruf bereitzustehen, sollte irgendwas schieflaufen. Dass Jill bei uns einziehen würde, war nie Thema gewesen.

Ruby wurde geboren, und Jill blieb noch zwei

Wochen. Wir waren zu Tode erschöpft, in unseren Grundfesten erschüttert – und mussten uns das ohnehin schon viel zu kleine Häuschen nun auch noch mit einer weiteren Person teilen. Am Ende bereute es Emma, glaube ich, selbst, Jill eingeladen zu haben – als die postnatale Depression alles niederwalzte wie ein Panzer, da klammerte sie sich an mich, nicht an Jill.

Am Ende betrachtete ich es als einen etwas überzogenen Freundschaftsbeweis, den ich nicht verstehen konnte oder wollte. Mitleid mit Jill vielleicht, die sich wohl sehnlichst ein Baby wünschte. Vielleicht hatten sie als junge Frauen ja einen Pakt geschlossen. So oder so war jetzt ohnehin nicht der richtige Augenblick, mit Emma darüber zu streiten. Irgendwann zog Jill wieder in ihre eigene Wohnung, und ich hielt den Mund.

Heute Abend findet wieder Jills und Emmas monatliches Stelldichein statt, also habe ich mich mit Emmas Nachruf in unser klitzekleines Arbeitszimmer verkrümelt. Es wird dauern, die gramerfüllten Zeilen in meinem Notizbuch in etwas Druckreifes umzustricken, aber ich habe Whiskey und Feigengebäck und noch mindestens zwei Stunden Zeit, ehe Emma wieder nach Hause kommt.

Unser Haus ist von dichtem Blattwerk umhüllt, das, da bin ich mir ziemlich sicher, mit seinen winzigen Füßchen die Bausubstanz schädigt, aber Emma weigert sich strikt, irgendwas dagegen zu unternehmen. Durch den stetig kleiner werdenden Rahmen unseres Fensters sehe ich einen lila seidigen Himmel, der sich zusehends verdunkelt.

Ich lese die Einleitung noch mal und lasse eine von Rubys Murmeln über den Schreibtisch kullern.

Meeresbiologin und Fernsehmoderatorin Emma Bigelow, die im Alter von ?? Jahren gestorben ist, war begeisterte Sammlerin herrenloser Hunde und beinahe im Alleingang dafür verantwortlich, die Ökosysteme der britischen Küste ins Bewusstsein der Allgemeinheit gerufen und die Einrichtung umfangreicher Schutzgebiete angestoßen zu haben. Sie war ein Vorbild für Frauen in der Meeresbiologie und hat Preise und Forschungsstipendien gewonnen, die zuvor jahrzehntelang allein Männern vorbehalten waren. »Mehr wert als zwanzig dieser drögen Rabenvogel-Anbeter, die sonst solche Sendungen moderieren« (*The Times,* Oktober 2014), war Bigelow von 2013 bis 2015 für zwei Staffeln das Gesicht der beliebten BBC-Reihe *Unser Land.* Im Anschluss an die erste Staffel richteten Fans einen anonymen Instagram-Account ein, der einzig und allein Clips ihrer windmühlenartigen Gestik gewidmet ist. Bigelow selbst sagte auf Nachfrage, sie finde das köstlich.

Nach zwei Staffeln kehrte Emma Bigelow zu ihrer Lehrtätigkeit an der University of Plymouth und dem University College London zurück. »Ich bin mehr Polyp als Mensch«, sagte sie damals. »Ich bin heilfroh, wieder in der Gezeitenzone zu sein, aber das kostenlose Mittagessen fehlt mir schon sehr.«

Was ich nicht dazugeschrieben habe, ist, dass sie mir das mit tränenüberströmtem Gesicht gesagt hat, und auch nicht, dass ich, als sie mir das sagte, herumgelaufen bin wie ein Silberrücken und gedroht habe, die BBC wegen Verstoßes gegen das Kündigungsrecht zu verklagen.

Emma Merry Bigelow wurde hineingeboren in das Wanderleben eines Militärangehörigenkindes, stationiert unter anderem in Plymouth, Taunton und Arbroath. Ihr Vater war Militärgeistlicher bei den Royal Marines, und ihre Mutter, die kurz nach Bigelows Geburt verstarb, war studierte Altphilologin.

Ich höre auf zu lesen.
Das gefällt mir überhaupt nicht.
Gute Nachrufschreiber sollten eigentlich klingen, als seien sie mit dem oder der Verstorbenen auf Du und Du gewesen. Dafür werden wir bezahlt. Aber wir, die wir unser ganzes Leben lang Nachrufe

lesen – die auf Nerdforen darüber diskutieren und Nachrufkonferenzen besuchen, die alle Nachruf-bücher und -artikel und -sammlungen lesen –, *wir* kennen den Unterschied. Hätte ich das nicht selbst geschrieben, ich hätte gutes Geld darauf gewettet, dass der Schreiber dieser Zeilen Emma nie begegnet ist. Von ihrem einzigartigen Zauber fehlt jede Spur.

Ich beschließe, eine kurze Pause einzulegen, und erstelle eine Liste mit allen Fakten, die ich noch ab-gleichen muss.

- Hat Emma gleich nach dem Grundstudium ihren Masterstudiengang begonnen?
- Wo überall haben Emma und ihr Dad damals, als sie noch klein war, eigentlich genau gelebt? (Ich weiß, dass ihr Vater auf diversen Marinestütz-punkten stationiert war, habe aber keine Ahnung, wo genau und wann.)
- Woran genau ist ihre Mutter gestorben?

John Keats schläft in dem Queen-Ann-Sessel hinter mir, obwohl er eigentlich nicht auf die Möbel darf. Ich schaue ihm beim Schlafen zu, eine Pfote zuckt wie ein müdes Auge, und überlege mir das Für und Wider, Emma die Fragenliste einfach gleich zuzu-schicken und alles auf Kelvin zu schieben.

Sekunden später habe ich die Idee bereits verwor-fen. Sie hat gerade wieder die Tür zum Leben geöffnet – das Letzte, was sie jetzt braucht, ist, mit der Nase auf ihre Sterblichkeit gestoßen zu werden. Gerade heute Morgen erst war sie eine Runde gelaufen und hat mir ein Foto ihres hochroten glänzenden Gesichts geschickt. *ICH LEBE!*, hat sie geschrieben. *VERDAMMT NOCH MAL, ICH LEBE!*

Außerdem ist es mir viel zu peinlich, ihr einzugestehen, dass ich nicht einmal genau weiß, woran ihre Mutter eigentlich gestorben ist. Emma hat immer nur was von Komplikationen im Wochenbett gemurmelt, und ich wollte nicht nachhaken, da sie allem Anschein nach nicht darüber reden wollte.

Emma hat eine Plastikmappe für wichtigen Papierkram, beschriftet mit MAPPE FÜR WICHTIGEN PAPIERKRAM. Ich habe noch nie hineingeschaut, stelle mir aber vor, dass es darin ähnlich aussieht wie in meiner eigenen Archivschachtel: Geburtsurkunde, Abschlusszeugnisse, wichtige Briefe, all so ein Zeug. Der Ordner steht ganz oben in ihrem Aktenschrank, den sie immer abschließt, aber ich gebe der Tür trotzdem einen ganz leichten Schubs. Das wäre die wesentlich einfachere Lösung für mein kleines Problem.

Die Rolltür gleitet beinahe lautlos nach oben. Man hört nur den leisesten Ansatz eines Geräuschs, aber das reicht, um den Hund zu wecken. Beide starren wir erschrocken in den Schrank.

Ich kann mich nicht daran erinnern, wann ich diesen Schrank das letzte Mal von innen gesehen habe. Nie lässt Emma ihn unverschlossen, ihr graut vor dem Gedanken, ein Einbrecher könne sich mit all ihren noch nicht computererfassten Forschungsergebnissen aus dem Staub machen. Wenn wir verreisen, holt sie ihren Pass immer eigenhändig aus dem Schrank. *Du vergisst sonst noch, ihn wieder abzuschließen*, sagt sie dann, und sie hat vollkommen recht.

Ich frage mich, ob sie unversehens wieder in eine ihrer schwarzen Zeiten zu rutschen droht. Das hier sieht ihr so gar nicht ähnlich.

Nach kurzem Zögern nehme ich die Plastikmappe heraus und öffne sie.

John Keats wirkt besorgt, also wähle ich ein Jungle-Album von unserer Spotify-Playlist aus. »Ghost of My Life« heißt es, von einem gewissen Rufige Kru.

Die Mappe ist beinahe leer.

Nur ein paar Unterlagen neueren Datums. Ihre Promotionsurkunde; der Dankesbrief einer Wohltätigkeitsorganisation, an die sie seit zehn Jahren spendet; Emmas letzter Führerschein aus Papier, bevor die abgeschafft wurden. Ein Foto von Emma und ihrem Vater vor einem gewaltigen Kriegsschiff, ein alter Ausweis von Emmas Arbeit. Sonst nichts.

Der Hund lässt mich nicht aus den Augen.

Der Schrank steht eigentlich nie offen, aber diese Mappe habe ich schon tausendmal gesehen. Immer so vollgestopft, dass alles an den Seiten herausquillt, genau wie meine eigene Mappe mit wichtigen Unterlagen – es gibt erstaunlich viele unheimlich wichtige Papiere, die man nie im Leben braucht. Die Mappen, in denen wir sie aufbewahren, werden unaufhaltsam immer dicker und fetter, bis sie irgendwann aus allen Nähten platzen. Sie werden nicht plötzlich so dünn, dass sie schon fast nicht mehr da sind.

Ich ziehe den Arbeitsausweis heraus, der noch an einem abgewetzten Bändchen hängt.

Emma Bigelow, steht da. *Biologie und Meereswissenschaften*. Lächelnd betrachte ich das Foto. Obschon ein neutraler Gesichtsausdruck verlangt ist, wirkt meine Frau trotzdem subversiv, bildschön und leicht amüsiert.

Ich lehne mich zurück und begutachte den Aktenschrank. Sie muss die Papiere irgendwo anders reingestopft haben.

Hat sie aber nicht. Alles andere ist ordentlich beschriftet und eingeräumt. Ich könnte jetzt sämtliche Ordner da drin einzeln durchgehen, aber wozu das Ganze? Sie wird wohl kaum ihre Geburtsurkunde gelocht und abgeheftet haben.

Ich gehe nach oben und schaue mich im Schlafzimmer um, aber da liegt auch nirgendwo ein Papierstapel.

Und im Flur auch nicht.

Sie sind auch nicht in der leeren Staubsaugerverpackung, die sie neuerdings als Behelfsablage benutzt.

Ich weiß, dass die Unterlagen noch vor ein paar Wochen da waren, als wir nach Paris gefahren sind nämlich, um das Ende von Emmas Chemo zu feiern. Und ich weiß noch ganz genau, dass ich über ihre vollgestopfte, chaotische Mappe lachen musste, weil sie noch schlimmer aussah als meine.

Die Unterlagen wären mir aufgefallen, wenn Emma sie herausgenommen und irgendwo herumliegen gelassen hätte. Das Haus ist klein. Ich hätte sie beiseiteschieben müssen, um mir eine Tasse Tee zu machen, oder Ruby daran hindern müssen, sie mit Farbe oder Glitzer oder Popeln zu beschmieren. Irgendwas stimmt da nicht.

Ich weiß es da noch nicht, aber das ist der Moment, an dem ich Emma hinterherzuspionieren beginne.

Ich gehe runter ins Esszimmer, das gewissermaßen eine Schreckenskammer aus Papier ist; alles Sachen von Emmas Großmutter. Im ganzen Zimmer gibt es kaum mehr als vier Quadratmeter freie Bodenfläche, alles andere versinkt knietief in Dokumentenstapeln.

Ich stakse von einem freien Fleckchen zum nächsten wie ein Storch im Salat und schaue mich um. Nirgendwo irgendwas, das mit Emma zu tun hat.

Fast alles Partituren und Etüden und vergilbte Kontoauszüge, die schon vor Jahrzehnten in die Mülltonne hätten wandern sollen. Die meisten Papiere sind achtlos in Einkaufstüten aus den Achtzigern gestopft – weiße Sainsbury-Tüten mit oranger Schrift, Tesco-Tüten mit dicken blauen Streifen. Und alles bedeckt von einer dicken Staubschicht…

…bis auf die alte Tüte von Marks and Spencer, die mir ins Auge fällt, als ich versuche, einen Fuß in die hinterste freie Ecke zu setzen. Die stammt anscheinend noch aus den Achtzigern, als sie leuchtend grüne Tüten hatten mit kursiver goldener *St. Michael*-Aufschrift. Die Tüte ist zwar genauso verstaubt wie alles andere in diesem Zimmer, aber es sind deutlich Handabdrücke darauf zu erkennen. Glänzende grüne Lücken, wo Finger den Staub abgewischt haben. Das kann noch nicht lange her sein.

Ich halte inne. Diese Mission geht inzwischen über die reine Faktensuche hinaus.

Aber die Tüte. Sie steht in der hintersten Ecke des Zimmers, halb unter dem alten Schreibtisch von Emmas Großmutter versteckt. Von der Tür aus ist sie nicht zu sehen, weil ein Kamingitter aus Messing die Sicht versperrt. Ich sehe sie nur, weil ich mich so weit vorgewagt habe.

Etwas in diese Tüte zu packen, hier im hintersten Winkel, hieße, es absichtlich zu verstecken.

Ich greife nach der Tüte und hebe sie hoch.

Als Erstes erkenne ich ihre Masterurkunde von der Uni in Plymouth. Als Nächstes ein Schreiben der Polizei in Berkshire; sie ist in Slough mit vierzig Meilen pro Stunde geknipst worden, wo nur drei-ßig erlaubt waren. Ich muss kurz grinsen. Als sie den Strafzettel damals bekommen hat, ist ihr bei-nahe der Kragen geplatzt. Komisch, dass sie den aufbewahrt hat. Als Nächstes eine Abschiedskarte von ihren Kollegen bei der BBC, nachdem sie so unerklärlich vor die Tür gesetzt worden war. *Du wirst uns allen fehlen! Nie wieder werden wir ein Frühstücksbüfett mit denselben Augen sehen! Hof-fentlich ergibt sich mal wieder ein gemeinsames Pro-jekt!*

Dann ein Kinderpass von Ruby und zwei für Er-wachsene – ein aktueller Pass von Emma und ein abgelaufener, eine Ecke von der Ausgabestelle ab-geknipst.

Ich klappe den abgelaufenen auf und lächele schon in Erwartung des Fotos, das ich vielleicht noch nie gesehen habe, nur um feststellen zu müs-sen, dass die Seite mit Namen und Foto herausgeris-sen wurde. Ich blättere ihn kurz durch, aber es sind keine Stempel drin. Wieder schlage ich die ausge-rissene Seite auf. Sie ist mit Gewalt herausgerissen worden, man sieht noch die Fetzen, als hätte es je-mand sehr eilig gehabt.

Ich schaue auf das Foto in ihrem aktuellen Pass: Das ist sie, kein Zweifel. *Emma Merry Bigelow.*

Ich starre auf den abgelaufenen. Ob der auch Emma gehört hat? Aber wenn ja, warum um alles auf der Welt sollte sie ihn so verunstaltet haben?

Langsam, ganz langsam beschleicht mich eine diffuse Angst. Eigentlich glaube ich immer noch, dass es eine plausible Erklärung geben muss, auch wenn ich mir gerade beim besten Willen nicht vorstellen kann, welche.

Ich blättere kurz in Emmas beruflicher Laufbahn – die schriftliche Zusage eines Wissenschaftsjournals, eine Auszeichnung, ein Forschungsstipendium und Berufungen in diverse Vorstände.

Danach die Unterlagen aus ihrer Studentenzeit. Als Erstes fällt mir das Wappen von St. Andrews ins Auge. Sie hat in St. Andrews studiert. Aber es ist nur ein Brief, kein Diplom oder Ähnliches.

Ich fange an zu lesen: *Liebe Em...*, dann halte ich inne.

Nicht nur weil ein schwarzer Tintenfleck einen Großteil ihres Namens verdeckt, sondern weil ich unmissverständlich das Gefühl habe, damit eine Grenze zu überschreiten. Auf der einen Seite steht Vertrauen in Emma und unsere Ehe, auf der anderen lauern Misstrauen und Kontrolle.

Aber nach kurzem Zögern lese ich weiter.

Mehrfach habe ich versucht, Sie telefonisch zu erreichen, leider ohne Erfolg.

Ich kann nur wiederholen, was ich auch Ihrer Großmutter bereits gesagt habe: Ich möchte Sie aus ganzem Herzen ermutigen, Ihr Studium der Meeresbiologie fortzusetzen, auch wenn Sie sich derzeit nicht dazu imstande sehen. Wir würden uns freuen, Sie im kommenden Jahr wieder bei uns begrüßen zu dürfen (oder im Jahr darauf, falls der kommende September noch zu früh sein sollte).

Ich möchte hinzufügen, dass es mich zutiefst erschüttert hat, von Ihren gegenwärtigen Problemen zu erfahren sowie deren gravierende Auswirkungen auf Ihre seelische Verfassung. Ich kann mir lebhaft vorstellen, wie herzlich wenig Sie derzeit an der Wiederaufnahme Ihres Studiums interessiert sind. Aber ich bin, wie viele meiner Kollegen hier am Institut, der Ansicht, dass Ihnen eine herausragende Karriere als Meeresbiologin bevorsteht, und wir möchten Ihnen gerne unter die Arme greifen und alles in unserer Macht Stehende tun, um Sie, so gut es geht, dabei zu unterstützen, Ihr unterbrochenes Studium wieder aufnehmen zu können.

Ich übersende Ihnen die allerbesten Wünsche des ganzen Kollegiums. Bitte kontaktieren Sie mich jederzeit telefonisch oder per E-Mail, sollte

Gesprächsbedarf bestehen – jetzt oder irgend-
wann im laufenden akademischen Jahr.
  Mit herzlichen Grüßen
  Dr. Ted Coombes
  Biologisches Institut

Nach kurzem Suchen stoße ich auf ein weiteres Wappen von St. Andrews. Ich lese auch diesen Brief – wie der andere mit schwarzer Tinte beschmiert, als habe Emma nicht gewollt, dass man ihren Namen darauf liest.

Es ist die offizielle Exmatrikulationsbescheinigung der Universität, die Bestätigung des Abbruchs von Emmas Grundstudium. Darin wird sie aufgefordert, ihren Studentenausweis zu vernichten. Man wünscht ihr alles Gute. Das Datum ist vom November 2000, sie müsste also im fünften und letzten Semester gewesen sein.

Der Hund steht in der Tür zum Esszimmer und beobachtet mich.

Denk nach, sage ich zu mir. *Denk nach.*

Unter den vielen Sedimentschichten aus Krimskrams in unserem Flur liegt auch ein Foto von Emma am Tag ihrer Uniabschlussfeier. Ich liebe dieses Foto. Der ernste Blick, die abwehrende Körperhaltung, das angedeutete Lächeln. Nie gab es auch nur den geringsten Zweifel, dass dieses Foto am Tag ihrer Abschlussfeier in St. Andrews geknipst wurde.

Ich lege die Unterlagen beiseite und gehe nach oben, um das Foto herauszukramen. Schnell habe ich es gefunden, aber anders als bei meinem Abschlussfoto fehlt hier etwas ganz Entscheidendes: Das Bild hat kein Passepartout, keine geprägten Angaben wie den Namen des Absolventen oder der Universität. Nur Emma, meine entzückende Emma, im schwarzen Talar mit hellblauer Kapuze und Goldbrokateinfassung. Ohne Barett und Quaste.

Nach langem Zögern, das Herz schlägt mir immer noch bis zum Hals, gehe ich wieder nach unten und stöbere im Netz, bis ich die Talarfarben der Grundstudiumsabsolventen von St. Andrews gefunden habe.

Die Seite lädt enervierend langsam. Draußen rauscht der Wind im Laub, und kleine Efeufäustchen trommeln gegen mein Fenster. Das Haus, warm und vollgestopft, knarzt und ächzt, während die verpixelten Bilder sich allmählich zusammensetzen.

Absolventen der naturwissenschaftlichen Fakultäten von St. Andrews tragen einen Talar mit lila Kapuze und Pelzbesatz. Rasch überfliege ich die anderen Kategorien – Geisteswissenschaften, Doktoranden, Erziehungswissenschaften –, aber nirgendwo finde ich eine hellblaue Kapuze mit Goldbesatz. Wieder und wieder gehe ich alles durch, doch am Ende bleibt mir keine andere Wahl, als einsehen zu müssen, dass Emma ihren Abschluss wohl nicht an dieser Uni gemacht haben kann.

Es ist, als bräche in meinem Bauch ein Schelfsockel ab.

John Keats guckt mich noch immer unverwandt an und klopft mit dem Schwanz gegen den Sessel. Ein kurzer aufmunternder Trommelwirbel oder vielleicht eine Warnung – ich weiß es nicht genau. Ich knie mich vor ihn, starre ihm in die unergründlichen bernsteinfarbenen Augen und sage ihm, dass das alles ein Missverständnis sein muss, auch wenn ich gerade beim besten Willen nicht weiß, wie es zustande gekommen sein soll.

Zwei Whiskey und sechs Feigenkekse später widme ich mich wieder dem Papierkram aus dem Esszimmer. Es gibt nun keine Entschuldigung mehr für meine unverhohlene Schnüffelei außer vielleicht, dass ich unter Alkoholeinfluss stehe und mir inzwischen alles egal ist.

Wieder ziehe ich den Papierstapel heraus und gucke aufs Geratewohl irgendwo hinein. Das Kribbeln, das mich überkommt, in dem Wissen, etwas Verbotenes zu tun, lässt mich rasch und zügig handeln: Auf einmal bin ich wieder der Mann, der damals, vor Jahren, in den vertraulichen Unterlagen seiner Eltern gekramt hat, hoch konzentriert, wie besessen davon, möglichst viele Fakten zu sammeln.

Ich ertappe mich dabei, wie ich einen an Emmas Vater adressierten Brief des Marine-Erzdiakonats lese, darin die Warnung, dies sei der letzte Versuch, mit ihm in Kontakt zu treten, ehe man seine Entlassung einleiten müsse.

Ich lese ihn mehrmals, doch er scheint mir ebenso verwirrend wie die Briefe ihrer Universität. Emmas Vater ist in Zaire ums Leben gekommen, lange bevor dieser Brief geschrieben wurde.

Oben höre ich etwas, das nach Kinderfüßen auf mürrischen alten Dielenbrettern klingt, also stopfe ich die Unterlagen schnell wieder in die M&S-Tüte. Doch noch während ich dabei bin, flattert ein kleiner handschriftlicher Zettel heraus – ein Kurzbriefchen, darauf das BBC-Logo, trudelt sich im Kreis drehend zu Boden.

Hey, Süße, tut mir leid, dass ich dich
heute Morgen verpasst habe. Ruf mich an.
Lass uns nicht so auseinandergehen…
Robbie x

Ich stecke den Zettel wieder in die Tüte und stelle sie zurück unter den Schreibtisch.

Ich lausche eine Weile, setze mich in die Küche und nippe am Whiskey, aber in Rubys Zimmer scheint alles ruhig zu sein.

Ich versuche mir irgendwie zusammenzureimen,

was ich da eben gesehen habe, aber meine Gedanken überschlagen sich. Ich kann das Karussell in meinem Kopf nicht lange genug anhalten, um einen einzelnen davon eingehender zu begutachten.

Ich gehe nach oben aufs Klo. Emma hat mich in letzter Zeit zur Achtsamkeit anzuleiten versucht, also versuche ich, mich auf das Gefühl des plätschernden Urinstrahls zu konzentrieren, aber es ist mir so unangenehm, meinen Penis mit Neugier und vollkommen wertfrei zu betrachten, dass ich am Ende die Klobrille vollspritze.

Ohne ernsthaft zu versuchen, mich selbst von diesem Vorhaben abzubringen, schleiche ich auf Zehenspitzen nach oben ins Schlafzimmer und klappe Emmas Laptop auf. Wir benutzen ständig den Laptop des jeweils anderen, aber nie – niemals – wären wir dabei auf die Idee gekommen, den anderen auszuspionieren. Ich weiß nicht einmal, was ich eigentlich suche. Ich weiß nur, dass ich irgendwas finden möchte, das dieser schleichenden Beklemmung endgültig einen Riegel vorschiebt.

Vierzehn offene Reiter, typisch Emma. Bei fast allen geht es um so was wie genetische Populationsstrukturen von Zehnfußkrebsen mit komplizierten Namen, aber da sind noch drei weitere: E-Mail, Facebook und ein offener Fall mit eBay, ein Streit um ein Päckchen, das nie angekommen ist.

Ich bringe es nicht über mich, in ihr E-Mail-Postfach zu schauen. Das wäre der ultimative Verrat; schlimmer wäre nur noch, auf ihrem Handy herumzuschnüffeln.

Facebook ist auf ihrer Fanseite geöffnet. Sie hat mehr als dreitausend Likes. Nichts Bemerkenswertes, und ich will den Laptop gerade wieder zuklappen, als ganz unten rechts eine Benachrichtigung aufpoppt, dass sie eine Nachricht von einem gewissen Iain Nott erhalten hat.

Hab dir drei Nachrichten geschickt und keine Antwort hab die Schnauze voll vn Frauen im TV die denken sie sind was bessers hättest wenigstens antowrten können.

Mir schwillt sofort der Kamm, ich klicke auf die Nachricht und will schon eine geharnischte Antwort verfassen. Doch dabei öffnet sich versehentlich ihr Maileingang.

Fast hätte ich schnell weggeguckt, ich will ihre E-Mails gar nicht sehen, aber irgendwie schaffe ich es nicht. Im Posteingang wimmelt es nur so von Nachrichten von Männern.

Ich kann die erste Zeile jeder Nachricht lesen.

Mickey Vaillant: Seh dich gerade auf dem iPlayer, du Luder. Du bist

Eric Sueno: DU BIST ECHT NICE ICH WILL DICH

Charlie Rod: Hier meine Nummer, ruf mich an, ich würde gerne

Iqbal Al-Jasmi: Hey Süße
Skinny McSkinnyface: Schlampe
Robbie Rosen: Hey Süße, gerade an dich gedacht

Ich starre wie betäubt auf den Bildschirm. Ich hatte ja keine Ahnung, dass es so schlimm ist. Als ich sie letzte Woche danach gefragt habe, meinte sie nur, sie hätte in den letzten Tagen bloß ein paar Nachrichten bekommen, aber hier sehe ich gleich sechs – *sechs* –, und allesamt von heute.

Ich bin hin- und hergerissen zwischen weiß glühender Wut auf diese Typen und dem Schock, dass Emma mir das verheimlicht hat.

Warum sollte sie so etwas für sich behalten?

Mir wird ganz anders. Ich fange an, die Nachrichten zu löschen, aber für jede gelöschte rückt eine weitere, ältere nach. Nach den ersten sechs höre ich auf, klappe den Laptop zu und marschiere nach unten, um mir einen letzten Whiskey einzugießen.

Tausend Erklärungen schießen mir durch den Kopf, meine Gedanken springen wie Äffchen von Abschlussfotos zu perversen Typen zu Pässen, versteckten Unterlagen und einer handschriftlichen Notiz von einem Kerl bei der BBC. Immer wenn ich eine fieberhafte Erklärung für eins dieser rätselhaften Phänomene gefunden zu haben glaube, ploppt ein weiteres auf, und mein Hirn muss umso schneller galoppieren.

Ich setze mich und trinke einen Schluck.

Das hier, denke ich aufgebracht – diese alles verschlingende, brabbelnde Paranoia –, *ist das Einzige, was dabei herauskommt, wenn man ohne deren Wissen in den persönlichen Papieren anderer Leute kramt.* Ich habe nicht nur Emmas Privatsphäre mit Füßen getreten, nein, ich habe auch meinen eigenen Seelenfrieden auf dem Gewissen. Was mache ich denn jetzt? Wie soll ich sie darauf ansprechen, ohne ihr meine beschämende Schwäche einzugestehen? Wenn sie wüsste, dass ich gerade wie ein Bulldozer durch ihr Privatleben gepflügt bin – sie hätte keinen Grund mehr, mir noch zu vertrauen. Und wenn sie mir nicht vertraut, wer bin ich dann, von ihr die Wahrheit – oder sonst was – zu verlangen?

Ich liebe Emma. Ich *vergöttere* sie. In den vergangenen zehn Jahren war sie alles Gute in meinem Leben. Warum tue ich das? Warum poltere ich herum wie ein wild gewordener Büffel und scheiße auf das Vertrauen zwischen uns? Was habe ich mir bloß dabei gedacht?

Ein Knarzen aus Rubys Zimmer.

»Daddy? Daddy …«

Neuntes Kapitel

Emma

Auf dem Weg nach Hause rufe ich Jill an und erkläre ihr, dass wir soeben zusammen gegessen haben.

»Verstehe. Was gab es denn?«, fragt sie. Sie klingt, als hätte sie gerade den Mund voll. Jill hat im Laufe der letzten Jahre ordentlich zugelegt, verschließt aber fest die Augen davor. Mir macht das Sorgen, aber ich könnte das nie, niemals ansprechen.

»Was immer du gerade isst«, antworte ich. »Das haben wir gegessen.«

»Ich nage gerade wie ein Hund an einem übrig gebliebenen Hühnerknochen.«

»Perfekt«, sage ich und ziehe die Strickjacke fester um mich. Es ist kalt für einen Juniabend, ein unangenehmer Wind bläst um die alten Häuser in Hampstead Village und pfeift die windschiefen Gässchen entlang. »Sagen wir einfach, wir waren in diesem Hähnchenrestaurant am King's Cross.«

»Dem Waffeldings?«

»Ja, genau dem.«

»Wäre es zu viel verlangt, wenn wir uns wirklich dort treffen?«, fragt sie. »Bald? Wir haben uns ja seit dem späten Mittelalter nicht mehr gesehen.«

»Was? Wir haben doch vor zwei Wochen einen Filmabend gemacht!«

»Schön. Dann Renaissance.«

»Frühe Neuzeit, mindestens.«

Jill muss lachen. »Du bist ein harter Brocken, Emma.«

»Nicht so hart wie du.«

Der 268er ächzt langsam die Heath Street hinunter, von Windböen geschüttelt. Ich klammere mich verfroren an meine Handtasche und verspreche Jill ein baldiges Wiedersehen.

»Wie läuft die Arbeit?«, erkundige ich mich, in der Hoffnung, es dabei belassen zu können. Jill arbeitet als Beraterin für Tiefseefischereien und hasst ihren Chef.

Eine kurze Pause, bis sie ihren Bissen runtergeschluckt hatte. Der Fahrer eines unanständig teuren Sportwagens lässt beim Berganfahren vollkommen unnötig den Motor aufheulen. Jill sagt: »Ich will noch immer am liebsten kündigen. Aber genug von mir, geht es *dir* gut?«

»Ich … Nein. Nein, es geht mir nicht gut.«

»Ich nehme an, du hast dich mit ihm getroffen?«

»Ja.«

»Und?«

Ich zögere. Ich will mit niemandem über diesen Abend sprechen, nicht einmal mit meiner engsten Freundin. Aber auf Jill ist immer Verlass. Damals, als wir noch Studentinnen an der St. Andrews University waren, den Kopf voller dummer Träume und keinen Penny im Portemonnaie, da hat sie mich gerettet. Und auch in den Jahren danach ist sie immer für mich da gewesen. Und dann, als ich bei meiner Reise nach Northumberland vor vier Jahren in ernsten Schwierigkeiten steckte, hat sie mich nicht nur vor Leo gedeckt, sondern ist sage und schreibe dreizehn Stunden durch die Gegend gegurkt, um mich zu retten. Ganz gleich, in welchen Graben ich auch plumpse, Jill zieht mich immer wieder raus.

Da ist es doch wohl das Mindeste, dass ich ihr von heute Abend erzähle.

»Genauso unangenehm wie erwartet«, sage ich seufzend. »Vielleicht sogar noch schlimmer. Ein bisschen unentspannter Small Talk, gefolgt von einem grässlichen Gespräch über seine Frau.«

Am anderen Ende der Leitung schnappt Jill nach Luft. »Wirklich? Was hat er denn gesagt?«

»Eigentlich hat er mich die ganze Zeit ausgefragt. Er war ganz besessen von der fixen Idee, ich hätte mich irgendwie bei ihr gemeldet. Ich habe ihm gesagt, daran würde ich nicht mal im Traum denken, aber ich weiß nicht, ob er mir geglaubt hat.« Ich strecke die Hand aus. Sie zittert schon wieder.

»Wie kommst du darauf?«, fragt Jill. »War er wütend?«

Darüber muss ich erst mal kurz nachdenken. Nein, wütend war er nicht, aber ich hatte Angst, wie ich ihm so gegenübersaß. Er war so angespannt, ganz außer sich – es war mehr ein Kreuzverhör gewesen als ein Gespräch. Meine eigenen Ängste habe ich lieber für mich behalten, aus Sorge, das könnte ihm den Rest geben. Das versuche ich Jill zu erklären, aber es ist schwer, dieses Gefühl in Worte zu fassen.

Klack, klack, klack. Meine Stiefelabsätze klackern auf den Pflastersteinen, ein Schokoladenpapierchen schlittert an mir vorbei den Berg hinunter. Ich biege von der Heath Street ab in eine schmale Kopfsteingasse.

»Ich hatte eigentlich gehofft, es würde besser laufen.« Jills Stimme klingt gequält.

Ich seufze. »Ich bin ja selbst schuld. Ich hätte mich nicht mit ihm treffen sollen.«

»Aber wie hättest du Nein sagen sollen? Du warst außer dir vor Sorge. Ach, Emma. Es tut mir so leid für dich.«

»Du Liebe. Danke. Ich stehe immer noch neben mir, ehrlich gesagt. Ich bin gar nicht dazu gekommen, ihn danach zu fragen.«

»Aber hat das nun etwas geändert?«, fragt sie nach einer taktvollen Pause. »Für dich, meine ich?«

»Nein«, sage ich fest. Dann: »Vielleicht.« Dann: »Nein.« Dann: »Ach Scheiße. Ich weiß es nicht. Ich komme mir total irre vor. Ich muss versuchen, gleich morgen einen Notfalltermin bei meiner Therapeutin zu bekommen.«

»Falls deine Therapeutin keine Zeit hat, ich habe immer ein offenes Ohr für dich«, sagt Jill, wie nicht anders zu erwarten. »Was hältst du davon, wenn wir uns morgen zum Essen treffen? Ich kann auch gerne nach Bloomsbury kommen, gar kein Problem. Ich muss ohnehin für ein paar Stunden in die British Library, für mich wäre es also perfekt.«

»Ach, echt eine schöne Idee, aber ich kann leider nicht. Ich habe von halb eins bis zwei einen Termin mit einem meiner Doktoranden.«

»Absagen«, kommandiert sie wie aus der Pistole geschossen. »Du brauchst Zeit und Raum, um das alles zu verarbeiten, Emma. Dieses Treffen war ein großes Ding.«

Ich verspreche ihr, es mir noch mal zu überlegen. Ich liebe Jills Gesellschaft – ein Abend auf ihrer Couch mit einer Flasche Wein und einer Power-Balladen-Playlist ist Balsam für die Seele. Das Problem ist nur, dass unsere gesamte Freundschaft auf meinem katastrophalen Absturz mit Mitte zwanzig gründet, und Jill weiß einfach alles. Manchmal will ich mich einfach nicht mit diesem Schmerz auseinandersetzen. Manchmal tue ich lieber so, als gäbe es ihn nicht.

»Die wichtigste Erkenntnis des heutigen Abends war, dass es keinen Weg nach vorn gibt«, sage ich nach langer Pause. »Er mag vielleicht ein Häufchen Elend gewesen sein, aber in einem war er glasklar. Für ihn wird es kein ›Arrangement‹ mit mir geben. Von all den üblichen Begründungen einmal abgesehen meinte er, das wäre ein unverzeihlicher Verrat, und er habe es satt, seine Frau zu hintergehen. Er wollte nur wissen, ob ich mich irgendwie bei ihm gemeldet habe.«

»Ach, Emma.«

»Und bestimmt bricht er jetzt wieder den Kontakt ab.«

»Hmm«, sagt sie. »Darauf würde ich nicht setzen.«

»Nein, ganz ehrlich, ich glaube, der Drops ist gelutscht. Der Kontakt wird einschlafen, diesmal endgültig. Und ich werde weiter abwarten und Tee trinken müssen. Jeden verdammten Tag an ihn denken, ohne ihn je zu sehen. Aber wenigstens weiß ich jetzt, dass es das war, Jill. Wenigstens kann ich mich jetzt wieder der Liebe zu meiner Familie widmen.« Meine Stimme überschlägt sich fast.

Kurz darauf beenden wir das Gespräch. Ich muss mich erst ein bisschen beruhigen, ehe ich nach Hause gehe. Schließlich will ich nicht, dass Leo sich meinetwegen wieder Sorgen machen muss.

Als in der Gezeitenzone lebender Organismus sieht man sich einem Leben großer Extreme ausgesetzt: hoher Salzgehalt, Wellen und Brecher, tosende Küstenwinde – es ist einer der gefährlichsten Lebensräume der Natur, wie mein Tutor Ted uns in unserem allererstem Seminar einbläute. *Wenn Sie glauben, Sie haben es schwer, stellen Sie sich einfach vor, Sie wären eine Napfschnecke!*

Ein Zitat, das Jill und ich nie vergessen haben, und als Jill mir ein paar Minuten später schreibt: *Halte durch, kleine Napfschnecke!*, muss ich trotz allem lächeln.

Zwei verschiedene Leben unter einen Hut zu bekommen wäre für jeden eine Herkulesaufgabe, schreibt sie, *vor allem wenn man gerade erst eine Krebsbehandlung hinter sich hat. Aber du, meine liebe Freundin, du bist zäher, als du glaubst.*

Ich gehe gerade den überwucherten Gartenpfad zum Haus entlang, als sie mir noch eine dritte Nachricht schreibt. *Ich bin immer für dich da, wenn dir mal nicht nach durchhalten ist.*

Ich lösche diese und alle weiteren Nachrichten von diesem Abend. Und nur zur Sicherheit ändere ich den Namen des Mannes, der mir heute Abend einmal mehr das Herz gebrochen hat, in meinen Kontakten zu »Sally«.

Kaum dass ich aus der Gasse komme, sehe ich einen Mann auf der Straße stehen.

Ich bleibe wie angewurzelt stehen.

Er steht vor unserem kleinen Reihenhäuschen und guckt hinein. Bei keinem unserer Nachbarn brennt Licht. Und Leo hat, wie gewöhnlich, in jedem Zimmer das Licht angelassen. Aber auch ohne die Lichter weiß ich sofort, dass er unseretwegen hier ist. Meinetwegen.

Ich drücke mich wieder in das Gässchen und spähe vorsichtig in seine Richtung, während ich mich an meine Handtasche klammere. Er trägt eine Baseballkappe, unter der die etwas längeren Haare herausgucken. Groß gewachsen. Schmalgliedrig, wie es so schön heißt, obwohl er einen leichten Parka trägt, unter dem nicht viel zu erkennen ist. Ich sehe ihn nur im Profil, und es ist zu dunkel um Genaueres auszumachen, aber ich bin mir ziemlich sicher, dass es niemand ist, den ich kenne. Niemand, der gute Gründe hätte, um diese Zeit vor unserem Haus zu stehen.

Ich trete sicherheitshalber einen Schritt zurück, bevor ich das Handy herausziehe, um Leo anzurufen. Ungeschickt, mit zitternden Fingern. Das Herz schlägt mir bis zum Hals. Ist Leo drinnen in Sicherheit? Ruby? Ein letztes Mal gucke ich um die Ecke und sehe, wie der Typ in einen kleinen Wagen steigt, der direkt neben meinem parkt.

Er fährt los und biegt rechts ab in die Frognal Rise.

Ich bleibe noch lange stehen und warte, aber er kommt nicht zurück.

Ich muss an den Mann in Plymouth draußen an der Auffahrt denken. Gleiche Statur, gleiche Baseballkappe tief ins Gesicht gezogen. Angst schlängelt sich durch meine Brust.

Ist das derselbe Mann?

Im Geiste gehe ich die Männer durch, die mir in der letzten Zeit Facebook-Nachrichten geschrieben haben, aber es ist Tage her, seit ich das letzte Mal in den Posteingang geschaut habe, und außerdem benutzen die alle keine echten Fotos.

Nach langem Warten schleiche ich mich schließlich aus der Gasse und renne, das Herz in der Hose, zum Haus.

Am Törchen angekommen sehe ich etwas Gelbes unter einem Baum im Nachbargarten. Etwas Eckiges… Ich bleibe mitten auf der Straße stehen. Es ist ein Zu-verkaufen-Schild, an Federicos Eingangstor gebunden. Oh, *verstehe*. Er hatte uns schon letzten Monat gesagt, dass er das Haus verkaufen will.

Erleichtert lächele ich. Der Mann hat sich nur ein Haus angesehen, das zum Verkauf steht. Sonst nichts. Es gibt Millionen baseballkappentragender Männer auf der Welt. Der Spinner aus Plymouth hatte nichts damit zu tun – das war ein ganz harmloser Kerl, der womöglich bald unser neuer Nachbar wird.

Ich stecke das Handy wieder in die Handtasche und bleibe am Fuß der Treppe zu unserem kleinen Gärtlein stehen. Bestimmt werden in den nächsten Tagen Heerscharen an Leuten dieses Haus anstarren, ehe die offiziellen Besichtigungstermine beginnen. An den Gedanken sollte ich mich lieber schon mal gewöhnen.

Vor der Haustür halte ich inne und atme tief durch. Mein Blick geht zu den alten, ungeputzten Fensterchen mit der abgeplatzten Farbe, die sich abschält wie eine alte Haut. Den Mantel aus Efeu, den Leo so gerne herunterreißen würde.

Und dann dämmert mir – vielleicht weil ich ohnehin in Alarmbereitschaft bin, vielleicht weil es so ungewöhnlich ist –, dass auch im Esszimmer das Licht brennt. Leo muss da drin gewesen sein.

Wieder schlägt mir das Herz bis zum Hals. Warum?

Weil er irgendwas von seinen Sachen gesucht hat.

Weil Ruby vor dem Schlafengehen reingelaufen ist.

Es gibt tausend gute Gründe, und keiner davon hat damit zu tun, dass er über den aufgetürmten Krempel meiner Großmutter gestiegen ist, um die Unterlagen zu suchen, die ich letzte Woche dort versteckt habe und deren Verschwinden er gar nicht bemerkt haben kann, weil er nichts von ihrer Existenz ahnt.

Ich muss sie da rausholen, geht mir auf. Aus dem Haus schaffen. Nie hätte ich sie hier unter unserem Dach aufbewahren dürfen. Nicht mal im verschlossenen Aktenschrank. Viel zu gefährlich.

Vielleicht hat Leo recht. Vielleicht bin ich wirklich eine Hamsterin.

Morgen früh, noch ehe Leo und Ruby herunterkommen, stecke ich sie alle in meine Tasche und nehme sie mit zur Arbeit. Und dann schließe ich sie in eine Schublade, bis ich es endlich fertigbringe, den ganzen Krempel wegzuwerfen, wie ich es schon vor Ewigkeiten hätte tun sollen.

Drinnen höre ich Leo mit Ruby reden, die neuerdings jeden Abend um Punkt zehn unten auf der Matte steht und standhaft behauptet, seit dem Schlafgehen kein Auge zugetan zu haben (was nicht stimmt). Ich stelle mir mein kleines Mädchen vor, wie es dasteht, die Wangen rosa vom Schlafen, auch wenn sie anderes behauptet, und hart mit ihrem geliebten Daddy verhandelt.

Ruby ist mein Wunder. Sie ist das Kind, von dem ich geglaubt habe, es nie zu bekommen. Ich würde für sie sterben, sofort und auf der Stelle, ohne Wenn und Aber – aber was zählt das jetzt noch, muss ich mich beim Gedanken an diesen Abend fragen. Beim Gedanken an die Unterlagen, die sich in den Untiefen des Archivs meiner Großmutter verstecken.

Was zählt es schon, dass sie und Leo mein Ein und Alles sind. Was zählt es schon, dass ich mir einen Neuanfang versprochen habe, sollte der Krebs mir noch eine zweite Chance geben.

Er ist immer noch da. Er wird immer da sein, und nie werde ich endgültig damit abschließen können, denn er ist die Liebe meines Lebens.

Die Liebe meines anderen Lebens, sage ich mir, aber diese alte Leier klingt langsam schief, und mein Herz weiß das nur zu gut.

Zehntes Kapitel

Leo

Zehn Jahre zuvor

Ich sah Emma das erste Mal bei der Beerdigung ihrer Großmutter in Falmouth. Sie saß auf der anderen Seite des Mittelgangs. Ich erinnere mich noch, wie sie beim Mitsingen der Kirchenlieder keinen einzigen Ton traf, was ihr offensichtlich schnurzpiepe war, und an ihre Lacher, als sie in der Trauerrede an die Vorliebe ihrer Großmutter für hübsche junge Männer erinnerte. Sie hatte kurzes, lockiges blondes Haar, das sie sich hinter die Ohren strich, und einen gelben Filzmantel, und in dieser Kirche voll schwerem Winterschwarz leuchtete sie wie eine Fackel.

Kaum dass Gloria unter der Erde war, setzte Emma sich ab und beobachtete die Gigruderboote, die pfeilschnell durch die Mündung des Fal glitten. Ein kräftiger Wind wehte aus Nordost. Sie wandte ihm lächelnd das Gesicht zu, und er blies ihr flatternd die Haare aus dem Gesicht. Ich musste an den gelben Mantel denken, den sich Jess, meine Ex, irgendwann mal gekauft hatte, um *ihre Garderobe aufzupeppen*, und dass das irgendwie nicht funktioniert hatte. Ich erinnerte mich an den Abend, als sie mich fragte, ob ich sie noch liebe, und wie ich Ja gesagt hatte und sie dann um ein Uhr nachts geweckt hatte, um ihr zu sagen, sorry, aber eigentlich doch nicht.

Ich beobachtete diese Frau, an der ein gelber Mantel einfach perfekt aussah, und hoffte, sie lächelte nicht in Gedanken an ihren Lover.

Dann bekam ich Gewissensbisse, weil wir bei der Beerdigung ihrer Großmutter waren, nicht in einem Aufreißerschuppen.

Aber eigentlich war ich Emma schon rettungslos verfallen, noch ehe ich ihr das erste Mal begegnet bin.

Natürlich kann ich mir jeden gewünschten Nachruf recht problemlos aus dem Ärmel schütteln, aber Politiker sind nun mal mein Spezialgebiet. Was vor allem daran liegt, dass ich eine ganze Weile in der Politikredaktion gearbeitet habe, bevor ich dann zu den Nachrufen gewechselt bin. Und was habe ich mir auf meine parlamentarischen Insiderkenntnisse eingebildet! (Tatsächlich sind die bestenfalls mittelmäßig.)

Von einem Bestatter hatten wir den Hinweis auf

Gloria Bigelows kürzliches Ableben bekommen. Das kommt eigentlich nur vor, wenn der oder die Verstorbene kaum noch Familie hat. Ich hatte schon viel von ihr gehört, schließlich gab es im London der 1950er nur wenige weibliche Parlamentsabgeordnete, und sie war berühmt gewesen für ihre geharnischten Tiraden von der Hinterbank aus. Doch sie hatte sich bereits vor geraumer Zeit aus der Politik zurückgezogen, sodass niemand daran gedacht hatte, für alle Fälle einen Nachruf in der Schublade zu haben.

Ich rief also Glorias Enkeltochter, eine gewisse Emma, an, um ihr ein paar Fragen zu stellen. Wir telefonierten bestimmt zwei Stunden lang. Als wir auflegten, war es um mich geschehen.

Sie lud mich ein, zur Beerdigung ihrer Großmutter zu kommen. Auch das war nicht gerade üblich, kam aber schon mal vor – und wurde von uns stets höflich, aber bestimmt ausgeschlagen, vor allem wenn die betreffende Beerdigung am Ende der Welt in Cornwall stattfand, ausgerechnet. Ich sagte dennoch zu, weil ich diese Emma unbedingt kennenlernen musste. Ich fuhr sogar um neun Uhr abends noch nach Soho, um mir bei einem dieser Mitternachtsfriseure die Haare schneiden zu lassen.

Zur Beerdigung kam ich prompt zu spät – ich schaffte es gerade noch vor dem Sarg ihrer Großmutter hinein –, weshalb ich Emma erst beim anschließenden Leichenschmaus im Greenband Hotel ansprechen konnte. Geschickt arrangierte ich ein »zufälliges« Zusammentreffen vor dem Sandwichbüfett, nachdem der Raum sich recht schnell gefüllt hatte. Gloria Bigelow musste allem Anschein nach ziemlich beliebt gewesen sein.

»Emma Bigelow«, sagte sie und streckte mir die Hand hin, als machte man das heute noch irgendwo außer in Filmen so. Irgendwie schaffte ich es, mich ihr als Gloria vorzustellen.

»Echt jetzt?« Ihre Hand verharrte in der Luft über den Russischen Eiern. »Ich dachte, du musst Leo sein.«

»Oje. Ja. Leo.«

Sie lachte. »Ich würde es meiner Großmutter glatt zutrauen, ihren eigenen Tod vorzutäuschen und sich dann verkleidet bei ihrer eigenen Beerdigung unter die Gäste zu mischen.«

»Wirklich?«

»Auf jeden Fall. Das sähe ihr ähnlich.«

Ich griff nach einer Flasche Rotwein und füllte ihr Glas auf in der Hoffnung, sie möge noch ein wenig bleiben.

Das tat sie auch, allerdings wollten alle anderen Gäste auch mit ihr reden. Eine ganze Weile stand ich stumm neben ihr und den Sandwiches und sah ihr zu, wie sie sich mit Politikern, Freunden, ja sehr zu meinem Erstaunen sogar mit einem ehemaligen Premierminister unterhielt.

»Granny hatte mal was mit ihm«, erklärte Emma, als er schließlich wieder gegangen war. »Sie hat ihn gehasst, ihn und seine Ansichten, aber im Bett war er eine Granate. Sie konnte die Finger einfach nicht von ihm lassen.«

»Schwer zu glauben«, sagte ich schließlich. »Nein, du veräppelst mich doch.«

Erst guckte sie ganz ernst, dann musste sie lachen. »Okay«, sagte sie. »Wie du meinst.«

Kurz darauf trat ein Mann mit Rauschebart zu uns und verwickelte Emma in ein Gespräch über die guten alten Zeiten, als er noch das Amateurorchester leitete, in dem Gloria vor über zwanzig Jahren gespielt hatte. »Sie war einfach grauenvoll«, erinnerte er sich fast zärtlich. »Plapperte immer dazwischen. Aber gespielt hat sie wie ein Engel. Ich hätte sie nicht rauswerfen können, selbst wenn ich es gewollt hätte.«

Emma nickte stolz. »Meine Großmutter war in vielerlei Hinsicht grauenhaft.«

Ich lehnte mich gegen die Wand und hörte ihnen zu und erstellte im Kopf eine Liste von Adjektiven, die ich benutzen würde, müsste ich einen Nachruf auf Emma verfassen. Am Ende kam ich auf *furchteinflößend* und *faszinierend*. Sie war wie eine Naturgewalt.

Irgendwann verschwand ich aufs Herrenklo und sah im Spiegel, dass meine Zunge ganz lila war. Hektisch versuchte ich sie sauber zu schaben. »Emma«, sagte ich zu meinem Spiegelbild. »Emma, ich würde dich gerne auf einen Drink einladen.«

Natürlich sagte ich zu Emma nichts dergleichen, aber wir redeten und redeten, selbst noch, als die anderen Gäste alle längst gegangen waren. Das Hotelpersonal deckte um uns herum die Tische fürs Abendessen ein, und die Wintersonne ließ ihre Flammen über das Wasser tänzeln.

Sie erzählte mir, sie wohne in Plymouth, würde aber noch eine Woche hier in der Nähe von Falmouth bleiben – sie war wohl Meeresforscherin und hatte sich bereit erklärt, Daten für eine Studie des Mündungsgebiets zu sammeln, die einer ihrer Kollegen leitete. Irgendwas mit Schwebstaub und biogeochemischen Stoffen in den Zuflüssen des Fal River.

Mir sagte das alles nichts, aber ich stellte mir Emma in einem Schutzanzug vor, wie sie hochgefährliche Proben aus einem tödlichen Fluss entnahm und in Kryogenbehältern verstaute.

Als ich ihr das erzählte, schnaubte sie vor Lachen und sagte, sie trüge dabei meist Gummistiefel und nicht einmal Handschuhe. »Aber ich kann gerne einen Schutzanzug besorgen, wenn dir das lieber ist.«

Sie flirtete mit mir. Unfassbar, aber wahr.

Ich legte eine derart unersättliche Neugier die Küstenökologie betreffend an den Tag, dass sie mich

schließlich zu einer geführten Flusswanderung einlud, die sie gebeten worden war, tags darauf zu leiten. Sie sollte in Devoran stattfinden, einem kleinen
Ort ganz in der Nähe mit einem alten Hafen und
einer »faszinierenden Fauna«.

Um uns herum klonkten die Bootsmasten unter
dem sich verdunkelnden Himmel. Ich hatte ein Zug-
ticket zurück nach London für denselben Abend in
der Tasche und keine Ahnung, wo ich in Cornwall
übernachten sollte, aber ich sagte Ja.

»Ich wohne in einer Jurte, solange ich hier bin«,
erklärte Emma, als die Hotelangestellten uns mit
gleißend heller Beleuchtung zu vertreiben versuchten. Ich hatte keinen Schimmer, was, wenn überhaupt, sie mir damit sagen wollte. (Offen gestanden wusste ich nicht einmal, was eine Jurte war. Ich
hatte keinen Schimmer vom Hang der Mittelschicht
zum Glamping und war noch nie in Zentralasien gewesen.) »Mit meinem Hund. FrogMan heißt er.«

Gemeinsam gingen wir den kleinen hoteleige-
nen Pier entlang. Die Luft war so kalt, dass es schon
wehtat, und das Wasser eine tiefe, nachtschwarze
Angelegenheit. Ich versuchte, mir einen Hund namens FrogMan vorzustellen.

»Es war schön, mit dir zu reden«, sagte sie unvermittelt, und in ihrer Stimme klang eine Schüchtern-
heit mit, bei der ich mich fragte, ob *furchteinflößend*
vielleicht doch nicht die passendste Bezeichnung war.

»War ganz nett«, meinte ich achselzuckend.

Sie lächelte.

Ich lächelte.

Sie zog den gelben Mantel fester um sich. »Dann sehen wir uns am Devoran Quay, morgen früh um zehn«, sagte sie und ging.

Ich buchte mich im Greenbank ein, was meinen finanziellen Rahmen damals entschieden sprengte, legte mich ins Bett und dachte an Emmas Geschichten über ihre Arbeit und ihre Großmutter. Am nächsten Morgen meldete ich mich in der Redaktion krank und machte mich auf den Weg zur angekündigten geführten Wanderung. Außer mir kam sonst niemand, es waren nur Emma und ich und FrogMan da, ein etwas überdrehter Terrier.

Emma marschierte in langem Rock und Gummistiefeln entlang des silbrig schimmernden Watts voran. Unter ihren Füßen knackten Tangblasen, und ihre Erläuterungen wurden von den Schreien der Watvögel begleitet. Sie pflückte Zimbelkraut und Meerrübe für mich, damit ich sie probierte, und summte unmelodisch und kaum hörbar vor sich hin. Ich schmecke heute noch das salzige Kraut auf der Zunge.

Sie brachte mir alles bei über Wattwürmer und Schlicksabellen, Schadstoffe und Müll, Seegras und Watvögel. Sie hatte Suppe in einer Thermoskanne dabei, was ein großes Glück war, weil ich nämlich nicht daran gedacht hatte, mir etwas zum Mittagessen einzupacken. (So was nervt sie bis heute.)

Stunden vergingen, ehe mir auffiel, dass sie nur zwei Suppentassen im Gepäck hatte. Und da war auch kein Plakat oben am Hafen gewesen, das die »Wattwanderung« ankündigte, obwohl da Plakate für alles Mögliche hingen. Doch selbst da konnte ich es noch nicht recht glauben, dass sie sich das nur ausgedacht hatte, um mich wiederzusehen.

Und doch... *und doch*... »Es gab gar keine Wattwanderung«, rief sie lachend, als ich sie fragte, wie oft sie solche Führungen anbiete. »Ich wollte dich nur unbedingt wiedersehen!« Sie lachte und schaute mich dabei unverwandt an, und dann zog sie eine Hand aus den fingerlosen Handschuhen. Die Hand blieb in ihrem Schoß liegen.

»Ganz schön hinterlistig«, sagte ich und verschränkte die Arme, guckte sie an, während ich heimlich die knisternde Atmosphäre zwischen uns genoss.

Auf keinen Fall würde ich nach dieser Hand greifen. Noch nicht.

Wir saßen schweigend auf der Bank und schlürften Suppe, bis die Schatten immer länger wurden und die kühle Luft zu beißen begann. Dann gingen wir zu ihrer Jurte, wo es einen Föhn gab und einen Haarglätter und einen Kühlschrank für Gin Tonic. (»Das hier ist kein Selbstfindungstripp«, sagte sie, als sie meinen Blick bemerkte.) Sie erzählte mir von ihrem Vater, der gestorben war, kurz bevor sie an die Uni ging, von den Jahren, als sie bei ihrer Großmutter in Hampstead gewohnt hatte. Sie saß ganz dicht neben mir auf dem Sofa und schaute mir immer wieder unverwandt in die Augen, das Gesicht nur eine Handbreit von meinem entfernt.

Wir redeten und redeten, bis ich es irgendwann nicht mehr aushielt. Ich streckte die Hand nach ihr aus und strich ihr mit dem Zeigefinger ganz leicht seitlich über das Gesicht, und sie erzitterte unter meiner Berührung.

Vollkommen reglos saßen wir da und starrten einander an.

»Himmel«, sagte sie. »Du bist echt toll.«

»Bin ich«, stimmte ich ihr zu. Und hatte das Gefühl, womöglich einen Schlaganfall zu erleiden, wenn nicht bald etwas passierte.

Sie wandte sich ab. »Die Sache ist die, ich ... bin nicht toll.«

Schweigen.

Bis ich schließlich sagte: »Da würde ich dir widersprechen.«

Eine ganze Weile schaute sie mich an, dann sagte sie: »Oh.« Sie schien verunsichert.

»Ehrlich gesagt wäre ich jetzt nicht hier, in dieser Jurte, mitten in der Pampa, mitten in der Nacht, ohne einen Schimmer, wo ich übernachten soll, während mein Chef mir ständig irgendwelche frotzeligen Nachrichten mit Anspielungen auf meine ›Lebensmittelvergiftung‹ schickt, wenn ich dich nicht toll fände.«

»Oh«, sagte sie wieder. »Das ist verdammt nett. Die Sache ist nur die…«

»Die Sache?«

Sie seufzte. »Es gibt da eine Sache. Keine riesengroße Sache. Mehr so eine mittelgroße Sache…«

»Du hast einen Freund.«

»Nein! Natürlich nicht!«

Ich schaute mich in der Jurte um, die vollgestopft war mit Büchern und Töpfen und irgendwas, das aussah wie ein Laborgerät. FrogMan ließ mich nicht aus den Augen. Wie konnte eine Frau, so lebenssprühend, so witzig, so wunderschön, *keinen* Freund haben?

»Ganz sicher?«, fragte ich.

Sie nahm meine Hand und legte sie an ihre Wange und schloss bei der Berührung kurz die Augen. »Ganz sicher. Es ist nur so, ich… ich… es ist kompliziert.«

Irgendwie rang ich mir ein Lachen ab, obwohl ich kaum noch zu atmen wagte. »Zum Glück bin ich ganz einfach.«

Sie lachte auch. »Ich mag dich«, sagte sie, und dann beugte sie sich vor und küsste mich.

Dieser Kuss. Diese Zärtlichkeit, die darin lag. Die

tiefe Bedeutsamkeit. Das untrügliche Gefühl, dass nichts mehr sein würde wie vorher, während wir auf ihr Bett sanken und uns gegenseitig auszogen, ganz langsam zuerst und dann schneller und immer schneller.

In den darauffolgenden Monaten sollten meine Gedanken gelegentlich zu diesem Gespräch zurückkehren. Insgeheim fragte ich mich, warum diese Frau, die so offen schien und so bereit zu lieben, sich selbst als kompliziert beschrieb. Ich fragte mich, was sie mir damals hatte sagen wollen. Ein- oder zweimal fragte ich sie danach, aber sie erwiderte nur, was Beziehungen anging, blicke sie auf eine lange Geschichte erfolgreicher Selbstsabotage zurück. »Aber diesmal werde ich es ganz bestimmt nicht sabotieren«, versicherte sie, und ich glaubte ihr.

Wie hätte ich ihr auch nicht glauben sollen? Sie war ganz verrückt nach mir, wie sie mir wieder und wieder versicherte. Sie wollte nach London ziehen, damit wir zusammen sein konnten. Obwohl die Küste Dreh- und Angelpunkt ihrer ganzen Arbeit war und sie an der Plymouth University unterrichtete, schaffte sie es, einen weiteren Job an der UCL an Land zu ziehen, wo sie Gewässerschutz-Absolventen in Mündungs- und Küstenökologie unterrichtete. Die Arbeit in Plymouth strich sie auf zwei Tage die Woche zusammen und saß zwischendurch stundenlang im Zug oder im Auto auf dem M4. Und das alles nur meinetwegen.

Irgendwann schlug sie vor, ich solle meine Wohnung in Stepney Green und sie ihr Haus in Plymouth verkaufen, um gemeinsam in das Häuschen ihrer Großmutter zu ziehen. Sie sprach sogar von Kindern. Und sie war es auch, die um meine Hand anhielt, eines Abends in einem türkischen Restaurant in Haringay, bei einer Flasche Billigwein.

»Heirate mich«, platzte sie heraus, als ich mir gerade eine Gabelladung Ali Nazik in den Mund schaufelte.

Ich verschluckte mich und musste husten.

»*Was?*«

»Leo! Du kannst doch nicht ›was‹ sagen, wenn ich um deine Hand anhalte!«

Ich leerte mein Wasserglas in einem Zug, um die Aubergine herunterzuspülen, und trank dann noch einen ordentlichen Schluck Wein hinterher. »Und du kannst mich nicht einfach fragen, ob ich dein Mann werden will, während ich gerade meinen Kebab esse!«

»Wieso denn das nicht?«

»Weil das nicht geht!«

»Tja«, sagte sie. »Habe ich aber gerade.«

Wie trotzige Kleinkinder saßen wir uns gegenüber.

»Ist das dein Ernst?«, fragte ich schließlich, weil ich immer als Erster einknicke. Ist bis heute so.

Sie musste lachen. »Ist es. Ich finde, wir sollten es hinter uns bringen.«

Ich stellte mein Weinglas beiseite. »Du willst es ›hinter dich bringen‹?«

Sie schüttelte sich vor Lachen. »Ja. Ich… entschuldige…«

Und dann musste ich auch lachen. »Du bist unglaublich«, sagte ich. »Meinst du das wirklich ernst?«

»Ich fürchte schon. Ich liebe dich mehr als alles andere auf der Welt, Leo, und eigentlich habe ich immer gedacht, dass ich nie im Leben heiraten will, aber das will ich, ich kann es gar nicht erwarten, dich meinen Ehemann nennen zu können. Also bitte, sag Ja.«

Wir hörten auf zu lachen und sahen einander an, genau wie damals, als wir uns kennengelernt haben.

»Ja«, sagte ich leise, und Freude durchströmte mich wie ein Sonnenaufgang. »Ja.«

Sie stand auf, setzte sich auf meinen Schoß und küsste mich, dann vergrub sie das Gesicht an meinem Hals. »Entschuldige«, flüsterte sie. »Das war echt plump. Aber ich konnte einfach nicht noch länger warten. Ich liebe dich. Ich liebe dich. Ich liebe dich so sehr, Leo.«

Sie gab mir einen Plastikring, und wir aßen unseren kalten Kebab und tranken unseren warmen Wein, und ich war noch nie im Leben so glücklich.

Es gab nichts, was mich hätte aufhorchen lassen.

Nichts, was auf Heimlichkeiten hingewiesen hätte oder auf etwas Ungesagtes, Unausgesprochenes. Als sie das erste Mal eine ihrer schwarzen Zeiten durchmachte, hatte ich keinen Grund zu argwöhnen, dass sie mir etwas verheimlichte, dass irgendetwas vor sich ging, abgesehen davon, dass sie unter Depressionen litt.

Nun liegen wir gemeinsam im Bett, Stunden nachdem sie von ihrem Treffen mit Jill zurückgekommen ist. Emma schläft tief und fest, aber ich bin überreizt und hellwach und muss immer wieder an dieses erste Gespräch denken, diese Alarmglocke, die sie geläutet und die ich vor lauter Verliebtsein geflissentlich überhört hatte. Ob das eine ernst gemeinte Warnung gewesen war?

Irgendwie hoffe ich immer noch, dass das Ganze bloß ein Missverständnis ist, eine Überreaktion vielleicht, aber mein Bauchgefühl glaubt nicht an eine derart harmlose Erklärung. Mein Bauch sagt: *Sie hat Papiere vor dir versteckt, wo sie glaubte, dort würdest du nicht danach suchen. Und mindestens die Hälfte davon steht in krassem Widerspruch zu allem, was du über sie weißt. Ein Haufen Männer belästigt sie auf Facebook, und sie verliert kein Wort darüber. Das sieht nicht gut aus.*

Ruby war die Treppe hinuntergetapst, noch ehe ich ein weiteres Mal in die grüne Einkaufstüte schauen konnte, und dann kam Emma nach Hause. Was steckte noch alles in der Tüte? Was wusste ich sonst noch nicht über meine Frau?

Die Ungewissheit schwebt über mir wie eine Schlechtwetterwolke auf hoher See: eine drohende Gefahr unbekannten Ausmaßes, beängstigend und nicht zu übersehen. Entweder ich gestehe meinen Einbruch in ihr geheimstes Heiligtum, oder ich warte ab und hoffe, dass sich das Unwetter wieder verzieht.

Bei keinem von beidem habe ich ein gutes Gefühl.

Elftes Kapitel

Leo

Ruby versucht unter Zuhilfenahme von Apfelsaft, die noch spärlichen, gerade erst nachwachsenden Haare ihrer Mutter zu spitzen Stacheln aufzustellen. »Mummy wird ein Monster«, erklärt sie mir. »Ein ganz fieses, gefährliches, giftiges.« Ich lächele mein kleines Mädchen an mit seinen Pausbäckchen und den fedrig-feinen Haaren und dem hartnäckigen Babyspeck an den Handgelenken.

»Prima Idee«, stimme ich ihr zu. »Steht ihr eigentlich ganz gut.« Und dann, aus heiterem Himmel, schaue ich Emma an und sage: »In St. Andrews tragen die Grundstudiumsabsolventen bei ihrer Abschlussfeier Lila, nicht Blau.«

Wir sind mit Ruby bei einem Open-Air-Konzert von Tom Jones im Park von Kenwood House, gemeinsam mit meinem Bruder Olly und seiner Familie. Olly und Tink haben zwei unbändige kleine Jungs. Oskar wird von seiner Mutter gerade auf Norwegisch

angeschnauzt, weil er am Gerüst des Lautsprecher-
turms herumgeklettert ist und damit das Security-
Team von Kenwood House auf den Plan gerufen hat.
Sein jüngerer Bruder Mikkel ist spurlos verschwunden – Olly und ich haben ihn schon überall gesucht
und dabei laut seinen Namen gebrüllt. Auch das hat
das Security-Team von Kenwood House auf den Plan
gerufen.

Gerade habe ich einen kleinen Zwischenstopp an
unserer Picknickdecke eingelegt, in der Hoffnung,
Mikkel könne zwischenzeitlich wieder aufgetaucht
sein, aber da sitzen nur Emma und Ruby, futtern
Quiche und singen die Titelmelodie der Sesam-
straße.

Emma guckt mich unter Rubys Händen stirnrunzelnd an. »Wie bitte? Was ist mit St. Andrews?«

»Die Absolventen der St. Andrews University tragen eine lila Kapuze, keine blaue«, wiederhole ich,
noch immer ganz leicht außer Atem. Ich gehe in die
Hocke und sehe kurz Emma an, bevor ich wieder
nach Mikkel Ausschau halte.

»Ich verstehe nicht, worauf du hinauswillst«, sagt
Emma.

Drei Tage ist es inzwischen her, seit ich ihre
Mappe für wichtigen Papierkram gefunden habe.

Seither habe ich jeden Abend beim Insbettgehen
den Mund aufgemacht, um sie zur Rede zu stellen.
Aber jeden Abend hat sie sich, just in diesem Augen-

blick, zu mir umgedreht und sich an mich gekuschelt und mir verschlafen den Arm um die Taille gelegt, und ich habe es nicht gewagt, unsere Nachtruhe – und womöglich unseren sicheren kleinen Zufluchtsort – mit dem Vorschlaghammer zu zertrümmern.

Doch genau da liegt der Hund begraben: Emma hat keine harmlose kleine Lüge erzählt, und ich habe auch nicht missverstanden, was ich da gesehen habe. Sie hat mich ihr Studium betreffend gezielt in die Irre geführt. Warum sollte sie das tun? Warum sollte *irgendwer* das tun? Würde es nur um die Uni-Sache gehen, wäre ich überrascht, ein bisschen verärgert vielleicht. Aber es geht nicht nur darum. Es geht um so viel mehr.

Mit klebrigen Fingern versucht Ruby, die Stacheln aus den Haaren ihrer Mutter zu kämmen, und Emma zuckt zusammen. »Aua, du tust mir weh!«

»Entschuldung«, sagt Ruby todernst, um gleich darauf weiterzumachen. Das wird ein trauriger Tag, an dem sie lernt, wie das Wort richtig heißt.

Emma greift nach hinten und zieht Ruby auf ihren Schoß. »Du bist eine kleine Tyrannin. Gib mir sofort einen Kuss.«

»Ach, nein danke, meine Liebe«, sagt Ruby, und es gibt eine kichernde Balgerei.

Versucht Emma mich abzulenken?

Von Weitem sehe ich meinen Bruder mit Mikkel im Schlepptau, den er durch den Flickenteppich aus

Picknickern energisch hinter sich herschleift. Zum Glück steuert er mit ihm auf den Tumult um seinen älteren Bruder unter dem Lautsprecherturm zu.

»Ich bin irgendwie an deinem Abschlussfoto hängen geblieben«, sage ich. Peinlich, wie gereizt ich klinge. »Auf dem Foto trägst du eine blau-goldene Kapuze. Aber die Farben von St. Andrews sind Lila mit weißem Pelz. Ist mir neulich Abend aufgefallen, und ich bin ein bisschen stutzig geworden.«

Emma bietet Ruby eine Tupperdose mit Grissini und einem grünlichen Dip an. »Echt? Tja, zu meiner Zeit war das noch anders. Und ich hab eh nur angezogen, was sie mir beim Talarverleih gegeben haben.«

Ruby ignoriert den grünen Dip und steckt mir vorsichtig ein Grissini ins Ohr.

»Tut mir leid, Leo. Ich verstehe das nicht. Wieso interessierst du dich auf einmal so brennend für mein Abschlussfoto?«

»Weil ich …« Meine Stimme klingt schrill und fremd. »Wann hast du deinen Abschluss in St. Andrews gemacht?«

»Das weißt du doch! 2001.«

Die Vorband geht von der Bühne, und aus den Lautsprechern beiderseits der Bühne wabert Funk, während schwarz gekleidete Männer die Bühne für Sir Tom bereiten. Olly, Tink und – ein Glück – beide Jungs kommen zu uns rüber. Die Menge schwärmt zu den Toiletten und der Bar; die, die noch übrig sind, packen die Reste ihres Picknicks ein. Gleich werden alle aufstehen und tanzen.

»Fast hätte ich es nicht geschafft«, sagt sie unvermittelt. »Ich hatte am Ende des vierten Semesters ein ganz schlimmes Tief, vor allem wegen meiner Eltern. Beinahe hätte ich mein ganzes Studium geschmissen. Aber ich habe es geschafft, die Exmatrikulation gerade noch mal abzuwenden, bevor sie mich mit körperlicher Gewalt vom Campus geschleift hätten.«

Wieder entsteht eine Pause, in der ich mir überlege, ob ich ihr glauben soll oder nicht. Den Himmel hinter ihr durchziehen pastellblaue und rosarote Streifen.

»Und was den Talar angeht, Leo, habe ich echt keinen Schimmer. Bestimmt wechseln die Farben auch mal im Laufe der Jahre?«

Was sie da sagt, klingt plausibel. Hätte ich weiter in ihrem Ordner für wichtigen Papierkram gewühlt, wäre ich vielleicht auf ein weiteres Schreiben der Universität gestoßen, eins, das sie wieder an der Uni willkommen heißt. Das ließe sich nachholen. Oder ich könnte die Uni anrufen oder den Talarverleih und nachfragen, ob sich die Farben für die Bachelors of Science im Laufe der vergangenen Jahre irgendwann geändert haben. Herrje, ich könnte sogar Jill anrufen, wenn ich es wirklich darauf anlegen wollte, und sie fragen, ob Emma wirklich ihren Uniabschluss gemacht hat.

Aber die verstörende Wahrheit ist, das will ich gar nicht. Was, wenn ich herausfände, dass sie mich getäuscht hat? Jetzt, wo ich ihr die Gelegenheit gegeben habe, alles aufzuklären.

Ich habe nur durch Zufall erfahren, dass ich adoptiert worden bin. Wir kannten uns erst ein paar Wochen, da bin ich stolz wie Oskar mit Emma nach Hitchin gefahren, um sie meinen Eltern vorzustellen, und beim Mittagessen bin ich hoch ins Gästezimmer gegangen, weil ich irgendein altes Foto oder Erinnerungsstück gesucht habe, ich weiß schon gar nicht mehr, was. Im Schlafzimmer meiner Eltern wurde gerade neuer Teppichboden verlegt, weshalb das Gästezimmer vollgestellt war mit Kisten, die sonst unter ihrem Bett standen. Ich sah einen Ordner mit der Aufschrift *Leo – Babysachen* und öffnete ihn. Warum auch nicht? Ich hatte Fotos erwartet, vielleicht ein Armbändchen aus dem Krankenhaus, einen Umschlag mit einer Locke aus flaumigem Babyhaar.

Stattdessen stieß ich auf meine Geburtsurkunde, darauf der Name *Anna Wilson* unter »Mutter« und *unbekannt* unter »Vater«. Meine Eltern, die unten im Wohnzimmer saßen, hießen Jane und Barry Norman.

Nie werde ich vergessen, wie ich fieberhaft den restlichen Inhalt des Ordners durchstöberte: die

Adoptionspapiere, die endlose Korrespondenz mit den Behörden und – schockierenderweise – ein Brief von der Adoptionsbehörde mit der Frage, ob meine leibliche Mutter mir Briefe schicken dürfe. *Habe Nein gesagt*, stand handschriftlich darauf vermerkt.

Habe Nein gesagt.

Ich erinnere mich an das Gedudel des Eisverkäufers im Park, das freundliche Ticken der Uhr. Ich erinnere mich an die Wut, die ich herausspürte aus der klebrigen Gedankenmasse in meinem Kopf, während ich mir überlegte, was ich nun machen sollte. Ich wollte nicht die Grundfesten meines Lebens zertrümmern und darunter zu graben anfangen. Ich wollte, dass Jane und Barry Norman meine Eltern waren.

Rückblickend musste ich allerdings einsehen, dass das Quälendste an diesem Tag der blendende Schock der Erkenntnis war, als ich fieberhaft die Adoptionsunterlagen durchblätterte. Nie im Leben wäre es mir in den Sinn gekommen, ich könne womöglich ein Außenseiter in dieser Familie sein, und doch hatte ich es – in meinem Herzen, in meinem Nervensystem, irgendwo, überall – *längst gewusst.* Ich hatte es immer schon gewusst. Diese Papiere hatten bloß dem lebenslangen Gefühl des Nichtdazugehörens einen Grund gegeben.

In schockiertem Schweigen fuhr ich mit Emma

über den M1 nach Hause. »Du hast was Besseres verdient«, sagte sie, als wir wieder in London waren. Sie hatte Tränen in den Augen, als sie meinen erschöpften Körper in die Arme schloss. »Was viel Besseres.«

»Wo ist Tom Jones?«, will Oskar wissen und lässt sich schmollend auf die Picknickdecke fallen. Er kann es nicht ausstehen, gemaßregelt zu werden, vor allem nicht von einem Security-Team. »Onkel Leo, kannst du mir bitte eins von seinen Liedern beibringen?«

Ich lächele. »Entschuldige«, sage ich zu Emma und klappe die Kühlbox auf. »Was du da sagst, klingt völlig einleuchtend.« Sie zuckt die Achseln, als wolle sie sagen, das sei ohnehin alles unwichtig. »Ich glaube, ich bringe dir ›Sex Bomb‹ bei«, sage ich zu Oskar, »und deine Eltern bekommen erst mal ein Bier. Das haben sie sich redlich verdient, so unmöglich, wie du dich aufgeführt hast.«

Mein Bruder setzt sich neben mich. Man merkt ihm an, wie sauer er ist. Wortlos reiche ich ihm ein Bier und lege ihm eine Hand auf die Schulter. Oskar stürzt sich mit einem Hechtsprung auf das Bier, worüber Olly sonst sicher gelacht hätte, aber jetzt sagt er nur: »Ernsthaft, Oskar. Treib es nicht zu weit.«

Emma und ich sitzen in betretenem Schweigen daneben, während Olly und Tink sich darüber zanken, wer für diesen unerfreulichen Vorfall verantwortlich ist.

Ruby klettert auf meinen Schoß. »Ich hab dich lieb, Daddy«, sagt sie. »Außer wenn du ein Stinktier bist.«

»Ich hab dich auch lieb«, sage ich und drücke ihr einen Kuss auf die Haare. »Du warst furchtbar brav heute Nachmittag. Danke.«

»Ernsthaft?«, raunzt Olly aufgebracht und dreht sich um. Erst da merke ich, dass er mit mir redet.

»Ernsthaft, was?«

»Lobst du allen Ernstes dein braves Kind, während meine sich wie die Vandalen aufführen? Wieder mal?«

Er meint es todernst. Oskar und Mikkel treiben ihre Eltern schon seit Jahren mit schönster Regelmäßigkeit in den Wahnsinn. Jetzt scheint Olly endgültig der Kragen zu platzen.

»Olly«, erwidere ich behutsam, »Ruby ist *drei*. Sie sitzt schon seit Stunden hier rum, ohne zu quengeln oder wegzurennen. Du weißt doch bestimmt noch, wie es war, als deine Jungs in dem Alter waren. Dann ist dir ja wohl klar, was das für eine Leistung ist. Das war doch nicht auf deine Kinder gemünzt.«

»Schön«, knurrt er. Er schäumt vor Wut. »Wie du meinst.«

»*Wie ich meine?* Olly, Schluss jetzt! Es reicht!«

»Reiz mich nicht und spiel dann den Unschuldigen«, schnaubt Olly. »Das ist echt ätzend.«

»Olly, jetzt sei kein Arsch«, wirft Emma unvermittelt ein. Verdattert drehen wir uns beide zu ihr um. Sie schaut meinen Bruder unverblümt an und wird dabei hochrot.

»Wie bitte?« Damit hat Olly wohl nicht gerechnet.

»Ich sagte, sei kein Arsch.« Emma schaut ihn weiter unverwandt an. Dann senkt sie die Stimme. »Leo ist gerade kreuz und quer durch Hampstead Heath gelaufen auf der Suche nach Mikkel, den er sehr lieb hat und um dessen Verhalten es hier überhaupt nicht geht. Und auch nicht um deine Eignung als Vater. Das weißt du genauso gut wie ich, Olly, also mach ihn bitte nicht zum Sündenbock.«

Alle, selbst Ruby, sind mucksmäuschenstill geworden. Oskar lässt seinen Vater nicht aus den Augen.

Olly sagt erst einmal gar nichts, dann nickt er. »Du hast recht«, sagt er. Ich fasse nicht, was ich da höre.

Er schaut mich an. »Entschuldige, Bruderherz. Das war echt daneben.«

»Verzeihung«, wispert Emma kurz darauf, als Olly und Tink gerade mit ihren Jungs reden. »Du kannst dich sehr wohl selbst verteidigen. Ich wollte dich nicht kleinmachen.«

Belustigt gucke ich sie an. »Und was hättest du gemacht, wenn er nicht nachgegeben hätte? Wolltest du ihn mit deinem harten rechten Haken niederstrecken?«

Sie zuckt die Achseln. »Vermutlich. Aber ich stehe nicht daneben und sehe tatenlos zu, wenn Olly oder sonst wer dich schlecht behandelt.«

Ich muss lachen, als ich das höre. Emma hat mich immer schon verteidigt wie eine Löwin ihr Junges. Manchmal war es fast schon komisch. Ich lege den Arm um sie, während die Lichterketten ringsum aufleuchten und das Publikum lautstark nach Sir Tom zu verlangen beginnt.

»Du bist der wunderbarste Mensch, den ich kenne«, sage ich zu meiner Frau und meine es auch so.

Ruby legt sich quer über unseren Schoß und sagt uns, es sei Schlafenszeit.

Ich beschließe, Emma zu glauben, was sie mir über das Abschlussfoto gesagt hat. Ich beschließe zu glauben, dass es eine vollkommen plausible Erklärung dafür gibt, dass sie die Unterlagen ins Esszimmer geräumt hat, und dass all die verwirrenden Dinge, die ich herausgefunden habe, nur deshalb so verwirrend sind, weil ich das große Ganze nicht sehe.

Ich beschließe zu glauben, dass meine Frau die ist, für die ich sie immer gehalten habe. Sie liebt mich, ich liebe sie, und weiter in den hintersten Winkeln unserer Beziehung herumzuschnüffeln wäre ein Verrat an allem Schönen in dem Leben, das wir uns gemeinsam erschaffen haben.

Zwölftes Kapitel

Emma

»Eiszeit!«, kreischt Ruby, während ich zwischen Wollmäusen und Staub unter dem Trampolin herumkrabbele. Ich bin heute Vormittag mit ihr zum Trampolinspringen gefahren, aber die meiste Zeit habe ich selbst herumhopsen müssen, während sie danebenstand und meine Sprünge lautstark kommentierte. Jetzt ist Ente irgendwo durch die Sprungfedern geflutscht, und natürlich ist es mein Job, sie da wieder herauszuholen.

»Okay«, brülle ich zurück. Im selben Moment springt über mir ein Riesenpapa auf das Trampolin, und ich muss mich platt auf den Bauch drücken. Blitzschnell schnappe ich mir Ente und rolle unter dem Trampolin hervor wie eine Actionheldin. »Okay. Eis.«

Ruby nimmt Ente an sich und drückt ihr einen dicken Kuss auf den samtigen Schnabel.

Ungebeten steigt in mir das leise Geflüster über

Leo wieder hoch, während ich mit Ruby zum Schuhregal gehe. Keine Ahnung, ob er mir die Geschichte mit dem Talar abgekauft hat, aber ich bin viel zu umnachtet gewesen, um mir eine bessere Begründung auszudenken.

Wie ist er bloß darauf gekommen?

Einen schrecklichen Augenblick lang hatte ich gedacht, er müsse die Mappe mit meinen Unterlagen im Esszimmer gefunden haben, also hatte ich mir eine fadenscheinige Geschichte ausgedacht, von wegen »fast, aber dann doch nicht« die Uni verlassen, nur für den Fall, dass er den Brief des Dekanats gelesen hatte. Auch wenn ich eigentlich ganz genau wusste, dass er das niemals tun würde. Leo ist grundanständig, in fast schon pathologischem Ausmaß; das ist eins der Dinge, die ich so an ihm bewundere. Und selbst wenn er in dem Papierwust irgendwas gefunden hätte, würde er seine Nase nicht in meine Sachen stecken.

Und außerdem hätte er mich längst verlassen, wenn er alles gefunden hätte.

Ruby streckt mir die Füße entgegen, damit ich ihr die Schuhe anziehe, und ich bin zu müde, um ihr zu sagen, sie soll es erst selbst versuchen.

Ich habe Leo immer sagen wollen, wer ich wirklich bin. Die erste Nacht, die wir zusammen in der Jurte meines Freundes Casey verbracht haben, war für mich ein zweischneidiges Erlebnis gewesen:

Neben dem gänzlich unerwarteten Bedürfnis nach körperlicher Nähe mit diesem Mann, diesem umwerfend schönen Mann, wünschte ich mir verzweifelt, ihm mein Herz auszuschütten, ihm alles zu erzählen. Aber natürlich riss ich mich zusammen, als ich danach mit ihm im Bett lag, und schwor mir, der Sache ein paar Wochen Zeit zu geben. Ich musste mir erst ganz sicher sein.

Rückblickend glaube ich, tief drinnen war ich mir längst ganz sicher. Ich hatte nur nicht glauben wollen, dass etwas so Gutes so hoppladihopp passieren konnte. Ich glaube, ich wusste es schon nach unserem ersten Telefonat wegen Grannys Nachruf, als Leo nicht nur meinen Kummer ein bisschen gelindert, sondern mich sogar zum Lachen gebracht hatte, und das mehr als einmal. Diese ruhige, ernste Stimme; dieser rabenschwarze Humor. Stundenlang hatte ich ihn in der Leitung gehalten.

Vielleicht war es auch, als ich ein paar Tage später seine Würdigung meiner Großmutter in der Zeitung las und staunte, wie genau er sie eingefangen, wie umfänglich er sie verstanden hatte.

Bewusst wurde es mir allerdings erst, als er mich zu einer kleinen hausinternen Preisverleihung seiner Zeitung einlud und ich ihn in einem Raum voller Menschen sah, mit denen er täglich zusammenarbeitete. Seine Redaktion verlieh einen Spottpreis an das Redaktionsmitglied, auf das alle am liebsten einen Nachruf schreiben würden, von Leo moderiert. Und wie ich ihn so in Smoking und Brille dastehen sah, wie er sich lässig gegen das Rednerpult lehnte und über seinen Kollegen redete, der eine Ziege als Haustier hielt und die britische Karaokegesellschaft leitete, und in ein Meer lachender Gesichter schaute – war es um mich geschehen. Alle liebten ihn. Ich war nicht die Einzige.

Ich hatte mir ein Datum gesetzt. Ich hatte mir alles zurechtgelegt.

Dann fand Leo allerdings per Zufall heraus, dass seine Eltern ihn adoptiert hatten. Ein paar Tage später, während eines erbosten Telefonats mit ihnen, wurde alles noch viel schlimmer: Jane musste ihm gestehen, dass Leos leibliche Mutter zwei Jahre zuvor an einem Herzleiden gestorben war. Er konnte sie nicht einmal mehr kennenlernen.

Und so hielt ich ihn – physisch wie psychisch – in der finsteren Zeit, die folgte, und musste dabei einsehen, dass ich ihm meine Geschichte unmöglich erzählen konnte. Jetzt nicht. Womöglich nie. Ich ging zu einer Therapeutin, die bis heute außer Jill der einzige Mensch ist, der über meine Vergangenheit Bescheid weiß – sie schlug vor, mir selbst eine Deadline zu setzen, sobald sich die Dinge in Leos Leben wieder ein bisschen beruhigt hatten, und dann sorgsam abzuwägen. Wir waren uns einig, dass Ende des Jahres ein guter Zeitrahmen wäre.

Und so saß ich neun Monate später da und sah meinen Freund – meinen Verlobten – an und wusste so sicher wie das Amen in der Kirche, dass ich es ihm nicht sagen konnte. Nicht weil inzwischen so viel Zeit vergangen war, sondern weil ich ihn inzwischen gut genug kannte, um zu wissen, er würde daran kaputtgehen, ganz gleich, wie sehr er sich auch bemühte, irgendwie damit zurechtzukommen.

Im Herbstsemester 2000 schmiss ich mit gerade einmal zwanzig Jahren mein Studium an der St. Andrews University und setzte es erst mit dreiundzwanzig wieder fort. Beim zweiten Anlauf an der Open University. Meeresbiologie konnte man da nicht studieren, aber ich gab mich mit hundsgewöhnlicher Biologie zufrieden – das würde reichen, um irgendwo meinen Master zu machen. Für den ganzen Kram, den ich zu Beginn meines Studiums so gemocht hatte, hatte ich nun keinen Nerv mehr: die Erstsemesterwoche, das Wohnheimleben, die todernsten nächtelangen Diskussionen über Gott und die Welt, während immer irgendwer in einer Ecke Jeff Buckley grölte.

Ich hatte keinen Nerv für *irgendwelche* menschliche Gesellschaft mit Ausnahme meiner Großmutter. Ich lernte allein, entweder in der British Library oder im Bett, und als ich schließlich fertig war mit meinem Studium, meldete ich mich zu einer

Abschlussfeier in Birmingham an, weil Granny meinte, sie sei seit einer Ewigkeit nicht mehr da gewesen und würde schrecklich gerne mal wieder einen Abend dort verbringen. Aber am Tag meiner Abschlussfeier war sie krank, weshalb ich meinen Abschluss allein feiern musste. Und doch ließ ich den Blick, als ich mit meinem Abschlusszeugnis in der Hand von der Bühne ging, über die Zuschauermenge schweifen, wie eine Alleinreisende in der Ankunftshalle des Flughafens. Diese absurde Hoffnung, die wir Menschen im Herzen tragen, nicht allein zu sein, entgegen allen anderslautenden Beweisen.

Für den Bruchteil einer Sekunde sah ich ihn – Dad – tatsächlich, mit kurz geschorenen Haaren in einer der seitlichen Sitzreihen, das Gesicht im Schatten. Aber es war ein anderer Vater, der neben einer anderen Mutter saß und für jemand anderen klatschte, nicht für mich.

Anschließend ging ich zum obligatorischen Umtrunk im obersten Stockwerk des Foyers der Birmingham Symphony Hall und unterhielt mich mit einer netten Dame vom Stand des Alumninetzwerks. Sie fragte mich, was ich nun vorhätte. Ich trank mein Weinglas aus und sagte ihr, meine erste Amtshandlung werde es sein, meinen Namen ändern zu lassen.

Sie prostete mir zu. »Das freut mich für Sie!« Dann: »Wie bitte?«

»Ich werde meinen Namen ändern lassen«, wiederholte ich. Das war das erste Mal seit langem, dass ich Alkohol getrunken hatte. Mein Blick blieb an einem halben Burger hängen, den jemand in der Topfpflanze neben uns entsorgt hatte. »Ich werde mich Emma Merry Bigelow nennen. Bigelow ist der Nachname meiner Großmutter, und sie ist ein Teufelsweib. Und Merry – na ja, ich wäre gerne fröhlicher. Meinen alten Namen will ich nie wieder hören. Gut, also, dann einen schönen Tag noch. Danke fürs Gespräch.«

Und damit marschierte ich los, hinaus aus dem verlassenen Veranstaltungszentrum und bis zu einem alten Treidelpfad am Kanal, wo ich stundenlang entlang des stillen Wassers wanderte, während sich ringsum silbrige Birkenblätter schwerelos über den schmalen Weg spannten.

Mein Handy klingelt, als ich Ruby gerade über den Parkplatz vor dem Trampolinclub eskortiere. Ruby sieht, wie ich hektisch nach dem Headset krame, sagt aber nichts.

Er ist es nicht. Es ist Leos Mutter. Sie ruft mich oft an, wenn Leo nicht schnell genug auf ihre Nachrichten antwortet, und immer am Mittwoch, weil sie weiß, dass ich mittwochs nicht arbeite.

»Jane!«, rufe ich, eine Hand auf dem Herz. Ich habe versucht, mich zu beruhigen, nicht nur wegen

Ruby, sondern auch meinetwegen. Mein Körper hat in den vergangenen Jahren genug Strapazen mitgemacht.

Er ruft nicht an. Er hat gesagt, kein Kontakt, und es ist ihm ernst damit.

»Ach, Emma, gut. Wie geht es dir? Ich wollte nur eben Bescheid sagen, dass Barry seit Sonntag die Grippe hat«, sagt sie, ohne Luft zu holen. »Eine richtige Grippe, und es geht ihm nicht besonders.« Ihre Stimme klingt zum Zerreißen gespannt, und ich weiß sofort, worum es ihr eigentlich geht.

Ich klemme mir das Telefon unters Kinn und schnalle Ruby in ihrem Sitz fest, während ich ihr lautlos zu verstehen gebe, dass wir uns gleich ein Eis holen. Der Himmel über uns ist blass und aufgewühlt, der Wind beißend. Es sieht nach Regen aus.

Mit dem Versprechen, mit Leo zu reden, beende ich das Gespräch, aber gerade als ich auf den Fahrersitz schlüpfe, summt das Handy schon wieder.

»Herr im Himmel, Jane«, seufze ich und greife danach.

»Herr im Himmel, Jane«, seufzt Ruby von hinten.

Aber es ist nicht Jane.

Ich muss dich wiedersehen, steht da. Mir wird übel. Nach kurzem Zögern wische ich über das Display.

Bitte, hat er in einer zweiten Nachricht geschrieben.

»Mummy. Mummy! EIS!«

Hektisch krame ich herum und stoße auf die Ausgabe einer Fachzeitschrift für Meeresbiologie. »Hier.« Ich reiche sie Ruby. »Ich finde, du solltest dir die Meeraale anschauen.«

»Okay«, sagte Ruby, aber nur weil ich sie damit überrumpelt habe. Mir bleiben höchstens dreißig Sekunden, bis ich in Richtung Eiscreme starten muss.

Warum willst du mich sehen?, schreibe ich. *Wir waren uns doch einig, dass es nichts mehr zu sagen gibt.*

Sofort fängt er an, eine Antwort zu tippen. Ich warte mit wild klopfendem Herzen.

Ich fahre nächste Woche nach Northumberland, schreibt er. *Ich muss im Cottage nach dem Rechten sehen. Wir könnten uns dort treffen, wenn dir ein Treffen in London zu heikel ist.*

Ich schließe die Augen. *Ja. Nein. Ja. Nein.*

Nächste Woche muss ich zu einer Konferenz in Newcastle. Es wäre ein Kinderspiel. Nicht einmal eine Stunde Autofahrt.

Aber Leo. Ruby. Mein Versprechen.

Dreizehntes Kapitel

Leo

»Leo, auf ein Wort?«, ruft jemand. Ich schaue auf. Es ist Jim Guisan, unser Chefredakteur, der sich lässig auf Kelvins Stuhl fallen lässt. Ein entsetzlich energiegeladener Mensch.

Das restliche Team ist gerade beim Mittagessen.

»Sicher«, sage ich und speichere meine Arbeit. Ich schreibe gerade über einen Doppelagenten aus der Zeit des Kalten Krieges; der Tipp kam von einem unserer Leser. Er ist gestern in Moskau gestorben, nach einem lustigen Pensionärsleben als Importeur von englischen Jaffa Cakes und Yorkshire Tea.

»Es geht um deinen Artikel«, setzt Jim an. »Über Janice Rothschild.«

»Ach?«

Patrick, der charmante Kerl, der die Gerichtsredaktion leitet, hört auf zu tippen, um uns unauffällig zu belauschen. Jim winkt mir, ihm ins Konferenzzimmer auf der anderen Seite des Flurs zu folgen.

Ich stehe auf und tue, wie mir geheißen.

Ich bin von einer unserer Wochenendbeilagen gebeten worden, ein Feature über Janice Rothschild zu schreiben – kein Nachruf, nichts dergleichen, nur ein kleiner Artikel über ihr Leben und ihre Karriere. Ihr rätselhaftes Verschwinden beherrscht immer noch die Schlagzeilen. Es gibt auch weiterhin keine Spur von ihr, und die Polizei scheint völlig im Dunkeln zu tappen. Die Leser wollen einfach mehr über sie und ihr Leben wissen.

Beschwerden kennen wir in der Nachrufredaktion zur Genüge, aber eigentlich nur, weil trauernde Angehörige allzu oft glauben, uns fiele die ehrenvolle Aufgabe zu, die persönliche Propagandamaschine ihrer Angehörigen weiter zu füttern. Wenn wir dann keine schwärmerische Lobhudelei veröffentlichen, sondern das Leben des lieben Verstorbenen schildern, wie es war – Verbrechen, Borniertheit, sexuelle Verfehlungen und all so was –, neigen sie dazu, uns erboste Briefe zu schreiben. Der Artikel über Janice allerdings war lupenrein. Ich wundere mich, dass jemand etwas dagegen einzuwenden hat.

»Jeremy Rothschild hat sich beschwert, höchstpersönlich«, sagt Jim, während ich im leeren Konferenzraum Platz nehme. »Er war sauer, weil du die Geschichte mit dem Aufenthalt in der psychiatrischen Anstalt nach der Geburt ihres Sohnes erwähnt hast.«

Ich gucke ihn stirnrunzelnd an.

Er guckt stirnrunzelnd zurück, mit stählernem Höheres-Management-Blick.

Noch ehe ich mich an die Arbeit gemacht und den Artikel über Janice geschrieben habe, hatte ich mir fast als Allererstes den Artikel noch einmal angeschaut, den ich in unserem Archiv gefunden hatte. Er war recht knapp – bloß ein paar Fotos von Jeremy und Janice, wie sie aus einer psychiatrischen Einrichtung für junge Mütter und ihre Kinder kamen, und ein Bilduntertitel, der genau das besagte. Alles deutete darauf hin, dass sie kurz nach der Entbindung einen psychischen Zusammenbruch erlitten hatte.

Natürlich habe ich ein paar Zeilen dazu geschrieben. Es wäre nachlässig, die psychische Vorerkrankung einer Frau, die plötzlich spurlos verschwunden ist, unerwähnt zu lassen. Und außerdem, die Fotos sind öffentlich zugänglich – das Ganze ist kein Geheimnis. Ich bin mir ziemlich sicher, dass die anderen Zeitungen sie auch gesehen und darüber berichtet haben.

Das sage ich auch Jim.

Er nickt, als leuchte ihm das ein, sagt dann aber: »Die Fotos haben sie damals schwer getroffen – sie beide. Jeremy war der Ansicht, sie in der gegenwärtigen Situation zu erwähnen sei übergriffig und taktlos.«

Ich fasse es nicht, dass ich mir das von einem Zeitungsredakteur anhören muss.

»Willst du damit sagen, du möchtest, dass ich das vertusche?«, frage ich nach kurzer Pause.

Jim scheint mit sich zu ringen, dann schüttelt er den Kopf. »Ach was, nein. Natürlich nicht. Wenn ich ganz ehrlich bin, wundert mich das genauso sehr wie dich. Vermutlich steht er gerade völlig neben sich. Kann nicht mehr logisch denken. Aber er ist ein guter Freund.«

Natürlich. Bestimmt sind sie beide Mitglieder in irgendeinem elitären Club, sie und all die anderen großen Nummern der hippen modernen Medienlandschaft. Mein Blick geht zu meinen zerschrammten Schuhen. Und dann zu Jims wirklich schicken Schnürschuhen.

»Ich habe nicht hinterm Berg gehalten«, sagt Jim. »Ich habe ihm gesagt, ein Widerruf oder eine Entschuldigung kommt mir nicht in die Tüte. Aber ich finde, jemand anderer sollte den Nachruf übernehmen, falls Janice wirklich …«

Ich muss kurz lächeln. Nachrufschreiber sind die einzigen Menschen auf der Welt, die sich nicht um die Wörtchen *tot* oder *verstorben* drücken. Man kann sich einen Spaß daraus machen, anderen dabei zuzusehen, wie sie sich mit *verschieden* oder *Verlust* drum herumzuwinden versuchen.

»Wir haben uns nichts vorzuwerfen«, sagt Jim.

»*Du* hast dir nichts vorzuwerfen – so es denn stimmt. Aber er ist ein Freund, und er steht neben sich vor Sorge um seine Frau, und ich will nicht noch mehr Salz in die Wunde streuen, weil du den Nachruf geschrieben hast. Weiter nichts.«

»Also gut«, brumme ich schließlich. »Aber ich staune. Ich meine, erstens haben unsere Nachrufe keine Verfasserzeile. Er würde also nie erfahren, wer ihn geschrieben hat.«

»Ach, das glaube ich doch. Deine Nachrufe sind auf geniale Weise anders, Leo.«

In einem Geschäft, in dem mit Lob meist gegeizt wird, ist das wohl das größte Kompliment meines Lebens. Ich versuche, nicht zu strahlen wie ein Honigkuchenpferd.

»Also gut«, sage ich. »Ich reiche das an Sheila weiter.«

Aber richtig ist das nicht. Wie kann Jeremy Rothschild, die fleischgewordene Rechtschaffenheit und Neutralität des Journalismus, etwas dagegen einzuwenden haben, dass wir über ein Ereignis aus Janice' Leben schreiben, das längst öffentlich war? Wir sind schließlich eine überregionale Zeitung! Ich knibbele an einem Pillingknötchen auf meinem Wollpullover und verfluche mich innerlich, weil ich den kleinen Kamm nicht benutzt habe, den Emma mir letzte Woche gegeben hat, um den Pullover zu entknüddeln. Sie ist ganz hin und weg von dem Ding.

»Wunderbar«, sagt Jim. »Danke.«

Wir stehen auf und gehen wieder rüber in die Nachrufredaktion.

Jims Blick geht zum Whiteboard über meinem Schreibtisch, auf dem ich mit meiner spinnwebhaft krakeligen Schrift ein wahlloses Totenmosaik skizziert habe. Neben einem der Namen auf meiner LISTE NOCH ZU SCHREIBENDER NACHRUFE steht *Dreck! Lebt wohl noch!* – auch in meiner Handschrift. Sein Blick scheint daran hängen zu bleiben.

»Weiter so«, sagt er schließlich wenig überzeugend, um dann unsere kleine Chaos-Todes-Ecke zu verlassen.

Ich gehe auf ein Pint ins Plumbers. Hier wimmelt es nur so von Kollegen, die alle auf ihre Handys starren und tun, als seien die anderen nicht da. Manchmal frage ich mich, ob sich der Journalismus im Laufe der Zeit überhaupt weiterentwickelt hat oder ob wir im Grunde unseres Herzens nicht allesamt immer noch in der Fleet Street hocken und uns langsam zu Tode saufen, während wir auf den einen heißen Tipp warten.

Ich wähle Emmas Nummer, aber sie geht nicht ran. Mir wird kurz ganz komisch, weil die Geschichte mit dem Abschlussfoto wieder ihre hässliche Fratze zeigt, aber ich starre sie unerschrocken nieder. Ich könnte auch in St. Andrews anrufen oder bei Jill, wenn ich weitergraben wollte. Aber ich habe mich dazu entschlossen, meiner Frau zu vertrauen.

Rasch scrolle ich auf dem Handy durch Twitter, nur für den Fall, dass uns irgendwelche Todesfälle durch die Lappen gegangen sind.

Dann verschwindet Twitter unvermittelt, und Emmas Name erscheint auf dem Display.

»Hi!«, keucht sie, als ich rangehe. »Entschuldige! Ich bin gerade mit Ruby im Milk!« Das Milk ist unser Familienstammcafé. Für mich womöglich der unliebsamste Ort auf der ganzen weiten Welt, aber sie machen ihr Eis mit irgendeinem abgefahren klingenden Ersatzkram statt mit Zucker und sämtliche Latte-macchiato-Eltern strömen in Scharen dorthin, um ihr schlechtes Gewissen zu beruhigen. Außerdem gibt es eine Spielecke mit Werkbank für Kinder, und Ruby hat ein Faible fürs Hämmern.

»Danke, dass du zurückrufst«, sage ich. Ein Tourist bleibt draußen stehen und schießt mit seinem Handy ein Foto von der Aufschrift *Fassgereifte Ales* auf dem Schaufenster, als hätte er gerade mitten auf der Lower Belgrave Street ein waschechtes Schankhaus aus dem sechzehnten Jahrhundert entdeckt.

»ALLES OKAY?«, brüllt Emma.

»Mehr oder weniger. Wir haben eine Beschwerde bekommen, von Jeremy Rothschild. Ihm hat der

Artikel nicht gefallen, den ich für die Wochenend-
ausgabe über Janice geschrieben habe, und jetzt
wurde mir der Nachruf entzogen. Um den geht es
mir ja gar nicht, sondern ums Prinzip.«

Emma ruft Ruby irgendwas zu. Dann: »Entschuldige, eine Beschwerde von wem?«

»Jeremy Rothschild«, wiederhole ich so ruhig wie
möglich. Aber natürlich kann sie mich kaum hören.

»Sorry, Schatz, von wem?«

»Jere… Ach, weißt du was, lassen wir das.«

»Warte, sagtest du Jeremy *Rothschild*?«

»Ja.«

»Was zur Hölle?« Mit einem Mal klingt sie stinkwütend.

Typisch Emma, jetzt geht's los. Ich grinse und
entscheide mich gegen ein zweites Pint.

»Anscheinend ist ihm der Artikel sauer aufgesto-
ßen, weil ich ehrlich über Janice' psychischen Zusammenbruch nach der Geburt ihres Sohnes berichtet habe. Das fand er taktlos.«

»Das ist ja wohl ein Scherz!«

»Leider nein.«

Ein langes Schweigen legt sich über die Leitung.

Dann: »Leo«, sagt Emma, »bitte höre nie auf, die
Wahrheit zu sagen. Jeremy Rothschild klingt wie so
ein größenwahnsinniger Snob.«

Ich trinke noch einen Schluck von meinem Pint
und streiche mir die Hose glatt. Nie im Leben käme

ich auf die Idee, im Anzug zur Arbeit zu gehen, aber selbst diese nicht besonders schicke Hose ist mir schon zu unbequem.

»Wie war's beim Trampolinspringen?«

»Schön«, sagt Emma. Sie hat aufgehört zu schreien; im Hintergrund ist es allem Anschein nach etwas leiser geworden. »Hör zu, Leo, deine Mum hat angerufen.«

»Ach herrje … Warum?«

Es ist jetzt schon zehn Jahre her, seit ich erfahren habe, dass ich adoptiert wurde, und dennoch gestaltet sich die Beziehung zu meinen Eltern bis heute holprig. Die ersten Monate habe ich überhaupt nicht mehr mit ihnen geredet. Ich hatte das Gefühl, sollte ich das jemals verwinden wollen, bräuchte ich erst einmal Abstand, also bat ich sie um ein wenig Zeit – nur eine Weile, erklärte ich. Ich wollte sie nicht endgültig aus meinem Leben ausschließen. Dad respektierte meine Bitte, aber Mum schrieb und textete ununterbrochen. Sie ist klug, meine Mutter, und bis dahin hatte ich eigentlich auch gedacht, dass sie so schnell nichts umhaut. Aber an meinem Schweigen ist sie zerbrochen. Sie hat eine Persönlichkeitsstörung entwickelt, die sie allem Anschein nach einfach nicht in den Griff bekommt.

Ruby zuliebe habe ich mir alle Mühe gegeben, die Risse in unserer Beziehung zu kitten. Aber sie sind immer noch da, sehr präsent, mitten zwischen uns.

Es war mein gutes Recht zu erfahren, wer ich bin, und es will mir nicht in den Kopf, wie meine Eltern das je haben anders sehen können.

»Sie hat angerufen, um uns zu sagen, dass dein Vater die Grippe hat«, sagt Emma, dann unterbricht sie sich, um ein Kind zu retten, dessen Hand Ruby gerade mit dem Hammer zu bearbeiten versucht.

»Eine richtige Grippe«, sagt sie, als sie wieder da ist. »Er ist ernsthaft krank.«

»Der Arme.« Ich seufze. »Aber irgendwie frage ich mich schon, ob das nicht nur wieder so eine Art Test ist.«

Mum hat irgendwann im Laufe der vergangenen Monate damit angefangen, mich wieder und wieder auf die Probe zu stellen, um zu sehen, wie ich reagiere. Letzten Monat hat sie mir über Emma ausrichten lassen, ihre Rentenzahlungen seien eingestellt worden und niemand wisse, warum. Das machte mich fuchsteufelswild, wirklich, weil es mir eben *nicht* egal ist – natürlich ist es mir nicht egal –, aber ich wusste, ihr ging es nur darum zu sehen, ob ich sie anrufen und ihr meine Hilfe anbieten würde.

»Vermutlich ja«, stimmt Emma mir zu. »Aber ich finde, du solltest sie anrufen, so oder so. Vielleicht fährst du ein, zwei Tage hin und hilfst ihnen ein bisschen? Sie hat gesagt, er liegt seit Sonntag im Bett, du könntest also bis Anfang nächster Woche warten, damit du dich nicht auch noch ansteckst.«

»Örgs.«

»Leo«, sagt sie leise. »Sie sind Rubys einzige Großeltern. Und sie sind nette, anständige Menschen, ganz
gleich, was sie auch falsch gemacht haben mögen.«

»Ja, ich weiß. Also gut, ich rufe sie an. Bekommst
du das hin, Ruby zur Betreuung zu bringen und
wieder abzuholen?«

Sie beginnt gerade zu sagen, dass das kein Problem ist, hält dann aber inne. »Ach Moment. Nächste
Woche habe ich diese Konferenz an der Uni in Newcastle. Ich hätte in meinen Kalender gucken sollen,
ehe ich dich anrufe.«

Eine Weile überlegen wir hin und her, und zu
guter Letzt schlägt sie vor, Ruby einfach mitzunehmen nach Newcastle. Sie muss nur Montagmorgen und Donnerstagmittag ihre Vorträge halten und
meint, Dienstag und Mittwoch könne sie doch mit
Ruby hoch nach Northumberland an den Strand
fahren. Ruby ist noch nie an »Mummys Krabben-
strand« gewesen, und ich werde sie ganz bestimmt
nicht in ein Haus mit einem Grippekranken mitnehmen.

»Ganz sicher?«, frage ich. »Mit Ruby im Schlepptau kannst du aber nicht auf Krabbenjagd gehen.«

»Und wie ich das kann! Ruby findet das bestimmt
furchtbar spannend!« Sie muss wieder laut werden,
im Hintergrund hört man vielstimmiges Kindergeschrei.

»Also gut. Warum nicht. Und im Sommer fahren wir dann alle zusammen hin.«

»Gebongt!«, brüllt sie fröhlich. »Ich buche nachher einen Flug für Ruby und mich.«

Nach unserem Anruf gehe ich auf WhatsApp. Ich will mich für die kleine Aufmunterung bedanken.

Sie ist online und tippt gerade eine Nachricht an mich, also warte ich erst ab, was sie mir sagen will.

Hi. Habe gerade mit Leo gesprochen. Werde nächste Woche in Northumberland sein, wir können uns also sehen. Ich sage dir Bescheid, sobald ich die Flüge gebucht habe, damit wir was planen können.

Ich fange an, eine Antwort zu tippen: *Weiß nicht, ob das für mich bestimmt war!* Aber dann zögere ich, ehe ich auf »Senden« gehe. Für *wen* war die Nachricht bestimmt?

Jemanden an der Uni in Newcastle? Ich weiß, dass sie mit einigen der dortigen Forscher an einem wissenschaftlichen Bürgerbeteiligungsprojekt arbeitet. Oder Susi vielleicht, ihre alte Schulfreundin aus Schottland? Obwohl, wohnt Susi nicht inzwischen irgendwo in der Nähe von Tyneside?

Mein Handy summt. *Sorry! Das sollte an Susi gehen, nicht an dich!*

Ich mache mich auf den Weg zurück in die Redaktion.

Der Nachmittag vergeht in angespannter Nervosität zwischen Wortzählung und Emma, Nachrufplanung und Emma, Anrufen und Emma. Ich schreibe meinen Nachruf auf den Doppelagenten zu Ende, bringe unseren Bestand hinsichtlich einiger unmittelbar bevorstehender Todesfälle auf den neuesten Stand und fange schon mal mit der Frau an, die das britische Olympiateam im Synchronschwimmen choreografiert hat. Außerdem finde ich heraus, dass einer der Militärfritzen, dessen Nachruf ich letzte Woche geschrieben habe, – wir nennen sie nur »die Schnauzbärte« –, wohl ein bisschen geflunkert hat, was seine Military-Cross-Auszeichnung aus dem Zweiten Weltkrieg betrifft. Und komme zu dem Schluss, dass ich gerade nicht die Kraft und die Nerven dazu habe, seiner Familie die unangenehme Botschaft zu überbringen. Die haben schon genug mitgemacht. Ich beschließe, den Nachruf ad acta zu legen.

Ich muss wieder an die WhatsApp-Nachricht denken.

Sie hat einer alten Freundin geschrieben, sage ich mir. *Mehr gibt es dazu nicht zu sagen.*

Außer dass es sich irgendwie nicht danach angehört hat.

Später, als ich gerade zu ihr ins Bett steigen will, flitzt sie überstürzt ins Bad. »Code Braun!«, wispert sie.

Aus Gründen, die mir nicht gefallen, gehe ich auf

WhatsApp und sehe, dass sie online ist. Und mir schreibt sie gerade nicht.

Reglos sitze ich im Bett, und meine Müdigkeit strahlt sich langsam zur Beunruhigung aus. Warum tue ich das? Was stimmt nicht mit mir? Emma geht es gut! Sie ist krebsfrei – dafür habe ich gebetet! Und jetzt treibe ich mich nachts um elf auf Whats-App rum, verdammt noch mal, nur weil ich der felsenfesten Überzeugung bin, dass sie mit irgendwem ein heimliches Sex-Date in Newcastle plant? Während einer beruflichen Reise, mit unserer kleinen Tochter im Schlepptau? Echt jetzt?

Wütend schwinge ich die Beine aus dem Bett und marschiere die Treppe hinunter. Die Frau hat gerade den Kampf gegen den Krebs gewonnen! Ich muss diesem Schwachsinn ein Ende bereiten, sage ich mir, ein für alle Mal.

Auch wenn ich den Denkfehler in dem sehe, was ich vorhabe, die unverzeihliche Feigheit.

Auf halbem Weg hinein sehe ich, dass die alte grüne Plastiktüte mit ihren Unterlagen aus dem Esszimmer verwunden ist, aber ich kämpfe mich bis zu der kleinen Lichtung durch, nur für den Fall, dass meine Augen mich trügen. Auf dem Boden ist ein leeres Fleckchen, wo vorher die Tüte stand. John Keats schnuffelt vorbei und wedelt mit dem Schwanz. »Hey, Kumpel!«, sage ich, aber meine Stimme ist, wie alles ringsum, irgendwie schief.

»Was machst du denn da?« Emma steckt den Kopf durch die Tür.

»Ich suche einen Sammelordner mit Nachrufen.« Ich tue, als schaute ich mich in diesem Messie-Chaos um, obwohl ich hier im Leben nichts verstauen würde, und das weiß Emma genauso gut wie ich.

»Komische Uhrzeit für so was.« Mit einem Wattebausch wischt sie sich die Wimperntusche aus dem Gesicht. Mit der anderen Hand streicht sie gedankenverloren über ihre Blinddarmnarbe.

»Ich weiß. Aber Kelvin will eine kleine Zusammenstellung unserer denkwürdigsten Nachrufe machen, und… da wäre es für mich einfacher, auf meine eigene Sammlung zurückzugreifen.«

»Verstehe. Ach übrigens, ich habe gerade die Flüge für Ruby und mich nach Newcastle gebucht. Die wird ausflippen, wenn sie das hört!«

Irgendwas in meinem Bauch beruhigt sich wieder. *Aber natürlich.* Ihr Pass. Der war in der Tüte. Und Rubys genauso.

Morgen wird die Tüte wieder an ihrem Platz stehen, und ich kann aufhören, mich derart bescheuert aufzuführen.

Vierzehntes Kapitel

Emma

Dämmerung.

Beim Aufwachen bin ich nur noch selten in Tränen aufgelöst, aber heute ist es wieder so weit. Ich habe noch nicht die Kraft, mich dagegen zu wehren. Ich weine lautlos, die Hände fest auf die Augen gepresst.

Er ist da draußen, irgendwo, quicklebendig. Er atmet. *In diesem Moment.* Und doch weiß ich nicht, wo. Ich weiß nur, dass er nicht hier ist. Dass er nie hier sein wird, dass ich nie wieder neben ihm aufwachen werde.

Der schiere Schmerz, die erdrückende Last dieses Gedankens ist mehr, als ich heute ertragen kann.

Nachdem ich Leo gestern Abend dabei ertappt hatte, wie er im Esszimmer nach meinen Unterlagen gesucht hat, hat er zwei Stunden lang schlaflos neben mir im Bett gelegen. Und ich habe neben ihm gelegen und getan, als würde ich schlafen, und mich gefragt, wie viel er gesehen hatte, wie viel er weiß. Was wohl passieren würde, sollte er mich zur Rede stellen. Was ich sagen würde.

Manchmal weiß ich selbst nicht mehr, wer ich eigentlich bin; wo die Grenze verläuft zwischen Wirklichkeit und Wunschtraum. Manchmal stelle ich mir vor, wie mein Mann verlangt, die Wahrheit zu erfahren, und ich ihm darauf nichts zu antworten weiß, weil ich sie selbst nicht mehr kenne.

Als er endlich eingeschlafen war, holte ich die Schachtel aus ihrem vorübergehenden Versteck unter Rubys Bett. Ich hätte sie letzte Woche nicht ins Esszimmer räumen sollen. Ich hätte sie gleich aus dem Haus schaffen und verdammt noch mal darauf achten sollen, den Aktenschrank abzuschließen. Dann hätte Leo keinen Grund, hier herumzuschnüffeln.

So gehen Verbrecher ins Netz. Unter Druck machen sie dumme Fehler.

Während Ruby friedlich schlummert, nehme ich ein Dokument nach dem anderen heraus. Ich nehme den »Herzchen, du musst dein Leben auf die Kette kriegen«-Brief heraus, den Jill mir vor vier Jahren geschrieben hatte, nachdem ich verschollen und sie zu meiner Rettung geeilt war und mich in Northumberland aufgegabelt hatte. Ich nehme alles heraus, was Leo zu der Annahme verleiten könnte, ich sei eine andere als seine liebende, treue Ehefrau, und verfluche mich dafür, dass ich es bisher nicht über mich gebracht habe, das alles zu vernichten. Ein ganzes Haus voller Gerümpel zu horten ist eine Sache, aber diese Unterlagen? Das ist nichts weiter als rührselige, abergläubische, bescheuerte Dämlichkeit. Mich an diesen ganzen belastenden Kram zu klammern hilft mir nicht, die Verbindung zu meiner Vergangenheit zu halten. Es birgt nur die Gefahr, den wunderbaren Mann an meiner Seite zu verlieren.

Später dann, ich bin schon bei der Arbeit, ein Anruf von einer unbekannten Nummer auf dem Handy. Ich bin gerade im Seminar mit meinen Georisiko-Studenten; es geht um die Fluss- und Gezeitenströmung im Mündungsgebiet der Themse. Draußen ist es warm, und die Fenster stehen sperrangelweit offen. Schwer, sich da Sturmfluten und überschwemmte Überflutungsgebiete vorzustellen.

Ich sehe das Handy in der Tasche blinken und ignoriere es. Als es allerdings gleich darauf wieder zu blinken anfängt, entschuldige ich mich kurz und gehe raus auf den Flur.

»Hallo?«, sage ich, gerade als der andere auflegt.

Ich gehe zu meiner Anrufliste. Drei Anrufe in Abwesenheit, alle von einer unterdrückten Nummer.

»Ach, fick dich doch«, sage ich zu meinem Handy, aber meine Stimme klingt wackelig.

Mir war immer schon, als hätte ein verpasster Anruf von einer unterdrückten Nummer irgendwie was Unheilvolles. Aber als wir letztes Jahr bei einer Dinnerparty mit Freunden auf das Thema kamen, habe ich einsehen müssen, dass ich mit dieser Meinung doch mehr oder weniger allein dastehe. Leo und die meisten anderen unserer Freunde erklärten einstimmig, es jucke sie überhaupt nicht, wenn ein unbekannter Anrufer versucht habe, sie zu erreichen, und nicht durchgekommen ist. Bloß ich und Stef, eine Freundin von der Arbeit, schienen das irgendwie beunruhigend zu finden.

Vielleicht betrifft das nur Menschen, die etwas zu verbergen haben. Stef hat schon mehr als eine heimliche Affäre gehabt.

Ehe ich wieder nach drinnen zu meinen Doktoranden gehe, schaue ich durch das Fenster hinaus auf den kleinen Platz, der jetzt, wo die meisten Studenten in den Sommerferien sind, auffallend leer ist. Nur ein paar Leute auf einer Bank, die Sandwiches essen, und ein Mädchen mit einem Handy, das auf und ab tigert.

Und ein Mann, der allem Anschein nach zu meinem Fenster hochstarrt. Ich glaube nicht, dass ich ihn kenne... Er wirkt ein wenig abgerissen; könnte auch ein Student sein. Aber irgendwas an ihm gefällt mir nicht.

Die Kappe. Er trägt eine Baseballkappe. Wie der

Typ in Plymouth, wie der Kerl bei uns vor dem Haus.

Ich schaue den Flur hinunter, aber sonst steht niemand an einem der Fenster. Sonst ist da niemand, den er anstarren könnte.

Ich bekomme Gänsehaut, und in meiner Brust öffnet sich ein eiskaltes Loch. Guckt der wirklich zu *mir?*

Als ich mir einen Ruck gebe und zurück zum Seminarraum gehe, wendet der Mann sich ab und marschiert davon. Ich sehe ihn noch von hinten, wie er auf die Gower Street zuhält.

Ich bin wachsamer als sonst, als ich nach getaner Arbeit aus dem Gebäude gehe, aber ich bin umringt vom steten, stillen Strom der Menschen, die gerade Westminster verlassen, die Augen aufs Handy geheftet, stumm und schweigend. Erinnert mich an die unwirkliche Stadt in *Das wüste Land*. *Alles komisch irgendwie.*

Ich will hier nicht sein. Ich will am Meer sein. Weite und Leichtigkeit und die Sonne, die runzelige Haut aus der Wasseroberfläche macht.

Nächste Woche. Nächste Woche geht es nach Northumberland, mit seinen weiten Himmeln und den fröhlich plätschernden Gezeiten. Mit Ruby, mit Meer. Ihm, vielleicht, ein Stückchen näher.

Noch vier Tage.

Fünfzehntes Kapitel

Emma

Am folgenden Montag fahren Ruby und ich zum Flughafen. Meine Tochter hat es sich, angeregt von einem Buch aus der Kita, in den Kopf gesetzt, dass wir eine Teeplantage in Darjeeling besuchen. Sie hat Ente in Musselin gewickelt und sie gewarnt, tagsüber werde es brütend heiß, aber nachts dafür empfindlich kalt werden.

Ich lasse sie weiter ausführlich über die klimatischen Gegebenheiten des Rangbhang-Tales dozieren, während sie im Zug neben mir auf dem Sitz sitzt, und hole mein Handy heraus. Es ist erst halb neun, aber ich bin jetzt schon hundemüde und schrecklich kurzatmig. Das geht jetzt schon seit Tagen so, und es gefällt mir überhaupt nicht.

Ich wähle seine Nummer.

»Hallo?«

»Hi. Ich bin's, Emma.« Ich konzentriere mich ganz fest auf die Titelseite des Meeresbiologiemagazins auf meinem Schoß, auf der ein Schwarm winziger Seenadeln seelenruhig durch ein Schiffswrack zieht.

»Ah ja. Hi.« Er senkt die Stimme.

»Passt es gerade nicht? Ist jemand bei dir?« Ich rolle das Magazin zusammen.

»Nein.« Er seufzt. »Es war ein stressiger Tag, aber jetzt bin ich allein. Ich bin es bloß nicht mehr gewohnt, so unbefangen mit dir zu reden.«

»Verstehe.«

Er schweigt, also rede ich weiter. »Hör mal, ich weiß, du hast gerade viel um die Ohren. Aber du hast bis jetzt nicht auf meine Nachrichten reagiert, und ich bin gerade auf dem Weg in den Norden. Zuerst eine Konferenz in Newcastle heute Nachmittag und dann für zwei Nächte nach Northumberland. Bist du noch in Alnmouth? Steht das Treffen noch?«

»Ich bin noch in Alnmouth«, sagt er. »Und ich möchte dich sehr gerne sehen.«

»Ja. Ich habe uns für zwei Nächte ein Cottage gebucht. Nicht mal eine Minute von deinem Haus entfernt. Der Weg, der neben der Post abgeht? Hausnummer 15.«

»Schön.«

»Komm am besten, wenn Ruby schon schläft. Irgendwann nach acht. Ist mir egal, an welchem der beiden Abende.« Ich rolle die Zeitschrift noch fester auf. »Am Donnerstagnachmittag fliegen wir wieder nach Hause.«

»Okay«, sagt er nach kurzer Pause. »Dann komme ich am Dienstag. Aber Emma, ich …«

Ich warte. Ruby plapperte immer noch irgendwas über Teeplantagen.

»Ach, weißt du was, das sage ich dir, wenn wir uns sehen«, brummt er. »Ich will nicht am Telefon darüber reden.«

»Ganz sicher? Gibt es was Neues? Ist alles in Ordnung?«

»Wir sehen uns am Dienstag«, sagt er und legt auf.

Ich schließe die Augen und sage mir, dass alles gut wird. Dieses Hin und Her mit ihm geht nun schon seit zwanzig Jahren, und irgendwie habe ich es schließlich bisher auch durchgestanden.

Sechzehntes Kapitel

Leo

Wenn die Queen stirbt, wird ihr Privatsekretär einen globalen Notfallplan namens Operation London Bridge in Gang setzen. Premierminister und Präsidenten werden es als Erste erfahren und kurz darauf auch die internationale Presse. Unsere Redaktion hat eine zwölftägige Berichterstattung fertig in der Schublade. Bei der BBC gibt es voraufgezeichnete Sendungspakete und alle paar Monate eine Katastrophenübung. Die bewaffneten Streitkräfte sind in Bereitschaft, selbst unser Lokalradio ist auf alles vorbereitet. Ein Wort genügt.

Nachrufschreiber hingegen müssen eigentlich für alle und jeden derartige Vorkehrungen treffen. Sagt ein Sänger seine Stadiontour ab, kann ich Ihnen garantieren, dass ich einen Nachruf auf ihn schreibe – was, wenn er gerade den jahrelangen Kampf gegen die Sucht verliert? Wir haben unsere Maulwürfe in der Politik, der Finanzwelt, beim Theater, beim

Film, in der Kirche und weit darüber hinaus. Wenn Sie ein bisschen blass um die Nase sind, können Sie davon ausgehen, dass wir an Ihrem Nachruf sitzen.

Aber irgendwer geht einem immer durchs Netz. Jemand, mit dessen Ableben man überhaupt nicht gerechnet hat. Heute ist es Billie Roland, berühmt-berüchtigte Gespielin des halben britischen Kabinetts in den frühen 1980er-Jahren. Herzversagen im Schlaf – drei Tage hat sie tot im Bett gelegen, bis ihr Sohn schließlich die Tür zu ihrer Wohnung aufgeschlossen und sie gefunden hat.

Keine Ahnung, wieso wir keinen Nachruf auf sie in der Schublade haben. Ich weiß nur, dass sie ein atemberaubend turbulentes, schillerndes Leben geführt hat und wir gnadenlos hinterherhinken. Außer Sheila haben heute alle frei, und wir müssen die gesamte Nachrufseite für die morgige Ausgabe auf den Kopf stellen, auch weil der Dichter, der uns eigentlich bis heute Mittag einen Nachruf auf seinen Kumpel versprochen hatte, sich allem Anschein nach in Luft aufgelöst hat. Darum versuche ich nun verzweifelt, im Rennen gegen die Zeit bis zum Redaktionsschluss heute Nachmittag um vier irgendwie eine halbe Seite über Billie zusammenzubasteln.

Und darum ist es auch so was von daneben, dass ich stattdessen lieber das Produktionsteam googele, mit dem Emma damals die Serie für die BBC gedreht hat. Zwar versuche ich mir einzureden, einen von ihnen wegen ihres Nachrufs interviewen zu wollen. Aber eigentlich will ich bloß wissen, wer dieser Robbie ist.

> *Hey, Süße, tut mir leid, dass ich dich heute*
> *Morgen verpasst habe. Ruf mich an.*
> *Lass uns nicht so auseinandergehen...*
> *Robbie x*

Nicht dass ich glaube, die Nachricht sei von ihrem Lover, zurückgelassen auf einem leeren Kissen – Emma würde nie eine Affäre mit jemandem anfangen, der sie *Süße* nennt –, aber irgendwas ist da im Busch. Irgendeine Verbindung, von der ich nichts weiß. Und ich komme nicht umhin zu denken, dass es einen guten Grund dafür gibt, dass ich es nicht weiß.

Ich drehe den Bildschirm weg von zufällig vorbeikommenden Kollegen und rufe die Serienseite auf IMDb auf. Sofort habe ich ihn gefunden: Robbie Rosen, der Set-Runner. Keine halbe Minute später verrät Twitter mir, dass er inzwischen als Regieassistent für die BBC Scotland arbeitet. *Gin und Tee; meine Katzen; Friends-Witze und hin und wieder etwas Fernsehkram* steht in seinem Profil. Er sieht aus wie sechzehn und ist perfekt geschminkt.

Ich lächele schief. Mit diesem Knaben hat Emma ganz bestimmt keine heimliche Affäre. Aber es muss einen Grund dafür geben, dass dieser Zettel in ihrem Ordner lag. Sie wollte ihn in Erinnerung behalten, ihn sich irgendwann noch einmal anschauen.

Warum? Wer ist er?

Nur mit Mühe gelingt es mir schließlich, mich von Twitter loszureißen, um endlich Billies Nachruf fertig zu schreiben.

Eine halbe Stunde später ist es vollbracht, und sofort bin ich wieder bei Robbie Rosen von der BBC Scotland. Die Forschungsabteilung »Lebensende« der Glasgow University veranstaltet am Donnerstag eine Konferenz zum Thema Tod und Sterben. Ich habe mich nicht angemeldet, weil keiner der Redner mich sonderlich interessiert, aber inzwischen ist auch Di Sampson angekündigt, eine der besten Nachrufschreiberinnen der Welt. Ich weiß, dass ich sicher noch ein Ticket bekomme, wenn ich da anrufe.

... *und warum?*, frage ich mich fassungslos. Damit ich anschließend eben rasch bei der BBC Scotland hereinschneien kann? Um irgendeinen armen Tropf in die Mangel zu nehmen, wegen einer Sendung, die vor über fünf Jahren gedreht wurde?

Von irgendwo in der Redaktion hört man Johlen und Applaus. Ich schaue auf, sehe aber nichts. Muss wohl im Feuilleton sein.

Stattdessen sehe ich Sheila, die mich von ihrem Schreibtisch aus aufmerksam mustert.

»Leo«, sagt sie. »Ist alles in Ordnung?«

»Ja…?«

Sie wendet sich wieder ihrem Bildschirm zu, schickt mir aber eine Chatnachricht: *Du bist ganz rot im Gesicht.*

Worauf ich erwidere: *Weil's so warm ist.* Draußen sind es beinahe dreißig Grad. London schwitzt.

Ich bin immer für dich da, falls du reden willst, schreibt sie zurück.

Wieder schaue ich auf, rüber zu ihr, und wieder schaut sie mich einfach nur an, wie neulich, als sie mich wegen Emma und Waterloo Station ausgefragt hat. Ich frage mich, ob sie das bei ihren Vernehmungen wohl auch so gemacht hat. Ist verdammt verstörend.

Nach einem langen, durchdringenden Blick formt sie ein Wort mit den Lippen: *Pint?*

Ich schüttele den Kopf, schließlich ist es noch nicht einmal elf Uhr morgens, also schickt sie mir noch eine Nachricht.

Ganz sicher? Du hast gerade eine Menge am Hacken.

Sheila, schreibe ich. *Eigenartig, du scheinst wirklich zu glauben, es ginge mir nicht gut. Gibt es irgendwas, worüber wir reden sollten?*

Sie zögert eine Sekunde – nur eine Sekunde –, und ich denke: *Sie weiß etwas über Emma.*

Wieder schaue ich rüber zu ihr.

Was?, frage ich stumm. Ich will fast nicht fragen.

Sheila beginnt zu tippen.

Nichts, schreibt sie. *Aber ich weiß, dass Kelvin dich gebeten hat, einen Nachruf auf Emma zu schreiben, und wenn du gerade da dran sitzt, könnte ich mir vorstellen, dass du dich ziemlich mies dabei fühlst.*

Dann: *Entschuldige. Eigentlich wollte ich nur nett sein. Ist nicht gerade meine Stärke. Sx*

Ich merke, dass ich die Luft anhalte, dass ich stocksteif geworden bin.

Ich muss dieser ganzen Sache ein Ende bereiten. Kein Mensch, den ich kenne, würde einfach dasitzen und im eigenen Saft schmoren und sich standhaft weigern, die eigene Frau nach den eigenartigen Papieren zu fragen, die er oder sie gefunden hat – statt sie einfach darauf anzusprechen.

Und was Sheila angeht: Sie und Emma sind sich zwei-, höchstens dreimal begegnet. Sie haben keine gemeinsamen Bekannten, keinen sich überschneidenden Freundeskreis. Sheila weiß rein gar nichts über meine Frau. Diese Zufallsbegegnung in Waterloo Station hat nur dann etwas zu bedeuten, wenn ich dem Bedeutung beimesse – Sheila ist Emma unerwartet über den Weg gelaufen und war bloß neugierig.

Sie weiß nichts über meine Frau, wie sollte sie auch? Da zeigt sich bloß meine Paranoia.

Ich schreibe zurück, dass sie sich keine Sorgen zu machen braucht – mir ist *wirklich* bloß warm –, und gehe mir dann ein Glas Wasser holen ...

… aber ich kann es einfach nicht gut sein lassen. Beim Gang durch die Nachrichtenredaktion muss ich an Emmas Papiere denken. Die grüne Plastiktüte ist nicht wieder aufgetaucht. Ich habe das ganze Haus nach dem Brief von ihrer Uni abgesucht: weg. Der Brief bezüglich ihres Vaters: weg. Die Nachricht von *Robbie x*: weg. Ich habe die verbliebenen Papiere in ihrem Aktenschrank durchgeblättert, ohne zu wissen, was ich eigentlich suche; was sie womöglich herausgenommen haben könnte. Und je länger ich suchte, desto tiefer wurde ich hineingezogen in das schwarze Lied der Vergangenheit, in das Gästezimmer meiner Eltern, damals.

Ich nehme ein Glas aus der Spülmaschine und fülle es mit Wasser aus dem Spender. Wir sind Emma und Leo. Wir sind ein tolles Paar. Ein *spitzenmäßiges* Paar. Wir sind so toll, dass wir unseren Freunden damit in schöner Regelmäßigkeit auf die Nerven gehen. Wir sind kein Paar, in dessen Beziehungen es vor Heimlichkeiten nur so strotzt. Das kann nicht sein.

Oder vielleicht doch?

Das Problem ist nicht Emmas Vergangenheit. Was auch immer an der Uni passiert sein mag, ich könnte damit umgehen. Das Problem sind die Lügen.

Emma war dabei, als ich herausgefunden habe, dass meine Eltern mich dreißig Jahre lang belogen haben. Sie weiß ganz genau, dass der einzige

Mensch, dem ich infolgedessen noch traue – wirklich und wahrhaftig der einzige Mensch auf der ganzen weiten Welt –, sie selbst ist.

Und in diesem Moment beschließe ich, nach Glasgow zu fahren und mit Robbie Rosen zu reden.

Wissen ist Macht, sagen wir uns, aber auch das ist eine Lüge. Die Sache läuft aus dem Ruder, und doch kann ich nicht aufhören mit der Schnüffelei.

Kaum sitze ich wieder am Schreibtisch, greife ich auch schon zum Telefon und rufe die Glasgow University an. Dann gehe ich zu EasyJet und buche mir einen Flug. Ich schreibe meiner Freundin Claire aus Unizeiten, die bei der BBC in Glasgow arbeitet, und frage sie, ob sie am Donnerstagnachmittag Zeit für einen Kaffee hat. Sie antwortet prompt: *JA! Mega! Kannst du in den Sender kommen? Ich melde dich an!*

Zu guter Letzt logge ich mich in einen E-Mail-Account ein, den ich noch aus alten Hackerzeiten habe. Er läuft nicht auf meinen richtigen Namen. Von hier schicke ich Robbie Rosen eine E-Mail und frage ihn, ob er am Donnerstag eventuell Zeit hätte für ein kleines Gespräch; es gehe um Emma Bigelow, die schwer erkrankt war und über die ich gerade schreibe. Vierzig Minuten später antwortet er, ja, das ginge.

So einfach ist das.

Siebzehntes Kapitel

Emma

Leo traurig zu sehen bricht mir jedes Mal das Herz. Ich kann dann keine Ruhe geben, bis ich das jeweilige Problem gelöst habe. Ich mache vor beinahe gar nichts halt. Wobei das meistens überhaupt nichts bringt und ich ihn damit bloß in den Wahnsinn treibe. Das sind eigentlich die einzigen Momente, in denen Leo die Geduld mit mir verliert.

Und obwohl ich sehr genau weiß, warum ich mich so darin verbeiße, warum ich ihn auf Teufel komm raus vor der bösen Welt beschützen will, könnte ich ihm nie die Wahrheit sagen. Weshalb ich es mit einem fröhlichen *Die Irre mal wieder, sorry!* abtun muss.

Zum Glück ist Leo da ganz anders. Wenn ich Probleme habe, vertraut er blind darauf, dass ich schon wissen werde, was zu tun ist. Noch nie hat er auch nur ein Wort verloren über meine kleinen Fluchten nach Alnmouth, wenn wieder einmal dunkle Wolken am Himmel aufziehen – er nennt es meine schwarze Zeit und lässt mich einfach in Ruhe. »Geh ruhig, erhol dich, ruh dich aus«, sagt er dann und gibt mir einen Kuss. »Und denk immer daran, ich liebe dich.«

Aber bei so viel Großherzigkeit kriege ich immer gleich ein schlechtes Gewissen. Er ahnt ja nicht, was ich riskiere, jedes Mal wenn ich hierherkomme. Er glaubt, ich wäre hier, um zu heilen.

Alnmouth, dreieinhalb Stunden mit dem Hochgeschwindigkeitszug von London entfernt, liegt an der Mündung des Flüsschens Aln, dort, wo sich seine dunkel kräuselnden Wasser in die Nordsee ergießen. Als Dad und ich noch in Schottland wohnten, waren wir jeden Sommer da. In meiner Erinnerung schienen diese Ferienaufenthalte der Inbegriff von alledem, was ich sonst so schmerzlich vermisste: Lachen, Spontaneität, Geselligkeit. Ich weiß noch, wie wir mit der Familie von nebenan stundenlang in den Gezeitentümpeln herumgewatet sind und die diversen Tierchen, die sich darin tummelten, unter die Lupe genommen haben, um dann gemeinsam am Rand der Dünen zu picknicken. Wie ich mich auf dem Spielplatz heiser gelacht habe, während das Licht über der Flussmündung langsam erlosch und der Wind das Scheuergras in den Salzmarschen peitschte. Das waren noch Zeiten.

Aber mein letzter Besuch vor vier Jahren hatte so gar nichts von den guten alten Zeiten gehabt. Drei Tage lang hatte ein grimmiger Wind ums Haus geheult, Regen vom Meer heran- und wieder hinausgetrieben, und ständig war ich klatschnass gewesen. Am letzten Tag konnte ich es gar nicht mehr erwarten, endlich wieder nach London zurückzufahren. Heim zu meinem Leo.

An jenem verhängnisvollen letzten Morgen versäumte ich allerdings, mich wie sonst üblich rückzuversichern. Ein fataler Fehler. Ich spazierte nichtsahnend an den Strand und wollte mir die letzten Stunden mit der Krabbenjagd auf den ungeschützten Felsen hinter dem Golfplatz vertreiben.

Und dann standen sie plötzlich da, ganz unvermittelt zwischen den mit Seetang überwucherten Felsbrocken.

Nur ein paar Meter entfernt, wie angewurzelt. Alle beide.

Es dauerte nicht lange, bis die Polizei da war. Ich verpasste den letzten Zug nach London, doch dann kam Jill, die gute Jill, den ganzen weiten Weg mit dem Auto her, um mich abzuholen, und Leo hat nie davon erfahren.

Aber heute ist ein heiterer, wunderschöner Tag, so warm, dass Ruby zum Planschen ins Wasser will. »Darfst du«, sage ich und ziehe ihr die Schuhe aus.

Die Sonne hat mich eiskalt erwischt. Sie verträgt sich nicht mit meinen abscheulichen Plänen für die kommenden vierundzwanzig Stunden.

Fröhlich flitzt Ruby über den gewellten Sand und hopst über kleine verlassene Sandburgen: winzige Lindisfarnes und Bamburghs, über und über mit Muscheln übersät. Ein paarmal bleibt sie stehen und stochert in verschlungenen Wattwurmausscheidungen herum (»Sandhäufchen!«), dann galoppiert sie schnell wie der Wind mitten hinein in einen Gezeitentümpel, ohne Rücksicht auf ihre Hosenbeine oder die Tiefe des Wassers.

Ich lasse unsere Siebensachen hinter den Dünen liegen und renne meiner Tochter nach, die den Tümpel bereits hinter sich gelassen hat und nun aufs offene Meer zuhält. Am blauen Himmel über uns ziehen Zirruswolken vorbei, und die Luft ist sommerferienwarm.

Ruby springt jauchzend ins Wasser.

Heute Abend würden wir in unserem Ferienhäuschen Besuch von Jeremy Rothschild bekommen.

Ich war gerade in Waterloo Station, als er mich anrief, um mir zu sagen, dass Janice spurlos verschwunden ist. Eigentlich war ich schrecklich in Eile, um noch den Zug nach Poole Harbour zu erwischen, aber danach schaffte ich es nicht mal mehr aus dem Bahnhof hinaus. Wie versteinert stand ich da, ich weiß nicht mehr wie lange, aber es fühlte sich wie Stunden an, und lief dann irgendwann ziellos nach Southbank, wo ich mich auf eine Bank hockte und auf die Themse starrte, die sich mit Ebbe und Flut hob und senkte, bis Jill mich warnte, das hier könne »hochgehen wie eine Bombe«, und mir aufging, dass ich schleunigst nach Hause gehen und meinen Papierkram verstecken sollte.

Ich weiß nicht, was passiert ist, hatte er wieder und wieder gesagt. *Ich verstehe das einfach nicht, Emma. Es ging ihr gut.*

Ein paar Tage nach seinem Anruf trafen wir uns an dem Abend, an dem ich vorgab, mit Jill essen zu gehen, unter vier Augen.

Wir gingen in eine Shisha-Lounge auf der Holloway Road, weil der Pub, in dem wir uns eigentlich hatten treffen wollen, wegen einer Hipster-Sanierung geschlossen war. Shisha rauchen wollten wir beide nicht – wir wussten nicht mal, wie man das machte –, aber der freundliche Geschäftsführer brachte uns, womöglich weil er die Schwere des Anlasses spürte, trotzdem eine »aufs Haus«. Eine schreckliche Szene entfaltete sich, während der er uns in den korrekten Gebrauch der Wasserpfeife einwies und wir graugesichtig und schweigend daneben saßen.

Nachdem das überstanden war, bestellten wir grieseligen Kaffee und redeten in abgehackten Sätzen, meist über die polizeiliche Suche nach Janice, bis Jeremy mir irgendwann fest in die Augen sah und mich – in einem Ton, der mir gar nicht gefiel – fragte, ob ich in letzter Zeit Kontakt zu ihr aufgenommen hätte.

Natürlich nicht, sagte ich, aber er glaubte mir nicht: Ich sah es in seinen Augen. Wieder und wieder fragte er nach.

»Geht es bei diesem Treffen eigentlich darum?«, fragte ich ihn schließlich. »Meinst du, Janice ist wegen irgendwas verschwunden, das ich gesagt habe? Oder getan habe? Mal im Ernst?«

Jeremy griff nach dem Shishaschlauch und nuckelte am Mundstück. Lächerlich sah das aus. »Ja«, gab er schließlich zu. »Aber ehe du dich auf dein hohes Ross setzt oder die Stacheln aufstellst, solltest du dich vielleicht mal fragen, warum ich mir deswegen solche Gedanken mache.«

Darauf konnte ich nicht viel sagen.

»Ich musste dich sehen«, sagte er, schon etwas freundlicher. »Dich das persönlich fragen. Du würdest es an meiner Stelle doch genauso machen.«

Und recht hatte er. Das würde ich.

Wohl wissend, dass dieses Treffen bald beendet sein würde, bat ich ihn erst um das, worum ich ihn immer bitte, und bettelte ihn schließlich an, und er sagte wie üblich Nein.

Kurz darauf gingen wir an der Holloway Road getrennte Wege.

Seitdem haben wir uns mehrfach geschrieben, und er bat um ein Treffen hier oben in Alnmouth. Keine weiteren Informationen und auch keine Erklärung zu seiner Beschwerde bei Leos Chefredakteur, obwohl ich deswegen stinksauer gewesen bin und ihm eine empörte Nachricht geschickt habe. Die hat er völlig ignoriert, als sei die Karriere meines Mannes für ihn eine derart bedeutungslose Lappalie, dass er nicht einmal die Frage verstand. Und dafür habe ich ihn gehasst, ein paar Tage lang, bis die altbekannte Sehnsucht sich wieder eingestellt hat und ich sagte, also gut, ich komme zu dir nach Northumberland.

Ich wäre überall hingegangen, wenn auch nur die leiseste Hoffnung bestanden hätte, er könnte doch noch nachgeben. Überall auf der ganzen Welt. Und er wusste um seine Macht über mich.

Das Meer ist wie ein grün glitzernder Schleier, an dessen Saum meine Tochter hüpfend und kreischend entlangrennt. Ich lächele, als sie zu mir gespurtet kommt, und schnappe nach Luft, als sie mich anspringt und wie eine eiskalte Schelle meine Taille umklammerte. »Iiih!«, quiekt sie. »Es ist zu kalt!« Im Zickzack stolpere ich über den kompakt zusammengepressten Sand, während sie sich wie ein Äffchen an mich hängt. Ich drücke ihr einen Kuss auf den Kopf, der ganz salzig schmeckt von der Seeluft.

Jeremy hat schon immer diese Macht über mich gehabt, denke ich, während meine Tochter mich loslässt und wieder losstiebt. Selbst jetzt noch, wo Janice verschwunden ist. Ich komme mir vor wie ein herrenloser Hund, der ihm treu ergeben nachläuft und um ein paar Krumen bettelt.

Ruby bleibt stehen, um ein angespültes grellgrünes Darmtangbüschel genauer zu begutachten. Sie pikst mit dem Zeh in den grünen Schleim, die Nackenhaare gesträubt vor Ekel und Vergnügen. »Ist das Tang?«, fragt sie, obwohl sie es nur zu gut weiß.

»Ist es«, bestätige ich. »Ulva intestinalis. Was so viel heißt wie Darmtang. Tang, der im Bauch von Kindern lebt, die Ruby heißen.«

Kreischend springt Ruby zurück.

Ich sehe zu, wie sie über einige angespülte schwarze Kieselsteinchen hopst, und fahre mir mit dem Ärmel über die Augen, ehe sie meine Tränen sieht. *Ich will das nicht*, denke ich aufgebracht. Ich will nicht hin- und hergerissen sein zwischen zwei Leben. Ich will ganz normal sein. Wie die Familie, die wir vorhin auf dem Parkplatz gesehen haben, die gemeinschaftlich Spaten und Windschutz aus dem Wohnmobil schleppte.

Aber Leo ist in London in der Redaktion und versucht sich glauben zu machen, ich mache einen harmlosen kleinen Strandurlaub mit Ruby. Dabei werde ich schon bald Jeremy Rothschild in jenes Haus lassen, unter dessen Dach meine Tochter schläft.

Winzige Wellchen verlaufen sich am ansteigenden Ufer. Draußen auf einer Sandbank krakeelt ein Schwarm Küstenseeschwalben und erhebt sich flatternd in die brackige Luft.

Achtzehntes Kapitel

Emma

Jeremy klopft um kurz nach halb neun, als Ruby schon tief und fest schläft. Er steht draußen auf dem Kopfsteinpflaster, umgeben von Geranientöpfen, und schaut mich eindringlich an.

Ich lächele. In mir windet und schlängelt sich die Verzweiflung, während ich beiseitetrete, um ihn reinzulassen. Im Vorbeigehen streift seine Jacke meinen Arm, und ich drücke mich gegen die Wand, um ihm auszuweichen.

Ich hatte mir genau zurechtgelegt, was ich sagen würde, aber jetzt will mir kein Wort mehr davon einfallen.

»Hier entlang?«, fragt er freundlich. Ich nicke und versuche, seinem Tonfall nicht allzu viel Bedeutung beizumessen. Er hat es in seinen Nachrichten überaus deutlich gemacht: Es gibt noch etwas anderes zu besprechen; etwas, das mit Janice zu tun hat. Ich darf mir keine Hoffnungen machen.

Die Rothschilds besitzen ein stattliches Herrenhaus an der Hauptstraße. Das hat Janice' Onkel gehört, glaube ich, oder vielleicht einem ihrer Großeltern, jedenfalls hat Janice es schon in jungen Jahren geerbt, und sie sind jeden Sommer hierhergekommen. Es ist eins der imposanten alten Häuser, mit gewölbter Tordurchfahrt, durch die früher die Pferdekutschen gefahren sind. Sie nennen es »das Cottage«, worüber ich immer lachen muss.

»Bitte setz dich doch«, sage ich. Jeremy ist zu groß für dieses Wohnzimmerchen mit den niedrigen Decken und den puppenstubenkleinen Ohrensesseln. Aber er ist immer schon zu groß gewesen für jeden Raum, in dem wir gemeinsam gewesen sind, denke ich, während ich zusehe, wie er etwas umständlich Platz nimmt. Zu groß, zu klug, zu reich: Meine Chancen, ihn auf meine Seite zu ziehen, stehen genauso schlecht wie die der Politiker, die er jeden Morgen auseinandernimmt.

Kurz bevor er hergekommen ist, habe ich im Wohnzimmer eine Teekanne bereitgestellt, um unangenehme Wartezeiten neben dem Wasserkocher zu vermeiden. Das hat mein Vater mir beigebracht. »Wenn es heikel wird, sei auf alles vorbereitet. Gute Vorbereitung kann dir den Arsch retten«, hat er immer gesagt. Er fand das lustig. Ich habe mit Dads Humor nie viel anzufangen gewusst, aber die Männer in seinem Kommando fanden ihn zum Schießen. »Bester Padre im ganzen Laden«, hat einer mal zu mir gesagt. »Immer für uns da. Der Mann ist Legende.« Ich habe gelächelt, als ob es mich freute, aber insgeheim sehnte ich mich nach der Nähe, die diese Männer mit meinem Vater zu teilen schienen.

»Wie geht es dir?«, frage ich und schenke ihm einen Tee ein.

Als ich aufschaue, hat er Tränen in den Augen. Er scheint kein Wort herauszubekommen. Entschuldigend wedelt er mit der Hand, und ich stelle die Teekanne beiseite und reiche ihm ein Taschentuch. Er versucht, tief durchzuatmen, aber stattdessen dringt ein hässlicher, halb erstickter Laut aus seiner Kehle, und er vergräbt das Gesicht in den Händen.

Da sitzt er vor mir und schluchzt.

Mein Fitnessarmband vermeldet, dass mein Puls mit beinahe tödlichen 178 Schlägen pro Minute rast.

»Entschuldige«, sagt Jeremy schließlich. »Entschuldige.«

Ich gehe zu ihm und hocke mich vor ihn. »Ach, Jeremy.« Ich reiche ihm noch ein paar Taschentücher. »Ich habe mir solche Sorgen um euch gemacht. Ich mag mir gar nicht ausmalen, wie furchtbar diese ganze Situation für dich sein muss.«

Er sagt nichts, aber die Tränen laufen weiter.

»Was ist passiert?«, frage ich behutsam nach. »Warum ist sie weg?«

Irgendwann tupft er sich schließlich die Augen.

»Wenn ich das wüsste, wäre ich nicht hier«, sagt er. »Aber es tut gut zu wissen, dass du dir auch Sorgen machst.«

»Natürlich mache ich mir Sorgen.«

Er richtet sich auf, lächelt mich schief an, und ich setze mich wieder auf die andere Seite des Couchtischs. Ihm so nahe zu sein behagt mir nicht.

»Sie war furchtbar überspannt«, gesteht er schließlich. »Schon ungefähr seit letztem Herbst, als Charlie an die Uni gegangen ist. Aber ich glaube irgendwie nicht, dass es damit zu tun hat.«

Ich warte darauf, dass er fortfährt.

»Ganz ehrlich, du hast wirklich keinen Kontakt zu ihr gehabt?«, fragt er.

»Ach, Jeremy, ich bitte dich. Das haben wir doch schon ein halbes Dutzend Mal durch. Für mich stünde so viel auf dem Spiel, würde ich den Kontakt zu deiner Frau suchen. Warum fragst du mich das trotzdem immer wieder?«

Er seufzt. »Ich frage dich, weil sie dir geschrieben hat.«

Sprachlos starre ich ihn an. »Wer? Janice?«

Er nickt.

»Dann ist sie also noch am Leben?«

»Ja. Zumindest war sie das vor drei Tagen. Sie hat uns einen Brief geschickt.«

»Jeremy! Ich – o wow. Gott sei Dank!«

Er nickt ganz langsam. »Der Brief ist eindeutig von

ihr, aber gut klingt sie nicht. So seltsam geschwätzig. Und gleichzeitig kühl und distanziert, weißt du? Als stünde sie unter Drogen.«

»Was schreibt sie denn?«

Er zögert. Eigentlich wundert es mich, dass er mir das alles erzählt. Sonst hält er Janice immer aus allem heraus. Als wir uns nach meiner Krebsdiagnose die ersten Male wiedergesehen haben, hat er nicht mal ihren Namen in den Mund genommen.

»Sie schreibt, dass sie lebt. Und dass es ihr leidtut, so einfach verschwunden zu sein. Aber dass sie Zeit für sich braucht.«

Ich warte.

»Natürlich war ich erleichtert. Mir ist ein Stein vom Herzen gefallen. Einfach so aus dem Haus zu spazieren, aus ihrem *Leben*, und sich dann ganze zwei Wochen Zeit zu lassen, um sich bei uns zu melden – und selbst dann klingt sie noch, als schriebe sie eine Postkarte an irgendwelche entfernten Verwandten … Das sieht ihr so gar nicht ähnlich. Gut geht es ihr nicht, wenn du mich fragst.«

»Und sucht die Polizei nun weiter nach ihr? Jetzt, wo sie wissen, dass sie noch lebt?«

Jeremy greift zu seiner Teetasse. »Ja, aber nicht mehr mit dieser Dringlichkeit. Wir haben ihnen immer wieder gesagt, wie labil sie ist, aber das scheint sie nicht zu interessieren. Irgendwie verständlich, aber schwer erträglich.«

Ich nicke. Was für eine ausweglose Situation. Würde Leo einfach so verschwinden – ohne Vorwarnung, ohne Nachricht –, ich wüsste nicht, was ich täte.

Was soll ich dazu sagen? »Ähm… Und… wo wurde der Brief abgeschickt?«

»Was weiß ich«, sagt Jeremy. Blicklos starrt er auf das kriminell hässliche Aquarell an der Wand, eins von vielen, die der Besitzer des kleinen Häuschens gemalt hat.

»Kein Poststempel?«

Jeremy schüttelt den Kopf. »Briefe werden heute meist gar nicht mehr abgestempelt.«

»Wirklich?«

»Wirklich. Aber, also, sie hat uns auch einen Brief an dich mitgeschickt.«

Man sieht die Vorsicht in seinen Augen. »Natürlich habe ich ihn gelesen. Nur für den Fall, dass irgendetwas drinsteht, das uns auf ihre Fährte führen könnte. Ich muss dich allerdings warnen: Es ist nicht, was du dir vermutlich erhoffst.«

Er beugt sich vor und zieht einen Brief aus der Hosentasche, den ich wortlos an mich nehme. Wie kann er es wagen, über meine Hoffnungen zu reden, wo er sie doch seit Jahren erbarmungslos zunichtemachte?

»Ich lasse dich in Ruhe lesen«, sagt er im Aufstehen.

Ich lege den Brief auf den Couchtisch. »Moment. Bevor du gehst, möchte ich wissen, wieso du dich bei Leos Boss über ihn beschwert hast. Was zum Teufel hast du dir dabei gedacht?«

Er scheint überrascht. Ich glaube, es ist ihm tatsächlich ein bisschen peinlich. Ein paar Sekunden hört man nur den Wind, der träge vom Meer heraufweht.

»Stimmt, ich habe mich beschwert«, gibt er zu. »Und ich hoffe, ich habe ihm damit nicht allzu viele Scherereien gemacht. Aber keine der anderen Zeitungen hatte diese uralte Geschichte mit der Wochenbettpsychose ausgegraben. Ich habe einfach die Nerven verloren.«

»Tja, dann arbeiten die anderen Zeitungen alle nicht gründlich genug. Warum Leo bestrafen, nur weil er gewissenhaft seinen Job macht?«

»Wie schon gesagt, ich habe die Nerven verloren. Das hat mich so überrumpelt, dass ich dachte, du hättest ihm alles gesagt, über uns. Ich dachte, er wolle mir damit durch die Blume etwas sagen.«

»Das würde ich Leo *nie* sagen«, erkläre ich sehr bestimmt. »Das müsstest gerade du doch wissen.« Und außerdem, der Gedanke, dass Leo Jeremy per Zeitungsartikel eine verschlüsselte Botschaft zukommen lässt, ist so was von an den Haaren herbeigezogen. Leo ist der letzte Mensch, der so was machen würde.

»Tja, nun, meine Frau ist verschwunden«, sagt

Jeremy tonlos. »Entschuldige meine Unfähigkeit zum logischen Denken.«

»Also, noch mal ganz von vorn«, sage ich nach einer Weile. »Ich würde den Brief gerne in deiner Anwesenheit lesen. Bleibst du noch ein bisschen?«

Sichtlich müde zuckt er die Achseln. »Also gut.«

»Mummy...?«

Ruby steht in der Tür. Mein bettwarmes Mädchen; ein kleines blondes Knäuel, die Äuglein gegen das grelle Licht zusammengekniffen.

Mit einem Satz bin ich bei ihr. »Hallo! Warum bist du denn nicht im Bett?« Ich nehme sie auf den Arm. Ich klinge völlig aufgelöst.

»Ich habe noch gar nicht geschlafen«, behauptet sie und reibt sich den Schlaf aus den Augen. »Hallo«, sagt sie zu Jeremy. Sie sitzt auf meiner Hüfte und guckt ihn mit ihrer unverhohlenen kindlichen Neugier durchdringend an. Dann steckt sie sich einen von Entes geknoteten Zipfeln in den Mund. Mir schlägt das Herz immer noch bis zum Hals. Ich komme kaum noch hinterher.

Jeremy starrt sie nur an und rührt sich nicht vom Fleck. Sein Gesicht, das ich früher einmal sehr anziehend gefunden habe, ist hässlich und verquollen vom Weinen. »Hallo«, sagt er leise. Dann lächelt er. »Du bist bestimmt Ruby.«

»Und wie heißt du?«

Jeremy guckt mich an, ich schüttle den Kopf.

»Paul«, sagt er und reicht ihr die Hand. »Ich bin ein Kollege von deiner Mummy. Schön, dich kennenzulernen, Ruby.«

Ihr Blick geht zu seiner Hand, aber schütteln will sie sie nicht. »Woher weißt du, wie ich heiße?«

»Ich habe schon viel von dir gehört! Deine Mutter ist sehr stolz auf dich«, antwortet er.

Mir wird ganz anders. Jeremy Rothschild unterhält sich mit meiner Tochter. Ein Brief von Janice liegt auf dem Couchtisch.

Ruby presst die Lippen zusammen und begutachtet diesen Mann mit dem roten Gesicht und dem erstaunlichen Wissen.

»Mein langer Name ist Ruby Cerys Bigelow Philber«, erklärt sie. »Willst du auch meinen Spitznamen wissen?«

»Unbedingt.«

»Ruby-Schmusi!« Sie lacht sich fast schlapp, und Jeremy spielt mit und lacht auch.

»Wer ist das?«, fragt sie und weist auf sein Handy. Er hat gerade wieder darauf geschaut, wohl zum zehnten Mal, seit er hier ist. Es ist immer das Gleiche. Ein Foto, die Uhrzeit und ein paar Balken Empfang.

Jeremy senkt den Blick. »Das ist mein Sohn«, sagt er.

Ruby streckt die Hand nach dem Handy aus. »Darf ich mal gucken, bitte?«

»Ruby...«

»Bitte?«, sagt sie. Ich sage Nein, aber Jeremy ist schon aufgestanden. »Schon okay«, sagt er. »Bitte schön.«

Ich setze mich wieder, mit Ruby auf dem Schoß, weil es mir immer enger wird um die Brust. Gemeinsam schauen wir uns den Mann auf dem Bildschirm an. Er trägt einen dieser riesengroßen Schaumstofffinger, wie man sie von amerikanischen Sportveranstaltungen kennt, und ein breites Grinsen unter der Baseballkappe. »Wie heißt er?«, fragt sie.

»Charlie«, sagt Jeremy, und Stolz blitzt in seinen Augen auf. »Er heißt Charlie Ellis Rothschild.«

»Und wo ist er?«, fragte Ruby mit Blick auf Charlie Ellis Rothschild.

Mein Herz. Mein Herz wird sich womöglich nie von diesem Anblick erholen, wie meine kleine Ruby sich mit Jeremy Rothschild unterhält.

»Im Moment ist er in London... aber eigentlich wohnt er in Boston, einer großen Stadt hinter dem Meer.«

»Und warum wohnt er hinter dem Meer?«

»Weil er da studiert. An einer Universität.«

»Univer...«, sagt Ruby und bricht ab. Wieder schürzt sie die Lippen und schaut Jeremy an. »Vermisst er dich?«

»Das will ich doch hoffen!«

»Ich will nicht hinter dem Meer wohnen«, erklärt sie, und dann, nach kurzer Pause: »Mag er dich?«

Als er das hört, muss Jeremy laut lachen. »Ich glaube schon. Gerade ist er mir ein bisschen böse, aber ich glaube, er mag mich.«

»Wieso?«

Ich will Ruby nur noch wegbringen, raus aus diesem Zimmer, und dann Jeremy aus dem Haus komplementieren, aber ich will auch seine Antwort hören. Ich will jede Fuge und Ritze der Rothschild-Familie inspizieren. Immer schon.

»Warum ist er böse auf dich?«, fragt Ruby wieder. Sie schlingt die Arme um die geschwungene Sofalehne und schwingt vor und zurück.

»Seine Mutter hat was gemacht, was er ziemlich doof findet«, erklärt Jeremy mit sanfter Stimme.

Ruby nickt mitfühlend. »Meine Mummy macht auch Sachen, die ich doof finde«, sagt sie.

»Ja, so ist das mit Eltern«, sagt Jeremy lächelnd, und ich sehe ihm an, wie viel Mühe ihn das kostet. Wie sehr er sich zusammenreißen muss.

Ich kann den Blick nicht von ihm wenden. Die tiefen Falten unter den Augen, die Erschöpfung und Trauer hineingegraben haben. Die runzelige Haut unter dem Kinn. Ich frage mich, ob seine Radiogäste immer noch so viel Angst vor ihm hätten, könnten sie diese Altmännerhaut aus der Nähe sehen. Diese Verwundbarkeit, diese Menschlichkeit.

»So, das reicht, ich bringe dich jetzt wieder ins

Bett«, platze ich dazwischen. Ruby nickt und sagte zu Jeremy: »Macht ihr eine Pyjamaparty?«

Er schüttelt den Kopf. »Nein, ganz bestimmt nicht.«

»Okay. Dann bis bald«, verabschiedet sich meine Tochter nach einem weiteren langen, durchdringenden Blick.

»Bis bald«, entgegnet er. *Bitte geh nicht*, forme ich stumm mit den Lippen, aber er schaut mich gar nicht mehr an.

Als ich wieder nach unten komme, ist er fort, und der Brief liegt auf meinem Sessel. Ich laufe zur Tür hinaus, raus auf die Straße, aber die ist menschenleer. Das Meer unter uns ist meilenweit entfernt, ein dunkel schimmerndes Quecksilberband. Das vergehende Licht beleuchtet die Silhouette zweier Menschen mit ihrem Hund am Strand. Einen Ball, der geworfen wird, Wolken, die gen Norden nach Schottland brausen. Von Jeremy keine Spur.

Entschuldige, textet er mir in diesem Moment. *Ich konnte es nicht, nicht mit Ruby im Haus.*

Dann eine weitere Nachricht: *Ich habe dir alles gesagt, was du fürs Erste wissen musst. Bitte melde dich unverzüglich, solltest du in Janice' Brief auf weitere Hinweise stoßen, die wir womöglich übersehen haben.*

Und dann, in einer letzten Nachricht: *Ruby ist entzückend. Und du bist bestimmt eine tolle Mutter.*

Ich gehe wieder nach drinnen und reiße Janice'
Brief auf. Ich bin hungrig, verstört, ganz außer mir.

Liebe Emma,

*bestimmt ist dieser Brief ein großer Schreck für
dich. Aber ich musste dir unbedingt schreiben. ☺
Du wirst es mir vielleicht nicht glauben, aber ich
denke oft an dich.*

*Wegen dieser Krabbe, die wir damals gemein-
sam entdeckt haben. Am Strand von Alnmouth,
weißt du noch. Klar weißt du noch. Ich habe
deine Fernsehserie gesehen und weiß, dass du
immer noch nach ihr suchst. Also, wenn du mich
fragst, solltest du es mal auf Coquet Island versuchen. Bei Shakespeare sind Inseln magische
Orte, und der Mann wusste wovon er redet.*

*Coquet Island ist das einzige Fleckchen ent-
lang der Küste, das komplett für Menschen
gesperrt ist.*

*& ich habe mal einen Fischer bezahlt, damit er
mich rausfährt zum Vögelgucken man darf zwar
nicht an Land, aber sieht eine ganze Menge,
unter anderem auch ganz sicher eine deiner
Krabben… vermutlich fahren da sonst nur Vogelfreunde raus, denen so eine ungewöhnliche
Krabbe nicht auffällt, weil sie sich nur für ihre
Papageientaucher und Rosalöffler interessieren.*

Entschuldige, dass ich dir das so lange ver-
schwiegen habe. Ich hätte dir das schon vor
Jahren sagen sollen. Ganz ehrlich, es tut mir
schrecklich leid.
Tut mir wirklich leid, Emma.

Janice

Ich nehme den Brief mit in die Küche, setze mich und lese ihn noch mal. Und dann noch mal.

Seit beinahe zwanzig Jahren habe ich kein einziges Wort mehr mit Janice gewechselt, aber Jeremy hat recht – irgendwas stimmt da nicht. Die Kommafehler, die mehrfache Bitte um Entschuldigung – der Brief an sich, die Tatsache, dass sie ihn überhaupt geschrieben hat, mir, der Frau, die sie so abgrundtief hasst, kommt mir komisch vor.

Aber er ist ganz bestimmt von ihr. Auch da muss ich Jeremy zustimmen. Der Brief ist von ihr, ich kenne ihre Handschrift. Und falls sie ihr Schweigen nicht gebrochen und jemandem erzählt hat, was uns drei so untrennbar miteinander verbindet, dann weiß niemand außer uns, dass sie an dem Tag dabei war, als ich die Krabbe gefunden habe.

Der Brief ist schräg, schreibe ich Jeremy. *Du hast recht.*

Er antwortet auf der Stelle.

Du kannst sicher verstehen, warum ich mir sol-

che Sorgen um ihren Geisteszustand mache. Habe ich irgendwas übersehen? Etwas, woraus sich ableiten ließe, wo sie gerade steckt?

Ich lese den Brief noch mal. Und trotz all meiner zwiespältigen Gefühle für Janice habe ich plötzlich ein schlechtes Gewissen. Es gibt wohl kaum etwas, das sie entsetzlicher fände als den Gedanken, dass Jeremy und ich uns über ihren Geisteszustand unterhalten.

Auf den ersten Blick nicht, schreibe ich. *Mal davon abgesehen, dass sie Northumberland erwähnt, aber ich nehme an, deshalb bist du hier – um sie zu suchen?*

Jeremy antwortet: *Ja. Aber ich glaube nicht, dass sie hier ist. Wir bekommen eine Benachrichtigung aufs Handy, sobald jemand die Alarmanlage ausschaltet, aber da war nichts. Außerdem, wäre Janice hier gewesen, hätte bestimmt irgendwer sie gesehen. Ich habe praktisch jeden einzelnen Menschen in Alnmouth befragt, aber keiner hat sie gesehen. Und ich habe mich auch, nur zur Sicherheit, erkundigt, ob sie auf Coquet Island sein könnte, aber das ist faktisch unmöglich. Die Insel ist Sperrgebiet, nur die Vogelschützer dürfen sie betreten. Ich werde nicht aufgeben, das kann ich nicht, aber ich weiß auch nicht, wo ich noch suchen soll.*

Ich antworte, dass ich mich bei ihm melde, falls mir noch etwas einfällt.

Ich lese den Brief erneut, während es im Zimmer langsam dunkel wird, dann schlage ich Coquet Island auf dem Handy nach. Ich glaube tatsächlich, Janice könnte mit den Krabben recht haben: Es wäre das perfekte Fleckchen für eine Tierart, sich langsam und von anderen Populationen ungestört weiterzuentwickeln, zu verändern. Und damit ließe sich auch erklären, warum das tote Exemplar am Strand von Alnmouth angeschwemmt wurde.

Aber könnte sie selbst auch dort sein? Ist das ein Hilfeschrei? Es gibt dort einen alten Leuchtturm, vielleicht hätte sie dort einbrechen können. Aber eine Frau, die von der Bildfläche verschwinden will, könnte nicht dorthin kommen, ohne ungewollte Aufmerksamkeit zu erregen und ohne irgendwen zu bestechen. Und jemand, der einen gegen Geld auf eine gesperrte Insel schippert, ist nicht unbedingt jemand, bei dem man sich darauf verlassen kann, dass er diese Information nicht an den nächstbesten Journalisten verhökert.

Ich glaube nicht, dass sie dort ist.

Wieder und wieder lese ich den Brief. Ich fasse es nicht, dass sie mir geschrieben hat, nach all den vielen Jahren. Wie eigenartig sie klingt. Und die Entschuldigung, die doppelte Entschuldigung.

Der Brief ist ein Widerspruch in sich.

Ich versuche, ein Stückchen Toast zu essen, bin aber viel zu aufgedreht. Ich gehe vor die Haustür und bleibe eine ganze Weile dort stehen, in der Hoffnung, die kalte Meeresluft werde vielleicht helfen, mir den Kopf freizupusten, aber es dauert nicht lange, bis ich zu zittern anfange.

Später liege ich wach im Bett und muss an den Schreckmoment denken, Jeremy Rothschild und meine Tochter zusammen in einem Raum zu sehen. Ich denke an Janice, an Charlie, ein junger Mann in London, der sehnsüchtig auf eine Nachricht von seiner Mutter wartet, und es bricht mir schier das Herz.

Ich denke an Jeremy, allein in dem großen Haus, wie er sich nachts im Bett herumwälzt und immer wieder aufs Handy schaut. Man weiß ja nie.

Als ich dann endlich doch noch einschlafe, träume ich, dass ein junger Mann mit Baseballkappe in mein Zimmer kommt und versucht, mit mir zu reden, ich aber wie gelähmt bin. Ich sehe den ganzen Raum bis ins kleinste Detail, rieche die Luft, höre die Silbermöwen draußen schreien, aber ich bringe kein Wort heraus: Ich kann mich nicht rühren. Irgendwann wache ich wieder auf, und Ruby liegt neben mir, ausgebreitet wie ein Seestern. Sie muss irgendwann im Morgengrauen zu mir ins Bett gekrochen sein.

Keine Nachricht von Jeremy.

Ich gehe auf Wikideaths. Niemand Bedeutendes.

Neunzehntes Kapitel

Tagebuch von Janice Rothschild

16. April 2002

Unmöglich zu beschreiben, was für eine düstere Woche das gewesen ist. Als hätte sich mein Leben unumkehrbar verändert. Wie soll ich mich je wieder sicher fühlen?

Bin so wütend. So verdammt wütend, so verängstigt, so zu Tode erschrocken.

Schreibe das im Bett mit Blick auf das Foto von uns dreien im Krankenhaus, als Charlie geboren wurde. Jeremy und ich sehen so glücklich aus – selbst mit der Schwester mit dem bösen Blick im Hintergrund, die uns nicht leiden konnte –, aber man sieht es in meinen Augen und wie ich Charlie halte. Ich hatte Angst, dass genau so etwas passieren könnte, damals schon, selbst mit diesem kleinen Bündel Glück auf dem Arm.

Heute vor einer Woche. War mit Charlie auf dem Spielplatz. Zuerst saß er eine ganze Ewigkeit auf dem Wackelfanten, dann dackelte er los, um in dem roten

Zug zu spielen. Bec kam, und ich habe mich eine Weile mit ihr unterhalten. Haben fast alle Kekse gefuttert, die sie dabeihatte, und ich habe keine Panik geschoben wegen meines Gewichts. Das nenne ich Fortschritt.

Dann gemerkt, dass Charlie weg ist.

Horror. Man hat keine Vorstellung, was Angst eigentlich ist, bis man sich umdreht und merkt, dass das Kind verschwunden ist.

Rannte durch den Park und rief und rief, dann schrie ich. Rannte in die öffentlichen Toiletten, auf den Spielplatz für die größeren Kinder und dann zum Haupteingang hinaus, weil irgend so ein Vollpfosten das Tor offen gelassen hatte.

Die Leute guckten mich an, was schreit diese Frau hier so rum, das Kind wird schon irgendwo sein, nur ruhig Blut, Himmel, das arme Kind, bei der Mutter. Hey, kenne ich die nicht aus'm Fernsehen?

Ich schrie nur HILFE, HILFE, und die Leute schrien auch irgendwas, aber ich hörte sie nicht.

Ich dachte nur, ich habe immer gewusst, dass das passieren würde. Ich habe es gewusst.

Muss morgen weiterschreiben. Bekomme ständig Panikattacken, merke, wie mir das Atmen schwerfällt.

Das hat es mit mir gemacht. Ich kann es nicht mal in mein Tagebuch schreiben.

Ich weiß nicht, was ich machen soll. Hilf mir doch jemand! Hilfe!

Zwanzigstes Kapitel

Heute

Leo

Robbie Rosen kommt siebeneinhalb Minuten zu spät. Claire, die alte Freundin, die mich unten am Empfang angemeldet hat, sitzt längst wieder an ihrem Schreibtisch. Die BBC-Kantine ist leer bis auf die Frau, die die inzwischen leere Essenstheke putzt.

Ich starre aus dem Fenster auf die Skyline von Glasgow, durchstochen von dunklen Kirchturmspitzen. Es hat aufgehört zu regnen, aber Wassertröpfchen laufen noch immer wie kleine Käfer an den bodentiefen Fenstern hinunter, und das Regenwasser hat sich auf den leeren Plastiktischen draußen auf der Dachterrasse in Pfützen gesammelt. Weiter unten staut sich der Verkehr auf der Autobahnbrücke.

Die Konferenz heute Morgen hat mich irgendwie aufgewühlt. Durch Emmas Krankheit ist der Tod plötzlich persönlich geworden, als hätte man mich meiner unabdingbaren beruflichen Fähigkeit beraubt, Anfang und Mitte eines Menschenlebens von seinem Ende zu trennen. Ich war heilfroh, als es endlich vorbei war, und blieb diesmal nicht, um mich noch ein bisschen zu unterhalten.

Ein junger Mann mit der Körperform eines Apfels kommt in die Kantine. Enge Jeans, die sein Erscheinungsbild nicht gerade verbessern. Er trägt einen hippen Bart, aber irgendwie passt der nicht zu ihm – ich glaube, er hat einfach ein zu jugendliches, rosiges, pausbäckiges Gesicht. Er sieht mich und zieht zur Begrüßung die Augenbrauen hoch.

Wir setzen uns, und er fragt, wie es Emma geht. Es habe ihn »richtig umgehauen« zu hören, dass sie krank sei.

Ich sage ihm, ich hätte läuten hören, Emma gehe es gut, und er scheint ehrlich erleichtert darüber zu sein. Dann rattere ich meinen vorbereiteten Text herunter, dass ich einen Nachruf auf Emma schreibe und mit jemandem aus dem Produktionsteam von *Unser Land* über Emmas Zeit vor der Kamera sprechen wolle. Ich erkläre, ich hätte hier ganz in der Nähe zu tun gehabt, bei einer Todeskonferenz, ausgerechnet, haha!, und »da dachte ich mir, ich schaue einfach mal vorbei und stelle ein paar Fragen«.

Er meint, klar, kein Ding. Hinter ihm schieben sich Sonnenstrahlen wie leuchtende Finger durch die Wolken.

»Ach, und wo wir gerade dabei sind – darf ich davon ausgehen, dass Sie und Emma recht eng zusammengearbeitet haben?«, frage ich und zücke mein Notizbüchlein. »Dass Sie also der richtige Ansprechpartner sind?«

»Ach herrje, ja, wir haben ständig aufeinandergehockt«, versichert er mir. Verlegen streicht er sich mit dem Daumen übers Kinn. Eine Geste, die man einem älteren Mann eher abnehmen würde. »Ich habe sie immer herumgefahren, ins Hotel eingecheckt, das Essen organisiert. Und dann haben wir herumgealbert, während Kameramann und Regisseur sich wegen der nächsten Szene in die Wolle kriegten. Wir beide waren ganz dicke.«

Ich nickte, wie um zu sagen: *Dachte ich es mir doch!* »Das war vermutlich wesentlich entspannter als, sagen wir, ihr Verhältnis zum Regisseur.«

»Aber so was von. Ich meine, wenn ich ganz ehrlich bin, war ich da eher Aufnahmeleiter oder zumindest Rechercheur – jedenfalls *ganz bestimmt* nicht bloß der Runner. Aber ja, wir haben die meiste Zeit zusammen verbracht. Scheißfernsehen!«, schiebt er hinterher, als gehörte ich auch irgendwie zum erlauchten Kreis der Eingeweihten. »Wir sind alle chronisch unterbezahlt.«

Er möchte wohl, dass ich in sein Gejammer über das *Scheißfernsehen* einstimme, aber dazu habe ich keine Zeit.

»Also – würden Sie sagen, dass Sie eine Vertrauensperson für sie waren?«

Eine kaum merkliche Pause.

»Ich meine, klar«, murmelt er. »Aber ich erzähle Ihnen nicht, was sie mir alles gesagt hat!«

»Was denn alles?«, platze ich heraus, und die Frage hängt zwischen uns in der Luft wie ein Furz, der sich einfach nicht verzieht. Ich werfe einen Lacher hinterher und sage: »War ein Witz«, aber das wirkt bloß wie ein weiterer übel riechender Furz.

Er macht einen Rückzieher. »Was ich damit sagen will, als Runner kriegt man so einiges mit, ja? Das ist bei Ihnen bestimmt nicht anders. Also, ja, ich war ihre Vertrauensperson, aber ganz ehrlich, ich habe sowieso alles mitbekommen, was bei dieser Show abgegangen ist, ob es mir einer erzählt hat oder nicht. Man verdient sich Respekt, indem man die Klappe hält.«

»Also kein Klatsch und Tratsch«, sage ich grinsend, als sei das alles ein Scherz unter Freunden.

»Nein, eigentlich nicht«, sagt er, aber ich sehe es – da ist noch etwas.

Ich weiß, wenn ich jetzt nachbohre, macht er dicht, also bitte ich ihn, doch ein paar lustige Anekdoten über Emmas Zeit als Moderatorin auszupacken.

Er erzählt mir nichts, was ich nicht ohnehin schon weiß. Die Geschichte von dem Blitz, der oben auf einer Klippe in Devon in ihr Stativ eingeschlagen ist. Der Tag, an dem sie vor laufender Kamera in einen Gezeitentümpel geplumpst ist. Dazu viel Gerede über ihre Freundschaft – geschwätzig und mit viel Gekicher untermalt –, und besonders großen Wert legt er auf die Feststellung, dass sie keine arrogante Arschgeige sei. (»Die meisten Moderatoren sind *furchtbar* arrogante Arschgeigen«, konstatiert er.)

»Aber ganz ehrlich, die ganze zweite Staffel war überschattet von Ems Rauswurf, gleich nachdem sie das Voiceover aufgenommen hatte. Wir waren alle am Boden, und Mags, ihre arme Agentin, war *außer sich*, aber wir konnten nichts tun. Prokuristen sind auch alles Arschgeigen, nur so nebenbei.«

»Das muss Emma schwer getroffen haben.«

»Hat es«, bestätigt er. »Emma ist richtig durchgedreht und hat sogar ihre Agentin gefeuert – das hat Mags schwer getroffen.«

Ich stenografiere die ganze Zeit fleißig mit, aber an der Stelle halte ich kurz inne und lese das Geschriebene noch mal. »Eigentlich hat doch Emmas Agentin *sie* rausgeworfen. Nicht umgekehrt. Das – das habe ich mal irgendwo gelesen.«

»Nein, Emma hat ganz bestimmt Mags den Laufpass gegeben. Ich habe Mags ein paar Wochen später bei den RTS Awards gesehen, da konnte sie es noch immer nicht fassen. Und sauer war sie, aber hallo.«

Sein Handy klingelt, und er entschuldigt sich. Er schlendert quer durch die Kantine und klopft gelegentlich mit dem Knöchel auf einen der verlassenen Tische. Ein Mann in einem Sweatshirt mit BBC-Logo setzt sich nicht weit von uns an einen Tisch und wickelt sein Sandwich aus.

Emma hat mir erzählt, Mags habe sie fallen gelassen wie eine heiße Kartoffel. Stundenlang hat sie in meinen Armen gelegen und geweint. Am nächsten Tag ist sie nach Alnmouth gefahren, um ihre Krabbe zu suchen, und ist erst drei Wochen später wieder nach Hause gekommen. An den Wochenenden, wenn ich sie besucht habe, sagte sie nur, es habe ihr das Herz gebrochen. Und nicht nur das Herz, auch ihren Stolz habe es mächtig angekratzt.

Rosen kommt zurück an den Tisch. »Wo waren wir? Ach ja, Emma und ihre Agentin. Und die Arschgeigen, die sich Prokuristen nennen.« Er lehnt sich zurück, und mir geht auf, wie sehr er unser kleines Interview genießt. Vermutlich wird er in seinem derzeitigen Job meist eher übersehen.

»Das Schlimmste an Emmas Rauswurf war, dass sie es nur gemacht haben, weil irgendein Riesenarsch darauf gedrängt hat, ein BBC-Moderator, heißt es. Ich meine, *wer* bitte hasst Emma dermaßen? Es muss jemand sehr Bekanntes gewesen sein, wenn er so viel Einfluss hat.«

Ich nippe etwas zittrig an meiner Teetasse und

äußere mein Erstaunen. »Dass sie Feinde hatte, wusste ich gar nicht«, muss ich gestehen.

»Na ja… Ich sage Ihnen das jetzt ganz im Vertrauen – zitieren dürfen Sie das nicht, und auch sonst nichts, was mit der BBC zu tun hat…« Ich nicke. »Aber nicht *jeder* mochte Emma«, gesteht er. Er steht jetzt richtig unter Strom.

»Ach?«

Da fängt mein Telefon an zu klingeln, und es ist meine Frau. Sofort drücke ich den Anruf weg, aber zu spät, ihr Name und ihr Gesicht erscheinen auf meinem Display. Rosen denkt, ich hieße Steve Gowing und dass ich Emma Bigelow vermutlich nie begegnet bin. Vorsichtig schaue ich auf, aber er wirkt gänzlich unbeteiligt. Scheint, als wäre es gerade noch mal gut gegangen.

Aber so oder so, die Unterbrechung hat unsere traute Zweisamkeit gestört. »Also dann, ich glaube, ich muss los«, sagt er. Aus jahrelanger Erfahrung weiß ich, er kriegt gerade Fracksausen. »Reicht Ihnen das? Sie müssten doch jetzt eigentlich genug Material haben, oder? Ich muss nämlich gleich zu einem Meeting.«

Als hätte ich ihm das Skript geschrieben.

Ich versuche es noch mal, aber es ist nichts mehr aus ihm herauszubekommen. Er sagt, er müsse wieder an die Arbeit; betont noch mal, dass die Sache mit Emmas Rauswurf hundert Prozent vertraulich zu behandeln ist. Dann gibt er mir die Hand und geht.

Ich starre hinaus in die Wolken, die sich am Himmel drängen, und das dunkle Drachengrün des Clyde. Ich muss an die Konferenz heute Morgen denken, all die todernsten Vorträge über kommunale Erinnerungsorte und würdevolles Sterben. Und währenddessen hatte ich dagesessen und an das Treffen mit Rosen gedacht und mir gesagt, dass es ganz famos laufen würde. Meine Reise, angetreten aus Angst und Verunsicherung, würde in einer BBC-Kantine ihr glückliches Ende finden, und wir könnten endlich weitermachen mit unserem Leben, als glückliche Familie ohne Krebs.

Tatsächlich fühle ich mich nach diesem Gespräch noch mieser als vorher.

Mein Handy pingt, aber es ist bloß Mum, die noch mal nachfragt, wann genau ich ankomme. Ich werde heute bei ihr und Dad übernachten, damit ich mich morgen ein bisschen nützlich machen und Mum sich von ihrem Vollzeitjob als Dads Krankenschwester ein wenig ausruhen kann.

Das alles gehört zu dem lustigen Familienstück, das wir seit drei Jahren spielen. In diesem Stück habe ich vergeben und vergessen, dass sie mich mein Leben lang darüber angelogen haben, wer ich eigentlich bin, und wir haben uns alle wieder lieb. Mum ist die Regisseurin, Dad und ich die etwas abgekämpften Schauspieler. Aber irgendwie spielen wir alle mit. Und wer weiß, in zehn Jahren glaube ich es vielleicht selbst.

Auf dem Weg nach draußen gebe ich der Dame am Empfang meinen Besucherausweis zurück und bleibe dann vor der Tür neben einer gigantischen Pfütze stehen. Die Luft ist kalt, und es riecht mineralisch und nach frischer Erde – hier, mitten in der Stadt, als stünde ich inmitten des Trossachs-Nationalparks. Ich zücke das Handy und versuche herauszufinden, wie ich von hier zum Flughafen komme. An was anderes will ich jetzt nicht denken.

Ich habe mir eben ein Taxi bestellt, als Rosen plötzlich aus dem Gebäude stürmt. »Oh, hi!«, ruft er. »Ich wollte nur …«

Ich warte kurz, und er zieht im Gehen rasch eine Strickjacke über.

»Sie sind ihr Mann«, sagt er, als er damit fertig ist. Er wirkt stinksauer, aber auch hochzufrieden mit sich. »Dachte ich mir doch, dass da irgendwas faul ist. Und dann hat sie auch noch angerufen! Und mir ist wieder eingefallen, dass ihr Ehemann auch Nachrufschreiber ist, also hab ich Sie gegoogelt. Was zum Teufel? Sie haben mir gesagt, Sie heißen *Steve*.«

Nach kurzem Schweigen nicke ich. »Ich … Tut mir leid, das mit dem falschen Namen. Das wird heutzutage nicht mehr gern gesehen, wenn wir das machen. Journalisten, meine ich. Ich weiß auch nicht, was ich … Entschuldigen Sie.«

Er starrt mich immer noch durchdringend an. »Ich weiß ja nicht, was hier los ist«, sagt er. »Aber ich weiß, dass sie ganz verrückt nach Ihnen war. Sie redete *ständig* über Sie. Ich … warum sind Sie hier, was sollen diese Fragen?«

Ich schlucke.

»Ich weiß auch nicht, was los ist.« Ich starre ins Wasser, das sich im Wind kräuselt. »Es geht ihr gut – sie hat den Krebs besiegt. Aber irgendwas treibt sie um. Irgendwas Schlimmes, über das sie nicht mit mir reden will. Und irgendwie habe ich das Gefühl, Sie könnten vielleicht wissen, was. Darum habe ich mich bei Ihnen gemeldet. Es tut mir leid, dass ich mich für jemand anderen ausgegeben habe. Ich …« Ich hole tief Luft. »Ich mache mir Sorgen. Ihretwegen, unseretwegen, wegen was auch immer es ist, worüber sie nicht mit mir reden will. Aber ich weiß, das ist keine Entschuldigung dafür, hier herumzuschnüffeln wie ein Schmierenreporter von einem billigen Revolverblättchen.«

Rosen guckt mich fasziniert an. Damit hat er wohl nicht gerechnet.

»Und warum fragen Sie ausgerechnet *mich*?«, fragt er. »Warum fragen Sie sie nicht selbst? Haben Sie sich etwa getrennt?«

Ich schüttele den Kopf. »Nein. Und ich habe sie

darauf angesprochen, aber sie weicht mir aus. Angeblich ist alles in bester Ordnung.«

»Und warum glauben Sie ihr nicht? Wenn sie Ihnen doch sagt, dass alles bestens ist?«

Ich erkläre ihm, dass ich beim Schreiben von Emmas Nachruf über einige eigenartige Unterlagen gestolpert bin. »Aber das war alles vor unserer Zeit«, sage ich. »Obwohl, dass sie Mags Tenterden gefeuert hat – das höre ich gerade zum ersten Mal. Und das war, nachdem wir uns kennengelernt haben. Das gefällt mir nicht.«

»Na ja, gut möglich, dass ich da was missverstanden habe«, setzt Rosen an und bricht dann ab. »Nein. Ich habe das nicht missverstanden, tut mir leid. Emma hat Mags den Laufpass gegeben.«

Ich bitte ihn inständig, Emma nichts davon zu sagen, dass ich hier war. »Nicht bevor ich nicht weiß, was los ist. Ich will nur … Ich will nur ganz sicher sein, dass sie nicht in irgendwelchen Schwierigkeiten steckt.«

Rosen wirkt verunsichert. »Also gut. Darf ich fragen, warum Sie ausgerechnet mich kontaktiert haben und nicht eine ihrer besten Freundinnen?«

»Weil Emma und ihre besten Freundinnen zusammenhalten wie Pech und Schwefel. Und ich weiß, die würden postwendend zu Emma rennen und ihr brühwarm erzählen, dass ich ihr hinterherspioniere. Es soll sie nicht beunruhigen, dass ich gerade an ihrem Nachruf sitze, wo sie doch eben erst die Entwarnung von ihrem Arzt bekommen hat.«

Rosen scheint darüber nachzudenken. Dann: »Sie machen sich also wirklich Sorgen um sie?«, fragt er.

Ich nicke.

»Okay«, sagt er zögerlich. »Okay, also, im Zweifelsfall bin ich immer Team Emma, aber ich habe mir damals schon Gedanken gemacht, was zum Kuckuck da wohl los ist. Sollte sie irgendwie in Schwierigkeiten stecken, ich würde es mir *nie* verzeihen, nichts gesagt zu haben. Vor allem wenn das jetzt wieder anfängt.«

Wenn was wieder anfängt?

»Sie hatte damals Besuch. Beim Dreh in Northumberland, während der zweiten Staffel. Ich war jeden Abend bis in die Puppen auf und habe Skripts fotokopiert und – na ja, am letzten Abend habe ich sie an der Hotelbar gesehen, im Gespräch mit einem Mann. Spätabends, als sie wohl dachte, wir wären alle längst im Bett. Und ein paar Wochen später habe ich die beiden in London zusammen in einem Café gesehen. Nicht weit vom Stammhaus des Senders.«

Ich vergrabe die Hände in den Taschen. Meine Finger zittern. »Mit wem? Mit wem hat sie sich getroffen?«

Ein langes Schweigen.

Dann, ganz leise: »Jeremy Rothschild. Sie wissen schon? Der Rundfunkmoderator?«

Erinnerungsfetzen der vergangenen Tage rattern mit schreiender Geschwindigkeit vor meinem inneren Auge vorbei, während alles drum herum mit einem Mal ganz langsam und silbrig grau erscheint. Ein Taxi hält am Straßenrand, und mein Handy klingelt.

Er muss sich irren. Emma ist Rothschild nie begegnet. Sie redet über ihn, wie sie über John Humphreys redet oder Mishal Husain, die anderen *Today*-Moderatoren – sie liebt seine Art, Politiker auseinanderzunehmen, würde seine Frau nicht als Schauspielerin bezeichnen, und das war's. Es sei denn…? Nein. *Nein.*

Ich starre auf den nassen Asphalt unter meinen Füßen und versuche zu verstehen, was er da sagt.

»Ich sage Ihnen das nur«, erklärt er, »weil sie nach diesen Treffen immer so aufgewühlt war. So richtig *fertig*. Fleckiges rotes Gesicht, als hätte sie die ganze Nacht nicht geschlafen. Ich weiß ja nicht, was er gemacht oder gesagt hat, aber ich habe mir Sorgen gemacht. Vor allem als ich sie dann zusammen in einem Café in London gesehen habe. Er wirkte ziemlich wütend. Emma hatte ja gerade erst erfahren, dass sie Krebs hat. Da kam einiges zusammen. Mich hat das ganz schön mitgenommen.«

Ich bringe kein Wort heraus.

»Ich habe mich manchmal gefragt, ob Janice Rothschild womöglich dafür gesorgt hat, dass Emma gefeuert wurde. Die hatte mit Sicherheit genügend Einfluss bei der BBC, sie war ja *immer* schon einer ihrer größten Stars.«

Er verzieht das Gesicht, als fürchte er, zu viel gesagt zu haben. »Hören Sie, sagen Sie ihr *auf keinen Fall*, dass Sie das von mir wissen«, setzt er an, aber ich würge ihn ab.

»Mache ich nicht. Versprochen. Bestimmt nicht. Aber Robbie, ich muss noch mal nachhaken. Warum sollte Janice Emma rauswerfen lassen? Was war denn da zwischen Emma und Jeremy Rothschild?«

Wieder zuckt er hilflos mit den Schultern. »Ich weiß es wirklich nicht, ehrlich. Vielleicht hat Janice Wind gekriegt von diesen Treffen und …?«

»Verstehe.«

Ich verstehe gar nichts. Emma und Jeremy Rothschild an einem Tisch ergibt keinen Sinn.

»Ich sage Ihnen das nur, weil ich damals schon Bauchschmerzen hatte bei der ganzen Geschichte. Ich hatte so ein ganz ungutes Gefühl bei den beiden. Was auch immer da zwischen ihnen war – Emma hat es nicht gutgetan. Und jetzt, wo Janice verschwunden ist, gefällt mir die ganze Geschichte noch weniger. Ich weiß, die Polizei sagt, Jeremy Rothschild ist nicht verdächtig im Fall seiner verschwundenen Frau … Aber man macht sich so seine Gedanken, stimmt's?«

Ein vages Unbehagen beschleicht mich. Auf den Gedanken bin ich noch gar nicht gekommen.

»Er hat mal einen Paparazzo k. o. geschlagen, vor ein paar Jahren«, sagt Rosen. »Wussten Sie das?«

»Ja, wusste ich.« Robbie kann damals höchstens zehn gewesen sein.

»Und alle so: *Ja, er hat Jeremy aber auch provoziert, bla, bla, bla,* aber stellen Sie sich mal vor, wir würden uns alle so aufführen, wenn wir mal einen schlechten Tag haben. Man könnte ja kaum noch vor die Tür gehen. *Ich* glaube, er hat eine dunkle Seite.«

»Guter Denkanstoß«, sage ich etwas verunsichert. Dann: »Also, vielen Dank. Ich weiß Ihre Ehrlichkeit zu schätzen. Vor allem nachdem ich so unehrlich zu Ihnen gewesen bin.«

Robbie zuckt die Achseln. Es fängt wieder an zu regnen.

»Ach, und eins noch. Sie haben Emma einen kleinen Brief geschrieben – nur eine Zeile, dass Sie sich gerne noch von ihr verabschiedet hätten. Den hat sie all die Jahre aufgehoben. Was glauben Sie, warum?«

Kurz sehe ich einen Anflug von Stolz in seinem Gesicht aufblitzen zwischen all dem Unbehagen.

»Sie hatte damals echt viel um die Ohren, als wir die Serie drehten«, sagt er. »Krebs, In-vitro-Behandlung, Schwangerschaft, was auch immer das mit Jeremy Rothschild war. Sie hat immer gesagt, ich sei ihr Fels in der Brandung, ihr Ruhepol. Bestimmt wollte sie sich auch an die schönen Dinge erinnern.«

Das zumindest leuchtet mir ein. Emma fällt es schwer loszulassen. Unser bis unters Dach vollgestopftes Häuschen ist ein eindrucksvolles Zeugnis dieses Wesenszugs.

»Sonst war da nichts«, sagt er. »Ich würde es Ihnen sagen, wenn da noch was gewesen wäre. Und vielleicht ist das ja alles bloß ein Sturm im Wasserglas.« Er zieht sich den Pullover wie eine Kapuze über den Kopf, der augenblicklich tropfnass ist. »Hören Sie, ich muss wieder …« Er zeigt mit dem Daumen nach drinnen. Ich nicke und stehe im Regen und weiß nicht, was tun.

Mein Handy klingelt wieder.

Irgendwann fährt das Taxi weg.

Einundzwanzigstes Kapitel

Leo

Vor ein paar Jahren habe ich geträumt, meine Mutter sei eine Venusfliegenfalle. Morgens nach dem Aufwachen erzählte ich Emma von meinem Traum, und wir mussten beide laut lachen. Als Metapher war das eigentlich unschlagbar. Inzwischen ist es beinahe neun Uhr abends, und Mum steht in der Tür des Hauses, in dem ich aufgewachsen bin, und umarmt mich, fest und immer fester, und sagt, ich sei schon viel zu lange nicht mehr da gewesen, sie bekomme mich ja kaum noch zu sehen. »Das ist jetzt bestimmt gut fünfzehn Monate her, Weihnachten warst du ja auch nicht da, und ...« Und mit jeder neuen Klage schlingt sie die Arme noch fester um mich, und ich wehre mich nicht. Mir ist alles recht, was mich aus dem tödlichen Sog meiner vergifteten Gedanken zieht.

Nach dem Gespräch mit Robbie Rosen bin ich von Glasgow nach Luton geflogen. Während das

Flugzeug hoch und immer höher in die schläfrigen Wolken stieg, versuchte ich, Jeremy Rothschild einen unverfänglichen Platz in Emmas Leben zuzuweisen – einen Platz, an dem er mich nicht stören würde, der nicht gefährden würde, was wir hatten, aber sosehr ich auch hin und her überlegte, mir wollte partout nichts einfallen. *Harmlose Geschichten muss niemand verheimlichen*, zischelte mir mein Journalistenhirn zu.

Nur dass meinem »Journalistenhirn«, wenn man es so nennen will, nicht immer zu trauen ist. Viel zu oft schon ist es zu voreiligen Schlüssen gelangt und hat mir einreden wollen, dieser oder jener Mann müsse unsterblich in Emma verliebt sein, und so habe ich dann die Verdächtigen wie besessen nicht mehr aus den Augen gelassen, immer auf der Suche nach einem möglichen Fehlverhalten, das ich beanstanden könnte. Die derzeitigen Hauptverdächtigen sind mein Chef Kelvin und Emmas Hämatologe Dr. Moru, um die ich mir allerdings offen gestanden keine allzu großen Sorgen mache, aber sie sind nicht die Ersten und würden wohl auch nicht die Letzten sein.

Angefangen hat das alles, als Emma damals *Unser Land* moderierte und ich im Netz auf eine Webseite gestoßen bin, in der irgendwelche Männer sich über sie austauschten. Natürlich habe ich immer schon gewusst, dass Emma eine Wucht ist, aber andere

Männer so über sie reden zu hören war etwas ganz anderes.

Als ich ihr davon erzählte, fing sie an, lang und breit über mein »Adoptionstrauma« zu referieren. Angeblich hätte ich aufgrund der Trennung von meiner leiblichen Mutter eine tiefsitzende Verlustangst, die ich nun – zumindest laut Dr. Emma Bigelow – auf sie projiziere. »Ich werde dich nicht verlassen«, sagte sie immer wieder, als hätte ich irgendwann diese Befürchtung geäußert.

Weil mir der Sinn nicht gerade nach weiterer küchenpsychologischer Analyse stand, verlor ich nie wieder ein Wort darüber, und wenn ich heutzutage sehe, wie sie von Männern angestarrt wird, tue ich, als würde ich es nicht bemerken. Aber sie hat recht: Mir gefällt das nicht. Erst vor ein paar Tagen, auf dem Heimweg vom Tom-Jones-Konzert, hat ein Typ mit Baseballkappe sie ganz unverhohlen angestarrt, während wir an einer Fußgängerampel standen und warteten. Hat sie angestarrt, als stünde sie allein da, nicht mit ihrem Mann und Kind. Sie hat ihn gar nicht bemerkt, aber ich musste mich echt zusammenreißen, um nicht hinzugehen und ihm in die Eier zu treten.

Aber das hier, die Sache mit Jeremy Rothschild, das sind keine haltlosen Spekulationen. Das ist kein Spinner, der sie auf offener Straße anstarrt. Das hier ist echt. Und ich weiß nicht, was ich machen soll.

Und wenn sie mich schon bezüglich ihres Uniab-
schlusses, der Sache mit Mags Tenterden und allem
anderen in ihrer Mappe, das für mich überhaupt keinen Sinn ergibt, so unverfroren angelogen hat, wer
sagt mir dann, dass sie nicht auch eine Affäre mit
einem Mann hat, von dem ich nicht einmal wusste,
dass sie ihn kennt?

Ich kaufte mir drei Minifläschchen Airline-Wein
und fiel, just als der Flieger zur Landung ansetzte, in
einen komatösen Schlaf.

Kurz darauf rief Emma an, aber ich ging nicht ran.
Es war noch hell, und die Luft war viel wärmer als
in Glasgow. Gutgelaunt stiegen die Passagiere aus
dem Flugzeug – womöglich, weil unser Billigflieger
wundersamerweise pünktlich gelandet war. Ich lächelte meinen Mitreisenden in der Gepäckschlange
zu, als wäre ich ebenfalls bester Laune und nicht
immer noch leicht angetrunken und todunglück-
lich. Mit dem Taxi fuhr ich den ganzen Weg bis zu
meinen Eltern nach Hitchin und tauschte mit dem
Taxifahrer Anekdoten über die liebe Familie aus.
Ich konnte mich im Rückspiegel sehen, einen Kerl,
der weiß, wo's langgeht. Schicker Pullover, kürzlich
beim Friseur gewesen, smartes Gepäck, das ich von
Olly und Tink zum Vierzigsten bekommen habe.

Emma schickte mir eine Nachricht, als wir gerade
in die Straße einbogen, in der meine Eltern wohnen.
Die Sonne hat sich nach dem Frühstück verzogen, da-

rum sind wir nach Alnwick Castle gefahren. Ruby hat sich allerdings mehr für den Souvenirshop interessiert. Flug war okay, gerade in Heathrow gelandet. Ruf mich an! xxxxxx

Alles ist gut, versuche ich mir nun einzureden, auch wenn es gar nicht stimmt. Ich folge Mum zu Dad hinauf ins Schlafzimmer und sehe durch das Fenster im Flur einen spektakulären Sonnenuntergang. Orange und blutrote Streifen vor mattem Grau, mit knallrosa Streifen wie direkt aus einer Achtzigerjahre-Disco. Die nahe Kirchenglocke schlägt die Stunde, und irgendwo grillt jemand.

Oben im Schlafzimmer versucht Dad gerade, sich im Bett aufzusetzen. »Ach, Leo«, keucht er mit einer frustrierten oder womöglich resignierten Handbewegung. Sonst weigert er sich immer standhaft, Schmerzmittel zu nehmen, weil er »es lieber wissen« will, wenn etwas mit ihm nicht stimmt, aber heute Abend liegen überall Schmerzmittelpackungen verstreut, und er sieht mitgenommen aus. »Ich bin einundsiebzig und fühle mich wie hundert. Verdammter Mist.«

»Und wie«, stimme ich ihm zu und setze mich. Wir umarmen uns nicht mehr. Er hat merklich abgenommen, wie ich jetzt sehe, aber er hatte vorher auch reichlich Speck auf den Rippen. Mein Vater ist einer von diesen Männern, die immer tun, als seien sie mächtig stolz auf ihr Übergewicht: Er tätschelt sich liebevoll den Bauch, als sei er ein guter alter Freund, und prahlt damit, bei einer Mahlzeit mehr zu vertilgen als die meisten Kleinfamilien in einer ganzen Woche. Emma sagt, Dad lagert seinen Gefühlsvorrat im Bauch.

Mum reicht ihm ein Schälchen mit Crumble, das er so schnell verputzt, dass er unmöglich irgendwas davon geschmeckt haben kann. »Ich hab viel nachzuholen«, erklärt er mit einem Keuchen irgendwo zwischen Lachen und Husten. Wie aufs Stichwort streicht er sich über den Bauch, der sich immer noch als sanfter Hügel unter der Bettdecke abzeichnet, und schaut rüber zu Mum, ob sie etwas dazu zu sagen hat, aber die hängt gerade seinen frisch gewaschenen Morgenmantel auf.

So ist er, mein Vater. Reißt Witzchen und vermeidet, wo immer möglich, Gefühle oder unangenehme Gespräche. In den sechs Monaten des Schweigens, die meiner Entdeckung folgten, dass ich adoptiert worden war, hat er mir nur ein einziges Mal geschrieben. *Wir sind nur dem Rat der Adoptionsbehörde gefolgt. Die meinten, es wäre einfacher, wenn du es nicht weißt. Das waren damals noch ganz andere Zeiten, das verstehst du doch bestimmt.*

Ich verstand es nicht, und ein paar Wochen später antwortete ich schließlich mit einer langen Liste an Fragen, die er mir bis heute nicht beantwortet hat. Inzwischen begrüßt er mich meist mit einem etwas längeren Schulterklopfen, als seien wir stillschweigend zu einer gütlichen Einigung gekommen.

Es wird still im Zimmer. Mums Blick hängt an einem alten Foto von mir und Olly als kleine Jungs, irgendwo an einem winterlichen Strand. Olly, der, anders als ich, nicht adoptiert wurde (»Unser Wunder!«), hat die Hand in Mums Tasche geschoben, während ich ein wenig abseitsstehe und wachsam die Szenerie beäuge. Ich habe etwas dunklere Haut als mein Bruder und braune Haare, während er fast weißblond ist. Aber mir ist nie in den Sinn gekommen, mir deshalb Gedanken zu machen.

In einer großen Kiste unter der Treppe verwahren meine Eltern Aberhunderte Fotos aus unserer Kindheit. Als ich das erste Mal nach meiner Entdeckung wieder hier war, habe ich das ganze Ding bis auf den Grund durchwühlt: allein, schweigend, auf dem Boden meines alten Kinderzimmers sitzend. Es war, als hätte mir jemand ein fotografisches Archiv meiner Entfremdung überreicht. Alles, was ich empfunden, aber nie verstanden hatte, war hier vor meinen Augen. Mein kleiner Bruder mit den hellblonden Haaren und den pummeligen Ärmchen und Beinchen und ich mit den dunkelbraunen Haaren und den langen, schlanken Gliedern. Wieso ist mir das nie komisch vorgekommen? Und es waren ja auch nicht nur die rein äußerlichen Unterschiede. Nein, mein Gesicht verriet mich auf so vielen Fotos als unbewusst sehnsüchtig im Abseits stehenden Außenseiter.

Es hätte mir helfen können zu verstehen, warum jeder Partikel meines Selbst sich so anders fühlte, schrieb ich meinen Eltern. *Ich hätte schon als Kind eine Therapie beginnen können, lange bevor ich zu einem misstrauischen Erwachsenen herangewachsen bin. Aber diese Entscheidung habt ihr mir abgenommen.*

Am nächsten Tag tue ich, wofür ich hergekommen bin: Ich putze das Haus, gehe einkaufen, wasche ein paar Ladungen Wäsche und lasse Mum vom gemütlichen Platz auf dem Sofa aus jammern, dass ich sie nichts machen lasse.

Nach dem Mittagessen schläft Dad ein, und ein paar Minuten später geht Mum zu ihm nach oben, »um nur mal kurz die Augen zuzumachen«. Um Viertel vor eins ist es totenstill im Haus.

Ich melde mich bei Sheila in der Hoffnung, es sei vielleicht irgendjemand Berühmtes gestorben und sie bräuchten mich, ein bisschen Ablenkung könnte jetzt nicht schaden, aber sie meint nur, es sei alles bestens, und ich solle meinen freien Tag genießen.

Und so sitze ich allein im Wohnzimmer meiner Eltern und zwinge mich, über die Möglichkeit nachzudenken, dass meine Frau eine heimliche Affäre mit Jeremy Rothschild unterhält.

Ich muss daran denken, wie abfällig sich Emma

immer über Janice Rothschilds Schauspielkünste geäußert hat. Dass sie mich nie zu irgendwelchen Veranstaltungen begleiten wollte, obwohl sie ein Gläschen in Ehren eigentlich nie verwehren kann – vielleicht um ihm aus dem Weg zu gehen?

Und wie Rothschild sich dann über meinen Artikel über Janice beschwert und damit verhindert hat, dass ich den Nachruf auf sie schreibe. Ob ihm die ganze Sache langsam zu brenzlig wird?

Ich stelle mir Emma und Jeremy Rothschild im Bett vor, und mir wird übel. Das kann nicht sein. Das ist unmöglich.

Und doch scheint auf nichts von alledem, was ich bisher als gegeben hingenommen habe, noch Verlass zu sein. Hier sitze ich im Haus meiner Eltern, die nicht meine leiblichen Eltern sind. Und nun stellt sich heraus, dass meine Frau – die Frau, die gelobt hat, mich bis in den Tod zu lieben – mich nach Strich und Faden belogen hat. *Ist* sie in Gefahr? Ist Rothschild eine echte Bedrohung, oder ist Robbie Rosen bloß eine kleine Dramaqueen?

Mir kommen noch ein paar andere Gedanken. Abscheuliche, nebulöse Gedanken, die den Zeitpunkt von Emmas angeblichem Treffen mit Rothschild betreffen und die wundersame Schwangerschaft wenige Wochen später – aber so was darf ich nicht denken. Ich weiß nur, da sind Lügen in unserer

Beziehung verstreut wie Tretminen, und ich habe keine Ahnung, wie ich sie hinter mir lassen soll.

Um zwei Uhr nachmittags mache ich mich auf den Heimweg. Ich fühle mich wehrlos und verwundbar, wie unversehens mitten in ein Kriegsgebiet geraten, mit nichts als einem T-Shirt bekleidet. Nie hätte ich gedacht, beim Gedanken an mein Zuhause könne mir wieder so elend zumute sein. Nie hätte ich gedacht, beim Gedanken an mein neues Leben könne mir einmal so zumute sein.

Zweiundzwanzigstes Kapitel

Emma

Leo meldet sich erst, als er schon bei seinen Eltern losgefahren ist und im Zug nach London sitzt, beinahe zweiundsiebzig Stunden nachdem wir das letzte Mal miteinander gesprochen haben. Die längste Funkstille zwischen uns seit zehn Jahren.

»Hey!«, rufe ich und stürze mit dem Handy in der Hand ins Wasseranalyselabor. Ein Fehler, wie sich herausstellt: Ein Haufen Doktoranden um den Sedigraphen geschart lacht so laut, als feierten sie hier eine wilde Party. In meiner Verzweiflung verkrümele ich mich schließlich in eins der Kühlhäuser.

»Hey«, sagt Leo so steif wie jemand, der sich nicht die Blöße geben will, auch nur ein Quäntchen an Gefühlen zu zeigen.

»Hallo, Liebling. Alles okay? Hast du dich mit deiner Mum vertragen?« Ich stecke mir den Finger ins Ohr, um das Dröhnen der Kaltluftrotoren nicht zu hören.

Leo zögert kurz. »Oh, ja sicher. Hör zu, ich habe gerade zufällig an Mags Tenterden denken müssen, deine ehemalige Agentin.«

Leo ist ein miserabler Lügner. Er hat nicht bloß »zufällig« an sie gedacht.

»Ach ja?« Ich drücke mir das Telefon ans andere Ohr in der Hoffnung, auf dieser Seite etwas Angenehmeres zu hören.

Hektisch stammelt er: »Ich habe das doch damals richtig verstanden, oder? Sie hat dich fallen gelassen? Nicht umgekehrt?«

Ich schließe die Augen, und es ist, als züngelten ringsum die Flammen.

Bitte, Leo. Bitte nicht das, Liebster.

Doch es ist genau das, und es passiert, unaufhaltsam, ganz gleich, was ich auch tue. Falls Leo die Antwort auf diese Frage nicht bereits kennt, ist er doch ganz dicht davor. Und wenn er dicht genug an der Wahrheit über Mags ist, ist er dicht an der ganzen Wahrheit.

Wie oft hätte ich mich im Laufe der letzten Jahre selbst in den Allerwertesten treten können, weil ich so schamlos über die Sache mit Mags gelogen habe. Eine Vergangenheit zu verschweigen, die Leo mir nie hätte verzeihen können, ist das eine. Aber im Hier und Jetzt ein ganz neues Lügennetz zu spinnen, das ist etwas vollkommen anderes. Aber was hätte ich auch sonst tun sollen, um ihm zu erklären, warum ich so aufgelöst war? Was für einen Grund hätte ich haben können, mich von Mags zu trennen, die ich, wie Leo sehr wohl wusste, einfach zum Niederknien fand?

»Mags hat mich rausgeworfen«, sage ich hoffnungslos. »Erinnerst du dich etwa nicht mehr?«

Ein langes Schweigen, was bedeutet, er weiß, dass ich lüge. Dieser Anruf war meine letzte Chance.

Ich lehne mich gegen die Probenarchivregale und vergrabe die freie Hand tief in der Tasche. Und muss an den Tag denken, als Leo und ich uns kennengelernt haben, wie er bei der Beerdigung meiner Großmutter still an die Wand gelehnt dastand und mich mit einem kleinen Lächeln im Gesicht angesehen hat. Und ich war so hingerissen, dass ich kaum mitbekam, was die anderen Trauergäste zu mir sagten.

»Also gut«, brummt Leo schließlich. »Ich dachte bloß.«

Meine Brust ist wie zugeschnürt. Nicht genug Luft. Nicht genug Sauerstoff.

»Okay. Also dann … Wir sehen uns später, oder? Ich hole Ruby aus der Kita ab, wie geplant?«

»Jep. Bis es Zeit zum Baden ist, bin ich wieder da. Ich muss nur noch ein paar Sachen in der Stadt erledigen, dann komme ich nach Hause.«

»Okay«, sage ich. Meine Augen füllen sich mit Tränen. *Ich liebe dich*, will ich noch sagen, tue es aber nicht.

Dreiundzwanzigstes Kapitel

Leo

Mags Tenterdens Büro liegt in einem der neuen Blocks am King's Cross. Ehe ich hineingehe, bleibe ich kurz am Kanal stehen, und mein Blick geht über die Menge gut gekleideter junger Menschen, die lässig auf dicken Polstern am Ufer herumlümmeln. Warum sind die an einem Freitag Ende Juni um Viertel vor vier nicht bei der Arbeit? Mit fünfundzwanzig habe ich täglich zwölf Stunden am Stück in einer überhitzten Nachrichtenredaktion geschuftet und mich nicht mal getraut, eine Pinkelpause zu machen.

Mittendrin flitzen kreischende Kinder um tanzende Wassersäulen. Von irgendwoher hört man Livemusik, und die Arbeiter, die an den Buden der Straßenverkäufer für ein spätes Mittagessen anstehen, haben die Ärmel hochgekrempelt. Alle scheinen den sonnigen Tag zu genießen.

Ich wende mich wieder Mags' Bürogebäude zu,

und in meinem Magen braut sich eine Sturmflut zusammen.

»Ich habe nicht viel Zeit«, sagt Mags zu mir. Sie ist nur minimal gealtert, seit ich sie das letzte Mal gesehen habe, aber wirkt modischer denn je. Die silbergrauen Haare sind akkurat kurz geschnitten, und sie trägt eine große rote Brille zu einem teuer aussehenden Kleid in skandinavisch anmutender Kantigkeit. »Bitte«, sagt sie und weist auf einen Stuhl.

Ich muss beinahe lachen über diesen unterkühlten Empfang. Als ich Mags damals bei der BBC-Ausstrahlungsparty für *Unser Land* kennengelernt habe, warnte sie mich gleich, »bloß nicht rumzunerven«, sollte Emmas Karriere wie erwartet durch die Decke gehen und sie demnächst auch im Ausland drehen. Ich war so verdattert, dass ich nicht einmal meinen Gin Tonic herunterschlucken konnte, also hatte ich bloß dagestanden, den Mund voller Schnaps, mit dicken Hamsterbacken, und hatte sie blöde angestarrt. Das war bisher meine erste und einzige Begegnung mit ihr.

»Ich will Sie gar nicht lange aufhalten«, sage ich jetzt.

Sie guckt mich an. Eigentlich hatte ich erwartet, sie würde in so einem Klischee von einem Agentenbüro sitzen, vollgestopft mit vergilbten Fotografien und verstaubten Auszeichnungen, aber hier sieht es aus wie im Wartezimmer einer nordischen Designberatung. Helles Holz, architektonischer Stahl, weiße Wände und Drucke in schmalen schwarzen Rahmen. Nichts, was darauf hindeutet, dass diese Frau beinahe hundert renommierte Schauspieler und Fernsehmoderatoren vertritt.

»Als Sie und Emma damals getrennte Wege gingen, war das Emmas Entscheidung oder Ihre?«, frage ich.

Mags rutscht sichtlich erstaunt auf ihrem Stuhl zurück.

Aber sie erholt sich rasch wieder. »Das war natürlich Emmas Entscheidung«, sagt sie. »Darf ich fragen, warum Sie das interessiert?«

O Gott.

Wieder dieses Gefühl von Schwerelosigkeit. Irgendwie habe ich wohl bis eben noch gehofft, Mags Tenterden werde Robbie Rosens Geschichte zerfleddern. »Das ist kompliziert«, sage ich.

»Ich war wie vor den Kopf gestoßen«, sagt Mags. »Und – wie ich zugeben muss – auch ziemlich wütend. Aber da sie nirgendwo sonst unterschrieben hat, bin ich davon ausgegangen, dass es ihr ernst damit war, als sie meinte, sie sei fertig mit dem Fernsehen.«

Ich nicke wortlos. Der Himmel draußen ist strahlend blau.

Jeremy und Emma. Emma und Jeremy. Das Bild

wird immer schärfer, abstoßender, mit jeder Frage, die ich stelle.

»Worum geht es hier eigentlich?«, fragt Mags abermals. Sie stützt sich auf die Ellbogen, beugt sich vor und sieht mich durchdringend an. Ich glaube, sie hat sich die Zähne bleichen lassen.

»Emma hat mir gesagt, Sie hätten sie fallen gelassen«, erwidere ich. »Sie war am Boden zerstört. Geschlagene drei Wochen hat sie sich an die Küste geflüchtet, um sich von diesem Tiefschlag zu erholen. Ich … ich verstehe nicht, warum Emma das eine behauptet und Sie etwas anderes.«

Mags runzelt die Stirn. Im Hintergrund höre ich Telefone und irgendwo in der Ecke eine Unterhaltung mit viel Gekicher. Mags' Agentur ist die älteste und größte im Business, wie es auf ihrer Webseite heißt.

»Ich kann Ihnen das Kündigungsschreiben zeigen, wenn Sie mir nicht glauben«, sagt Mags. »Ich kann mich noch ganz genau erinnern. Ich habe ihr eine Nachricht hinterlassen, sie gebeten, sich das Ganze noch mal in Ruhe durch den Kopf gehen zu lassen, aber sie wollte partout nicht mehr mit mir reden. Ich habe sie angemailt, ihr sogar einen Brief geschrieben – keine Chance. Sie hat mir nur eine kurze Mitteilung geschickt, sie wolle nichts mehr mit dem Fernsehen zu tun haben.«

Sie kratzt sich am Ellbogen. »Ich bekomme immer

noch fünfzehn Prozent ihrer Tantiemen von BBC Worldwide, das ist besser als nichts.«

Emma hatte sich an meiner Schulter ausgeheult und mir gesagt, Mags habe sie sang- und klanglos vor die Tür gesetzt. Warum zum Teufel hatte sie damals wirklich geweint? Was war da los? Die Vergangenheit wird immer mehr zum schwindelerregenden Hochseilakt.

Mags lässt mich nicht aus den Augen. »Emma ging es nicht gut. Vergessen Sie das nicht, ja?«

»Ja«, antworte ich ausweichend. Mir ist zu warm. Ich öffne einen Knopf an meinem Hemd und schaue zu der abgeschalteten Klimaanlage über Mags' Schreibtisch rüber. »Sie meinen ihre Krebsdiagnose?«

Mags nimmt einen Stift und rollt ihn zwischen beiden Händen hin und her. »Ich meinte damit ihren Rausschmiss bei der BBC. Aber ja, die Krebsdiagnose war natürlich auch grässlich.«

»War sie … Aber, um darauf zurückzukommen – wissen Sie, warum die BBC sie damals gefeuert hat? Mir hat sie gesagt, es sei alles ziemlich vage gewesen und niemand habe es ihr so richtig erklären können – ein neuer Prokurist, irgend so was. Aber wie ich inzwischen erfahren habe, war es wohl alles andere als vage.«

Mags spielt weiter mit dem Stift. »Haben Sie beide sich getrennt?«, fragt sie. Ich glaube, sie ist ziemlich geschockt.

Ich versichere ihr, dass wir uns nicht getrennt haben, und nach kurzem innerem Kampf lege ich die Karten auf den Tisch.

»Hören Sie, Mags – ich muss mich entschuldigen. Ich bin wirklich ein hundsmiserabler Lügner. Eigentlich bin ich hier, weil ich herausgefunden habe, dass Emma mich bei einer ganzen Reihe von Dingen belogen hat. Ich will erst sämtliche Fakten auf dem Tisch haben, ehe ich sie darauf anspreche.«

Mags denkt einen Augenblick darüber nach. »Klingt verzwickt«, sagt sie. »Aber mich da mit hineinzuziehen finde ich offen gestanden ziemlich daneben.«

Sie legt den Stift auf den Schreibtisch, dann nimmt sie ihn wieder in die Hand. Die Sache setzt ihr zu.

»Das stimmt«, sage ich. »So was mache ich normalerweise auch nicht, aber ich bin verzweifelt. Würden Sie mir wenigstens verraten, warum die BBC sie vor die Tür gesetzt hat – wenn Sie es denn wissen?«

»Natürlich weiß ich das.«

»Aber Sie wollen es mir nicht sagen.«

»Nein. Wenn Emma es Ihnen nicht gesagt hat, sage ich es Ihnen ganz bestimmt nicht.« Das gereckte Kinn verrät, wie ernst es ihr damit ist.

»Also gut, dann gehe ich wohl wieder.«

»Das halte ich für eine gute Idee. Schön, Sie zu sehen, und auf Wiedersehen!«, sagt Mags.

Normalerweise hätte ich wohl mit einem Lächeln geantwortet, aber diesmal kann ich das nicht.

Ich sacke auf meinem Stuhl zusammen. »Ich bitte Sie. Können Sie mir nicht bitte helfen?«

»Nein, kann ich nicht.« Mags schaut auf ihre Uhr. »Und ich muss jetzt wirklich los, Leo. Ich würde Ihnen empfehlen, nach Hause zu gehen und mit Emma zu reden. Mehr kann ich nicht für Sie tun.« Sie bedenkt mich mit einem beißenden Lächeln und klappt entschieden den Laptop zu.

Mir bleibt nichts anderes übrig.

»Ihr Mann«, sage ich, während sie den Laptop in die Hülle schiebt. »Sein Nachruf liegt bei uns im Archiv.«

Sie hält inne, sagt aber nichts. Mags' Mann ist schon seit Jahren Politikredakteur bei ITV. Und nicht gerade ein ehrenwerter Gentleman.

»Ein gemeinsamer Freund hat mir so einiges über ihn gesteckt. Ich bin mir ziemlich sicher, dass ich der Einzige bin, dem er das ausgeplaudert hat, weshalb auch bisher nichts davon in seinem Nachruf steht.«

Ich schiebe meine Hände zwischen meine Beine, weil sie wie verrückt zu zittern beginnen. Vorhin im Zug war mir das mit ihrem Mann noch wie ein genialer Schachzug erschienen, aber so ein mieser Schmierfink bin ich einfach nicht. War ich auch nie – weshalb ich ja auch letzten Endes bei den Nachrufen gelandet bin.

»Ach, vergessen Sie's«, murmele ich. »Es tut mir leid. Das ist Erpressung.«

Mags guckt mich angewidert an. Sie sagt kein Wort.

Hochrot im Gesicht springe ich auf. »Menschen tun abscheuliche Dinge, wenn sie verzweifelt sind, oder? Ich... Vergessen Sie einfach, dass ich hier war.«

»Ach verdammt«, raunzt Mags. Sie wirft den Laptop beinahe auf den Schreibtisch. »Die BBC hat sie rausgeworfen, weil...«

»Nein«, unterbreche ich sie hastig. »Vergessen Sie, was ich über Ihren Mann gesagt habe. So einer bin ich nicht. Ist schon okay.«

Mags winkt ab. »Ich kann das nicht auf mir sitzenlassen, dass Emma herumerzählt, ich hätte sie eiskalt abserviert. Das grenzt ja schon fast an Rufmord – ich hätte nicht übel Lust, mich mit unserem Anwalt zu unterhalten...«

»O nein, bitte nicht«, setze ich an, aber sie ignoriert es einfach.

»Hören Sie, Leo.« Sie wartet ab, bis ich aufhöre zu winseln. »Die BBC hat Emma rausgeworfen, weil irgendwer ihnen gesteckt hat, dass Emma vorbestraft ist. Sie sind der Sache nachgegangen, und es stellte sich heraus, dass es stimmt.«

Ich beuge mich vor. »Entschuldigung, sie ist bitte was?«

»Sie haben mich ganz richtig verstanden.«

»Aber wieso das denn? Ich meine, *wieso*?«

Mags schürzt die Lippen. »Stalking.«

Nach einem Moment der Fassungslosigkeit vergrabe ich den Kopf in den Händen. »Wen? Wen hat sie gestalkt?«

Mags Tenterden lehnt sich in Gedanken an damals zurück. »Janice Rothschild, die hat sie gestalkt.« Ihre Stimme ist jetzt leiser, fast schon entschuldigend. »Ich weiß, das hört man nicht gern.«

»Nein … wirklich nicht.«

»Janice hat der BBC den entscheidenden Hinweis gegeben. Emma hat ihren Vertrag mit mir gekündigt, weil sie mich nicht in die Bredouille bringen wollte – Janice ist bei uns unter Vertrag, schon seit den Achtzigern, als sie ganz frisch von der Royal Academy kam.«

»O Gott«, flüstere ich.

Mags beobachtet mich eine Weile.

»Leo, ich muss leider wirklich los. Meine Assistentin bringt Sie dann gleich raus.«

Vierundzwanzigstes Kapitel

Leo

Ich stehe vor unserem zugewucherten kleinen Gartenpfad und stelle mir Ruby vor, sprudelnd vor Geschichten über das »Fliegzeug«, und was wir ihrer Meinung nach vor dem Schlafengehen unbedingt noch »brauchen« (heiße Schokolade nämlich). Ich versuche mir das Gespräch vorzustellen, das Emma und ich später führen werden. Die Unruhe bohrt sich wie Eiszapfen in meine Eingeweide.

Ich habe meinen Bruder angerufen, gleich nachdem ich aus Mags' Büro gekommen bin. Olly hat, im Gegensatz zu mir, ein angeborenes Urvertrauen in diese Welt und vermutet nur ganz selten gleich das Schlimmste.

»Wir haben doch alle unsere Geheimnisse«, meinte er leichthin. Er räumte gerade die Spülmaschine ein. »Und ja, es gibt so einiges, was ich Tink verheimliche.«

»Was denn zum Beispiel?«

»Geheimnisse.«

»Das hast du dir doch gerade ausgedacht, damit ich mich nicht so mies fühle.«

Er schwieg einen Moment. »Also gut, ich habe Tink nie erzählt, und auch sonst keinem, wie Mum damals in mein Zimmer geplatzt ist und mich dabei erwischt hat, wie ich mir vor einem Foto von Samantha Fox einen gewedelt habe«, sagte er geradeheraus.

Zum ersten Mal seit vierundzwanzig Stunden musste ich laut lachen. »Eine tolle Geschichte. Aber ich meine die ganz großen Dinge, Olly, nicht pubertäre Masturbationspannen.«

»Alter! Hör mir zu. Sie hat dich wegen ihrem Abschluss angeschwindelt und wegen irgendwas mit ihrer Agentin. Es gibt Schlimmeres.«

»Hmmm. Ich weiß nicht.«

»Und dann hat vermutlich jemand gesehen, wie sie sich spätabends an Jeremy Rothschilds starker Schulter ausgeweint hat, und seine Frau ist eifersüchtig geworden und hat Emma beschuldigt, sie zu stalken. Und das ist nur eine von Millionen möglicher Erklärungen, die ich mir gerade aus den Fingern gesaugt habe. Aber das heißt doch nicht, dass sie dich nicht liebt. Hey! Mikkel! Lass ihn in Ruhe!«

»Aber sie hat es mit allen Mitteln vor mir zu verheimlichen versucht. Hat Unterlagen aus dem Aktenschrank genommen, mir gesagt, ich bildete mir das alles nur ein. Und neulich erst hat sie jemandem in Northumberland geschrieben, um ein heimliches Treffen zu vereinbaren. Sie hat behauptet, die Nachricht wäre für ihre alte Schulfreundin Susi bestimmt gewesen, aber ich… ich glaube ihr nicht.«

Olly hatte aufgehört, mit dem Geschirr herumzuklappern. »Sagtest du Northumberland?«

»Ja. Warum?«

Er atmete ganz langsam aus. »Das hat bestimmt nichts zu bedeuten, aber Jeremy Rothschild hat da oben ein Haus. Einer meiner Kollegen macht da jedes Jahr Urlaub, und das Ferienhaus, das sie immer mieten, ist gleich nebenan. Alnwick, glaube ich. Oder Alnmouth vielleicht?«

»Verdammt«, stöhnte ich. »O verdammt, Olly.«

Behutsam stecke ich den Schlüssel ins Schloss und ziehe lautlos die Tür hinter mir zu.

Sicher ist sie gerade oben und badet Ruby. Ente wird auf der viktorianischen Schulbank in der Ecke unseres Badezimmers sitzen, so wie Ruby es am liebsten hat. Ich weiß genau, wie es dort im Badezimmer riecht, und kann mir vorstellen, wie das warme Kondenswasser langsam auf die vergammelnde Fensterbank tropft.

Sonst geht mir beim Gedanken daran immer das Herz auf, aber jetzt will ich nur noch eins: endlich

Klarheit. Auf Zehenspitzen schleiche ich mich in die Küche und nehme das Handy meiner Frau und gehe zu den Nachrichten.

Zuerst nur Alltagskram: Kollegengespräche, Unterhaltungen mit meiner Mum und Emmas Freunden. Das Grauen ist zu groß, als dass ich mein Verhalten infrage stelle. Nachrichtenverlauf um Nachrichtenverlauf gehe ich systematisch durch.

Die sechste Nachricht in der Liste ist eine an Jill von heute Morgen. Emma schreibt, sie habe Bammel vor unserem Wiedersehen. *Ich wünschte, ich könnte ihm alles sagen*, schreibt sie. *Ich komme mir so mies vor.*

Jill: *Tja, du kannst es ihm aber nicht sagen. Das hast du schon vor Jahren so entschieden.*

Emma: *Ich weiß … Aber ich halte das nicht aus, Jill.*

Jill: *Ich glaube, du solltest nach Hause gehen und schön mit ihm zu Abend essen und alles abstreiten, was er glaubt, herausgefunden zu haben. Er liebt dich viel zu sehr, um das alles wegen ein paar halb garer Halbwahrheiten zu zerstören.*

Fassungslos starre ich auf das Handy.

Und Jill, *verfluchte Jill*, warum rät sie Emma, mich anzulügen? Ich habe immer schon gewusst, dass ich diese Frau nicht ausstehen kann. Das Herz schlägt mir plötzlich bis zum Hals, und in mir brodeln Wut und Vorwürfe hoch. Wie kann sie es wagen, Emma auch noch anzustacheln, mir Dinge zu verheimlichen?… *alles abstreiten, was er glaubt, herausgefunden zu haben*, hat sie geschrieben, als wäre ich ein Depp, der blind und ahnungslos durchs Märchenland stolpert. Was zum Teufel?

Ich stelle mir vor, wie ich zu ihr fahre und sie zur Rede zu stelle. Ich bin so wütend, ich wäre glatt dazu imstande, obwohl ich natürlich insgeheim längst weiß, dass Emma das eigentliche Problem ist, nicht Jill. Aber stattdessen scrolle ich weiter, immer weiter, immer fieberhafter, durch Emmas Nachrichten. Viel Zeit bleibt mir nicht mehr. Ich muss nach Leuten suchen, die sie noch nie erwähnt hat – Tarnnamen. Namen wie… Ach verflucht. Namen wie *Sally*.

Ich öffne den Nachrichtenverlauf, und meine Finger werden zu Wackelpudding.

Er ist es.

Vor zwei Stunden hat er ihr geschrieben und ihr gesagt, dass er an sie denkt. *Wäre schön, dich bald wiederzusehen*, hat er geschrieben. *Ich glaube, es gibt genug Gesprächsstoff.*

Vor vierundzwanzig Stunden hatte er geschrieben: *Alles okay?*

Dann, vor achtundvierzig Stunden, als Emma in Alnmouth war, drei Nachrichten kurz hintereinander, in denen er sich entschuldigt, so überstürzt verschwunden zu sein. Er schreibt: *Ich konnte es nicht mit Ruby im Haus.*

Was konntest du nicht? Ich schäume, angewidert, panisch.

Emma hatte wohl angefangen, eine Antwort zu tippen. Sie ist noch im Dialogfenster, nicht gesendet.

Jeremy, ich muss dich bitten, mir keine Nachrichten mehr wegen Janice zu schicken. Ich werde das Gefühl nicht los, dass du mir zumindest in Ansätzen die Schuld für ihr Verschwinden gibst, und das stört mich wirklich. Ich verstehe dich: Sie ist weg, du bist außer dir vor Sorge, und du fragst dich, ob du sie besser hättest beschützen können, ob ich vielleicht etwas mit der Sache zu tun habe. Genauso weiß ich, ob es uns nun gefällt oder nicht, wir werden immer miteinander verbunden sein – du bist schließlich der Vater meines Kindes. Du hast bestimmt deine eigenen Ansichten, wie wir gemeinsam mit dieser schrecklichen Geschichte umgehen sollen, aber seltsame Treffen zwischen Tür und Angel sind nicht die Lösung für unser Problem. Du weißt, was ich mir wünsc…

Der Eingabezeiger blinkt und wartet geduldig darauf, dass sie weitertippt.

Ich scrolle nach oben und lese die Nachricht noch mal. Bis zum Ende. Lese den Mittelteil erneut, fünf-, sechsmal. Meine Finger verharren über dem Handy, fast als wollten sie ihre Worte wieder löschen, bis meine Hände irgendwann zu zittern beginnen.

Ich drehe mich um und stoße unsanft gegen Emmas Koffer, der polternd umfällt.

Sekunden später hört man Getöse und hektisches Krallenklackern auf der Treppe. John Keats ist im Anmarsch.

»Leo?«, ruft Emma. »Bist du das, Schatz?«

Ich schaue den Hund an, der sich freudig um die eigene Achse dreht, immer im Kreis, weil sein Daddy wieder zu Hause und alles *so toll* ist. Meine Augen füllen sich mit Tränen. Das war's, denke ich. Das ist das Ende meines geliebten und so lange schmerzlich ersehnten Familienlebens. So oft habe ich mich über die ewige Unordnung oder den Lärm beklagt, so oft habe ich mir Gedanken über unbekannte Fernsehzuschauer und ihre eingebildete Schwärmerei für Emma gemacht, während sie in Wirklichkeit die ganze Zeit eine heimliche Affäre mit Jeremy Rothschild hatte.

Und dann sinke ich auf den Stuhl und muss an das Kind oben in der Badewanne denken, meine kleine Erbse, mein Baby. Die Vorstellung, sie könne das Produkt einer schäbigen, atemlosen Affäre sein, ist noch abstoßender als der Gedanke, Emma könne mit einem anderen Mann schlafen. Das sind Seelenqualen, die ich mir nicht einmal vorzustellen vermag. Ich stehe auf, laufe im Kreis, weiß nicht, was tun.

»Daddy?« Eine quietschige kleine Stimme, leises Planschen. John wedelt und wedelt und drückt seine feuchte Hundenase in meine Hand. Er versteht einfach nicht, warum ich mich nicht zu ihm auf den Boden setze und ein bisschen mit ihm raufe und tobe.

»DADDYYYY!«, brüllt Ruby von oben.

Ich kann das nicht. Irgendwo in mir ist ein ohrenbetäubendes Heulen. Allein der Gedanke, mein kleines Mädchen könnte...

Wie von selbst bewegt mein Körper sich zur Haustür, und dann stehe ich draußen in diesem Abend, der nach aufwendig bepflanzten Gärten und Essensdüften riecht. Rasch laufe ich unseren Gartenpfad entlang bis Hampstead Grove und dann in die Heath Street, wo gut betuchte Frauen mit dick aufgemalten Augenbrauen an frostig beschlagenen Weingläsern nippen.

Ich habe nie nach Hampstead gehört. Habe ich eigentlich je irgendwohin gehört?

Irgendwann biege ich ab in einen Pub nicht weit von Belsize Park. Bestelle mir ein Pint und dann noch eins und gehe mit den beiden Gläsern an einen Ecktisch, als wartete ich auf einen Freund. Ich starre an eine Wand mit alten Ziegeln und trinke wie ferngesteuert. Ich trinke, wie ich es manchmal mache, wenn Emma mir die Hand auf den Arm legt und fragt: *Hey, willst du reden?*

»Sie liebt mich«, sage ich zum Pub, einem reizenden viktorianischen Lokal mit angelaufenen

Spiegeln und fleckigen Decken, durchdrungen von alten Geschichten und Liedern, die sich im Laufe der Jahre wie Sedimentschichten über die unzähligen Anstriche gelegt haben. Minuten später habe ich mein erstes Pint geleert, froh über die Anonymität der Großstadt. Hier kann man sich in aller Ruhe zu Tode saufen, ohne dass auch nur einmal jemand fragt, ob auch alles in Ordnung ist.

Damals, als Emma erfahren hat, dass sie mit Ruby schwanger ist, waren wir auch in einem Pub. Wir hatten uns nach der Arbeit in Soho verabredet, weil es noch drei Tage hin waren, bis Emma den nächsten Schwangerschaftstest machen sollte, und wir konnten beide ein bisschen Ablenkung vertragen. Emma war nach oben auf die Toilette gegangen, während ich an der Theke unsere Getränke bestellte, und als ich schließlich mit den Gläsern in der Hand vor der Tür stand und endlich eine Fensterbank gefunden hatte, an die ich mich lehnen konnte, war sie immer noch nicht da.

Alles okay?, schrieb ich ihr.

Sekunden später stand sie plötzlich neben mir, weiß wie die Wand.

»Guck mal«, sagte sie. Sie drehte sich mit dem Rücken zu den anderen Gästen und präsentierte mir ein Plastikstäbchen. Zuerst starrte ich es nur verständnislos an, bis mir aufging, was ich da sah. Und was die beiden blauen Streifen zu bedeuten hatten.

»Ich hab auf dem Weg hierher einen Test besorgt«, erklärte sie. »Und dann lag er da in meiner Handtasche, und ich weiß, eigentlich soll ich noch drei Tage warten, bis ich wieder einen Test mache, und ein Pub-Klo ist auch nicht unbedingt der richtige Ort dafür, aber ich konnte einfach nicht anders.«

Ich wollte ihr das Stäbchen abnehmen, aber sie hielt es fest. »Ich hab da eben draufgepinkelt«, erinnerte sie mich.

Es war nicht das erste Mal, dass wir gemeinsam auf einen positiven Schwangerschaftstest starrten. Und ich wusste, diese Schwangerschaft war höchstens ein paar Tage alt, und die Wahrscheinlichkeit war hoch, dass sie nicht gut gehen würde. Aber wie wir so dastanden, unter hängenden Geranienkörben, umringt von Hipstern und Markthändlern und Büroangestellten, sagte mein Bauch: *Das ist es.*

Und plötzlich hatte ich Tränen in den Augen. »Wow«, stammelte ich. Emma sagte nichts, aber als sie mich schließlich ansah, weinte auch sie.

Sie fiel mir um den Hals, hielt mich ganz fest, vergrub das Gesicht in meinem Hemd, und ihre warmen Tränen sickerten durch den Stoff auf meine Brust. Hinter uns lachte eine Horde junger Männer brüllend laut und grölte schief: »Blake stinkt nach Fisch, Blake stinkt nach Fisch.«

Und dann auf dem Heimweg: wie still sie war, wie sie meine Hand hielt, als wir in der U-Bahn gen Norden sausten. Wie sie mitten auf der Straße stehen blieb, kurz bevor wir ins Haus gingen, und sagte: »Ich liebe dich so sehr, Leo«, und wie ich gelächelt habe, weil ich wusste, sie meint es genau so.

Sie hat mich geliebt. *Sie liebt mich.* Das bilde ich mir doch nicht ein.

Aber dann muss ich an all die vielen Menschen denken, deren Nachrufe ich geschrieben habe. All die Aristokraten mit ihren glücklichen Ehen und den Langzeitaffären mit der Haushälterin. Die Gangster mit einer Frau in jeder größeren Stadt. Die verheirateten Akademiker mit ihren studentischen Geliebten, die Künstler mit ihren ausschweifenden Orgien. Viele dieser Menschen haben, als ihr Leben sich dem Ende zuneigte, von sich behauptet, ihren Ehepartner aufrichtig zu lieben und dass ihre Ehe nie unter ihren außerehelichen Aktivitäten gelitten habe.

Vielleicht kann man tatsächlich einen Menschen lieben und mit einem anderen ins Bett gehen. Vielleicht kann man auch *zwei* Menschen lieben.

Ich versuche, möglichst nicht an Ruby zu denken, es ist einfach zu schrecklich, aber die Wahrheit hat sich längst irgendwo unter meiner Haut festgesetzt. Jeremy und Emma haben sich ungefähr zu der Zeit spätabends getroffen, als sie damals mit Ruby schwanger wurde. Und das nach Jahren und Jahren erfolgloser Bemühungen, ein Baby zu bekommen.

Sie haben sich diese Woche in Northumberland gesehen. Sie schreiben einander. Emma nennt ihn »Vater meines Kindes«.

Es gibt niemanden auf der ganzen weiten Welt, mit dem ich blutsverwandt bin, geht mir auf. Niemanden.

Fünfundzwanzigstes Kapitel

Emma

Ich nehme Ruby nicht mit nach unten. Ich weiß, irgendetwas stimmt nicht – John Keats ist so merkwürdig zu uns ins Badezimmer geschlichen, den Schwanz fest zwischen die Beine geklemmt. Das macht er nur, wenn er Zeuge unerklärlichen menschlichen Verhaltens geworden ist, das er nicht einzuordnen weiß.

Ich helfe Ruby, den Pyjama anzuziehen, und lausche auf Geräusche aus der Küche, aber alles bleibt still. In meiner Brust öffnet sich eine lautlose Kluft der Angst, während ich Ruby ihre Gutenachtgeschichte vorlese. Seit seiner Frage nach Mags vor ein paar Stunden hat er auf keine meiner Nachrichten mehr geantwortet.

Die Küche scheint den Atem anzuhalten, als ich schließlich nach unten komme. Da steht Leos Reisetasche, aber mein Koffer liegt auf dem Rücken wie ein umgedrehter Käfer. John Keats, der mir gefolgt ist, schnuppert nervös in Richtung des kabellosen Lautsprechers, über den wir immer Jungle für ihn laufen lassen. Alles ist still und wie elektrisch aufgeladen.

»Leo?«, sage ich ins Leere. Rubys Kitapflanze in der Ecke sieht ziemlich tot aus. Liebevoll zu Tode gegossen.

Reglos stehe ich da und versuche mir auszumalen, wo Leo wohl abgeblieben sein mag. John hechelt.

»Schon okay«, versuche ich ihn zu beruhigen. »Schon okay, John.«

Dann sehe ich mein Handy auf der Arbeitsplatte liegen und höre, wie ein dünnes Wimmern meiner Kehle entweicht.

Es ist nicht okay. Mein Telefon hat in meiner Handtasche gesteckt, als ich vorhin mit Ruby zum Baden nach oben gegangen bin.

Leo, nein.

Ich nehme es in die Hand, und da ist sie: meine halb getippte Nachricht an Jeremy. Der Eingabezeiger blinkt freundlich am Ende der Zeile und wartet auf weitere Instruktionen.

Und ja, als Vater meines Kindes …

Es wird totenstill ringsum. Zartrosa Wolken ziehen über die Bäume im Garten. Eine Katze sitzt auf der rückwärtigen Mauer und putzt sich die Pfoten.

»Nein«, murmele ich leise. »Nein.«

Wieder lese ich meine angefangene Nachricht, einmal, zweimal, dreimal, und stelle mir vor, wie Leo das eben auch getan hat, der stechende Schmerz in der Brust, das ungläubige Entsetzen.

Mein linkes Bein fängt eigenartig zu flattern an.

»Es tut mir leid, es tut mir leid«, wispere ich und beginne, hektisch seine Nummer zu wählen.

Hallo, hier ist Leo Philber, sagt seine Stimme. Seine wunderbare Stimme. *Leider kann ich gerade nicht ans Telefon gehen. Bitte hinterlassen Sie eine Nachricht nach dem Signalton, und ich rufe zurück, sobald ich kann.*

Wir hatten über das *Leider kann ich gerade nicht ans Telefon gehen* lachen müssen. Ich meinte, das würde man doch so nicht sagen, und er meinte, das würden alle coolen jungen Journalisten heutzutage so auf ihrer Mailbox sagen, worüber ich noch mehr hatte lachen müssen, und schließlich hatte er sich das Lachen nicht mehr verkneifen können.

Krampfhaft versuche ich nachzudenken. Vielleicht hat er die Nachricht gar nicht gelesen? Natürlich hat er sie gelesen. Und außerdem, ohne einen begründeten Verdacht würde Leo nie dermaßen ungeniert in meinen Sachen wühlen, also muss er der Wahrheit schon verdammt nahe sein.

Das Display leuchtet unvermittelt auf, und mein Handy klingelt. Vor Erleichterung breche ich fast in Tränen aus – aber es ist nicht Leo. Es ist bloß Jill. Ich drücke sie weg.

Ich probiere es mit einer Textnachricht.

Leo, bist du da?

Ein Häkchen: Nachricht versendet.

Zwei Häkchen: Nachricht zugestellt.

Zwei blaue Häkchen: Nachricht gelesen.

Mir fällt ein Stein vom Herzen, auch wenn ich nicht weiß, warum. Ich werde das alles nicht ungeschehen machen können.

Mein Schatz, bitte komm heim. Ich werde dir alles erklären.

Zwei blaue Häkchen. Ich versuche ihn mir vorzustellen, mit der Lesebrille, die er nie putzt, verschmiert und traurig. Vielleicht ist er draußen in der Heide, während der Abend langsam graut. In der U-Bahn, die eben an einer Haltestelle wartet, um gleich weiterzubrausen nach – ja, wohin? O *Gott, Leo.*

Wieder ein Anruf von Jill. Wieder drücke ich sie weg. Sekunden später versucht sie es erneut. Ich drücke sie weg. Das kann bis morgen warten.

Ich überlege, ihm eine weitere Nachricht zu tippen, ihm alles zu erklären, halte aber unvermittelt inne. Was kann ich ihm schon sagen? Die Nachricht, die er gefunden hat, geht weit über diese Vaterschaftssache hinaus. Es gibt gute Gründe, warum ich ihn vor alledem schützen wollte. All die vielen Jahre Heimlichkeiten und stilles Leiden zwischen Jeremy und mir. Wie will ich ihm das jetzt erklären, in einer *Textnachricht?*

Er geht offline. Ich schicke noch eine Nachricht hinterher, frage, ob er noch da sei, aber sie wird nicht zugestellt.

Und dann flattert mitten in dieses Chaos eine Nachricht von Jeremy. *Alles okay? Es gibt leider keine Neuigkeiten. Wollte nur mal hören, ob Janice sich nicht vielleicht bei dir gemeldet hat.*

Ich lösche sie und sinke langsam auf einen Stuhl. Über mein Handy lasse ich ein Album namens »Smooth: New Directions in Ambient Jungle« laufen, damit John sich ins Körbchen legen und ein bisschen beruhigen kann.

Wieder ein Anruf von Jill. Diesmal gehe ich ran. »Hey«, sage ich. »Entschuldige, aber ich kann im Moment nicht reden. Mir fliegt gerade alles um die Ohren. Ist alles okay? Können wir morgen telefonieren?«

»Mir geht's bestens. Aber ich muss mit dir reden, Emma …«

»Geht jetzt nicht«, falle ich ihr ins Wort. »Tut mir echt leid. Ich rufe dich morgen früh an, versprochen.«

Du musst mich unbedingt heute Abend noch zurückrufen, schreibt Jill postwendend. *Es ist wirklich dringend.*

Worauf ich antworte: *Ich rufe dich morgen an, Ehrenwort.*

Lange bleibe ich reglos liegen, bis die Dunkelheit

den ganzen Raum verschluckt. Flugzeuge sirren und brummen kreuz und quer über den Himmel, ziehen im Landeanflug auf Heathrow und Gatwick ihre Kreise, und ein Fuchs wirft einen Mülleimer um. Die Luft kühlt ab, aber mein Herz rast immer noch.

Um 1:37 Uhr versuche ich, ihn anzurufen. Das Telefon läutet und läutet.

Um 2:04 Uhr versuche ich es wieder.

Um 2:30 Uhr endlich eine Nachricht von ihm. *Schlafe draußen im Schuppen. Bitte lass mich in Ruhe. Ich brauche Abstand.*

Ich schaue nach, ob Ruby noch atmet.

Sechsundzwanzigstes Kapitel

Leo

Am nächsten Morgen wache ich mit hämmern-
den Kopfschmerzen und einem pelzigen Gefühl
im Mund, das nach Übelkeit und Reue schmeckt,
im Gartenschuppen auf. Keine Ahnung, wie viele
Pints ich gestern Abend geleert habe und wie viele
Schnäpse zum Nachspülen hinterher. An eins erinnere ich mich allerdings ganz genau, nämlich wie
ich über die Mauer geklettert bin, um in meinen
Schuppen zu kommen, weil ich nicht mehr so genau wusste, ob ich Emma verlassen hatte oder nicht.
Die Nacht ohne eindeutige Entscheidung anderswo
zu verbringen wäre mir falsch vorgekommen. Und
so oder so kann ich nicht verschwinden, ohne vorher mit Ruby zu reden.

Unweit des Fußendes meiner Couch zittert eine
Spinne in ihrem Netz, und draußen bellt John Keats
den Teich an. Emma ist bestimmt außer sich vor
Sorge. Ich muss gleich ins Haus, ehe sie anfängt he-

rumzutelefonieren, aber ich weiß nicht, wozu ich imstande bin, wenn ich Ruby sehe. Ich fürchte fast, ich könnte mein kleines Mädchen einfach auf den Arm nehmen und mit ihm zur Tür hinauslaufen.

Sie ist *mein* Kind. Sie muss mein Kind sein. Schon damals, als ganz kleines Baby, haben die Leute immer zu mir gesagt: »Diese Ähnlichkeit – wie aus dem Gesicht geschnitten! Entzückend, die Kleine!«, und mir ist die Brust eng geworden vor Stolz. Zum ersten Mal in meinem Leben gehörte ich irgendwohin. Ich war Teil von etwas, einer echten Familie, ohne Geheimnisse.

Ich muss an Rubys flaumige Haare denken, ihre kurzen Fingernägelchen, dieses kecke Lachen. Und dann muss ich an Emma und Jeremy Rothschild denken, und es ist so ekelhaft, so widerlich und falsch und unglaublich und undenkbar, dass ich es im ersten Moment selbst nicht glauben kann.

Aber wie ich da gestern Abend so in diesem Pub gesessen habe, lange ehe der Alkohol meine Erinnerung und mein Entscheidungsvermögen trübte, waren mir gewisse Dinge wieder eingefallen. Emmas unerklärliche, tiefsitzende Abneigung gegen Janice Rothschild. Ihre Empörung neulich, als Jeremy sich bei meinem Chefredakteur beschwert hat. Und dann natürlich ihre schwarzen Zeiten. Jahre um Jahre düsterster Depressionen.

Emmas Mutter war ein oder zwei Tage nach Emmas Geburt gestorben, ihr Vater irgendwann kurz vor ihrem Schulabschluss. Seine Kommandoeinheit war ins damalige Zaire versetzt worden, um die Evakuierung britischer Staatsangehöriger aus Kinshasa zu unterstützen, und von dort war er nicht mehr zurückgekommen.

Ihr Vater sei ein unglücklicher Mensch gewesen, sagte sie immer, und selten zu Hause, aber sie hat ihn sehr geliebt, so wie jedes Kind seinen Vater liebt. Ein Bild von ihm hängt draußen auf unserem Treppenabsatz. Das einzige Bild, das Emma an die Wand gehängt hat, seit wir vor sieben Jahren hier eingezogen sind. Der Verlust beider Eltern schien mir immer eine plausible Begründung für Emmas Zu-Tode-betrübt-Phasen zu sein.

Aber gestern Abend fragte ich mich plötzlich, ob ihre schwarzen Zeiten womöglich nur Theater gewesen sind. Was, wenn sie die Depression nur vorgetäuscht hat, um in Ruhe nach Northumberland fahren und mit Jeremy Rothschild, diesem Arschloch, ins Bett steigen zu können? Hatte sie Jill nach Rubys Geburt bei uns einquartiert, aus Angst, Jeremy könne hier anrücken und die Herausgabe seiner Tochter verlangen?

Ich schlucke schwer.

Irgendwann schaffe ich es schließlich aufzustehen und öffne die Tür einen Spaltbreit. Ich erblinde fast, als ich in die grellen Strahlen der Morgensonne blinzele. Spinnweben leuchten auf dem Boden wie diamantenbesetzte Tellerchen, durchbrochen nur von gelegentlichen Pfotenabdrücken. Bald wird der Tau verdunstet sein, und der Tag kommt mit Hitze und Hektik.

Immer wieder muss ich stehen bleiben, weil ich glaube, mich gleich übergeben zu müssen.

John Keats beäugt ungehalten den Teich, aber als er mich sieht, lässt er ihn links liegen und kommt zur Begrüßung fröhlich angesprungen, als würde ich alle Tage im Schuppen übernachten. Ich ziehe ihn zu mir nach drinnen. »Jeremy«, sage ich zu ihm. »Kennst du Jeremy?«

Er klopft mit dem Schwanz auf den Boden.

»John. Wo ist Jeremy?«

Er dreht sich verwirrt und aufgeregt im Kreis. Er hat keinen Schimmer, was ich von ihm will, aber er will bei diesem lustigen Spielchen unbedingt mitspielen.

Ich sage ihm, dass wir ins Haus gehen müssen. Ich stehe auf und rühre mich dann nicht vom Fleck. Ich sage ihm, er soll vorgehen, aber er springt nur herum und bellt. Ich gehe auf die Knie und umarme ihn. Nur so lässt er sich beruhigen, wenn er sich zu sehr aufregt.

Es dauert eine ganze Weile, bis er sich wieder beruhigt hat. Ich gehe in die Hocke und schaue ihn an. »Ich glaube, ich kann das nicht«, gestehe ich. »Ich bin noch nicht so weit, John.« Ein Gespräch zwischen Emma und mir würde unweigerlich auf das Eingeständnis ihrer Affäre hinauslaufen, und dann müsste ich ihr sagen, dass ich nicht mit jemand zusammen sein kann, der mich betrogen hat, und so weit bin ich noch nicht. Dies waren die glücklichsten Jahre meines Lebens.

Meine Augen schwimmen in Tränen, als ich Emma schreibe und ihr sage, dass ich noch etwas Zeit brauche. Ich stecke den Kopf aus dem Schuppen. Nichts rührt sich in der Küche, sie müssen wohl oben sein.

Damit wäre das entschieden. Ich drücke John einen Kuss auf den Kopf und wuchte mich schwerfällig über die Gartenmauer, mitten hinein in den dornenüberwucherten Fußpfad, der unseren Garten von den Nachbargärten auf der anderen Seite trennt. Niemand benutzt diesen schmalen Pfad, und das Tor an seinem Ende ist schon seit Jahren versperrt. Zum zweiten Mal innerhalb von zwölf Stunden klettere ich nun darüber, nur dass ich diesmal von einem Paketboten beobachtet werde, der gerade dabei ist, hinten in seinem unbeschrifteten Transporter Pakete zu sortieren.

»Alles klar?«, sage ich zu ihm.

»Alles klar«, erwidert er. In der Ferne bellt John Keats.

Siebenundzwanzigstes Kapitel

Leo

Wenige Zeitungsredaktionen sind an den Wochenenden unbesetzt, und unsere bildet da keine Ausnahme. Im Feuilleton herrscht natürlich tote Hose, aber in der Nachrichtenredaktion geht es zu wie in einem Bienenstock, und auch in der Politikredaktion herrscht allem Anschein nach reges Treiben. Nach einer Demonstration ist es zu Ausschreitungen gekommen, und in Westminster brechen überall Scharmützel aus. Der Wagen des Außenministers ist von einem wütenden Mob aufgehalten worden. Zügig drücke ich mich vorbei an der hektischen Betriebsamkeit ringsum. Ich habe keine Lust auf Gespräche.

Ich biege um die Ecke und sehe Sheila an ihrem Schreibtisch sitzen.

»Ach!«

»Ach«, sagt auch sie. Sie setzt die Brille ab.

Es dauert eine Weile, bis mir aufgeht, dass ihr das

irgendwie peinlich ist. Ihr Computer ist ausgeschaltet, sie hat einen Roman vor der Nase, und es ist zehn nach zehn an einem Samstagmorgen. Irgendwann legt sie das Buch beiseite und dreht sich mit ihrem Stuhl zu mir herum.

»Du siehst furchtbar aus«, stellt sie fest. »Ist alles in Ordnung?«

Ich schüttele den Kopf.

»Ach, Leo«, seufzt sie leise, und mir geht endlich auf, dass sie es die ganze Zeit gewusst hat. Eine demütigende Erkenntnis, die mich überrollt wie ein Erdrutsch.

»Woher weißt du es?«, frage ich.

»Ich bin schon seit Jahren mit den Rothschilds befreundet«, antwortet sie. »Jeremy ist ein wirklich guter Freund. Er erzählt mir alles.«

Ich bleibe stumm, vor allem weil ich nicht weiß, ob ich überhaupt ein Wort herausbrächte.

»Es tut mir leid, Leo«, sagt sie. »Mir war nie wohl dabei, dich im Dunkeln zu lassen.«

Sheilas Stimme klingt so sanft und mitfühlend. Mir wird ganz anders.

»Hast du deswegen immer wieder die Sache mit Emma in der Waterloo Station rausgekramt?«, verlange ich zu wissen. »Wolltest du mir damit etwas sagen?«

Ihr Blick geht hinunter zu ihrem Buch. »Irgendwie. Und irgendwie auch nicht. Ich war gerade auf dem Weg zu einem Interview und musste dort umsteigen, und da stand Emma, mitten in der Bahnhofshalle, völlig aufgelöst, und ich habe mich gefragt, was wohl passiert ist. Am nächsten Tag haben wir dann das mit Janice' Verschwinden erfahren. Und mir ist aufgegangen, dass Emma es wohl von Jeremy gehört haben muss, just bevor ich sie gesehen habe.«

»Und…?«

»Und Leo, ich war wütend, deinetwegen. Dass du nichts von den beiden wusstest, war falsch. Dass du nicht den leisesten Schimmer hattest, wie dein Leben mit dem der Rothschilds verflochten ist.« Sie seufzt. »Ich schätze, ich habe dich wegen Emma in die Mangel genommen, weil ich hoffte, sie hätte dir endlich alles gesagt. Hat sie aber nicht, natürlich nicht, und du dachtest vermutlich, ich stecke meine Nase in Angelegenheiten, die mich nichts angehen.«

Ich sinke wahllos auf den nächstbesten Stuhl. Ich stehe immer noch neben Familie & Gesellschaft, mehrere Meter von Sheila entfernt. Am Schreibtisch klebt eine Haftnotiz: *Personal Trainer 18h punktlich sein*.

»Du hättest es mir sagen sollen« ist alles, was ich herausbringe.

Sheila legt die Fingerspitzen aneinander. »Hätte ich, wenn ich gekonnt hätte. Aber ich bin beiden Seiten verpflichtet, Leo. Ich musste Jeremy versprechen, niemandem ein Sterbenswörtchen davon zu sagen.«

Ich starre auf einen blinkenden Anrufbeantworterknopf. *Jeremy Rothschild verdient deine Loyalität nicht*, möchte ich sie am liebsten anschnauzen. Aber sie kennt Jeremy deutlich länger als mich.

Sheila redet weiter. »Und dann musste ich hilflos mit ansehen, wie du dich in diese Paranoia reingesteigert hast, was deine Frau angeht. Ich wusste, du würdest irgendwas ausgraben, wenn du dich an Emmas Nachruf setzt. Ich habe gesehen, wie du ihre Uni gegoogelt hast, Leo. Ihre Fernsehserie. Ich wusste, wie erschütternd diese ganze Sache für dich sein würde.«

In der Nachrichtenabteilung schaltet jemand die riesengroßen Bildschirme ein, und der Lärm schallt durch die ganze Redaktion. Ich stehe auf und setze mich an meinen eigenen Schreibtisch.

Schließlich nicke ich resigniert. »Ich bringe Jeremy Rothschild um«, sage ich. Denn obwohl ich noch nie ein Freund von Gewalt war, ist das das Einzige, was momentan Sinn macht.

Sheila seufzt. »Himmel, Leo, ich kann ja verstehen, dass du ihn gerade verabscheust, aber er ist kein schlechter Mensch. Er war sogar immer sehr gut zu Emma.«

»Das kann ich mir lebhaft vorstellen!«

Sie runzelt die Stirn. »Er ist kein schlechter Mensch«, beharrt sie.

»Also schön, Sheila. Verstehe. Du kennst den Mann schon ewig, du willst hier keine Partei ergreifen.«

Sie lächelt entschuldigend.

»Aber Ruby«, sage ich, und meine Stimme bricht. »Was soll ich Ruby denn jetzt sagen, Sheila? Wie kann ich jetzt noch ihr Vater sein?«

Sheila guckt mich streng an. »Du wirst ihr Vater sein, wie du es immer gewesen bist«, sagt sie. »Natürlich. Hör zu, du solltest nicht hier sein. Komm mit zu mir. Ich mache dir was zu essen, und danach brauchst du wohl erst mal eine Mütze Schlaf. Du siehst wirklich schrecklich aus.«

Ich habe mir nie vorstellen können, wie Sheila eigentlich wohnt. Sie ist so diskret und verschwiegen, dass ich nicht einmal weiß, aus welchem Stadtteil sie jeden Morgen in die Redaktion kommt – sie sagt bloß immer »nördlich der Themse«. Ich stelle mir eine pragmatische Wohnung irgendwo in Queen's Park oder Barnsbury vor.

Aber Sheila ist nicht wie alle anderen Menschen, die ich kenne, und darum ist es auch keine allzu große Überraschung, als sie mir sagt, es seien von der Redaktion aus bloß zwanzig Minuten Fußweg zu ihr nach Hause. Und als sie dann vor einem Stadthaus in Cheyne Walk stehen bleibt, nördlich der Themse um vielleicht fünf Meter, muss ich grinsen. Natürlich wohnt sie in einem herrschaftlichen Haus gleich am Wasser. Natürlich.

Die Inneneinrichtung ist stylisch und hat so etwas Intellektuelles, Altmodisches, wie Emma es eigentlich auch bei uns zu Hause haben wollte, aber nie hinbekommen hat. Perserteppiche und Bücherregale, Antiquitäten und Souvenirs der Weltreisen des einen oder anderen Vorfahren. Ein angenehmer Duft nach Leder, Blumen und uraltem Samt.

»Wow«, piepse ich kläglich. Was wäre das für ein Coup gewesen, unter anderen Umständen zu Sheila nach Hause eingeladen zu werden. Jonty erzählen zu können, dass Sheila vermutlich Immobilienmillionärin ist und dass auf ihrem Kaminsims eine neoklassische Skulptur mit einem gigantischen Penis steht.

»Das Haus hat meinem Vater gehört«, erklärt sie knapp. »Zu viele Zimmer für eine alleinstehende Frau. Manchmal bin ich – wird mir das alles zu viel.« Sie weist auf ihre Handtasche, in der das Buch steckt, das sie in der Redaktion hatte lesen wollen.

Nie wäre ich auf den Gedanken gekommen, Sheila könne einsam sein. Müsste ich mir ihr Leben außerhalb der Redaktion ausmalen, würde ich mir vorstellen, dass sie glamouröse Dinnerpartys gibt und Besucher aus aller Herren Länder empfängt. Hier neben ihr zu stehen, an einem Samstag, ist ein eigenartiges Gefühl. Als würde ich in ihrem Tagebuch lesen.

Sie führt mich nach oben in ein Zimmer mit einem großen weißen Bett und einer Wand voller Kohlestudien. »Ich bringe dir gleich was zu essen«, sagt sie und ist schon verschwunden. Ich suche etwas, das ich auf das Laken legen kann, um es nicht schmutzig zu machen, aber ich finde nichts. Also setze ich mich einfach auf den dicken Teppich neben dem Bett, unfähig zu irgendeiner Entscheidung.

Als Sheila ein paar Minuten später mit Schoko-Vollkorn-Keksen zurückkommt, schlafe ich schon tief und fest. Auf ihre Aufforderung hin rappele ich mich mühsam auf und lasse mich von ihr ins Bett bringen. Sie legt mir beruhigend eine Hand auf die Stirn, und dann bin ich wieder weg.

Als ich später aufwache, steht die Sonne schon tief, und Staubkörner schwirren in der Luft. Es ist fünf Uhr nachmittags. Ich höre Sheila unten herumrumoren, und im ersten Augenblick weiß ich nicht einmal mehr, warum ich hier bin.

Aber die selige Unwissenheit verfliegt gleich wieder. Ich schaue auf mein Telefon, und mein Magen krampft sich zusammen: neun Nachrichten und fünf Anrufe in Abwesenheit, allesamt von Emma.

Bitte ruf mich an.

Bitte komm nach Hause.

Leo, ich liebe dich. Bitte sprich mit mir.

Es klopft an der Tür. »Hi«, sagt Sheila. Sie sieht aus, als hätte sie den ganzen Nachmittag mit Yoga zugebracht. Das erstaunt mich ein wenig, obwohl inzwischen anscheinend alle außer mir Yoga machen. »Wie fühlst du dich?«

»Ich will sterben«, brumme ich.

Sie guckt mich an, dann lächelt sie. »Ich glaube, vorher solltest du mit Emma reden. Meinst du, du kannst sie eben anrufen?«

Ich schüttele den Kopf.

»Du kannst gerne erst mal hierbleiben«, sagt sie. »Aber du musst Emma sagen, dass du lebst, und du musst dich morgen mit ihr treffen. Oder am Montag, spätestens. Und dann müsst ihr beiden euch überlegen, wie es jetzt weitergehen soll. Du kannst nicht einfach sang- und klanglos verschwinden. Du musst an deine Tochter denken.«

Ich schließe die Augen. Meine Tochter.

Sheila kommt zu mir ans Bett und legt mir wieder eine Hand auf die Stirn, wie eben, als ich eingeschlafen bin. Vielleicht war sie doch keine Vernehmungsbeamtin. Vielleicht hat sie in einer etwas menschenfreundlicheren Abteilung des MI5 gearbeitet, wenn es so etwas überhaupt gibt.

»Ihr kriegt das schon hin«, versichert sie. »Leo, ich habe noch keinen Menschen erlebt, der seinen Ehepartner mehr liebt als du Emma.«

»Aber das zählt doch wohl nur, wenn es auch auf Gegenseitigkeit beruht?«

Sheila geht wieder, und ich sitze da mit dem

Handy in der Hand und starre die Kohleskizzen an Sheilas Wand an. Ich fühle mich hohl. Geblieben ist nur ein klaffendes Nichts.

Mein Handy klingelt. Jill.

Sie ist gerade so ziemlich der letzte Mensch, mit dem ich reden will, aber irgendwie hoffe ich fast, dass sie mir sagen wird, dass das alles bloß ein großes Missverständnis ist, dass ich zwei und zwei zusammengezählt habe und auf neun gekommen bin.

»Jill.«

»Guten Morgen«, sagt sie.

»Alles okay?«

»Ja, bestens. Ich versuche nur gerade, Emma zu erreichen. Es ist wirklich dringend. Ich habe gestern Abend schon versucht, sie anzurufen, da meinte sie, sie meldet sich gleich heute Morgen. Hat sie aber nicht. Ich muss unbedingt mit ihr reden, Leo. Vielleicht kannst du ihr was ausrichten?«

»Nein«, entgegne ich ehrlich. »Kann ich nicht. Ich bin nicht zu Hause. Ich habe gerade erfahren, dass Emma sich seit Jahren heimlich hinter meinem Rücken mit Jeremy Rothschild trifft. Und gestern Abend habe ich eine Nachricht auf ihrem Handy entdeckt, in der steht, dass Jeremy Rubys Vater ist. Und ich weiß, dass du es weißt, deine Nachrichten habe ich nämlich auch gelesen. Also, bei allem Respekt, verschwende bitte nicht meine Zeit damit, es abzustreiten.«

Jill ist mucksmäuschenstill geworden.

Nach langem Schweigen sagt sie schließlich nur: »Oh.«

»Emma und Ruby zuliebe habe ich letzte Nacht im Schuppen geschlafen. Aber ich musste da weg, ich bin noch nicht so weit, Emma ins Gesicht zu sehen. Ich komme mir vor wie vom Bus überrollt. Also nein, ich glaube kaum, dass ich ihr was ausrichten kann.«

»Verstehe«, sagt Jill. Und dann: »Entschuldige, nur damit ich dich recht verstehe. Willst du damit sagen, du hast dich von Emma getrennt?«

»Nein, das will ich nicht sagen. Ich sage nur, ich brauche ein paar Tage Zeit, um mir das alles in Ruhe durch den Kopf gehen zu lassen. Darum habe ich mich vorübergehend bei einem Freund einquartiert. Ja? Und jetzt lege ich auf.«

Ich schreibe Emma, dass wir uns am Montagmorgen um halb zehn bei uns im Haus treffen können, nachdem sie Ruby in die Betreuung gebracht hat. Ich entschuldige mich dafür, einfach abgehauen zu sein, und gestehe, dass es mir dreckig geht und ich Ruby nicht sehen will, bis ich mich wieder etwas beruhigt habe.

Sie antwortet umgehend mit *Ja* und *Danke* und *Ich liebe dich*.

Und damit ist das erledigt, und es ist erst zehn nach fünf, und ich habe keine Ahnung, wie ich die verbleibenden endlosen Stunden herumbringen soll, bis mein Körper mich wieder ausstempeln lässt.

Ich gehe nach unten, wo Sheila im Garten sitzt und Rotwein trinkt. Ich habe Sheila noch nie Rotwein trinken sehen. Wenn wir ins Plumbers gehen, trinkt sie immer Bier vom Festland und hin und wieder einen Brandy. Nie hätte ich mir vorgestellt, sie könnte um Viertel nach fünf an einem Samstagnachmittag in einem Garten voller üppig wuchernder Topfpflanzen sitzen und mutterseelenallein Rotwein trinken. Die ganze Welt steht auf dem Kopf.

Wortlos schenkt sie mir ein Glas Wein ein, und dann sitzen wir schweigend da, bis der Nachmittag allmählich in den Abend fließt.

Achtundzwanzigstes Kapitel

Emma

Am Montagmorgen bringe ich Ruby fröhlich hüpfend und singend in die Kita, als wäre die Welt in bester Ordnung. Heute ist der Tag der Wahrheit für ihre Topfpflanze, und sie trägt sie den ganzen Weg vor sich her.

Während Ruby ihrer Erzieherin stolz den Topf überreicht, versichere ich, dass Ruby sich sehr liebevoll um die Pflanze gekümmert habe. »Wow!«, staunt Della und zwinkert mir zu. »Die ist ja ordentlich geschrumpft!«

Um den Tag gestern irgendwie herumzubekommen, bin ich mit Ruby zu IKEA gefahren und habe eine Ersatzpflanze gekauft – was Della aber natürlich sofort bemerkt hat.

Ich bleibe in der Tür stehen, während Della die Pflanze auf den Tisch stellt und einer Kollegin gegenüber anmerkt, die Pflanze sei in der Zwischenzeit doch erheblich kleiner geworden. »Die sind doch alle gleich«, meint die Kollegin abschätzig, ohne zu bemerken, dass ich noch dastehe. »Mittelschicht-eltern. Können keinen Fehler eingestehen.«

Ich schäme mich in Grund und Boden. Die Tränen laufen, und ich flüchte, stolpere den Gang hinunter.

Während ich im Stechschritt die Straße hinunter-marschiere, höre ich, wie neben mir am Straßenrand ein Wagen anhält. Ich achte nicht weiter darauf, bis die Tür aufgeht und jemand meinen Namen ruft.

Erst da schaue ich auf und drehe mich um.

Neunundzwanzigstes Kapitel

Leo

Um fünf vor zehn rufe ich Emma an, um nachzufragen, wo sie bleibt. Sie kommt zwar immer und
überall zu spät, aber diesmal war ich eigentlich
der festen Überzeugung, sie käme ausnahmsweise
pünktlich.

Ihr Telefon läutet und läutet, aber sie geht nicht
ran.

Um halb elf versuche ich es wieder. Und um elf.

Ist sie gerade bei Rothschild und spricht sich mit
ihm ab? Bei dem Gedanken will ich meine Teetasse
am liebsten gegen die Wand pfeffern. Tue ich aber
nicht, weil es eine seltene hugenottische Porzellan-
tasse ist, ein Erbstück ihrer Großmutter. Stattdessen
nehme ich eine IKEA-Tasse und werfe die an die
Wand. So was habe ich noch nie gemacht, und danach geht es mir keinen Deut besser.

Ich kehre den Scherbenhaufen zusammen und
gebe in der Redaktion Bescheid, dass ich heute im

Homeoffice arbeite. Kelvin scheint das nicht im Geringsten zu stören, aber Sheila ruft mich nur Sekunden später an.

»Was ist los?«, fragt sie. Ich höre, wie sie aus der Redaktion geht. »Ist es nicht gut gelaufen?«

»Emma ist gar nicht erst aufgetaucht«, erkläre ich. »Eigentlich waren wir um halb zehn verabredet. Keine Spur von ihr. Und ans Telefon geht sie auch nicht.«

Ich kann beinahe hören, wie Sheila die Stirn runzelt. »Eigenartig. Ich dachte, sie wollte die ganze Geschichte unbedingt aufklären?«

»Wollte sie auch. Ununterbrochen hat sie mir geschrieben, wie leid es ihr tut, dass sie mir alles erklären will, wie sehr sie mich liebt. Und dann heute Morgen plötzlich Schweigen im Walde.«

»Halte mich auf dem Laufenden«, sagt Sheila. »Ja?«

Um Viertel nach elf rufe ich in der Kita an, weil ich plötzlich panische Angst bekomme, Emma könnte mit Ruby auf und davon sein. Ich spreche mit Della, die mir bestätigt, dass Ruby dort ist und dass Emma sie um Viertel vor neun dort abgeliefert hat, »eine sehr lebendige Topfpflanze« im Gepäck.

Ich sage Sheila Bescheid. Sie antwortet mit einem verdatterten Emoji, und Sheila ist eigentlich niemand, der leichtfertig Emojis benutzt.

Mein Magen zieht sich nervös zusammen. Ich rufe Emmas Assistentin Nin an, zuerst in Emmas Institut an der UCL und dann, als sie nicht rangeht, auf einer Mobilnummer, die ich in Emmas Rolodex finde. Sie sagt mir, Emma habe sich heute Morgen krankgemeldet, aber nicht mit ihr, sondern mit jemand anderem gesprochen. »Ist alles okay?«, fragt Nin.

»Wer weiß?«, sage ich. Dann lache ich eigenartig und beende das Gespräch. Nin denkt jetzt bestimmt, ich hätte Emma umgebracht.

Eine tiefe Kluft öffnet sich in meiner Brust: Ich muss etwas *tun*. Ich hinterlasse eine Nachricht für Emma auf der Tafel und gehe aus dem Haus. Milch kaufen. Als ich zurückkomme, ist es Mittag, und sie ist immer noch nicht da.

Ich zwinge mich, mit John Keats einen Spaziergang durch den Park zu machen. An den Hängen südlich von Parliament Hill gibt es jede Menge Maulwurfshügel. Ich sehe den Läufern auf der Bahn zu, und John klaut einem anderen Hund den Ball.

Als ich zurückkomme, ist es halb drei, und sie ist immer noch nicht da. Ich mache mir ein Sandwich, das ich nicht herunterbekomme.

Wieder frage ich bei Nin nach. Sie sagt, Emma könnte womöglich zu einer Meeresökologie-Tagung in Plymouth gefahren sein, aber es klingt nicht sehr überzeugend – blauzumachen, um heimlich zu ihrem anderen Arbeitgeber zu fahren, sieht Emma so gar nicht ähnlich. Ich höre mich ihr zustimmen, aber was weiß ich schon über meine Frau?

»Sagen Sie mir Bescheid?«, fragt Nin, und in dem Moment fange ich an, mir ernsthaft Sorgen zu machen. »Schreiben Sie mir eben, wenn Sie wieder da ist?«

Ich verspreche es ihr.

Ich setze mich mit einem Notizblock hin und erstelle eine Liste sämtlicher möglicher Aufenthaltsorte, wo Emma gerade sein könnte.

Jill
Jeremy Rothschild
ihre Therapeutin
Meereskonferenz in Plymouth
Hampstead Heath/Ladies' Pond Badesee
bei einer Freundin ihrer Mutter
bei einem ihrer anderen Freunde

Als ich fertig bin, geht es mir ein bisschen besser. Da sind eine Menge Leute abzuklappern, und bis ich damit fertig bin, ist sie bestimmt längst wieder zu Hause.

Zuerst suche ich die Infonummer der Tagung in Plymouth heraus und rufe dort an. Mehrere Menschen können mir zunächst überhaupt nicht weiterhelfen, aber schließlich werde ich zu jemandem durchgestellt, der sagt, dass er in Plymouth mit Emma zusammenarbeitet und dass sie ganz bestimmt nicht dort ist. »Wir hätten sie liebend gerne dabeigehabt!«, versichert er.

Ihre Therapeutin sagt mir, sie könne nicht mit mir über Emma reden, aber wenn ich mir Sorgen mache, solle ich die Polizei anrufen und vielleicht auch Jill. Ich beende das Gespräch sobald wie irgend möglich. Diese Frau weiß vermutlich wesentlich mehr über mich, als mir lieb sein kann.

Als Nächstes versuche ich es bei den beiden Freundinnen ihrer Mutter, deren Telefonnummer ich habe, aber da ist sie auch nicht. Die Damen klingen beinahe begeistert angesichts des Krimis um meine verschwundene Frau. Ich muss immer mehr Menschen versprechen, sie auf dem Laufenden zu halten. Nin schreibt und erkundigt sich, ob es etwas Neues gibt. Und irgendwo versteckt in sämtlichen Gesprächen lauert die unausgesprochene Befürchtung, sie könne womöglich in eine schwere Depression abgerutscht sein – etwas viel Schwerwiegenderes als die schwarzen Zeiten, die wir alle kennen –, und dass ich meine Suchbemühungen intensivieren sollte, sollte sie nicht bald wieder auftauchen.

Ich versuche Jill zu erreichen, aber sie geht nicht ran. Ich schreibe ihr eine Nachricht mit der Bitte, mich zurückzurufen.

Sheila ruft noch mal an.

Von dem Augenblick an, als ich vor drei Tagen in Luton aus dem Flieger gestiegen bin, bis um neun heute Morgen hat Emma mich ununterbrochen mit Nachrichten bombardiert. Sie wollte unbedingt mit mir reden. Was ist passiert? Langsam steigt Panik in mir auf.

Wieder versuche ich es bei Jill, aber sie ist noch immer nicht erreichbar, also beschließe ich, Ruby ein bisschen früher aus der Kita abzuholen. Mir ist irgendwie nicht wohl dabei, nicht genau zu wissen, was mit ihr ist.

Ruby ist völlig außer Rand und Band, als ich sie abhole, fast als ahnte sie, dass hier irgendwas nicht stimmt. Sie tanzt seitwärts über die Straße und bekommt kurz darauf einen Tobsuchtsanfall, als ich mich weigere, ihr in der superschicken Eisdiele ein Eis zu kaufen. Sie sagt, dass sie mich hasst, und tritt mir sogar gegen den Knöchel.

Ich bücke mich zu ihr hinunter, gehe in die Hocke, und Panik schnürt mir die Luft ab. *Wo ist deine Mutter?*, will ich sie am liebsten anschreien. *Was hat sie getan?* Stattdessen nehme ich sie in die Arme und drücke sie ganz fest. Huckepack geht es die lange Steigung hinauf zu unserem Haus, was ein bisschen hilft, weil die Anstrengung, eine Dreijährige den Berg hinaufzuschleppen, mich gerade so eben abzulenken vermag.

Das Haus ist leer. John Keats liegt im Bett und

hört die Jungle-Musik, die ich ihm eingeschaltet habe. Träge klopft er mit dem Schwanz und schläft prompt wieder ein. In der Küche ist alles noch genauso wie vorhin.

Ruby schläft mir fast auf der Couch ein, also trage ich sie nach oben ins Bett, damit sie in Ruhe ihren Mittagsschlaf machen kann. Als ich aus ihrem Zimmer komme, glaube ich, die Haustür unten zu hören, und mein Herz macht einen Satz. Aber als ich in den Flur renne, liegt dort nur ein Flyer von einem Dönerladen.

Während Ruby ihr Nickerchen macht, rufe ich Emma erneut an, und diesmal höre ich es: das gedämpfte Brummen eines vibrierenden Handys. In meiner heillosen Panik habe ich gar nicht bemerkt, dass ihre Handtasche auf unserem Bett liegt, mit ihrem Handy darin. Genau wie ihr Portemonnaie und ein zum Bersten vollgestopfter unbeschrifteter DIN-A5-Umschlag. Ganz sicher bin ich mir nicht, aber ich glaube, der Umschlag steckte auch schon in ihrer Handtasche, als ich ihr Telefon herausgeholt habe.

In dem Umschlag sind ihr Pass und der von Ruby – nicht weiter verwunderlich, schließlich sind sie letzte Woche gemeinsam nach Schottland geflogen. Es wäre typisch Emma, ihre Handtasche noch immer nicht ausgeräumt zu haben. Aber dann entdecke ich den Brief von der St. Andrews University bezüglich ihres Studienabbruchs und einen ganzen Stapel weiterer Briefe und Unterlagen, darunter ein Abschlusszeugnis der Open University mit Emmas Namen. Langsam sinke ich aufs Bett und lese es, und dann lese ich es noch mal. Sie hat einen Spitzenabschluss gemacht, das war nicht gelogen. Aber das hier ist ein Abschluss in Biologie, und er ist auf das Jahr 2006 datiert, mehrere Jahre nachdem sie angeblich ihr vermeintliches Studium der Meeresbiologie in St. Andrews abgeschlossen hat.

Dann finde ich einen offiziellen Brief vom Highbury Corner Magistrates' Court, dem zuständigen Strafgericht, mit einer einstweiligen Unterlassungsverfügung gegen Emma wegen Belästigung. Darin wird Emma untersagt, sich Janice Theresa Rothschild auf mehr als zweihundert Meter zu nähern. Die Verfügung ist achtzehn Jahre alt. Ich lese sie einmal, zweimal, dreimal, aber ich irre mich nicht: Würde Emma gegen die Auflagen verstoßen, drohte ihr unmittelbar eine Gefängnisstrafe.

Das vorletzte Dokument, das ich sehe, ehe mein Handy anfängt zu klingeln, ist eine Geburtsurkunde. Der Name darauf lautet Emily Ruth Peel, eine Frau, von der ich noch nie etwas gehört habe, obwohl sie das Geburtsdatum mit meiner Frau teilt.

Noch ehe ich das letzte Blatt Papier auffalte, weiß ich schon, was es ist.

Namensänderungsurkunde, steht ganz oben, und

darunter folgt die Bestätigung, dass Emily Ruth Peel ihren Namen im Jahr 2006 in Emma Merry Bigelow hat ändern lassen.

Dreißigstes Kapitel

Leo

Ruby ist ganz hingerissen von der Polizeiwache, und ich muss sie schließlich mit dem Kinderkanal auf meinem Handy in eine Ecke setzen. Die Polizisten allerdings sind von mir weniger hingerissen. Nach einem Streit bräuchten Menschen öfter mal ein bisschen Abstand, sagt die Beamtin vorn am Schalter. Erleben wir ständig.

Sie sagt mir, sie meldet sich, aber dass Emma erst nach achtundvierzig Stunden als vermisst gemeldet werden kann.

Ich komme mir vor wie im falschen Film. Das kann doch alles nicht wahr sein.

Bis wir wieder zu Hause sind, ist es bereits Abend geworden. Immer noch keine Spur von Emma. Aber Olly und Tink sind gerade angerückt, Oskar und Mikkel im Schlepptau, die Ruby ein bisschen ablenken sollen. Dass sie da sind, gibt mir das ungute Gefühl, dass nun endgültig der Ernstfall eingetreten ist. Mein WhatsApp pingt ständig mit neuen Nachrichten von Freunden, die wissen wollen, ob wir sie schon gefunden haben. Ich schaffe es nicht einmal, sie zu öffnen, geschweige denn, darauf zu antworten.

Oben hört man die Kinder entschieden zu wild herumtoben, aber Ruby scheint ihren Spaß zu haben, also lasse ich sie gewähren. Tink kocht Suppe oder Eintopf, und Olly sitzt an unserem Küchentisch und hört sich die ganze Geschichte nun schon zum dritten Mal an.

»Wovor hast du am meisten Angst?«, fragt er unvermittelt.

»Ich – was?«

»Weil, wenn du mich fragst, du hast gerade Verheerendes über Rubys Vaterschaft erfahren, aber scheinst dir viel mehr Sorgen darum zu machen, Emma könnte etwas zugestoßen sein.«

Darüber muss ich kurz nachdenken. »Da hast du vermutlich recht. Ich mache mir in letzter Zeit tatsächlich Sorgen um sie. Ständig bekommt sie Nachrichten von irgendwelchen Männern, die ihr online nachstellen. Oder anrufen und dann auflegen. Und ich hoffe, dass das nichts damit zu tun hat, aber neulich hat sie so ein komischer Kauz auf offener Straße angestarrt, total unverhohlen, als würden sie sich kennen.«

Olly guckt eigenartig zufrieden. »Tja dann – hast du eure Ehe wohl noch nicht abgeschrieben«, sagt er zu mir. »Was mich echt freut. Leo, hör zu. Die Internetfuzzis sind bestimmt bloß ein bisschen einsam. Ich kann mir kaum vorstellen, dass die ihr gefährlich werden. Und dass ein Anrufer gleich wieder auflegt, ist doch wohl jedem schon mal passiert – gut möglich also, dass es eine vollkommen harmlose Erklärung für das alles gibt.«

Tink dreht sich zu ihm um. »Liebling… Leo hat gerade erfahren, dass er nicht Rubys Vater ist. Er hat herausgefunden, dass Emma die ersten fünfundzwanzig Jahre ihres Lebens Emily Peel hieß. Ich weiß nicht, ob man da noch auf eine harmlose Erklärung hoffen sollte.«

Olly zuckt die Achseln. »Ich vertraue Emma«, sagt er nur.

Wieder stehe ich auf und gehe zur Haustür und schaue die Straße hinauf und hinunter. Ich checke meine E-Mails, Facebook, meine Jobmails – nichts. Noch nie in meinem Leben habe ich mich so machtlos gefühlt.

Und immer wieder komme ich auf den einen Gedanken zurück: Sie ist nur mit dem Schlüssel aus dem Haus gegangen, was heißt, dass sie gleich wieder zurückkommen wollte. Und nicht zu vergessen, die letzte Nachricht auf ihrem Handy ging an mich. In der bestätigt sie noch mal unsere Verabredung um halb zehn. *Danke, dass du mit mir reden willst*, hatte sie geschrieben. *Ich liebe dich.*

In der Platane nebenan singt ein Vogel chromatische Tonleitern. »Hilfe«, sage ich und springe unvermittelt auf. »Olly, bitte hilf mir, wir müssen irgendwas tun.«

»Okay.« Olly ist froh, eine Aufgabe zu haben. Tink beobachtet uns mit besorgter Miene. »Okay, zuerst erstellen wir eine Liste mit allem, was passiert sein könnte. Ich weiß, wir sind das alles schon zwanzigmal durchgegangen, aber vielleicht hilft es, wenn wir es aufschreiben.«

Krankheit, schreiben wir – vielleicht eine verspätete Reaktion auf die Chemo oder, Gott bewahre, der Krebs ist wieder da –, *oder ein Unfall*. Aber wir sind uns einig, dass es zu spät ist für eine Reaktion auf die Chemo und zu früh für einen Rückfall. Bei der Kürze des Weges von der Kita nach Hause erscheint uns ein Unfall eher unwahrscheinlich, aber trotzdem habe ich bereits im Royal Free und im Whittington angerufen, nur um ganz sicher zu sein, aber sie ist nirgends aufgenommen worden.

Als Nächstes bringe ich eine Entführung ins Spiel, was Olly allerdings, vernünftig, wie er ist, glatt von der Hand weist. »Wir sind hier in Hampstead Village«, sagt er. »Warum Emma entführen, wenn man genauso gut einen Millionär abgreifen kann?«

»Stalker«, werfe ich ein. Nach kurzem Zögern will Olly Emmas Facebook-Nachrichten sehen.

Wortlos gehe ich aus dem Zimmer, hole Emmas

Laptop und stelle ihn Olly vor die Nase. Tink kommt dazu und schaut ihm von hinten über die Schulter.

Seit ich das letzte Mal in ihren Posteingang geschaut habe, sind etliche weitere Nachrichten dazugekommen. Viele davon sind wirklich ganz reizend, aber es sind auch mehr als genug sexuell aggressive oder einfach nur widerwärtige darunter, sodass Tink sich nach einer Weile angeekelt abwendet.

»Wie im Mittelalter«, brummt sie.

Ollys Miene hat sich schlagartig verdunkelt. »Vielleicht hätte ich das mit den Anrufen nicht so abgetan, wenn ich das gewusst hätte.«

Wir sind uns einig, dass wir die Polizei informieren sollten, aber unter der Nummer, die sie mir gegeben haben, geht keiner ran, obwohl ich es bestimmt fünf-, sechs-, siebenmal probiere.

Als ich gerade zum achten Mal die Wahlwiederholung drücke, kommt mir ein Gedanke. Ich lege auf und nehme Emmas Handy, das auf der Arbeitsplatte liegt und lädt. Ich öffne die Unterhaltung mit Jeremy.

»Hier.« Ich drücke Olly das Telefon in die Hand. »Hier siehst du, wie oft Rothschild versucht hat, ein Treffen mit ihr in London zu arrangieren. Vielleicht ist er unangemeldet aufgetaucht? Vielleicht stand er plötzlich auf der Matte oder hat sie auf der Straße gesehen und …«

»Und was? Hat sie entführt? Am helllichten Tage? Eine stadtbekannte Persönlichkeit?«

»Olly. Wir reden hier über einen Mann, dessen Frau spurlos verschwunden ist. Und jetzt ist Emma auch weg, und ich weiß, dass sie in den vergangenen Tagen Kontakt zueinander hatten. Findest du das nicht auch ein bisschen komisch?«

»Wenn du damit andeuten willst, dass Jeremy Rothschild Emma und seine eigene Frau auf dem Gewissen haben könnte, nein, das finde ich nicht. Das ist doch Unsinn!«

Und dann sagt er: »Aber vielleicht solltest du ihn anrufen. Nur um dir ganz sicher zu sein.«

Es wird still in der Leitung, nachdem ich Rothschild gesagt habe, wer ich bin. »Ach«, sagt er schließlich. »Leo. Ich habe mich schon gefragt, ob Sie mich vielleicht anrufen.«

»Erstens, zum Teufel mit Ihnen«, zische ich. »Und zweitens, ist meine Frau bei Ihnen?«

»Wie bitte?«

»Ist meine Frau bei Ihnen? Das ist eine ganz simple Frage.«

Er sagt, das sei sie nicht, aber er klingt verstört.

»Dann ist dieses Gespräch für mich hiermit beendet«, raunze ich. »Wiederhören.«

»Ich würde gerne mit Ihnen sprechen«, fällt er mir ins Wort. »Sheila hat mich heute Morgen angerufen. Ich weiß, dass Sie inzwischen Bescheid wissen. Könnten Sie bitte herkommen?«

»Ist das Ihr Ernst?«

Er zögert, als ringe er mit sich. »Emma hat in den letzten Tagen jeglichen Kontakt zu mir abgebrochen«, gesteht er. »Ich habe mit ihr über etwas reden wollen. Ich … ich dachte, Sie könnten es ihr vielleicht sagen.«

»Sie möchten, dass ich meiner Frau etwas ausrichte?«, frage ich. »Soll das ein Witz sein?«

»Kein Witz«, sagt er. »Hören Sie, Leo, ich habe irgendwie den Eindruck, dass Sie nicht ganz auf dem Laufenden sind. Wir sollten uns wirklich dringend unterhalten. Und ich weiß, es ist nicht gerade um die Ecke, aber ich muss unbedingt zu Hause bleiben, nur für den Fall, dass Janice sich meldet. Und außerdem muss ich mich um meinen Sohn kümmern.«

»Und ich muss mich um Ruby kümmern«, hebe ich an, aber Olly unterbricht mich und sagt so laut, dass Rothschild es hören kann, dass er sich so lange um Ruby kümmern wird.

»Los«, fügt er noch flüsternd hinzu. »Könnte uns vielleicht weiterhelfen.« Und ich weiß, dass er recht hat, weil ich genau dasselbe denke, obwohl ich am liebsten hingehen und dem Kerl die Fresse polieren will.

»Ich … vielleicht könnte ich … ach, verdammt noch mal. Also gut, ich komme. Sobald ich …«

Ich schlucke. »Sobald ich meine Tochter ins Bett gebracht habe.«

»Sie fahren am besten über Kentish Town«, schreibt er mir kurz darauf, als hätten wir uns gerade auf ein Feierabendbier verabredet. »Heute spielt Arsenal. Da geht auf der Holloway Road sicher gar nichts mehr.«

Einunddreißigstes Kapitel

Leo

Eine halbe Stunde später stehe ich vor einem stattlichen Haus. Rothschild öffnet mir die Tür, und statt ihn mit einem vernichtenden rechten Haken niederzustrecken, muss ich ihn um Kleingeld für die Parkuhr bitten, weil ich ohne Portemonnaie aus dem Haus gegangen bin und es wegen des Fußballspiels nur eingeschränkte Parkmöglichkeiten gibt.

Wir stehen in seiner geräumigen Küche und sehen einander an, und er bedankt sich, dass ich vorbeigekommen bin. Ich dagegen bleibe stumm wie ein Fisch, weil ich keinen Schimmer habe, was ich sagen soll. Ich will überhaupt nicht hier sein. »Sie ist mein Mädchen« ist alles, was ich schließlich herausbringe.

Rothschild sagt gar nichts.

»Meins«, sage ich abermals und werde wütend, als ich merke, wie mir Tränen in die Augen steigen. »Und ich will Sie nicht in ihrer Nähe haben.«

Eine Weile ist es totenstill in der Küche. Draußen

vor dem Fenster wird es langsam dunkel, und die Platanen im Park wiegen sich grazil im Wind, den man hier drinnen nicht hört. Das Haus hat vermutlich ziemlich kostspielige Fenster.

Als Rothschild dann endlich den Mund aufmacht, klingt er zurückhaltend. »Ich habe versucht, ihr über die Jahre zu helfen. Aus der Ferne.«

»Wir wollen und brauchen Ihre Hilfe nicht.«

»Verstehe. Und ich weiß nicht, was man Ihnen gesagt hat, Leo, aber ich habe für sie getan, was ich konnte. Ich bin nicht der Schurke in diesem Film. Sie liegt mir sehr am Herzen.«

Ich starre ihn an. »Sie liegt Ihnen am Herzen? Ein Kind, das Sie gezeugt haben, ›liegt Ihnen am Herzen‹?«

Er stutzt. »Ein Kind, das ich – *was*?«

»Ich will Ihnen nur eins sagen, ich habe Ruby großgezogen, sie liebt mich, und Sie haben sich gefälligst von ihr fernzuhalten. Und ich sage Ihnen noch eins: Ich verachte Männer wie Sie mit Ihrem Anspruchsdenken. Erst ein Kind zeugen und dann null Verantwortung übernehmen – Sie widerlicher Establishment-Wichser.«

Rothschild – der als Sohn eines Hafenarbeiters das »Establishment« vermutlich nicht verdient hat – wirkt wie vor den Kopf geschlagen. »Was in Gottes Namen reden Sie da?«, fragt er. »Was für ein Kind?«

»Lassen Sie es. Bitte, lassen Sie es einfach.«

Er atmet tief durch, als müsse er sich zusammen-reißen, um nicht die Geduld mit mir zu verlieren. Derweil bemerke ich, dass der Garten hinter dem Haus, mit Lichterketten illuminiert, voller Alliumblüten steht. Am liebsten möchte ich rausgehen und jede einzelne der anmutigen lila Kugeln vom Stängel hacken.

»Nur damit wir uns nicht missverstehen: Wollen Sie damit andeuten, ich sei Rubys Vater?«

»Ich möchte nichts andeuten. Ich weiß es.«

Ratlos hebt er die Hände. »Ich weiß wirklich nicht, wo Sie dieses Gerücht herhaben, aber da müssen Sie etwas falsch verstanden haben, Leo.«

»Ich glaube kaum. Das hat Emma selbst gesagt. Und ich habe ihre Freundin Jill gefragt, die es bestätigt hat, und Sheila genauso. Also bitte, hören Sie auf zu lügen.«

Er runzelt die Stirn. »Das ist wirklich Ihr Ernst, oder? Sie glauben, ich hätte eine Affäre mit Emma gehabt. Dass Ruby meine Tochter ist.«

Er stemmt die Hände auf die Kochinsel, die noch übersät ist mit Janice' Sachen: Lippenbalsam, ein Liberty-Print-Tagebuch, eine Damenarmbanduhr. »Hören Sie«, fährt er fort. »Emma kann Ihnen unmöglich gesagt haben, dass ich Rubys Vater bin, weil es nicht stimmt. Und wenn Sheila ›diese Tatsache‹ bestätigt hat, kann sie unmöglich die Frage richtig verstanden haben.«

»Und Jill? Ihre Freundin?«

Jeremy zögert. »Dazu kann ich nichts sagen.«

Er nimmt Janice' Armbanduhr in die Hand. »Seit fünfundzwanzig Jahren sind Janice und ich miteinander verheiratet«, sagt er und umschließt die Uhr mit den Fingern. Ich bemerke, dass auch er den Tränen nahe ist. »Ihr untreu zu sein ist mir noch nie in den Sinn gekommen.« Er holt tief und ein wenig zittrig Luft und sieht mir dann ins Gesicht. »Also. Nur damit wir uns verstehen: Wenn Sie mich weiterhin beschuldigen wollen, eine Affäre mit Emma gehabt zu haben, dann können Sie jetzt gehen. Auf der Stelle.«

Schweigend stehen wir uns gegenüber, während ich versuche, irgendwie geradeaus zu denken.

Um ehrlich zu sein, will ich nicht gehen. Dieser Mann weiß einfach zu viel. Und aus irgendeinem Grund glaube ich ihm.

»Ich habe Sie hergebeten, weil ich derzeit mit Emma in Kontakt bleiben muss. Leider ignoriert sie mich hartnäckig«, erklärt er. »Und ich dachte, wenn ich Ihnen die gegenwärtige Lage erkläre, wären Sie vielleicht bereit, sie zu überzeugen, dass sie die Feindseligkeiten bitte für eine Weile ruhen lassen soll. Aber auch ich habe meine Grenzen. Also, wie sieht es aus?«

Als ich darauf nichts sage, dreht er sich um und marschiert zur Spüle. Dort spritzt er sich kaltes Wasser ins Gesicht und trocknet sich dann mit einem Geschirrhandtuch ab, ehe er sich wieder zu mir umdreht.

Ich mustere Rothschild durchdringend und suche in seinem Gesicht nach einem Anflug von schlechtem Gewissen, aber da ist nichts.

»Sie sind nicht Rubys Vater?«

Er schüttelt den Kopf. »Wie oft muss ich Ihnen das denn noch sagen?«

»Tut mir leid«, stammele ich. »Ich muss nur…« Ich nehme mein Handy heraus und rufe Sheila an, die noch vor dem ersten Klingeln drangeht. »Leo? Gibt's was Neues?«

»Noch nicht. Die Polizei hat sich zwar alles angehört, aber ich fürchte, da tut sich nicht viel. Hör zu, Sheila, ich bin gerade bei Jeremy Rothschild zu Hause.«

»Ach. Verstehe.« Sie wartet darauf, dass ich fortfahre.

»Ist er Rubys Vater?«, frage ich und wende mich von Rothschild ab, als könne er mich so nicht hören.

Stille. Dann sagt Sheila: »Wie bitte?«

Ich wiederhole meine Frage.

»Leo, was um alles auf der Welt? Natürlich nicht! Es sei denn, ich habe irgendwas verpasst… Nein, Leo, nein.«

Ich merke, dass sie die Wahrheit sagt, aber das ergibt alles keinen Sinn.

»Als ich dir gesagt habe, dass ich das mit Emma und Jeremy weiß, was dachtest du denn da, was ich meine?«

Sie antwortet nicht gleich.

»Ich fürchte, du hast gerade nur die halbe Geschichte zusammenbekommen.« Sheilas Stimme ist jetzt im Meisterspionmodus, enervierend ausdruckslos. »Wenn du gerade bei Jeremy bist, dann würde ich dir empfehlen, dass ihr beiden ganz offen miteinander redet. Wobei, das möchte ich betonen, du gleich mehrere Dinge vollkommen falsch verstanden haben musst, wenn du glaubst, er sei Rubys Vater.«

Ruby. Ach, Gott sei Dank. Ich schließe die Augen und lehne mich gegen Rothschilds Arbeitsplatte.

Das hätte ich nicht ertragen. Ganz gleich, was Emma auch getan haben mag, wer auch immer sie sein mag – meine Tochter zu verlieren, das wäre zu viel für mich gewesen.

Mein kleines Mädchen.

»Okay«, stammele ich. »Danke.«

Sheila beendet kommentarlos das Gespräch, wie sie es immer macht.

Jeremy sieht mich noch immer durchdringend an, als ich die Augen wieder aufschlage. Er hat die Uhr wieder aus der Hand gelegt, aber sie liegt noch da, gleich vor ihm, wie ein trauriger kleiner Talisman.

»Ich muss mich entschuldigen«, murmele ich. »Da war eine Nachricht von Emma an Sie auf ihrem

Handy. Ein Entwurf. Und da stand, *als Vater meines Kindes*. Ich weiß nicht, wie ich das sonst verstehen soll.«

Er nickt, fast als hätte er das kommen gesehen. »Ich verstehe, warum Sie das annehmen mussten.«

Weiter sagt er nichts, aber ich merke, er ist kurz davor.

»Und ich weiß ganz genau, dass Emma sonst keine Kinder hat«, fahre ich fort. »Ich war dabei, als Ruby geboren wurde. Es gab mit einem Mal Komplikationen, und schließlich musste sie mit der Zange geholt werden. Ich kann mich noch ganz genau daran erinnern, dass der Arzt mir erklärte, das sei nicht weiter ungewöhnlich für eine Erstgebärende.«

»Ja«, sagt Jeremy und starrt auf Janice' Uhr.

»Wie Sie wissen, bin ich auf Fotos von Janice kurz nach der Geburt Ihres Sohns Charlie gestoßen, ihn kann Emma also auch nicht gemeint haben.«

Rothschild sagt kein Wort mehr. Es ist nicht einmal halb neun, und der Mann sieht vollkommen fertig aus. Ich lebe seit nicht einmal zwölf Stunden in dieser Hölle, ich kann mir nicht einmal ansatzweise vorstellen, wie er diese Ungewissheit nun schon seit zwei Wochen erträgt.

»Ich muss Sie also fragen, was hier vor sich geht«, sage ich, und meine Stimme droht endgültig zu brechen. »Das ist die Hölle für mich. Ich weiß nicht, wie Sie zu meiner Frau stehen. Warum sollte sie Sie als Vater ihres Kindes bezeichnen? Ich meine, Herrgott noch mal, ich habe erst gestern Abend erfahren, dass sie die ersten zwanzig Jahre ihres Lebens Emily hieß.«

»Das muss ein schwerer Schock gewesen sein.«

Ich warte ab, ob er noch etwas dazu sagt, tut er aber nicht, also setze ich mich an seinen Tisch. »Bitte«, flehe ich und bedeute ihm, sich ebenfalls zu setzen. »Reden Sie mit mir. Warum wollen Sie mit ihr reden? Was ist hier los?«

Nach langem Zögern nimmt er auf dem Stuhl mir gegenüber Platz.

»Könnten wir vielleicht damit anfangen, dass Sie mir sagen, wo sie ist?«, frage ich.

Rothschild hält abrupt inne, während er den Stuhl heranzieht. »Wie meinen Sie das, wo sie ist?«

»Wo Emma ist.«

Er wirkt verwirrt.

»Oder wissen Sie das etwa nicht?«, hake ich nach.

»Nein! Was ist denn passiert?« Er wirkt aufrichtig besorgt.

»Sie ist weg«, sage ich zu ihm, und ein Abgrund bodenloser Panik tut sich wieder in mir auf. Ich dachte, mit Rothschilds Hilfe würde ich sie wiederfinden. »Sie ist vor beinahe zwölf Stunden verschwunden. Sie hat Ruby in die Kita gebracht und ist danach nicht mehr nach Hause zurückgekehrt. Ihr Portemonnaie und ihr Handy hat sie im Schlafzimmer liegen gelassen... Darum habe ich Sie angerufen. Ich habe die Nachrichten gefunden, in denen Sie sie um ein Treffen gebeten haben. Ich dachte... ich dachte...«

»Ich hätte – was? Sie gekidnappt? Sie umgebracht?«

»Ich weiß es nicht. Ich wollte nur endlich wissen, wo sie ist.«

Jeremy denkt darüber nach, was ich gesagt habe, und sitzt ganz still an seinem schönen Eichentisch. Ich frage mich, wie viele Dinnerpartys der wohl schon erlebt hat. Und wie lange es wohl noch dauern wird, bis wieder Gäste an ihm sitzen. Weiß der Himmel, er muss schon nervös genug sein wegen der ganzen Geschichte mit Janice, auch ohne dass ich hier reinplatze und Panik wegen Emma verbreite.

Er scheint wieder zu sich zu kommen. »Natürlich. Ich sage Ihnen alles, was ich weiß. Aber haben Sie schon die Polizei benachrichtigt?«

»Ja. Die scheint nicht sonderlich beunruhigt.«

»Meinen Sie, sie ist derzeit irgendwie labil?«

»Sie hat immer wieder mit depressiven Phasen zu kämpfen. Aber ich würde nicht sagen, dass es ihr in der letzten Zeit besonders schlecht ging.« Ich beobachte ihn ganz genau. Dieses Gespräch muss ihm grässlich bekannt vorkommen. »Und Sie wissen wirklich nichts?«

Jeremy schüttelt den Kopf. »Ich gebe Ihnen mein Ehrenwort, Leo, ich habe keine Ahnung, wo Emma steckt. Nicht die geringste.«

»Aber was geht denn dann hier vor sich? Sie müssen doch ganz krank sein vor Sorge um Janice, und jetzt ist Emma auch noch verschwunden! Ich verstehe das alles nicht. Warum wollten Sie unbedingt mit Emma reden? Was ist hier los?«

Was hier los ist, ist, dass ich meine Frau verloren, meine Emma, und an ihrer Stelle eine Fremde namens Emily Peel bekommen habe. Und nun habe ich nicht mal mehr die.

Die Straßenlaterne gegenüber von Rothschilds Haus leuchtet in der aufziehenden Dunkelheit hell auf. »Okay«, sagt Jeremy. »Ich sage Ihnen, was ich weiß. Aber nur Emma selbst kann Ihnen sagen, was ganz genau passiert ist und warum sie getan hat, was sie getan hat.«

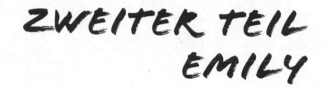

ZWEITER TEIL
EMILY

Zweiunddreißigstes Kapitel

Emily Ruth Peel

Zwanzig Jahre zuvor

Der Abend, an dem wir uns kennenlernten, war wie eine Szene aus einem Liebesfilm, meinte Jill damals, aber wenn ich heute daran zurückdenke, ist es für mich eigentlich nichts weiter als eine versoffene Nacht gewesen.

Jill und ich fanden ihn gegen sechs Uhr abends auf dem Bürgersteig in der Kinnessburn Road liegend. Drum herum standen seine Freunde und grölten vor Lachen. »Arschgeigen!«, brüllte er sie an, als seien seine Freunde schuld daran, dass er gestürzt war. Was ich bezweifelte. Man sah auf den ersten Blick, dass er betrunken war, und seine Freunde genauso. Vermutlich höhere Semester oder Doktoranden, dachte ich mir. Sie waren mindestens zehn Jahre älter als alle anderen hier.

Wir machten einen großen Bogen um sie, weil wir gleich wussten, dass sie allesamt Idioten waren, diese zu groß geratenen kleinen Jungs mit ihrer angestrengten Ganztagssauferei und den hübschen Gesichtern, aber sein Blick blieb an mir hängen, und er flehte mich an, ihm zu helfen, weil seine Freunde ihn einfach liegen ließen, und am Ende wurden wir von der grölenden Meute mitgeschleppt ins Whey Pat, wo wir dann bis zur Sperrstunde weitertranken.

So gegen neun, vielleicht auch zehn Uhr abends drängte Jill mich unversehens in eine Ecke. »Wie machst du das bloß?«, flüsterte sie mir ins Ohr. Ihr Atem war feucht und Gin-dunstig. »Die fressen dir alle aus der Hand wie kleine Hündchen, obwohl du ihnen die kalte Schulter zeigst. Verdammt, Emily, raus mit deinem Geheimnis!«

»Die fressen mir nicht aus der Hand! Das ist ja lächerlich!«

Jill ging für kleine Mädchen und nuschelte, das müsse ich ihr unbedingt beibringen.

Aber als ich dann zu den anderen zurückkehrte, wurde mir klar, dass Jill nicht ganz falschgelegen hatte. Es gab ein kleines Gerangel um den Platz neben mir, und ohne es überhaupt zu wollen, hingen mir alle an den Lippen und lachten sich schlapp über meine Witze.

Wildfremde Menschen um den Finger zu wickeln ist nur eine von vielen Fähigkeiten, die man als Militärkind lernt. Man muss witzig sein, unerschrocken und charmant, wenn man in ein neues Klassenzimmer kommt – und es gab viele neue Klassenzimmer –, aber man muss auch so tun können, als sei einem eigentlich alles schnurzpiepegal.

Ich wusste gar nicht, dass es auch anders geht. Nicht damals.

Jeremy kam zu mir an die Theke, als ich an der Reihe war, die nächste Runde auszugeben. »Du musst entschuldigen«, murmelte er mit einem nachsichtigen Lächeln, dem ich entnahm, dass es gar nichts zu entschuldigen gab. »Wie die wilden Tiere, was?« Ich würde fast behaupten, er war stolz auf sie. Fast glaubte ich, ihn irgendwoher zu kennen, wusste aber nicht, woher.

Die Truppe bestand aus Jeremy, zwei Hugos – »Hugo Fettsack« und »Hugo Drecksack« –, einem Briggs und einem David. Jeremy erzählte mir, dass sie schon vor zehn Jahren ihren Abschluss gemacht hatten, aber jedes Jahr zu einem »Jungswochenende« wieder hierher zurückkamen. Er erzählte mir, dass er bei der BBC in London arbeitete. Er war attraktiv und augenscheinlich intelligent. Im Gegensatz zu seinen Freunden trug er seine Cleverness nicht so vor sich her. Er gefiel mir irgendwie.

Jill und ich kippten die harten Sachen runter, als wäre es Wasser. Jill fluchte wie ein Bierkutscher – ihre Art zu flirten und ihre Geheimwaffe gegen Püppchen. Einer der Hugos schien es ihr angetan zu haben, bis er ein mageres Mädel mit Sherlock-

Holmes-Mütze anzugraben versuchte, da wandte sie sich dann blitzschnell von ihm ab und versuchte ihr Glück stattdessen bei Briggs.

Mit mir flirteten sie auch, diese jungen Männer aus gutem Hause, aber nur einer schien wild entschlossen, sich gegen alle anderen durchzusetzen. Ich spürte seine Blicke auf mir, sah, wie er seine Konkurrenten einen nach dem anderen abfrühstückte, und um Mitternacht saßen wir dann oberhalb von West Sands in der samtigen Dunkelheit am Strand, die Hände unter den Klamotten des anderen, und in diesem Augenblick kaufte ich mir diese Version meiner Selbst wirklich ab.

Um Viertel vor sieben morgens ging er wieder. »Ich muss nach London«, erklärte er. »Mein Zug fährt um Viertel vor acht von Leuchars ab, und ich weiß nicht mal, wo die anderen abgeblieben sind.«

»Hast du ein Handy?«, fragte ich ihn. Ich selbst konnte mir so einen Luxus unmöglich leisten, aber etliche meiner Kommilitonen hatten schon eins.

Er lächelte, als fände er die Frage süß. Er war dreißig Jahre alt, wohnte und arbeitete in London. Natürlich hatte er ein Mobiltelefon. »Habe ich, aber der Akku ist leer, und ich weiß meine Nummer nicht auswendig. Gib mir deine, ich rufe dich an.«

Ich kritzelte ihm meine Festnetznummer auf einen Zettel, obwohl ich bezweifelte, je wieder von ihm zu hören. Dann zog ich mir die Bettdecke ge-

nüsslich bis unters Kinn, als täte ich das alle Tage.
»Also dann, man sieht sich. Hat Spaß gemacht.«

Kaum war er weg, kam Jill in mein Zimmer getappt.
Sie hatte eingetrocknete Wimperntuschereste unter
den Augen und Rotweinflecke auf dem Pyjama.

»Ähm, guten Morgen«, sagte sie. »Alles klar?«

Ich nickte lächelnd.

Sie drehte sich um und schaute aus dem Fenster.
»Leider verheiratet«, sagte sie und sah ihm nach, wie
er die Straße hinunterging.

Ich setzte mich auf. »Was? Nein, ist er nicht.«

»Doch, ist er wohl«, sagte sie und ließ sich auf
die Bettkante nieder. »Tut mir leid, dir das sagen zu
müssen, Em.«

Es dauerte einen Moment, bis mir aufging, dass
das kein Witz war. Ich schloss die Augen. »Nein.«

»Leider ja. Er hat es mir gestern Abend selbst gesagt.«

»Wann?« Fassungslos stierte ich sie an. »Warum
hast du mir das denn nicht gesagt?«

»Du hast ihn nicht gefragt ...?«

»Was, ob er verheiratet ist?«

»Ähm, ja?«

Ich schüttelte den Kopf. »Nein. Ich habe ... Darf
man nicht davon ausgehen, dass ein Kerl ungebun-
den ist, wenn er Anstalten macht, einen zu küssen?«

Jill musste lachen. »Weißt du eigentlich *irgendwas* über Männer, Emily?«

»Ach verdammt. Nein, Jill, nein.«

Sie nickte mitfühlend. »Ich nehme an, du hast mit ihm geschlafen?«

Die ganze Nacht. »Ich wünschte, du hättest es mir gesagt«, sagte ich und klang dabei wie ein bockiges Kind.

»Wann denn, Em? Wann hätte ich dir das sagen sollen? Ihr beide seid einfach ohne Vorwarnung aus dem Pub verschwunden! Was hätte ich denn tun sollen? «

Ich nickte. Sie hatte recht.

»Sag mir bitte, dass ihr ein Kondom benutzt habt!«

»Natürlich«, antwortete ich zerknirscht. »O Mann, ich fühle mich furchtbar.«

Sie krabbelte zu mir ins Bett. »Das nennt man wohl gemeinhin einen Griff ins Klo, Em. Tut mir leid.« Sie zog die Bettdecke über uns. »Ich würde vorschlagen, wir machen erst noch ein kleines Nickerchen, und dann ziehen wir uns ein paar Burger rein.«

Und das machten wir dann auch. Aber Jill hatte den ganzen Tag eine eigenartige Laune, und ich hatte irgendwie das Gefühl, sie enttäuscht zu haben.

Er rief nicht an, und ich war erleichtert. Für ein paar Stunden war es aufregend gewesen, so begehrt zu werden – von einem älteren Mann, einem Macher, einem Lenker. Aber er hatte vor dem Altar gestanden und zu einer anderen Ja gesagt, vor all ihren gemeinsamen Freunden. Das Schwein.

Und hätte Jill es mir nicht gesagt, ich hätte es wohl nie erfahren. Das machte mich richtig wütend. Nicht das kleinste bisschen schlechtes Gewissen. Kein stiller Zweifel. Er war in meinen Körper eingedrungen, dieser verheiratete Mann, und er hatte dabei nur an eins gedacht: den Höhepunkt. Seinen, meinen und dann wieder seinen.

Im Laufe der nächsten Tage musste ich oft an sie denken: seine Frau in London. Ob er das schon mal gemacht hatte? Ob sie davon wusste? Ob sie ihn je zur Rede gestellt hatte oder ob es da irgendein Arrangement zwischen ihnen gab?

Irgendwann schlug ich ihn mir schließlich aus dem Kopf und schwor mir, nie wieder so dumm zu sein. Ich widmete mich wieder meinem Studium. Ich hatte genug zu tun mit Essays, Feldforschung, Lektüre, endloser Lektüre, und dann natürlich nicht zu vergessen den Partys. Ich war im zweiten Studienjahr und führte ein stinknormales Studentenleben. Meine merkwürdige Kindheit rückte in immer weitere Ferne. Ich hüllte sie in Nebel und schickte sie hinter die sieben Berge, wo sie hoffentlich bald in Vergessenheit geraten würde.

Mit jedem Tag fühlte ich mich mehr wie eine

Nullachtfünfzehn-Studentin, und ich war heilfroh darüber.

Bis ich eines Morgens Anfang März in der Bibliothek saß und gerade einen Artikel über maritime Hermaphroditen las und mir aufging, dass meine letzte Periode schon eine ganze Weile her war.

Dreiunddreißigstes Kapitel

Alles wird gut, dachte ich, während ich auf dem Rand unserer schimmeligen Dusche hockte. *Irgendwie wird alles gut.*

Ich war neunzehn Jahre alt, und ein blauer Strich erschien gerade auf der Anzeige, und mein Körper war von dem Schock ganz schlaff und wie gelähmt – aber ich glaubte trotzdem, dass es irgendeine Lösung geben musste. Ich mochte vielleicht pleite sein und eine Waise, aber ich war eine gebildete junge Frau aus der Mittelschicht, was hieß, dass mir immer noch so einige Möglichkeiten blieben. Ein Privileg, das mir Glücklichen in die Wiege gelegt worden war. Oder nicht?

Jill klopfte an die Tür. »Machst du gerade, was ich denke, was du machst?« Wir waren morgens in die Stadt gefahren, um einen Test zu besorgen.

Ich nickte und sah mich in unserem winzigen Badezimmer um: die gesprungenen Bodenfliesen, die Beleuchtung über dem Spiegel, die noch nie funktioniert hatte. Eine Dose Enthaarungscreme mit gruseligem rosa Schaum um die verrostete Manschette.

Eine leere Shampooflasche, an der lange schwarze Haare klebten.

Mein geliebtes, hart erkämpftes Studentenleben.

»Emily?«

»Sorry«, rief ich. »Ja. Und ja.«

Kurzes Schweigen.

»Du bist schwanger?«

»Ich bin schwanger.«

Wieder Schweigen.

»Schön, also, wir müssen jetzt… Wir sollten – ach, Em, lass mich schon rein.«

Jill setzte sich zu mir auf den Boden.

»Wir haben doch Kondome benutzt«, sagte ich. »Ich verstehe das nicht.«

»Wer hat sich um die Kondome gekümmert? Du oder er?«

»Er.«

»Tja. Er war betrunken. Vielleicht hat er einfach nicht richtig aufgepasst.«

Wir blieben eine Weile sitzen und schwiegen, während der Winterhimmel sich allmählich verfinsterte, und irgendwann stand Jill auf und machte uns gegrillte Käsesandwiches.

»Alles wird gut«, sagte sie, als sie zur Tür hinausging. »Wir stehen das gemeinsam durch.«

Es wurde nicht gut. Als ich endlich auf die Idee kam, einen Schwangerschaftstest zu machen, war ich bereits in der sechzehnten Woche. Ein Abbruch war zu diesem Zeitpunkt keine Kleinigkeit mehr. Jill suchte mir die Nummer einer Klinik raus, die ich mindestens zehnmal angerufen haben muss. Doch jedes Mal, wenn jemand abnahm, legte ich auf. Ich konnte es einfach nicht tun.

Gleichzeitig erschien mir die Vorstellung, ein Kind zu bekommen, genauso unwirklich wie die Mondlandung. Wo sollte ich hin? Wer würde mir helfen? Wo sollte ich wohnen? Wie sollte ich mir das leisten können? (Ich konnte es mir unmöglich leisten.) Wie sollte ich meinen Abschluss machen? (Ich konnte unmöglich meinen Abschluss machen.)

Und meine Freunde. Meine heiß geliebten neuen Freunde. Dad und ich hatten früher nie länger als ein, zwei Jahre am selben Ort gewohnt, und selbst dann wurde ich bei Granny zwischengeparkt, wenn er wieder einmal zu einem seiner Einsätze unterwegs war. Meine Studentenfreunde waren der erste feste Freundeskreis, den ich in meinem Leben hatte. Ob sie es wussten oder nicht, diese Menschen waren der Dreh- und Angelpunkt jenes Lebens, das ich mir immer erträumt hatte, jenes Lebens, das mit meiner Ankunft vor anderthalb Jahren hier an der Uni als Erstsemester begonnen hatte.

Der Wind blies, und die Nordsee toste gegen das Land, gleichgültig und unermesslich. Ich gewöhnte mir an, jeden Morgen vor meinen Vorlesungen am

Strand entlangzulaufen, laut singend, um nicht auf dumme Gedanken zu kommen, und das Meer in seinem steten Wandel zu beobachten. Manchmal lag es glatt wie Stahl da, wenn ich an den Strand kam, schäumte aber aufgewühlt, wenn ich wieder ging, und irgendwie hatte das etwas Tröstliches: Nichts war unveränderlich. Aber bei all diesem Wandel, bei allem Steigen und Fallen und Donnern und Funkeln gab es mir doch nie irgendwelche Antworten.

Schaffe ich das?, fragte ich jeden Morgen, und jeden Morgen sagte es nichts.

Um meine Taille legte sich ein stetig wachsender Speckgürtel, und mein Gesicht war aufgedunsen von all den Hormonen und Sorgen. Ich litt zwar nicht unter Übelkeit, aber die ewige Erschöpfung fühlte sich an, als sei ich unter Wasser gefangen, und meine Gedanken waren ölig und träge. In meiner Verzweiflung ging ich in eine Klinik, um mich bezüglich eines Abbruchs beraten zu lassen, und kam in Tränen aufgelöst wieder heraus.

Meine kurze Zeit in der Welt der gewöhnlichen Durchschnittsmenschen war vorbei. Ich würde mit zwanzig Mutter werden.

»Wenn du dieses Kind behalten willst, wirst du dringend Hilfe brauchen«, meinte Jill. »Finanziell, logistisch, in allem eigentlich. Du musst dich bei ihm melden.«

»Wie denn?«

Sie runzelte die Stirn. »Da er dir nicht seine Telefonnummer gegeben hat, bleibt uns nur eine andere Möglichkeit.«

Wir hatten ihn recherchiert. *Jeremy Rothschild.* Und herausgefunden, dass er ziemlich bekannt war – daher war er mir so vertraut vorgekommen. Ein Radiomoderator, allmorgendlich gehört von Millionen – seine Stimme hatte ich jahrelang bei uns zu Hause gehört, als Dad noch lebte.

Seine Frau war Schauspielerin. Ihr Gesicht erkannte ich auch.

Gemeinsam setzten wir einen Brief auf. Auf den Umschlag schrieb ich die Korrespondenzanschrift der BBC, die ich als Kind sicher hundertfach auf dem Kinderkanal und den Radiosendern meines Vaters gehört hatte:

BBC Television Centre
Wood Lane
London
W12 7RJ

Nie im Leben würde der sich bei mir melden.

Drei Tage später platzte Jill in mein Zimmer und zischte: »Scheiße, verdammt, Jeremy Rothschild ist am Telefon.«

»Was? Was hat er gesagt?«

»Er ist noch dran! Unten! Raus aus dem Bett, hopp, hopp!«

»Emily«, sagte er mit angenehmer, ruhiger Stimme, auch wenn uns wohl beiden bewusst war, dass er gerade keinen netten, entspannten Nachmittag hatte.

»Hallo«, sagte ich. Und – welch Selbstverrat – »Ähm, tut mir leid.«

»Muss es nicht. Die vergangenen Wochen müssen die Hölle für dich gewesen sein.«

Damit hatte ich nicht gerechnet. Plötzlich hatte ich Tränen in den Augen, aber Jill pikste mich, bis ich mich zusammenriss und mich gerade hinsetzte. Zögernd gestand ich, dass es keine allzu schöne Zeit gewesen war.

»Das kann ich mir lebhaft vorstellen.« Er seufzte. »Die Situation ist für beide Parteien schwierig, aber für dich bestimmt noch wesentlich schlimmer. Wie dem auch sei, vielleicht darf ich zuerst meine Sichtweise darlegen, und dann überlegen wir, was als Nächstes zu tun ist.«

»Okay«, sagte ich, schaltete den Lautsprecher ein und kuschelte mich zu Jill unter die Decke, während er redete.

Vierunddreißigstes Kapitel

Meine Mutter ist im Wochenbett gestorben: Eine postpartale Blutung war zu spät erkannt worden, und so wurde Dad, nur wenige Tage nachdem er Vater geworden war, zum Witwer. Granny, die Mutter meiner Mutter, kam oft nach London, um ihm unter die Arme zu greifen, aber damals war sie noch Abgeordnete und konnte nie lange bleiben.

Ich habe einige Erinnerungen wie Stillleben aus meinen ersten Jahren. Eine davon ist am Strand, irgendwo in der Nähe unseres kleinen Häuschens in Dorset. Dad zeigt mir eine Pferdeaktinie und einen Meerwasserläufer, und ich bin entzückt. In einer anderen regnet es, und wir sitzen im Eingang einer flachen Höhle. Wir schauen den Steinwälzern bei der Futtersuche zwischen den Strandkieseln zu, und Dad singt ein Lied übers Gerettetwerden und Geborgensein. Seine Stimme klingt weich und schmerzlich schwermütig.

Viele Jahre später erklärte Granny mir, Dad habe ein Seemannslied gesungen. Meine Mutter sei auf hoher See bestattet worden, wie sie es sich gewünscht hatte, aber Dad habe die Vorstellung nicht ertragen, dass sie dort draußen ganz allein war. Also fuhren wir beide, wann immer er Zeit hatte, hinaus, um Mum Gesellschaft zu leisten. Das kleine Mädchen und sein gramgebeugter Vater, hilflos in den Gezeiten der Trauer treibend.

Dad war Gemeindepfarrer. Das war sein Traumberuf – oder vielmehr seine Berufung, wenn man mich fragt. Aber als ich gerade vier war, verließ Dad kurzerhand seine Gemeinde und ließ sich bei den Royal Marines zum Militärgeistlichen ausbilden. Ich kann mich vage an die vielen Streitgespräche zwischen ihm und Granny erinnern. Sie versuchte verzweifelt, ihn von seinem Plan abzubringen, wie sie mir später sagte, weil er sich schlichtweg nicht überlegt hatte, was während seiner Einsätze wohl aus mir werden sollte. Nicht weil ich ihm egal gewesen wäre, sondern weil er einfach nicht mehr logisch denken konnte. Doch sämtliche Argumente prallten an ihm ab – nichts, was sie sagte, konnte ihn umstimmen. Ich glaube, allein der Sirenengesang der Gefahr konnte seinen Kummer und die Einsamkeit ein klein wenig lindern. Das oder aber die Vorstellung, meiner Mutter auf dem Meer irgendwie näher zu sein.

Nach der Ausbildung übernahm er einen Posten als Kaplan beim 45 Commando in Arbroath, nahe

Aberdeen, und wir zogen in eine spartanische Familienunterkunft um. Ich war beinahe sechs und fand es ganz grässlich, aber mir blieb keine andere Wahl. Dad war schließlich immer noch mein Dad. Er holte mich von der Schule ab und fuhr mit mir ans Meer, wo wir in Gezeitentümpeln herumstocherten und im eiskalten Wasser schwammen. Wir pflanzten in unserem winzigen Garten Kartoffeln an und fuhren zum Zelten in die Grampians. Er sang für mich und kümmerte sich um mich, wenn ich krank war.

Als ich neun war, wurde er zu einer Einheit in Somerset versetzt, und als ich zwölf war, ging er »mit seinen Jungs« in den Irak. Ich wohnte so lange bei Granny. Wieder ein erster Tag an einer neuen Schule. Ich konnte nicht mehr.

Dad war als Geistlicher zuständig für einen Haufen Marines, die zum Schutz kurdischer Flüchtlinge an der türkischen Grenze stationiert waren. Ein friedlicher Einsatz, schrieb er in seinen Briefen, bis plötzlich abrupt keine mehr kamen. Später erfuhren wir, dass es eine Konfrontation mit örtlichen Milizen gegeben hatte, bei der eine junge Frau und ihr Kind verletzt wurden. Genau wie meine Mutter zuvor starb die junge Frau in Dads Armen.

Um ihm unter die Arme zu greifen, stellte das Marine-Erzdiakonat ihn danach für drei Monate von der Arbeit frei. Und ironischerweise trieb gerade diese ungewollte Isolation – die er so viele Jahre um jeden Preis zu vermeiden versucht hatte – ihn schlussendlich in den frühen Alkoholikertod.

Es gab keine dramatischen Szenen, und er fuhr immer noch mit mir ans Meer, wann immer er nüchtern genug war zum Autofahren. Er knuddelte mich, sagte mir, wie lieb er mich hatte, und manchmal schmierte er mir sogar Pausenbrote für die Schule. Doch der Alkohol riss ihn rasch in den Abgrund, und er sollte nie wieder zu seiner Arbeit zurückkehren. Ich glaube, er muss sein Ende kommen gesehen haben, denn irgendwie schaffte er es noch, uns, als ich gerade vierzehn war, ein winziges Häuschen in Plymouth zu kaufen. Mein großes Glück – schon ein Jahr später war er zu nichts mehr imstande, außer Alkohol zu kaufen.

Vonseiten des Erzdiakonats war man ehrlich bemüht, ihm zu helfen, aber er ergriff nie die helfende Hand, die man ihm reichte. Schnaps war naheliegender und unkomplizierter und im Laden am Ende der Straße jederzeit frei verfügbar, nicht wie die Therapiesitzungen nur einmal die Woche nach einer Autofahrt von zwölf Meilen.

Mein Vater war ein einsamer, stiller Trinker. Meistens saß er in unserem kleinen Wohnzimmer, schaute fern, trank, schlief. Er aß, wenn ich ihm etwas zu essen brachte. Wann immer ich versuchte, etwas gegen seine Trinkerei zu unternehmen, wurde es nur noch schlimmer, also blieben uns demütigende Szenen mit heimlich versteckten Flaschen erspart. Nur war er nie nüchtern, und ich wagte es nicht, ein Machtwort zu sprechen, aus Angst, es könne ihm den Rest geben.

Dem Erzdiakonat blieb letzten Endes nichts anderes übrig, als ihn zu entlassen. Dabei hatten sie sogar eigens einen Gesundheitsplan für ihn erstellt, der eine Rückkehr zu seiner Einheit in Zaire vorsah. Aber er schwänzte immer wieder wichtige Termine und ignorierte sämtliche Briefe. Er konnte einfach nicht mehr.

Er starb ein paar Tage vor Beginn meines letzten Schuljahrs an alkoholbedingtem Herzversagen. Während seiner Ausbildung hatte man ihm immerhin genügend gesunden Menschenverstand eingeimpft, dass er selbst einen Rettungswagen rief, bevor er das Bewusstsein verlor.

Er starb auf dem Weg ins Krankenhaus. Mir sagten sie, er habe davon nichts mitbekommen und sei mit einem kleinen Lächeln auf den Lippen gestorben. Ich fragte mich, ob er wohl seine Frau schon sehen konnte.

Und so blieb mir, als ich schließlich mit der Schule fertig war, nur noch meine Großmutter. Sie war eine formidable Persönlichkeit, aber bereits achtzig.

Also ein Mensch in einem Alter, dem man nicht

mehr abverlangen konnte, sich eines Halbwüchsigen anzunehmen.

Auf lange Sicht war Jeremy Rothschild meine einzige Hoffnung.

Fünfunddreißigstes Kapitel

»David ist verheiratet«, sagte Jeremy, als wüsste ich das nicht längst.

»Ich weiß. Meine Mitbewohnerin hat es mir am nächsten Morgen gesagt. Hätte ich das gewusst, ich wäre nie… ich hätte nie…« Ich verstummte.

Ich musste daran denken, wie systematisch David mich an jenem Abend zur Strecke gebracht hatte. Wie ein Großwildjäger. Was Jeremy von mir gedacht haben musste, als er uns beide rumknutschen sah. Als mein Brief bei ihm eintrudelte.

Er blieb einen Moment still. Und ich fragte mich, ob er wütend, peinlich berührt oder einfach nur resigniert war. Vielleicht musste er nicht zum ersten Mal für seinen Cousin den Scherbenhaufen eines feuchtfröhlichen Abends zusammenkehren?

»Darum habe ich auch lieber dir geschrieben als David.« Meine Stimme wackelte nicht, und Jill zeigte mir aufmunternd die gereckten Daumen. »Ich wollte nicht, dass seine Frau den Brief findet. Die ganze Geschichte ist schon schlimm genug, auch ohne eine Ehe auf dem Gewissen zu haben.«

»Wirklich rücksichtsvoll von dir. Vor allem in Anbetracht der Umstände.«

Schon mal ein guter Anfang, schrieb Jill auf die Rückseite eines Umschlags.

»Hör zu«, fuhr er fort. »Emily. Es tut mir aufrichtig leid, was da passiert ist. Das hätte nicht passieren dürfen.«

Tonlos stimmte ich ihm zu.

»Brauchst du Geld? Deswegen rufe ich eigentlich nicht an«, fügte er rasch hinzu. »Aber jetzt im Moment, kurzfristig, ehe wir wissen, wie es weitergeht, würde dir da ein bisschen Geld helfen?«

Jill und ich schauten einander an. »Soll das…?« Die Worte blieben mir im Hals stecken. »Das soll doch wohl kein…«

»…Schweigegeld sein?«, fragte Jeremy leise. »Himmel, nein, Emily. Hör zu, mein Cousin ist ein großes Kind. Er ist schrecklich verantwortungslos und unbeschreiblich dumm – und leider ziemlich gut darin, Menschen um den Finger zu wickeln. Aber er ist kein schlechter Mensch, zumindest nicht schlechter als ich. Ich rufe an, damit wir gemeinsam überlegen können, wie ich dir helfen kann.«

»Okay.« Eine Weile drehten wir uns im Kreis, und kurz streifte das Gespräch auch Granny, die er, wie sich herausstellte, gleich zu Beginn seiner Karriere als Journalist interviewt hatte. »Sie hat Hackfleisch aus mir gemacht«, gestand er, und ich hörte ihn lächeln. Kurz musste auch ich lächeln, weil es Granny immer ein diebisches Vergnügen bereitete, andere zu Hackfleisch zu verarbeiten, und ganz besonders ehrgeizige junge Männer.

Ich sagte ihm, dass sie noch nichts von der Schwangerschaft wusste. Sie war alt geworden, hatte immer ein zügelloses Leben geführt. »Sie hat geraucht wie ein Schlot«, sagte ich, obwohl er das vermutlich längst wusste. »Sie hat zu hart gearbeitet, getrunken, hat nie Nein gesagt. Momentan scheint sie recht guter Gesundheit zu sein, aber ich sollte mich wohl lieber nicht allzu sehr auf sie verlassen. Jedenfalls nicht langfristig.«

Es wurde still in der Leitung. »So wie ich deine Großmutter in Erinnerung habe«, sagte Jeremy schließlich, »würde sie fuchsteufelswild, wenn sie dich jetzt reden hören könnte.«

»Würde sie.«

»Okay, pass auf.« Seine Stimme nahm einen anderen Ton an. Jill beugte sich über das Telefon, obwohl die Lautstärke schon bis zum Anschlag aufgedreht war.

»Janice«, sagte er und unterbrach sich dann. »Entschuldige. Das ist nicht leicht. Sonst rede ich – reden wir – eigentlich nicht darüber. Aber Janice und ich … also, wir können keine Kinder bekommen. Die vergangenen zehn Jahre waren nicht leicht. Ganz im Gegenteil.«

Behutsam sagte ich: »Das tut mir leid«, und wartete darauf, dass er fortfuhr.

»Vor einer ganzen Weile schon haben wir uns für eine Adoption beworben. Wir sind ungefähr auf halbem Wege durch das ganze Prozedere, das heißt, in gerade einmal zwei Monaten könnten wir die Eignungsprüfung hinter uns haben und uns endlich konkret um ein Kind bemühen.«

Jill drehte sich zu mir um und schaute mich an. *Allmächtiger*, formte sie stumm mit den Lippen.

»Und obwohl sich bestimmt eine Vereinbarung treffen ließe, bei der David dir Unterhalt zahlt, vermutlich durch mich als Mittelsmann, um seine Frau zu schützen, die von alledem keine Ahnung hat, frage ich mich, ob dir das reicht oder ob du womöglich auch eine andere Lösung in Betracht ziehen würdest.«

Allmächtiger, raunte jetzt ich Jill unhörbar zu.

Ich bat Jeremy, das etwas genauer zu erläutern, obwohl eigentlich auf der Hand lag, worauf er hinauswollte.

»Ich meine damit, dass es sich für mich so anhört, als wolltest du nicht dein ganzes Leben auf den Kopf stellen und allein ein Kind großziehen müssen«, sagte er. »Aber bitte, korrigiere mich, falls ich mich irre. Womöglich bist du bei dieser Vorstellung ja auch ganz aus dem Häuschen vor Freude.«

Ich blieb stumm. Wie hörte sich eine Frau an, die nicht ihr ganzes Leben für ein Kind opferte?

»Was ich damit sagen möchte – und es fällt mir Gott weiß nicht leicht –, ist, dass Janice und ich uns vorstellen könnten, das Baby zu adoptieren«, sagte er. »Wenn das für dich infrage käme. Und wenn nicht, kann ich das auch verstehen.«

SCHEISSE!!, schrieb Jill auf den Umschlag.

Ich setzte ein Häkchen dahinter.

»Emily, ich erwarte nicht, dass du dich gleich dazu äußerst. Beinahe hätte ich dir einen Brief geschrieben, damit du dir das alles ganz in Ruhe durch den Kopf gehen lassen kannst und dich in keiner Weise irgendwie unter Druck gesetzt fühlst.«

Ich wünschte, das hätte er.

Jeremy wartete kurz ab, aber als ich nichts sagte, fuhr er fort: »Rechtlich gesehen dürfte sich das nicht allzu schwierig gestalten, David ist schließlich mein Cousin. Natürlich müsste das alles seinen geregelten Gang gehen, ganz offiziell, aber wie gesagt, wir sind bereits auf halbem Wege.«

»Verstehe. Und… und hast du schon mit David darüber gesprochen? Weiß er Bescheid?«

Jeremys Stimme wurde ganz weich. »Ja, er weiß Bescheid.«

»Und er hat nichts… er will nicht…«

Er seufzte. »Leider nein. Aber er würde sich freuen, wenn wir das Kind adoptieren – wenn das für dich infrage käme.«

»Okay. Verstehe.« Meine Wangen brannten. Ich

war für David nicht mehr als ein unangenehmes Ärgernis, eine dumme kleine Studentin, die sich von ihm hatte schwängern lassen und von der er hoffte, sie möge so schnell wieder verschwinden, wie sie aufgetaucht war.

»Tut mir leid«, sagte Jeremy leise. »Ich weiß, das ist hart.«

Jill hielt meine Hand. Dann kritzelte sie wieder auf dem Umschlag herum. *Warum ausgerechnet dieses Baby?*, schrieb sie.

»Warum ausgerechnet dieses Baby?«, fragte ich folgsam.

»Wie bitte? Wie meinst du das, Emily?«

Ich guckte Jill an. Ich hatte keine Ahnung, was sie damit meinte.

Komisch, das Kind von seinem Cousin, oder nicht?, kritzelte sie auf das Blatt.

»Fändest du es nicht schwierig – oder sogar eigenartig –, das Kind deines Cousins anzunehmen? Ich meine, was, wenn Davids Frau davon erfährt?«, fügte ich hinzu, während die Rädchen in meinem Kopf sich zu drehen begannen. »Wie ginge es ihm damit, ständig sein uneheliches Kind zu sehen? Und was, wenn er es sich anders überlegt und es selbst zu sich nehmen möchte?«

Jeremy sagte erst einmal gar nichts mehr. »Diese Fragen kann ich alle nicht beantworten«, erwiderte er schließlich, womit er mich völlig aus dem Konzept brachte. »Janice und ich haben die ganze Nacht nicht geschlafen und nur darüber geredet, was alles schiefgehen könnte. David sagt, er hätte kein Problem damit, aber wenn er das Kind dann erst einmal sieht, könnte das schon wieder ganz anders aussehen. Du hast völlig recht, dass du danach fragst, aber ich werde gar nicht erst versuchen, so zu tun, als wüsste ich die Antworten.«

Darauf wusste selbst Jill nichts zu sagen.

»Momentan kann ich nur sagen, dass dieses Arrangement nach meinem Dafürhalten die Lösung wäre, die am meisten Sinn ergeben würde. Das Kind gehört zur Familie. Wir könnten das Baby gleich nach der Geburt zu uns nehmen – ich meine, solltest du zustimmen, was womöglich nicht der Fall sein wird, und auch das wäre natürlich okay ... Was ich damit sagen will, ist, wir bekämen ein Kind, das wir gewissermaßen schon kennen. Nach dem Jahrzehnt, das hinter uns liegt, wäre das einfach nur wunderbar.«

»Aber ihr kennt mich doch gar nicht«, widersprach ich trotzig. Die Situation überforderte mich total.

»Nein, das stimmt. Aber ich mochte dich damals auf Anhieb. Ich fand dich sehr klug und nett. Du hast mir ein bisschen was über deinen Vater erzählt.«

»Echt?«

»Echt. Nicht viel, aber es klang, als hättest du

345

dich rührend um ihn gekümmert, als er dem Alkohol verfallen ist. Ich denke, ich hatte einfach den Eindruck, mit einer hochanständigen jungen Dame zu sprechen.

»Mit so einem Vorschlag habe ich nicht gerechnet«, sagte ich schließlich.

»Natürlich nicht. Darum finde ich auch, wir sollten jetzt Schluss machen, damit du dir das alles erst einmal in Ruhe durch den Kopf gehen lassen kannst. Es sei denn, es ist ein striktes Nein. In dem Fall sag es mir bitte gleich.«

Er wartete, aber ich sagte keinen Ton. Dann gab er mir seine E-Mail-Adresse, an die ich ihm ein striktes Nein schicken konnte, sollte es mir am Telefon zu unangenehm sein.

»Oder, falls du offen bist für unseren Vorschlag, machen wir etwas aus, damit wir die Sache weiter besprechen können. Du wirst sicher viele Fragen haben. Und es bestünde auch überhaupt kein Grund zur Eile, was das Jugendamt oder die Adoptionsbehörde angeht.«

Er hat die ganze Sache schon zu Ende gedacht, ging mir da auf. Jeremy und Janice wussten schon ganz genau, wie es laufen würde, was gemacht werden musste. Wie sie das Kind in meinem Bauch an sich nehmen und zu ihrem eigenen machen konnten.

»Ich … okay«, sagte ich, und dann fing ich an zu

weinen, und Jill nahm mir den Hörer aus der Hand und sagte Jeremy, es sei Zeit, das Gespräch zu beenden.

Er klang nicht weiter überrascht, dass noch jemand mitgehört hatte. »Ich bin froh, dass du eine Freundin hast, die dir beisteht«, sagte er noch, bevor er auflegte. »Pass auf dich auf.«

Das gefiel mir. *Er* gefiel mir. Nicht viele Menschen, die so wie er in der Öffentlichkeit standen, würden so offen über ihr Privatleben plaudern.

Aber jemandes Ehrlichkeit zu schätzen hieß noch lange nicht, dass man ihm auch sein Kind anvertraute.

Sechsunddreißigstes Kapitel

Vor Dads Zeit bei den Marines, als er noch ein stink-normaler Gemeindepfarrer war, gab es in seiner Pfarrgemeinde eine junge Frau namens Erica, die er regelmäßig besuchte. Erica war alleinerziehende Mutter, gerade einmal neunzehn Jahre alt und voll-kommen allein auf der Welt. Entsprechend war sie gänzlich auf staatliche Unterstützung angewiesen. Ich kann damals höchstens zwei oder drei Jahre alt gewesen sein, aber nach Dads Tod habe ich in seinen Tagebüchern viel über sie gelesen.

Ericas hartes Leben als alleinerziehende Mutter schien meinem Vater schier das Herz zu brechen. Oft stellte er Gott in seinen Tagebucheinträgen die Frage, wie er ihr noch besser beistehen könnte. Er schilderte, wie er mit ihr zum Einkaufen in den Supermarkt ging, wie er ihre Stromrechnung aus eigener Tasche bezahlte und wie er sie manchmal im Park sitzen sah, die Augen leer vor lauter Elend.

Aber was mich wirklich fertigmachte, war eine Zeile über ihr Baby, das, wie er schrieb, wohl un-unterbrochen weinte. Die Vorstellung, ein süßes kleines Mädchen – mein süßes kleines Mädchen, denn ich war mir sicher, es würde ein Mädchen – müsste in einem feuchten Kellerloch hausen, bei einer Mutter, die keinen Schimmer hatte, wie man so ein kleines Wesen ordentlich versorgte, bereitete mir schlaflose Nächte. Ein Baby, das sonst in einem warmen, gemütlichen Zuhause bei richtigen Erwachsenen wie Jeremy und Janice Rothschild hätte aufwachsen dürfen.

Jill meinte, das sei lächerlich. Junge Mütter, die von der Sozialhilfe lebten, bekämen alle naselang Kinder, und die Kinder seien fröhlich und zufrieden und heulten nicht den lieben langen Tag, und sie mussten auch nicht in feuchten Kellerlöchern hausen. Natürlich stimmte das, aber sie hatte auch leicht reden. Sie hatte die Tagebücher meines Vaters nicht gelesen, und ihre Familie war immer für sie da.

Sie erinnerte mich daran, dass Jeremy versprochen hatte, David zu Unterhaltszahlungen zu verdonnern, sollte ich mich dazu entschließen, das Kind zu behalten. Er und Janice hatten mir bereits ein Handy geschickt – ich wusste, dass sie mir helfen wollten.

Aber was, wenn David mir keinen Unterhalt zahlen wollte? Was, wenn er einfach Nein sagte? Jeremy konnte ihn nicht dazu zwingen. Und ich war eine Zwanzigjährige ohne nennenswerten Beistand. Ich könnte es mit einem skrupellosen Anwalt vor

Gericht genauso wenig aufnehmen, wie ich den Pazifik durchschwimmen könnte.

Die Rothschilds hatten ein Haus in Northumberland, erklärte Jeremy mir, als ich ihn schließlich anrief, um noch ein paar weitere Fragen zu stellen. In einem kleinen Örtchen namens Alnmouth, nicht weit von dort, wo Dad und ich unsere Sommerferien verbracht hatten, als ich noch klein war. Einer der »Jungs« aus Dads 45 Commando hatte ein Mobilheim in Beadnell Bay, ein paar Meilen die Küste hinauf, und bis wir aus Schottland wegzogen, machten wir ein paar Mal dort Ferien.

Ich stellte mir ein kleines Mädchen vor, wie es mit Eimer und Spaten bewaffnet über diesen weiten, schimmernden Strand lief, so wie ich früher. Wie sein Dad ihm zeigte, wie man in den Gezeitentümpeln nach Schleimfischen und Garnelen suchte, und ihm alles über Seedahlien und Schwämme und Seetang beibrachte, so wie mein Dad mir damals.

Janice und Jeremy würden ihr beim Spielen zuschauen, würden lächeln und erklären und aufpassen, dass ihr nichts passierte – vielleicht würden sie auch noch ein weiteres Kind adoptieren, damit die Kleine nicht allein war. Sie hätten ein Auto und einen vollen Kühlschrank, und sie würden ihr dieses tiefe Urvertrauen einpflanzen, wie es nur ein dickes Bankkonto vermochte.

Jill betonte, dass nichts und niemand mich davon abhalten konnte, selbst mit meiner Tochter an den Strand zu gehen. Mein Dad war bloß ein Hobbygezeitentümpler gewesen, und ich war auf dem besten Wege, ein Profi zu werden. »Du wärst eine großartige Strandlehrerin!«, erklärte sie nachdrücklich.

Sie würde mich unterstützen, versicherte sie eines Tages bei einem 99-Pence-Baguette, zu dem sie mich eingeladen hatte, um mich doch noch irgendwie zu überreden, das Baby nicht wegzugeben. »Wir setzen Vivi vor die Tür und richten in ihrem Zimmer das Kinderzimmer ein. Und dann fragen wir, ob sie uns in verschiedene Tutorengruppen stecken können, damit ich mich um das Baby kümmern kann, während du im Seminar bist. Und zu den Vorlesungen könnten wir es bestimmt mitnehmen!«

Irgendwann musste ich sie schließlich bitten, damit aufzuhören, was sie dann auch machte, weil sie wusste, wovor ich in erster Linie Angst hatte: dass dieses Kind eine ebenso einsame Kindheit haben könnte wie ich.

Der Anruf von Janice brachte schließlich die Entscheidung.

Angeführt von einem der Doktoranden hatte eine kleine Truppe aus unserem Institut sich bei Ebbe auf den Weg zum felsigen Strand gemacht, um sich ein wenig umzuschauen. Wir waren mit Lupen, Kameras und kleinen Behältern bewaffnet, und ich war ungewöhnlich guter Dinge: umgeben von Freunden bei der Arbeit in der harschen Frühlingsluft.

Es war Niedrigwasser, die Nordsee gab sich gedankenschwer. Wolken ballten sich am Horizont, wo gigantische Tanker schwerfällig hinausstampften auf ihrem Weg nach Russland oder Kanada. Ich stand auf einem Felsen, umringt von modrig feuchtem Blasentang, als mein Handy klingelte.

»Emily?«, fragte eine Frauenstimme, als ich dranging.

Ich erkannte ihre Stimme sofort. Jill, Vivi und ich hatten uns neulich einen ihrer Filme auf Video ausgeliehen. Sie hatte nur eine kleine Nebenrolle gehabt, aber die war gut gespielt, und wir waren uns alle einig, dass sie ziemlich »cool« war.

»Ja«, sagte ich. »Janice?« Obwohl ich mir das sonst eigentlich verkniff, ertappte ich mich dabei, wie meine Hand nach unten zu meinem Bauch wanderte und dort schützend liegen blieb.

»Ja«, sagte sie. Und dann: »Alan, hau ab!«

Man hörte es poltern und schlurfen.

»Entschuldige bitte«, sagte sie, als sie wieder ans Telefon kam. »Ich babysitte gerade den Hund einer Freundin. Sie ist im Krankenhaus und wird gerade operiert. Ich habe den dummen Fehler gemacht, ihm vorhin einen Keks zu geben, und jetzt lässt er mich keine Sekunde mehr in Ruhe.«

Ich mochte sie auf Anhieb. Granny hatte immer Hunde gehabt, und sie hatte ihnen auch immer Kekse gegeben und mit ihnen geschimpft.

»Pass auf«, fuhr sie fort. »Ich will dich gar nicht lange stören. Es kam mir nur so komisch vor, dass wir noch gar nicht miteinander gesprochen haben. Und ich wollte nur sagen – auch wenn ich mir sicher bin, dass Jeremy das vermutlich schon tausendmal gesagt hat –, dass du dich von uns auf gar keinen Fall unter Druck gesetzt fühlen darfst, dein Kind zur Adoption freizugeben. Weder von uns noch von sonst irgendwem. Das ist dein Kind, und es muss einfach nur wunderbar sein, es unter dem Herzen zu tragen.«

Zu meinem eigenen Erstaunen musste ich lachen. »Wunderbar wäre nicht das erste Wort, das mir dazu einfällt«, sagte ich. »Ich meine, das ist es, aber es ist vor allem... beängstigend.«

Janice lachte mit. Bisher hatte niemand über meinen Zustand lachen müssen. Das tat verdammt gut.

»Das muss ein ziemlicher Albtraum für dich gewesen sein, oder?«, sagte sie. »Ich habe immer schon befürchtet, dass David mal so einen kapitalen Bock schießt. Ich könnte ihn umbringen. Wie dem auch sei, ich wollte dir nur sagen, wir möchten unter keinen Umständen, dass du sich in die Enge getrieben fühlst. Wir werden alles in unserer Macht Stehende tun, dir zu helfen, ganz gleich, wie du dich entscheidest. Das wollte ich dir nur endlich mal persönlich sagen.«

Alles in unserer Macht Stehende. Sie konnten David Rothschild nichts vorschreiben, und das wusste sie.

Meine Kommilitonen, die nur Augen hatten für das, was sich unter Steinen und in Meerwasserpfützen versteckte, schwärmten am Strand aus, suchend, prüfend, diskutierend, dokumentierend. Ein Fischkutter pflügte mit einem späten Fang zurück in den Hafen.

»Danke«, sagte ich. »Aber – ganz ehrlich – ich fühle mich ganz und gar nicht bedrängt. Jeremy war wirklich toll.«

»Er ist toll«, stimmte sie mir zu. »Er war wundervoll in den vergangenen Jahren.«

Wieder strich ich mit der Hand über die unscheinbare Rundung meines Bauchs.

»Also dann, das wär's von meiner Seite«, sagte Janice. »Aber jetzt hast du ja meine Nummer, also melde dich gerne jederzeit bei mir. Oder bei Jeremy. Wir sind für dich da, und das nicht auf die durchgeknallte Art von potenziellen Adoptiveltern!«

Der Himmel hellte sich kurz auf, und ein kräftiger ablandiger Wind fuhr mir in die Haare. »Danke«, sagte ich wieder. »Das ist wirklich sehr nett. Ich melde mich bald.«

Vor Kurzem hatte einer unserer Dozenten uns von einer Seepferdchenart erzählt, die ihr ganzes

Leben lang in monogamen Beziehungen leben. Alle waren natürlich ganz hingerissen gewesen, aber ich hatte an nichts anderes denken können als daran, dass der Vater meines Kindes keine einzige Nacht in meinem Bett geschlafen hatte. Er hatte mit mir geschlafen, dreimal. Er hatte mich geküsst, und dann war er abgehauen und in einen Zug nach London gestiegen und zurückgekehrt zu seiner Frau nach London.

Jeremy musste ihm gesagt haben, dass ich schwanger war und mit dem Rücken zur Wand stand. Er musste ihm gesagt haben, dass ich keine Eltern hatte, kein Geld und keine Ahnung, was ich jetzt machen sollte. Er musste wissen, dass Janice mir ein Handy geschickt hatte, und er musste meine Nummer bekommen haben. Und doch: *nichts.*

Nicht eine Sekunde hatte ich in der Hoffnung gelebt, er könne seine Frau verlassen und mit mir eine Familie gründen wollen. Und das hätte ich auch gar nicht gewollt, selbst wenn es sein Wunsch gewesen wäre. Was ich brauchte, war einfach jemand, mit dem ich ab zu reden konnte. Jemand, der auf meiner Seite war. Und wenn es diesen Jemand nicht gab, würde ich mich mit finanzieller Unterstützung zufrieden geben. Aber auch das gab es nicht.

Janice und Jeremy waren die Einzigen, die sich im Augenblick wirklich um mich sorgten. Natürlich auch Jill und Vivi und die wenigen Kommilitonen, denen ich davon erzählt hatte. Aber was konnten die schon ausrichten? Was wussten die vom Leben?

Ich brauchte einen Erwachsenen an meiner Seite.

Eine Weile blieb ich auf einem Felsbrocken sitzen und überlegte, wie es wohl wäre, diese Menschen wirklich in mein Leben zu lassen. Ihre Hilfe anzunehmen, zu wissen, dass mein süßes kleines Mädchen ein gutes Leben bei guten Menschen haben würde. Für mich bestand kein Zweifel, dass sie sie aus ganzem Herzen lieben würden. Dass sie dafür sorgen würden, dass es ihr an nichts fehlte.

Ein Regenschauer rauschte über den Strand, von der Sonne von hinten angeleuchtet, und meine Kommilitonen zogen sich die Kapuzen über den Kopf. Regentropfen liefen mir in den Nacken, also zog ich mir den Mantel fester um den Leib und versuchte, den Reißverschluss zuzuziehen, aber mein Bauch war zu dick, und die Häkchen kapitulierten.

Das war's. Der berühmte Tropfen, der das Fass zum Überlaufen bringt. Ich brach an Ort und Stelle zusammen und heulte mit dem Regen um die Wette. Die magere Miete von der Dame, die in Dads Häuschen in Plymouth wohnte, reichte ja kaum, um meine eigene Miete zu bezahlen – wie sollte ich mir da Schwangerschaftskleidung leisten können? Ich konnte mir nicht einmal einen neuen warmen Mantel leisten, um meinen Babybauch warm zu halten. Und wenn ich mir schon keine Schwangerschaftskleidung leisten konnte, wie sollte ich dann für ein Kind sorgen? Einige meiner engeren Freunde kamen und scharten sich um mich. Sie hatten in letzter Zeit ein besonders wachsames Auge auf mich.

»Das wird schon«, sagten sie immer wieder. »Du bist toll, Emily, du schaffst das!«

Sie waren wunderbar. Und hatten doch keine Ahnung, was sie da redeten. Ich war im vierten Monat schwanger und mutterseelenallein. Der Regenschauer zog über uns hinweg, ins Landesinnere, und ich stand auf und sagte ihnen, es gehe schon wieder.

Also gingen sie wieder zu ihren Krabben und Schleimfischen, ihren Krebsen und Wellhornschnecken, und wiederholten gebetsmühlenartig sämtliche abgedroschenen Floskeln, die Leute in einer solchen Situation so gerne herauskramen: Ich sei »toll« und »großartig« und »viel stärker, als du selbst glaubst«.

Ich sah mich nach Jill um, die weit weg stand, die rechte Hand tief in einen eiskalten Tümpel getaucht, und kraxelte über die Felsen zu ihr.

»Ich denke ernsthaft darüber nach«, sagte ich bei ihr angekommen, »Ja zu sagen.«

Jill ließ die Kreiselschnecken fallen, die sie sich gerade genauer angeschaut hatte, und richtete sich auf.

»Ich wäre immer für dich da, wenn du das Kind doch behalten willst«, sagte sie. »Ganz bestimmt.«

»Ich weiß. Und ich weiß das auch sehr zu schät-

zen. Aber ich glaube, ich möchte, dass sie sie bekommen. Ich möchte ihr ein gutes Leben ermöglichen, Jill. Ich will einfach nur, dass sie glücklich ist.
Und ich glaube nicht, dass sie das bei mir wäre.«

»Echt?« Jills Stimme klang traurig. »Du meinst
wirklich, bei dir wäre sie nicht glücklich?«

»Nein, das glaube ich nicht.«

Nach langem Schweigen nahm Jill meine nasse,
kalte Hand in ihre nasse, kalte Hand und nickte.

Und so standen wir dann da, umgeben von Napfschnecken und Seetang, und sahen zu, wie Wolken-
schatten Streifen über den Strand zogen. Und obwohl mir die Tränen lautlos über die Wangen liefen,
spürte ich zum ersten Mal seit Wochen so etwas wie
Hoffnung in mir aufkeimen.

Siebenunddreißigstes Kapitel

Nachdem ich der Adoption durch die Rothschilds zugestimmt hatte, ging es los mit den verpflichtenden Beratungen und Befragungen. Ich füllte die erforderlichen Unterlagen aus, gewährte der Behörde den Zugang zu meinen Patientenakten. Ich scherzte gut gelaunt mit allen und jedem, und wenn mir nichts mehr einfiel, ging ich nach draußen und lief den Strand am St. Andrews auf und ab, gebrochen und mit nur einem Wunsch: Jemand möge mich betäuben.

In den ersten Wochen hatte Janice sich respektvoll zurückgehalten, bis sie mich dann irgendwann vorsichtig fragte, ob sie mich nicht hin und wieder anrufen solle, um sich nach meinem Befinden zu erkundigen. Ich fand, sie sollte. Sie und Jeremy waren die einzigen Menschen, die sich über meine Schwangerschaft *freuten*. Die irgendwie verstanden, was ich gerade durchmachte und was mir noch bevorstand.

Sie ließ mir vom Gemüseladen um die Ecke jede Woche eine Kiste mit frischem Obst und Gemüse liefern und schickte mir ein Schwangerschaftsbuch sowie einen weiten neuen Schwangerschaftsmantel, als sei sie damals dabei gewesen, als mein Babybauch den Reißverschluss meines alten Mantels gesprengt hatte. Sie schien immer ganz genau zu wissen, wann ich eine Lieferung Schokolade oder einen neuen Pyjama gebrauchen konnte.

Sie munterte mich auf. Sie hörte mir zu.

Eines Tages bot sie an, sich mit mir zum Schwangerschaftsshoppen in Edinburgh zu treffen. An sich keine schlechte Idee, aber irgendwie hatte ich dabei ein mulmiges Gefühl. Diese doch recht bekannte Frau, diese Fremde, die die Mutter meines Kindes werden wollte. Was sollten wir miteinander reden, ohne Telefon als Schutzschild zwischen uns? Würden wir peinlichen Small Talk machen müssen? Oder würde sie über Dinge reden wollen, die ich mir noch gar nicht vorzustellen vermochte, wie und wann die Übergabe des Babys stattfinden sollte? Was würde die Adoptionsbehörde zu einem solchen Treffen sagen?

Allerdings war ich zu diesem Zeitpunkt schon ziemlich am Ende meiner Kräfte und hatte die Nase gestrichen voll davon, immer alles allein machen zu müssen. Ich wollte nicht mehr über Ökosysteme des Meeres diskutieren oder wer in unserem Kurs wen vögelte. Ich wollte über Kindsbewegungen und Beckenringschmerzen reden und darüber, welche Mädchennamen ich am schönsten fand.

Also sagte ich Ja.

Janice fuhr mit mir zu John Lewis in Edinburgh und kaufte mir ein Schwangerschaftskissen. Wir aßen in einem richtigen Restaurant zu Mittag. Sie kaufte Massageöle und Eisenpräparate. Und anschließend setzte sie mich in den Zug nach Leuchars und sagte zu mir, ich sei eine verdammt mutige junge Frau und könne stolz auf mich sein.

»Kommst du bitte bald wieder?«, flehte ich sie an, als ich in den Zug stieg.

Sie lächelte und sagte, ja, gerne, als sei es nichts, mal eben Hunderte Meilen weit zu fahren. Und sie kam wieder, gleich in der nächsten Woche. Und in der Woche danach.

Ich freute mich auf ihre Besuche. Langsam freundeten wir uns miteinander an.

Ich hatte die richtige Entscheidung getroffen. Ich hatte keinen Zweifel mehr, nicht einmal mitten in der Nacht, wenn ich mit meinem sich verändernden Körper allein war und mit dem kleinen menschlichen Wesen in meinem Bauch, das inzwischen angefangen hatte zu treten und sich zu drehen. Sie würde bei den Rothschilds ein besseres Leben haben. Nicht nur weil sie nette, anständige Menschen waren, nein, sie waren auch bereit für ein Kind. Und das war ich nicht.

Immer wieder rief Granny an und versuchte, mich doch noch umzustimmen, obschon sie wusste, dass es sinnlos war. Sie klang mutlos und niedergeschlagen, wann immer wir miteinander telefonierten, und meine Großmutter war niemand, der normalerweise mutlos oder niedergeschlagen klang.

Irgendwann strich sie resigniert die Segel. Wir waren übereingekommen, dass ich nach Ende meines zweiten Studienjahres zu ihr ziehen und das Baby im September in London zur Welt bringen sollte. Und dann bei ihr bleiben würde, bis ich mich so weit berappelt hatte, dass ich für mein letztes Jahr nach St. Andrews zurückkehren konnte. Sie kommandierte sogar einen ihrer jungen Lover ab, das Gästezimmer zu streichen.

Manchmal fragte ich mich, ob Granny nicht vielleicht doch recht hatte – dass wir es zusammen irgendwie gewuppt bekämen. Oder ich musste daran denken, was Jill mir immer wieder sagte: dass wir es schon irgendwie hinkriegen würden, das Baby in unserer winzigen Studentenbude großzuziehen. Vivi, unsere Mitbewohnerin, war eine Nachteule. Sie schlief nie, sondern kiffte und quatschte stundenlang mit ihrem Freund in Korea – *Die könnte doch ganz easy die Nachtschicht übernehmen!*, meinte Jill. Aber wenn ich dann wach wurde und hörte, wie Jill in ihrem Zimmer Männerbesuch hatte, oder wenn ich mit Granny telefonierte und ihr das Alter in jedem ihrer Worte anhörte, wusste ich, dass es nie und nimmer funktionieren würde. Jill war zwanzig, Granny achtzig.

Janice bot mir an, in den Osterferien in ihr Häuschen in Northumberland zu fahren, um dort ein wenig zu »entspannen«.

Von meinen Urlauben mit Dad her erinnerte ich mich noch daran, wie traumhaft schön es dort war, mit den weiten Sandstränden und den unzähligen Gezeitentümpeln und den Burgen, die wie Traumgebilde aus der Küste ragten.

An einem strahlend schönen Mittwochnachmittag Ende April traf ich in Alnmouth ein. Janice sollte erst später nachkommen, also schloss ich die Tür mit dem Schlüssel auf, den sie im Kutschentor versteckt hatte. *Im Kutschentor*, dachte ich. *Ein Kutschentor!* Das Haus in Plymouth, das ich von Dad geerbt hatte, war kaum breit genug für eine Haustür.

Drinnen war es traumhaft schön. Überall Schaffelle und riesige Kelimteppiche und dicke cremeweiße Sofas, wie ich sie nur aus Wohnzeitschriften kannte. Ich duschte in einer blitzblanken würfelartigen Kabine, die aussah, als sei sie erst am Morgen installiert worden.

Später saß ich still da und schaute über die Flussmündung hinaus auf triefend nasses Ackerland.

Das hier wird dein Ferienhaus, sagte ich zu meinem Baby. *Hier wirst du das Meer kennenlernen.* Das Baby musste just in diesem Augenblick aufgewacht sein, denn etwas drückte sich rechts in mein Becken.

Plötzlich brannten mir Tränen in den Augen. Sie würde mit Eimer und Spaten über den Strand laufen, genau wie ich damals. Sie würde ihre Eltern um Eiscreme und Waffeln anbetteln und um Liegestühle und dann viel zu beschäftigt sein, um auch nur einen Moment darauf zu sitzen. Sie würde auf den Schaukeln unten an der Flussmündung spielen, würde im Pub an der Straße abendessen, würde den ganzen Weg den M1 entlang immer wieder fragen: *Sind wir gleich da?*

»Hallo?«, hörte ich Janice' Stimme von unten. »Emily?«

Ich schluckte. »Hi! Ich bin hier oben!«

»Super!«, rief Janice. »Komm, lass uns spazieren gehen, es ist herrlich draußen! Sonnig und windig und unbeschreiblich! Ich habe Essen mitgebracht!«

Wir entdeckten das Krabbenskelett am anderen Ende des Strands, als der Sturm weitergezogen war und wir aus der Schäferhütte stolperten. Mittelgroß, tot, allein im Schwemmsaum zwischen Treibholz und eingetrocknetem Spiraltang. Am Hinterleib klebten Scheidenmuschelfragmente, ein ausgeblichenes, verzwirbeltes Stück Schleppnetz hatte sich an einem leblosen Fühler verheddert, und sie hatte eigenartige signalrote Punkte an Rumpf und Scheren.

Erschöpft setzte ich mich, um sie mir genauer anzusehen. Vier ausgeprägte Grate zogen sich über den Panzer. Die Scheren waren mit Borsten überzogen.

Ich schaute in blicklose Augen und versuchte mir auszumalen, woher sie wohl gekommen sein mochte. Ich hatte gelesen, Krabben trieben manchmal über gewaltige Strecken auf Flößen aus Plastikmüll oder Seetangbüscheln, manchmal sogar an einen seepockigen Bootsrumpf geklammert. Was wusste ich schon, vielleicht war dieses eigenartige Geschöpf aus Polynesien hierhergereist und hatte Tausende Meilen auf hoher See überlebt, nur um dann an einem Strand in Northumberland zu verenden.

Ich sollte lieber ein paar Fotos schießen. Meine Tutoren würden sicher wissen, was das war.

Aber als ich in meiner Tasche nach der Kamera kramte, wurde mir mit einem Mal ganz schummerig. Schwindel überkam mich wie plötzlich aufziehender Küstennebel, und ich musste über meine Tasche gebeugt reglos dasitzen und abwarten, bis er wieder verging.

»Niedriger Blutdruck«, erklärte ich, als ich mich schließlich wieder aufrichten konnte. »Hatte ich schon als Kind.«

Wir wandten uns wieder der Krabbe zu. Ich ging auf Hände und Knie, um sie von allen Seiten zu fotografieren.

Gerade als ich die Kamera verstaute, setzte der Schwindel wieder ein, aber diesmal kam und ging er in Wellen, wie das Meer. Ein eigenartiger Schmerz breitete sich in meinem Rücken aus, zusammen mit einem dunkleren, mächtigeren Gefühl, das mir vertraut war, das ich aber nicht zuordnen konnte. Wieder ging ich in die Knie, klemmte meine Hände zwischen die Beine, und der Schwindel übermannte mich.

Ich zählte bis zehn, atmete tief ein und aus. Besorgte Worte, in denen Angst mitschwang, schwirrten mir um den Kopf. Der Wind drehte sich.

Als ich endlich die Augen wieder aufmachte, hatte ich Blut an der Hand.

Ich schaute genauer hin. Tatsächlich, es war Blut, ganz ohne Frage. Frisch, feucht, über meine rechte Handfläche verschmiert.

»Alles bestens«, hörte ich mich sagen. »Kein Grund zur Beunruhigung.«

Panik stieg in mir auf, unaufhaltsam wie die Flut.

Nachdem ich eine Weile mit dem Kopf zwischen den Knien dagehockt hatte, rief Janice die Entbindungsstation in Edinburgh an.

»Ja, sie sitzt. Nein, sieht nicht aus wie ein Blutsturz… Aber sie hat Blut an den Händen, nachdem sie sie eben zwischen die Oberschenkel gesteckt hat… Ja. Eindeutig mehr als nur ein paar Tropfen… Nein, bei vollem Bewusstsein. Ihr war ein bisschen schwindelig, sie musste sich setzen, aber jetzt… Augenblick bitte. Emily. Blutest du noch?«

Ich schaute noch mal nach. »Nein.«

»Nein. Sie ist in der einundzwanzigsten Woche. Ja… Emily, irgendwelche Schmerzen oder Krämpfe?«

»Ja. Im Rücken.«

Janice wurde blass. »Ja, im Rücken. Was meinen Sie? Sollten wir lieber einen Krankenwagen rufen?«

Ich starrte hinaus aufs Meer. Da war eine Insel, die ein paar Meilen weiter südlich ins Wasser ragte. Ein winziges weißes Schnipselchen an der entferntesten Spitze – vielleicht ein Leuchtturm. Genau so einsam kam ich mir gerade vor. Ich könnte mein Baby verlieren.

Mein Baby.

»Na ja, momentan scheint es ihr ganz gut zu gehen, aber ich glaube kaum… Okay… Verstehe… Könnten Sie mir die Nummer geben? Ach egal. Ich bringe sie hin.«

Sie setzte sich neben mich. »Sie meinten, kein Grund zur Beunruhigung. Aber dass du dich besser im Krankenhaus durchchecken lassen solltest. Weil es so weit ist bis nach Edinburgh, meinten sie, wir sollten lieber nach Alnwick und dort in die Entbindungsstation. Okay? Ist auch gar nicht weit.«

Der Wind blies, die Wolken jagten über den Himmel. *Ich halte das nicht aus. Ich halte das nicht aus.*

Die Sonne flackerte kurz über die Insel und ihren winzigen Leuchtturm.

»Ich will nach Edinburgh«, sagte ich nach kurzem Schweigen. »Ich… ich mag keine Krankenhäuser. Ich würde lieber in eins, das ich schon kenne.«

»Wie du willst«, erwiderte Janice. »Mit dem Auto dürften wir in nicht mal zwei Stunden da sein. Aber bist du dir auch ganz sicher, Emily? Was, wenn die Blutung unterwegs wieder einsetzt?«

Angst. Die nackte Angst in ihrer Stimme.

»Ganz sicher«, sagte ich. Ich wollte sie nicht mehr um mich haben. Ich wollte diese Frau nicht in meiner Nähe haben, bis ich wusste, dass es meinem Baby gut ging. »Und ich möchte allein fahren. Mit dem Zug. Es geht mir schon viel besser.«

Achtunddreißigstes Kapitel

Ich stieg in den nächsten Zug zurück nach Schottland und saß die ganze Fahrt über auf einem Handtuch. Janice hatte am Bahnhof von Alnwick gefleht und gebettelt, aber ich hatte mich nicht umstimmen lassen. Ich wollte mit meinem Baby so weit wie möglich weg von ihr.

Noch nie hatte ich es »mein« Baby genannt. Aber jetzt war alles anders, und ich streichelte die ganze Fahrt über nervös meinen Bauch.

Die Blutung setzte nicht wieder ein, wie ich mich auf der Fahrt nach Edinburgh mindestens zehnmal vergewisserte.

»Bitte sei gesund«, wisperte ich ihr zu, während wir in Richtung Norden rasten. »Bitte sei gesund.«

»Machen Sie sich keine Sorgen, Emily«, meinte die Hebamme auf der Geburtsstation zu mir. Sie klang entspannt, aber es konnte nichts Gutes bedeuten, dass sie mich in ein Einzelzimmer brachte.

Ein paar Minuten später kam Dee, meine Hebamme, zu mir ins Zimmer. »Ich hab deinen Namen auf dem Anschlagbrett gesehen«, sagte sie. »Alles okay, Süße?«

Und in dem Moment fing ich zu weinen an. Ich weinte die ganze Untersuchung hindurch, und als sie mich dann an ein Gerät anschloss, um die Herztöne des Babys zu überwachen (»Sieht gut aus!«, erklärte sie lächelnd mit Blick auf den Ausdruck), schluchzte ich regelrecht. Erst als Dee mit mir zum Ultraschall ging und ich sie sah, schlafend, den winzigen Kopf an meinem Nabel, eine klitzekleine Hand unter die Wange geschoben, fing ich an zu glauben, sie könnte es doch schaffen.

»Sieht alles bestens aus«, erklärte Dee. »Eine der Ärztinnen soll sich das noch eben anschauen, aber das Baby scheint zufrieden, und alles ist, wie es sein sollte.« Sie richtete den Ultraschall auf die Brust meines Babys. »So was kann schon mal vorkommen.«

Ich sah zu, wie die Herzkammern meines kleinen Mädchens sich leise bewegten, und plötzlich hielt ich es keinen Augenblick länger aus.

Ich packte ihre Hand, als sie gerade hinausgehen wollte, und flehte: »Bitte, Dee. Hilf mir.«

Nachdem Dee mir die ganze Geschichte aus der Nase gezogen hatte, ging sie nach draußen, um Granny anzurufen.

»Sagen wir mal so: Deine Großmutter kümmert sich um alles Weitere«, meinte sie lächelnd, als sie schließlich wiederkam. »Sie ruft gleich bei der Adoptionsbehörde an. Du musst dein Baby niemandem geben, Süße. Ich wünschte bloß, du hättest mir gleich gesagt, dass du es zur Adoption freigeben willst. Unglaublich, dass du das alles ganz allein durchgemacht hast.«

Eine Stunde später rief Granny an.

»Alles erledigt«, verkündete sie forsch, als hätte sie gerade dem Klempner abgesagt.

Ich atmete aus.

»Ich habe mir außerdem erlaubt, die Rothschilds anzurufen«, sagte Granny. »Ich bin mir sicher, die Adoptionsbehörde wird das auch noch tun, aber ich wollte dieser Sache hier und jetzt ein Ende setzen.«

»Und?«

»Ich war freundlich, aber bestimmt und habe sie gebeten, ab sofort jegliche Kontaktaufnahme zu unterlassen. Ich möchte nicht, dass sie dich noch mehr unter Druck setzen.«

»Sie haben mich nicht unter Druck gesetzt«, widersprach ich. »Kein bisschen. Wie hat Janice es aufgenommen?«

»Vergiss Janice.«

»Granny. Bitte.«

Sie seufzte. »Sie war am Boden zerstört«, gestand sie. »Aber das soll nicht deine Sorge sein, Emily.«

Für einen Moment herrschte Stille. »Wir schaffen das schon«, erklärte meine achtzigjährige Großmutter schließlich. »Wir beide schaffen das, Emily, und wenn du meinst, ich sei zu alt dafür, dann hast du wohl vergessen, mit wem du es zu tun hast.«

All meiner Vorbehalte ihres Alters wegen zum Trotz zog ich zwei Wochen später zu Granny nach London. Ich war zu erschöpft, um noch Klausuren zu schreiben. Mir wurde klar, dass vermutlich Jahre vergehen würden, bis ich wieder zurück an die Uni gehen konnte, aber das war mir egal.

Granny hatte stundenlang recherchiert und alles über Zuschüsse und Steuererleichterungen zusammengetragen und dann unter Berücksichtigung ihrer Pension und der Miete von Dads Häuschen hochkomplizierte Budgetrechnungen angestellt. Unsere Lage war ernst, aber nicht hoffnungslos, jedenfalls viel besser als befürchtet, und sie sprudelte nur so vor überschäumender Begeisterung.

Ich liebte das Baby, das in meinem Bauch heranwuchs. Die Liebe schlängelte sich durch meine Adern wie eine Infusion. Ich träumte von Tagen im Park mit meinem kleinen Mädchen. Spaziergänge mit Granny oder mit Jill vielleicht, wenn sie erst mal ihren Abschluss gemacht hatte, denn Jills Eltern wohnten auch in London. Ich konnte mir sogar vorstellen, bei einem Geburtsvorbereitungskurs Bekanntschaft mit anderen jungen Müttern zu schließen. Ich versuchte mir schlaflose Nächte vorzustellen und hatte keine Angst davor. Die Erschöpfung würde ich mit netten Kaffee-und-Kuchen-Runden zusammen mit meinen neuen Freundinnen bekämpfen.

Aber dann, eines Tages im September, kam mein Baby, und es war alles ganz anders, als ich es mir ausgemalt hatte.

Ganz anders.

Neununddreißigstes Kapitel

Vier Tage nach der Geburt

Es war Dienstagnachmittag, und ich hatte seit Tagen nicht geschlafen. Ich stand am Fenster von Grannys Badezimmer, starrte in den Himmel und hielt das, was ich sah, auf einem Stückchen Klopapier fest.

Die Sonne stand mittäglich hoch am Himmel, aber der Himmel ringsum war eisenschwarz. Auf der Vorderseite von Grannys Haus ging der Blick über einen mit einer Mauer eingefassten Garten, in dem Magnolienbäume und Fliederbüsche sich im Wind wiegten. Aber der Himmel selbst war reglos wie ein Gemälde; kein Lufthauch, nur gehämmerte schwarze Platten, wo eigentlich ziehende Wolken und Licht sein müssten.

Ich schob das Fenster nach oben, um einen besseren Blick auf die Szenerie zu bekommen, oder ein klareres Verständnis vielleicht. Das musste eine Sonnenfinsternis sein, dachte ich bei mir, aber es hatte eine so eigenartige Energie – etwas Okkul-

tes, das sich nicht nach einem gewöhnlichen astronomischen Phänomen anfühlte. Und außerdem war
die Sonne nicht verfinstert. Fett und feurig hing sie
am Himmel, wie eine Discokugel an Hampsteads
schwarzer Wolkendecke.

Ich wollte darunter tanzen. Ich hatte so gerne getanzt, früher einmal. Und ich war ganz gut darin gewesen.

Ich schwamm auf einer Welle aus Liebe, Euphorie und tiefer und absoluter Klarheit, als ich wieder nach unten zu meiner Großmutter und meinem kleinen Mädchen ging. Vor einer Stunde waren
wir aus dem Krankenhaus nach Hause gekommen,
und die Kaiserschnittwunde brannte wie eine tödli-
che Furche an der Unterseite meines leeren Bauchs.
Irgendwas zog ganz fies, als ich versuchte, den linken Arm zu heben, und meine Brüste waren schwer
wie Bomben.

Aber es war alles irgendwie erträglich. Ich war
eine Frau, die gerade ein Kind geboren hatte, und
wir waren Kämpferinnen durch und durch, aus Stahl
gemacht, im Feuer geschmiedet. Wir konnten alles
bezwingen.

In der Küche warteten ein Salat, meine Großmutter und meine Tochter. Mein vollkommenes kleines Mädchen. Und, ja, *wie* vollkommen sie war: ein
winziges Schmuckstück, ein Zuckerstückchen, eine
Göttin en miniature. Noch hatte ich ihr keinen Na-

men gegeben, aber das würde ich nachholen, sobald sich die Dinge ein wenig beruhigt hatten. Noch waren Babysachen zu kaufen, und ich brauchte eine Milchpumpe, und außerdem hatte ich einigen Frauen auf der Entbindungsstation versprochen, sie ein wenig zu unterstützen. Viele von ihnen hatten wirklich arg zu kämpfen.

»Man weiß gar nicht, was Angst ist, bis man Kinder hat«, hatte eine der frischgebackenen Mütter gestern zu mir gesagt. Sie hatte im Bett neben mir auf Station A300 gelegen. »Man macht sich keine Vorstellung.«

Ich sagte ihr, ich könne das nur zu gut verstehen, aber es sei wichtig, keine Angst zu haben, ganz besonders jetzt nicht, auf dem Höhepunkt unserer weiblichen Kraft. Später versuchte ich das Thema noch einmal anzusprechen, aber sie war eingeschlafen und wachte nicht auf, selbst dann nicht, als ich hinging und sie anstupste. Ich fragte die Hebammen, ob sie noch lebte, und sie meinten, sie sei bloß erschöpft, es sei bereits ihr viertes Kind.

Ich wollte ihr sagen, dass niemand Angst zu haben brauchte: Wir waren Frauen, wir waren Mütter, wir waren *Kriegerinnen*. Nichts konnte uns aufhalten.

Granny saß in dem alten abgewetzten Sessel in der Ecke, wo jeder vernünftige Mensch einen Geschirrspüler installiert hätte, und hielt meine kleine

Tochter im Arm. Über das weiche Köpfchen meines Mädchens hinweg lächelte sie mich an.

Ich ging zu ihr und hockte mich vor sie. Meine Tochter. Was für ein wunderhübsches Ding sie doch war; flaumig zart und warm, mit kleinen roten Händchen und fedrigen Wimpern. Sie schlief zwei Stunden und wachte dann zum Stillen auf, genau wie sie mir gesagt hatten, dass es sein sollte. Sie nahm die Brust ganz selbstverständlich und weinte kaum. Ich konnte es kaum erwarten, mit ihr spazieren zu gehen. Granny hatte gesagt, ich solle damit noch ein bisschen warten, aber Granny war gerade schrecklich übervorsichtig. Ihre Tochter, meine Mutter, war kurz nach meiner Geburt gestorben, vermutlich ein altes Trauma, das da jetzt bei ihr hochkam. Dabei war Granny doch immer so furchtlos gewesen!

»Ich finde wirklich, wir sollten einen Spaziergang machen«, sagte ich nun. »Die Nachbarn werden sie sehen wollen. Und außerdem, wir müssen reden. Ich mache mir Sorgen, weil du viel zu ängstlich bist, Granny. Ich möchte dir gerne helfen.«

»Ach, mir geht es gut«, meinte sie. Granny scherte sich nicht viel um ihre Gefühle und zeigte sie auch nicht. »Aber du darfst dich nicht überanstrengen. Der Park ist auch morgen noch da, und Charlie genauso.«

Charlie war Grannys Hund. Sie musste ihn wohl im Garten ausgesperrt haben, ich hatte ihn nicht mehr gesehen, seit wir zurückgekommen waren. Er war rabenschwarz wie der Himmel draußen.

»Hey, wo wir gerade dabei sind«, setzte ich an. »Der Himmel...«

Ich unterbrach mich. Der Himmel hatte binnen Minuten gewechselt und sah wieder ganz gewöhnlich aus.

»Hast du den Himmel eben gesehen?«, fragte ich schrill. Irgendwas stimmte da nicht. Irgendwas stimmte da ganz und gar nicht. Das Licht von draußen war jetzt strahlend hell, nicht mehr messingfarben schillernd wie eben, als stiege über uns ein Atompilz in den Himmel.

Granny reckte den Hals, um aus dem Fenster zu schauen, ohne meine Tochter zu wecken. »Habe ich gesehen, was der Himmel eben gemacht hat? Meinst du, es gibt Regen?«

»Nein, er ist ganz dunkel geworden. Na ja, eigentlich eher schwarz, aber jetzt ist er...«

Ich verstummte. Frauen, die plötzlich wirres Zeug erzählen, nimmt man die Kinder weg. Ich hätte mein kleines Mädchen durch diese Adoptionsgeschichte schon einmal beinahe verloren, das würde mir kein zweites Mal passieren, nicht wegen ein paar dusseligen Hormonen.

»Ach, ich bin einfach bloß ein Schaf«, sagte ich und stellte den Salat in den Kühlschrank. Ich hatte keine Zeit zum Essen.

Ein diffuses Grauen überkam mich plötzlich wie eine Woge, als ich mich wieder zu Granny umdrehte, also lächelte ich. Ich war so euphorisch gewesen, seit meine Tochter auf der Welt war – so unbesiegbar, so glorreich. Ich war noch nicht bereit für den emotionalen Zusammenbruch, den alle mir vorausgesagt hatten.

Hormone. Das sind bloß die Hormone. Nicht jede Frau bekam den Babyblues. Und außerdem, das war diese eine kauzige Hebamme gewesen, die mich vor dem emotionalen Einbruch gewarnt hatte, die, die manchmal so seltsame Dialektwörter benutzte, die ich nicht kannte. Beinahe wie ein Code – als wollte sie mir auf den Zahn fühlen, ob ich auch zu ihrer obskuren Sekte gehörte.

Ich kniete mich vor meine Tochter und stand dann wieder auf, viel zu schnell, weil die Panik wieder einsetzte. Der Schmerz in meinem Unterbauch ließ mich nach Luft schnappen. »Vielleicht drehe ich mal eine Runde mit dem Auto«, sagte ich. »Schläft sie denn immer noch?«

Granny runzelte die Stirn. Hinter ihr lief leise das Radio. Exotisch anmutende Stimmen von der anderen Seite des Atlantiks, Hawaii vielleicht oder Malibu.

»Ob *sie* immer noch schläft?!«, fragte Granny. »O Emily! Du brauchst dringend ein bisschen Schlaf. Wie wäre es, wenn *du* dich ein Weilchen hinlegst und die Augen zumachst? Du kannst jetzt nicht Auto fahren. Die nächsten fünfeinhalb Wochen nicht.«

Dass ich nicht Auto fahren durfte, hatte ich ganz vergessen. Aber das galt ja eigentlich auch nur für die schwächlichen Mütter, deren Kaiserschnittwunde sich entzündet hatte oder so. Ich war fit und gesund. Ich strotzte nur so vor Energie. Mein Körper tat alles, was der Körper einer frischgebackenen Mutter tun sollte, und zwar mit der Präzision eines Uhrwerks. Ich fand es großartig.

Die Türklingel!

Viel zu schnell lief ich zur Haustür, und wieder ziepte meine Wunde. Es war die Hebamme in einer eigenartigen Uniform, wie ein Briefträger aus den 1970er-Jahren. Ich ließ sie herein, aber ihr Anblick machte mich nervös. Sie tat, als seien wir alte Freunde, dabei hatte ich sie noch nie gesehen.

Gewissenhaft beantwortete ich jede ihrer Fragen. Während wir noch redeten, trieb dasselbe unterirdische Grauen wieder an die Oberfläche, das mich eben schon in der Küche bei Granny überkommen hatte, und zog mich hinab in die lichtlose Tiefe. Ich redete mich irgendwie drum herum.

Die Hebamme stellte einige ziemlich indiskrete Fragen, bis ich sie schließlich fragen musste, worin genau eigentlich ihre Qualifikation lag, was sie weniger zu kränken schien als erwartet. Meine Gedanken fingen an, sich zu überschlagen. Wer war sie? Wann würde sie wieder gehen? Ich wollte tanzen. Ich musste eine Milchpumpe besorgen.

Irgendwann schauten wir uns mein kleines Mädchen an.

»Ach, was bist du nur für ein hübscher kleiner Junge!«, rief sie und zog meine Tochter splitternackt aus. »Du süßer Kleiner!«

»Sie ist ein Mädchen«, entgegnete ich spitz. Ich hatte irgendwie ein ungutes Gefühl, was diese Frau anging. Sie erinnerte mich ein bisschen an die kauzige Hebamme aus dem Krankenhaus.

Die Hebamme hielt inne und schaute über die Schulter zu mir herüber. »Könnte ich vielleicht eine Tasse Tee bekommen?«, fragte sie nach einer recht ausgedehnten Pause.

Der Bitte kam ich nur zu gerne nach. Ich hatte das Gefühl, jemanden umbringen zu können, und gleichzeitig war mir eigenartig mulmig zumute. Seit einer gefühlten Ewigkeit saßen wir hier Däumchen drehend herum, und diese Frau schien gar nicht zu kapieren, wie viel ich um die Ohren hatte. Wie viel Zeit sie mir stahl. Hatte sie überhaupt schon mal eine frischgebackene Mutter besucht?

In der Küche warf ich noch einmal einen prüfenden Blick in den Himmel. Granny und die Hebamme unterhielten sich mit gedämpfter Stimme, gelegentlich unterbrochen vom leisen Quäken meiner Tochter. Ich begann Toast zu machen, ließ es dann aber wieder sein, weil der Geruch einfach widerlich war.

Eine Katze sprang in Grannys Garten und fing an, im Blumenbeet herumzuspazieren und sich einen Fleck zum Kacken zu suchen. Ich rannte nach draußen, um sie zu verscheuchen – Katzenkacke war Gift für Babys –, aber als ich dann im Garten stand, war sie spurlos verschwunden.

Alles kam mir schärfer vor, aber alles schien auch irgendwie falsch. Der Himmel war wieder wie immer, kein Atompilz weit und breit. Die Euphorie schmolz, und meine Angst bekam ein Eigenleben.

Granny kam und holte mich wieder ins Haus.

Ich ging zu meiner Tochter, die auf einer Spielmatte mit einem Bogen voll lustig schaukelndem Gedöns lag, die Granny für sie gekauft hatte. Ich zog ihr die Decke weg, um sie zu kitzeln, nur um feststellen zu müssen, dass sie darunter bis auf die Windel nackt war.

»Sie friert sich ja zu Tode«, raunzte ich empört und ging hinaus, um einen Strampler zu holen. *Spatzenhirne!* Hätte ich nicht alle Hände voll zu tun, ich würde diese Hebamme anzeigen.

Granny folgte mir hinaus auf den Flur. »Emily«, sagte sie in einem Ton, den sie sonst nur im Unterhaus auspackte. »Liebes, ich muss dich wirklich fragen, warum du Charlie immer ›sie‹ nennst.«

»Was?«

»Charlie. Dein Kind. Warum sagst du immer ›sie‹ zu ihm?«

Ich marschierte die Treppe hinauf. »Ich habe keine Zeit für so was«, brummte ich. Granny hatte ein neues Bild aufgehängt, aber es war schon ganz verstaubt.

Wieder im Wohnzimmer angekommen hielt Granny meine Tochter im Arm. »Emily«, sagte sie, wieder mit dieser Abgeordnetenstimme. »Glaubst du, du hast eine Tochter?«

»Was soll das?«, explodierte ich, aber die Angst drang jetzt tief in mich ein. Ich konnte kaum noch geradeaus denken. »Was machst du da, Granny?«

Granny schaute mich lange an, dann zog sie meinem Kind die Windel aus. »Du hast einen Sohn«, sagte sie. »Du hast ihn Charlie genannt. Es ist ein Junge.«

Und tatsächlich, dort in der Windel lagen winzige Jungsgenitalien.

Mir schnürte es die Kehle zu. Ich ging hin und beugte mich unter Schmerzen hinunter, zog die Windel wieder hoch und begann, ihr den Schlafanzug anziehen. Aber bevor ich die Druckknöpfe schloss, sah ich noch einmal in die Windel, und es wurde dunkel um mich.

»Siehst du?«, murmelte ich kaum hörbar. »Der Himmel.«

Ich ließ die Druckknöpfe zuschnappen.

Er hatte eine andere Kopfform als meine Tochter, und seine Haare waren dichter und dunkler. Er trug jetzt einen ihrer Schlafanzüge, aber das war nicht das Kind, das sie mir gestern aus dem Leib gezogen hatten, oder letzte Woche oder wann auch immer sie auf die Welt gekommen war.

Das Grauen tat sich wieder vor mir auf, glattwandig und funkelnd blau.

»Was habt ihr getan?«, fragte ich. Die beiden Frauen im Zimmer ließen mich nicht aus den Augen.

»Was. Zum Teufel. Habt ihr getan?«, wiederholte ich flüsternd, aber es nützte alles nichts: Der Junge hatte angefangen zu weinen – wie jedes kleine Kind es getan hätte, wenn man es seiner Mutter wegnahm.

»Wer war das?«, verlangte ich zu wissen. »Wer hat mir mein Mädchen weggenommen und mir diesen Jungen untergejubelt? Wo ist sie? *Wo ist sie?*«

»Ich verstehe ja, dass Sie glauben, Sie hätten ein Mädchen bekommen«, sagte die Hebamme und verschränkte die Beine an den Knöcheln. »Aber Sie haben einen Jungen, und Sie haben ihn Charlie genannt. Steht alles in Ihren Unterlagen. Aber machen Sie sich bitte keine Sorgen, Frauen erleben nach der Geburt alle möglichen hormonellen Umstellungen, da ist solch eine kleine Verwirrung nicht weiter ungewöhnlich. Wie ich sehe, waren Sie« – pointiert schaute sie in meine Unterlagen – »recht umtriebig und zerfahren, seit Sie ihn bekommen haben, was Ihre Großmutter übrigens genauso sieht. Wie steht es mit dem Schlaf?«

Ich antwortete, oder zumindest kamen Wörter aus meinem Mund, aber meine Gedanken gingen derweil drunter und drüber und rempelten wild aneinander. Wer war alles in diese Sache verstrickt? Wie hatte das geschehen können? Ich würde wetten, diese kauzige Hebamme aus dem Krankenhaus steckte dahinter, die mit den komischen Wörtern. *War die überhaupt Hebamme?* Hatte sie ein Schlüsselband getragen? Ich starrte ihn an, diesen kleinen Jungen, Charlie, der zunehmend hungrig aussah.

Ich musste meine Tochter finden.

Unter Schmerzen zwang ich meinen Körper aufzustehen und ging zu meiner Großmutter. »Granny«, sagte ich. »Jemand hat meine Tochter mitgenommen – du musst mir helfen. Wir müssen das Krankenhaus informieren. Und die Polizei. Sofort.«

Bis zu diesem Augenblick hatte ich geglaubt, in Granny eine Verbündete zu haben, aber sie schaute mir geradewegs in die Augen und sagte: »Emily, es gab keine Verwechslung, und es hat auch niemand deine Tochter mitgenommen. Das hier ist dein Sohn Charlie, den du am Montag bekommen hast. Ich war dabei, als du ihn auf die Welt gebracht hast, und ich habe ihn seitdem keine Sekunde aus den Augen gelassen. Ich glaube, wir sollten zum Arzt gehen, um uns zu vergewissern, dass es dir auch wirklich gut geht.«

Die Hebamme stand in unserem winzigen Flur und telefonierte. Alles brach über mir zusammen. Die Krabbe mit den signalroten Punkten und den borstigen Scheren stand in unserem Garten, und Dad telefonierte mit der Familienhebamme und sagte ihr, dieses Baby sei nicht mein leibliches Kind.

»Granny...«

»Ja. Ich bin hier. Sprich mit mir, Liebes.«

Dieser Verrat war schlimmer als alles, was ich mir hätte ausmalen können, und ich konnte ihr einfach nicht in die Augen schauen.

»Du bist eine Lügnerin«, zischte ich, auch wenn sie mich nicht zu hören schien. »Eine geborene Lügnerin.«

Das Kind schrie wie am Spieß, Granny rief meinen Namen, und dann stand da ein Mann, ich glaube, es war der Briefträger, der Dad und mir immer die Post gebracht hat, als ich noch ganz klein war, damals, Anfang der 1980er-Jahre, als sie noch Schirmmützen trugen wie Postman Pat aus der Kinderserie.

Ich war zwanzig Jahre alt, man hatte mir mein Kind gestohlen, und ich hatte niemanden, der zu mir hielt.

Die Hebamme ging wieder, und ich gab schließlich klein bei und legte das Kind an meine Brust. Was hätte ich sonst auch tun sollen? Er fühlte sich ganz falsch an, und meine Brüste troffen traurig, weil sie ein anderes Kind nähren mussten, während mein eigenes verschwunden war.

Die Hebamme hatte irgendwie eine Überwachungskamera in der Reiseuhr auf Grannys Kaminsims versteckt. Über der Tür lauerte noch eine, und in der Küche vermutete ich einen ganzen Schwarm. Hunderte verborgener Linsen schwenkten hin und her, während ich rastlos durch das Haus lief.

Der Himmel verfinsterte sich immer mehr, als die Sonne anfing, über diesem Tag zu versinken, und über mir. Grannys Haus quoll über vor Blumen und entzückenden Baumwolllätzchen und selbst gestrickten Söckchen. Es gab eine Milchpumpe, auch wenn ich mich gar nicht daran erinnern konnte, gestern noch rausgegangen zu sein, um eine zu besorgen. Aber Granny behauptete, sie sei die ganze Zeit schon da gewesen.

Am frühen Abend schaute eine Ärztin vorbei. Sie sagte, sie wolle den psychosozialen Dienst einschalten, also wählte ich den Notruf und sagte ihnen, eine Gang aus Hampstead habe mein Baby entführt und versuche nun vorzugeben, ich habe eine psychische Störung. Ich weiß nicht mehr, was sie mir darauf sagten.

Der Himmel war mit rotbraunen Streifen durchzogen, und die Kamera in der edwardianischen Uhr beobachtete mich. Granny fütterte Charlie mit dem Fläschchen, was ihn nicht weiter zu stören schien. Ich flehte sie an, dieser Verschwörung Einhalt zu gebieten, aber sie meinte nur, sie habe mich lieb, und dann mussten wir beide weinen.

Die Leute, die abends vorbeikamen, hatten meine Tochter auch nicht dabei. Es waren zwei Frauen, eine Sozialarbeiterin und eine Psychiaterin, wie sie sagten, und sie seien da, um eine Begutachtung gemäß dem Gesetz zur Behandlung und Einweisung psychisch kranker Personen vorzunehmen. Eine von ihnen roch, als hätte sie gerade eben eine Zigarette geraucht. Ich sagte, ich müsse eben aufs Klo, aber eigentlich wollte ich oben auf die Dachterrasse steigen und versuchen, irgendwie über das Nachbarhaus, an dem ein Gerüst stand, abzuhauen.

Oder vielleicht lieber nicht das Gerüst? Wenn ich meine Tochter nicht wiederhaben konnte, wollte ich dann überhaupt noch leben? Ich könnte einfach vom Dach in die schwarzen Arme des anbrechenden Abends springen. Es würde schnell gehen. Dieser entzückende kleine Junge, Charlie, wäre im Handumdrehen wieder bei seiner Mutter, und... und...

Jemand packte mich am Fuß und hielt mich fest,

gerade als ich die Leiter zur Dachluke hinaufsteigen wollte. Unten weinte ein Baby.

Eine bodenlose Dunkelheit brach über mich herein, als ich in einem Zimmer saß, das aussah wie Grannys Küche, und Fragen beantwortete. Ich hatte mein Baby verloren. Und sie steckten alle unter einer Decke.

Leute redeten mit anderen Leuten, dann kam irgendjemand, um mit mir zu reden, über eine Einweisung und solches Zeug.

Irgendwann stimmte ich schließlich zu, in dieses Krankenhaus für durchgeknallte Mütter zu gehen, von dem sie die ganze Zeit erzählten, aber nur wenn ich mein eigenes Kind mitnehmen durfte.

Später, oder womöglich auch am nächsten Tag, schickten sie die Beklopptenkutsche.

Ich schrie Granny an: *Das werde ich dir nie verzeihen*, und sie weinte, was nur verständlich war, wenn man bedachte, was sie getan hatte, wobei sie dauernd sagte: »Ich kann sie nicht auch noch verlieren, bitte, ich kann sie nicht auch noch verlieren«, was überhaupt keinen Sinn ergab, schließlich war mein Kind gestohlen worden, nicht ihrs.

Vierzigstes Kapitel

North London & UCLH NHS Foundation Mental Health Trust Mother and Baby Unit – Psychiatrische Einrichtung für Mütter mit Kleinkindern, Camden Town

Ich lag im Bett und beobachtete die Gesichter vor meiner Tür. Uniformierte Gestalten, die wiederum mich beobachteten. Auf einem Stuhl gleich rechts neben dem Bett saß eine Frau mit einem Schlüsselband um den Hals und fütterte Charlie. Seine leibliche Mutter vielleicht? Es war schrecklich hier. Überall verschlossene Türen, nur die Tür zu meinem Zimmer blieb beharrlich offen, und die Badezimmertür hatte kein Schloss. Ringsum Spionagekameras und weinende Babys.

Gerade kam eine weitere Frau, die mich vorn in Empfang genommen hatte, herein. Zum zweiten Mal sagte sie mir, sie heiße Shazia – als ob mich das juckte! –, und redete mit mir über Beruhigungsmittel. Sie sagte mir, ich bräuchte unbedingt mal eine Nacht »geschützten Schlaf«.

»Wer dringend Schutz braucht, ist dieses Kind«, sagte ich. »Der Kleine wurde seiner Mutter weggenommen. Er ist noch keine Woche alt. Jemand anderer hat meine Tochter. Ich glaube, die Polizei sucht sie schon, und ich sitze hier fest. Auf keinen Fall beame ich mich mit Pillen weg. Ich glaube, Sie verstehen nicht, wie schrecklich die letzten Tage für mich gewesen sind…«

»Das verstehe ich«, sagte sie, und trotz allem mochte ich ihre Stimme irgendwie. »Ich verstehe das, Emily, weil ich mich tagtäglich um Frauen in deiner Lage kümmere. Ich weiß, dass du Angst hast, und ich weiß, dass du wütend bist, und vor allem weiß ich, dass du gerade überall sein willst, nur nicht hier.«

Als ich mich weigerte, die Medikamente zu nehmen, sagte sie, sie käme in einer halben Stunde wieder.

Ich kuschelte ein Weilchen mit Charlie, weil er so einsam war und weil ich mich vor diesem Ort gruselte, aber ich weinte um sie – um mein Mädchen mit dem Namen… mit dem Namen…

Hatten sie mich etwa längst unter Drogen gesetzt?

Ich fragte die Frau auf dem Stuhl, wo meine Großmutter sei, und sie schien erstaunt, hatte ich doch angeblich gesagt, ich wolle Granny nicht in meiner Nähe haben, aber schließlich willigte sie ein, Granny könne mich morgen früh besuchen. »Zuerst müssen wir allerdings eine gründliche Begutachtung vornehmen«, sagte sie. Sie hatte auch so eine angenehme Stimme. Ich nehme an, sie waren es gewohnt, Frauen in ein trügerisches Gefühl von Sicherheit zu lullen, ehe sie dann ihre Babys vertauschten und vorgaben, wir hätten alle den Verstand verloren.

Als der Tag sich dem Ende zuneigte, war ich so überreizt und mürbe, dass ich, um auch nur noch eine weitere Minute zu überstehen, entweder tot sein müsste oder bewusstlos. Also gab ich klein bei und ließ mir von Shazia die Pillen geben. »Ruhe dich schön aus«, sagte sie. Sie hatte Haare wie schwarzer Satin. »Charlie geht's bestens. Er schläft heute Nacht im Säuglingszimmer. Er nimmt die Flasche ganz wunderbar an.«

Ich trieb auf einem trägen Gezeitenstrom.

Tagelang hielten sie mich in diesem halb wachen Dämmerzustand, behaupteten aber standhaft, es seien nicht einmal zwölf Stunden vergangen und es sei Samstagmittag. Ich sei erst am Abend zuvor eingewiesen worden.

Shazia gab mir Charlie, und mit einem Mal überkam es mich mit aller Macht, wie sehr ich ihn liebte, so heftig, dass es fast schon wehtat. Aber schon am Nachmittag war der schwarze Himmel wieder aufgezogen, und ich weinte um meine Tochter.

Ich weiß nicht, wie lange es dauerte, bis ich wieder einigermaßen stabil war. Ich weiß nur, die Tage vergingen, und irgendwann hörte ich auf, an meine Tochter zu denken, und begann allmählich, mich mit ihren Erklärungen abzufinden: Wochenbettpsychose, Wahnvorstellungen, Manie, Euphorie, Stimmungsschwankungen. Viel Schmerz und viel Chaos. Niemand konnte mir erklären, warum das mit mir geschehen war.

Als ich schließlich nicht mehr so beschäftigt damit war, alles und doch nichts zu tun, fing ich an, mit den anderen Müttern auf der Station zu reden. Wir waren zu acht. Drei von ihnen verließen nur selten das Zimmer. Wir anderen saßen meistens im Gemeinschaftsraum und versuchten irgendwie zu verstehen, was da mit uns passierte.

Dinge wurden klarer und dann wieder verschwommener, aber das Essen war durchweg grässlich.

Im Zimmer nebenan wohnte Darya. Sie liebte ihre Tochter abgöttisch, sah aber keinen Sinn mehr im Leben. Eines Tages gab es einen Tumult in ihrem Zimmer, Leute schrien und rannten hektisch herum. Danach ließ das Pflegepersonal sie keinen Moment mehr aus den Augen. Ihr Mann besuchte sie regelmäßig, ich hörte sie auf Russisch miteinander reden, und sobald er aus ihrem Zimmer kam, fing er immer an zu weinen.

Während meiner Gespräche mit Shazia erinnerte ich mich daran, dass ich während der Schwangerschaft der felsenfesten Überzeugung gewesen war, ein Mädchen zu bekommen, was wohl einiges erklärte. Aber natürlich war es Charlie – es war immer Charlie gewesen, mit den schwarzen Knopfaugen und dem gerupften Haar und den kleinen zur Siegesfaust geballten Händchen, die immer einen Weg aus dem Wickeltuch fanden.

Nach und nach schaffte ich es, mich selbstständig den ganzen Tag um ihn zu kümmern, und ein oder zwei Wochen später durfte er dann auch über Nacht bei mir bleiben. Wenn er weinte, hielt ich seinen kleinen weichen Körper fest an mich gedrückt und betete, er möge sicher und geschützt sein. In der Welt da draußen lauerten unzählige Gefahren, und ich wusste nicht, wie ich ihn davor schützen sollte.

Ach, wäre ich doch bloß eine Napfschnecke, schrieb ich Jill. Ringsum von einer schützenden Schale und steinhartem Untergrund umgeben. Immer nur nach unten schauen, nie nach oben. Napfschnecken reproduzierten sich, indem sie ihre Larven ins Wasser entließen. Fertig, aus. Seelenqualen waren ihnen fremd.

Unser Tutor hatte sich geirrt. Das Leben war überhaupt nicht hart für Napfschnecken.

»Ich verfluche diese vermaledeite Krankheit«, seufzte Granny bei einem ihrer Besuche. Sie hatte Haferriegel mitgebracht und einen Roman und fand mich nach einem weiteren Rückfall in einem erbärmlichen Zustand vor. »Es ist grässlich unfair, dass ausgerechnet dir das passieren muss.«

Eine der Schwestern nahm sie beiseite und sagte ihr, sie solle das nicht sagen. »Aber es *ist* verdammt unfair«, wiederholte sie so laut, dass ich es hören konnte. »Sie haben ja keine Ahnung, was das Mädchen schon alles durchgemacht hat! Wussten Sie, dass sie, noch ehe sie mit der Schule fertig war, schon beide Eltern verloren hatte?«

Darauf wusste die Schwester nichts mehr zu sagen.

Als Granny wiederkam, sagte sie mir, Janice Rothschild wolle mich besuchen.

»Ich habe ihr gesagt, sie soll sich verpfeifen«, erklärte sie mir. »Aber ich wollte, dass du Bescheid weißt. Also, was meinst du?«

Ich wusste es nicht. Ich hatte keinen Schimmer, ob ich schon bereit war für fremde Menschen, mit ihrem Parfum und ihren Frisuren und Meinungen. Selbst Jill war mir zu anstrengend. Janice dagegen war mir inzwischen eine gute Freundin geworden, und das in einer Zeit, als sonst niemand, den ich kannte, mein Leben verstand. Als sie erfuhr, dass ich einen Rückzieher machen wollte, hatte sie mir einen unglaublich netten Brief geschrieben und einige der Babysachen dazugelegt, die sie schon gekauft hatte. Vorwürfe hatte sie mir keine gemacht.

Und bestimmt waren die Rothschilds doch mittlerweile auf dem besten Wege, ein anderes Kind zu adoptieren? Vielleicht hatten sie sogar schon eins, jetzt, wo ich so darüber nachdachte.

Ich sagte Ja.

Janice brachte einen wunderschönen Bademantel mit, in einer steifen Kartonpapiertüte mit geflochtenen Griffen und eine Unmenge von Seidenpapier. Sie redete ganz unbefangen und blieb bei einfachen Gesprächsthemen, und eine Weile vergaß ich fast, dass sie eine Frau war, die auf der Straße angesprochen und um Autogramme gebeten wurde. Sie sagte, es tue ihr sehr leid, sollte ich mich je von ihnen zu einer Adoption gedrängt gefühlt haben, und sie sorge sich, damit zu meinem Zusammenbruch beigetragen zu haben.

Sie sagte mir, sie und Jeremy hätten noch nicht das richtige Kind gefunden, schien aber durchaus zuversichtlich. Ich war ein klitzekleines bisschen erleichtert, das zu hören.

Die Tage vergingen, die Luft war feuchter und kühler. Ich wechselte Windeln und stillte mein Kind. Mein Alltag bestand aus Therapie, Bastelstunden und Schlafen – aber nie genug. Ich wusch Strampler in der Waschküche, ich schaute fern. Vor allem sehnte ich mich schmerzlich danach, so zu sein wie die anderen Frauen hier mit ihren Partnern und Ehemänner, ihrer zaghaften Hoffnung auf ein Leben jenseits von alledem. Ich hatte keine Pläne. Die nächsten fünfzig, sechzig Jahre lagen vor mir, so leer wie die winterliche See.

Mit Grannys Hilfe schrieb ich einen Brief an meine Universität, um ihnen mitzuteilen, dass ich nicht wiederkommen würde, und war gerührt, als mein Tutor prompt antwortete. Er versuchte mich zu überreden, mein Studium fortzusetzen, also ließ ich Granny einen Antwortbrief schreiben, in dem ich ihm absagte. Das Angebot, einfach weiterzumachen, war zwar nett, aber vollkommen unrealistisch.

Charlie schenkte mir sein erstes Lächeln und lag stundenlang schlafend auf meiner Brust. Es waren träge Herbsttage. Jill schickte mir ein Buch für ihn mit tropischen Fischen, und gemeinsam blätterten wir darin herum und schauten uns die bunte Welt an: Korallenriffe, Mandarinfische, Imperator-Kaiserfische, Fahnenbarsche. Er klammerte sich an meinen Finger und steckte sich die Spitze in den Mund. Die Babyhaare fielen ihm aus, und zarter blonder Flaum wuchs nach. Mein ganzer Körper schmerzte vor Liebe.

Der Nebel senkte sich immer noch gelegentlich über mich, aber flüchtig, wie ein gelegentlicher Besucher.

Ich fing an zu glauben, ich könne eines Tages wirklich wieder ganz gesund werden.

Und just in diesem Moment – als ich schon dachte, ich sei womöglich über den Berg – passierte es.

Einundvierzigstes Kapitel

Tagebuch von Janice Rothschild

1. November 2000
Emilys Großmutter sagte mir, ich könne ihre Enkelin besuchen.

Wirkt verzweifelt und ganz außer sich angesichts dieser ganzen Situation.

Habe einiges über Wochenbettpsychosen gelesen. Ich weiß, dass Emily sich wieder erholen wird. Aber was dann? Großmutter um die achtzig, und E. wird vermutlich nur sehr langsam genesen. Ich mache mir Sorgen um Emily, und ich mache mir Sorgen um Charlie.

Muss ständig daran denken, wie viel besser das Baby bei uns aufgehoben wäre, aber das darf ich nicht laut sagen. Vor allem nicht vor Jeremy. Er findet meine Besuche bei ihr unmöglich.

ABER: Wir haben einen Termin mit der Adoptionsbehörde wegen eines Neugeborenen, das womöglich schon sehr bald in die Vermittlung kommen könnte – (Wow! Uns hatten sie gesagt, das könnte Jahre dauern!) –, also lässt Jeremy mich machen.

Aber eigentlich hat er recht – sollte Emily wohl lieber nicht besuchen. Sache ist, ich mag sie. Erinnert mich ein bisschen an mich in ihrem Alter, ehe diese teuflische Reproduktionskiste mir alle Lebenskraft ausgesaugt hat.

Egal. Muss jetzt meinen Kram zusammenpacken für den Besuch.

2. November 2000

O Gott. O Gott. O Gott.

Vergangenen 24 Stunden laufen wieder und wieder in meinem Kopf ab, wie in Endlosschleife. Habe das Gefühl, verrückt zu werden. Würde alles dafür geben, dass es anders wäre. Bekomme dieses Bild nicht aus dem Kopf.

Das Schlimmste vom Schlimmen.

War gestern in der Psychiatrie, um Emily zu besuchen, und habe sie dabei erwischt, wie sie Charlie ersticken wollte.

War schon fix und alle, als ich ankam, was den Stress auch nicht besser machte – Jeremy und ich hatten uns am Abend davor gestritten: Er hat mich doch tatsächlich gefragt, ob ich versuchen möchte, Emily doch noch irgendwie umzustimmen. (Für was für ein Monster hält der mich?)

Habe geschrien, da hörte sie auf. Alarm ging los, Chaos, wurde aus dem Zimmer geführt, hörte sie aber noch weinen und betteln, sie sollten ihr Charlie wieder-

400

geben. Dachte wirklich, es ginge ihr besser – viel besser –, aber sie muss wohl einen Rückfall erlitten haben. Weiß doch, wie sehr sie ihn liebt. Würde bei gesundem Verstand nicht im Traum daran denken, ihm etwas anzutun.

Würde alles tun, um das Bild mit dem Kissen aus dem Kopf zu bekommen. Ertrage es nicht.

Jeremy hatte recht. Hätte sie nicht besuchen sollen.

Zweiundvierzigstes Kapitel

Emily

Ich wusste nichts, bis zu dem Moment, als Janice Rothschild plötzlich mitten im Zimmer stand und schrie: »STOPP! Emily! Stopp!«

Ich erstarrte. Irgendwelche Leute kamen angelaufen.

Janice sagte etwas zu einer der Schwestern, die versuchte, mir Charlie wegzunehmen, also hielt ich ihn ganz fest. Janice wurde aus dem Zimmer geführt. Sie weinte. Sie hatte eine Hand vor den Mund geschlagen, als hätte sie sich übergeben oder etwas mit ansehen müssen, das zu grässlich war, um es zu begreifen. Sekunden später war auch Shazia da.

Ich wusste nicht, was los war, nur dass es etwas Schlimmes sein musste. Vor zwei Tagen hatten sie die Dosierung meiner Antipsychotika herabgesetzt. Hatte ich womöglich irgendwas Verrücktes angestellt? Ich versuchte, die vergangene Stunde zu rekapitulieren, aber da war nichts, nur ein Meer glutroter Panik. Ein kreischendes Gitarrenriff spielte wieder und wieder in meinen Ohren, wie um mich daran zu hindern, dass ich mich erinnerte.

»Hilf mir«, sagte ich zu meiner Betreuerin. »Shazia, was machen die da?«

Shazia, die zum ersten Mal, seit ich hier war, sichtlich erschüttert wirkte, hockte sich neben mein Bett, wo ich saß und mich an Charlie klammerte.

»Wir müssen mit dir reden«, sagte sie. »Ohne Charlie. Gibst du ihn mir, Emily?«

Ich fing an zu weinen. »Warum? Was habe ich getan? Warum darf er nicht bei mir bleiben? Warum darf ich ihn nicht im Arm halten?«

Shazia legte mir beide Hände auf die Knie. »Vertraust du mir?«, fragte sie. »Vertraust du mir genug, dass ich ihn eben mitnehmen darf, damit wir uns in Ruhe unterhalten können? Und dann bringe ich ihn dir wieder zurück?«

Schluchzend legte ich ihr meinen kleinen Jungen in die Arme. Auch ohne zu fragen, wusste ich, dass mir keine andere Wahl blieb.

»Was ist passiert?«, fragte Shazia, als sie ohne ihn zurückkam. »Was hast du gemacht, Emily? Woran kannst du dich erinnern?«

Ich sagte ihr, dass ich es nicht wusste. Ich sagte es ihr wieder und wieder, bis meine Stimme sich vor Panik überschlug. Was dachten die denn alle, was ich getan hatte? Warum hatte Janice mich angeschrien?

»Was ist mit Charlie?«, fragte ich schließlich. »Ist er krank?«

Sie sagte mir, sie hätten ihn gerade untersucht, und allem Anschein nach fehlte ihm nichts. Da schluchzte ich schon wieder. Was immer ich getan hatte, es musste etwas Ernstes gewesen sein.

Irgendwann nahm Shazia mich dann an die Hand und führte mich in einen Raum, wo schon der Psychiater auf mich wartete, der jeden Morgen zu uns ins Haus kam. Und dann war da noch ein weiterer Mann, den ich nicht kannte, der sagte, er sei Sozialarbeiter. Er hatte große feuchte Augen, in denen ich sehen konnte, dass ich etwas falsch gemacht haben musste, trotz des schiefen Lächelns, mit dem er mich bedachte. So ein Lächeln, wie es die Leute immer dann aufsetzen, wenn man ihnen leidtut, sie aber nicht zu nett zu einem sein dürfen.

Shazia sagte mir, ich solle mich setzen, und erklärte mir dann, Janice sei ins Zimmer gekommen, gerade als ich versucht hatte, Charlie zu ersticken.

Undurchdringliches Schweigen legte sich über den Raum. Ich starrte sie an, sie starrten mich an. Gerade wollte ich schon laut Nein sagen, da sah ich es: Charlie, auf meinem Bett, und ein blassblaues Rechteck, das sich über sein Gesicht senkte. Mir blieb das Herz stehen, während ich dieses Bild zu deuten und umzudeuten versuchte, aber ich konnte es drehen und wenden, wie ich wollte, es blieb, was es war. Die Hände, die das blaue Rechteck gehalten hatten, waren meine gewesen.

Die drei anderen Personen im Zimmer schauten mich an. Da hing eine Uhr mit einer fast leeren Batterie, der große Zeiger zuckte nutzlos zwischen der Drei und der Vier.

Wieder rief ich mir das Bild ins Gedächtnis. Charlies Gesicht, wie er lachte und dann verschwand, während ich das blaue Rechteck über sein Gesicht senkte. Ein Kissen? Eine gefaltete Strickjacke?

Mir entfuhr ein seltsamer Laut. Es war mein Kissen gewesen.

»Janice ist ... Sie könnte recht haben«, wisperte ich ungläubig. Mein ganzes Leben brach mir unter den Füßen weg. »Ich glaube ... o Gott, nein.«

»O Gott, nein, was?«, hakte Shazia nach.

Ich schloss die Augen. »Ich glaube, sie hat recht.«

»Ganz sicher?«, fragte Shazia. Ich schlug die Augen auf. »Ich meine, bestimmt ...«

Der Sozialarbeiter schaute sie an, und sie unterbrach sich. »Erzähl uns einfach, was passiert ist, alles, woran du dich erinnern kannst«, sagte sie sanft.

Ich dachte wieder daran, an dieses Kissen. Hatte ich ihn damit ersticken wollen? *Wirklich?* Diesen kleinen Jungen, der schon jetzt die Liebe meines Lebens war?

Ein Stich in meinem Bauch, ein Schmerz wie Feuer. *Genau das* hatte ich vorgehabt. Das Kissen fest auf seinem Gesicht, dann wäre er sicher, weit weg von mir und dieser schrecklichen Welt.

Ich musste an Charlies vertrauensvolles Gesichtchen denken und schrie sie an, weil sie meine Dosierung herabgesetzt hatten. *Ich hab euch doch gesagt, ich bin noch nicht so weit!*, brüllte ich. *Ich hab es euch gesagt!*

Irgendwie brachte Shazia mich dazu, dass ich mich wieder hinsetzte.

Wir mussten es noch mehrmals durchgehen. Und jedes Mal tauchten neue Einzelheiten aus dem Schlick auf, und jede Einzelheit war unerträglich. »Ihr habt mir gesagt, Frauen in meinem Zustand tun ihren Kindern nichts an«, sagte ich immer wieder. »Ihr habt mir gesagt, es könne ihm nichts passiert. Ihr habt das gesagt. Ihr habt das gesagt.«

»Das passiert unglaublich selten«, entgegnete Shazia hilflos. »Und sollte es doch mal vorkommen, dann eigentlich nie absichtlich. Die Mütter wollen eigentlich nie …«

»Natürlich wollte ich das nicht«, heulte ich. »O Gott, hilf mir. Hilf mir.«

Später brachten sie mich wieder auf mein Zimmer und gaben mir Charlie zurück. Er schlief. Eine der Schwestern blieb bei mir im Zimmer, und ich wusste, ohne zu fragen, dass sie mich nicht allein lassen durfte.

»Es tut mir leid, so leid«, sagte ich wieder und

wieder zu meinem schlafenden Kind. »Ich hab dich so, so lieb. Ich hab dich so lieb wie sonst nichts auf der Welt. Ich hab dich lieb.«

Ich wollte sterben.

Meine Medikamente wurden umgestellt. Ich schlief zwei ganze Tage. Als ich aufwachte, rief ich Janice an.

»Ich will die Adoption«, sagte ich zu ihr.

Sie versuchten, mich davon abzuhalten. Es gab endlose Treffen und Beratungen, selbst die anderen Mütter versuchten, es mir auszureden. Aber im Grunde genommen war es ganz einfach: Ich wollte Charlie in Sicherheit wissen. Ich wollte, dass er ein gutes Leben hatte – ein tolles Leben sogar –, und das ging bei mir nicht.

Nachts lag ich wach zum Klang des Gitarrenriffs, das eingesetzt hatte, als Janice mich auf frischer Tat ertappte, und das in meinem Kopf endlos widerhallte wie ein Schrei. Mein Körper war ein einziger Schmerz ohne Befund. Kein Medikament, das sie mir gaben, machte es irgendwie erträglicher, und ich konnte nichts weiter tun, als zu weinen und Charlie wieder und wieder zu sagen, wie leid es mir tat.

Mein Herz brannte vor Selbsthass. Es zerfraß sich zu einem harten Klumpen, und als sie endlich ein-

sahen, dass ich Charlie an Janice und Jeremy übergeben wollte, zersprang es wie Glas.

Ich fürchtete damals, es würde nie heilen. Und
das ist es auch nicht.

Dreiundvierzigstes Kapitel

Tagebuch von Janice Rothschild

7. Dezember 2000

Unser kleiner Junge ist da! Er ist zu Hause!

Kein Vorhang kommt auch nur annähernd an dieses Gefühl heran. Bin außer mir vor Liebe und Freude und Aufregung und Angst und Erschöpfung und Adrenalin – selbst wenn Charlie heute Nacht schläft, ich kann es einfach nicht. WIR HABEN EIN BABY! Unseren wunderschönen, perfekten kleinen Jungen!

Aber, Himmel. Die Übergabe = furchtbar. Hatte nicht damit gerechnet, dass Emily ihn uns selbst übergibt. Es gibt wohl keine allgemeinen Verhaltensregeln für Fälle wie diesen, aber trotzdem – es war erschütternd. Sie bekam kaum Luft. Drückte ihm immer wieder Küsse auf den Kopf, vergrub das Gesicht in seinen Haaren, rang um Atem. Noch ehe sie an der Tür war, fing sie haltlos an zu schluchzen. Einfach schrecklich. So viele Schuldgefühle, und Emilys Betreuerin Shazia war echt mies zu uns, was die Sache nicht besser machte. Weiß auch nicht, wieso. E. hat mich ange-

fleht, Charlie zu nehmen, was hätten wir denn tun sollen?

Erwartete bis zuletzt, E. würde schreiend rausgerannt kommen, weil sie es sich doch noch mal anders überlegt hat. Übersteigt meine Vorstellungskraft, mir auszumalen, wie ihr zumute sein muss. Sich nicht in der Lage zu sehen, sich selbst um ihn zu kümmern. Ihn jemand anderem überlassen zu müssen.

Aber mein Leben war auch kein Zuckerschlecken. Sieben Fehlgeburten. Komme mir vor wie in einer griechischen Tragödie. E. möchte, dass ich Charlie nehme, und ich möchte seine Mum sein. Ich möchte glücklich sein. Sollte nicht wenigstens eine von uns glücklich sein?

David scheint mir wie erwartet etwas zu zufrieden mit »unserem kleinen Plan« zu sein und hat schon die Papiere für eine Pflegschaft unterschrieben. War ein bisschen nervös, was wohl passieren würde, wenn er seinen Sohn das erste Mal sieht, aber er war vorhin hier und fand C. zwar allem Anschein nach ganz süß, aber ansonsten kein Innehalten, keine Verunsicherung – nichts. Hat bloß Champagner getrunken, Blödsinn geredet und ist dann gegangen. Typisch.

Oh, und beim Verlassen der Mutter-Kind-Station ist was ganz Fieses passiert – sind von einem Paparazzo abgelichtet worden. Jeremy scheint ganz sicher, dass sie die Fotos ohnehin nicht bringen können, weil Charlie minderjährig ist, aber ich habe so meine Zweifel. Sollten sie doch gedruckt werden, müssten die Leute

410

annehmen, wir hätten ein Baby bekommen – an sich gut –, aber sie werden mich auch bis an mein Lebensende bei Interviews nach meiner Wochenbettdepression fragen. Was soll ich denn dann sagen?

So viele Variablen. So viele Schuldgefühle. Ich fühle mich nicht wie die vernünftige Alles-im-Griff-Mutter, die Emily in mir sehen möchte.

Aber das wird noch. Es muss. Ich muss einfach so tun als ob. Das ist mein Job. Das habe ich gelernt.

4 Uhr

Habe kein Auge zugetan. Habe panische Angst. Schaue immer wieder aufs Handy, ob sie vielleicht anruft und ihn zurückverlangt. Nichts und niemand könnte sie daran hindern. Das Gesetz ist auf ihrer Seite, bis das endgültige Gerichtsurteil unterschrieben ist, und das könnte noch über ein Jahr dauern.

Weiß nicht, ob ich das schaffe. Mit dieser Angst im Nacken zu leben.

12. Dezember

Eine »Journalistin« hat mich angerufen. Hat mir gesagt, sie hätten Fotos von mir, wie ich gerade eine Mutter-Kind-Station verlasse, und sie wollten eine Story dazu bringen. Ob ich bereit sei, darüber zu reden?

Wieder so ein Moment, den ich nie vergessen werde. Der Moment, in dem eine Frau eine andere Frau erpresst, über ihre Wochenbettdepressionen zu reden.

Jeremy versucht nun schon den ganzen Nachmittag, dem einen Riegel vorzuschieben, aber die Zeitung und ihr schmieriger kleiner Anwalt sind gut vorbereitet und bleiben knallhart dabei, die Fotos bringen zu wollen.

15. Dezember

Die »Story« ist nicht viel mehr als ein Foto von uns, wie wir die Station verlassen, mit der Bildunterschrift Jeremy und Janice Rothschild verlassen Anfang des Monats eine Mutter-Kind-Station für Mütter mit perinatalen psychischen Erkrankungen. Das Foto ist so groß, dass es fast die ganze Seite füllt.

Die Presse kam vorbei und stand ein paar Stunden vor dem Haus. Inzwischen sind sie wieder weg. Nur einer dieser widerlichen Schmierfinken drückt sich immer noch draußen rum, aber dem wird das sicher auch bald zu dumm. Wie ich sie alle verabscheue.

Die Adoptionsstelle war nicht gerade erfreut über diese unerwartete Wendung, aber gerade eben kam ein Anruf von ihnen, und sie meinten, wir dürfen ihn gerne weiterhin behalten, unterliegen aber auch zukünftig regelmäßigen Überprüfungen.

19. Dezember

Die Angst lässt mich nachts nicht schlafen. Die Angst, Emily könnte es sich doch noch anders überlegen, Angst um Charlie, Angst um mich selbst. Bin so müde von dieser ständigen Angst. Muss immer wieder daran

denken, was wohl in Emilys Kopf vorgeht. Was sich
dort abspielen mag.
Wird sie ihn wiederhaben wollen?
Es ist kaum auszuhalten.

Vierundvierzigstes Kapitel

Emily

Ein Jahr später
Dezember

Am Abend des Tages, als Charlies Adoption endgültig durch das Gericht bestätigt wurde, ging ich
zum ersten Mal seit Monaten wieder vor die Tür
von Grannys Häuschen.

Später fand ich mich dann unversehens vor Janice'
und Jeremys Haus wieder, mitten in einem Wolken-
bruch. Es war ein wunderschöner vierstöckiger geor-
gianischer Altbau, nur durch eine baumbestandene
Allee von Highbury Fields getrennt. Die imposante
Haustür wurde von Säulen eingerahmt, und auf
einem handgravierten Schild am Briefkasten stand
KEINE WERBUNG, denn hier war man viel zu wichtig und kosmopolitisch für Handwerkerdienste und
Pizzaservices.

Durch das Fenster konnte ich direkt in die Küche

gucken, auf die Kochinsel aus Marmor, größer als das Wohnzimmer meiner Granny. Daran saß Jeremy und las irgendwas auf seinem Laptop.

Ich stand reglos im Regen und beobachtete ihn eine Weile. Er hatte die Krawatte ausgezogen, die sich um den Computer ringelte, und ein Glas Rotwein stand in Reichweite. Wenn Charlie zu reden anfing, würde er diesen Mann Daddy nennen. Dieses Haus, diese Menschen waren sein Ökosystem.

An einem Ende des riesigen Esstischs stand ein Hochstuhl.

Ich grub die Fingernägel in die Handflächen und atmete in den Schmerz. Im vergangenen Jahr war ich hin und wieder zu einer Selbsthilfegruppe für Mütter, die ihre Kinder zur Adoption freigegeben hatten, gegangen, und viele von ihnen hatten davon geredet, man solle »dem Schmerz vertrauen« oder »in ihn hineinatmen«.

Seit zwei Uhr heute Nachmittag war mein kleiner Junge nicht mehr mein Sohn, und ich konnte nichts mehr dagegen tun. Atemübungen? Einen Scheiß.

Für einen kurzen Moment stellte ich mir vor, nicht Janice wäre da oben bei Charlie, sondern ich: würde ihn baden, mich nass spritzen lassen, ihm seine Spielsachen reichen. Oder vielleicht in Grannys kleinem Badezimmer, mit den knarzenden Dielenbrettern und dem Fenster, das nicht richtig schloss.

Vor Schmerz hätte ich mich am liebsten auf dem regennassen Gehweg zusammengerollt.

Eine ganze Weile stand ich da, frierend und nass, bis Janice plötzlich in die Küche kam, mit einer Babyflasche in der Hand. Noch ehe sie die Flasche abstellte, marschierte sie schnurstracks ins Wohnzimmer und schaute aus dem Fenster.

Es war längst dunkel, und ich stand auf der anderen Straßenseite unter einem Baum. Viel zu spät ging mir auf, dass ich jedoch dicht neben einer Straßenlaterne stand. Sie sah mich sofort. Sie drückte das Gesicht gegen die Scheibe und schirmte die Augen mit den Händen ab, um besser sehen zu können. Ich wagte es nicht, mich vom Fleck zu rühren. Ich hatte die Kapuze hochgezogen, mein Gesicht würde sie also nicht erkennen können, aber sie wusste es. Ich spürte ihre Gegenwart wie sie meine. Alarmiert drehte sie sich um und rief nach Jeremy.

Ich rannte los, huschte in die schützenden Schatten hinter dem Freizeitzentrum und spurtete mit untrainierten Beinen in Richtung Highbury und Islington Station.

Dumm. Ich war so dumm. Was hatte ich mir dabei bloß gedacht?

Jeremy holte mich ein, als ich gerade an die Fußgängerampel kam. Ich hätte mich losreißen sollen, als ich die Hand am Ellbogen spürte – hätte wegrennen

416

sollen –, aber ich blieb einfach stehen und drehte mich um. Schon lange hatte mich außer Granny und meiner Ärztin niemand mehr angefasst.

»Emily?«

Ich schüttelte den Kopf. »Nein.«

»Emily…« Sanft zog er mich über die Straße auf den Bürgersteig. Der Regen trommelte auf meine Kapuze nieder.

»Sie sah aus, als würde sie jeden Abend aus dem Fenster gucken« war das Einzige, was ich herausbrachte.

»Tut sie.« Jeremy zog vergeblich die Schultern gegen den Regen hoch.

»Wieso? Hattet ihr beiden Streit?«

Jeremy schüttelte den Kopf. »Nein. Charlie geht es gut. Sie war nur… Sie war nur immer so nervös, seit er zu uns gekommen ist. Sie hat immer befürchtet, du könntest es dir noch mal anders überlegen.«

»So nervös, dass sie ständig aus dem Fenster schaut?«

Nach kurzem Zögern nickte Jeremy. »Sie ist so lieb zu Charlie«, sagte er »Darum brauchst du dir überhaupt keine Sorgen zu machen, aber… egal, jetzt, wo alles geregelt ist, wird sie hoffentlich endlich einen Schlussstrich ziehen können. Und anfangen, sich als echte Mutter zu fühlen.«

Damit hatte ich nicht gerechnet. Die Szenen in meinem Kopf hatten mir Janice und Jeremy immer als stolze Eltern gezeigt, die mit strahlendem Lächeln ihr schlafendes Baby betrachten, um dann nach unten zu gehen, gemeinsam ein Glas Wein zu trinken und sich darüber zu unterhalten, was sie im Laufe des Tages alles Schönes erlebt hatten. Nie wäre es mir in den Sinn gekommen, sie könnten sich Sorgen machen. Vor allem nicht meinetwegen. Wegen Emily Peel, die monatelang nur im Bett gelegen hatte und kaum in der Lage gewesen war, für sich selbst zu sorgen.

»Ich war noch nie da«, sagte ich. »Heute war das erste Mal. Und auch das letzte.«

Er wollte etwas sagen, aber ich unterbrach ihn.

»Ich werde mir nie verzeihen, was ich getan habe«, erklärte ich. »Mein Leben ist ein Scherbenhaufen. Aber ihr braucht euch keine Sorgen zu machen, Jeremy. Ich stalke euch nicht. Es war nur ein ... Ich weiß auch nicht. Die Endgültigkeit, weil mit dem Gerichtsbeschluss jetzt alles entschieden ist. Ich bin wohl in Panik geraten.«

Er nickte. »Verstehe. Aber das war ganz furchtbares Timing, und das darf nie wieder vorkommen – Janice ruft die Polizei, wenn du uns weiter behelligst, und ich werde sie nicht davon abhalten.«

Ich schloss kurz die Augen gegen den Regen.

»Tut mir leid, Jeremy. Ich verstehe das. Aber bitte

sag ihr nicht, dass ich es war. Sie macht sich sonst nur unnötig Sorgen.«

»Auf jeden Fall. Ich sage ihr, es war irgendein Verrückter.«

Beinahe hätte ich gelächelt. Und er auch.

»Ich... ich will nur wissen, dass es Charlie gut geht«, stammelte ich. Da war sie wieder, diese unstillbare Sehnsucht. Wie eine Tiefseewoge stieg sie in mir auf. »Sag mir, dass er fröhlich und zufrieden ist.«

»Ist er«, bestätigte Jeremy sanft. Ein Bus mit beschlagenen Fenstern hielt hinter ihm am Straßenrand. »Ach, Emily. Es geht ihm ganz prima, er könnte gar nicht fröhlicher und zufriedener sein. Um ihn brauchst du dir wirklich keine Sorgen zu machen.«

Ich nickte, weil ich keinen Ton herausbrachte. Fahrgäste strömten aus dem Bauch des Busses.

»Wir werden ihm nie sagen, was wirklich passiert ist«, versicherte er und hatte plötzlich irgendwie die freundlichste Stimme der Welt. »Wir sagen ihm einfach, du warst jung und überfordert von der ganzen Situation und dass du dich nicht in der Lage gesehen hast, ihn zu behalten. Er wird nie erfahren, was passiert ist... an diesem Tag...«

»Danke«, flüsterte ich.

Er nickte. »Kümmert deine Großmutter sich gut um dich?«

Ich stopfte die Hände in die Taschen. »Nicht so richtig. Sie hatte einen Virus, der sie umgehauen hat. Ich weiß nicht, wie viel Zeit ihr noch bleibt.«

»Tut mir leid, das zu hören.«

»Ja. Aber ich muss mich entschuldigen. Aufrichtig. Ihr werdet mich nicht wiedersehen.«

Ohne jeglichen Plan drehte ich mich um und trottete in den Regen davon.

Mein kleiner Junge. Mein süßer, winziger Charlie, inzwischen ein Krabbelkind mit reichen Eltern und einem großen Haus am Park. Per Gesetz von mir ferngehalten.

Und wenn ich nur eines im Leben richtig machte, dachte ich mir, während ich die Holloway Road entlangging, wenn er mir *wirklich* am Herzen lag, dann würde ich nie wieder in seine Nähe gehen.

Fünfundvierzigstes Kapitel

Emily

Vier Monate später
April

Es war kaum was los auf dem Spielplatz.

Zwei Mütter saßen zusammen und knabberten Kekse, und einer ihrer Sprösslinge spielte in einem Holzboot. Ein einsamer Vater mit seinem Baby. Ein paar Teenager in Schuluniform, die Chicken Nuggets aus einer Pappschachtel mampften.

Ich saß am Rand des Sandkastens unter ein paar jungen grünen Lindenbäumchen und beobachtete meinen Sohn. Charlie spielte in einem roten Zug, nur einen Katzensprung entfernt. Wenn ich mich anstrengte, konnte ich mich an den Duft seiner daunenweichen Haut erinnern und mir einreden, die Brise wehte ihn herüber.

»Tufftitufftituff«, brummte er. Töff?

Ich hab dich so lieb.

Janice lachte mit der anderen Frau, lachte, als lebte sie das herrlichste Leben, das man sich nur vorstellen kann. Charlies Haare waren beinahe weißblond, die kleinen Bäckchen pummelig. Ich musste weg hier. Ich hätte ihm nie so nahe kommen dürfen.

Ich rührte mich nicht vom Fleck.

Ganz unvermittelt kam Charlie auf der Seite aus dem Zug geklettert, auf der ich saß, und guckte mich direkt an. Nach kurzem Zögern lächelte er. Mein Sohn lächelte mich an, als erinnerte er sich an mich. Als hätte er mich nie vergessen.

Ich stand auf und rückte weg, schob mich langsam zwischen die Bäume. »Hallo!«, flüsterte ich und wandte mich zum Gehen. »Und leb wohl!« Aber er kam mir nach, über eine kleine Böschung, weg vom Zug und dem Sandkasten.

Durch die jungen Bäumchen sah ich Janice, die immer noch mit ihrer Freundin plauderte. Ahnungslos.

Ganz fix, noch ehe ich mich bremsen konnte, rannte ich zu Charlie und drückte ihn ganz fest, schloss die Arme um seinen stämmigen kleinen Körper und schnupperte an seinem Haar. »Ich hab dich lieb«, flüsterte ich, hinein in eine Lawine aus Schmerz und Glückseligkeit. »Ich werde dich immer lieb haben.«

Dann ging ich. Ich hörte Janice erst rufen und dann schreien, während ich um das kleine Wäldchen ging und auf das östliche Tor zuhielt. Ich wusste, dass ihm nichts passieren konnte – das Tor war abgeschlossen, und um vorn rauszulaufen, müsste er an Janice vorbei. Sie musste ihn jeden Augenblick finden.

Ich hörte ihre Schreie erst leiser werden und dann wieder lauter, und dann, gerade als ich durch das Tor schlüpfte, hörte ich, wie sie Charlie entdeckte. Lautes Schluchzen, Heulerei: *Wo warst du denn, o Gott, ich habe mir solche Sorgen gemacht… O Gott, Charlie, mein Kleiner…*

Ich ging ganz langsam, um keine Aufmerksamkeit zu erregen. Das Herz schlug mir bis zum Hals.

Ich brauchte Hilfe.

Das war nun schon das fünfte Mal, dass ich das gemacht hatte. Einfach in Highbury auftauchen, wenn mir alles zu viel wurde. Aus sicherer Entfernung meinem Sohn zusehen, wie er so mit Janice und Jeremy lebte.

Janice schien sich allmählich zu entspannen; sie schaute sich nicht mehr ständig so gehetzt nach mir um. Ich hatte in der Bushaltestelle gegenüber vom Trevi gesessen und zugesehen, wie Charlie drinnen an einem der Fenstertische saß und Spaghetti zu essen versuchte. Ich hatte sie aus dem kleinen Eckladen gegenüber vom Hen and Chickens beobachtet, hatte sie zweimal im Park beobachtet. Nie blieb ich länger als ein paar Minuten. Gerade lange genug,

um mich wieder etwas zu erden, um meine kreischenden Nerven mit dem Anblick meines Babys zu
beruhigen.

Ich brauche Hilfe.

Ich ging weiter in Richtung Highbury Place, den
Spielplatz im Rücken, und konzentrierte mich auf
meine Füße. Einen vor den anderen.

Linker Fuß, rechter Fuß.

Ich brauche Hilfe.

Sechsundvierzigstes Kapitel

Tagebuch von Janice Rothschild

Hielt ihn in den Armen, weinte, küsste ihn, schimpfte mit ihm. Spürte die abschätzigen Blicke der anderen Eltern. Im Ernst? Ein Kind anbrüllen, bloß weil es zwischen den Bäumen rumgestreunt war?

Ich sammelte mein Handy ein, das mir bei der verzweifelten Suche nach Charlie runtergefallen war. Konnte nicht aufhören zu schluchzen. Schaffte es irgendwie, Jeremy zu sagen, dass Charlie wohlbehalten wieder da war.

Dann sagte Jeremy, er habe Emily Peel gesehen, als er durch den Park gelaufen ist, um mir zu helfen.

Die ganze Welt stand still. Ich konnte es nicht fassen.

Und konnte es doch irgendwie. Ganz und gar. Eine Wut überkam mich, eine Wut, wie ich sie noch nie gekannt habe.

J. nahm Emily mit zur Polizeiwache in Islington. In den letzten Monaten hat er immer so einen auf »arme Emily« gemacht, aber damit ist jetzt Schluss.

Sie würde ihre Strafe bekommen, meinte er, mit dieser Stimme, bei der sämtliche Politiker sich in die Hose machen. Versprach, die Presse mit allen Mitteln fernzuhalten.

Aber wie sollen wir sie nur endgültig loswerden? Sie wohnt gerade einmal fünfundzwanzig Minuten von uns entfernt. Und sie wird nicht aufgeben, das sagt mir mein Bauchgefühl.

Gerade als ich schon fast geglaubt habe, uns könnte nichts mehr passieren.

30. September 2002

Ein auf zwei Jahre befristetes gerichtliches Kontaktverbot.

Das hat sie bekommen.

Zwei Jahre? Für eine versuchte Kindesentführung? Ich kann nicht logisch denken und auch nichts tun. Panikattacken, kann nicht schlafen. Meine Therapeutin meint, ich soll eine Traumatherapie machen, meint, ich litte unter einer posttraumatischen Belastungsstörung. Ich kann Charlie nicht aus den Augen lassen.

Emily hat dem Richter was vorgemacht, ihm eine Bockmistgeschichte erzählt, sie hätte ihn »nur mal kurz sehen« wollen. Er sagte, es lägen keinerlei Beweise gegen sie vor, die belegen, dass sie Charlie tatsächlich entführen wollte, musste uns aber beipflichten, dass sie uns belästigt.

Habe auf der Straße auf sie gewartet. Ließ mich von

Jeremy nicht davon abhalten. Er hat es versucht, aber ich wollte nichts davon hören. Schließlich ist er dann allein nach Hause gegangen.

Dauerte ewig, bis sie endlich rauskam. Ganz allein. Hat abgenommen. Hätte mich nicht gewundert, wenn der Richter auf ihr hübsches Äußeres reingefallen wäre.

Am liebsten hätte ich sie vor einen Bus geschubst.

Du wolltest doch, dass ich Charlie eine verlässliche, ausgeglichene Mutter bin, und trotzdem stellst du mir nach? Ist das dein Ernst? Du hast dich im Gebüsch hinter dem Spielplatz versteckt und versucht ihn wegzulocken? Wie kannst du es wagen – wie verdammt noch mal kannst du es wagen?

Wie soll ich Charlie ein sicheres Zuhause geben, wenn ich mich selbst nirgendwo mehr sicher fühle? Du hast damit so viel kaputtgemacht. So verdammt viel.

Stattdessen bin ich zu ihr hingegangen, ganz ruhig und gefasst, und habe ihr sehr, sehr leise gesagt, dass sie dafür bezahlen wird, was sie mir angetan hat.

Fühlte mich besser, größer, als ich dann ging.

Und es war mir ganz ernst. Ganz gleich, wie lange es auch dauert, sie wird dafür bezahlen.

Siebenundvierzigstes Kapitel

Emily

Nach meiner Verurteilung ging ich wieder an die Uni. Drei ereignislose Jahre später machte ich meinen Abschluss und änderte meinen Namen. Die Frau, die Charlies Familie terrorisiert hatte, verschwand aus den Akten.

Ich war nicht einmal in die Nähe der Rothschilds gegangen und hatte es auch nicht vor. Stattdessen hatte ich die alles verschlingende Kraft meines Kummers in die Suche nach meiner Krabbe gesteckt. Immer wenn ich ein paar leere Tage hatte – und leere Tage gab es viele, in diesen frühen Jahren –, fuhr ich nach Northumberland, um nach ihr zu suchen. Weder fand ich sie, noch stellte ich die Suche ein. Ich machte einfach immer weiter.

Ich machte meinen Master in Plymouth, und irgendwann bot man mir dort eine Forschungsstelle an. Langsam begann mein Leben, den Mindestanforderungen an »normal« zu genügen. Manchmal war es sogar richtiggehend angenehm, immer vorausgesetzt, dass ich nicht zu viel darüber nachdachte, was hinter mir lag. Emma wurde immer mehr wie die junge Emily gewesen war, und die Menschen mochten sie und suchten ihre Gesellschaft. Dafür sorgte ich.

Ich weiß nicht, ob ich glücklich war, aber mein Leben hatte Sinn und Zweck, und meistens war ich von Menschen umgeben. Das schien zu genügen.

Granny starb ein paar Jahre später. Ein Mann namens Leo rief mich wegen ihres Nachrufs an, und ich wusste, noch ehe wir uns das erste Mal gesehen hatten, dass das Leben mir eine zweite Chance geben wollte.

Und diese zweite Chance war wunderbar, viel wunderbarer, als ich es je zu hoffen gewagt hätte. Mein Körper heilte, mein Herz lernte wieder zu lieben.

Aber immer bleibt eine Lücke, ein Schatten im Sand. So ist es, wenn man jemanden verliert: Man kann den Verlust nicht ungeschehen machen, ganz gleich, was man auch dazugewinnen mag.

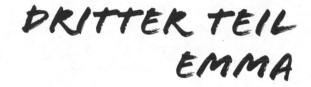

DRITTER TEIL
EMMA

Achtundvierzigstes Kapitel

Leo

Jeremy beobachtet mich.

Ich spüre alles und nichts. Wir sitzen zusammen, zwei Männer ohne ihre Frauen, verbunden in einem Albtraum, von dem ich nichts ahnte.

»Mir ist nicht wohl bei dem Gedanken, dass Sie das alles von mir erfahren«, sagt Jeremy nach langem Schweigen. »Aber wenn es Ihnen herauszufinden hilft, wo Emma stecken könnte...«

Völlig konsterniert reibe ich mir die Augen. Diese Frau, die Jeremy beschrieben hat, ist mir fremd. Diese Frau, die er seit beinahe zwanzig Jahren kennt. Ich weiß nicht, wie sie tickt oder wie sie Entscheidungen fällt. Liebe ich sie? Könnte ich sie lieben? Hat sie mich je geliebt, oder war das alles bloß gespielt?

Emma ist Emily. Sie hat Jeremys Cousin kennengelernt, ist von ihm schwanger geworden. Hat der Adoption des Babys durch die Rothschilds zugestimmt, es sich dann aber anders überlegt, eine Wochenbettpsychose erlitten und versucht, ihr Baby zu ersticken. Dann hat sie der Adoption doch zugestimmt, *nur um die Rothschilds anschließend wiederholt zu belästigen und zu verfolgen.*

»Das ist … das ist ein Albtraum«, stammele ich schließlich.

Irgendwo im Haus piepst eine Waschmaschine. Für einen Augenblick entkomme ich der Hölle in meinem Kopf, indem ich mir Jeremy Rothschild beim Wäscheaufhängen vorzustellen versuche, aber ich kann mich nicht darauf konzentrieren. Weder auf ihn noch auf sonst irgendwas.

Ich weiß ein bisschen was über Wochenbettpsychosen. Ich musste vor ein paar Jahren einen Artikel über eine Frau schreiben, die mit ihrem Baby von einer Brücke gesprungen ist – eine der erschütterndsten Geschichten, die ich je gehört habe. Aber Emma? Wie konnte sie – wie konnte *irgendwer* – ein solches Trauma durchleben, ohne einer Menschenseele davon zu erzählen?

Aber sie hat es jemandem gesagt, geht mir auf, als die Wahrheit mir langsam dämmert. Jill, die pünktlich zu Rubys Geburt bei uns hereingeschneit ist und stur dablieb, bis Ruby gut zwei Wochen alt war. Jill, die Emma und Ruby nicht aus den Augen ließ, selbst wenn sie auf dem Sofa ein Nickerchen machten.

Jill wusste es.

Bei dem Gedanken werde ich so wütend, so tief-traurig, dass ich beinahe aufstehe und gehe. Aber was dann? Ich habe noch so viele Fragen an Jeremy.

Ich halte mich an seinem Küchentisch fest. Konzentriere mich auf meine Atmung, wie Emma es mir beigebracht hat.

Emily. Emily Ruth Peel, mit einem erwachsenen Kind und einem Vorstrafenregister.

»Und diese Entführung?«, frage ich schließlich. »Was ist da passiert?«

»Sie hat sich in einem kleinen Wäldchen auf dem Spielplatz versteckt. Charlie ist verschwunden. Und just als Emma den Spielplatz verlassen hat, ist er wieder aufgetaucht.«

Ich stütze den Kopf in die Hände. »Und das war nicht noch während ihrer Wochenbettpsychose?«

»Das war über ein Jahr später, Leo. Ich glaube, es ging ihr hundeelend, aber eine Psychose hatte sie ganz bestimmt nicht.«

Ich stelle mir vor, Ruby würde im Park spurlos verschwinden. Der reinste Albtraum. Unvorstellbar, dass Emma anderen Eltern so etwas antun könnte.

»Was hat Emma denn damals dazu gesagt?«, frage ich. »Was hatte sie zu ihrer Verteidigung zu sagen?«

Jeremy windet sich. »Na ja, tatsächlich hat sie die Entführung rundweg geleugnet. Und behauptet, sie hätte ihn bloß vom Spielplatzrand beobachtet. Der Richter hat ihr wohl geglaubt.«

Ein winziges Steinchen fällt mir vom Herzen. »Na ja, ich bin auch geneigt, ihr zu glauben«, sage ich. »Emma würde doch nie…«

Noch ehe ich den Satz beendet habe, kommen mir erste Zweifel. Emma ist nicht nur zu kleinen Notlügen fähig, sie hat unser ganzes gemeinsames Leben auf einem Lügengespinst aufgebaut. Sie ist, im wahrsten Sinne des Wortes, nicht, wer sie vorgibt zu sein. Wie kann ich da behaupten, sie wäre nicht in der Lage, ein Kind aus dem Park mitzunehmen?

Ich schaue Jeremy an. »Was haben *Sie* denn damals geglaubt?«

Er runzelt nachdenklich die Stirn.

»Ich konnte mir auch nur schwer vorstellen, dass sie ihn wirklich mitnehmen wollte«, gesteht er schließlich. »Aber Tatsache ist, Charlie war mehrere Minuten lang verschwunden, und als Janice ihn gefunden hat, stand er direkt vor dem Tor, durch das Emma aus dem Park gegangen ist. Das kann doch kein Zufall sein. Vor allem wenn man bedenkt, dass sie zugegeben hat, ihn und Janice in den Monaten zuvor wiederholt heimlich beobachtet zu haben.«

»Aber wenn das Gericht der Überzeugung war, dass es keine versuchte Entführung war, warum dann das Kontaktverbot?«

Jegliche Gefühlsregung verschwindet aus Jeremys Gesicht. »Verzeihung«, sagt er, »aber haben Sie vielleicht gerade überhört, dass Emma uns bestimmt ein halbes Jahr lang immer wieder verfolgt hat?«

Er verliert langsam die Geduld. »Können Sie sich vorstellen, wie belastend das war? Die Entführung brauchte es da nicht. Sie hat uns belästigt.«

»Aber wenn sie ihn doch bloß sehen wollte, erscheint es mir etwas drastisch, gleich…«

Jeremy fällt mir ins Wort. »Vorsicht«, sagt er. »Ganz vorsichtig, Leo.«

Ich bitte um Entschuldigung, aber die Stimmung droht nun jeden Augenblick zu kippen.

»Die ganze Geschichte war unglaublich verstörend und belastend«, sagt Jeremy. Ein winziger Nerv zuckt über seinem Auge, man sieht es nur von Nahem. »Und was noch viel schlimmer ist, vor vier Jahren hat es wieder angefangen. Mit den Belästigungen.«

»*Was?*«

»Ich habe eingewilligt, mich nach ihrer Krebsdiagnose mit ihr zu treffen. Sie hatte Angst, sie könne sterben, ohne Charlie noch einmal wiedergesehen zu haben. Aber ich konnte sie nicht einfach wie eine Bombe in Charlies Leben platzen lassen, ganz gleich, wie ernst die Lage damals auch sein mochte, also habe ich Nein gesagt. Und dann ist sie eines Tages unvermittelt in Alnmouth aufgetaucht, als wir drei dort gerade zusammen Urlaub gemacht haben. Charlie war vierzehn. Das hat Janice beinahe den Verstand gekostet.«

Mir ist übel. »Sie meinen – sie wollte ihn mitnehmen?«

»Nein. Gott sei Dank war er zu Hause, als es passiert ist. Janice und ich haben einen Strandspaziergang gemacht. Und plötzlich kam sie direkt auf uns zu, über die Felsen am Ende des Golfplatzes.«

Ich schließe die Augen. Das eine Mal, als Emma nicht mit dem vereinbarten Zug aus Northumberland zurückgekommen ist. Ihr Handy war ausgeschaltet, und meine Sorge wuchs mit jeder Minute, die auf der Uhr vertickte. Irgendwann kam ich auf die Idee, Jill anzurufen, die mir sagte, Emma sei bei ihr zuhause.

Ich erzähle Jeremy von diesem Abend und frage ihn, ob das mit dem Datum hinkommen kann.

Er nickt. »Ja, das muss an dem Tag gewesen sein.« Er schaut aus den bodentiefen Fenstern in den nächtlichen Garten. Nach einer Weile steht er auf, öffnet einen Küchenschrank und nimmt eine Tüte Chips heraus.

Damit hätte ich nicht gerechnet, dass Jeremy Rothschild Chips isst. Ich weiß auch nicht, warum. Es sind welche mit Worcestersoße-Geschmack, was mich noch mehr verblüfft. Er bietet mir auch eine Packung an, aber ich lehne dankend ab, also setzt er sich wieder an den Tisch und reißt seine Tüte auf.

»Schlussendlich kam es weder zu einer Verhaftung noch zu einer Anklage«, sagt Jeremy nachdenklich. »Sie muss überzeugende Beweise vorgebracht haben, dass sie dort war, um irgendeine inoffizielle meeresbiologische Studie durchzuführen. Es ging wohl um Krabben. Aber die Polizei war vor Ort. Ihre Freundin Jill ist den ganzen weiten Weg aus London gekommen, um sie abzuholen.«

Lügen. Überall Lügen.

»Und dann?«

Jeremy zuckt die Achseln, greift erneut in die Chipstüte. »Danach hat sie uns in Ruhe gelassen, und bis vor drei Wochen, als Janice verschwunden ist, gab es keinerlei Kontakt. Da habe ich mich bei Emma gemeldet, weil ich wissen wollte, ob sie mit Janice gesprochen hat. Sie sagte Nein, und ich habe ihr geglaubt. Aber Janice hat einen Brief an Emma geschrieben, also habe ich mich in Alnmouth mit Emma getroffen, um ihn ihr zu geben.«

»Sie hätten ihn ihr nicht zuschicken können?«

Jeremy schüttelt den Kopf und schluckt. »Ich wollte noch mal mit ihr reden. Ich wollte mir ganz sicher sein, dass sie keinen Kontakt zu Janice gehabt hat.« Er nimmt eine Handvoll Chips heraus und steckt sie sich alle gleichzeitig in den Mund. »Und wenn Sie sich jetzt fragen, warum Emma den ganzen weiten Weg nach Alnmouth gefahren ist, nur um mich zu sehen: weil sie die Hoffnung noch immer nicht aufgegeben hat, ich könne ihr doch noch die Bitte gewähren, Charlie sehen zu dürfen.«

Ich lehne mich auf Jeremys Esszimmerstuhl zurück. In meinem Kopf geht alles drunter und drüber. Jeremy isst ungerührt weiter.

»Aber... Charlie muss doch inzwischen neunzehn sein«, sage ich nachdenklich. »Emma könnte sich doch auch ohne ihre Zustimmung mit ihm in Verbindung setzen, wenn sie das wollte.«

»Das stimmt. Sie könnte sich bei ihm melden. Aber das wird sie nicht. Nicht ohne mein Okay.«

»Und warum nicht?«

Jeremy isst die letzten Chips und faltet die Tüte ordentlich zusammen. Dann schiebt er sie unter eine leere Kaffeetasse. Ich frage mich, wie es für ihn sein muss, mehr über meine Frau – mein Leben – zu wissen als ich selbst.

»Emma hat mir gesagt, dass sie sich etwas geschworen hat«, sagt er. »Gleich nach dem Zwischenfall auf dem Spielplatz. Sie hat sich geschworen, nie wieder einfach so in Charlies Leben zu platzen, unter keinen Umständen. Sie wusste, wie sehr diese traumatische Geschichte im Park uns allen zugesetzt hat, auch Charlie – das hat ihr furchtbar leidgetan. Und sie hat sich große Sorgen gemacht, dass sie ihm die glückliche Kindheit versaut haben könnte, die sie sich immer für ihn erträumt hat. Darum auch ihr fester Vorsatz, sich nur über einen von uns mit ihm in Verbindung zu setzen und ihn unter keinen Umständen hinterrücks zu überfallen. Janice

440

will nichts davon hören, also kommt sie immer zu mir und bettelt mich an.«

Stirnrunzelnd schaue ich ihn an. »Soll das heißen ... soll das heißen, Sie haben ihm nicht gesagt, dass Emma ihn gerne sehen möchte? Sie haben ihm das alles verschwiegen?«

Jeremy sieht mich nachsichtig an – sieht mich mitleidig an –, und ich würde am liebsten in den Boden versinken, als mir klar wird, dass er Bescheid weiß. Er weiß, dass ich adoptiert wurde. Meine Frage klang zu vorwurfsvoll, zu aufgeladen.

»Natürlich habe ich ihm das nicht verschwiegen«, sagt er. »Charlie hat von Anfang an gewusst, dass er adoptiert wurde.« Er rückt auf seinem Stuhl herum. »Als Emma vor vier Jahren das erste Mal darum bat, ihn sehen zu dürfen – als sie Angst hatte, an Krebs zu sterben –, habe ich mit Charlie gesprochen. Ich habe ihm zwar nicht gesagt, dass seine leibliche Mutter ihn sehen möchte, aber ich habe ihm gesagt, sollte er je mehr über sie erfahren oder sie sogar kennenlernen wollen, solle er sich vertrauensvoll an mich wenden. Er hat sich bedankt, und das war's – seitdem hat er kein Wort mehr darüber verloren.«

Was Emma alles durchmachen musste, ist einfach unvorstellbar. Ich versuche, mir eine lebenslängliche Trennung von Ruby vorzustellen, und die nackte Angst heult in meiner Brust. Wie sehr sie diesen

Jungen lieben muss, dass sie sich von ihm fernhält. Selbst heute noch, wo er längst erwachsen ist.

Für eine Weile sind wir beide stumm. Es ist so still hier drin, dass ich sogar das leise Ticken von Janice' Armbanduhr höre, die aufgewickelt auf der Kücheninsel hinter uns liegt. Unser windschiefes altes Häuschen lebt und atmet, es knarzt und seufzt, die Rohre knacken, und die Heizung tickt. Hier ist alles so perfekt, so vorbildlich gut installiert und maßgefertigt und optimiert. Warum sollte Janice einfach aus dieser Oase der Ruhe spazieren und nicht wiederkommen?

»Wo ist Charlie?«, frage ich unvermittelt. Das Haus kommt mir viel zu ordentlich vor, als dass ein Neunzehnjähriger hier wohnen könnte. »Ich dachte, Sie sagten, Sie müssten sich um ihn kümmern?«

Jeremy wirft einen Blick über die Schulter. »Muss ich auch. Er ist oben in seinem Zimmer. Diese ganze Sache macht ihm sehr zu schaffen.«

Mir bleibt fast die Spucke weg. *Ich bin unter einem Dach mit Emmas Sohn.* Am liebsten will ich die Treppe hochhechten, ihn mir anschauen, mit ihm reden, mich vergewissern, dass es ihn wirklich gibt, dass meine Frau wirklich einen erwachsenen Sohn hat.

»Er hat Semesterferien«, erklärt Jeremy. »Er studiert am MIT, drüben in den Staaten«, fügt er hinzu, und man hört den Stolz in seiner Stimme mitschwingen. »Hatte einen super Start da, und dann

442

ist Janice verschwunden, bloß ein paar Tage nachdem er für die Sommerferien nach Hause gekommen ist. Es nimmt ihn sehr mit.«

Armer Charlie. Ich habe das Gefühl, mir nur zu gut vorstellen zu können, wie es ihm gerade gehen muss, auch wenn unsere Geschichten nicht vergleichbar sind.

Schließlich kehren meine Gedanken wieder zu Emma zurück. Und zu Janice und den vielen Jahren Elend und Unglück, die hinter ihnen liegen.

»Hat Janice Emma das je verziehen?«, frage ich schließlich. »Und Sie?«

Jeremy denkt kurz nach, ehe er antwortet. Draußen wiegen sich die Alliumblüten nickend unter dem Schein der Lichterketten. Fast beneide ich die Rothschilds um ihre unkomplizierte Beziehung zu Emma. Emma hat sie verfolgt und belästigt, vermutlich können sie ihr das nicht verzeihen. Aber sie ist meine Frau, und ich habe sie aus tiefstem Herzen geliebt, zehn ganze Jahre lang. Ich habe keine Ahnung, was ich noch fühlen soll.

»Wir haben Emma unterstützt, wo wir nur konnten«, sagt Jeremy schließlich. »Sowohl während der Schwangerschaft als auch in der schlimmen Zeit nach der Geburt. Aber das entschuldigt nicht, was sie nachher getan hat, Leo. Eltern Grund zur Sorge um die Sicherheit ihrer Kinder zu geben ist grausam, einfach grausam.«

Ich seufze. »Das muss schlimm gewesen sein.«

»Janice hat sich völlig verändert. Drastisch, wenn man mich fragt. Ihr Selbstvertrauen ist dahin, ihre Spontaneität, ihre Belastbarkeit – heute ist sie immer fahrig und nervös und so wütend. Sie traut niemandem über den Weg. Sie hat sich mehr und mehr zurückgezogen; inzwischen verlässt sie kaum noch das Haus.«

Ich glaube ihm, auch wenn man der Janice Rothschild, die man auf dem Bildschirm sieht, nichts davon anmerkt. Aber was mich wirklich wundert, ist, wie wenig man Emma davon anmerkt. Sicher, sie hat im Laufe der Jahre einige schwarze Zeiten und eine postnatale Depression gehabt, aber das ging immer recht schnell wieder vorüber. Sie ist nicht verschlossen, sie ist nicht wütend auf die Welt. Sie ist selbstbewusst, vertrauensvoll und vor allem unbeschreiblich liebenswürdig. Wie kann das sein?

Gerade will ich Jeremy schon danach fragen, als mir unvermittelt ein weiterer Gedanke kommt.

»Hören Sie«, sage ich langsam. »Entschuldigen Sie bitte die Frage. Aber Sie glauben nicht zufällig ... es könnte nicht vielleicht sein, dass Janice etwas mit Emmas Verschwinden zu tun ha...?«

»Halt«, sagt Jeremy. »Sagen Sie das jetzt nicht.«

Ich werde rot. »Verzeihung. Aber Sie haben selbst gesagt, dass Janice Emma nach dem Gerichtstermin

444

bedroht hat. Ich weiß, das ist Jahre her, aber vielleicht…«

»Nein, Leo.«

»Ich will damit ja nicht sagen, dass Janice irgendwas Schlimmes gemacht oder ihr was angetan hat, ich meine bloß…«

»Leo. Haben Sie nicht zugehört, als ich Ihnen gesagt habe, wie angeschlagen Janice gerade ist? Habe ich Ihnen nicht gesagt, dass es – von Anfang an – immer Emma war, von der sämtliche Aggression oder Bedrohung ausgegangen ist? Janice hat kein einziges Mal zurückgeschlagen. Nicht einmal, als sie mit einer unverzeihlichen Provokation konfrontiert war.«

»Das sehe ich ein. Jeremy, hören Sie, ich…«

Jeremy redet einfach weiter. »Und darf ich Sie auch daran erinnern, dass Sie bis gestern Abend nicht einmal wussten, dass Ihre Frau als Emily Peel geboren wurde? Dass sie ein Kind hat, von dem Sie nichts wussten? Leo, Sie sind nicht ausreichend informiert, um hier *irgendwelche* falschen Anschuldigungen gegen Janice vorzubringen, die weiß Gott durch Emma schon genug gelitten hat.«

Da ist er. Da ist der Jeremy Rothschild, den man kennt.

Ganz ruhig geht er zur Küchentür. »Ich denke, es ist Zeit, dass Sie gehen«, sagt er. »Meine Frau ist irgendwohin geflüchtet und hat vermutlich einen Zusammenbruch erlitten. Ich bin außer mir vor

Sorge. Und da kommen Sie und fragen mich allen Ernstes, ob Janice vielleicht irgendwo Emma aufgelauert hat, um ihr eine Tüte über den Kopf zu stülpen und sie in einen Lieferwagen zu zerren. Geschmacklos, Leo. Einfach nur geschmacklos und ganz, ganz arm.«

»Jeremy. Bitte. Es tut mir leid, ich wollte wirklich nicht…«

»Ach was, raus jetzt«, sagt er und wirkt auf einmal müde. »Verschwinden Sie. Los.«

So enden seine Demontagen im Radio nicht.

Er bleibt an der Küchentür stehen und sieht stur an mir vorbei, und Sekunden später stehe ich draußen auf dem Highbury Place.

Am Auto angekommen sehe ich, dass ein Knöllchen an meiner Windschutzscheibe pappt. Nachdem ich mir eigens Geld von Jeremy geliehen hatte, um die Parkuhr zu füttern, habe ich wohl allem Anschein nach vergessen, den Parkschein auf das Armaturenbrett zu legen.

Arsenal-Fans strömen an mir vorbei, singen, skandieren, lachen. Klingt nach einem Heimsieg heute Abend.

Neunundvierzigstes Kapitel

Leo

Stinkwütend manövriere ich den Wagen auf die Highbury Corner. Rothschild schien nur allzu bereitwillig über Emma auszupacken, ihre Katastrophen und Betrügereien, den Schaden, den sie angerichtet hat. Aber wehe, man stellt auch nur eine einzige Frage über seine Janice!

Da ist er mir ins Gesicht gesprungen wie einem lügenden Politiker. Die Demütigung hätte er sich sparen können – schließlich hatte er gerade meine ganze Ehe durch den Schredder gejagt, Herrgott noch mal.

»Fick dich«, knurre ich, während ich die Upper Street entlangrase. (Warum fahre ich hier lang? Ich wohne gar nicht in dieser Richtung. Ich biege rechts ab in die Islington Park Street und nehme die Abkürzung durch Barnsbury.)

»Arschloch«, sage ich laut zu niemandem.

Ich rumpele über eine Bremsschwelle, die ich übersehen habe. »*Scheiße!*«, fluche ich.

Tränen laufen mir aus den Augenwinkeln. Emma ist verschwunden. Emma existiert überhaupt nicht mehr.

»SCHEISSE!«, brülle ich und donnere über eine weitere Bodenschwelle. Diesmal schleift der Unterboden des Wagens über die Schwelle, und ein Fußgänger dreht sich nach dem bescheuerten Autofahrer um, diesem rasenden Idioten, der mutwillig sein Auto zerlegt.

»VERPISS DICH!«, brülle ich den Fußgänger an, aber die Tränen laufen weiter.

Ich fahre und heule, bis ich beinahe die dritte Bremsschwelle übersehe und mir aufgeht, dass ich lieber rechts ranfahren sollte. Kurz bevor ich schluchzend und fluchend und schreiend und Fäuste schlagend über dem Lenkrad zusammensacke, sehe ich, wie der Fußgänger sich umdreht und die Straße hinunterläuft, nur weg von meinem Auto.

Zehn Minuten später setze ich die Fahrt fort. Die Wut auf Jeremy ist schon wieder verebbt: Er ist bloß der Überbringer der schlechten Nachricht, das weiß ich selbst. Eigentlich bin ich wütend auf meine Frau. Meine Ehefrau, die Frau, die es gar nicht gibt.

Ich hätte Verständnis dafür gehabt, geht mir wieder und wieder durch den Kopf. Emma hätte mir alles sagen können, was Jeremy mir eben gesagt hat, und ich hätte es nachvollziehen können. Wie könnte ich ihr die Schuld an etwas geben, das passiert ist, als sie knietief in einer Psychokrise steckte? Wie könnte ich es ihr ankreiden, dass sie ihren Sohn im Park beobachtet hat, als die Sehnsucht irgendwann so groß geworden war, dass sie die Vernunft einfach überstimmte? Würde nicht *jeder* einen heimlichen Blick auf sein Kind riskieren, wenn er oder sie wüsste, wo es lebt? Ich schon. Ich glaube, die meisten von uns wären zu etwas Illegalem fähig, wenn dieses unteilbare Band zertrennt wird.

Sie hat mir nicht sagen wollen, dass sie ihr Kind weggeben hat. Das kann ich verstehen. Schließlich hat sie mich weiß Gott lange genug mit meiner eigenen Adoptionsgeschichte kämpfen gesehen. Aber ich hätte sie dafür doch nicht gleich verurteilt! Ich liebte sie. Ich hätte meine eigene Vergangenheit da rausgehalten.

Oder nicht?

Und ich hätte ihr helfen können, sich den Versuch, ihn zu ersticken, irgendwann zu verzeihen, Stückchen für Stückchen, oder zumindest den Schuldgefühlen die Spitze zu nehmen. *Du warst krank*, hätte ich ihr gesagt, Tag um Tag, Jahr um Jahr, bis sie mir endlich geglaubt hätte.

Oder nicht?

Ich gebe Gas und fahre am Pentonville-Gefängnis vorbei, flutlichterhellt und unheimlich.

Die hässliche Wahrheit ist, ein Teil von mir ist

völlig schockiert. Ein Teil von mir hat Angst, ein Teil von mir hat sich sogar kurz gefragt, ob Emma eine Gefahr für Ruby sein könnte.

Und genau deshalb hat sie es mir nicht gesagt. Genau deshalb hat sie es niemandem gesagt außer ihrer besten Freundin – weil sie wusste, dass zwangsläufig fast jeder diese Gedanken haben würde. *Ist sie im Grunde ihres Herzens ein gewalttätiger Mensch? Hat sie immer noch diese Zwangsgedanken, ihrem Kind etwas antun zu müssen? Irgendwem etwas antun zu müssen?*

Wieder haue ich mit der Faust aufs Lenkrad, wüte gegen Emma, wüte gegen mich selbst, dass mir genau die Gedanken gekommen sind, die sie vermutlich befürchtet hat.

Ich biege von der Agar Grove ab in den Lärm und den Dreck von Camden und seinem trubeligen Nachtleben. Auf den Straßen wimmelt es von jungen Leuten, die trinken, lachen, sich amüsieren.

Während ich im Schneckentempo gen Norden in Richtung Chalk Farm und Belsize Park krieche, gehe ich in Gedanken die Lügengeschichten durch, die Emma mir aufgetischt haben muss. Die Ausflüge nach Northumberland – all die verdammten Male, die sie da hingefahren ist, all die Male, die ich ihr zum Abschied hinterhergewinkt habe, damit sie ein bisschen für sich sein kann, ihre Krabbe suchen. Dabei wollte sie bloß da hin, um den Rothschilds nachzustellen.

Der Tag von Rubys Geburt. Wie muss ich dem Team im Kreißsaal insgeheim leidgetan haben, als ich meine kleine Tochter das erste Mal in den Armen hielt, schwindelig vor Glück, ohne den leisesten Schimmer, dass es für Emma schon das zweite Kind war.

Und wo wir gerade bei schönen Erinnerungen sind: Wie steht es eigentlich um unsere Ehe? Ist die überhaupt rechtsgültig? Emma hat, als wir das Aufgebot bestellten, mit keinem Wort eine Namensänderung erwähnt. Und doch hat sie nur ein paar Monate später mit mir vor dem Standesbeamten gestanden und gesagt, sie wisse keinen Grund, warum sie, Emma Merry Bigelow, mich, Leo Jack Philber, nicht heiraten dürfe.

Ihr Vorstrafenregister. Dass sie den Rothschilds permanent nachgestellt hat, selbst nachdem wir uns kennengelernt haben. Die Abende mit Jill, an denen sie weiß Gott was gemacht haben muss. Die standhafte Weigerung, mit mir zu irgendwelchen Pressepartys oder sonstigen Veranstaltungen zu gehen, vermutlich um zu vermeiden, Jeremy über den Weg zu laufen.

Stop-and-go-Verkehr bis hoch nach Haverstock Hill. Ich trommele mit den Fingern auf dem Lenkrad herum, meine Beine zucken. Allein mit diesen Gedanken in ein Auto gesperrt zu sein ist unerträglich.

Ich steuere auf unser Haus zu und halte automatisch nach Emma Ausschau, aber da steht nur ein Auto, das ich kenne, und das ist Ollys.

Das Herz schlägt mir bis zum Hals, ich bin zu Tode erschöpft. Ich habe keine Ahnung, was ich noch denken, noch tun soll. Mein Herz sorgt sich um Emma – mein Herz, das sie so lange geliebt hat, so ganz und gar –, aber ich bin wütend, stehe unter Schock, und ich kann mir nicht vorstellen, ihr jemals wieder zu vertrauen.

Und kein Vertrauen, kein Wir.

Ich schließe gerade den Wagen ab, als ich hinter mir eine Autotür zuschlagen höre. Ich drehe mich auf dem Absatz um, sicher, Emma vor mir zu sehen, aber es ist bloß Sheila. Sie steht auf der Straße unter einer Laterne. Sonst eigentlich eher der legere Typ, trägt sie heute einen smarten Hosenanzug – eine Geheimagentin auf geheimer Mission.

»Sheila? Was machst du hier?«

»Es gibt Neuigkeiten«, sagt sie. »Über Emma.«

Fünfzigstes Kapitel

Leo

Olly und Tink sind gerade über Tinks Laptop gebeugt, als wir ins Haus kommen. Mikkel und Oscar liegen zusammen unter einer Decke und schlafen.

Ich stelle ihnen Sheila vor und erkläre, dass sie Neuigkeiten über Emma hat.

Olly beäugt Sheila neugierig. »Dann sind Sie die Ex-Spionin?«

»Olly!«

»Was denn? Ich habe noch nie eine Spionin kennengelernt!«

Sheila guckt ihn mit hochgezogenen Augenbrauen an. »Dazu kann ich leider nichts sagen«, sagt sie, was Olly toll findet.

Ich hebe John Keats aus dem Queen-Anne-Sessel im Arbeitszimmer und trage das Möbel für Sheila ins Wohnzimmer. »Der Hund war ...« Ich lasse den Satz unvollendet. Sheila setzt sich auf den haarigen Sessel. Ich hocke mich auf den Boden.

»Ich war in der Kita eurer Tochter und habe darum

gebeten, mir die Aufnahmen der Überwachungskameras anschauen zu dürfen«, berichtet sie. »Das
schien mir angezeigt, weil Emma dort das letzte Mal
gesehen wurde.«

Ich starre sie an. »Und das haben sie gemacht?«

Sie nickt und wirkt fast ein bisschen erstaunt.
»Aber sicher. Wie dem auch sei, Emma hat die Kita
tatsächlich genau zur genannten Zeit verlassen.
Und wirkte ziemlich aufgelöst, genau wie sie gesagt
haben. Und du hattest recht, sie hatte nicht einmal
eine Handtasche dabei.«

John kommt verschlafen aus dem Arbeitszimmer
getappt, ein umgeklapptes Ohr an den Kopf geklebt.
Er spaziert schnurstracks zu Sheila und drückt ihr
die Schnauze zwischen die Beine.

Sheila schiebt ihn beiseite. Falls ihr das unangenehm ist, lässt sie es sich nicht anmerken.

Ich bin gleichermaßen entsetzt wie entzückt.
Nicht nur angesichts meines Hundes und meines
Bruders, sondern vor allem bei dem Gedanken, wie
Sheila einfach so in eine Kita marschiert und verlangt, die Aufnahmen der Überwachungskameras zu
sehen. Genau so habe ich mir Sheilas früheren Job
immer vorgestellt.

»Dann habe ich gesehen, wie ein Auto vor der
Kita angehalten hat. Emma ist eingestiegen, und der
Wagen ist weggefahren. Freiwillig, wenn du mich
fragst. Sie schien keinen Moment zu zögern.«

»Sie meinen, es muss jemand gewesen sein, den sie kennt?«, fragt Olly.

»Meine ich.«

Sheila zieht ihr Handy heraus und wischt ein paarmal über das Display. »ZQ16 5LL«, sagt sie schließlich. »Silbergrauer Peugeot. Klingelt da was?«

Ich runzele die Stirn. »Nein… Zumindest nicht dass ich wüsste… Wobei, ihre Freundin Heidi fährt ein silbergraues Auto, so ein dickes Kombidings? Mit Dachreling? Fahrradhalterung hinten?«

»Nein. Das war ein Kleinwagen. Auch egal, ich war so frei, einen alten Bekannten bei der Fahrzeugregistrierungsstelle um einen kleinen Gefallen zu bitten. Der schuldete mir ohnehin noch was.«

Olly und Tink gucken sich vielsagend an. Jetzt, wo sie wissen, dass Emma vermutlich nichts zugestoßen ist, finden sie die ganze Geschichte so spannend wie einen Krimi.

Wieder wischt Sheila über das Handy, dann schaut sie mich an. »Das Auto ist zugelassen auf eine gewisse Jill Stirling. Sagt dir das was, Leo?«

Einundfünfzigstes Kapitel

Emma

Zuvor an diesem Tag

»Du wirst schon sehen.« Mehr sagt Jill nicht auf meine wiederholte Frage, wo wir eigentlich hinfahren.

Ihr scheint diese ganze Sache ein diebisches Vergnügen zu bereiten. Sie schweigt zwar die meiste Zeit, aber ich sehe es ihr an: im Gesicht, an ihrer Körpersprache – sie ist eine Frau auf einer Mission. Das Radio ist ausgeschaltet, aber sie singt leise irgendwelche Liedfetzen vor sich hin und kommentiert die Straßenverhältnisse wie früher mein Fahrlehrer.

Zwanzig Minuten ist es inzwischen her, seit sie mich vor der Kita aufgegabelt hat. Gerade fahren wir auf den North Circular, am Stadtrand von London. Vor uns Hinweisschilder für den M1 in Richtung Watford und The North.

»Guck dir den Allerwertesten an!«, tönt sie prustend und weist auf ein eher unansehnliches Exemplar von männlichem Passanten, das gerade eine Fußgängerbrücke überquert. »Ein Arsch wie ein Brauereipferd!«

Das Hinterteil ist in der Tat ausladend, hat aber ein derart harsches Urteil bestimmt nicht verdient.

»Ich finde wirklich, ich sollte Leo eben anrufen«, sage ich nach kurzem Schweigen. »Ich weiß, du hast gesagt, er braucht noch Zeit, aber … aber es kommt mir komisch vor, ihm nicht Bescheid zu sagen. Dürfte ich eben dein Handy benutzen?«

»Nein«, sagt Jill sehr bestimmt. »Nein, Emma, du wirst ihn nicht anrufen. Ich habe dir doch gesagt, ich habe mit ihm gesprochen.«

Als sie so unerwartet vor Rubys Kita aufgetaucht ist, dachte ich eigentlich, sie wolle mir vor dem Gespräch mit Leo ein bisschen Mut machen – mich eben kurz den kleinen Hügel hinauf mitnehmen, ein paar aufmunternde Worte sagen, mich fest in den Arm nehmen. Aber nein, sie ist einfach an unserer Straße vorbeigefahren, geradewegs über den Heath und in Richtung Golders Green.

»Ich treffe mich gleich mit Leo!«, sagte ich alarmiert. »Stopp! Jill, das geht jetzt wirklich nicht!«

»Das hier ist viel wichtiger«, entgegnete sie nur mit einem eigenartigen Grinsen im Gesicht. So eigenartig, dass ich mich fast fragte, ob sie womöglich was genommen hatte. In unserem ersten Jahr in St. Andrews haben wir mal zusammen Pilze probiert, und im Anschluss hat Jill erklärt, ein derart vollkommener Kontrollverlust sei für sie kein erstrebenswerter Zustand. Danach hat sie keine Drogen mehr angerührt.

»Jill!«, protestierte ich. »Echt jetzt, lass mich raus!«

Sie ignorierte mich geflissentlich, also löste ich an einem Fußgängerüberweg am Eingang zum Golders Hill Park den Sitzgurt und versuchte, die Tür aufzumachen. Langsam wurde ich echt sauer. Was sollte das alles?

Aber Jill hatte, wie Entführer in Filmen, vorsorglich sämtliche Türen verriegelt. »Jetzt stell dich nicht so an!«, sagte sie. »Du kannst dich doch nicht aus dem fahrenden Auto fallen lassen wie Bruce Willis. Du brichst dir ja alle Knochen!«

»Jill, das ist mein Ernst, lass mich sofort *raus*.«

Aber sie fuhr unbeeindruckt weiter.

Sie habe mit Leo geredet, sagte sie. Er habe gesagt, er stünde noch unter Schock und bräuchte noch ein paar Tage Zeit, bis er so weit sei, mit mir zu reden.

Wieder und wieder sagte sie mir das, bis ich es schließlich kapiert hatte. »Darum habe ich dich auch abgeholt«, erklärte sie. »Ich hätte es grässlich gefunden, wenn du nach Hause gekommen wärst und niemand wäre da gewesen, und dann hättest du ganz allein in eurem leeren Haus gesessen, wo du doch eigentlich dachtest, Leo würde da sein.«

Ich legte ihr eine Hand auf die Schulter. »Danke«, sagte ich leise.

Wir steckten eine Weile im Stop-and-go-Verkehr fest und tuckerten an heruntergekommenen Ladenzeilen vorbei, aber ich versuchte nicht noch einmal, aus dem fahrenden Wagen zu springen. Leo wollte mich nicht sehen. Es würde Mittwoch, vielleicht sogar Donnerstag werden, ehe er so weit war, dass wir miteinander reden konnten. Bis dahin würde ihm vermutlich aufgegangen sein, dass er mir nie wieder vertrauen könnte, und dann war's das. Ich hätte ihn verloren. Diesen wunderbaren Mann, die Liebe meines neuen Lebens. Meinen liebsten Leo.

Inzwischen fahren wir über den North Circular in Richtung M1, und es ist mir schon fast egal, wo Jill mich hinbringt.

Bestimmt zum vierten oder fünften Mal greife ich nach meinem Handy, um unauffällig eine SMS an Leo zu tippen, aber das Handy liegt natürlich immer noch in meiner Handtasche zu Hause auf dem Bett. Zu Hause, wo ich eigentlich gehofft hatte, meinen Mann davon überzeugen zu können, wie sehr ich ihn liebe.

Der Verkehr wird immer spärlicher, und Jill drückt aufs Gas.

Zweiundfünfzigstes Kapitel

Elf Stunden zuvor

Wir fahren nicht auf den M1. Wir bleiben bis Wembley auf dem North Circular, dann nimmt Jill die Abfahrt, und jetzt endlich kapiere ich auch, dass wir zu ihr nach Hause fahren.

Na klar doch.

Wie ich Jill kenne, hat sie schon alles für ein richtig deftiges englisches Frühstück vorbereitet oder eine Riesentüte süße Teilchen vom Bäcker besorgt. Dazu ein bisschen fetzige Musik, zu der wir früher ausgelassen getanzt haben. Umarmungen, heiße Schokolade, jede Menge guter Ratschläge und viel Gerede, das Ganze doch positiv zu sehen. Ich glaube, Leo und Jill mögen einander nicht annähernd so sehr, wie ich sie beide liebe, aber sie weiß, dass er alles für mich ist. Sie wird mir Mut machen und mir sagen, dass er bestimmt zu mir zurückkommt. Dass wir beide füreinander bestimmt sind. Dass wir das irgendwie zusammen durchstehen werden.

Ich hoffe, das macht sie. Ich hoffe, das werden wir.

Jill wohnt in einem gigantischen Neubaugebiet in Wembley, eine Stadt mit schicken Appartementgebäuden, makellos gepflegten Gärten und Cafés mit Marketingschwerpunkt wie »Finde dein neues Ich« und »Dein Stückchen Himmel auf Erden«. Welten liegen zwischen diesem Viertel und meinem schmuddeligen kleinen Häuschen, und darum bin ich auch so gerne hier. Hier ist alles so perfekt symmetrisch wie ein Schachbrett, so sauber und adrett. In Jills Kühlschrank stapeln sich ordentlich beschriftete Gefrierbeutel, und ihre Küchenschränke stehen voll mit säuberlich aufgereihten Plastikdosen, in denen sich nie abgelaufene Lebensmittel finden.

Vorigen Monat hat Leo eine Dose Räucherpaprika in meinem Gewürzregal gefunden, die seit siebzehn Jahren abgelaufen war.

Jill schaltet den Motor aus und schaut ein paar Sekunden länger als gewöhnlich in den Rückspiegel.

Ich drehe mich um, aber da ist niemand, bloß ein Gärtner, der Holzstützen für ein junges Bäumchen in den Boden rammt.

»Wen suchst du?«, frage ich beim Aussteigen. Sie scannt den Parkplatz.

»Was? Ich suche niemanden«, sagt sie. »Komm schon! Wir kochen uns erst mal einen Tee!«

Irgendwas ist hier im Busch. Jedenfalls hat sie

mich nicht bloß hergefahren, um mich ein bisschen aufzuheitern, so viel steht schon mal fest.

»Hör zu, ich finde, ich sollte Leo wirklich schnell eine Nachricht schicken«, sage ich. Ich gehe vorn um ihr Auto. »Gibst du mir bitte eben dein Handy?«

»Später.«

Ein kalter Wind weht heute. Und ich trage so einen bescheuerten Pulli mit Dreiviertelärmeln, die einem gerade bis über die Ellbogen gehen. Ich versuche, sie so weit wie möglich herunterzuziehen, während ich hinter Jill her über den Parkplatz haste, aber ich friere trotzdem ganz erbärmlich.

Im Vorbeigehen fällt mir auf, dass jeder Parkplatz eine andere Farbe hat, was mal wieder zeigt, wie kunterbunt und lustig das Leben in HA9 ist.

Jill und ich kennen uns seit über zwanzig Jahren, und sie ist meine beste Freundin, aber als ich nun hinter ihr in den Aufzug steige, legt sich der Zweifel wie eine eiskalte Hand von hinten auf meine Schulter.

Dreiundfünfzigstes Kapitel

Leo

Wieder und wieder versuche ich Jill anzurufen, während ich auf dem Weg zu ihrer Wohnung durch den Nordwesten Londons kurve. Es ist halb elf Uhr abends, und es ist noch viel los auf den Straßen, obwohl der eiskalte Wind von heute Morgen immer noch bläst und in dieser Gegend nicht viele Menschen unterwegs sind. Vorbei an Sozialwohnungsblocks, die Fenster wie ordentlich aufgereihte gelbe Quadrate, und provisorischen Wäscheleinen, an denen die Klamotten im Wind flattern.

Jills Handy klingelt, aber sie geht nicht ran. Wie kann sie bloß seit beinahe *zwölf* Stunden mit Emma zusammen sein, ohne mich zurückzurufen? Was machen die denn bitte?

Sheila hatte mir noch eben Jills Adresse gegeben, ehe sie mit mir aus dem Haus gegangen war. Sollte sie ein bisschen enttäuscht gewesen sein, dass die vorgeblichen Entführer sich als Emmas älteste

Freundin entpuppt haben, so hat sie es sich zumindest nicht anmerken lassen.

»Viel Glück«, sagte sie, und dann stieg sie in ihr Auto und fuhr rückwärts aus der Parklücke.

Aber ehe sie wegfahren konnte, winkte ich ihr, noch einmal anzuhalten.

Sie ließ das Fenster herunter. »Danke für die Mühe«, sagte ich. »Du bist echt der Hammer, Sheila. Ich... ich bin sehr froh, dass ich dich habe.«

Sheila schien einen Augenblick darüber nachzudenken, dann nickte sie mir kurz zu. Ohne ein weiteres Wort ging das Fenster wieder hoch, und sie fuhr los.

An der Ausfahrt Wembley Park verlasse ich den North Circular und versuche es wieder bei Jill.

Diesmal geht gleich die Mailbox dran.

Vierundfünfzigstes Kapitel

Zuvor

Jill hat Plunderteilchen besorgt, kein englisches
Frühstück. Sie macht sich sofort daran, Milch für
eine heiße Schokolade aufzuwärmen, während ich
rasch im Bad verschwinde, pinkele, mir das Gesicht
wasche und im Geiste eine weitere Nachricht an
Leo verfasse, die gleichzeitig seinen Wunsch nach
etwas mehr Zeit respektiert und ihm vermittelt, wie
viel er mir bedeutet und dass ich ihn all die Jahre
aus gutem Grund angelogen habe.

Aber ich habe ja gar kein Handy, und dass Jill sich
so standhaft weigert, mir ihrs auszuleihen, ist echt
zum Aus-der-Haut-Fahren.

Ich stehe vor ihrem Badezimmerspiegel und betrachte mein Gesicht. Hundemüde sehe ich aus, und
unter den Augen habe ich Tränensäcke und dunkle
Ringe.

Aber was habe ich auch erwartet? Habe ich wirklich geglaubt, diese Wahrheiten für alle Zeiten für

mich behalten zu können, dass Leo nie merken würde, dass ich ihm etwas verheimliche?

»Pass auf, Jill«, sage ich, als ich wieder zu ihr in die Küche komme. »Es ist echt furchtbar lieb von dir, dass du das alles für mich tust, aber ich muss wirklich dringend mit Leo reden. Bitte, bitte, leih mir doch eben dein Handy.«

Jill holt Kakao aus einer ihrer schmucken Plastikvorratsdosen.

»Okay«, sagt sie. »Schön.«

Und dann rührt sie ungerührt eine Paste aus Kakao, Zucker und Milch an und summt leise vor sich hin, als sei ich gar nicht da.

»*Jill!*«

»Ja! Moment noch, lass mich das hier eben fertig machen, dann kann ich …«

In meiner Verzweiflung marschiere ich einfach in den Flur, wo ihr Mantel und ihre Handtasche an den dafür vorgesehenen Garderobenhaken hängen. Ich ziehe das Handy aus der Manteltasche, und als sie hinter mir auf den Flur tritt, halte ich es ihr vor die Nase, damit sie es entsperrt.

»Emma! Hättest du nicht …«

»Bitte, gib einfach das Passwort ein«, sage ich. »Bitte, Jill. Ich drehe sonst noch durch.«

Seufzend greift sie nach dem Handy, und just in dem Moment klingelt es an der Tür.

Sie schreckt hoch, schreckt richtig hoch.

»Emma.«

»Ja?«

Jill zögert. »Hör zu, ich habe dich nicht bloß wegen ein paar Teilchen und ein bisschen Herzausschütten hergebracht. Ich… Es gibt da etwas, das du wissen solltest. Etwas wirklich Wichtiges.«

Ich schließe die Augen. »Kann das nicht warten?«

Sie antwortet nicht. Ich schlage die Augen wieder auf und sehe, wie sie den Türöffner bedient. Sie wischt sich die Handflächen an der Jeans ab, und man merkt, dass sie nicht bloß ein bisschen nervös ist. Sie hat Angst.

»Was hast du getan?«, frage ich leise. »Jill, was ist hier los?«

»Warte nur kurz«, flüstert sie und drückt das Auge gegen den Türspion.

»Jill…« Jetzt flüstere ich ebenfalls und weiß gar nicht, warum.

Aber dann richtet sie sich auf und macht die Tür auf, und draußen auf dem Flur steht ein junger Mann. Ein junger Mann mit meinem Gesicht auf einem männlichen Körper.

Mit langen Haaren, denen eine Wäsche nicht schaden würde, und einem von der Sonne zu einem fahlen Rosa verblassten, vormals roten T-Shirt. So steht er in der Tür und guckt mich verunsichert an.

Ich würde meinen Sohn unter Tausenden erkennen. Auch wenn ich mir nicht ständig seine Fotos im Internet anschauen würde. Ich wüsste es einfach.

Ich starre ihn an. Er starrt mich an.

Das Herz schlägt mir bis zum Hals. *Mein ganzes Leben. Dieser Moment.*

»Hallo«, sagt er. »Du bist Emma, stimmt's?«

Ich nicke. Tränen steigen mir in die Augen. *Mein Baby.*

Er sieht, wie ich mit den Tränen kämpfe, und tritt einen Schritt zurück. »O Entschuldigung – ich… ich wollte nicht… ich bin Charlie. Charlie Rothschild?«

Wieder nicke ich, weil ich keinen Ton herausbekomme. Der Kummer fällt mir von der Seele wie ein Erdrutsch.

»Ich habe schon länger versucht, dich zu erreichen…«

Ich habe mich jeden einzelnen Tag deines Lebens nach dir gesehnt.

Charlie.

Ganz sanft legt Jill mir eine Hand auf die Schulter und verkrümelt sich dann in die Küche, und mein Sohn redet mit mir. Der Erdrutsch reißt alles mit sich. Er sagt: »Ich wollte dich eigentlich über Facebook kontaktieren, aber ich dachte mir, du weißt vielleicht gar nicht, wer ich bin… oder willst nicht mit mir reden… nach meiner zweiten Nachricht hast du mich blockiert, also… Sag mal, ich hoffe, es ist okay, dass ich hier bin?«

Die Beine in den Shorts sind gebräunt und die Lederturnschuhe ganz zerschrammt.

Mein Junge.

Und dann brechen sich Tränen unaufhaltsam Bahn. Er ist mein Sohn, und doch sind wir Fremde. Hektisch krame ich in allen Taschen nach Taschentüchern, finde aber keine. Charlie muss mir schließlich eine Packung von Jills Konsolentischchen in die Hand drücken.

Mühsam krächze ich, dass es natürlich okay ist, dass er da ist. Dass es mir mehr bedeute, als er sich je vorstellen könne.

Und dann schluchze ich haltlos in Jills Taschentücher, und der arme Kerl weiß nicht weiter.

Hör auf zu heulen, sage ich mir streng und muss noch mehr heulen, obwohl ich ihm das nicht antun will.

Aber ich kann nicht aufhören. Ich heule und heule, während mein Sohn hilflos in Jills Flur steht und mit ansehen muss, wie ich mir die Augen aus dem Kopf weine.

Jills Gesicht glüht vor Sorge. Dass ich vollkommen die Fassung verliere, damit hat sie nicht gerechnet.

Ich muss mich zusammenreißen. Entschlossen schnäuze ich mir die Nase, weil ich mal gehört habe, das sei die beste Methode, um mit dem Heulen aufzuhören, und es funktioniert tatsächlich. Der Erdrutsch gerät ins Stocken, das fragile Gefäß meines Körpers hält dem Ansturm der Gefühle stand. Irgendwann streckt Charlie die Hand aus, um mir die durchweichten Taschentücher abzunehmen. Was für eine nette Geste. Er hat schmutzige Fingernägel, und die Härchen auf dem Arm sind sonnengebleicht.

Ich habe nie die Gelegenheit gehabt, ihn wegen seiner schmutzigen Fingernägel auszuschimpfen. Nie die Gelegenheit, ihm die winzigen scharfen Babynägel zu schneiden, so wie bei Ruby, oder ihm einen kleinen Tritt zu kaufen, damit er an den Wasserhahn kommt und sich selbst die Hände im Waschbecken schrubben kann.

»Tut mir leid, wenn ich dich so aus der Fassung gebracht habe«, sagt er.

»Nein, nein – wenn hier jemandem was leidtun muss, dann mir.«

Er lächelt unbehaglich. »Na ja, das muss ein ziemlicher Schock für dich sein...« Sein Blick geht zu Jill. »Haben Sie nicht... Ich meine, wusste Emma nicht...«

»Sie wusste von nichts«, bestätigt Jill seine Vermutung, und obwohl sie betont fröhlich klingt, merkt man ihr an, dass selbst ihr nun erste Zweifel kommen.

»Ich bin zäher, als ich aussehe«, lüge ich. Auf diesen Augenblick habe ich mein ganzes Erwachsenenleben gewartet, den werde ich jetzt nicht wegwerfen. »Magst du dich setzen? Du bleibst doch noch ein bisschen? Möchtest du vielleicht einen Tee?«

»Ich mache uns einen Tee«, wirft Jill rasch ein, und am liebsten will ich schon wieder losheulen, weil ich Charlie unbedingt selbst einen Tee kochen will. Ich will ihm Pausenbrote für die Schule schmieren, einen Geburtstagskuchen backen, selbst belegte Pizza und Käsebrote machen. Ich möchte ihm Wasser holen und Limo und Fiebersaft und heiße Schokolade und sein allererstes Bier.

Jill verschwindet in ihrer aufgeräumten Küche, um die heiße Schokolade beiseitezustellen und stattdessen Tee zu machen, während Charlie und ich gemeinsam ins Wohnzimmer gehen. Er setzt sich auf einen Sessel, ich nehme das Sofa. Verlegen knibbelt er an der Sessellehne herum, und Jill kommt und bietet uns Teilchen an. Ich sehe ihm die Angst an, hier in der Falle zu sitzen, allein mit mir und meinen überbordenden Gefühlen. Doch er bleibt. Er bleibt, und hin und wieder schaut er mich sogar an.

»Also… Wie geht es dir?«, fragt er. »Das muss ja ein ganz schöner Schreck gewesen sein!«

Irgendwie ringe ich mir ein Lächeln ab. »Der schönste Schreck meines Lebens. Ich kann dir gar nicht sagen, wie ich mich freue, Charlie.«

Er nickt, und ich sehe ihm an, wie überwältigend das alles für ihn sein muss; wie viel Mut es gebraucht hat, auch nur einen Fuß in diese Wohnung zu setzen. »Ich auch«, erwidert er höflich. »Schon komisch, aber auch echt nett, dich endlich kennenzulernen.«

Echt nett, dich endlich kennenzulernen.

Schweigen.

Ich habe das Gefühl, ich sollte ein bisschen die Gesprächsführung übernehmen, also frage ich ihn nach der Uni, weil ich von meinen ständigen Facebook-Recherchen weiß, dass er Mediziningenieurwesen studiert. Eine Weile lang versuche ich so verzweifelt, freundlich interessiert, aber nicht zu verbissen zu wirken, dass ich kaum ein Wort von dem mitbekomme, was er mir erzählt. Aber immerhin höre ich, wie er sagt, er sei kürzlich mit einem Mitbewohner zusammengezogen (nur ein Mitbewohner, oder vielleicht mehr? Ein guter Freund? Ein Lover?) und dass er sein Studium eigentlich sehr interessant findet, aber dieses Semester das totale Chaos war (und wie er das so sagt, klingt er sehr amerikanisch). Ich erzähle ihm ein bisschen was über meine Arbeit an Grapsidae-Krabben in Mündungsgebieten, und er scheint ehrlich interessiert.

Ich bezweifele zwar, dass er auch nur halb so interessiert ist, wie er tut, aber so ist er halt: ein Junge – junger Mann –, der Interesse an anderen zeigt. Ich glühe vor Stolz. Fast kommt es mir vor, als schaute ich uns von außen zu. Zwei Erwachsene, die sich über die Salztoleranz bei Grapsidae-Krabben unterhalten. Nichts Besonderes. Bloß ich und der Sohn, den ich jeden Tag, jeden einzelnen Tag, seit ich ihn damals als Baby Jeremy und Janice Rothschild überlassen habe, so schmerzlich vermisst habe. Der Sohn, nach dem sich jede Zelle meines Körpers verzehrt hat.

Wir greifen beide nach demselben Teilchen (Plunder mit Aprikose) und zucken mit einem nervösen Lachen zurück.

Jill hat sich schon vor mindestens zehn Minuten entschuldigt, um auf Toilette zu gehen. Charlie trinkt den letzten Schluck Tee (viel Milch, ein Würfel Zucker, Tasse am Henkel gegriffen), und ich muss daran denken, wie grantig ich im Auto zu Jill war, und bekomme prompt ein schlechtes Gewissen. Bestimmt hat sie sich auch eine Geschichte für Leo ausgedacht, genau wie damals, als ich den Rothschilds unverhofft in Northumberland vor die Füße gestolpert bin. Ich weiß zwar nicht, womit ich diese Liebenswürdigkeit verdient habe, aber auf Jill war immer, immer Verlass.

»Also …« Ich zögere, aus Angst, Charlie eine Frage zu stellen, die ihn vertreiben könnte. »Also – du sagtest, du hast versucht, mich über Facebook anzuschreiben …? Stimmt das?«

Charlie versucht sich an einem Lächeln. »Ja«, sagt

er und spielt an seiner Teetasse. »Ja, ich habe dich zweimal angeschrieben, aber danach hast du mich blockiert.«

»Ich – was? Habe ich nicht! Würde ich nie! Ich wäre total begeistert gewesen, hättest du dich bei mir gemeldet!«

Er scheint da so seine Zweifel zu haben. »Ach, schon okay, ich meine, das muss ein ziemlicher Schock gewesen sein ...«

Leo, denke ich plötzlich. Leo war auf der Suche nach Antworten auf die Hinweise, die ich versehentlich gestreut hatte, in meinem Facebook-Messenger. Aber warum sollte er Charlie blockieren? Weiß er von ihm?

Mein Blick geht wieder zu Charlie. »Ich ... Darf ich dich fragen, was genau in den Nachrichten stand?«

»Ich habe dir einfach bloß meine Telefonnummer geschickt mit der Bitte, dich doch bei mir zu melden.« Charlie, mein Sohn, fummelt unnötigerweise an seinen Schnürsenkeln herum. (Er trägt die Turnschuhe dauergeschnürt, und die Zunge hängt seitlich raus. Socken scheint er keine zu tragen. Und seine Klamotten bügelt er allem Anschein nach auch nicht. Trotzdem sieht er nicht abgerissen aus, sondern einfach ... wie ein Neunzehnjähriger halt.)

Unvermittelt setzt er sich auf. »Auf Facebook heiße ich Charlie Rohr. Dad meinte, ich solle lieber nicht meinen richtigen Namen verwenden, wegen ihm und Mum und der nötigen Anonymität und all so was. Wobei ich mich schon gefragt habe, ob es vielleicht besser gewesen wäre, mich unter meinem richtigen Namen bei dir zu melden.«

Worauf ich ihm behutsam erkläre, dass er vermutlich versehentlich blockiert wurde. »Vor Jahren hab ich mal eine Dokuserie moderiert«, sage ich. »Die lief kürzlich noch mal im Fernsehen, und seitdem tummelt sich wieder ein Haufen seltsamer Typen auf meiner Seite und schreibt mich ständig an. Mein Mann hat sie wohl blockiert. Bestimmt hat er gedacht, du wärst auch einer von denen.«

Er nickt verständnisvoll, aber ob er bloß höflich ist oder ob er tatsächlich was über *Unser Land* gehört – oder sich womöglich sogar mal eine Folge angeschaut – hat, weiß ich nicht.

Es wird still, aber das Schweigen ist weder peinlich noch unangenehm. Fast glaube ich, so langsam kommt er zum eigentlichen Grund seines Besuchs. Dem Grund, warum er ausgerechnet jetzt das Bedürfnis hatte, mich zu sehen.

Ich höre Jills Telefon im Badezimmer klingeln. Und bin mir ziemlich sicher, dass sie leise »Bitte verschwinde einfach« murmelt, aber nicht rangeht.

»Weil ich dich so nicht erreichen konnte, habe ich schließlich Jill kontaktiert«, erklärt Charlie gerade. »Sie kommentiert immer all deine Facebook-Posts, und man merkt gleich, dass ihr beide beste Freundinnen sein müsst.«

»Sie ist echt nett«, fügt er hinzu, und meine Bewunderung für diesen jungen Mann steigt nahezu ins Unermessliche. Dass ein junger Kerl von gerade einmal neunzehn Jahren so verständig ist, sich auch noch eine nette Bemerkung über eine Frau mittleren Alters abzuringen, die er überhaupt nicht kennt!

»Aber egal, ich habe Jill jedenfalls gesagt, dass ich gerne mit dir reden würde, und habe sie gefragt, ob sie dir meine Nummer geben kann. Aber Jill meinte dann, hey, warum trefft ihr euch nicht gleich persönlich?«

»Ich hoffe, du hast dich nicht zu diesem Treffen genötigt gefühlt«, sage ich, weil ich Jill kenne. Wenn sie sich erst einmal etwas in den Kopf gesetzt hat, ist sie nicht mehr zu halten.

»Nein, gar nicht. Ich wollte eigentlich nur mit dir über Mum reden.« Seine Stimme klingt plötzlich fest und entschlossen. »Darum wollte ich dich so dringend sprechen.«

Ich ringe mir ein Lächeln ab. Er soll mir die Enttäuschung nicht anmerken.

»Ich weiß, dass Dad dich das schon gefragt hat«, sagt er gerade. »Aber hast du wirklich nichts von ihr gehört? Keine E-Mail, keine Nachrichten, nichts?«

»Sie hat mir einen Brief geschrieben«, antworte ich zögernd. »Wie du sicher weißt. Dein Dad hat ihn mir gegeben. Aber abgesehen davon, nein. Zumindest nicht dass ich wüsste. Gesprochen haben wir uns jedenfalls nicht, wenn du das meinst.«

»Echt nicht?«

»Echt nicht.«

Charlie guckt mich durchdringend an und sinkt dann wieder in seinen Sessel. »Ach«, sagt er. »Na schön. Tja – ich musste dich das einfach fragen.«

Er denkt kurz nach.

»Es würde mich echt wundern, wenn sie sich bei mir meldet«, sage ich schließlich. »Falls dir das was hilft. Der Brief an sich war schon eine Überraschung.«

Mehr sage ich dazu nicht. Ich weiß ja nicht, was Charlie über Janice und mich weiß.

»Ich war mir ziemlich sicher, dass Mum sich irgendwie bei dir melden würde«, sagt er. »Von dem Brief mal abgesehen.«

Ich schaue ihn an und wage kaum, den Mund aufzumachen, aus Angst, etwas Falsches zu sagen. »Wieso das? Du weißt schon, dass wir seit Jahren keinen Kontakt mehr haben, oder…?«

Die Stimmung verändert sich unmerklich. Charlie zieht das Handy aus der Hosentasche (Silikonhülle mit abgewetzten Ecken) und schaut darauf. Die Anzeige ist leer. »Ich weiß. Aber es muss einen guten Grund geben, warum sie dir jetzt, ausgerechnet jetzt, wegen deiner Krabben schreiben musste. Da steckt doch mehr dahinter. Ich habe mich bloß gefragt, ob sie womöglich auch noch auf anderem Wege versucht hat, dich zu erreichen. Für den Fall, dass wir dir den Brief nicht gegeben hätten.«

Er lügt. Das ist noch nicht alles.

»Ich kann dir den Brief gerne zeigen, wenn du willst, Charlie, aber ich nehme an, du hast ihn längst gelesen?«

»Ja, habe ich.« Sein Blick geht zur Tür, und ich weiß, dass er gleich gehen wird. Das Wunder neigt sich dem Ende zu, und ich kann nichts dagegen tun.

»Dann hast du also nichts von ihr gehört? Überhaupt nichts?«

»Überhaupt nichts.«

»Okay«, sagt er. »Dann sollte ich wohl lieber gleich los. Ich habe in Queen's Park einen Ferienjob – ein Katzensprung von Wembley. Aber ich komme zu spät, wenn ich mich nicht jetzt auf den Weg mache.«

Mein Herz schmerzt, aber ich lächele, freundlich und verständnisvoll, damit er merkt, dass ich jemand bin, den man gerne wieder besuchen kann, so man das möchte, und keine Bekloppte, die ihn als Kind aus dem Park zu entführen versucht hat und jedes Mal in Tränen ausbricht, wenn sie ihn als Erwachsenen wiedersieht.

»Klar«, sage ich. »Tut mir wirklich leid, dass ich dir nicht weiterhelfen konnte.«

Gleich neben mir auf einem Beistelltisch hat

Jill eine lederbezogene Box stehen, mit einem Stapel Notizzettel und einem Stift. Rasch kritzele ich meine Telefonnummer und dann auch noch meine Adresse auf einen der Zettel. »Du kannst dich gerne bei mir melden, falls du noch irgendwelche Fragen hast«, sage ich. »Oder einfach nur… reden willst.«

Charlie nimmt den Zettel und steht auf. »Ich weiß, wo du wohnst«, sagt er. »Ich…« Er verstummt.

Ruckartig schaue ich auf und starre ihn an. »Du warst das. Mit der Baseballkappe.«

Er wird blass. »O Gott, hast du mich etwa gesehen? Vor eurem Haus?«

Ich schließe die Augen. Gott sei Dank. *Gott* sei Dank. »Ich habe dich gesehen. Nicht nur vor unserem Haus. Ich glaube, ich habe dich auch zweimal bei der Arbeit gesehen. Einmal in Plymouth und einmal in London. Warst das auch du?«

Er sieht aus, als würde er am liebsten im Boden versinken. »Himmel, tut mir echt leid«, stammelt er. Selbst seine Ohren sind hochrot geworden. »Jetzt komme ich mir echt blöd vor. Ich wollte wirklich nicht…«

Er knibbelt an einem Fleck – einem Ketchupklecks, glaube ich – auf seiner Jeans herum. »Ich habe erst vor ein paar Wochen herausgefunden, wie du heißt. Ich wollte… Tut mir echt leid. Ich wollte dich bloß mal gesehen haben. Mir mal anschauen, wer du so bist… Entschuldige bitte. Ich dachte eigentlich, ich hätte mich ganz geschickt angestellt.«

Ich versichere ihm, er müsse sich deswegen keine Gedanken machen. Ein Neunzehnjähriger versteht unter unauffälliger Beschattung wohl etwas anderes als ich. Und außerdem, dass er heimlich einen Blick auf seine Mutter werfen wollte, ist auch nicht schlimmer, als das, was ich damals gemacht habe, um heimlich einen Blick auf ihn zu erhaschen.

Wieder entschuldigt er sich, dann schaut er zur Tür, und ich weiß, das ist das Ende seines Besuchs.

»Ich hoffe sehr, dass deine Mum bald wieder nach Hause kommt«, sage ich mit dem Mut der Verzweiflung. Ich bringe es kaum über mich, sie seine »Mum« zu nennen. Ich will seine Mum sein. »Wird sie bestimmt. Und bis dahin kannst du mich jederzeit anrufen oder auch unangekündigt vorbeikommen, wie du willst. Wenn ich nur irgendwie helfen kann.«

Er lächelt kurz. »Danke. Immerhin wissen wir jetzt, dass sie noch lebt. Zermürbend ist es trotzdem. Aber egal, also, danke, dass du dir die Zeit genommen hast. War schön, dich kennenzulernen.«

Und dann ist er durch die Tür, und am liebsten will ich ihn festhalten, ihn niederringen, die Tür verbarrikadieren. Stattdessen gehe ich ganz ruhig mit ihm auf den Flur und lächele freundlich, als er sich noch mal zu mir umdreht. Die Energiesparbeleuchtung schaltet sich ein, als er aus der Wohnung tritt. »Mach's gut«, sagt er, und dann ist er weg.

Jill kocht uns einen Kaffee und gießt mir ein bisschen Brandy in die Tasse, obwohl ich dankend abgelehnt habe. Aber als sie dann mit der Tasse kommt, nehme ich sie doch gerne. Ganz reglos sitze ich auf ihrem Sofa, aber in mir herrscht das reinste Chaos. Habe ich alles richtig gemacht? Fand er mich nett? Ob er mich wiedersehen will?

Ganz gleich, wie verzweifelt ich mich auch all die Jahre nach ihm gesehnt habe, in einem war ich mir immer mit Jeremy einig: Die Initiative muss von Charlie ausgehen, nicht von mir. Aber im Laufe der Zeit hatte ich die Hoffnung schon fast aufgegeben.

Der Zwischenfall am Strand von Alnmouth vor vier Jahren war *wirklich* reiner Zufall gewesen. Ich habe es immer vermieden, während der Schulferien dorthin zu fahren, weil ich mir denken konnte, dass die Rothschilds dann dort sein würden. Während der Schulzeit habe ich immer, wenn ich nach Alnmouth fahren wollte, einfach zwischen sechs und neun Uhr morgens Radio 4 eingeschaltet, und wenn Jeremy auf Sendung war, wusste ich, er musste in London sein, und ich konnte unbesorgt hinfahren. War er nicht auf Sendung, hielt ich mich lieber fern.

Aber dieses eine Mal habe ich einfach nicht daran

gedacht. Ich hatte gerade meine Krebsdiagnose bekommen, die BBC hatte mich vor die Tür gesetzt, und ich war schwanger – ich habe es schlichtweg verpennt, mich vorher zu vergewissern. Ich wollte einfach nur raus, weit weg, Ruhe und weite Strände und jagende Wolken und vielleicht die Hoffnung auf eine Hemigrapsus-takanoi-Sichtung.

Ich sah ihn und Janice erst, als ich ihnen schon fast vor die Füße stolperte, und plötzlich war die Hölle los. Nie werde ich ihre Stimme vergessen, dieses Kreischen, und wie sie mich mit allen nur erdenklichen Verwünschungen beschimpft hat.

Meine letzte Hoffnung war Charlies achtzehnter Geburtstag. Danach hätte er sich bei mir melden können, auch wenn Janice und Jeremy ihm bis dahin womöglich verschwiegen hatten, wer seine leibliche Mutter war. Aber auch da – nichts.

Und dann steht er plötzlich da. In einer Etagenwohnung in Wembley an einem windigen Julitag. Meine DNS in Spiralketten in seinem Körper, die meiner Eltern, meiner Granny, all der Verwandten und Vorfahren, nach denen ich es versäumt hatte, Dad zu fragen, als er noch lebte. In einem Sessel, mir gegenüber, eine wunderbare halbe Stunde lang.

Jill ist, natürlich, mal wieder unerträglich nett zu mir und hat meine Entschuldigungsversuche für die Zickerei vorhin im Auto einfach abgetan. »Ich hätte das auch seltsam gefunden«, versichert sie. »Aber hätte ich dir gesagt, was los ist, wärst du in heillose Panik verfallen. So warst du ganz locker und du selbst und wunderbar wie immer. Wenn ich Charlie wäre, ich würde dich wiedersehen wollen.«

Sie muss unser ganzes Gespräch durch die Badezimmertür belauscht und dabei, wenn ich mir die Tüte so anschaue, die meisten Teilchen aufgefuttert haben. Beharrlich wiederholt sie ein ums andere Mal, wie toll ich mich gehalten habe, trotz der unaufhaltsamen Tränenflut am Anfang.

Der Brandy dämpft ein wenig das überbordende Gefühlschaos in mir. Ich bin müde und ein bisschen durcheinander, aber bester Laune.

»Hör zu«, sagt Jill. »Du musst irgendwo übernachten, Emma. Bleib einfach den Nachmittag über hier. Wir trinken Wein und gucken abends schlechte Filme.«

Ich schließe die Augen. Tatsächlich will ich am liebsten hierbleiben. Beim Gedanken an das klärende Gespräch mit Leo, wird mir übel. Natürlich will ich hierbleiben, hier in dieser Wohnung, wo ich meinen erwachsenen Sohn wiedergesehen habe. Wo es noch Möglichkeiten gibt und Hoffnung.

Aber Leo. Ruby.

»Ich muss mit Leo reden«, erkläre ich schließlich. »Ich muss ihn fragen, ob er Ruby nachher von der Kita abholen und sie morgen früh wieder hinbringen kann. Und ja, ich habe gehört, was du gesagt hast – er will noch nicht mit mir reden. Aber ich *muss* ihm sagen, dass er Rubys Vater ist. Eigentlich wollte ich es ihm heute Morgen persönlich sagen, aber jetzt könnte es ja noch Tage dauern, bis wir uns wiedersehen.«

Jill nickt. »Das stimmt«, sagt sie. »Das sollte er wissen. Unbedingt. Aber Emma, er holt Ruby doch jeden Tag von der Kita ab. Das machst du sonst nie! Kannst du dir nicht wenigstens ein paar Stunden Ruhe gönnen, bis du dich ein bisschen beruhigt hast? Ihn nachher anrufen, wenn die beiden zu Hause sind?«

Ich denke kurz darüber nach. Jill hält mir ihr Handy hin. »Du kannst ihn auch jetzt gleich anrufen, wenn dir das lieber ist«, sagt sie. »Ich habe deinen Anruf nur hinauszögern wollen, damit du nicht völlig fertig mit den Nerven bist, wenn Charlie vor der Tür steht.«

Sie wirkt müde, überhitzt und dehydriert. Seit wir hier angekommen sind, habe ich mit ansehen können, wie sie sich beinahe ununterbrochen Kohlehydrate und Zucker in den Mund gestopft hat. Irgendwas stimmt nicht mit meiner besten Freundin, und es wird langsam Zeit, dass ich mich ein bisschen um sie kümmere. In letzter Zeit ging es immer nur um den Irrsinn in meinem eigenen Leben.

»Was ich damit sagen will, ist, du hast gerade echt viel durchgemacht. Meinst du nicht, du hast dir ein paar Stunden Erholung verdient?«

Ich nicke. »Das stimmt wohl.«

Leo will mich gerade nicht sehen, Jill aber schon. Ich nehme den Wein. Das Essen, den Film, das müde Lachen. Ich rufe ihn nachher an, nach Rubys Abendessenszeit, und dann sehen wir weiter.

So nehme ich mir das vor. Und sage es Jill, die zufrieden lächelt. »Gut so, kleine Napfschnecke«, sagt sie. »Gut so.«

Fünfundfünfzigstes Kapitel

Leo

Während der Aufzug mit mir hinauf zu Jills Wohnung gondelt, kommt mir zum ersten Mal der Gedanke, Jill könne womöglich eine Wahnsinnige sein. Und ich könnte meine Frau zerlegt und ausgeweidet in Jills perfekt aufgeräumter kleiner Küche finden, ordentlich verpackt in hübsch beschrifteten Gefrierbeutelchen.

Ich ringe mir ein Lachen ab, aber irgendwie ist mir ein bisschen mulmig zumute. Mir will einfach kein guter Grund einfallen, warum meine Frau mich das ganze Wochenende praktisch auf Knien anflehen sollte, doch bitte mit ihr zu reden, nur um sich dann am Morgen unserer verabredeten Aussprache bei Jill zu verkriechen. Und mir will auch kein guter Grund einfallen, warum Jill partout nicht ans Telefon geht, wenn ich sie anrufe. Und warum sie das Handy inzwischen ganz ausgeschaltet hat, und das Stunden nachdem sie mit Emma im Auto weggefahren ist.

Die Aufzugtüren gleiten geräuschlos beiseite, und meine Füße tappen über den Teppichboden in der sechsten Etage. Ich schaue auf die Uhr. 22:41 Uhr. Ich will ins Bett. Will ganz langsam wegdämmern, während Emma neben mir liegt und ihre schlauen Zeitschriften liest und sich ständig umdreht und mich damit in den Wahnsinn treibt. Will Ruby im Zimmer nebenan wissen, mit Ente unter der Decke, und John unten im Körbchen mit flüsterleisem Jungle im Hintergrund.

Jills Gesicht, als sie mir die Tür aufmacht, ist unbeschreiblich. Ich habe mich hinter einem ihrer Nachbarn ins Haus geschlichen und sie damit überrumpelt. Sie hat ein Glas Rotwein in der Hand. Und hat merklich zugenommen, seit ich sie das letzte Mal gesehen habe. Aber dadurch wirkt sie nicht etwa sanfter, sondern eher noch unzugänglicher, als verschanze sie sich hinter ihrem Gewicht.

»Oh. Hey«, flüstert sie, als schliefe drinnen ein Baby.

»Hi. Ist Emma bei dir?«

Sie zögert, aber ich sehe es ihr an der Nasenspitze an, also marschiere ich kurzerhand an ihr vorbei ins Wohnzimmer, wo Emma auf dem Sofa sitzt, Wein trinkt und Toast isst.

Im ersten Augenblick starren wir einander nur sprachlos an. Dann schließlich: »Leo?« Sie wirkt erstaunt, als hätte sie nicht erwartet, dass ich nach dreizehn Stunden erfolgloser Suche plötzlich hier auf der Matte stehe.

Mein Blick geht zu der offenen Weinflasche auf dem Tisch. Halb leer. Eine zweite, leere Flasche steht auf einem Konsolentischchen.

»Was machst du hier?«, frage ich fassungslos. »Was bitte *machst* du hier?«

Emmas Blick huscht zu Jill. »Ähm ... was?«

Dann fasst sie sich erschrocken mit der Hand ans Herz. »O Gott. Ich wollte dich nach Rubys Abendessenszeit anrufen. Entschuldige, ich ...«

»Du wolltest mich nach Rubys *Abendessenszeit* anrufen? Die ist um sechs!«

Emma muss ziemlich betrunken sein. Sie guckt mich an, als spräche ich Chinesisch.

»Leo ...?«

»Wie wäre es, du hättest mich um halb zehn heute Morgen angerufen? Als wir eigentlich miteinander verabredet waren? Oder vielleicht um zehn, als ich schon eine halbe Stunde auf dich gewartet habe? Du hättest mich einfach *irgendwann* im Laufe des Tages anrufen können!« Meine Stimme klingt viel zu laut für dieses gemütliche kleine Wohnzimmer mit den ordentlich aufgereihten Sofakissen und den makellos sauberen Oberflächen. »Bin ich dir eigentlich scheißegal, Emma? Bedeutet unsere Ehe dir etwa gar nichts mehr?«

Emmas Haare glänzen im Schein von Jills strategisch platzierten Lampen. Am liebsten möchte ich das Glas Wein über ihr auskippen. Emma hat keinerlei Respekt mehr vor uns, weder vor mir noch vor Ruby. Sie hat in aller Seelenruhe zugesehen, wie ihr geheimes Doppelleben auffliegt, und hat uns dann sang- und klanglos sitzen gelassen, um wieder auf eine ihrer Geheimmissionen zu gehen, als seien wir kaum mehr als Staffage.

»Leo«, sagt sie, und ich merke, wie viel Mühe sie sich beim Sprechen gibt, um nur ja nicht angetrunken zu klingen. »Es tut mir leid. Ich wollte dich nach Rubys Abendessenszeit anrufen. Aber ich… Ganz ehrlich, ich dachte nicht, dass du von mir hören willst, ganz egal, wann. Du hast gesagt, du brauchst noch ein paar Tage Zeit, bis du so weit bist, dass du mit mir reden kannst. Ich habe bloß deinen Wunsch nach etwas Abstand respektiert, Liebling, ich…«

»Ich habe *was* gesagt?«

Ihr Gesichtsausdruck verrutscht ein klitzekleines bisschen, und ich kann ihr ansehen, wie sie im Geiste noch einmal zurückspult.

Ganz langsam dreht sie sich zu Jill um. Ich tue es ihr gleich.

»Jill?«, sagt sie. »Jill…?«

Jill steht in der Küchentür, das Weinglas noch in der Hand. Ihre Knöchel, mit denen sie den Stiel umklammert, sind kalkweiß.

»Ich musste Emma heute bei etwas Wichtigem helfen«, erklärt sie. »Ich kann dazu nichts weiter sagen, tut mir leid, Leo. Aber es war wirklich wichtig.«

Ich nehme den Schlüsselbund in die andere Hand. »Ging es um Emmas erwachsenen Sohn? Von dem ich nichts wusste? Um ihre Beziehung zu Jeremy und Janice Rothschild? Ihren Rauswurf bei der BBC, als rausgekommen ist, dass sie vorbestraft ist? Weißt du, ich glaube, du kannst es mir ruhig sagen.«

Schweigen.

In der Küche läuft Musik, irgendwas Folkiges, das eigentlich weder zu Emma noch zu Jill passt. Eine klagende Stimme, die einen Zug besingt, der in der Ferne verschwindet, *down the line, down the line, down the line*, während im Hintergrund eine traurige Gitarre klampft.

Emma hat die Hände vor den Mund geschlagen. Sie steht auf, macht einen kleinen Schritt auf mich zu und bleibt dann stehen. »Nein«, flüstert sie. »Leo, nein… O Gott, Leo…«

»Ich war vorhin bei Jeremy Rothschild«, sage ich zu ihr. »Ich war in seinem Haus, weil ich eine verdammte Scheißangst um dich hatte, Emma, eine Scheißangst, dass dir irgendwas Schreckliches zugestoßen ist. Also musste ich rausfinden, was er weiß, weil er dir mehrfach wegen eines Treffens geschrieben hat. Er hat mir dann alles erzählt.«

Emma setzt sich abrupt wieder hin.

»Nein«, stammelt sie wieder. »Nein, nein.«

»Doch.«

Das Lied ist zu Ende, und Jill verschwindet, um die Musik auszustellen.

»Leo, so hättest du das nicht erfahren sollen.«

Ich bohre mir den Schlüssel in die Handfläche. »So hätte ich das nicht erfahren sollen, nein. Ich hätte es aus deinem Mund erfahren sollen. Vor zehn Jahren. Neun Jahren. Egal, irgendwann im Laufe unserer Beziehung, nur nicht heute, von Jeremy Rothschild.«

»Nein«, flüstert sie wieder.

»Aber statt es mir zu sagen, bist du lieber abgehauen, um hier gemütlich mit Jill abzuhängen und dir einen anzutrinken. Ohne weitere Erklärung, ohne Rücksicht auf Verluste. Emma, was zum Teufel?«

Emma guckt Jill an, die wieder in der Küchentür aufgetaucht ist. Ich glaube, ich habe noch nie jemanden gesehen, der sich so unwohl fühlt in seiner Haut. »Ich habe das nur für dich getan«, sagt Jill, aber sie klingt verunsichert. Dann sieht sie mich an. »Ich habe sie und Charlie zusammengebracht.«

»Wie bitte?«

»Ich habe Emma und Charlie zusammengebracht«, wiederholt sie. »Und... Hör zu, es tut mir leid, dass so viel Heimlichtuerei dabei war, aber ich hatte nur diese eine Gelegenheit, und ich wollte unbedingt, dass es klappt.«

Ich wende mich wieder Emma zu. »Du hast Charlie gesehen? Echt jetzt?«

Sie nickt.

Ich fahre mir mit der Hand durchs Gesicht. Das ist nicht mein Leben. Mein stinknormales, chaotisches Leben mit meiner Frau und meiner Tochter.

»Aber Leo«, sagt Emma. »Du hast Jill doch gesagt, du bräuchtest ein paar Tage Zeit, um in Ruhe über alles nachzudenken. Du hast gesagt, du seist noch nicht so weit. Also... bin ich mit zu Jill gefahren. Ich verstehe nicht, wieso du heute Morgen auf mich gewartet oder warum du mich den ganzen Tag gesucht hast.«

Ich lache ungläubig. »Ich habe Jill tatsächlich gesagt, dass ich noch ein bisschen Zeit brauche. Aber das war am Samstagmorgen. Ich habe ihr *am Samstagmorgen* gesagt, dass ich noch etwas Zeit brauche. Jetzt ist es Montagabend. Die ›paar Tage‹ sind vorbei. Wir waren heute Morgen verabredet.«

Jill ist puterrot angelaufen. »Tut mir leid, falls ich da was missverstanden habe«, stammelt sie. »Das tut mir wirklich – aufrichtig – leid. Aber ich glaube, das Wichtigste ist doch, dass Emma und Charlie sich nach beinahe zwanzig Jahren endlich wiedergesehen haben.«

Unvermittelt spüre ich die Erschöpfung und

muss mich gegen die Wand lehnen. »Ich habe dich als vermisst gemeldet«, sage ich zu Emma. »Ich habe alle Krankenhäuser abgeklappert auf der Suche nach dir. Olly und Tink sind bei uns zu Hause und passen auf Ruby auf. Sogar Sheila hat sich eingeschaltet; mit ihrer Hilfe habe ich herausgefunden, wo du steckst.«

»Ach du liebe Zeit«, sagt Emma. »Aber Ruby denkt doch nicht etwa, dass ich verschwunden bin, oder?«

»Nein.«

»Ganz sicher nicht?«

»Ganz sicher nicht. Wobei ich es ihr wohl spätestens morgen früh hätte sagen müssen.«

Emma sieht aus, als würde ihr gleich schlecht. »Jill. Wie kannst du einem kleinen Kind nur so etwas antun?« Sie steht auf, dann setzt sie sich wieder, vielleicht weil sie merkt, wie beschwipst sie ist. »Was hast du dir bloß dabei gedacht?«

Emma hat mir schon öfter gesagt, dass sie Jill in all der Zeit, die sie sich nun schon kennen, noch nie – nicht ein einziges Mal – hat weinen sehen. Weshalb es vermutlich für uns beide ein Schock ist, als wir plötzlich dicke, fette Tränen in Jills Augen sehen.

»Ich wollte doch nur, dass du ihn endlich wiedersiehst«, sagt sie. Ihre Stimme droht zu kippen. »Ich wollte doch bloß, dass es endlich passiert, ohne Leo oder sonst wen da mit hineinzuziehen. Alles andere war unwichtig.«

»Das kannst du nicht allein entscheiden«, sage ich leise. Jill zwickt sich in die Nasenwurzel.

»Das stimmt«, sagt sie. »Kann ich nicht. Aber ich wollte doch nur Emma helfen. Mehr wollte ich nicht. Immer schon.«

Emma und ich schauen uns an. Das ergibt irgendwie alles keinen Sinn.

Jill presst sich die Handflächen auf die Augen. Auf keinen Fall will sie vor uns weinen. »Es tut mir leid«, sagt sie. »Es tut mir leid, es tut mir leid. Ich habe gelogen, um dich hierherzulocken. Ich habe Leo einen Schreckenstag beschert, was ich nicht wollte – ich habe das nicht zu Ende gedacht. Es tut mir leid, Emma. Alles. Entschuldige.«

Emma weiß nicht, was tun. »Jill, was ist denn los?«, fragt sie leise. »Was hast du nur?«

Nach kurzem Zögern verschränkt Jill die Arme vor der Brust. »Bist du echt so dämlich?«

Wieder sieht Emma mich an. Sie versteht nur noch Bahnhof, genau wie ich.

»Ja, ich bin manchmal ganz schön dämlich«, sagt sie zaghaft. »Ziemlich oft sogar. Aber ich weiß wirklich nicht, was du gerade damit meinst.« Ihre Stimme wird weicher. »Bitte, Jill. Rede mit mir.«

»Ich hätte das alles hier verhindern können«, sagt Jill schließlich.

»Verhindern, was denn? Was meinst du mit ›das alles‹?«

»Ich wusste, dass David Rothschild verheiratet war. Einer seiner Freunde hat es mir gesagt. Ich hätte es dir sagen können, gleich am selben Abend, aber ich habe es für mich behalten, weil ich eifersüchtig auf dich war, Emma. Alle waren scharf auf dich. *Alle.* Ich wollte einfach, dass du dir mal so richtig dumm und klein vorkommst, nur für einen Moment. Das war gemein von mir. Und dann bist du schwanger geworden, und dein Leben war ein einziger Scherbenhaufen. Und alles meine Schuld. Und darum habe ich seitdem alles in meiner Macht Stehende getan, um dir zu helfen. Aber es reicht nicht. Es ist einfach nie genug.«

Sie zieht das T-Shirt herunter, das im Rücken hochgerutscht ist. »Ihr solltet jetzt wohl besser gehen, alle beide. Damit ihr über mich ablästern könnt, was für ein schlechter Mensch ich doch bin und wie ich alles verbockt habe. Dir dein ganzes Leben versaut habe.« Sie schaut uns nicht mal mehr an.

Bevor einer von uns etwas sagen kann, steht sie bereits an der Wohnungstür und hält sie uns auf. »Macht's gut«, sagt sie mit Blick ins Nichts.

»Jill …«, sagt Emma. »Bitte, hör auf.«

Jill steht reglos in ihrer Wohnungstür.

»*Jill. Jill!*«, sagt Emma. »Hör sofort auf damit! *Ich* habe ihn mit zu mir nach Hause genommen, *ich* habe mit ihm geschlafen. *Ich* war nicht vorsichtig genug mit den Kondomen. Es war mein Körper, meine Entscheidung. Das ist nicht deine Schuld. Und war es auch nie.«

Aber Jill scheint sie gar nicht zu hören. »Es tut mir leid«, murmelt sie, und als wir uns nicht vom Fleck rühren, tappt sie über den Flur ins Schlafzimmer und schließt die Tür hinter sich.

Schweigend laufen wir den Korridor von Jills totenstillem Appartementgebäude hinunter, so weit auseinander wie irgend möglich.

Ich weiß nicht, was ich noch denken oder tun soll. Und Emma anscheinend auch nicht.

Der Parkplatz ist verlassen, dünner Sprühregen legt sich wie eine Haut über den Asphalt, kein Lebenszeichen weit und breit, bis auf einen jungen Mann im leuchtstoffröhrengrellen Fitnessstudio ganz oben auf dem Dach von Jills Appartementblock. Ich schaue auf die Uhr. 23:03 Uhr.

Ich will nur noch, dass dieser Tag endlich vorbei ist, aber irgendwie habe ich das ungute Gefühl, er fängt gerade erst an.

Sechsundfünfzigstes Kapitel

Emma

Schweigend fahren wir durch den Londoner Norden. Nieselregentröpfchen tanzen im pfirsichgelben Schein der Straßenlaternen, aus Dönerläden quellen Neonlicht und fröhliche Musik. In Wilsden beobachte ich, wie ein Mann seinen alten Kühlschrank neben einem Müllcontainer abstellt und sich dabei nervös nach möglichen Zeugen umsieht. Leo, der sonst sicher eingeschritten wäre, sagt keinen Ton.

Hin und wieder schaue ich ihn verstohlen von der Seite an. Leo beim Autofahren zu sehen macht ihn für mich nur noch unwiderstehlicher. Nicht weil er so ein rasanter Fahrer ist, eher im Gegenteil. Er ist immer so ruhig und unaufgeregt. Am liebsten möchte ich mich in seinem warmen Schoß zusammenringeln, mit der abgewetzten Jeans unter den Beinen, und die Arme um sein gestreiftes Shirt schlingen und in seiner Armbeuge einschlafen.

»Leo«, sage ich zögerlich, als wir in die Fitzjohn's Avenue einbiegen.

»Bitte nicht«, sagt er. Und dann, nach kurzem Schweigen: »Ich kann nicht.«

Ich wende mich ab und schaue wieder aus dem Fenster, auf hohe rote Backsteingebäude, für die Nacht verrammelt, und Platanen, die tropfend und in sich zusammengesunken die Straße säumen wie alte Männer.

Dann starre ich auf seinen Kiefer, die zusammengebissenen Zähne, während wir von Frognal Rise in unsere kleine Straße abbiegen, und ich weiß, ich werde ihn verlieren, diese große Liebe meines Lebens, genau wie ich Charlie verloren habe, und es ist ganz allein meine Schuld.

»Ich schlafe auf dem Sofa«, sage ich, nachdem Olly und Tink ihre schlafenden Jungs ins Auto getragen haben.

»Nein. Ich ... ich will nicht, dass Ruby denkt, es stimmt was nicht. Ich schlafe im Schuppen. Falls sie mich dann reinkommen sieht, wird sie annehmen, dass ich mit John zum Pinkeln draußen im Garten war.«

Ich stehe im Flur und versuche, nicht zu weinen.

Leo geht nach oben und kommt mit Schlafsack und Kissen wieder herunter. »Ich hole dir schnell einen Kissenbezug«, sage ich aus reiner Verzweiflung, aber er sagt Nein, er braucht keinen, und marschiert schnurstracks zur Hintertür.

»Leo«, flüstere ich. Ich ertrage das nicht. Hier, in diesem Haus, ist alles, was gut ist in meinem Leben. Alles, was mich hat heilen lassen, alles, was mir einen Grund zum Leben gegeben hat.

Er dreht sich um. John, der ihm auf dem Fuße folgt, dreht sich ebenfalls um. Er setzt sich zu Leos Füßen und schaut mich erwartungsvoll an.

»Leo…« Ich verstumme. Wo anfangen?

»Der Gedanke daran, was du alles durchgemacht haben musst«, sagt Leo in die Stille hinein, »ist kaum zu ertragen. Es tut mir so unfassbar leid, unter welchen Umständen du Charlie verloren hast. Was du vorher und nachher alles durchgemacht hast. Aber Emma, du hast nicht ein einziges Mal versucht, dich mir anzuvertrauen. Du hast es nicht einmal *versucht.*«

Er fährt sich mit der Hand durch die Haare. Die wunderschönen Haare.

»Ich wusste nicht mal, wie du heißt«, sagt er, nun auch den Tränen nahe. »Zehn Jahre lang habe ich dich jeden Abend in den Armen gehalten, und ich wusste nicht einmal, wie du heißt.«

Er dreht sich um und geht zur Gartentür, und just in dem Moment hört man es leise an der Haustür klopfen.

Blitzschnell fällt Leo auf die Knie und nimmt

John Keats in die Arme, damit der nicht losbellt. »Was zum Kuckuck!«, zischt er und späht an mir vorbei zur Tür. »Ist das für dich?«

»Ich… Natürlich nicht. Soll ich aufmachen?«

»Das ist sicher Olly. Bestimmt haben sie irgendwas vergessen.«

Leo hält den Hund fest, während ich zur Haustür gehe.

Doch statt meinem Schwager stehe ich unvermittelt meinem Sohn gegenüber.

Stumm starre ich ihn an.

»Hi…«, sagt er.

»Hallo? Hi! Hi.«

Hinter Charlie, am Ende unseres überwucherten Gartenpfads, steht Jeremy in einer Kluft aus Parka und Basecap, die er sich vermutlich von Charlie geborgt hat. Der Wind hat aufgefrischt, und die Bäume fuchteln aufgeregt mit den Armen und lassen den Regen von vorhin auf Jeremys Kappe prasseln. Jeremy hebt zögerlich eine Hand zur Begrüßung.

»Entschuldige«, sagt Charlie. »Aber ich musste… Es gibt da noch etwas, worüber ich mit dir reden muss. Etwas Wichtiges. Eigentlich hatte ich es schon vorhin ansprechen wollen, aber ich… Na ja, seit heute Nachmittag ist einiges passiert. Seit ich bei dir war.«

Mit wild klopfendem Herzen drehe ich mich zu Leo um. »Leo, das ist…«

»…Charlie.« Leos Stimme klingt sanft und ver-
söhnlich. Er schaut meinen Sohn an und macht den
Mund auf, um etwas zu sagen, aber es kommt kein
Ton heraus. Ich sehe mich in Charlies Gesicht. Leo
geht es sicher genauso.

»Komm doch rein«, sagt mein Mann schließlich.
Er lässt John los. Hocherfreut hopst John auf Charlie zu und führt ein kleines Freudentänzchen auf;
beim ungestümen Schwanzwedeln wirft er einen
Bücherstapel um. Charlie kniet sich hin und spielt
mit ihm, und zum ersten Mal sehe ich ihn heute lächeln und lachen, und dann erst merke ich, dass ich
ebenfalls auf dem Boden sitze, weil meine Knie einfach nachgegeben haben.

Siebenundfünfzigstes Kapitel

Emma

Wir gehen alle gemeinsam in die Küche, und Leo setzt Teewasser auf. Dann geht Jeremy zu Leo und reicht ihm die Hand. Nach kurzem Zögern nimmt Leo sie und schüttelt sie. Es sieht fast aus, als wolle Jeremy sich bei ihm entschuldigen, obwohl ich nicht wüsste, warum.

Charlies Blick geht zu Schlafsack und Kopfkissen, die in einem unordentlichen Haufen neben der Hintertür liegen, aber er sagt nichts. »Alles okay?«, fragt er schließlich so beiläufig, als sei er in einer Studentenkneipe einem alten Kumpel begegnet.

Ich zucke nur die Achseln – *muss ja!* –, weil er auf keinen Fall daran zweifeln soll, dass der Besuch bei mir eine gute Idee war.

»Wir haben gerade einen Parkplatz gesucht, als ihr beide nach Hause gekommen seid.« Neugierig schaut er Leo an. »Wart ihr essen oder so?«

»Nein«, entgegnet Leo knapp, wobei er nicht unfreundlich klingt. »Ich lasse euch gleich in Ruhe, ich will nur eben den Tee einschenken.«

Ich zögere. »Eigentlich wäre es mir lieber, wenn Leo dabeibleibt.«

Riskant, aber ich will keine Geheimnisse mehr vor meinem Mann haben.

Leo schenkt Tee in Tassen. »Ich kann gerne gehen«, sagt er unbeteiligt. Er ist so nett. So verdammt nett.

Charlie guckt rüber zu seinem Vater, der bloß die Achseln zuckt. Charlie sagt: »Also gut. Solange das unter uns bleibt?«

Leo nickt und reicht Charlie eine Tasse Tee, aber er hat keinen Zucker reingetan, und Charlie fragt auch nicht danach.

»Also dann«, sagt Leo und setzt sich, und ich bin so stolz auf ihn. Niemand, der diese Szene sieht, würde denken, dass mein Mann hier neben seinem Stiefkind sitzt, von dessen Existenz er heute Morgen erst erfahren hat.

»Gut«, sagt Charlie, während John Keats es sich auf dem Teppich mitten im Wohnzimmer bequem macht. John scheint erstaunt angesichts unserer nächtlichen Kapriolen, aber nicht unangenehm überrascht. Er steckt die Nase zwischen die Pfoten und beobachtet uns.

»Also… was seither passiert ist… Es hat uns jemand eine Nachricht auf dem Anrufbeantworter hinterlassen. Jemand aus dem Laden in Alnmouth.«

»Ich hatte die Dame gebeten, sich zu melden, sollte sie Janice sehen«, wirft Jeremy ein. »Janice muss heute Morgen dort gewesen sein.«

Er verstummt, und mir geht auf, dass diese Sichtung nicht unbedingt eine gute Nachricht sein muss. »Vermutlich hat es nichts zu bedeuten, aber sie hat zwei Schachteln Paracetamol gekauft.« Charlie fährt sich mit den Händen übers Gesicht.

»Bestimmt brauchte sie einfach bloß ein Schmerzmittel«, fährt Jeremy fort. »Sie hat Probleme mit Spannungskopfschmerzen… aber…«

»Sie könnte auch schon woanders Paracetamol gekauft haben«, platzt Charlie heraus, mehr an seinen Vater gerichtet als an mich. »Sie könnte inzwischen einen Riesenvorrat gehamstert haben…«

»Wobei wir davon ausgehen wollen, dass das nicht der Fall ist«, meint Jeremy. »Wir wollen davon ausgehen, dass sie einfach bloß Paracetamol gekauft hat, genau wie du und ich ein Schmerzmittel kaufen würden. Wer kauft denn schon eine einzelne Schachtel? Man kauft doch immer gleich zwei.« Er sieht mich an. »Die Ladenbesitzerin kenne ich schon seit Jahren, ich vertraue ihrer Einschätzung. Sie sagte, Janice habe ganz entspannt gewirkt, unbeschwert und munter. Das mit dem Paracetamol hat sie überhaupt nur erwähnt, weil ich explizit nachgefragt habe, was sie im Einkaufswagen hatte. Neben dem Paracetamol hat sie Brot, Käse, Nudeln, ein paar Äpfel und einen Schokoriegel gekauft. Und eine Flasche Orangensaft. Ich glaube nicht, dass jemand, der gerade mit allem abschließt, solche Einkäufe tätigt.«

Charlie schaut aufs Handy. Ich glaube, er sorgt sich wegen des Paracetamols mehr als sein Vater.

»Aber immerhin wissen wir jetzt, dass sie dort ist. Wir fahren gleich morgen früh hin, sobald ich von der Arbeit komme.«

»Klingt nach einem Plan«, sagt Leo höflich. Ich sehe ihm an, dass er sich fragt, warum die beiden mitten in der Nacht hier reingeplatzt sind, um uns das zu sagen.

»Hört zu«, sagt Charlie. »Warum wir eigentlich hier sind… ähm…« Er holt tief Luft. »Also, zuallererst muss ich dazu sagen, dass ich weiß, warum Mum verschwunden ist.«

Ich schaue auf, erstaunt, aber nicht erschrocken. Hab ich es doch gewusst, dass er mir vorhin etwas verschwiegen hat.

»Dad wusste nichts davon. Ich hätte es ihm schon viel eher sagen sollen, aber ich musste Mum versprechen…«

Jeremy tätschelt Charlie den Arm.

»Ich habe Mum versprochen, es für mich zu behalten. Aber inzwischen mache ich mir ernsthaft Sorgen. Dad hat vermutlich recht mit dem Paracetamol, aber die Sache gefällt mir nicht.«

Er unterbricht sich, atmet noch mal tief durch.

Jeremy nimmt die Baseballkappe vom Kopf und legt sie sich aufs Knie. »Was Charlie dir zu sagen hat, ist nicht leicht.« Er lehnt sich auf dem Sofa zurück, mitten hinein in den Schein von Leos Leselampe. Er sieht schlimm aus. »Bitte nimm es ihm nicht übel, dass er es dir nicht schon vorhin gesagt hat. Er steckte in einem schrecklichen Dilemma.«

Charlie setzt an, etwas zu sagen, und bricht dann wieder ab. Er sieht seinen Dad an, der ihm aufmunternd zunickt, und mir wird ganz warm ums Herz, als ich sehe, wie liebevoll Jeremy sich um Charlie kümmert. Und wie sehr der seinem Vater vertraut.

Charlie greift nach dem Rucksack, den er dabeihat. Er nimmt einen kleinen Stapel Notizbüchlein heraus, allesamt in verschiedenen Formaten. *Zerlesene Tagebücher*, denke ich mit einem Funken Bewunderung. Wie oft habe ich schon den Gedanken gehabt, dass es mir sicher guttun würde, Tagebuch zu führen. Aber auch nach beinahe vierzig Jahren habe ich es bis heute nicht geschafft, mir zu diesem Zweck eine kleine Kladde zuzulegen.

»Das sind die Tagebücher meiner Mutter«, sagt Charlie. »Die habe ich in den letzten Wochen nach und nach gelesen.«

»Um herauszufinden, wo sie sein könnte?«

Ein eigenartiger Ausdruck huscht über Charlies

Gesicht. Er rückt die Tagebücher auf den Knien zurecht. »Tatsächlich habe ich schon vor ihrem Verschwinden damit angefangen. Was hier drinsteht, was ich gelesen habe, ist wohl der Hauptgrund, dass sie über alle Berge ist.«

»Du kannst nichts dafür«, sagt Jeremy leise.

Ein entsetzlicher Gestank zieht durch den Raum. John, der Schuldige, beobachtet uns, die Nase weiterhin fest zwischen die Pfoten geklemmt.

Charlie ist zu höflich, um etwas dazu zu sagen, aber Jeremy verzieht angewidert das Gesicht. »Ich habe bloß angefangen, sie zu lesen, weil ich mir Sorgen um sie gemacht habe«, erklärt Charlie gerade. »Ich wollte herausfinden, ob ich irgendwas tun kann, um ihr zu helfen.«

Dann starrt er auf seine Hände und sagt: »Ich weiß das mit dem Ersticken.«

Ich will ihm in die Augen schauen, aber es geht nicht, die Scham frisst sich brennend heiß durch meinen Bauch, und ich muss den Blick abwenden.

»Ich kann dir gar nicht sagen, wie leid mir das tut, Charlie«, flüstere ich. »Ich … Ich, o Gott, es tut mir so leid. Wie furchtbar, wie furchtbar entsetzlich, dass du das lesen musstest.«

Charlie gibt keine Antwort. Sein Blick geht nur wieder zu den Tagebüchern, die er völlig unnötig zurechtrückt und neu stapelt.

»Ich hoffe, du weißt, dass ich damals schwer krank

war«, füge ich hinzu. »Hätte ich mich nicht freiwillig in einer Klinik behandeln lassen, hätten sie mich wohl gegen meinen Willen einweisen müssen.«

»Ich weiß ein bisschen was über Wochenbettpsychosen. Ich habe mich vor ein paar Jahren in das Thema eingelesen, als ich erfahren habe, dass du nach meiner Geburt daran erkrankt bist. Mum und Dad haben gesagt, du hättest ›flüchtige Zwangsgedanken‹ gehabt, mir etwas anzutun. Aber was genau passiert ist, haben sie mir nicht gesagt.«

Mich überläuft es eiskalt. Was soll ich dazu sagen? *Es tut mir leid?* Das würde meine Gefühle nicht einmal ansatzweise beschreiben. Jahrelange Schuldgefühle wie hartnäckiges Sodbrennen. Der Selbsthass, den ich trage wie eine Alltagsuniform.

All die vielen Male, die ich in Rubys Zimmer gestürzt bin, aus Angst, das Karma könne mir in einer dunklen Ecke des Kinderzimmers auflauern, und mein jüngeres Kind könne irgendwie erstickt sein oder aufgehört haben zu atmen.

»Falls es dir hilft, ich habe das bis heute nicht verwunden«, sage ich zu ihm. »Ganz gleich, wie viele Therapiesitzungen ich auch mache, wie viele Kurse ich besuche, wie vielen Selbsthilfegruppen ich mich anschließe, es ist einfach immer da. Es hört nicht auf.«

Charlie stützt den Kopf in die Hände. John pupst abermals, woraufhin Jeremy kommentarlos aufsteht und ihn in den Garten lässt.

»Genau deswegen bin ich hier«, sagt Charlie in die hohlen Hände.

Stille.

»Du hast es nicht getan«, sagt er. »Mum hat sich das alles ausgedacht.«

Ich schließe die Augen. Armer Charlie. Natürlich will er das nicht glauben.

»Nein, ich fürchte, das hat sie sich nicht bloß ausgedacht«, sage ich. »Es tut mir leid, Charlie – ich will es selbst nicht glauben, aber es ist genau so passiert. Ich kann mich ganz genau erinnern. An alle grässlichen Einzelheiten.«

Er bleibt stumm.

»Jeden Tag geht mir die Szene durch den Kopf, wieder und wieder, wie ein endloser Albtraum. Aber es ist wahr, es ist passiert, und ich will nicht, dass du dir einzureden versuchst, es sei nicht so gewesen.«

Er sieht mich an, traurig beinahe, und schüttelt dann den Kopf. »Nein. Mum hat sich das nur ausgedacht. Das steht alles in ihren Tagebüchern.«

Mein Blick geht zu den Büchlein, den gebrochenen Buchrücken, den eselsohrigen Seiten. Die oberste Kladde ziert ein Tassenring nebst verschnörkeltem Gekritzel, wie man es beim Telefonieren malt. Charlie zieht das dritte Buch von oben heraus und blättert vor bis zu einer Stelle fast ganz am Ende. Die Seite klappt wie von selbst auf, als sei sie wieder und wieder gelesen worden. Er reicht es mir.

»Das wird jetzt verdammt hart.« Mehr sagt er nicht dazu. Sein Blick geht zu Jeremy, der zurückgelehnt auf der Couch sitzt, tief in Gedanken versunken.

Als ich es ihm nicht abnehme, legt Charlie mir das Büchlein in den Schoß.

Ich nehme es in die Hand.

Achtundfünfzigstes Kapitel

Tagebuch von Janice Rothschild

Vor vier Monaten

Auf den Tag genau vor achtzehn Jahren haben wir Charlie offiziell adoptiert.

Schuldgefühle werden nicht weniger. Angst auch nicht. Immer mehr schlaflose Nächte. Schlafe im Schnitt gerade einmal dreieinhalb Stunden die Nacht. Bekomme schon Halluzinationen vor Müdigkeit.

Das Problem dabei ist, ich glaube nicht, dass ich je wieder ruhig werde schlafen können. Denn was mich nachts kein Auge zutun lässt, ist die Anstrengung, mir selbst einzureden, Emily habe damals wirklich versucht, Charlie zu ersticken.

Dabei war ich mir dessen einmal so sicher. Als ich in ihr Zimmer gekommen bin und das Kissen über Charlies kleinem Gesicht gesehen habe, war ich mir sicher. Als sie mich befragt haben, immer noch sicher. Auf dem Heimweg, sicher. Als ich es Jeremy erzählte – sicher. Kein einziges Mal ist es mir in den Sinn gekommen, ich könnte mich geirrt haben.

Wann nur fing diese Sicherheit an zu bröckeln? Gab es den Moment, als ich anfing, alles infrage zu stellen, was ich gesehen hatte? Falls ja, kann ich mich nicht daran erinnern. Ich weiß nur, ich bin bei meinem Skript geblieben und habe keinen Zweifel aufkommen lassen.

Bis vor ein paar Monaten. Ihre Serie wurde im Fernsehen wiederholt. Ich habe ein bisschen herumgezappt, und plötzlich war sie da, marschierte einen steilen Küstenpfad entlang und schwadronierte über Alpenkrähen.

Mir wurde ganz anders, als ich sie so auf dem Bildschirm sah. Ein Wendepunkt. Ich habe einfach aufgehört zu tun, als ob. Vor mir selbst, meine ich. Ich habe einfach aufgehört, mich zu belügen.

Sie wollte ihn nicht ersticken. Als das passiert ist, ging es ihr längst schon wieder besser – sie hat einfach nur Verstecken mit ihm gespielt. Ich habe sogar gehört, wie sie »Kuckuck!« gerufen und gelacht hat, als ich den Flur entlanggegangen bin. Und ich musste lächeln, weil ich wusste, das sind sie und Charlie.

Aber dann stand sie da, mit dem Kissen über seinem Gesicht, und ich bin durchgedreht. War grässlich. Zutiefst traumatisch. Hatte monatelang Albträume.

Aber hätte ich nur eine Sekunde länger hingeschaut, hätte ich gesehen, wie sie das Kissen weggezogen und laut KUCKUCK! gerufen hätte.

Und dann wäre Charlie nicht mein Kind.

Weiß nicht, wo das alles hinführen soll. Bin ich end-

lich so weit auszupacken? Karriere wäre im Eimer. Ehe wäre im Eimer. Würde womöglich sogar im Knast landen? Wer weiß?

Aber vor allem würde ich Charlie schaden, ihm bliebe keine andere Wahl, als allen Kontakt zu mir abzubrechen, und warum dann noch weiterleben?

Und warum alles aufs Spiel setzen? Emily hat alles geschluckt, bis heute. Sie hat damals so sehr an sich gezweifelt, dass sie alles, was ich gesagt habe, für bare Münze genommen hat. Ich habe ihre Aussagen gelesen. Ich habe ihre Textnachrichten bekommen, in denen sie mich anflehte, Charlie zu adoptieren, weil sie sich selbst nicht über den Weg traute.

Aber ihr Leben ist seitdem im Arsch, und die Stimme in meinem Kopf, die starr ist vor Entsetzen über das, was ich getan habe, wird täglich lauter.

Heute Abend habe ich ein Interview mit dem Evening Standard über Frauenfreundschaften und wie wichtig sie sind. Welch verdammte Ironie.

Mal sehen, ob ich mir Antidepressiva besorgen kann oder irgendwas gegen die Panikattacken.

So viel Zorn und Hoffnungslosigkeit.

Neunundfünfzigstes Kapitel

Emma

Ich schaue auf und sehe Charlie an, der mich mit ausdruckslosem Gesicht beobachtet. Draußen im dunklen Garten bellt John einen Baum an. Das macht er gerne, wenn die Äste sich im Wind wiegen.

Ein heißes Loch hat sich in meiner Brust aufgetan.

»Geht es noch weiter?«, frage ich.

»Ja und nein. So offen spricht sie nie wieder darüber. Das ist die wichtigste Stelle, die solltest du gelesen haben.«

»Und du meinst wirklich, das stimmt?« Meine Stimme ist so dünn, dass sie fast bricht. »Du meinst, das ist wahr?«

»Ich weiß es. Ich habe sie zur Rede gestellt.«

Fassungslos starre ich ihn an. »Soll das heißen, sie hat es zugegeben?«

Charlie schluckt, dann nickt er.

Ich sinke aufs Sofa. Ich wünschte, Leo säße dicht neben mir und ich könnte mich an ihn klammern, ehe ich mitgerissen werde, hinaus aufs offene Meer, aber er hockt am anderen Ende der Couch, und ich weiß nicht, ob er je wieder meine Hand halten wird.

Jeremy scheint am Boden zerstört.

»Dad wusste von nichts«, sagt Charlie, der meinem Blick gefolgt ist.

Ich möchte glauben, was ich da eben gelesen habe.

Ich möchte nicht glauben, was ich da eben gelesen habe.

Charlie lehnt sich mit geschlossenen Augen in seinem Sessel zurück. »Ich habe im September mein Studium in Boston begonnen. Als ich über Weihnachten nach Hause kam, stand Mum völlig neben sich. Himmelhoch jauchzend, zu Tode betrübt, aber vor allem so merkwürdig wütend. Dad meinte, so sei sie schon die ganze Zeit gewesen, seit ich ausgezogen bin.«

John kratzt an der Gartentür und bringt Charlie damit aus dem Konzept. Leo steht auf und lässt den Hund herein.

»Dann bin ich in den Osterferien wiedergekommen, und alles war noch viel schlimmer geworden. Zum Zerreißen gespannt und dabei anhänglich wie eine Klette war sie, aber auch – ich weiß nicht – *voll unbändiger Wut*. Nicht auf uns, auf das Leben oder so.« Er kratzt sich am Kopf. »Es war echt eine miese Aktion, aber eines Abends hat sie ihr Tagebuch auf dem Klo liegen gelassen, und ich habe es gefunden.

Mum hat schon immer Tagebuch geschrieben, solange ich denken kann, und ich wäre nie auf die Idee gekommen, ungebeten darin zu lesen, aber... ach verdammt, ich habe mir halt ernsthaft Sorgen gemacht.«

Charlie unterbricht sich. »Entschuldige. Mum und Dad stört es nicht, wenn ich fluche. Dich etwa?«

»Natürlich nicht.«

»Also habe ich ein paar Seiten gelesen. Das klang alles ziemlich durchgeknallt. Ich wollte es schon wieder beiseitelegen, aber dann habe ich etwas gelesen, was mich stutzig gemacht hat. Es bezog sich auf... na ja, alles, was du eben gelesen hast.«

Er atmet tief aus.

»Ich habe es bestimmt vier-, fünfmal gelesen, aber ich wusste nicht, was sie sonst damit meinen könnte. Es ging um die Geschichte mit dem Kissen. Es klang, als hätte sie sich das alles bloß ausgedacht, aber das konnte ich nicht glauben. Schließlich musste ich zurück nach Boston, weil das Semester wieder anfing, aber mir wollte das nicht mehr aus dem Kopf. Ich glaube, ich habe gehofft, es wäre alles nur ein Missverständnis.«

Ich warte. Alles scheint mir so unwirklich. Dieser ganze Raum und die Menschen darin und die Geschichte, die er da gerade erzählt.

»Sie hat zugegeben, dass es stimmt. War in Tränen aufgelöst. Hat mir erzählt, wie sie Baby um Baby verloren hat, dass die Adoption irgendwann ihre letzte Hoffnung war und wie sie dann schließlich mich gefunden haben... Und dass du es dir dann anders überlegt hast und mich behalten wolltest. Ich glaube, das war zu viel für sie.«

Draußen frischt der Wind auf.

»Und ja, ich verstehe, was sie alles durchgemacht hat, in der Zeit davor.« Er sieht mich an, und ich sehe die Wut und den Kummer in seinem jungen Gesicht. »Aber einfach hinnehmen kann ich es trotzdem nicht. Geschweige denn, dass ich weiß, wie ich ihr das je verzeihen soll.«

Die Welt beginnt und endet gleichzeitig. Ich beuge mich nach vorn und stütze die Ellbogen auf die Knie.

So ist es also passiert?

Ich wollte nur mit meinem Baby Verstecken spielen?

Als ich wieder aufschaue, sieht Charlie mich erwartungsvoll an. Leo legt mir eine Hand auf die Schulter.

»Bitte? Was?«

»Ich sagte, hast du immer geglaubt, du hättest versucht, mich zu ersticken?«, fragt Charlie. »Hast du *nie* daran gezweifelt?«

In meiner Erinnerung gehe ich zurück zu diesem Tag. Eine Sturzflut aus Erinnerungsbruchstücken treibt nach oben, das altbekannte Elend und Getöse. Zurück zu dem Moment mit dem Kissen über

Charlies kleinem Gesicht. Zurück zu dem Moment, als ich von der Psychiaterin befragt werde und dem Sozialarbeiter und meiner Betreuerin. Zurück zu dem Moment, als sie mich fragen, ob ich vorgehabt hätte, mein Kind zu ersticken. Und zurück zu dem Moment, als ich in mich gegangen war und mir hatte eingestehen müssen: *Ja, ich glaube, genau das habe ich vorgehabt.*

Wieso habe ich das gesagt?

Warum habe ich *ich glaube schon* gesagt, und nicht im Brustton der Überzeugung geantwortet »*Ja, ganz genau das hatte ich vor?*«

Ich probiere die Version mit dem Versteckspiel aus. Mit Spiel und Spaß, ohne böse Absichten.

Sie passt. Ein Kinderspiel, ganz harmlos. Liebe und Lachen. Heiß rauscht mir das Blut in den Adern. *Bitte nicht.* Bitte lass mich nicht mein Kind für eine Geschichte hergegeben haben.

»Nachdem ich Mum damit konfrontiert habe, hat sie mich angefleht, es Dad nicht zu sagen – nicht bis sie nicht ein bisschen Zeit hatte, irgendwie damit fertigzuwerden. Sie hat gesagt, es tue ihr leid und dass sie alles wiedergutmachen will. Dass sie erst mal mit sich selbst ins Reine kommen muss. Und dann ist sie zu ihrer Probe gefahren und nicht mehr wiedergekommen. Seitdem haben wir sie nicht mehr gesehen.«

Nach gefühlten Stunden wende ich mich an

Jeremy. »Und du hast nichts davon gewusst?«, frage ich. »Sie hat nichts gesagt, nicht mal eine Andeutung?«

Charlie sieht seinen Vater an, der zusammengesunken auf der Couch hockt. »Sieh ihn dir doch an. Natürlich wusste er von nichts.«

Das folgende Schweigen ist schier unerträglich. Alles implodiert. Alles, was ich mir immer eingeredet habe, jedes Quäntchen Selbsthass: nur eine Geschichte.

»Nachdem sie uns diesen Brief geschickt hat, dachte ich eigentlich, alles wird gut«, sagt Charlie. »Dass sie bloß Zeit braucht, und Abstand. Vor ein paar Tagen hat sie Dad eine Textnachricht geschickt, da klang sie eigentlich ganz gut so weit…« Seine Stimme zittert. »Aber ich habe Angst, die Sache mit mir war einfach zu viel für sie.« Er ist den Tränen nahe.

»Wir mussten herkommen, weil ich dich keine Sekunde länger in diesem Irrglauben belassen wollte«, sagt Jeremy. »Und wir sind auch gleich wieder weg, du wirst bestimmt weiß Gott eine Weile brauchen, um das alles zu verarbeiten. Aber vorher haben wir noch eine Frage an dich.«

Leo bedeutet Jeremy fortzufahren.

»Janice hat in einem ihrer Tagebucheinträge vor ein paar Monaten mal einen ganz besonderen Ort erwähnt. Irgendwas von wegen ›Ich würde mich gerne in meine kleine Krisenfestung verkriechen, wenn sie mich nicht so sehr an Emma erinnern würde.‹ Ähm – wir wollten dich fragen, ob da bei dir was klingelt?«

Ich versuche, einzelne alte Erinnerungsstückchen aus dem zähen Leim meines Schocks zu lösen. Das Restaurant in Edinburgh, in das Janice mich damals zum Essen eingeladen hat. Die Gezeitentümpel am Strand von Alnmouth, die wir gemeinsam erkundet haben, an dem Tag, als ich dachte, ich verliere das Baby. Und später dann der Bahnhof, wo ich mich von ihr verabschiedet habe. Nein, keiner dieser Orte erscheint mir besonders, und schon gar nicht wie ein Zufluchtsort, an dem man sich am absoluten Tiefpunkt seines Lebens verkriechen wollte.

Das alles sage ich, und Charlies Gesicht wird noch länger.

»Nichts? Dir fällt überhaupt nichts dazu ein?«

»Leider«, sage ich. »Nein.«

»Bitte«, sagt er. »Bitte, denk nach.«

»Das tue ich ja. Ich denke. Ich… Na ja, außer in Alnmouth am Strand waren wir eigentlich nur zum Mittagessen in Edinburgh.«

Charlie schüttelt den Kopf. Er wirkt verzweifelt. Ich kann das kaum mit ansehen.

»Okay«, sagt Jeremy schließlich. »Wir sollten gehen. Bitte melde dich, sollte dir irgendwas dazu einfallen, was uns weiterhelfen könnte.«

Sie stehen auf.

Ich hätte deine Mutter sein können, möchte ich am liebsten sagen, als Charlie aus dem Wohnzimmer geht. *Du hättest hier in diesem Haus groß werden können. Du hättest mein Baby sein können.*

Aber er ist schon im Flur, dieser erwachsene Mann, und dann zur Tür hinaus. Er geht unseren schmalen Gartenpfad hinunter und duckt sich unter dem dicht verzweigten Blattwerk der Bäume und murmelt ein Danke und einen Abschiedsgruß über die Schulter, damit ich nicht merke, wie aufgelöst er ist, und ich weiß nicht, wann oder ob ich ihn je wiedersehe.

Jeremy bleibt in der Tür stehen und dreht sich noch mal zu mir um. Er schaut mich lange an, dann wendet er den Blick ab. »Ich werde dir nie sagen können, wie leid mir das tut«, sagt er. »Nie im Leben, Emma. Ich hoffe, du glaubst mir, dass ich nichts davon wusste.«

Ich sage keinen Ton. In diesem Moment möchte ich nichts mehr glauben, was man mir sagt, nie wieder.

»Rückblickend erklärt das natürlich vieles«, fährt er fort. »Ihre Paranoia, die fixe Idee, du könntest es dir doch noch anders überlegen und Charlie wieder zurückverlangen. Heute weiß ich, sie muss panische Angst gehabt haben, du könntest dich irgendwann wieder daran erinnern, was wirklich passiert ist.«

Aber natürlich hatte ich mich nicht wieder erinnert. Ich hatte mich nicht erinnern können. Man hätte mir auch einreden können, ich hätte eine Bank ausgeraubt und sämtliche Schalterbeamte ermordet, und ich hätte es geglaubt. Ich hätte mir eine Erinnerung zurechtgebastelt, genau wie ich mir eine Erinnerung zurechtgebastelt hatte, Charlie ersticken zu wollen, denn wenn man so hilflos durchs Leben treibt, ist der einzige Rettungsanker, an den man sich klammern kann, das, was die Menschen um einen herum sagen.

Als Charlie und Jeremy fort sind, sitzen wir schweigend im Wohnzimmer.

Wieder ist meine Welt aus den Angeln gehoben worden. Mein ganzes Erwachsenenleben war nichts als eine Geschichte – und nicht einmal meine eigene.

Es war die Geschichte einer Frau namens Janice. Einer Frau, die mich glauben gemacht hat, ich hätte mein Baby ersticken wollen, weil sie es für sich wollte. Die ein Kontaktverbot erwirkt hat, als ich ihnen zu nahe gekommen bin.

Sie hätte mich ins Gefängnis gebracht, wenn sie es gekonnt hätte. Sie hat dafür gesorgt, dass ich meinen Job beim Fernsehen verliere, obwohl sie um die Schmach und die finanziellen Einbußen wusste, die das für mich bedeutete. Aber das Schlimmste, das Allerschlimmste ist, sie hat mir mein Baby gestohlen.

Leo nimmt wortlos meine Hand, und ich weine um alles, was hätte sein können. Um meinen kleinen Jungen, das lächelnde Kind mit dem zarten blonden Haar, dem bedingungslosen Vertrauen. Um sein Leben, das er bei jemand anderem verbracht hat.

John schläft in seinem Körbchen ein. Leo knipst das Licht aus und sitzt im Dunkeln neben mir, während der Regen auf unser kleines Häuschen prasselt.

Ich habe mein Kind wegen einer Lüge hergegeben.

Sechzigstes Kapitel

Leo

Minuten – vielleicht auch Stunden – nachdem ich im Schuppen eingeschlafen bin, kommt Emma herein und bleibt neben dem Sofa stehen. »Leo«, wispert sie.

Schweigend rücke ich ein Stückchen zur Seite, um ihr Platz zu machen. John Keats, der ganz begeistert war, die Nacht im Schuppen zu verbringen, schläft unter der Bettdecke. Wie er darunter atmen kann, weiß der Himmel. Ich stupse ihn mit dem Fuß an, er schnufft und brummelt, bleibt aber liegen wie ein Sack Zement. Emma muss sich auf die Sofakante hocken.

»Leo«, flüstert sie wieder, und ich will am liebsten »Hi!« antworten und sie küssen. Ich will mit ihr über unser letztes Zusammentreffen hier im Schuppen lachen, als wir solche Sorge hatten, ob die Chemo angeschlagen hat oder nicht, und über die grässliche kuhmilchfreie Schokolade. Ich möchte uns beide ausziehen, nicht um miteinander zu schlafen, einfach nur um ihre nachtwarme Haut an meiner zu spüren.

»Ich wollte es dir sagen«, sagt sie in die Dunkelheit hinein.

Ich schalte das Licht ein und sehe sie an. Sie ist noch angezogen und trägt einen Bademantel über den Sachen. Sie hat tiefe Ringe unter den Augen, und sie ist blass. Fast sieht sie aus wie während der Chemo.

»Ich wollte es dir sagen«, sagt sie noch einmal. »Das musst du wissen, Leo. Ich *wollte* es dir sagen. An dem Wochenende, als wir das erste Mal gemeinsam bei deinen Eltern in Hitchin waren: Ich wollte es dir danach sagen, sobald wir wieder in London gewesen wären. Da kannten wir uns schon ein paar Wochen. Es schien mir der richtige Moment zu sein.«

»Und?«

»Und dann hast du erfahren, dass du adoptiert wurdest. Du warst fertig mit der Welt. Monate hat es gedauert, bis du dich einigermaßen berappelt hattest.«

»Aber dann?«

»Ich wusste, es würde dich kaputtmachen«, sagt sie nach kurzem Schweigen. »Ich war in dieser Zeit immer für dich da, Leo. Ich habe jedes Wort gehört, das du über deine leibliche Mutter gesagt hast. Über Adoptionen im Allgemeinen und übers Belogenwerden. Das wäre wie eine Bombe gewesen, die dir die Beine wegreißt, just in dem Moment, als du gerade wieder laufen gelernt hattest.«

»Aber – aber das ist inzwischen fast *zehn* Jahre her. Da muss es doch...«

Sie unterbricht mich. »Hätte es in den vergangenen zehn Jahren einen Tag – auch nur einen einzigen Tag – gegeben, an dem ich geglaubt hätte, es dir sagen zu können, ohne dir damit wehzutun, ich hätte es getan.«

Sprachlos starre ich sie an. »Dann ist das also alles meine Schuld?«

»Nein... ich wollte nur...« Sie versucht, meine Hand zu nehmen, aber ich kann das nicht. Ich kann nicht hier sitzen und Händchen mit ihr halten.

»Es ist nicht deine Schuld, Leo, nein. Aber es ist ganz einfach so, hättest du nicht diese Vergangenheit gehabt, hätte ich es dir gesagt.«

Ich bleibe stumm, und sie sagt: »Versetze dich doch mal in meine Lage. Stell dir vor, du wärst ich, mit einer Vergangenheit, so schlimm, dass du deinen verdammten *Namen* ändern musstest. Hättest du mir wirklich ehrlich alles erzählt? Wo es doch in genau dieselbe Kerbe gehauen hätte wie das Schlimmste, was dir je im Leben passiert ist? Hättest du mir das wirklich angetan?«

»Ja«, sage ich, ohne zu zögern.

Sie seufzt. »Das sagt sich so leicht, vom sicheren

Sofa aus. Aber ich war *da*, Leo. Ich wusste besser als jeder andere, was man dir zumuten kann und was nicht.«

»Echt jetzt? Wieder die alte Leier? Du weißt besser als ich selbst, was gut für mich ist?«

»So habe ich das nicht gemeint! Ich …«

»Emma, hör zu. *Hör mir zu.*« Sie sieht mich an. »Es gibt nichts, was du nicht über mich weißt. Nichts. Ich sage dir alles, immer schon, denn wenn wir nicht ehrlich zueinander sind, was machen wir dann eigentlich hier?«

Wir schweigen beide.

»Du hast mir nicht gesagt, dass du den ganzen Papierkram gefunden hast, den ich versteckt hatte«, sagt Emma schließlich. »Ich weiß immer noch nicht, was du sonst noch alles herausgefunden hast oder mit wem du geredet hast. Das hast du alles im Geheimen gemacht.«

Ich setze mich auf. »Du willst wissen, mit wem ich geredet habe? Mit Robbie Rosen zum Beispiel. Und Mags Tenterden. Letztes Wochenende war ich bei Sheila zu Hause, die, wie ich dann erfahren musste, mehr über unsere Ehe weiß als ich. Und dann habe ich einen reizenden Abend mit Jeremy Rothschild verbracht, ehe ich dich schließlich bei Jill gefunden habe.«

Emma schreckt hoch. »Du warst bei Robbie? O Gott, Leo. Und Mags, ich …«

»Und wo wir schon bei unserer Ehe sind, ist die eigentlich rechtskräftig?«

Sie wendet sich ab und schüttelt schließlich den Kopf. »Eher nicht.«

»Eher nicht? Was soll das denn bitte heißen?«

»Das soll heißen, ich weiß es nicht. Aber als wir das Aufgebot bestellt haben, hätte ich wohl ein Kästchen ankreuzen müssen, um anzugeben, dass ich meinen Namen habe ändern lassen. Habe ich aber nicht.«

Eine Weile bleiben wir beide still. Hin und wieder schaut Emma mich an, aber ich kann ihr nicht ins Gesicht sehen. Das war unser Tag. Unser herrlicher, wunderbarer Freudentag, mit Blumen und Wein und Torte und Freunden und Tanz und Lachen.

Als ich den Namen ihres Vaters auf der Eheur- kunde gesehen habe, habe ich natürlich gestutzt: Er hieß Peel mit Nachnamen. Aber Emma hat mir er- klärt, ihr Vater hätte ihr den Mädchennamen ihrer Mutter mitgegeben, als Erinnerung an sie, und ich hatte bei mir gedacht, wie traurig und passend und wunderschön das doch war.

Sie hat mich an unserem Hochzeitstag angelogen.

»Das war egoistisch«, sagt sie irgendwann. »Und falsch. Ich war ein Feigling. Aber ich habe dich ge- liebt, Leo. Natürlich wollte ich dich heiraten.«

Ich sage nichts. Ich weiß nicht, was passieren würde, wenn ich den Mund aufmachte.

»Ich wusste nicht, dass das rechtliche Konsequenzen haben könnte, als ich dir den Antrag gemacht habe. Ich habe nicht nachgedacht. Ich wusste nur eins: Ich war verrückt nach dir. Ich konnte mein Glück kaum fassen. Ich war glücklich, so glücklich – ich wollte dich einfach bloß heiraten.«

Ich muss an die Rede denken, die ich an unserer Hochzeit gehalten habe. Über die Frau, die ich so gut kenne, die ich so sehr liebe. All die erwartungsvollen Gesichter, die uns anlächelten und anlachten, die erhobenen Gläser. *Auf das Brautpaar!*

Irgendwann holt sie tief Luft und sagt: »Vorher war Kummer, Leo. Kummer und Selbsthass und eine Einsamkeit, die zu beschreiben mir die Worte fehlen. Aber dann kamst du. Du warst alles für mich. Bist du immer noch.«

Ich schließe die Augen. Ich stecke so tief in dieser Schreckensschlucht, dass ich immer wieder vergesse, was Emma alles durchgemacht hat. Welche Last sie auf den Schultern getragen hat, als wir uns ineinander verliebten.

Ich muss an unser erstes Telefongespräch denken, damals, kurz nach dem Tod ihrer Großmutter. Wie erst die Minuten vertickten, dann die Stunden. Wie es unversehens sechs Uhr abends wurde und wir immer noch redeten. Wie meine Kollegen die Rechner ausschalteten und nach Hause gingen und sich vielsagend angrinsten, weil jeder sehen konnte, was da gerade passierte.

Dreieinhalb Stunden. Mehr hatte es nicht gebraucht.

Emma sagt: »Das Leben hatte plötzlich wieder einen Sinn, als ich dich kennengelernt habe, Leo. Und ich wusste wieder, warum man eigentlich leben will.«

Ich schaue auf, aber sie sieht mich nicht an. Sie steckt irgendwo tief in ihrer Vergangenheit.

Ich muss an Ruby denken. Wie sie auf Emmas Brust lag, zerknautscht und winzig klein, und aus Leibeskräften schrie. Was muss Emma nur gedacht haben, als wir unser kleines Wunderkind bestaunten? War sie überhaupt emotional da?

»Mich würde auch interessieren, wie du es geschafft hast, ein Kind auf die Welt zu bringen, ohne dass ich wusste, dass es nicht dein erstes ist«, sage ich müde. »Die Ärztin meinte, Zangengeburten seien keine Seltenheit bei Erstgebärenden. Hast du der was gesteckt, damit sie mich anlügt?«

Emma schüttelt müde den Kopf. »Nein, Leo. Nein. Die Ärztin meinte damit nur, dass es meine erste Vaginalgeburt war. Charlie wurde per Kaiserschnitt geholt.«

Das muss ich erst mal schlucken. »Aber du hast gar keine Narbe, du ...« Ich verstumme. Sie *hat* eine Narbe.

Ich schließe die Augen. Ich bin ein Mann Mitte vierzig. Ich habe einen Uniabschluss. Ich habe mein ganzes Berufsleben dem Streben nach Wahrheit gewidmet. Wie konnte ich nur so dumm dein? Eine Blinddarmnarbe genau über dem Schambein? Wieso habe ich das gefressen? *Zehn Jahre* lang?

»Und ja, ich habe ihnen tatsächlich gesteckt, dass sie bitte nichts über Charlie sagen sollen«, sagt Emma sanft. »Ich glaube, da pappte ein Aufkleber auf meiner Akte oder an der Tür oder – ich weiß auch nicht. Aber es ist ihre Pflicht, die Mutter zu schützen, Leo. Niemand wollte dich dumm dastehen lassen.«

Widerstrebend muss ich einsehen, dass sie wohl recht hat. Hätten sie auch nur ansatzweise geahnt, was diese Frau bis dahin alles durchgemacht hat, sie hätten ihr vermutlich jeden Wunsch erfüllt.

»Und Mags? Warum hast du behauptet, sie hätte dich eiskalt abserviert?«

Emma reibt sich das Gesicht mit den Händen. »Weil… Hätte ich dir gesagt, dass es meine Entscheidung war, mich von ihr zu trennen, hättest du mich nach dem Warum gefragt. Und dann hätte ich dir sagen müssen, dass Janice mich vor die Tür hat setzen lassen. Und…« Sie seufzt. »Es war einfacher, es dir nicht zu sagen, Leo. Es tut mir leid. Ich weiß, wie flapsig das klingt.«

»Tut es.«

Emma sieht sich in meinem Schuppen um, pikst mit dem Finger in den Lampenschirm, dort, wo er eine Delle hat.

»Bis heute Abend habe ich geglaubt, ich hätte versucht, mein eigenes Kind zu ersticken«, sagt sie. »Ich habe mir nicht zugetraut, selbst für meinen Sohn zu sorgen, also habe ich ihn weggegeben. Kannst du dir vorstellen, du hättest Ruby weggeben müssen, als sie acht Wochen alt war? Kannst du dir vorstellen, wie schlimm so was ist?«

»Nein.«

Das kann ich wirklich nicht. Ich kann es mir nicht einmal ansatzweise vorstellen.

Sie holt tief Luft. »Leo, durch dich ist alles anders geworden. Ich weiß nicht, ob du je verstehen wirst, warum ich das so lange für mich behalten habe, geschweige denn, es mir verzeihen kannst, aber – hör mir zu.«

Sie steht auf und kniet sich vor das Sofa, vor mich. »Es ist alles echt, Leo. Jedes kleinste bisschen du und ich ist echt.«

Ich schaue sie lange an.

»Wirklich?«

»Ja.« Sie legt die Hand an meine Wange.

Ganz kurz schmiege ich die Wange in ihre Hand. Erinnerungen kommen und gehen. Der Tag, an dem wir beide eine schlimme Lebensmittelvergiftung hatten; als wir John Keats das erste Mal gesehen haben; als wir auf dem Nachhauseweg in der U-Bahn eingeschlafen sind. Streitereien auf Taxirücksitzen, Hunderte angebrannter Abendessen, Knutschen auf der Couch, der »Wanderurlaub«, den wir in einem Pub verbrachten.

Gute Jahre waren das.

Langsam nehme ich ihre Hand von meiner Wange. Ich bin durcheinander, ich bin hundemüde. Ich weiß nicht, was tun.

»Dein Dad«, sage ich schließlich. »Wieso hast du mir Lügen über ihn erzählt?«

Emmas Augen füllen sich mit Tränen. Emilys Augen.

»Ach, Leo«, flüstert sie. Sie wischt sich mit dem Ärmel über die Augen. »Ich musste… ich musste seinen Tod in meinem alten Leben lassen. Ich weiß, du kannst das unmöglich verstehen, aber ich habe es einfach nicht über mich gebracht, dir zu sagen, dass Dad an etwas gestorben ist, was ich hätte verhindern können. Meine Mutter ist schon meinetwegen gestorben, ich… ich konnte es einfach nicht.«

Eine einzelne Träne läuft ihr über die Wange. John wurschtelt sich noch mal zurecht und brummelt ein bisschen und macht gerade genug Platz, dass Emma sich auf das Sofa setzen kann.

»Aber Emma«, sage ich. »Emma. Jeremy hat mir gesagt, dein Vater ist am Alkohol gestorben. Wie hättest du das denn verhindern sollen?«

Sie schüttelt nur den Kopf. Noch eine Träne läuft ihr über das Gesicht.

»Er ist nie bis Kinshasa gekommen. Wo er meiner Geschichte nach gestorben ist. Sie haben einen anderen Geistlichen hingeschickt. Stattdessen hat er im Wohnzimmer einen Herzinfarkt erlitten und ist im Rettungswagen auf dem Weg ins Krankenhaus gestorben. Er hatte so viel Alkohol im Blut, ich glaube nicht, dass er noch irgendetwas mitbekommen hat.«

Mir will schier das Herz brechen.

»Emma. Daran warst doch du nicht schuld! Alkoholiker sterben, weil nichts und niemand sie vom Trinken abhalten kann. Und der Tod deiner Mutter im Wochenbett genauso. Du hättest es nicht verhindern können.«

Ich nehme ihre Hand, denn wie könnte ich das nicht? Sie weint lautlos, bis die ersten Vögel draußen in der Dunkelheit zu zwitschern beginnen.

»Leo«, sagt sie, als sie sich ein bisschen gefasst hat. »Ich weiß, du wirst Zeit brauchen, in Ruhe über alles nachzudenken. Dir zu überlegen, was du willst.«

Ich nicke, aber in Wahrheit habe ich nicht die geringste Ahnung.

»Ich kann so lange im Schuppen schlafen. Schließlich ist das alles auf meinem Mist gewachsen. Du solltest nicht meinetwegen hier draußen schlafen müssen.«

»Geht schon«, winke ich rasch ab. Es ist einfacher, im Schuppen Verstecken mit der Welt zu spielen.

»Sicher?«

»Ganz sicher.«

»Dann lass dir so viel Zeit, wie du brauchst«, sagt sie. »Aber du sollst wissen, dass ich dich liebe. Ich habe dich immer geliebt.«

Es fühlt sich wie Stunden an, ehe sie noch mal etwas sagt. Womöglich sind wir beide kurz eingenickt. Zu dritt liegen wir auf dem Sofa, als sei nichts passiert. Als ich ihre Stimme höre, scheint sie von weit weg zu kommen, und es dauert einen Augenblick, bis mir alles wieder einfällt.

»Es gibt da noch etwas, das du wissen solltest«, sagt sie. »Nicht über mich«, setzt sie schnell hinterher. »Über Janice. Ich glaube, ich weiß jetzt, wo sie steckt.«

Ich schlage die Augen auf. »Echt?«

Emma nimmt einen Brief heraus, geschrieben in einer Handschrift, die ich nicht erkenne. Sie sagt, Janice hat ihr vor ein paar Wochen einen Brief geschickt. Noch so was, wovon ich nichts wusste. Wollten Emma und ich wirklich versuchen, unsere Ehe irgendwie zu retten, würde es wohl monatelang so weitergehen. Jahrelang vielleicht.

Sie gibt mir den Brief.

Liebe Emma,
bestimmt ist dieser Brief ein großer Schreck für
dich. Aber ich musste dir unbedingt schreiben. ☺

Du wirst es mir vielleicht nicht glauben, aber ich muss oft an dich denken.

Wegen dieser Krabbe, die wir damals gemeinsam entdeckt haben. Am Strand von Alnmouth, weißt du noch. Klar weißt du noch. Ich habe deine Fernsehserie gesehen und weiß, dass du immer noch nach ihr suchst. Also, wenn du mich fragst, solltest du es mal auf Coquet Island versuchen. Bei Shakespeare sind Inseln magische Orte, und der Mann wusste wovon er redet.

Coquet Island ist das einzige Fleckchen entlang der Küste, das komplett für Menschen gesperrt ist.

& ich habe mal einen Fischer bezahlt, damit er mich rausfährt zum Vögelgucken man darf zwar nicht an Land, aber sieht eine ganze Menge, unter anderem auch ganz sicher eine deiner Krabben… vermutlich fahren da sonst nur Vogelfreunde raus, denen so eine ungewöhnliche Krabbe nicht auffällt, weil sie sich nur für ihre Papageientaucher und Rosalöffler interessieren.

Entschuldige, dass ich dir das so lange verschwiegen habe. Ich hätte dir das schon vor Jahren sagen sollen. Ganz ehrlich, es tut mir schrecklich leid.

Tut mir wirklich leid, Emma.

Janice

»Klingt fast, als sei sie betrunken gewesen«, mutmaße ich müde. Ich weiß nicht, ob ich gerade noch die Kraft habe, mich mit Janice Rothschild auseinanderzusetzen.

»Ja – oder unter Drogen.«

»Vielleicht. Meinst du, sie könnte auf Coquet Island sein?«

»Nein, ich glaube, sie ist in einer Steinhütte.«

Ich reibe mir die Augen. »Was?«

Emma streicht sich die Haare hinter die Ohren. Und mir entgeht nicht, dass es das erste Mal seit einem Jahr ist, dass ihre Haare dafür lang genug sind.

»Der Tag, an dem ich mich entschlossen habe, Charlie zu behalten. Als ich dachte, ich verliere das Baby.«

Ich durchsuche den Stapel an Erinnerungen, den ich heute habe einsortieren müssen. »Ja«, sage ich. »Ich erinnere mich.«

»Janice hatte mich in ihr Haus eingeladen. Wir haben einen Strandspaziergang gemacht – viel zu lang für einen Spaziergang, aber, Himmel, was war es für eine Erleichterung zu wissen, dass sie sich um Charlie kümmern würden, ich bin … Na ja, ich bin einfach immer weitergelaufen. Irgendwann muss mein Körper gemerkt haben, dass ich von allein nicht stehen bleiben werde, also hat er mich ausgebremst. Ich bekam Blutungen, Kreuzschmerzen, Schwindel. Und landete schließlich im Krankenhaus.«

Ich weiß noch, wie sie einmal, als sie mit Ruby schwanger war, Rückenschmerzen bekommen hat. Da war sie in heller Panik gewesen und schon im Krankenhaus, noch ehe ich ihre Sprachnachricht abgehört hatte.

»Aber davor hatte es irgendwann angefangen zu regnen, und wir haben uns in diesem kleinen gemauerten Stall mitten in den Dünen verkrochen. Es war herrlich. Nur ich und meine Freundin, von der niemand etwas wusste, mitten zwischen den Schafkötteln und Spinnweben.«

Sie unterbricht sich und denkt zurück. »Janice ging es genauso. Das weiß ich. Als der Sturm vorübergezogen war, schien die ganze Welt so voller Hoffnung, so frei und leicht und… Ich weiß auch nicht. Voller Verbundenheit vielleicht.«

»Und… Du meinst, dass sie in diesem Schuppen ist?«

Etwas verlegen runzelt Emma die Stirn. »Ja, das glaube ich tatsächlich.«

Ich warte ab, ob sie noch etwas dazu sagt, tut sie aber nicht.

»Echt jetzt?«

»Ja. Und ich sage dir auch, warum: In ihrem Brief erwähnt sie Coquet Island, und sie sagt dauernd, wie leid es ihr tut, dass sie es mir nicht gesagt hat. ›Ich hätte dir das schon vor Jahren sagen sollen‹, schreibt sie. Das hört sich an, als meinte sie die Krabben, aber ich glaube, sie will sich damit bei mir entschuldigen, dass sie mir nicht die Wahrheit über die Geschichte mit dem Kissen gesagt hat.«

John steckt unvermittelt den Kopf unter der Decke hervor und guckt Emma an. Nachdem er sie missbilligend gemustert hat, starrt er mich an, dann verzieht er sich, leise brummelnd, wieder unter die Decke. Wir sind ihm zu laut.

Und trotz allem müssen wir beide lächeln. Emma tätschelt den kleinen Hügel unter der Decke, wo er sich schmollend zusammengeringelt hat.

»Janice ist eindeutig nicht ganz bei Trost, wenn man sich diesen Brief anschaut«, sagt Emma. »Ob sie betrunken war oder irgendwelche Medikamente genommen hat oder was auch immer, ich weiß es nicht, aber es geht ihr eindeutig nicht gut.«

Ich nicke zustimmend.

»Ich glaube, sie ist dort. In Alnmouth. Mit Blick auf die Insel, die sie daran erinnert, was sie getan hat.«

»Aber ... warum sollte sie in einem Schafstall hausen? Warum quartiert sie sich nicht einfach in ihrem Haus ein?«

»Weil Jeremy sie dort sofort gefunden hätte. Und sie brauchte ein bisschen Zeit für sich.«

»Das verstehe ich. Aber warum dann nicht ein Bed & Breakfast oder ein Wohnwagen oder so was – Coquet Island kann man doch bestimmt fast von überall sehen?«

Sie denkt kurz darüber nach. »Man kann die Insel zwischen Alnmouth und Low Hauxley tatsächlich fast von überall sehen«, sagt sie. »Also ja, sie könnte irgendwo dazwischen sein – ich würde sagen, das sind acht, vielleicht zehn Meilen. Aber vorhin ist mir noch was eingefallen, als ich im Bett lag und versucht habe zu schlafen.«

Ich warte.

»Ich musste daran denken, wie gemütlich das damals war, im Sturm in diesem Schuppen, und dann fiel es mir siedend heiß wieder ein. Ein richtiger Geistesblitz. Gerade als der Regen langsam nachließ, meinte sie nämlich: ›Wäre das hier nicht der perfekte Rückzugsort für einen netten kleinen Nervenzusammenbruch? Einfach das Leben Leben sein lassen, dasitzen und aufs Meer hinausschauen und viel zu viel Wein trinken?‹«

»Echt jetzt?«

»Ja. Wir haben uns eine Weile lang darüber unterhalten – das war mir ganz entfallen. Wir haben darüber fantasiert, wie man es in ein gemütliches kleines Nest verwandeln und alles nett herrichten könnte. Sie meinte, sie sei sich ziemlich sicher, dass der Stall nicht unter Denkmalschutz steht und dass sie den Besitzer über das Grundregister ausfindig machen wolle. *Genau darauf* bezieht sie sich in ihrem Tagebucheintrag. Der, nach dem Jeremy und Charlie mich vorhin gefragt haben.«

Ich schaue sie an. »Das überzeugt mich noch nicht«, muss ich gestehen. »Ich höre zwar, was du sagst, aber … na ja, das erscheint mir doch alles ein bisschen weit hergeholt. Von allem anderen mal abgesehen scheint Janice mir nicht der Typ fürs Wildcampen. Ich kenne sie zwar nicht persönlich, aber sie wirkt immer so elegant und gepflegt. Als hätte sie ein Faible für die schönen Dinge des Lebens. Nicht zugige Bruchbuden mit Schafscheiße in den Ecken.«

Emma steht auf und steckt den Kopf aus dem Schuppen, als lausche sie auf etwas. Der Wind hat sich gelegt, und es hat aufgehört zu regnen. »Können wir ins Haus gehen?«, fragt sie. »Ich lasse Ruby nicht gerne so allein. Ich würde es hier nicht hören, wenn sie aufwacht.«

Sie ist eine gute Mutter. Ganz gleich, was ich auch gerade für sie empfinde, sie ist eine gute Mutter, und sie hätte es verdient gehabt, Charlie selbst großziehen zu dürfen. Sie hätte es verdient gehabt, ihn aufwachsen sehen zu dürfen.

Drinnen zeigt Emma mir auf dem Computer eine Satellitenaufnahme vom Strand in Alnmouth. Ich sehe sie gleich, die kleine Hütte: Sie zoomt geradewegs darauf zu. Eine kleine Rundung in den Dünen unweit des Golfplatzes, knapp oberhalb des Strandes.

»Die Aussicht auf Coquet Island muss von dort grandios sein«, sagt sie. »Und sie könnte bequem zu Fuß zum Einkaufen gehen. Ganz wild würde sie also nicht campen.«

»Aber ich dachte, Jeremy war schon da und hat nach ihr gesucht? Ich dachte, er hat überall nachgefragt, und niemand hat sie gesehen?«

Nach kurzem Schweigen seufzt Emma. »Ach, du hast ja recht. Es gibt tausend gute Gründe, warum sie nicht in diesem blöden Schuppen sein kann. Wenn sie ihn tatsächlich gekauft und aufgetakelt hätte, dann wüsste Jeremy davon. Sie hätte ein gemeinsames Projekt daraus gemacht. Keine geheime Kommandosache. Das wäre dann doch zu schräg. Und im Dorf wüsste auch jeder Bescheid.«

Ihr Blick geht zu dem Brief in ihren Händen. »Aber ich glaube... Ich war da, mit ihr, damals, als so ein Gefühl von Hoffnung in der Luft lag. Sie hat gesagt, es wäre der perfekte Ort für einen netten kleinen Zusammenbruch, und jetzt ist sie verschwunden und hat vermutlich gerade einen solchen Zusammenbruch, und dabei erwähnt sie ausgerechnet Coquet Island. Das kann doch kein Zufall sein?«

Widerstrebend muss ich ihr recht geben.

Ich gehe zum Kühlschrank und hole den Schinken raus. Emma sieht mir zu, und mit einem Mal überkommt mich eine solche Traurigkeit, dass es mich fast umhaut. Ich weiß nicht, ob wir je wieder über gescheiterte Veganismusversuche lachen werden.

»Was ich nicht verstehe«, sage ich und reiße die Verpackung auf, »was mir nicht in den Kopf will, ist, wieso du dir überhaupt den Kopf darüber zerbrichst, wo sie sein könnte. Wie kann sie dir irgendetwas bedeuten, nach allem, was sie dir angetan hat?«

Emma verzieht keine Miene. »Sie bedeutet mir nichts«, sagt sie ganz leise. »Nicht wirklich. Jedenfalls noch nicht.«

Ich stehe unschlüssig da und weiß nicht, was ich sagen soll.

»Ich kann mir nicht vorstellen, dass ich ihr das je verzeihen werde«, sagt Emma. »Wie sollte ein Mensch das können? Aber hier geht es um Charlie. Er hat solche Angst davor, sie könne sich etwas antun, und glaubt, es sei alles seine Schuld. Wenn ich ihm helfen kann, sie ausfindig zu machen, dann muss ich das auch, so gut es eben geht.«

»Okay«, sage ich schließlich. »Wie wäre es, wenn du Charlie eine Nachricht schreibst und ihm sagst, er soll sich bei dir melden, sobald er wach ist.«

Das macht sie.

Emma. Emily. Ich nehme noch eine Scheibe Schinken aus der Verpackung, rolle ihn zusammen.

Die Uhr tickt. Ich legen den Schinken hin. Emma holt sich ein Glas Wasser.

Ich lege die Schinkenpackung wieder zurück in den Kühlschrank und versuche John zu bewegen, sich in sein Körbchen zu legen, als just in dem Moment Emmas Handy klingelt. »Charlie«, flüstert sie.

»Charlie?«, sagt sie, als sie rangeht. »Entschuldige bitte, ich wollte dich nicht wecken ...«

Sie hört einen Moment zu. *Konnte nicht schlafen*, formt sie stumm mit den Lippen.

Ich stehe auf und setze Wasser auf.

»Na ja, ich weiß, es klingt verrückt«, setzt sie an. »Aber ...«

Eine Viertelstunde später stehen wir vor unserem Haus.

Emma trägt einen Regenmantel und eine Strickmütze. Sie hat Tee eingepackt, den ich gekocht habe, und Chips und zwei Äpfel. Es ist Viertel nach vier Uhr morgens, und sie macht sich gleich auf den Weg nach Highbury Fields, um Charlie abzuholen, und dann fahren sie weiter nach Alnmouth, ganze sechs Stunden Autofahrt entfernt. Jeremy ist schon bei der Arbeit. Er geht um sechs auf Sendung.

»Was sagst du Ruby, wenn sie aufwacht?«, fragt Emma. Sie hat eben versucht, Ruby zu wecken, weil sie schon beim Schlafengehen nicht da gewesen ist. »Hey«, hatte sie geflüstert, als Ruby schlaftrunken ein Auge aufmachte. »Ich wollte dir nur schnell einen Kuss geben, weil ich gleich nach ...«

»Geh weg«, hörte man Rubys Stimme in der Dunkelheit. »Du bist zu schwer.« So viel dazu.

»Mir fällt schon was ein. Wird schon werden. Sie hatte gestern so viel Spaß mit Oskar und Mikkel, sie hat gar nicht mitbekommen, dass du nicht da warst.«

»Ich will nicht, dass sie glaubt, ich hätte sie im Stich gelassen…«

»Wird sie nicht.« Meine Stimme klingt fest, weil sie es muss. »Ruby weiß, dass du ihre treu ergebene Sklavin bist. Für sie ist das überhaupt kein Problem.«

Draußen hebt ein Vogel zu einem zögerlich gezwitscherten Lied an. Seine Rufe bleiben unbeantwortet, aber er versucht es wieder und wieder.

»Ich kann dich nicht bitten, mir zu verzeihen«, sagt Emma, die auf das Vogelrufen gelauscht hat. Wir stehen so dicht beieinander, dass ich die warme Müdigkeit ihrer Haut rieche. Ich schließe die Augen und stelle mir vor, wie es sich anfühlen würde, das Gesicht in ihren Haaren zu vergraben, die Arme um sie zu legen und so zu tun, als sei sie die Emma, die ich kenne und der ich vertraue.

»Ich kann dich nicht bitten, mir zu verzeihen, was ich dir angetan habe. Aber ich muss das hier tun, für ihn. Ich hoffe, du verstehst das.«

Für Ruby würde ich alles tun. Für unsere Kinder würden wir alles tun.

Ich nicke, und sie wendet sich zum Gehen.

»Nur eines muss ich dich noch fragen«, sage ich. Sie hält inne, und ich lehne mich gegen den Türrahmen.

»Klar.«

»Und ich flehe dich an, Emma, gib mir eine ehrliche Antwort.«

Sie steht auf dem Gartenpfad, gerahmt von einem Rankengewirr und Efeugeschlängel.

»Wenn Janice nicht verschwunden wäre, wenn ich nicht zufällig über die ganzen Hinweise gestolpert wäre – hättest du es mir gesagt?«

Emma schaut mich lange an.

»Nein«, gesteht sie schließlich. »Ich glaube nicht.«

»Verstehe.«

Sie dreht sich um. »Ich liebe dich, Leo.«

Mir kommen die Tränen. Ich weiß nicht, ob ich um Emma weinen will oder um mich. Vielleicht auch um Ruby oder das chaotische, wunderbar warme kleine Leben, das wir drei hier zusammen hatten. Ich weiß nichts mehr, nur dass wir oft erst, wenn etwas unwiederbringlich zerstört ist, erkennen, wie kostbar es war.

Einundsechzigstes Kapitel

Emma

Gegen Mittag halten Charlie und ich mit dem Wagen oberhalb des Strands. Nebenan holt eine Familie gerade die Bodyboards aus dem Kofferraum. Die Kinder streiten, und die Eltern reden nicht miteinander, aber alle scheinen bester Laune. Familie halt. Sie teilen Auto, Haus und vermutlich ein, zwei vollkommen belanglose Geheimnisse.

Ich weiß nicht, ob ich noch eine Familie haben werde, wenn ich nach London zurückkomme. Aber erst mal zählt nur Charlie. Gestern trug er Shorts, heute trägt er Jeans. Ich will alles über ihn wissen. Wo er seine Klamotten kauft – und ob seine Eltern sie bezahlen oder ob er lieber sein eigenes Geld verdient. Was für ein Ferienjob das wohl ist in Queen's Park? Geht er wählen, und wie steht er zu Marmite? Ist er als Baby auf dem Po herumgerutscht wie Ruby, oder ist er gekrabbelt?

Bei unseren Tankstopps hat er genau die Snacks

gekauft, die man von einem Neunzehnjährigen erwartet. Süßkram in Großpackungen, fettige Wurst
im Teigmantel, Chips. Und er inhaliert alles wie
John Keats sein Hundefutter, sobald man ihm den
Napf hinstellt. Ich bin fasziniert von diesem Jungen.

Wir haben uns mit Fahren und Nickerchenma-
chen abgewechselt, aber ich habe kein Auge zugetan, ich musste die ganze Zeit meinen erwachsenen
Sohn am Steuer meines Autos anstarren, wie er, den
Ellbogen gegen die Tür gelehnt, vorsichtig an seinem Energydrink nippte.

Die Schuppentheorie scheint eine Schnapsidee,
jetzt, wo wir hier sind. Letzte Nacht war ich mir
noch so sicher beim Gedanken an Janice und mich
in der kleinen Hütte, an dieses Gefühl von Ruhe
und Geborgenheit. Stunden später, übermüdet und
überdreht, kommt mir das völlig hirnrissig vor. *Alles*
kommt mir völlig hirnrissig vor.

»Also gut«, sagt Charlie. »Auf geht's.« Er steigt
aus meinem kleinen Auto und streckt mit einem er-
leichterten Seufzen die langen Glieder. Ich steige
ebenfalls aus, und mein Blick geht zum Strand etwas
weiter unten, der sich unendlich weit vor uns aus-
breitet. Blassgoldener Sand, strahlend blaues Meer
wie in einer Kinderzeichnung. Dünenhügel und
-täler ringsum, mit Strandhafer überwachsen, der
sich im Wind ganz fest in den Sand duckt.

Viel geredet haben wir nicht, obwohl wir die vergangenen acht Stunden zusammen in einem Auto gesessen haben. Charlies Stimmung schwankte zwischen der Hoffnung, seine Mum hier oben in der Steinhütte zu finden, und der Befürchtung, sie könne unmöglich da sein. Von allem anderen einmal abgesehen, sagte er, habe seine Mum noch nie in ihrem Leben gezeltet oder wild gecampt, nicht mal für eine Nacht.

»Ist sie denn nicht gerne draußen in der Natur?«, fragte ich.

»Ihr ist das zu unsicher. Sie hatte immer diese irrationale Angst, jemand könne sich in unser Zelt schleichen, wenn alle schlafen, und mich mitnehmen.«

Danach herrschte unbehagliches Schweigen.

Immer wenn ich an Janice Rothschild denke, rumort es in meinen Eingeweiden. Charlie hat die Sache während der Fahrt mit keinem Wort erwähnt, worüber ich froh war, aber sie ist da, allgegenwärtig, grauenerregend. Ich habe mein Kind wegen ihrer Lüge hergegeben.

Charlie zieht gerade den Reißverschluss seiner Windjacke hoch und tauscht die Turnschuhe gegen gut eingelaufene Wanderschuhe.

Die Marke mochte ich immer schon am liebsten!, möchte ich begeistert ausrufen, aber ich darf ihn nicht mit an den Haaren herbeigezogenen Gemeinsamkeiten verschrecken. Ich habe Angst, zu verzweifelt zu wirken. Aber mehr noch befürchte ich, die ganze Fahrt könnte eine einzige Zeitverschwendung gewesen sein – dass wir nichts finden werden als einen verstaubten Stall mit Schafkötteln und Picknickmüll in den Ecken.

Ich frage, wie ihm zumute ist.

Er denkt kurz nach. »Mulmig.«

»Weil wir sie womöglich nicht finden?«

Kurzes Schweigen. »Nein«, sagt er. Er schaut mich flüchtig an, dann schweift sein Blick hinaus aufs Meer. »Weil wir sie womöglich finden.«

Es dauert einen Moment, bis ich verstehe, was er meint.

»Ach, Charlie…«

»Nicht nur weil sie Paracetamol gekauft hat, auch wegen der Tagebücher. Der letzten. Sie klang so verzweifelt.«

Damit habe ich nicht gerechnet. Ich hätte mich einfach raushalten sollen. Hätte Jeremy und Charlie allein nach Janice suchen lassen sollen. Wer bin ich, dass ich mir anmaße, sie zu verstehen? Zu wissen, wie sie tickt, nur weil wir vor beinahe zwanzig Jahren mal zusammen ein paar Sandwiches in einem Schuppen gegessen haben?

»Sag mal, wollen wir vielleicht eben erst kurz ins Haus gehen, ehe wir uns auf den Weg zu der Hütte machen? Kleines Päuschen?«

Charlie schlägt den Kofferraumdeckel zu.

»Nein. Ich will keine Zeit verlieren. Ich muss sie finden, sie zu einem Arzt bringen.«

Ich schicke ein stilles Stoßgebet gen Himmel. *Bitte mach, dass es Janice gut geht. Die Frau, die mir den Sohn genommen hat. Bitte mach, dass alles gut ist.*

Es dauert nicht lange, bis ich den Schuppen sehe. Er sieht ein bisschen anders aus als in meiner Erinnerung, aber so ist das mit dem Gedächtnis: Es erfindet seine eigenen Geschichten. Und die verfestigen sich und versteinern zu Tatsachen, und oft können wir das eine nicht mehr vom anderen unterscheiden.

Vielleicht hat Janice ja die Geschichte geglaubt, die sie sich selbst erzählt hat.

Vielleicht hat es wirklich achtzehn Jahre gedauert, bis sie in sich gegangen ist und den Mut gefunden hat, ihre eigene Geschichte auseinanderzunehmen.

Vielleicht.

In meiner Erinnerung ist die Hütte viel größer gewesen, hatte mehrere Fenster und einen grob gemauerten Kamin und draußen ringsum die Überreste einer Mauer, wo früher vielleicht einmal die Schafe über Nacht eingepfercht waren.

Nun sprießt ein dicker Busch aus einem Loch in der Mauer, das früher ein Fenster gewesen ist, und die Tür ist vernagelt. Vor der Tür die Überreste eines Lagerfeuers; vielleicht haben Teenager aus dem Ort hier eine Party gefeiert. Aber das ist auch schon das einzige Lebenszeichen. In diesem kleinen Häuschen ist schon lange niemand mehr gewesen.

Wir bleiben beide wie angewurzelt stehen und starren es an – dieses winzige, lächerliche Hüttchen, für das wir acht Stunden durch die Gegend gegurkt sind. Janice ist nicht hier gewesen. Hier gibt es nur Himmel und Meer. Ein unendlich weiter, wissender Himmel, mit kreisenden Seevögeln und dunklen Geheimnissen, die er niemandem verrät.

Charlie stopft die Hände in die Taschen und dreht sich nach den Wellen um, die schäumend und zischend im Sand versickern.

Janice könnte überall sein. Und selbst wenn sie irgendwo in der Nähe sein sollte – wo sollten wir anfangen zu suchen? Ein Strand reiht sich hier an den anderen, endlos bis zum Horizont. Man könnte stundenlang weiterlaufen, ohne einer einzigen Menschenseele zu begegnen. Kein Wunder, dass die Wikinger ausgerechnet hier angelandet sind. Fast hätte man meinen können, auf dem Mond gelandet zu sein.

Völlig erschöpft sinke ich schließlich in eine Dünenmulde. Seit Jill mich gestern Morgen quasi gekidnappt hat, habe ich keine Minute Ruhe gehabt. Ich nehme das armselige Sandwich heraus, das ich irgendwo um Newcastle herum gekauft habe, und beiße lustlos ab.

Ich habe Jill schon mehrere Nachrichten geschickt, aber sie antwortet nicht.

Mit Schuldgefühlen kenne ich mich aus. Sie brennen sich ein, als hätte man Säure geschluckt, sie sickern bis in die letzten Ritzen eines jeden Gedanken. Ich hoffe bloß, Jill wird mir glauben, dass die Geschichte, die sie sich all die Jahre erzählt hat, vorn und hinten nicht stimmt. Das ist das Mindeste, was ich für sie tun kann.

Nach einer Weile kommt Charlie und setzt sich neben mich. Charlie, den Jill gefunden hat.

Ich schreibe ihr noch eine Nachricht, während mein Sohn eine Pastete isst.

»Ich finde, wir sollten einen kleinen Spaziergang ins Dorf machen und im Pub ein Pint trinken«, sage ich, als wir aufgegessen haben. »Und überlegen, wo wir noch suchen könnten.«

Charlie steht auf und klopft sich den Sand aus der Hose. »Hmm«, sagt er. »Weiß nicht, käme mir komisch vor, im Pub zu sitzen, wenn wir in der Zeit genauso gut nach ihr suchen könnten.«

»Sicher. Ich… Hör mal, Charlie, es tut mir leid, dass ich dir die Idee mit dem Schuppen in den Kopf gesetzt habe. Ich komme mir echt bescheuert vor.«

Charlie denkt kurz nach und stupst ein Strandhaferbüschel mit den Schuhspitzen an. »Je länger ich darüber nachdenke, desto mehr bin ich da bei dir.« Er weist auf den Strand, gleich unterhalb von dort, wo wir gerade stehen. »Hier haben wir früher immer gepicknickt. Hier hat sie die Handtücher ausgebreitet und die Strandmuschel aufgestellt.«

»Wirklich?«

»Ja.« Er starrt auf den Strand und denkt sicher an Sonnencreme und Wasserflaschen, Sandburgen und Schlauchboote. »Das hier ist ihr Plätzchen.«

Ich drehe dem Meer den Rücken zu und nehme den Schuppen noch mal in Augenschein. Dahinter erstreckt sich ein Golfplatz etwa eine Meile den Strand entlang. Ich frage mich, ob einem der Stammspieler womöglich eine Frau aufgefallen sein könnte, die hier spazieren gegangen ist – oder vielleicht abends am Stand saß? Ich sehe ein paar Golfer, die bestimmt in Rufweite sind.

»Charlie«, setze ich an und verstumme dann.

Es gibt eine eigenartige Synergie zwischen Janice Rothschild und mir, ganz gleich, wie weit wir uns seit Charlies Geburt auch voneinander entfernt haben mögen. An dem Tag, als ich ihr und Jeremy just an diesem Strand vor die Füße gestolpert bin, habe ich sie gespürt, ehe ich sie gesehen habe.

Und nun spüre ich sie wieder. Sie ist hier. Ganz in der Nähe.

Ich drehe mich um und schaue rüber zu Coquet Island. Der Leuchtturm, längst verlassen, steht am entferntesten Ende und blinzelt in die Sonne. Mein

Blick kehrt zurück an Land und schweift langsam über das Dörfchen Alnmouth.

Wo bist du?

Mein suchender Blick erfasst die Zufahrt zum Parkplatz, den Golfplatz und den Küstenpfad oberhalb der vorspringenden Felsen.

Dann weiter zum Horizont und zurück zu der Stelle, an der das Gras langsam Büschen und Sanddünen weicht. Und wieder zurück zum Küstenpfad oberhalb der Felsen.

»Charlie«, sage ich nachdenklich. »Ich finde, wir sollten unbedingt ins Dorf gehen. Uns ein bisschen umhören. Ich weiß, dein Dad hat im Laden Bescheid gesagt, dass sie sich melden sollen, falls Janice noch mal auftaucht, aber sie könnte auch im Café gewesen sein, im Pub, dem Feinkostladen – ich finde, wir sollten überall nachfragen. Und dann sollten wir zu euch nach Hause gehen, uns hinsetzen und in Ruhe überlegen, wie wir nun weiter vorgehen. Wir *müssen* sie finden.«

Es dauert nicht lange, bis er schließlich erschöpft einknickt. Müde ist schon gar kein Ausdruck mehr.

Gemeinsam laufen wir in den Ort, mein Sohn und ich. Als wir gerade von einer kleinen Gasse auf die Hauptstraße abbiegen, drehe ich mich noch einmal um, unauffällig, damit Charlie es nicht merkt.

Da.

Da muss sie sein. Ich bin mir ganz sicher. Aber

ich weiß nicht, ob es so eine gute Idee wäre, Charlie dorthin mitzunehmen. Ich weiß nicht, ob wir nicht vielleicht ein bisschen zu spät kommen.

Zweiundsechzigstes Kapitel

Emma

Charlie schläft ein, kaum dass wir auf dem makellosen cremeweißen Sofa seiner Eltern sitzen. Am liebsten will ich ihm ein Kopfkissen holen und eine Bettdecke, aber ich reiße mich zusammen. Er ist ein erwachsener Mann und wird nie Mum zu mir sagen.

Ich schreibe ihm einen Zettel, dass ich noch einen kleinen Spaziergang mache, und husche lautlos aus dem Haus.

Der Wind hat nachgelassen, und es ist warm. Der Strand ist so weitläufig, dass es nie eng wird, aber es sind inzwischen deutlich mehr Menschen da als vorhin. Viele sind im Wasser, das fröhlich in der Sonne glitzert. Ein Kind versucht, einen Drachen steigen zu lassen, und brüllt seinen Vater an, weil der »alles falsch macht«.

Die kleinen Hütten, die mir vorhin aufgefallen sind, kommen in Sicht, adrett und frisch gestrichen. Schicke Adirondack-Holzstühle stehen ordentlich aufgereiht in der Sonne neben teuer wirkenden Sonnenschirmen. Hippe Stadtmenschen zahlen Unsummen für solche Hütten, um sich selbst einen Campingurlaub vorzugaukeln: außen pseudorustikal, innen Champagnergläser und Luxusdaunendecken.

Genau der richtige Ort für einen »netten kleinen Nervenzusammenbruch«, wenn man nicht gerne zelten geht, aber den Strand von Alnmouth liebt.

Sie ist hier. Ich wusste es, sobald ich die Hütten gesehen habe, kaum ein paar Hundert Meter vom Schafstall entfernt.

Zwei der Hütten sind abgeschlossen, die geschmackvollen Rollos heruntergezogen. Eine scheint bewohnt. Der Adirondack-Stuhl steht so, dass er genau rüber nach Coquet Island weist.

Im Näherkommen sehe ich, dass auf dem Picknicktisch eine tote Krabbe liegt. Der Panzer ist halb zertrümmert, und ein großes Stück um die Nackenfurche fehlt. Aber mein Herz schlägt schneller, denn die borstigen Chelae sind intakt. Signalrote Punkte entlang des verbliebenen Rückenschilds, den vier deutlich erkennbare Grate überziehen.

Das ist sie. Es gibt sie wirklich. Sie hat eine gefunden.

Vor der Tür bleibe ich stehen. Selbst mit der Krabbe hier draußen auf dem Tisch gibt mir dieser Ort kein gutes Gefühl. Früher habe ich Janice und ihre nervöse Energie gespürt, wenn ich ihr und Charlie durch Islington gefolgt bin, aber jetzt spüre ich gar nichts mehr.

Sachte klopfe ich an.

Keine Antwort.

Ich klopfe ein zweites Mal. »Janice?«

Nichts. Einen Augenblick schaue ich hinaus aufs Meer. Wenn sie hier ist und wenn sie tot ist, weiß ich nicht, ob ich das ertrage.

Ich drücke die Klinke herunter, die Tür geht auf. Sie sitzt im Bett, als schaute sie fern, aber hat die Augen geschlossen.

»Janice«, sage ich.

Sie reißt die Augen auf, ganz kurz nur, und macht sie gleich wieder zu. Dann macht sie sie wieder auf und sieht mich an. »Was zum Teufel?«, fragt sie gedehnt.

»Janice«, sage ich und bin mit ein paar Schritten am Bett. »Ist alles okay?«

Sie schließt die Augen wieder. »Geh weg«, nuschelt sie. »Bitte.«

Auf dem hippen Sperrholz-Nachttischchen liegen fünf Schachteln Paracetamol. Wie in Trance frage ich mich, ob die Hüttenbesitzer sich beim Einrichten des Häuschens wohl hätten vorstellen können, dass das Tischchen einmal für so etwas benutzt wird. Vier Schachteln Paracetamol sind es und eine

Schachtel mit irgendeinem anderen Medikament, anscheinend verschreibungspflichtig, mit einem Etikett mit Janice' Namen und allem auf der Seite.

Ich greife nach der ersten Schachtel. Leer. Ich kontrolliere auch die anderen. Alle leer.

»Janice«, sage ich. »Janice, hast du die alle geschluckt?«

Entweder sie hört mich nicht, oder sie ignoriert mich – diese Frau, deren bildschönes kantiges Gesicht, das jetzt aufgequollen und blass ist, Abertausende Menschen kennen und lieben. Vielleicht sogar Millionen. Diese Frau, die sonst auf Talkshowsofas sitzt und Geschichten darüber erzählt, wie sie Elizabeth I. oder Lady Macbeth gespielt hat, ist nur noch ein Schatten ihrer selbst.

Die Frau, die mir mit ihren Schauspielkünsten und ihrer Überzeugungskraft das Kind gestohlen hat. Sie ignoriert mich.

»Janice«, sage ich, lauter diesmal. »Janice, hast du die Pillen alle geschluckt?«

»Du nicht auch noch«, murmelt sie. »Geh einfach. Bitte.«

Ich nicht auch noch?

Ich trete aus der Hütte und tippe hektisch auf meinem Handy herum. Ich wähle die Notrufnummer, aber nichts passiert. Ich habe kein Netz.

Vor Panik kommen mir die Tränen. »Janice«, sage ich, »ich muss einen Krankenwagen für dich rufen.«

»Nein.«

»Ich muss irgendwohin, wo ich Netz habe. Bitte, halte so lange durch. Bitte, Janice!«

Sie murmelt irgendwas, das wieder nach »Du nicht auch noch« klingt, aber ich habe keine Ahnung, was sie damit meint. Ich laufe aus der Hütte und will schon den Berg hinaufrennen, als ich sehe, dass mir jemand mit großen Schritten entgegeneilt.

Ich bleibe wie angewurzelt stehen.

Leo. Es ist Leo.

»*Was?*« Fassungslos starre ich ihn an. »Wie bist du denn so schnell hierhergekommen?«

»Ich bin um Viertel nach sieben losgefahren. Geht es ihr gut?«

»Ja, aber…«

»Gut. Also. Du bleibst hier. Der Rettungswagen ist schon auf dem Weg, aber jemand muss ihn einweisen. Ich glaube, er wird über den Golfplatz fahren müssen.«

»Ich – Leo, wo ist Ruby?«

Er weist auf sein Auto, das einfach so mitten auf dem Grün steht. »Schläft tief und fest hinten im Auto«, sagt er. »Weiß von nichts. Bin noch keine zehn Minuten hier.«

Ich bleibe in der Tür stehen und sehe staunend und verwirrt zu, wie mein Mann hineingeht und sich neben Janice ans Bett hockt.

»Janice«, sagt er leise. Er legt ihr eine Hand auf den Arm, und sie klappt ein Auge auf.

»Ich bin müde«, sagt sie. »Deine Frau war hier. Sie ist lauter als du.«

Das Sprechen macht ihr Mühe, aber das ist immer noch die Janice, die ich kenne.

»Ist sie«, stimmt Leo ihr zu. »So, jetzt machen wir es dir erst mal ein bisschen bequemer.« Ganz vorsichtig hilft er ihr, sich aufzurichten, damit er ihr noch ein Kissen in den Rücken stopfen kann.

Wie gebannt sehe ich zu.

»So.« Er zieht einen kleinen Hocker ans Bett und setzt sich zu ihr. Dann nimmt er ihre Hand. »Hilfe ist schon unterwegs«, sagt er zu ihr.

»Ich will keine Hilfe.«

»Verstehe. Das kannst du dann mit den Sanitätern besprechen. Aber ich musste den Rettungswagen rufen.«

Leo lässt Janice nicht aus den Augen, während quälend langsam die Minuten vergehen. Einmal beugt er sich über sie, um auf ihren Atem zu lauschen. »Alles gut«, sagt er.

Seine Stimme klingt so sanft.

Ich habe ihn nie so geliebt wie jetzt gerade.

Als könne er meine Gedanken hören, schaut er auf. »Warte draußen«, sagt er. »Dann kannst du ihnen winken, sobald du sie siehst.«

Nachdem Leo den Sanitätern die Paracetamolschachtel gezeigt und ihnen das bisschen, was er weiß, gesagt hat, kommt er zu mir nach draußen.

Das Küstengras wiegt sich in der Brise, das Meer funkelt, und das Kind mit dem Drachen hat es endlich geschafft. Der Drachen schwebt hoch über dem Strand, schlägt Kapriolen und fährt durch die warme Luft, und der kleine Junge quietscht vor Begeisterung.

Ich sitze auf dem Boden, Leo lässt sich neben mir nieder. »Geht's dir gut?«, fragt er.

Ich habe keine Ahnung, wie es mir geht. Er rückt näher an mich heran, und keiner von uns sagt ein Wort.

Dreiundsechzigstes Kapitel

Leo

Sechs Stunden später

Jeremy und Charlie sind im Krankenhaus. Noch haben wir nichts gehört, und ein befreundeter Arzt hat uns bereits gewarnt, es könne durchaus ein, zwei Tage dauern, bis man ganz sicher weiß, ob Janice durchkommt.

Emma und ich sitzen im Garten des Ferienhauses der Rothschilds. Der Himmel wird langsam dunkel, aber vereinzelte Wölkchen am Horizont leuchten strahlend rosa, und es ist immer noch angenehm warm.

Von hier sieht man nicht viel Meer; oben aus Rubys Zimmer ist die Sicht allerdings atemberaubend. Bestimmt steht sie um fünf auf der Matte und will sofort an den Strand.

John tingelt gemütlich schnüffelnd und pinkelnd durch den Garten.

Ich hatte heute Morgen gerade einmal eine Stunde geschlafen, ehe Ruby in mein Bett gekrabbelt kam und ultimativ Pancakes verlangte. Sie wusste noch, dass Emma ein paar Stunden zuvor bei ihr gewesen war, und schien sich nicht daran zu stören, dass ihre Mummy schon wieder auf Krabbenjagd war.

Wir gingen also runter in die Küche, und ich rührte den Pancake-Teig zusammen. Währenddessen überlegte Ruby es sich noch mal anders. »Ich will Bananenporridge, du Dummie«, sagte sie seufzend und ließ ihr Spielzeugmotorrad über die vollgestellte Arbeitsfläche sausen.

Irgendwann, nach zwei weiteren Stimmungsumschwüngen und einem kleinen Tobsuchtsanfall, saßen wir schließlich mit einem Toast und Ente vor dem Kinderkanal. Emma würde mich umbringen, wenn sie wüsste, dass ich Ruby vor dem Fernseher habe frühstücken lassen. Aber es war nicht mal sieben Uhr morgens, ich hatte die ganze Nacht nicht geschlafen, und es war mit schnuppe.

Ich schrieb Kelvin und Sheila eine Nachricht, dass ich heute wieder »im Homeoffice« arbeitete.

Sheila rief mich prompt an. »Gibt's was Neues?«

Ich ließ Ruby vor dem Fernseher sitzen und ging in die Küche, um ihr alles haarklein zu erzählen.

»Du lieber Himmel«, sagte Sheila, »das ist ja furchtbar, Leo. Das alles. Einfach furchtbar. Ich muss gleich Jeremy anrufen.«

»Mach das. Der sah gestern Abend ganz schön mitgenommen aus.«

»Meinst du, Emma könnte womöglich recht haben?«, fragte Sheila. »Mit diesem Schuppen?«

»Ich glaube nicht. Es verkriecht sich doch niemand zwei Wochen lang in einer heruntergekommenen Ruine, wenn man ein entzückendes Ferienhäuschen gleich um die Ecke hat. Aber andererseits hat sie sich in den vergangenen beiden Wochen alles andere als vernünftig und vorhersehbar verhalten.«

Sheila sagte daraufhin erst mal nichts.

»Hallo?«

»Ich denke nach«, erklärte sie.

Und ich spitzte die Ohren. Vielleicht könnte Sheila ja noch mal ihre Spionagefähigkeiten unter Beweis stellen. Janice' Namen in einen Remote-Computer des MI5 eingeben, und sofort spuckte ein Satellit uns die genauen Koordinaten ihres derzeitigen Aufenthaltsorts vor die Füße.

Ich hörte sie am anderen Ende der Leitung herumklicken. »Ich schaue nur gerade auf Google Maps nach«, sagte sie. »Wo genau soll dieser Schuppen noch mal stehen?«

Ich ging selbst zu Maps und dirigierte sie zu einem kleinen Quadrat, das die genaue Stelle kennzeichnete.

»Ja«, sagte sie nachdenklich. »Scheint mir verdammt unwahrscheinlich.«

Dann: »Was ist denn mit diesen Glamping-Hütten?«

»Was denn für Glamping-Hütten?«

Sheila seufzte. »Die Glamping-Hütten, die keine dreihundert Meter von dem Schuppen entfernt stehen, den Emma gerade durchsucht.«

»Ich – was?«

»Leo, bist du gerade in Google Maps?«

»Ja! Aber ... ach. Ja, jetzt sehe ich sie!«

Ich klickte darauf, und mein Herz schlug schneller. »Sieht vielversprechend aus.« Ich klickte mich durch einen Haufen Fotos, um herauszufinden, ob man von dort einen Blick auf Coquet Island hat, aber Sheila war mal wieder schneller.

»Coquet Island«, sagte sie. »Bingo. Also gut, dann schauen wir doch mal, ob sie dort eingecheckt hat.«

»Kannst du das denn?«, fragte ich ehrfürchtig. »Hast du immer noch Zugriff auf irgendwelche Überwachungssysteme oder so was?«

Sheila lachte laut auf, dann schien sie zu einem Telefonhörer zu greifen und eine Nummer zu wählen. Ich wartete, schon ganz aufgeregt, in der festen Überzeugung, sie werde sich mit einem Agenten in einem Bunker vor Ort in Northumberland verbinden lassen.

»Hallo«, sagte sie. »Bin ich da richtig bei Alnmouth Glamping Cabins? Wunderbar. Ich muss ganz dringend einen ihrer Gäste erreichen. Janice Rothschild. Ja ...«

Ein paar Sekunden später war das Gespräch beendet. »Okay«, sagte sie. »Das war die Eigentümerin der Hütten. Sie ist den Sommer über auf Sizilien, aber ja, im System steht, dass Janice dort abgestiegen ist, in Hütte Nummer 2. Du musst Emma Bescheid sagen. Sie soll so schnell wie möglich dahin gehen.«

Sie hielt kurz inne. »Ganz schön gerissene Spionagetaktik, was?« Immerhin war sie so nett, mich nicht auszulachen.

Ich starrte online auf die Hütten und stellte mir Janice vor, wie sie sich erst ein bisschen Mut antrinkt und dann die Pillen auspackt. Mir drehte sich der Magen um. Ob sie sich hübsch zurechtgemacht hatte? Ob sie eine Henkersmahlzeit gegessen hatte? Ob sie morgens beim Aufwachen schon gewusst hatte, dass sie es heute tun würde?

In Gedanken sah ich sie vor mir, zusammengesackt auf dem Boden, und malte mir aus, wie Emma und Charlie nichtsahnend hineingingen und sie so vorfanden. Was für eine grässliche Entdeckung.

Danach war alles ganz einfach.

»Ruby«, rief ich. »Ruby, hol deine Schuhe. Wir machen einen Ausflug mit dem Auto.«

Ich durfte nicht zulassen, dass Emma Janice' Leiche fand. Ich durfte nicht zulassen, dass sie diesen ganzen Albtraum auch nur noch einen Augenblick länger allein durchstehen musste.

John kommt rüber zu Emma und mir geschlendert, während wir in einträchtigem Schweigen beisammensitzen. Er wedelt kurz mit dem Schwanz, dann verkrümelt er sich ins Haus, auf der Suche nach etwas Essbarem.

Eine ganze Weile bleiben wir beide still. Ich weiß nicht, ob Emma zu müde ist oder zu nervös, aber sie sitzt ganz reglos da, die Arme fest um die Knie geschlungen. Und sie hat wieder die Wollmütze auf.

Ich folge einem Vogel, der über die Bucht fliegt. Emma hat mir beigebracht, was das für Vögel sind, aber mir ist der Name entfallen. Das hat sie früher wahnsinnig gemacht: Sie hat immer gesagt, ich höre ihr überhaupt nicht zu. Tue ich aber. Wenn ich spätabends im Bett lag, kurz vor dem Einschlafen, habe ich über ihre Worte nachgedacht. Oder wenn ich am Schreibtisch saß und meine Nachrufe geschrieben habe. Ich habe beim Autofahren darüber nachgedacht, beim Spazierengehen, beim Essen, und das alles nur, weil sie der einzige Mensch ist, der für mich je wirklich etwas zu sagen hatte.

Ich löse ihre linke Hand von ihren Beinen und ziehe ihr den Ehering vom Finger. Den stecke ich in die Hosentasche. Emma besieht sich schweigend die nun nackte Hand, schaut mich aber nicht an.

Dann merke ich, wie sie förmlich in sich zusammensackt.

Die Vögel schreien und kreisen über unseren Köpfen. »Wir sind gar nicht verheiratet«, sage ich.

Emma schüttelt den Kopf. »Nein.«

Wieder nehme ich ihre Hand. »Aber ich finde, das sollten wir unbedingt sein.«

Ruckartig schaut sie auf, sieht mich an und wendet dann den Blick wieder ab.

»Emma?«

Geduldig warte ich ab, bis sie mich wieder ansieht. In der sich rasch senkenden Dunkelheit sind ihre Augen wie tiefe Seen. Unerforschte Ozeane. Aber ich kann sie wieder verstehen lernen. Nur in sie möchte ich eintauchen.

»Ich werde dir vertrauen«, sage ich zu ihr.

Sie zögert. Ein Vogel zieht über uns eine weite Schleife, mit reglosen Flügeln auf den Strömungen gleitend.

»Ich werde dir vertrauen«, sage ich wieder.

Emma wendet sich ab. »Aber wirst du das wirklich?«

»Ja.«

»Aber – *wirklich*?«

Ich nicke.

»Ich kenne dich, Leo«, sagt Emma.

»Ich kenne mich auch. Besser, als du vielleicht glaubst.«

Der Vogel verschwindet am tintenblauen Horizont, seine Rufe hallen noch wider.

»Ich will dich heiraten. So richtig. Mit Ruby, die dauernd nervt und uns die Show stiehlt. Wir brauchen es niemandem zu sagen, wenn du es nicht erklären willst. Aber ich will heiraten.«

Nach langem Schweigen stützt sie sich auf einen Ellbogen. Ich tue es ihr gleich.

»Als Ruby und ich hierhergefahren sind, habe ich versucht mir vorzustellen, wie ich sie am Wochenende von ihrem einen zu ihrem anderen Zuhause fahre, weil wir uns das Sorgerecht teilen. Wie wir allmählich Freunde werden, wie wir uns ihr zuliebe zusammenraufen. Eines Tages jemand anderen kennenlernen. Und es fühlte sich furchtbar an. Ich will das nicht. Ich will *uns*. Ich wollte immer nur uns.«

Emma nickt kaum merklich.

»Und du?«, frage ich, als sie nichts dazu sagt. »Willst du uns auch?«

Sie sieht mir suchend ins Gesicht. Dann sagt sie leise: »Ja. Mehr als alles auf der Welt.«

Unsere Gesichter sind nur eine Handbreit voneinander entfernt. Ich spüre ihren Atem, sehe ihre Haare, noch immer hinters Ohr gestrichen.

Emma hat mit ihren neununddreißig Jahren schon mehr Leid ertragen müssen als andere in einem ganzen Leben. Und doch ist sie die Frau, in die alle heimlich verknallt sind, die Frau, mit der auf Partys jeder reden will. Sie ist der witzigste Mensch, den ich kenne, und die Frau, für die mein Boss mich umstandslos vor die Tür setzen würde, sollte sie je einen anderen Berufsweg einschlagen wollen.

Sicher, sie war ein paar Jahre in Therapie. Das Hamstern wird immer schlimmer, und sie muss immer mehr Dinge zwanghaft kontrollieren, wie ob Ruby noch atmet, und so weiter und so fort. Aber sie ist immer noch Emma: die lebenssprühende, brillante, unerträgliche Emma.

Wenn sie es geschafft hat, sich in allem, was sie erlebt hat, nicht selbst zu verlieren, dann kann ich auch lernen, ihr wieder zu vertrauen. Ich muss.

Und jetzt ist es wieder wie beim ersten Mal, als wir uns so nahe gekommen sind, in der Jurte ihres Freundes auf einer Wiese in Cornwall mitten in der Nacht, umgeben von Probenbehältern und Haarglättern und halb gegessenen Snacks und meeresbiologischen Zeitschriften.

Wir sind eine Handbreit voneinander entfernt, und noch nie im Leben habe ich jemanden so sehr küssen wollen.

Diesmal mache ich den ersten Schritt. Ich beuge mich zu ihr vor und küsse sie.

Epilog

Eine an den Küsten des Nordwestpazifik angespülte tote Blumenhutqualle bietet einen recht unscheinbaren Anblick: eine ergrauende gallertartige Masse, sandgesprenkelt und glibberig, zwischen Sepiaschalen und totem Seetang, verstreut entlang der Schwemmlinie. Etwas, worin Kinder mit einem Spaten herumstochern.

Aber fände man dieses Gelee in den lichtlosen Gewässern am Grund des Ozeans, würde man seinen Augen kaum trauen. Der zart gestreifte Schirm leuchtet narzissengelb, und die Tentakel, wie zarte Tintenstriche, flimmern fröhlich rosa an den Spitzen. Mit überirdischer biolumineszenter Schönheit pulsieren die Medusen durch diese kalten Gewässer; ein funkelndes Wunder.

Ich möchte Sie einladen, an ein Ereignis in Ihrer Vergangenheit zurückzudenken, das Sie gerne ungeschehen machen würden.

Bestimmt gibt es da etwas, auch wenn Sie noch sehr jung sind. Und wenn Sie gut darin sind, es anderen zu verheimlichen, dann liegt es wohl verborgen unter den Uferlinien Ihrer eigenen Geschichte: sandbedeckt, unscheinbar, sichtbar nur für jene, die wissen, wonach man suchen muss.

Ich war recht gut darin, meine Vergangenheit zu verheimlichen. Zwanzig Jahre lang habe ich sie für mich behalten, von allen unbemerkt. Und dann kam mein Mann und stocherte mit einem Stöckchen darin herum, stocherte und pikste und bohrte und stupste, bis sie wie ein lange vergessener, unansehnlicher Klumpen ins offene Meer hinausgespült wurde, um sich dort wieder zu entwirren. Nun schwebt sie schimmernd in der Tiefsee. Leuchtend, weithin sichtbar, unmöglich zu verstecken.

Aber die Sache ist die: Für Leo ist meine Vergangenheit *wirklich* so schön wie diese Blumenhutqualle. Als sie erst einmal ausgebreitet vor ihm lag – als er sich erst einmal von dem Schock erholt hatte –, konnte er auch mich zum ersten Mal ganz klar und deutlich sehen, und er liebte mich nur umso mehr.

Die Dinge, die wir glauben.

Die Dinge, die wir verbergen.

Ich schaue nicht mehr zurück. Ich bin jetzt hier. Ganz und gar.

Es ist Viertel vor sieben morgens, und Leo schläft noch. Das Gesicht hat er ins Kissen gedrückt. Er jammert neuerdings dauernd, er sehe so alt aus, und weil ich mir geschworen habe, ihn nie wieder zu belügen, muss ich ihm leider recht geben. Er müsste dringend für drei Monate ins Spa. Aber in meinen Augen ist er perfekt. Ihn zum zweiten Mal zu heiraten, diesmal ohne irgendetwas Unausgesprochenes zwischen uns, war wunderschön.

Er ist die Liebe meines Lebens.

Nebenan schläft unsere Tochter. Ente schläft immer noch bei ihr im Bett, aber sie hält sie nicht mehr die ganze Nacht in den Armen. Sie wird so schnell groß. Ich fürchte, Entes Tage sind gezählt, aber ich möchte keine dieser bittersüßen kleinen Veränderungen missen – bei Charlie durfte ich sie nicht miterleben. Ich weiß immer noch nicht, welches Stofftier er als Kind nachts im Arm gehalten hat oder wie sein bester Freund hieß, wie viel Taschengeld er bekommen und wofür er es ausgegeben hat. Es gibt noch so viel über ihn zu erfahren, aber bei Ruby erlebe ich alles in Echtzeit. Was für eine Ehre; als etwas anderes möchte ich es nicht betrachten.

Sie ist die Liebe meines Lebens.

Auf der anderen Seite des Atlantiks ist mein Sohn

gerade auf einer Weihnachtsfeier. Das weiß ich, weil er mir eine Nachricht geschrieben hat, die ich seit dem Aufwachen bestimmt schon zum dreißigsten Mal gelesen habe. Eine Nachricht! Eine angeschickerte Nachricht!

Flug nach Hause morgen früh um 8, hat er geschrieben. *Noch auf 'ner Party, muss um 4 raus und zum Flughafen, glaube, ich trinke einfach weiter. Du bist übrigens nicht berechtigt, mir mit vernünftigen Ratschlägen zu kommen.* ☺ *Vielleicht über Weihnachten mal auf dem Heath spazieren gehen? Fände ich schön.*

Charlie wird mich nie Mum nennen, aber er hält den Kontakt, seit er im September nach Boston zurückgegangen ist. Und auch wenn Janice sich tierisch darüber aufregt, lässt er ihn nicht abreißen.

Nie wird in meinem Leben die Zeit kommen, in der ich mich damit abgefunden habe, seine ganze Kindheit versäumt zu haben. Nie werde ich meinen Frieden damit machen, dass ich ihn nicht trösten konnte, wenn er krank war, oder ein paar Tränchen verdrücken über seine Darstellung eines Pinguins beim Krippenspiel. Aber was ich jetzt habe, ist genug. Und selbst wenn es bei gelegentlichen Spaziergängen bleibt, wird Charlie ab jetzt zu meinem Leben gehören. Und das reicht mir, weil ich beinahe zwanzig Jahre ohne ihn leben musste.

Er, dieser junge Mann, ist die Liebe meines Lebens.

»Leo«, flüstere ich, weil ich nicht mehr länger warten kann. »Aufwachen! Küss mich!«

Die Dämmerung bricht von Osten mit bernsteinfarbenen Schatten herein, während Leo sich langsam rührt.

Wir kuscheln uns aneinander, und ich erzähle ihm von Charlies Nachricht. »O wow«, sagt er. Er ist noch immer nicht ganz wach.

Ich küsse ihn wieder und wieder, eine Hand auf seiner warmen Brust. Ich werde diesem Mann wohl nie zeigen können, wie sehr ich ihn liebe, aber zumindest versuche ich es.

Ein paar Minuten später checken wir auf seinem Handy den neuesten Stand bei Wikideaths, aber es ist niemand gestorben.

Ein paar Minuten danach lasse ich einen fahren. »Moped«, rufe ich und zucke die Achseln, als wollte ich sagen: *Was will man machen?*

Und Leo lacht – nach all den Jahren noch –, er lacht und sagt: »Du bist ein Scheusal, Emma.«

Das hier ist jetzt mein Leben. Mein ganzes Leben, nicht mein halbes Doppelleben. Emma und Leo. Leo und Emma.

Wir sind seit drei Wochen verheiratet, seit elf Jahren zusammen, und er kennt mich in- und auswendig.

Dank

Und es ward ein Buch!

Diesmal brauchte es dazu nicht bloß ein Dorf, sondern gleich einen kleinen Kontinent. Ich bin so vielen Menschen zu tiefstem Dank verpflichtet.

Zuallererst möchte ich all jenen danken, die mir mit ihrer Zeit und ihrem umfänglichen Fachwissen zur Seite gestanden haben:

Professor John Spicer, Dr Natalie Smith, Professor Mark Bower, Hannah Parry-Wilson, Dr Karl Scheeres, Hannah Walker, Dr Mike Rayment, Betty Lou Layland, Nathan Morris, Melissa Kay, Stuart Gibbon, Dr Ray Leakey, Dr David Barnes, Rose Child, David Bonser, Richard Hines, Dr Matt Williams, Rosie Greenwood, Professor Carl Sayer, Sarah Denton, Rosie Mason, Max Fisher, Sophie Kenny-Levick, Bill Markham.

Und meinen Freunden, die mir mit allem geholfen haben, was man sich nur wünschen kann, sei es der Kontakt zu einem Psychiater oder eine virtuelle Führung durch das Sendehaus der BBC: Josie Lee, Elin Somer, Max Fisher, Claire Willers, Angela

Waterstone, Emily Koch, Marc Butler, Alex Brown, Jack Bremer, Claudine Pavier, Michael Pagliero, James Pagliero, Jo Nadin, Dave Walters.

Meinen wunderbaren Autoren-Freund*innen, deren Feedback zu meinen Entwürfen und Ideen zur Handlungsentwicklung mir eine unschätzbare Hilfe waren: Emma Stonex, Emylia Hall, Kate Riordan, Rowan Coleman, Jane Green, Cally Taylor. Danke auch an George Pagliero, Caroline Walsh and Emma Holland.

Den vielen Menschen, mit denen ich einfach so in Trauer-Cafés, gemeinnützigen Einrichtungen, bei Fachveranstaltungen über Meeresökologie, Nachrufkonferenzen und sogar Partys gesprochen habe – Aberhunderte solcher Gespräche haben dieses Buch überhaupt erst möglich gemacht. Danke dafür.

Unendlich dankbar bin ich auch den Wunderwirkern bei Goldmann, meinem deutschen Verlag, allen voran der grandiosen Maria Runge. Ich weiß mein Buch in den allerbesten Händen. Danke meiner Übersetzerin Stefanie Retterbush und jedem und jeder Einzelnen in diesem Team, die dieses Buch in einen wunderschön gebundenen Roman verwandelt haben, und für all eure Mühe, auch mein voriges Buch der deutschsprachigen Welt zugänglich zu machen.

Danke auch meinen Lektoren im UK und den USA, Sam Humphreys und Pam Dorman, deren detailbesessene Arbeit – gerade in dieser Zeit weltumspannender Turbulenzen – diesen Roman ungleich besser und runder gemacht haben, als ich es allein je vermocht hätte.

Lizzie Kramer, meiner unvergleichlichen Agentin, fürs unermüdliche Lesen und die unzähligen redaktionellen Änderungsvorschläge, und dafür, dass sie mich mehr als einmal vor Schreibblockaden und lähmenden Selbstzweifeln gerettet hat. Danke, dass du an dieses Buch geglaubt hast, für deine Liebe zu meinen Figuren, und dass du immer nur mein Bestes willst – von den Buchabschlüssen und all den Jahren geschickter Diplomatie ganz zu schweigen. Allison Hunter, meiner US-amerikanischen Agentin, fürs Brainstormen meiner Ideen, fürs Lesen und fürs Händchenhalten in diesen schweren Zeiten – als wäre ein traumhafter Buchabschluss nicht schon genug, warst du mir immer ein Fels in der Brandung. Danke auch an Maddalena Cavaciuti und Kay Begum.

Alice Howe und ihrem Team für Übersetzungsrechte bei David Higham Associates – ich weiß nicht, ob ich euch je genug dafür danken kann, was ihr alles für mich getan und erreicht habt. Danke, dass ihr immer das Beste für mich und meine Bücher herausgeholt habt und dass ihr meine Worte Lesern selbst in den entlegensten Winkeln der Erde zugänglich macht.

Meiner Schreibpartnerin, der Autorin Deborah O'Donaghue – Deb, ich weiß gar nicht, wo ich anfangen soll. Du musst Wochen deines Lebens damit zugebracht haben, dieses Buch zu lesen und zu lektorieren. So oft ist nach einem Skype-Gespräch mit dir der Knoten endlich geplatzt; so viele gute Stellen sind eigentlich deine. Danke für deine so liebenswürdige Art und den guten Zuspruch, deine achtsamen Fragen und dass du es mir einfach nicht durchgehen lassen konntest, wenn irgendwas nicht stimmig war. Du weißt, wie viel von diesem Buch eigentlich von dir ist.

Mein aufrichtiger Dank gilt auch IHNEN, den Lesern und Leserinnen dieses Buchs, die ihr schwer verdientes Geld in die Geschichte von Leo und Emma gesteckt haben. Ohne Sie könnte ich nicht tun, was ich tue – was ich liebe. Sie haben mein Leben auf den Kopf gestellt, und Ihre Briefe und E-Mails aus den vergangen Jahren waren das Highlight meiner Schriftstellerinnenkarriere. Mein herzlichster Dank Ihnen allen.

Danke auch an Wendy, Rosie, Zoe, Clare und die vielen anderen großartigen Frauen, die mir geholfen haben, nicht den Verstand zu verlieren und mit beiden Beinen auf dem Boden zu bleiben. Meinen wunderbaren Freunden und Freundinnen, deren Begeisterung über meinen Erfolg noch immer in meinem Leben ist. Danke meiner lieben Familie,

Lyn, Brian und Caroline Walsh, die mir im letzten Jahr des Lockdowns ganz schrecklich gefehlt haben. Und auch Dave Mallows und The Exton, Clyst St George, Exeter, und den Londoner Paglieros, wunderbare Mutmacher und Schwiegerfamilie.

Danke dir, George, der mitten im grimmigsten Lockdown-Winter wieder und wieder mit unseren Kindern losgezogen ist, um mir zu ermöglichen, den Abgabetermin einzuhalten, und der immer an dieses Buch – und an mich – geglaubt hat. Wir haben es überlebt! (Gerade so.) Danke, dass du nie Geheimnisse vor mir hattest, und immer der warst, der du bist, vom ersten Augenblick an.

Und danke meinen beiden Kindern. Meinem kleinen Lockdown-Mädchen, dem hellsten Lichtstrahl in dunklen Zeiten, und meinem nun schon großen Jungen, der mich laut hat lachen lassen in einer Zeit, in der ich dachte, nie wieder lächeln zu können.

Ihr drei seid die Liebe meines Lebens.

Rosie Walsh

Ohne ein einziges Wort

Dieses Buch ist all jenen gewidmet,
die ein ausgebliebener Telefonanruf
schon mal aus der Bahn geworfen hat.

Vor allem denjenigen, die nie gedacht hätten,
das könnte ihnen etwas ausmachen.

*»Doch wir können uns überhaupt nur verlieben,
ohne zu wissen, in wen wir uns verliebt haben.«*

Alain de Botton
Versuch über die Liebe

1. Teil

Erstes Kapitel

Hallo du,

heute ist es auf den Tag genau neunzehn Jahre her, seit wir uns an diesem strahlend schönen Morgen mit einem Lächeln voneinander verabschiedet haben. Dass wir uns wiedersehen, stand außer Frage, oder? Es war nur die Frage wann, nicht die Frage ob. Eigentlich war es nicht einmal eine Frage. Die Zukunft mag zwar so ungreifbar vor uns gelegen haben wie der flüchtige, sich an den Rändern kräuselnde Saum eines Traums, aber ganz zweifellos kamen wir beide darin vor. Gemeinsam.
Doch dann kam alles ganz anders. Selbst nach all diesen Jahren kann ich es noch immer nicht fassen.
Neunzehn Jahre seit diesem Tag. Neunzehn volle Jahre! Und noch immer suche ich nach dir. Ich werde nie aufhören, nach dir zu suchen.
Oft tauchst du auf, wenn ich es am wenigsten erwarte. Vorhin war ich ganz gefangen in einem sinnlos kreisenden düsteren Gedankengang; wurde fast zerquetscht von einer unsichtbaren eisernen Faust. Und plötzlich warst du

da: ein buntes Herbstblatt, das lustig über den stumpfen bleigrauen Rasen taumelte. Vorsichtig richtete ich mich auf und roch das Leben; spürte den Tau an den Füßen; sah das in mannigfachen Tönen leuchtende Grün ringsum. Ich versuchte, dich zu fassen, dieses kunterbunte Blatt, Purzelbäume schlagend und zappelnd und kichernd. Versuchte, deine Hand zu nehmen, dir in die Augen zu schauen, aber wie ein optischer Brennfleck bist du immer wieder zur Seite gehuscht; bist ungreifbar geblieben.

Ich werde nie aufhören, nach dir zu suchen.

Zweites Kapitel

Sechster Tag: Als wir es beide wussten

Das Gras war feucht geworden. Feucht und dunkel war es und sehr geschäftig. Es erstreckte sich von hier bis zum rußschwarzen Waldrand und wimmelte nur so von arbeitsamen Ameisenbataillonen und behäbigen Schnecken und winzigen, hauchdünne Seidenfäden ziehenden Spinnen. Die Erde unter uns saugte das letzte bisschen Wärme auf wie ein durstiger Schwamm.

Eddie lag neben mir und summte die *Star-Wars*-Titelmelodie. Sein Daumen streichelte meinen. Behutsam, sanft wie die Wolken, die gemächlich über die schmale Mondsichel am Himmel über uns strichen. »Komm, wir suchen Außerirdische«, hatte er vorhin gesagt, als der violette Himmel sich langsam purpurrot gefärbt hatte. Und jetzt lagen wir beide immer noch hier.

In der Ferne hörte ich den letzten Zug des Tages laut seufzend über den Hügel schnaufen, und ich musste lächeln beim Gedanken daran, wie Hannah und ich als Kinder immer hier draußen gezeltet hatten. Auf einem kleinen Streifen Wiese, in diesem kleinen Tal, versteckt vor der, wie es mir damals schien, winzig kleinen Welt.

Kaum hatte sich der Sommer angekündigt, hatte Hannah jedes Jahr aufs Neue unsere Eltern angebettelt, endlich das Zelt aufstellen zu dürfen.

»Also gut«, hatten sie dann irgendwann widerstrebend nachgegeben. »Solange du im Garten bleibst.«

Der Garten vor dem Haus war platt und eben. Er war von beinahe jedem Fenster einsehbar. Aber das reichte Hannah nicht. Sie war zwar fünf Jahre jünger als ich, aber immer schon viel verwegener und abenteuerlustiger gewesen. Sie wollte hinaus auf die große Wiese, hinaus in die weite Welt. Die Wiese zog sich den steilen Hang hinter dem Haus hinauf und war ganz oben gerade eben genug, um dort ein Zelt aufzustellen. Einsehbar war es nur vom Himmel. Sie war mit harten, eingetrockneten Kuhfladen-Frisbees übersät und so steil, dass man von oben beinahe in unseren Schornstein gucken konnte.

Unsere Eltern fanden Zelten auf der Wiese keine besonders gute Idee.

»Aber da kann doch gar nichts passieren«, hatte Hannah mit ihrer vorlauten Piepsstimme beharrt. Wie diese Stimme mir fehlte.

»Alex ist doch dabei.« Hannahs beste Freundin war eigentlich ständig bei uns zu Hause. »Und Sarah auch.

Die beschützt uns, wenn irgendwelche Bösewichter uns was wollen.«

Als wäre ich ein schrankgroßer Muskelprotz mit zielsicherem rechten Haken.

»Und wenn wir zelten, brauchst du uns auch kein Abendessen zu machen. Und kein Frühstück...«

Hannah war wie ein Minibulldozer; nie gingen ihr die Argumente aus, und immer gaben unsere Eltern irgendwann klein bei. Zuerst schlugen sie neben uns auf der Wiese ihr Zelt auf. Aber irgendwann, als ich mich gerade mühsam durch den undurchdringlichen, unwegsamen Dschungel der Pubertät schlug, erlaubten sie Hannah und Alex, allein draußen zu campen, mit mir als Aufpasserin.

Und so lagen wir drei dann zusammen in Dads altem Festivalzelt – ein ausladendes Ding aus orangerotem Segeltuch, riesig wie ein Beduinenzelt – und lauschten auf die Sinfonie seltsamer Geräusche draußen im Gras. Oft lag ich noch lange wach, nachdem meine kleine Schwester und ihre beste Freundin längst eingeschlafen waren, und fragte mich, wie ich die beiden beschützen sollte, würde man uns tatsächlich überfallen. Die Last dieser verantwortungsschweren Aufgabe, Hannah zu beschützen – nicht nur hier im Zelt, sondern immer und überall –, fraß sich wie geschmolzenes Gestein in meinen Magen, kochend wie ein brodelnder Vulkan. Mal ehrlich, was hätte ich denn schon ausrichten können? Potenzielle Angreifer mit gekonnten Teeniehandkantenschlägen ausschalten? Sie mit einem marshmallowverklebten Grillspieß erdolchen?

Oft zögerlich, nicht besonders selbstsicher, so hatte meine Klassenlehrerin mich mal in einem Zeugnis beschrieben.

»Na toll, das ist ja mal wirklich hilfreich«, hatte Mum gebrummt in demselben Tonfall, mit dem sie sonst unseren Vater rüffelte. »Hör einfach nicht auf sie, Sarah. Sei so unsicher, wie du willst! Dafür ist die Pubertät schließlich da!«

Ganz erschöpft vom mentalen Tauziehen zwischen schwesterlichem Beschützerinstinkt und jugendlicher Ohnmacht schlief ich schließlich ein, und wenn ich morgens viel zu früh wieder aufwachte, machte ich mich gleich daran, aus den bunt zusammengewürfelten Zutaten, die Hannah und Alex anscheinend vollkommen wahllos eingepackt hatten, ihre berühmt-berüchtigten »Frühstückssandwichs« zusammenzubauen.

Ich legte eine Hand auf die Brust, um das harte Schlaglicht auf diese Erinnerung zu dämpfen. Das war kein Abend zum Traurigsein: Es war ein Abend für das Hier und Jetzt. Für Eddie und mich und das große, beständig wachsende Was-es-auch-war zwischen uns.

Ich konzentrierte mich auf die nächtlichen Geräusche der Lichtung im Wald. Wirbelloses Rascheln, Säugetierschnuffeln. Das grüne Rauschen flatternder Blätter; wie Eddies Atem sich unbeschwert hob und senkte.

Ich lauschte auf seinen Herzschlag, der gleichmäßig durch den Pullover klopfte, und bewunderte diese stete Verlässlichkeit. »Es wird sich alles zeigen«, sagte mein Vater immer gerne. »Abwarten und Tee trinken, Sarah.«

Aber ich wartete jetzt schon eine ganze Weile. Schon eine ganze Woche lang beobachtete ich diesen Mann und hatte noch keine Spur von Unruhe oder Unsicherheit ausmachen können. In vielerlei Hinsicht erinnerte er mich an das Ich, das ich mir für meine Arbeit angeeignet hatte: beständig, vernünftig, unbeeindruckt vom unsteten Auf und Ab des Lebens – aber dieses Ich hatte ich mir mit jahrelanger Übung mühsam antrainiert. Eddie dagegen schien einfach so zu sein.

Ich fragte mich, ob er die kribbelnde Aufregung in meiner Brust wohl spüren konnte. Noch vor ein paar Tagen war ich: frisch getrennt, bald geschieden, stramm auf die vierzig zugehend. Und jetzt das. Er.

»Schau mal, ein Dachs!«, rief ich aufgeregt, als ich aus den Augenwinkeln eine gedrungene maskierte Gestalt undeutlich vorbeitrotten sah. »Ob das wohl Cedric ist?«

»Cedric?«

»Ja. Wobei, das kann er unmöglich sein. Wie lange leben Dachse im Allgemeinen so?«

»Ich glaube, so ungefähr zehn Jahre.« Eddie lächelte; ich konnte es hören.

»Dann ist es ganz bestimmt nicht Cedric. Aber vielleicht sein Sohn. Oder Enkel.« Ich unterbrach mich. »Wir haben Cedric sehr gemocht.«

Ein vibrierendes Lachen pulsierte durch seinen ganzen Körper und sprang auf mich über. »Wer ist denn wir?«

»Ich und meine kleine Schwester. Wir haben früher oft auf einer Wiese ganz in der Nähe gezeltet.«

Er drehte sich auf die Seite, das Gesicht ganz nahe an meinem, und ich sah es in seinen Augen.

»Cedric, der Dachs. Ich ... du«, raunte er leise, schnell. Mit dem Finger strich er an meinem Haaransatz entlang. »Ich mag dich. Ich mag dich und mich, uns beide zusammen. Ich mag uns beide zusammen sehr.«

Ich lächelte. Mitten hinein in diese gütigen, aufrichtigen Augen. Strahlte ihn an, mit seinen Lachfältchen, dem markanten Kinn. Ich nahm seine Hand und küsste ihn auf die Fingerspitzen, die nach zwei Jahrzehnten Holzarbeit rau waren und gesprenkelt von unzähligen Splittern. Schon jetzt kam es mir vor, als würde ich ihn schon immer kennen. Mein ganzes Leben lang. Es war, als seien wir füreinander geschaffen, als seien wir von Geburt an füreinander bestimmt gewesen, und jemand hätte so lange geschubst und geschoben und geplant und gemauschelt, bis wir uns endlich vor sechs Tagen »zufällig« begegneten.

»Ich hatte gerade ein paar schrecklich kitschige Gedanken«, murmelte ich nach langem Schweigen.

»Ich auch.« Er seufzte. »Mir kommt es fast vor, als hätte jemand das Drehbuch der vergangenen Woche zu einer Filmmusik mit einem ganzen Orchester schmachtender Geigenmelodien geschrieben.«

Ich musste lachen, er küsste mich auf die Nasenspitze, und ich fragte mich, wie es sein konnte, dass man Wochen, Monate – sogar *Jahre* – dumpf vor sich hin lebte, ohne dass irgendwas passierte, und dann, innerhalb von ein paar Stunden, alles plötzlich kopfstand. Wäre ich an diesem Tag etwas später losgegangen, ich wäre wohl schnurstracks in den Bus gestiegen und ihm nie begegnet, und dieses neue Gefühl vollkommener Sicherheit wäre nichts weiter gewesen als das ungehörte Flüstern verpasster Gelegenheiten.

»Erzähl mir noch mehr von dir«, bat er. »Ich weiß immer noch nicht genug. Ich will alles über dich wissen. Die lückenlose und ungekürzte Lebensgeschichte der Sarah Evelyn Mackey – einschließlich sämtlicher ungeschönter unschöner Kapitel.«

Nachdenklich drehte ich mich auf die Seite.

Nicht, dass ich nicht damit gerechnet hätte, dass so etwas früher oder später kommen würde. Ich hatte mir nur noch nicht überlegt, was ich dann machen sollte. *Die lückenlose und ungekürzte Lebensgeschichte der Sarah Evelyn Mackey – einschließlich sämtlicher ungeschönter unschöner Kapitel.* Vermutlich würde er damit umgehen können. Dieser Mann trug eine unsichtbare Rüstung, ihn umgab eine stille Stärke, die mich an eine mittelalterliche Stadtmauer erinnerte oder eine wettergegerbte stämmige Eiche.

Mit der Hand fuhr er die Linie meiner Hüfte bis hinauf zum Brustkorb nach. »Ich liebe diese kleine Kurve«, murmelte er versonnen.

Ein Mann, der sich so wohlfühlte in seiner eigenen Haut, dass man ihm beinahe jedes Geheimnis verraten, jede Wahrheit anvertrauen konnte, und der in der Lage wäre, sie für sich zu behalten, ohne dabei selbst ins Wanken zu geraten oder irreparable Schäden davonzutragen.

Natürlich konnte ich es ihm sagen.

»Ich habe eine Idee«, meinte ich zu ihm. »Lass uns heute Abend hier draußen zelten. Wir tun einfach, als wären wir noch jung und unvernünftig. Wir machen ein Lagerfeuer, braten Würstchen am Spieß, erzählen uns Geschichten. Vorausgesetzt, du hast überhaupt ein Zelt? Aber du wirkst auf mich wie ein Mann mit einem Zelt.«

»Ich bin ein Mann mit einem Zelt«, bestätigte er grinsend.

»Prima! Also, dann machen wir das, und dann erzähle ich dir alles. Ich…« Ich unterbrach mich und schaute ins Dunkel der Nacht. Die letzten dicken Blütenkerzen der ausladenden Rosskastanie am Waldrand schimmerten matt. Eine Butterblume wiegte sich in der Dunkelheit dicht vor unseren Gesichtern. Aus mir unerfindlichen Gründen, die mir zu erläutern sie sich nie herabgelassen hat, hatte Hannah Butterblumen immer gehasst.

Plötzlich fühlte es sich an, als stiege ungebeten etwas in meiner Brust auf. »Es ist so schön hier draußen. Da kommen so viele Erinnerungen hoch.«

»Okay«, meinte Eddie lächelnd. »Wir zelten hier draußen. Aber zuerst musst du bitte mal herkommen.«

Und dann küsste er mich auf den Mund, und für eine ganze Weile verschwamm der Rest der Welt zu einem bloßen Hintergrundrauschen, als hätte jemand einen Schalter umgelegt oder an einem Regler gedreht.

»Ich will nicht, dass morgen unser letzter Tag ist«, murmelte er, als wir uns schließlich widerstrebend voneinander lösten. Er schlang die Arme noch fester um mich, und ich spürte die wohlige Wärme seiner Brust und seines Bauches, das sanfte Kitzeln der kupferroten Haare in meiner Hand.

Eine Nähe wie diese war für mich lange nur eine entfernte Erinnerung gewesen, dachte ich und atmete seinen sauberen, sandigen Duft ein. Als Reuben und ich schließlich hingeworfen hatten, schliefen wir längst wie zwei Buchstützen jeder auf seiner Seite ganz am Rand des Bettes. Das leere, unberührte Laken zwischen uns das Zeugnis unseres gemeinschaftlichen Versagens.

»Bis dass die Matratze uns scheidet«, hatte ich eines Abends gesagt, aber Reuben hatte darüber nicht lachen können.

Eddie rückte ein bisschen von mir ab, damit ich ihm ins Gesicht sehen konnte. »Ich habe… Hör zu, ich frage mich gerade, ob ich meinen Urlaub nicht einfach absagen soll. Dann könnten wir uns noch eine ganze Woche lang in den Wiesen wälzen.«

Nichts lieber als das! Das wünsche ich mir mehr, als du je erahnen wirst, dachte ich. Siebzehn lange Jahre war ich verheiratet, und in dieser ganzen Zeit habe ich mich kein einziges Mal so gefühlt wie jetzt mit dir.

Ich stützte mich auf die Ellbogen. »Noch eine Woche mit dir wäre himmlisch«, sagte ich zu ihm. »Aber du solltest deinen Urlaub nicht absagen. Wenn du wiederkommst, bin ich ja noch da. Es ist kein Abschied für immer.«

»Aber du bist dann nicht mehr hier; du bist in London.«

»Schmollst du jetzt?«

»Ja.« Er drückte mir einen Kuss aufs Schlüsselbein.

»Dann hör sofort auf damit. Ich bin nur zwei Tage nach dir wieder in Gloucestershire.«

Aber auch das schien ihn nicht zu besänftigen.

»Wenn du jetzt aufhörst zu schmollen, komme ich dich vielleicht sogar vom Flughafen abholen«, fügte ich noch hinzu. »Ich könnte dastehen in der Ankunftshalle mit einem Pappschild in der Hand mit deinem Namen drauf, und der Wagen wartet draußen auf dem Kurzparker-Parkplatz.«

Darüber schien er kurz nachzudenken. »Das wäre wirklich nett«, meinte er dann. »Wirklich sehr nett.«

»Abgemacht.«

»Und…« Er zögerte, schien plötzlich unsicher zu

werden. »Und ich weiß, das ist jetzt vielleicht ein biss-chen früh, aber wenn du mir deine Lebensgeschichte erzählt hast und ich uns Würstchen gegrillt habe, die, vielleicht oder auch nicht, genießbar sind, möchte ich ein sehr ernstes Gespräch mit dir führen über die hin-derliche Tatsache, dass du in Kalifornien lebst und ich in England. Dein Besuch hier ist eindeutig viel zu kurz.«

»Ich weiß.«

Er zupfte an dem dunklen Gras. »Wenn ich aus dem Urlaub zurückkomme, dann bleibt uns noch... wie lange, eine Woche? Bevor du wieder zurück in die Staa-ten fliegst?«

Ich nickte. Das war in dieser Woche die einzige dunkle Wolke an unserem ansonsten strahlend blauen Himmel gewesen; zu wissen, dass wir uns bald vonei-nander verabschieden mussten.

»Tja, dann müssen wir uns wohl... ich weiß auch nicht. Was einfallen lassen. Eine Entscheidung treffen. Ich kann das nicht einfach vergessen. Ich kann nicht mit dem Wissen leben, dass es dich irgendwo da draußen gibt, und nicht bei dir sein. Ich finde, wir sollten ver-suchen, das irgendwie hinzukriegen.«

»Ja«, erwiderte ich leise. »Ja, das finde ich auch.« Ich schlüpfte mit der Hand in seinen Ärmel. »Ich wollte eben genau dasselbe sagen und hab mich dann doch nicht getraut.«

»Wirklich?«, fragte er leise lachend und hörbar er-leichtert. Erst da ging mir auf, dass es ihn sicher auch einiges an Mut und Überwindung gekostet hatte, dieses heikle Thema anzusprechen. »Sarah, du bist eine der selbstbewusstesten Frauen, die ich kenne.«

»Mmmm.«

»Bist du. Das ist eins der Dinge, die ich so an dir mag. Eins der vielen Dinge, die ich so sehr an dir mag.«

Es war Jahre her, seit ich mir gezwungenermaßen angewöhnt hatte, mir Selbstbewusstsein anzutackern wie ein Werbeplakat an eine Reklametafel. Aber obwohl es mir heute nicht mehr schwerfiel, obwohl ich bei Medizinerkongressen auf der ganzen Welt Vorträge hielt, Journalisten routiniert Interviews gab und ein mehrköpfiges Team führte, war es mir immer noch sehr unangenehm, darauf angesprochen zu werden. Ich fühlte mich unbehaglich dabei oder vielleicht auch nur entblößt und verwundbar, als stünde ich mitten in einem heftig tobenden Unwetter mutterseelenallein auf einem Berggipfel.

Und dann küsste Eddie mich wieder, und alles um uns herum begann sich aufzulösen. Alle Traurigkeit der Vergangenheit, alle Unsicherheit der Zukunft. Das hier sollte so sein. Genau so.

Drittes Kapitel

Fünfzehn Tage später

»Ihm muss was ganz Schreckliches zugestoßen sein.«

»Zum Beispiel?«

»Zum Beispiel könnte er tot sein. Vielleicht nicht unbedingt tot. Wobei, wer weiß? Meine Oma ist mit gerade mal vierundvierzig einfach tot umgefallen.«

Jo drehte sich auf dem Beifahrersitz zu mir um. »Sarah.«

Ich wich ihrem Blick aus.

Woraufhin sie Tommy anschaute, der uns über den M4 in Richtung Westen fuhr. »Hast du das gehört?«, fragte sie.

Er gab keine Antwort. Er hatte die Zähne fest zusammengebissen, und die blasse Haut an den Schläfen pulsierte, als versuchte etwas Lebendiges sich aus seinem Schädel zu befreien.

Jo und ich hätten nicht mitkommen sollen, dachte ich zum wiederholten Mal. Eigentlich waren wir überzeugt gewesen, Tommy würde sich über die Unterstützung seiner beiden ältesten Freunde an so einem wichtigen Tag freuen – schließlich passierte es nicht so oft, dass man Schulter an Schulter mit dem Typen dastehen musste, der einem in der Schule das Leben zur Hölle gemacht hatte, während die örtliche Tagespresse Fotos davon knipste –, aber mit jeder weiteren regenbesprenkelten Meile, die wir fuhren, wurde immer deutlicher, dass wir seine Aufregung nur noch verschlimmerten.

Allein hätte er ein Lächeln aufsetzen und siegesgewisses Selbstbewusstsein heucheln können, doch mit uns stand er unter strenger Beobachtung ausgerechnet durch die beiden Menschen, die ihn am besten kannten. Und musste so tun, als sei die Vergangenheit längst Schnee von gestern. Schaut her, was aus mir geworden ist: ein erfolgreicher Sportberater. Und heute stelle ich meiner alten Schule mein tolles neues Programm vor! Schaut her, wie überglücklich ich bin, mit dem Chef der Sportabteilung zusammenarbeiten zu dürfen – dem Typen, der mich damals in den Bauch geboxt und sich dann schlappgelacht hat, als ich das Gesicht im Gras vergraben und Rotz und Wasser geheult habe!

Und was es auch nicht besser machte: Jos siebenjähriger Sohn Rudi saß neben mir auf dem Rücksitz. Sein Vater hatte heute ein Vorstellungsgespräch, und Jo hatte keine Zeit mehr gehabt, sich um einen Babysitter zu kümmern. Rudi hatte unser Gespräch über Eddies unerklärliches Verschwinden äußerst interessiert verfolgt.

»Sarah glaubt, dass ihr Freund tot ist, und Mum wird gerade stinkig«, bemerkte er nachdenklich. Rudi machte momentan eine seltsame Phase durch. Er hatte sich angewöhnt, mitgehörte Erwachsenengespräche zu markanten Einzeilern zu verknappen. Und er konnte das wirklich gut.

»Er ist nicht ihr Freund«, stellte Jo klar. »Sie waren bloß sieben Tage zusammen.«

Es wurde wieder ganz still im Auto. »Sarah. Denken Sieben-Tage-Freund ist tot«, sagte er mit aufgesetztem russischem Akzent. Rudi hatte einen neuen Schulfreund, Aleksandr, der erst kürzlich von irgendwo in der Nähe der ukrainischen Grenze nach London gezogen war.

»Getötet von Geheimdienst. Mum widersprechen. Mum sauer sein auf Sarah.«

»Ich bin nicht sauer«, widersprach Jo angesäuert. »Ich mache mir bloß Sorgen.«

Darüber musste Rudi kurz nachdenken. Dann meinte er: »Ich glauben, du erzählen Lüge.«

Was Jo nicht bestreiten konnte, also blieb sie lieber stumm. Ich wollte Jo nicht nerven, also blieb ich auch stumm. Und Tommy hatte sowieso seit gut zwei Stunden keinen Pieps mehr von sich gegeben, also blieb auch er stumm. Woraufhin Rudi das Interesse verlor und sich wieder dem Spiel auf seinem iPad widmete. Erwachsene hatten ständig solche unerklärlichen und vollkommen sinnfreien Probleme.

Ich schaute Rudi zu, wie er etwas, das wie ein Kohlkopf aussah, in die Luft jagte, und plötzlich überrollte mich die Sehnsucht wie eine Lawine: die Sehnsucht nach seiner kindlichen Unschuld, seiner Unversehrtheit, seiner Heilen-Welt-Sicht. Ich stellte mir vor, wie es in Rudi-Land wohl aussehen musste, in der Handys bloß Spielzeug waren, keine perfiden psychologischen Foltergeräte, und in der die Liebe seiner Mutter so zuverlässig und selbstverständlich war wie ein ruhiger, gleichmäßiger Herzschlag.

Wenn es irgendeinen guten Grund gab, erwachsen zu werden, wollte sich der mir heute so gar nicht erschließen. Wer würde nicht lieber Kohlköpfe in die Luft sprengen und mit russischem Akzent reden? Wem wäre es nicht lieber, morgens Frühstück gemacht und die Klamotten rausgelegt zu bekommen, wenn die scheinbar einzige Alternative dazu eine abgrundtiefe, alles verschlingende Verzweiflung war? Und das nur wegen eines Mannes, der einem das Gefühl gegeben hatte, er sei alles, und der nun irgendwie plötzlich wieder nichts war. Und nicht etwa wegen des Mannes, mit dem man siebzehn Jahre lang verheiratet war. Nein, wegen einem, mit dem man gerade mal sieben gemeinsame Tage verbracht hatte. Kein Wunder, dass alle in diesem Wagen mich für vollkommen verrückt halten mussten.

»Hör zu, ich weiß, das klingt alles nach einer kitschigen Foto-Love-Story«, sagte ich schließlich. »Und ich könnte mich bestimmt längst selbst nicht mehr reden hören. Aber irgendwas muss ihm zugestoßen sein, da bin ich mir ganz sicher.«

Jo öffnete Tommys Handschuhfach und holte eine Riesentafel Schokolade heraus, von der sie mit roher Gewalt einen großen Brocken abbrach.

»Mum?«, fragte Rudi und spitzte die Ohren. »Was hast du da?«

Er wusste ganz genau, was sie da hatte. Jo reichte ihrem Sohn wortlos ein Stück Schokolade. Rudi strahlte sie an mit seinem breitesten, zähnebleckendsten Grinsen, und Jo – obwohl ihr Geduldsfaden kurz davor war zu zerreißen – erwiderte sein Lächeln. »Und frag erst gar nicht nach mehr«, ermahnte sie ihn. »Sonst wird dir nur wieder schlecht.«

Rudi sagte nichts. Er schien davon auszugehen, sie würde ohnehin früher oder später nachgeben.

Jo drehte sich wieder zu mir um. »Sarah. Ich will dir ja wirklich nicht zu nahe treten. Aber… ich glaube, du machst dir da was vor. Du musst dich einfach damit abfinden, dass Eddie nicht tot ist. Und er ist nicht verletzt, sein Telefon ist nicht kaputt, und er kämpft auch nicht gegen eine lebensbedrohliche Krankheit.«

»Nicht? Hast du die Krankenhäuser abgeklappert? Mit der Gerichtsmedizin gesprochen?«

»O Gott«, wisperte sie und starrte mich vollkommen fassungslos an. »Sag mir jetzt nicht, dass du irgendwas davon getan hast, Sarah! Grundgütiger!«

»Grundgütiger«, flüsterte Rudi.

»Hör auf«, fuhr Jo ihn an.

»Du hast damit angefangen.«

Jo gab Rudi noch ein Stück Schokolade, und er widmete sich wieder seinem iPad. Das hatte ich ihm als kleines Präsent aus den USA mitgebracht, und vorhin hatte er mir im Vertrauen gestanden, er liebe es mehr als alles andere auf der Welt. Worüber ich erst lachen und dann, sehr zu Rudis Erstaunen, ein bisschen weinen musste, weil ich wusste, dass er diesen Ausdruck sicher von Jo gelernt hatte. Sie hatte sich als unglaubliche Löwenmutter erwiesen, meine süße kleine Joanna Monk, ihrer eigenen verkorksten Kindheit zum Trotz.

»Also?«

»Natürlich habe ich die Krankenhäuser nicht abgeklappert«, entgegnete ich seufzend und beobachtete eine kleine Kuhherde, die unter einer Telefonleitung auseinandersprang. »Ich bitte dich, Jo.«

»Ganz sicher?«

»Natürlich bin ich mir da sicher. Was ich damit nur sagen wollte, ist, dass du genauso wenig wie ich wissen kannst, wo Eddie abgeblieben ist.«

»Aber Männer machen das andauernd!«, herrschte sie mich an. »Das weißt du genauso gut wie ich!«

»Ich weiß gar nichts übers Daten. Ich war die letzten siebzehn Jahre verheiratet.«

»Dann lass es dir von mir gesagt sein: Es hat sich nichts verändert«, erklärte Jo verbittert. »Sie melden sich immer noch nicht.«

Sie schaute Tommy an, doch der reagierte nicht. Seine gespielte Zuversicht hatte sich schlagartig verflüchtigt wie Morgennebel im strahlenden Sonnenschein, und er hatte, seit wir losgefahren waren, kaum ein Wort gesprochen. Vorhin an der Autobahnraststätte hatte er einen kurzen Anflug von Löwenmut gezeigt, als er eine Nachricht bekommen hatte mit der Ankündigung, drei örtliche Tageszeitungen wollten jemanden vorbeischicken, aber nur wenige Minuten später hatte er mich in der Warteschlange des WHSmith Buchladens »Sarah« genannt, und Tommy nannte mich nur Sarah, wenn er richtig Schiss hatte. (Seit unserem dreizehnten Lebensjahr, als er angefangen hatte, Liegestützen zu machen und Stretchklamotten zu tragen, war ich für ihn nur noch »Harrington« gewesen.)

Das Schweigen wurde immer undurchdringlicher, und ich verlor die Schlacht, die ich gekämpft hatte, seit wir in London losgefahren waren.

Bin auf dem Weg zurück nach Gloucestershire, schrieb ich Eddie, ehe ich mich bremsen konnte. *Rückendeckung für meinen guten Freund Tommy, der an unserer alten Schule ein wichtiges neues Projekt vorstellt. Wenn du dich mit mir treffen magst, könnte ich bei meinen Eltern übernachten. Wäre schön, wenn wir miteinander reden könnten. Sarah x*

Kein Stolz, keine Scham. Das hatte ich längst hinter mir gelassen. Alle paar Sekunden tippte ich auf das Display meines Handys und wartete ungeduldig auf die Zustellbestätigung.

Zugestellt, verkündete das verfluchte Ding munter.

Mit Argusaugen beobachtete ich die Anzeige und wartete auf die kleine Textblase. Eine Textblase würde bedeuten, dass er zurückschrieb.

Keine Textblase.

Ich guckte noch mal. Keine Textblase.

Ich guckte noch mal. Noch immer keine Textblase. Ich steckte das Telefon in die Handtasche, außer Sichtweite. So benahmen sich doch sonst nur verliebte Teenager, wenn sie zum ersten Mal Liebeskummer hatten, dachte ich. Mädchen, die noch lernen mussten, sich selbst zu lieben, und in milder Hysterie darauf warteten, dass der Junge, den sie am Freitag zuvor in einer verschwitzten Ecke geküsst hatten, sich endlich bei ihnen meldete. So benahm sich doch keine erwachsene Frau von sechsunddreißig Jahren. Eine Frau, die die ganze Welt bereist, eine Tragödie überlebt und eine Kinderhilfsorganisation gegründet hatte.

Der Regen ließ langsam nach. Durch den kleinen Schlitz im Fenster konnte man den nassen Asphalt riechen und feuchte, dampfende, rauchige Erde. Ich litt Höllenqualen. Mit leerem Blick starrte ich hinaus auf ein Feld mit großen Rundballen aus Heu, so fest in glänzende schwarze Folie gequetscht wie stämmige Oberschenkel in zu enge Leggings. Nicht mehr lange, dann würde ich vollends den Verstand verlieren. Ich stand am Rande eines Nervenzusammenbruchs. Und bald würde ich im freien Fall in den Abgrund taumeln, wenn ich nicht endlich herausfand, was passiert war.

Rasch checkte ich mein Handy. Vor ziemlich genau vierundzwanzig Stunden hatte ich die SIM-Karte herausgenommen und das Telefon neu gestartet. Zeit, es noch einmal zu versuchen.

Eine halbe Stunde später waren wir auf dem zweispurigen Zubringer nach Cirencester, und Rudi fragte seine Mutter, warum die Wolken alle in verschiedene Richtungen zogen.

Wir waren bloß noch ein paar Meilen von der Ecke entfernt, an der wir uns über den Weg gelaufen waren. Ich schloss die Augen und versuchte mich an meinen kleinen Spaziergang an diesem heißen Morgen zu erinnern. Diese wenigen vollkommen unkomplizierten Stunden in der Zeitrechnung Vor Eddie. Die Sauermilchsüße der Holunderblüten. Ach ja, und das verdorrte Gras. Die träge schwebenden Schmetterlinge, wie betäubt von der Hitze. Da war ein Roggenfeld gewesen; wie ein fedriger, getreidehülsengrün bemalter Teppich, über dem sich die heiße Luft staute. Hin und wieder ein erschrecktes Kaninchen, das wie vom Katapult abgeschossen davonsprang. Und die seltsame Erwartung, die an diesem Tag in der Luft über dem ganzen Dorf lag, diese brütende Stille, die verstreuten Düfte.

Ungebeten spulte meine Erinnerung im schnellen

Vorlauf zu der Stelle kurz vor dem Augenblick, als ich Eddie zum ersten Mal gesehen hatte – ein aufrichtiger, freundlicher Mensch mit warmen Augen und offenem Gesicht, der sich mit einem entlaufenen Schaf unterhielt –, und wie verknotetes Gestrüpp schlangen sich Trauer und Verwirrung um das Bild in meinem Kopf.

»Du kannst mir gerne sagen, dass ich mir selbst in die Tasche lüge«, sagte ich in die Stille des Wagens hinein. »Aber das war kein kleiner belangloser Flirt. Das war … Das war alles. Wir beide wussten es. Und darum bin ich mir auch so sicher, dass ihm etwas zugestoßen sein muss.«

Bei dem Gedanken schnürte es mir die Kehle zu.

»Sag doch auch mal was«, meinte Jo zu Tommy. »Sag was dazu.«

»Ich bin Sportberater«, murmelte der. Ihm war die ganze Sache so unangenehm, dass sein Hals feuerrot anlief. »Mein Fachgebiet sind Körper, nicht Köpfe.«

»Und wer hat Köpfe als Fachgebiet?«, fragte Rudi. Er belauschte unser Gespräch sehr aufmerksam.

»Therapeuten haben Köpfe als Fachgebiet«, antwortete Jo matt. »Therapeuten und ich.«

Ferapeuten. So in etwa klang das Wort bei ihr. Jo war in Ilford geboren und aufgewachsen und sprach waschechtes, unverfälschtes Cockney. Ich liebte sie sehr. Ich liebte sie für ihre unverblümte Art und ihr aufbrausendes Temperament, ich liebte sie für ihre Furchtlosigkeit (manche würden auch fehlendes Feingefühl für persönliche Grenzen sagen), und am meisten liebte ich sie dafür, wie heiß und innig sie ihren Sohn liebte. Ich mochte einfach alles an Jo, aber heute wäre es mir trotzdem lieber gewesen, nicht mit ihr in einem Auto zu sitzen.

Rudi fragte mich, ob wir bald da wären. Ich sagte Ja. »Ist das eure Schule?«, fragte er und wies auf ein Fabrikgebäude.

»Nein. Wobei durchaus eine gewisse architektonische Ähnlichkeit besteht.«

»Ist das eure Schule?«

»Nein. Das ist ein Waitrose-Supermarkt.«

»Wie lange dauert es denn noch?«

»Nicht mehr lange.«

»Wie viele Minuten?«

»Ungefähr zwanzig?«

Rudi sank vor Selbstmitleid zerfließend im Autositz zusammen. »Das ist ja noch ewig«, stöhnte er. »Mum, ich brauche neue Spiele. Kann ich neue Spiele haben?«

Jo sagte ihm, das könne er nicht, und Rudi murmelte was, einfach trotzdem welche kaufen zu wollen. Beinahe ehrfürchtig sah ich zu, wie er ganz selbstverständlich Jos Apple-ID und das dazugehörige Passwort eintippte.

»Ähm, entschuldige«, flüsterte ich.

Er schaute auf und sah mich an, und der kleine blonde Afro rahmte seinen Kopf wie ein seltsamer Heiligenschein, während er die mandelförmigen Augen schelmisch verdrehte. Er machte eine Geste, als schlösse er einen Reißverschluss über den Lippen, und hob dann mahnend den Zeigefinger. Und weil ich diesen kleinen Kerl viel mehr liebe, als gut für ihn ist, tat ich wie mir geheißen und hielt den Mund.

Seine Mutter richtete ihre Aufmerksamkeit wieder auf das andere Kind auf der Rückbank. »Jetzt hör mal zu«, sagte sie und legte mir eine pummelige Hand aufs Bein. Die Nägel hatte sie sich heute in einer Farbe namens Rubble lackiert. »Ich glaube, du musst den Tatsachen ins Auge sehen. Du hast einen Mann kennengelernt. Du hast eine Woche mit ihm verbracht. Dann ist er in den Surfurlaub gefahren und nicht wieder aufgetaucht.«

Die Fakten waren momentan einfach zu schmerzhaft. Da waren mir meine Theorien lieber.

»Fünfzehn Tage hatte er Zeit, sich bei dir zu melden, Sarah. Du hast ihm geschrieben, versucht ihn anzurufen und alles Menschenmögliche angestellt, darunter vieles, was ich ehrlich gesagt von jemandem wie dir nie erwartet hätte … und mit welchem Ergebnis? Keine Reaktion. Ich hab das alles schon erlebt, mit der Liebe, und es tut verdammt weh. Aber es tut nur so lange weh, bis du die Wahrheit akzeptierst und die ganze Sache endgültig abhakst.«

»Ich würde die Sache ja abhaken, wenn ich davon überzeugt wäre, dass er schlicht und ergreifend das Interesse verloren hat. Bin ich aber nicht.«

Jo seufzte tief. »Tommy. Bitte hilf mir doch mal.«

Tiefes Schweigen machte sich breit. Konnte es etwas Peinlicheres geben als das?, fragte ich mich. So ein Gespräch zu führen, mit beinahe *vierzig* Jahren, verdammt noch mal? Vor drei Wochen um diese Zeit war ich ein ganz normaler vernünftiger erwachsener Mensch gewesen. Ich hatte einen Bericht für ein Kinderkrankenhaus geschrieben, mit dem meine Organisation bald eine neue Kooperation beginnen sollte. Ich hatte gekocht und gegessen, mich um meinen eigenen Kram gekümmert, ich hatte Witze gemacht, Anrufe getätigt und entgegengenommen, E-Mails beantwortet. Und jetzt saß ich da und hatte meine Gefühle deutlich weniger im Griff als der Siebenjährige auf der Rückbank neben mir.

Im Rückspiegel prüfte ich anhand von Tommys Augenbrauen, ob er irgendwas zu diesem Thema anzumerken hatte. Als ihm mit Anfang zwanzig langsam die Haare anfingen auszugehen, hatten seine Augenbrauen ein eigenartiges Eigenleben entwickelt. Inzwischen konnte man an ihren Kapriolen seinen Gemütszustand verlässlicher ablesen als an dem, was aus seinem Mund kam.

Sie trafen sich beinahe über der Nase. »Die Sache ist die«, setzte er an. Dann unterbrach er sich wieder, und man merkte, wie schwer es ihm fiel, sich über irgendwas anderes Gedanken zu machen als um seine eigenen drängenden Probleme. »Die Sache ist die, Jo, du gehst davon aus, dass ich bezüglich Sarahs Dilemma derselben Meinung bin wie du. Aber ich bin mir da nicht so sicher.« Er redete leise und bedächtig wie eine Katze, die um den heißen Brei herumschleicht, um sich nicht die Pfoten zu verbrennen.

»Wie bitte?«

»Ich wittere Stunk«, flüsterte Rudi.

Tommys Augenbrauen rangen sich den nächsten Satz ab. »Ich bin mir sicher, die meisten Männer melden sich nicht, weil sie einfach kein gesteigertes Interesse haben. Aber diese Geschichte klingt für mich, als stecke mehr dahinter. Die viele Zeit, die sie zusammen verbracht haben. Stell dir das mal vor! Hätte Eddie es nur auf Du-weißt-schon-was abgesehen, hätte er sich gleich nach der ersten Nacht aus dem Staub gemacht.«

Jo schnaubte abfällig. »Warum nach einer Nacht abhauen, wenn er genauso gut sieben Tage Du-weißt-schon-was haben kann?«

»Jo, ich bitte dich! Das gilt vielleicht für zwanzigjährige Jungs, aber doch nicht für einen gestandenen Mann von beinahe vierzig Jahren!«

»Redet ihr über Sex?«, erkundigte Rudi sich.

»Ähm, nein?« Jo wusste nicht, was sie darauf erwidern sollte. »Was weißt du denn über Sex?«

Erschrocken widmete sich Rudi wieder seinen betrügerischen iPad-Aktivitäten.

Jo beobachtete ihn eine Weile, aber er war ganz geschäftig über das Display gebeugt und murmelte mit seiner russischen Stimme vor sich hin.

Ich atmete tief ein. »Ich muss ständig daran denken,

dass er sogar überlegt hat, meinetwegen seinen Urlaub abzublasen. Warum sollte er denn...«

»Ich muss Pipi«, verkündete Rudi plötzlich. »Ich glaube, ich habe unter einer Minute«, fügte er hinzu, ehe Jo nachfragen konnte.

Wir hielten vor der landwirtschaftlichen Hochschule, gleich gegenüber der Gesamtschule, auf die Eddie damals gegangen war. Wie graue Nebelschwaden legte der Schmerz sich um mich, als ich das Schild anstarrte und mir vorzustellen versuchte, wie der zwölfjährige Eddie durch das Tor gehopst sein musste. Ein kleines rundes Jungengesicht. Dieses Lächeln, das ihm im Laufe der kommenden Jahre klitzekleine Fältchen ins Gesicht knittern würde.

Gerade an deiner Schule vorbeigefahren, schrieb ich ihm, noch ehe ich es mir anders überlegen konnte. *Wünschte, ich wüsste, was los ist.*

Jo war verdächtig guter Laune, als sie mit Rudi wieder in den Wagen stieg. Sie sagte, es werde doch noch ein wunderschöner Tag und dass sie sich sehr freuen würde, mit uns allen eine kleine Landpartie zu machen.

»Ich habe ihr gesagt, dass sie gemein zu dir war«, flüsterte Rudi mir zu. »Willst du ein Stück Käse?« Er klopfte auf eine Tupperdose mit den verschmähten Käsescheiben von den Sandwichs, die Jo ihm vorhin angeboten hatte.

Ich strubbelte ihm durch die Haare. »Nein«, flüsterte ich zurück. »Aber ich hab dich lieb. Danke.«

Jo tat, als hätte sie unsere Unterhaltung überhört. »Du sagtest eben, Eddie habe überlegt, den Urlaub abzusagen«, nahm sie den Gesprächsfaden wieder auf.

Und mir ging plötzlich das Herz auf, weil ich natürlich wusste, warum es ihr so schwerfiel, nicht die Geduld mit mir zu verlieren. Ich wusste nur zu gut, dass von den vielen Männern, denen Jo in den Jahren, bevor sie Rudi bekommen hatte, ihr Herz und ihre Seele (und oft auch ihren Körper) geschenkt hatte, die wenigsten sich danach noch mal bei ihr gemeldet hatten. Und die, die sich meldeten, hatten, wie sich dann später herausstellte, meistens einen veritablen Harem. Wieder und immer wieder hatte sie sich hinhalten lassen, weil sie die Hoffnung darauf einfach nicht aufgeben wollte, wahrhaft und aufrichtig geliebt zu werden. Dann war eines Tages Shawn O'Keefe auf der Bildfläche erschienen, und Jo war schwanger geworden, und Shawn war bei ihr eingezogen, wohl wissend, dass es bei Jo ein Dach über dem Kopf und einen immer vollen Kühlschrank gab. In der ganzen Zeit hatte er keinen einzigen Tag gearbeitet. Manchmal verschwand er nächtelang, ohne ihr zu sagen, wohin. Und auch das »Bewerbungsgespräch« heute war sicherlich erstunken und erlogen.

Jo hatte diesem Treiben sieben Jahre lang tatenlos zugesehen. Wohl weil sie irgendwie davon überzeugt zu sein schien, ihre Liebe zueinander würde wachsen und gedeihen, wenn sie und Shawn sich nur ein bisschen mehr Mühe gäben und sie nur noch ein bisschen

Geduld hätte, bis er endlich erwachsen wurde. Sie hatte sich selbst eingeredet, aus ihnen könnte irgendwann eine kleine heile Familie werden, wie sie selbst sie als Kind nie gehabt hatte.

Ja, Jo wusste alles über Selbstbetrug.

Aber meine eigene verzwickte Lage schien einfach zu viel für sie. Sie hatte mich unermüdlich aufzumuntern versucht, seit Eddie einfach von der Bildfläche verschwunden war. Sich gezwungen, geduldig meinen haarsträubenden Theorien zuzuhören. Mir glaubhaft versichert, er würde bestimmt morgen anrufen. Aber selbst hatte sie kein einziges Wort davon geglaubt, und jetzt hatte sie schlicht und ergreifend die Schnauze gestrichen voll. »Lass dich nicht genauso ausnutzen, wie ich mich habe ausnutzen lassen«, sagte sie zu mir. »Dreh dich um und renn, Sarah. Lauf um dein Leben, solange du noch kannst.«

Das Problem war nur, ich konnte nicht.

Ich hatte mir den Gedanken, Eddie könnte einfach das Interesse verloren haben, gründlich durch den Kopf gehen lassen. Ihn von allen Seiten eingehend beleuchtet. An jedem einzelnen der fünfzehn Tage, an denen mein Telefon stumm wie ein Fisch geblieben war. Hatte jeden einzelnen der warmen, wunderbaren Momente mit ihm durchkämmt auf der Suche nach kleinsten Haarrissen, winzigen Warnsignalen, dass er sich der ganzen Sache vielleicht nicht ganz so sicher gewesen war wie ich. Und hatte rein gar nichts gefunden.

Eigentlich war ich vorher kaum noch bei Facebook gewesen, aber plötzlich war ich ständig online, fast ununterbrochen, und filzte sein Profil immer wieder auf der Suche nach einem Lebenszeichen. Oder – viel schlimmer – Hinweisen auf eine andere Frau.

Nichts.

Ich rief an und schrieb Nachrichten. Ich schickte ihm sogar einen erbärmlichen kleinen Tweet. Ich lud mir Facebook Messenger runter und WhatsApp und schaute jeden Tag nach, ob er vielleicht irgendwo aufgetaucht war. Immer mit demselben Ergebnis: Eddie David war zum letzten Mal vor über zwei Wochen online gewesen. An dem Tag, als ich sein Haus verlassen hatte, damit er seine Koffer für Spanien packen konnte.

Und obwohl ich mich dafür in Grund und Boden schämte, die Verzweiflung war größer, also registrierte ich mich sogar bei etlichen Dating-Apps, um herauszufinden, ob er irgendwo angemeldet war.

War er nicht.

Mit allen Mitteln wollte ich diese unkontrollierbare Situation irgendwie unter Kontrolle bringen. Ich konnte nicht mehr schlafen, und wenn ich nur an Essen dachte, wurde mir speiübel. Ich konnte mich auf nichts konzentrieren, und jedes Mal, wenn das Telefon läutete, stürzte ich mich darauf wie ein verhungerndes Tier. Vor Erschöpfung lief ich wie in dicke Watte gepackt herum, wie ein Zombie. Manchmal drohte es mich zu ersticken. Nachts lag ich oft stundenlang wach und starrte

in die pechschwarze Dunkelheit von Tommys Gästezimmer in Westlondon.

Das Komische war, ich *wusste*, dass ich das nicht bin.
Ich wusste, dass es vollkommen irre war, und ich merkte
selbst, dass es immer schlimmer wurde statt besser. Aber
ich hatte weder den Willen noch die Kraft, selbst mit
einer strengen Intervention die Notbremse zu ziehen.

Warum ruft er nicht an?, tippte ich eines Tages in die
Google-Suche ein. Was dann kam, war der reinste On-
line-Tsunami. Meinem verbliebenen Restverstand zuliebe schloss ich die Seite lieber wieder ganz schnell.

Stattdessen hatte ich Eddie ein erneutes Mal gegoogelt und mich durch die Webseite seiner Schreinerei ge-
schnüffelt, auf der Suche nach... Eigentlich wusste ich
schon gar nicht mehr, was genau ich suchte. Und natürlich hatte ich auch nichts gefunden.

»Meinst du, er hat dir wirklich alles über sich erzählt?«,
fragte Tommy. »Bist du dir beispielsweise ganz sicher, dass
keine andere Frau im Spiel ist?«

Die Straße führte bergab in eine flache Senke, eine
sattgrüne Parklandschaft, in der stattliche Eichen zusam-
menstanden wie gediegene Gentlemen in einer Raucher-
Lounge.

»Er hat keine andere«, erklärte ich.

»Woher willst du das so genau wissen?«

»Das weiß ich, weil... ich es einfach weiß. Er ist
Single, er ist zu haben. Nicht nur sprichwörtlich, sondern auch gefühlsmäßig.«

Ein Reh blitzte kurz am Straßenrand auf und verschwand dann in einem Birkenwäldchen.

»Okay. Und was ist mit anderen Warnzeichen?«, hakte Tommy nach. »Irgendwelche Ungereimtheiten? Hattest du das Gefühl, er verheimlicht dir was?«

»Nein.« Ich zögerte. »Wobei, vielleicht…«

Jo drehte sich zu mir um. »Was?«

Ich seufzte. »An dem Tag, als wir uns kennengelernt haben, hat er ein paar Anrufe weggedrückt. Aber das war das einzige Mal«, fügte ich rasch hinzu. »Von da an ist er immer drangegangen, wenn sein Handy geklingelt hat. Und es hat ihn auch niemand Seltsames angerufen; es waren entweder Freunde oder seine Mum oder Kundenanfragen…« *Und Derek*, dachte ich plötzlich. Ich hatte nie so richtig rausbekommen, wer dieser Derek eigentlich war.

Tommys Augenbrauen schienen mit einer komplizierten Triangulation befasst.

»Was?«, fragte ich ihn. »Was denkst du gerade? Das war bloß am ersten Tag, Tommy. Danach ist er immer rangegangen, wenn ihn jemand angerufen hat.«

»Das glaube ich dir ja. Mir geht's eher darum…« Er brach ab.

Jo schwieg unüberhörbar, aber ich ignorierte sie einfach.

»Mir geht's eher darum, dass ich Internet-Dating immer schon recht riskant fand«, sagte Tommy schließlich. »Ich weiß, du hast ihn nicht online kennengelernt, aber die Situation ist durchaus vergleichbar – ihr habt keine gemeinsamen Freunde, keine gemeinsame Geschichte. Er könnte sich für Wer-weiß-wen ausgegeben haben.«

Ich runzelte die Stirn. »Aber wir sind Facebook-Freunde. Warum sollte er meine Freundschaftsanfrage annehmen, wenn er irgendwas zu verbergen hätte? Beruflich ist er auch bei Twitter und Instagram, und seine Schreinerei hat eine eigene Geschäftsseite. Mit Fotos von ihm. Außerdem war ich eine Woche lang bei ihm zu Hause, schon vergessen? Die Post war an Eddie David adressiert. Wäre er nicht Eddie David, Möbelschreiner, dann wüsste ich das.«

Wir waren jetzt tief in dem alten Wald, der sich durch den ganzen Cirencester Park zieht. Wie glänzend polierte Pennys fiel das Licht durch das löchrige Blätterdach auf Jos nackte Oberschenkel, während sie aus dem Fenster starrte und offensichtlich mit ihrem Latein am Ende war. Nicht mehr lange, dann würden wir wieder aus dem Wald herausfahren und kurz darauf zu der Kurve kommen, in der der Unfall damals passiert ist.

Bei dem Gedanken fiel mir das Atmen plötzlich schwer. Als sei die Luft im Wagen mit einem Mal ganz dünn geworden.

Ein paar Minuten noch, dann fuhren wir aus dem grünlichen Dämmerlicht der Bäume heraus und hinein in die vom Regen reingewaschenen, strahlend hellen Wiesen und Felder. Ich schloss die Augen. Selbst nach all den Jahren konnte ich nicht hinschauen, rüber auf den grasbewachsenen Seitenstreifen, wo die Rettungssanitäter sie damals hingelegt hatten. Beim vergeblichen Versuch, das Unausweichliche doch noch irgendwie abzuwenden.

Jos Hand suchte mein Knie.

»Warum machst du das?« Rudi fuhr sofort die Antennen aus. »Mum? Warum hast du die Hand auf Sarahs Bein gelegt? Warum sind da Blumen an den Baum gebunden? Warum sind alle plötzlich so ...«

»Rudi«, sagte Jo. »Rudi, wie wäre es mit einer Runde ›Ich sehe was, was du nicht siehst‹? Ich sehe was, was du nicht siehst, und das beginnt mit einem ›W‹!«

Er wurde kurz still. »Dafür bin ich zu alt«, brummte Rudi beleidigt. Er hasste es, nicht zu wissen, was vor sich ging.

Ich hatte die Augen fest zusammengekniffen, obwohl ich wusste, dass wir die Stelle längst passiert hatten.

»Ein Wal«, murmelte Rudi widerstrebend. »Eine Wasserpistole. Ein Wison.«

»Alles klar, Harrington?«, fragte Tommy nach einer respektvollen Redepause.

»Ja.« Ich machte die Augen wieder auf. Weizenfelder, bröckelige Trockensteinmauern, Fußpfade, die sich durch abgegraste Pferdeweiden schlängelten. »Alles bestens.«

Es wurde nicht einfacher. Neunzehn Jahre hatten

die scharfen Kanten und spitzen Ecken der Erinnerung etwas zu glätten vermocht und die schlimmsten Stellen abgeschliffen. Aber sie waren immer noch da.

»Reden wir doch noch ein bisschen über Eddie«, schlug Jo vor. Ich wollte »Ja« sagen, aber meine Stimme verlor das Gleichgewicht wie eine Ballerina bei einer verunglückten Pirouette. »Wenn du so weit bist«, sagte sie und tätschelte mir das Bein. »Nur keine Eile.«

»Na ja, ich frage mich halt schon die ganze Zeit, ob ihm womöglich was zugestoßen ist«, krächzte ich, als meine Stimme mir wieder einigermaßen gehorchte. »Er wollte zum Windsurfen nach Südspanien.«

Tommys Augenbrauen mussten darüber nachdenken. »Das wäre also nicht allzu weit hergeholt.«

Woraufhin Jo einwandte, ich sei doch mit Eddie auf Facebook befreundet. »Da hätte sie es doch mitbekommen, wenn ihm was passiert wäre.«

»Wir sollten auch nicht voreilig ausschließen, dass sein Handy kaputt sein könnte«, warf ich ein. Meine Stimme wurde immer dünner, je mehr Hoffnungsfäden vor meinen Augen zerrissen. »Es war eh eine einzige Katastrophe, er …«

»Süße«, unterbrach Jo mich sanft. »Süße, sein Telefon ist nicht tot. Es klingelt doch, wenn du ihn anrufst.«

Ich nickte zerknirscht.

Chips mampfend trat Rudi von hinten gegen Jos Sitz. »Laaaaaaaaaaaangweilig.«

»Hör sofort damit auf«, raunzte sie ihn an. »Und denk

dran, was wir übers Reden mit vollem Mund gesagt haben.«

Worauf sich Rudi hinter Jos Rücken zu mir umdrehte und mir mit weit aufgesperrtem Schnabel einen Blick auf den halb zerkauten Inhalt gewährte. Leider und aus mir unerfindlichen Gründen glaubt er, das sei so was wie ein Insiderwitz zwischen uns.

Meine Hand glitt ins Seitenfach meiner Handtasche, und meine Finger schlossen sich um das letzte Stückchen Hoffnung, das mir noch geblieben war. »Aber Maus«, piepste ich kleinlaut. Ich hatte heiße Tränen in den Augen, die jeden Augenblick herunterzukullern drohten. »Er hat mir Maus anvertraut.«

Behutsam hielt ich sie in der hohlen Hand. Glatt war sie und abgewetzt und kleiner als eine Walnuss. Eddie hatte sie mit gerade mal neun Jahren selbst aus einem Stück Holz geschnitzt. »Sie hat schon viel mit mir durchgemacht«, hatte er gesagt. »Sie ist meine Talisfrau.«

Sie erinnerte mich an den Messingpinguin, den Dad mir damals während meiner Schulprüfungen als Schreibtischkumpan geschenkt hatte. Ein finsterer kleiner Bursche, der mich streng angeguckt hatte, sobald ich die Prüfungsfragen aufschlug. Auch heute liebte ich diesen Pinguin noch sehr. Ich konnte mir gar nicht vorstellen, ihn jemand anderem anzuvertrauen.

Maus bedeutete Eddie genauso viel. Das wusste ich ganz sicher – und doch hatte er sie mir gegeben. »Pass gut auf sie auf, bis ich wieder da bin«, hatte er gesagt. »Sie ist mir wirklich wichtig.«

Jo warf einen Blick über die Schulter nach hinten und seufzte. Ich hatte ihr die Geschichte mit Maus schon erzählt. »Leute ändern halt ihre Meinung«, murmelte sie leise. »Vielleicht war es für ihn einfacher, den Schlüsselanhänger abzuschreiben, als sich bei dir zu melden.«

»Sie ist nicht bloß ein Schlüsselanhänger. Sie…« Ich gab auf.

Als Jo wieder ansetzte, klang ihre Stimme sanfter: »Hör zu, Sarah. Wenn du dir so sicher bist, dass ihm was Schlimmes zugestoßen ist, warum lässt du dann nicht die ganzen vergeblichen Kontaktversuche sein und postest etwas auf seiner Facebook-Seite? Wo es jeder sehen kann? Schreib, dass du dir Sorgen machst. Frag, ob jemand was von ihm gehört hat.«

Ich schluckte schwer. »Wie meinst du das?«

»Ich meine es so, wie ich es gesagt habe. Bitte seine Freunde um Hilfe. Frag nach, ob sie was wissen. Was hält dich davon ab?«

Ich drehte mich um und schaute aus dem Fenster, weil ich darauf keine Antwort wusste.

Aber Jo ließ nicht locker. »Ich glaube, das Einzige, was dich davon abhält, ist, dass es dir peinlich ist. Du schämst dich. Und wenn du wirklich, ganz ehrlich felsenfest davon überzeugt wärst, dass ihm was Schreckliches zugestoßen ist, dann würdest du dich einen feuchten Kehricht darum scheren, ob die Aktion womöglich peinlich sein könnte oder nicht.«

Gerade fuhren wir an dem alten Militärflugplatz vorbei. Ein ausgeblichener orangeroter Windsack flatterte zerfleddert über der leeren Landebahn, und plötzlich musste ich daran denken, wie Hannah vor Lachen geschrien hatte, als Dad einmal bemerkte, das Ding sehe aus wie ein riesengroßer orangefarbener Schniedel. »Schniedelsack!«, hatte sie trompetet, und Mum hatte zwar versucht, streng zu gucken, dann aber auch vor Lachen geprustet.

Rudi öffnete auf dem iPad Jos Mediathek und klickte eine Playlist an mit dem Titel »East Coast Rap«.

Wenn ich mir wirklich solche Sorgen machte, warum hatte ich dann nicht tatsächlich längst etwas auf Eddies Profil gepostet? Hatte Jo am Ende doch recht?

Chalford mit seinen kleinen steinernen Cotswolds-Bilderbuch-Cottages, die sich so entschlossen an die Flanke ihres Hügels klammerten, als harrten sie ihrer baldigen Rettung, schob sich langsam heran. Nach Chalford kam Brimscombe, danach Thrupp und dann Stroud. Und in Stroud wurde Tommy an unserer alten Schule schon von einem großen Empfangskomitee bestehend aus Lehrern, Schülern und Pressevertretern erwartet. Ich musste mich endlich zusammenreißen.

»Augenblick mal«, meinte Tommy unvermittelt. Er drehte Rudis Rap leiser und schaute mich im Rückspiegel an. »Harrington, hast du Eddie eigentlich gesagt, dass du verheiratet bist?«

»Nein.«

Worauf seine Augenbrauen schier auszuflippen drohten. »Ich dachte, du hättest ihm alles gesagt!«

»Habe ich auch! Aber wir haben nicht unsere ganzen Exgeschichten voreinander ausgebreitet. Das hätte ich irgendwie… na ja, geschmacklos gefunden. Ich meine, wir sind beide fast vierzig…« Ich brach ab. Hätten wir das tun sollen? »Eigentlich wollten wir einander unsere ganze Lebensgeschichte erzählen, aber dann sind wir doch nicht dazu gekommen. Wobei wir beide ganz glasklar gesagt haben, dass wir Single sind.«

Tommy beobachtete mich im Rückspiegel. »Aber habt Reuben und du eure Webseite schon aktualisiert?«

Verdutzt runzelte ich die Stirn und fragte mich, worauf er hinauswollte.

Und dann: »O nein«, wisperte ich fassungslos. Eiskalte Finger legten sich um meinen Magen.

»Was denn?«, kreischte Rudi. »Wovon redet ihr?«

»Die Webseite von Sarahs Organisation«, erklärte Jo ihm. »Da gibt es eine ganze Seite über Sarah und Reuben, wie sie gemeinsam die Clowndoctors-Initiative gegründet haben, nach ihrer Hochzeit, damals in den Neunzigern. Und dass sie die Organisation heute noch gemeinsam leiten.«

»Ach!«, rief Rudi. Hocherfreut, das Rätsel endlich doch noch gelöst zu haben, legte er das iPad beiseite.

»Sarahs Freund hat das gelesen, und es hat ihm das Herz gebrochen! Darum ist er jetzt tot, weil man mit kaputtem Herzen nicht leben kann.«

»Tut mir leid – das schlucke ich nicht«, meinte Jo ganz sachlich. »Wenn ihr eine ganze Woche zusammen verbracht habt, Sarah, und es ihm genauso ernst war wie dir, dann hätte das nicht gereicht, um ihn abzuschrecken. Er hätte dich zur Rede gestellt. Er hätte sich nicht einfach geschlichen und sich in eine Ecke verzogen wie eine krepierende Katze.«

Aber da war ich schon längst wieder in dieser verflixten Messenger-App und tippte eine Nachricht an ihn.

Viertes Kapitel

Erster Tag: Der Tag, an dem wir uns begegneten

Es war ein brütend backofenheißer Tag, als ich Eddie David kennenlernte. Die ganze Landschaft drohte unaufhaltsam zu zerschmelzen wie Eis in der Sonne und zu einer riesig großen Pfütze zu zerlaufen. Vögel verschanzten sich auf stockstarren Bäumen, und Bienen berauschten sich an den stetig steigenden Temperaturen. Es fühlte sich nicht an wie ein Nachmittag, an dem man sich Hals über Kopf in einen wildfremden Menschen verliebte. Es fühlte sich genauso an wie jeder andere 2. Juni vorher auch, an dem ich diesen Weg gegangen war. Totenstill, traurig, bedrückend. Vertraut.

Ich hörte Eddie, bevor ich ihn sah. Ich stand an der Bushaltestelle und überlegte angestrengt, was für ein Wochentag wohl heute war – Donnerstag, entschied ich schließlich. Was hieß, dass ich noch beinahe eine Stunde würde warten müssen. Hier in dieser schier unerträglichen, sengenden Mittagshitze. Auf einen unklimatisierten Bus, in dem ich dann bestimmt bei lebendigem Leib im eigenen Saft gegart würde. Weshalb ich nur kurz zögerte und dann ganz gemächlich im Schneckentempo den Weg zum Dorf hinuntertappte auf der Suche nach dem klitzekleinsten Fitzelchen Schatten. Auf einer schillernden Hitzewelle hörte ich das schrille Geschrei der Kinder aus der Grundschule herüberwabern.

Das plötzlich vom Blöken eines Schafs irgendwo vor mir übertönt wurde. *MÄÄÄÄH*, knödelte es. *MÄÄÄÄH!*

Worauf dem Schaf dröhnendes Männerlachen entgegenschlug, das wie ein angenehm kühler Lufthauch die drückende Hitze verwirbelte. Ich musste lächeln, noch ehe ich den Mann überhaupt gesehen hatte. Sein Lachen fasste alles zusammen, was ich über Schafe dachte, mit ihren komischen Gesichtern und dem etwas dümmlichen Blick aus den seitlich stehenden Augen.

Die beiden waren noch ein ganzes Stückchen entfernt, drüben auf der Dorfwiese. Der Mann mit dem Rücken zu mir, das Schaf ein paar Schritte weiter. Mit ausdruckslosem Gesicht stierte es den Mann an. Versuchsweise blökte es ihm noch ein lautes *Määääh* entgegen, worauf der Mann etwas erwiderte, das ich nicht verstand.

Als ich mich schließlich dazugesellte, waren die beiden bereits in ein ernstes Gespräch vertieft.

Etwas linkisch stand ich am Rand der Wiese auf dem ausgedörrten Gras und beobachtete die beiden, und irgendwie kam es mir fast vor, als würde ich ihn kennen. Ich kannte ihn natürlich nicht, aber er war ein charmantes Abziehbild vieler jener Jungs, mit denen ich früher zur Schule gegangen war: ein großer, liebenswerter Schrank von einem Kerl. Kurz geschorene Haare und schokokeksbraune Haut. Die uniforme Bekleidung des West Country bestehend aus Cargo-Shorts und ausgeblichenem T-Shirt. So ein Kerl konnte Regale anbringen und ganz bestimmt auch surfen, und höchstwahrscheinlich fuhr er einen klapprigen alten Golf, den ihm seine liebenswürdige, wenn auch etwas schrullige Mutter vor Jahren mal geschenkt hatte.

Ein Mann, wie ich ihn, so stand es in meinen Teenie-Tagebüchern zu lesen, eines Tages einmal heiraten wollte. (»Eines Tages« bezog sich dabei auf eine unbestimmte Zeit in der fernen Zukunft, wenn ich wie ein Schmetterling aus meinem verschrumpelten Kokon gekrochen war, mein Mauerblümchendasein als Mandys und Claires treudoofes und allgemein eher unbeliebtes Anhängsel weit hinter mir gelassen und mich als unerschrockene, strahlend schöne junge Frau, die jeden Mann, den sie wollte, kinderleicht um den Finger wickelte, neu erfunden hatte.) Mein Zukünftiger sollte hier aus der Gegend kommen – Sapperton oder eines der umliegenden Dörfer – und er sollte unbedingt einen Golf fahren. (Der Golf war aus mir heute unerfindlichen Gründen ein absolutes Muss. In meinen Tagträumen fuhren wir in den Flitterwochen nach Cornwall, wo ich ihn dann zutiefst beeindruckte, indem ich mich mit einem Surfbrett unter dem Arm furchtlos in die Wellen stürzte.)

Es sollte alles ganz anders kommen. Statt eines kernigen Landburschen hatte ich einen effeminierten amerikanischen Clown geheiratet. Einen richtig echten Clown mit knallroter Pappnase, Ukulele und albernem Hütchen. In ein paar Stunden, wenn die ersten zaghaften Strahlen der kalifornischen Morgensonne zartgelbe Lichtkleckse an die glatten Wände unserer gemeinsamen Wohnung malten, würde er allmählich aufwachen. Womöglich würde er gähnen, sich umdrehen, sich an seine neue Freundin schmiegen und ihr den Hals küssen, ehe er aufstand, die Klimaanlage hochdrehte und ihr einen widerlich gesunden grünen Smoothie zusammenbraute.

»Hallo«, sagte ich.

»Hey, hallo«, sagte der Mann mit einem Blick über die Schulter nach hinten. *Hey, hallo.* Als würden wir uns seit Jahren kennen. »Mir ist gerade ein Schaf zugelaufen.«

Sein neuer Freund trompetete, ohne den Blick vom Gesicht des Mannes zu wenden, ein weiteres empörtes *Määääh* hinaus, das klang wie ein Nebelhorn. »Wir kennen uns zwar erst seit ein paar Minuten«, erklärte der Mann mir, »aber das zwischen uns beiden ist was Ernstes.«

»Verstehe.« Ich musste lächeln. »Ist das überhaupt erlaubt?«

»Wahre Liebe kennt keine Regeln«, entgegnete er fröhlich.

Unerwartet schoss es mir durch den Kopf: Wie ich England vermisse.

»Wie haben Sie beide sich denn kennengelernt?«, fragte ich und trat einen Schritt auf die Wiese.

Lächelnd sah er das Schaf an. »Na ja, ich saß hier und habe mich ein bisschen selbst bemitleidet, als diese junge Dame plötzlich wie aus dem Nichts vor mir stand. Wir fingen an, uns zu unterhalten, und ehe ich michs versah, redeten wir schon darüber, dass sie bei mir einzieht.«

»Dieser junge Mann«, korrigierte ich ihn. »Ich verstehe zwar nicht viel von Schafen, aber ich kann Ihnen versichern, dass es sich mitnichten um eine Dame handelt.«

Er stutzte, dann lehnte er sich zurück und warf einen prüfenden Blick unter das Fahrgestell des Schafs.

»Ach.«

Das Schaf starrte ihn bloß mit seinen dümmlichen seitlich gestellten Augen an. »Dann heißt du also gar nicht Lucy?«, fragte er verdattert. Das Schaf sagte dazu lieber nichts. »Es hat mir gesagt, es hieße Lucy.«

»Es heißt ganz bestimmt nicht Lucy«, entgegnete ich.

Das Schaf *määähte* abermals, und der Mann lachte. Eine hitzetaumelnde Dohle flatterte schwerfällig flügelschlagend aus einem der Bäume am Wegesrand hinter uns auf.

Und dann stand ich irgendwie plötzlich neben ihnen. Der Mann, das Schaf und ich standen zusammen auf dem sonnengebleichten Dorfanger. Der Mann schaute mich von unten an. Seine Augen hatten die Farbe ferner Meere, dachte ich. Warm und voll guter Absichten.

Er war wirklich wunderbar.

Es wird Monate dauern, bis du wieder in der Lage bist, authentische Gefühle für einen anderen Mann zu entwickeln, hatte man mir heute Morgen lakonisch mitgeteilt. Ein gut gemeinter Ratschlag von einer ziemlich überheblich anmutenden App mit dem klingenden Namen »Der TrennungsCoach«, die meine liebe Freundin Jenni mir (ohne mein Wissen und ohne meine Zustimmung) aufs Handy geladen hatte, und zwar gleich nachdem Reuben und ich unsere Trennung offiziell bekannt gegeben hatten. Seitdem schickte sie mir jeden Morgen düstere Push-Nachrichten mit Updates zu dem emotionalen Trauma, das ich gerade durchlebte. Zusammen mit der aufmunternden Zusicherung, alles, was ich gerade empfinde, sei okay und total normal.

Nur hatte ich leider überhaupt kein emotionales Trauma erlitten. Selbst als Reuben mir gesagt hatte, es täte ihm leid, aber er fände, wir sollten uns scheiden lassen, hatte ich mich zwingen müssen, ein paar Tränchen zu verdrücken, um seine Gefühle nicht zu verletzen. Als die App mir etwas über mein gebrochenes Herz und meinen gleichsam gebrochenen Lebenswillen schrieb, kam ich mir vor, als läse ich fremde E-Mails, die nicht für mich bestimmt waren.

Aber Jenni freute sich, wenn sie sah, wie ich die Nachrichten las, weshalb ich die blöde App bisher nicht gelöscht hatte. Jennis seelisches Wohlbefinden – zunehmend fragiler, je näher die große böse Vierzig rückte und ihre Hoffnung auf eigenen Nachwuchs schleichend zunichtemachte – hatte schon immer maßgeblich davon abgehangen, Bedürftige betüddeln zu dürfen.

Der Mann wandte sich wieder an das Schaf. »Tja, wirklich schade. Und ich dachte, wir hätten eine gemeinsame Zukunft, Lucy und ich.« Sein Handy fing an zu klingeln.

»Meinen Sie, Sie kommen darüber hinweg?«

Er zog das Handy halb aus der Hosentasche und drückte den Anruf weg. »Ach, ich denke schon. Ich hoffe es zumindest.«

Etwas besorgt sah ich mich um nach einem weiteren Schaf, einem Bauern, einem hilfsbereiten Schäferhund. »Ich finde, wir sollten irgendwas unternehmen seinetwegen, meinen Sie nicht auch?«

»Vermutlich.« Der Mann rappelte sich auf. »Ich rufe Frank an. Dem gehören die meisten Schafe hier in der Gegend.« Er wählte eine Nummer auf dem Handy, und ich schluckte und wurde plötzlich unsicher. Wenn das mit dem Schaf erst mal geklärt war, würden wir aufhören müssen mit der Witzelei und ernsthaft miteinander reden.

Abwartend stand ich auf der Wiese. Das Schaf zupfte wenig begeistert hier und da an einem der spröden, trockenen Grashalme und behielt uns mit seinem belämmerten Seitenblick im Auge. Es musste kürzlich geschoren worden sein, aber selbst das kurze wollige Fell wirkte in der Hitze erdrückend.

Ich fragte mich, was ich eigentlich hier machte. Ich fragte mich, warum der Mann sich vorhin leidgetan hatte. Ich fragte mich, warum ich mir mit der Hand über die Haare strich. Er redete jetzt mit Frank und gluckste dabei leise lachend vor sich hin. »Okay, Mann. Ich werd's versuchen. Gut«, sagte er und schaute dann mich an. Er hatte wirklich wunderschöne Augen.

(Hör sofort auf!)

»Frankie kann frühestens in einer Stunde hier sein. Er meint, Lucy sei von der Weide unten am Pub ausgebrochen.« Dann wandte er sich wieder an das Schaf. »Du bist ganz schön weit gekommen. Ich bin beeindruckt.«

Das Schaf graste gänzlich unbeeindruckt weiter, also schaute er wieder mich an. »Ich werde mal versuchen, ihn den Weg runter zur Weide am Pub zu treiben. Würden Sie mir vielleicht helfen?«

»Klar. Ich wollte sowieso dahin und eine Kleinigkeit essen.«

Ich wollte überhaupt nicht dahin und eine Kleinigkeit essen. Eigentlich hatte ich auf den 54er nach Cirencester warten wollen, weil es in Cirencester Menschen gab und bei meinen Eltern zu Hause nicht. Letzte

Nacht hatte eine Schwester aus der Notaufnahme des Royal-Infirmary-Krankenhauses in Leicester angerufen, um uns mitzuteilen, dass mein Großvater mit einer gebrochenen Hüfte eingeliefert worden war. Mein Opa war dreiundneunzig. Er war außerdem berühmt-berüchtigt für seine beleidigende, unausstehliche Art. Aber außer Mum und ihrer Schwester Lesley, die augenblicklich mit ihrem dritten Ehemann auf den Malediven urlaubte, hatte er niemanden.

»Fahrt ruhig«, hatte ich zu Mum gesagt, als sie merklich zögerte. Mum wollte mich nicht enttäuschen. Wie jeden Juni, wenn ich zu Besuch kam, hatte sie sich richtig ins Zeug gelegt: eine reibungslose Logistik, das Haus voller Blumen, Essen vom Feinsten. Alles nur, um mich davon zu überzeugen, dass das Leben in England tausendmal besser war als alles, was Kalifornien mir zu bieten hatte.

»Aber...« Ich konnte mit ansehen, wie sie förmlich in sich zusammensackte. »Aber dann bist du ja ganz allein.«

»Ich komme schon klar«, hatte ich ihr versichert. »Außerdem werfen sie Opa aus dem Krankenhaus, wenn du nicht da bist und dich andauernd für ihn entschuldigst.«

Als mein Großvater das letzte Mal ins Krankenhaus musste, hatte es einen sehr unerfreulichen Showdown mit einem der Fachärzte auf der Station gegeben, den Opa beharrlich als »minderbemittelten Medizinstudenten« tituliert hatte.

Mum war einen Moment hin- und hergerissen zwischen ihren Pflichten als Tochter und denen als Mutter.

»Ich bringe erst mal die nächsten paar Tage hinter mich«, hatte ich gesagt, »und dann komme ich zu euch nach Leicester.«

Rat suchend hatte sie Dad angeschaut, und keiner von beiden hatte sich zu einer Entscheidung durchringen wollen. Und ich hatte nur gedacht: Seit wann sind die beiden so entschlussunfreudig? Sie sahen älter aus diesmal, kleiner irgendwie. Ganz besonders Mum. Als füllte sie ihren Körper nicht mehr richtig aus. (War das meine Schuld? Hatte ich sie irgendwie schrumpfen lassen mit meinem beharrlichen Beschluss, unbedingt im Ausland zu leben?)

»Aber du bist doch so ungern allein in unserem Haus«, hatte Dad eingewendet, weil er nicht wusste, wie er das sonst sagen sollte. Und als ich merkte, dass ihm einfach nichts Witziges einfallen wollte – ausgerechnet ihm –, hatte ich plötzlich einen dicken Kloß im Hals gehabt, der mir die Luft abschnürte.

»Wie kommst du denn darauf? Das macht mir überhaupt nichts aus!«

»Und wir müssten das Auto mitnehmen. Wie willst du denn dann herumkommen?«

»Dann nehme ich halt den Bus.«

»Aber die Haltestelle ist meilenweit weg.«

»Ich laufe gerne. Ehrlich, ihr könnt ruhig fahren. Und in der Zwischenzeit entspanne ich mich ein bisschen, wie ihr es mir immer sagt. Lese ein paar Bücher. Futtere mich durch die Essensberge, die ihr gehamstert habt.«

Und heute Morgen hatte ich ihnen nachgewunken, als sie losgefahren waren, und plötzlich war ich allein gewesen, in einem Haus, in dem ich – ja, zugegeben – nicht gerne war. Vor allem nicht allein.

Was hieß, ich war gerade nicht auf dem Weg zu einem gemütlichen Single-Pub-Lunch im Daneway gewesen. Nein, tatsächlich versuchte ich gerade, einen wildfremden Menschen mit List und Tücke dazu zu bringen, etwas mit mir zu trinken. Und das ungeachtet der morgendlichen App-Benachrichtigung, Flirts mit anderen Männern könnten in meinem derzeitigen Zustand nur in Tränen enden. Denk immer daran, du bist gerade äußerst verletzlich, hatte sie mich ermahnt, begleitet von einem Weichzeichnerbild eines weinenden Mädchens auf einem kuschelweichen Kissenberg.

Sein Handy klingelte schon wieder. Er ließ es klingeln.

»Also gut, ab mit dir«, rief er. Er machte ein paar Schritte auf Lucy zu, der ihn finster anstarrte und sich dann umdrehte und losrannte. »Sie gehen auf die andere Seite«, rief er mir zu. »Dann können wir ihn den Weg runtertreiben. Autsch! Mist!« Linkisch hüpfte er auf einem Bein durch das Gras und hopste dann zurück, um seinen verlorenen Flip-Flop einzusammeln.

Ich lief im Bogen nach links, so schnell ich in der sirupdicken Hitze konnte. Lucy scherte nach rechts aus, wo der Mann ihn schon lachend erwartete. Schließlich musste er einsehen, dass er in der Falle saß, also trottete der Schafsbock griesgrämig auf den schmalen Feldweg zu, der runter zum Pub führte, und blökte gelegentlich ein lautes, rechtschaffen empörtes Protest-*Määäh* hinaus.

Danke, lieber Gott oder Universum oder Schicksal oder was auch immer, dachte ich. Für dieses Schaf und diesen Mann und diese englische Hecke.

Es war wunderbar, mit jemandem zu reden, der keine Ahnung hatte, wie traurig und bedrückt ich heute eigentlich sein sollte. Der nicht verständnisvoll den Kopf schief legte, wenn er mit mir redete. Der mich einfach bloß zum Lachen brachte.

Lucy versuchte mehrmals, auf dem Weg zum Pub auszubüxen und abzuhauen in die große Freiheit, aber mit vereinten Kräften gelang es uns schließlich, ihn wieder auf die Weide zurückzubugsieren. Der Mann brach einen Ast von einem Baum ab und stopfte damit das Loch im Zaun, durch das der Bock abgehauen war, dann drehte er sich strahlend zu mir um. »Geschafft.«

»Und wie«, ächzte ich. Wir standen gleich vor dem Pub. »Sie schulden mir ein Pint.«

Und er lachte und meinte, diese Forderung sei durchaus berechtigt.

Und so fing alles an.

Fünftes Kapitel

Sieben Tage später mussten Eddie und ich uns voneinander verabschieden. Aber es war ein Abschied auf Französisch: ein *au revoir*. Ein *Auf Wiedersehen*! Kein Lebewohl. Ganz im Gegenteil. Wann sagt man schon zum endgültigen Abschied: »Ich glaube, ich habe mich in dich verliebt?«

Gut gelaunt und fröhlich vor mich hin summend folgte ich leichten Schrittes dem kleinen Flüsschen Frome bis zum Haus meiner Eltern. Das Wasser war kristallklar an diesem Tag, betupft mit moosig-grünen Kissen, und über dem Kies kräuselten sich kleine riffelige Wellen. Über dem Bachlauf wiegten sich dichte Büschel spitzstacheliger Rohrkolben in der leichten Sommerbrise. Ich passierte die Stelle, an der Hannah damals ins Wasser gefallen war, als sie Butterblumen pflücken wollte, und ertappte mich dabei, wie ich laut auflachte. Mein jubilierendes Herz war zum Bersten voll von den Erinnerungen an die letzte Woche: Gespräche bis tief in die Nacht, Käsesandwichs, Lachmuskelkater, Badetücher, die zum Trocknen über dem

Geländer hingen. Eddie mit den breiten Schultern und den starken Armen, der Wind, der durch die Bäume auf seiner Farm wehte wie Wolken feinen Mehlstaubs, und – wieder und immer wieder – die Worte, die er gesagt hatte, bevor ich gegangen war.

Abends war ich in Leicester angekommen. Auf dem Weg zum Krankenhaus gerieten wir mit dem Taxi in ein Unwetter. Plötzlich war es in der ganzen Stadt stockfinster, und das grellrote Neonlicht der Notaufnahme lief die Windschutzscheibe hinunter wie verwässerte Tomatensuppe. Mein Großvater lag in einem überhitzten Krankenzimmer und verhielt sich herrisch wie immer, wirkte aber auch etwas mitgenommen. Meine Eltern waren mit den Nerven am Ende.

Eddie hatte abends nicht mehr angerufen. Und auch keine Nachricht geschickt, wann genau er wieder zurück sein würde. Während ich in den Pyjama schlüpfte, fragte ich mich kurz, warum er wohl nichts von sich hatte hören lassen. Bestimmt war er in Eile gewesen, sagte ich mir. Sein Freund war dabei. Und: Er liebt mich. Er würde mich ganz bestimmt anrufen!

Aber Eddie David hatte nicht angerufen. Und hatte nicht angerufen. Und hatte nicht angerufen.

Die ersten Tage redete ich mir ein, alles sei in bester Ordnung. Und dass es absurd wäre – geradezu geisteskrank –, an dem zu zweifeln, was zwischen uns gewesen war. Aber aus endlos langen Tagen wurde quälend langsam eine ganze Woche. Und es wurde immer unmöglicher, die wie eine gewaltige Woge unaufhaltsam aufsteigende Panik zurückzuhalten.

»Der amüsiert sich gerade in Spanien«, belog ich mich, als ich zu meinem lange geplanten Besuch bei Tommy nach London fuhr.

Erst beim Mittagessen mit Jo ein paar Tage später knickte ich schließlich ein wie ein welkes Gänseblümchen. »Er hat sich immer noch nicht gemeldet«, gestand ich kleinlaut und hatte vor kopfloser Angst und Scham unvermittelt dicke heiße Tränen in den Augen. »Es muss ihm was zugestoßen sein. Das war kein kleiner belangloser Flirt, Jo. Danach war nichts mehr, wie es vorher war.«

Tommy und Jo zeigten sich sehr verständnisvoll. Geduldig hörten sie mir zu und versicherten mir, ich »hielte mich tapfer«. Aber ich spürte, wie schockiert sie waren, hilflos mit ansehen zu müssen, wie die Sarah, die sie kannten, allmählich vor ihren Augen unaufhaltsam zu einem traurigen Häufchen Elend zerfiel. War das denn nicht die Frau, die ihr bis auf die Grundmauern abgebranntes Leben mit eigenen Händen neu aufgebaut hatte, nachdem sie vor der schwarzen Wolkenwand einer abgrundtiefen Tragödie Hals über Kopf nach L.A. geflohen war? Die Frau, die eine fabelhafte Kinderhilfsorganisation gegründet und den Inbegriff des amerikanischen Mannes geheiratet hatte? Die Frau, die um die ganze Welt jettete, um auf Kongressen und Konferenzen umjubelte Vorträge zu halten?

Dieselbe Frau, die sich seit nunmehr zwei Wochen in Tommys Wohnung verschanzte und einem beinahe unbekannten Mann nachweinte, mit dem sie sage und schreibe sieben Tage und Nächte verbracht hatte.

In der Zwischenzeit war Großbritannien im Druckkessel des alles entscheidenden EU-Referendums beinahe explodiert, mein Großvater hatte zwei schwere Operationen über sich ergehen lassen müssen und meine Eltern praktisch zu seinen Gefangenen gemacht, die sein Haus nicht verlassen konnten. Meiner Organisation war eine beachtliche Fördersumme zugesichert worden, und meine liebste Freundin Jenni aus L.A. unternahm gerade den letzten verzweifelten, von ihrer Krankenversicherung noch finanzierten Versuch, mittels künstlicher Befruchtung schwanger zu werden. Man konnte also sagen, ich steckte mitten in einem schrillbunten Panoptikum unterschiedlichster menschlicher Emotionen, einer veritablen Achterbahn der Gefühle, und doch drang erschreckend wenig davon zu mir durch.

Wobei ich Ähnliches durchaus schon bei der einen oder anderen meiner Freundinnen miterlebt hatte. Konsterniert hatte ich mit ansehen müssen, wie sie standhaft behaupteten, sein Handy müsse kaputtgegangen sein. Er müsse sich das Bein gebrochen haben oder womöglich den Hals und jetzt unbemerkt sterbend in einem Straßengraben liegen. Wie sie steif und fest darauf beharrten, eine unbedachte Äußerung ihrerseits habe ihn vermutlich »verschreckt«, und sie müssten »dieses unglückliche Missverständnis unbedingt aufklären«. Hilflos hatte ich zugesehen, wie sie Stolz und Würde, ihr Herz und manchmal sogar beinahe den Verstand verloren. Und das alles nur wegen eines Mannes, der sie nicht wie versprochen anrief. Schlimmer noch, wegen eines Mannes, den sie kaum kannten.

Und nun ich. Bar jeden Stolzes und jeder Würde, mit gebrochenem Herzen und kurz davor, endgültig den Verstand zu verlieren, hockte ich in Tommys Wagen. Tippte verzweifelt eine Nachricht ins Handy, um ihm zu erklären, dass ich längst nicht mehr verheiratet war. Dass wir uns in aller Freundschaft getrennt hatten.

Just als Tommy den Wagen neben dem großen Eingangstor unserer alten Schule parkte, setzte der Regen ein. Die Tropfen tupften zarte Muster auf die Windschutzscheibe. Ganz untypisch für Tommy manövrierte er den Wagen krumm und schief in die Parklücke und machte – noch untypischer – keinerlei Anstalten, ihn auszurichten. Mein Blick ging über die dichte buschige Buchenhecke, die gelben Zickzackmuster auf dem Asphalt und das Schild am Tor, und unvermittelt hatte ich wieder dieses altbekannte unangenehme Wummern im Bauch wie von einem hektisch gezupften Bass. Ich steckte das Handy in die Handtasche. Die Nachricht an Eddie würde warten müssen.

»So, da wären wir!« Tommys Stimme hing von der

Last seiner vorgetäuschten Begeisterung in der Mitte durch wie eine zu schwer beladene Wäscheleine. »Am besten gehen wir gleich rein. In fünf Minuten bin ich dran!«

Aber er stieg nicht aus. Und wir auch nicht.

Entgeistert starrte Rudi uns an. »Warum steigt ihr denn nicht aus?«, fragte er fassungslos.

Niemand gab ihm eine Antwort. Ein paar Sekunden, dann sprang er vom Rücksitz und platzte aus dem Wagen wie eine explodierende Bombe. Wieselflink raste er in Höchstgeschwindigkeit zum Schultor und erinnerte dabei an ein aufgescheuchtes Kaninchen. Stumm schauten wir zu, wie er dort abrupt abbremste, die Hände in den Hosentaschen vergrub und dann betont lässig durch den Eingang schlenderte, um abzuchecken, ob es auf dem Sportplatz irgendwas Interessantes zu sehen gab. Nachdem er eine Weile mit zusammengekniffenen Augen alles ganz genau gescannt hatte, drehte er sich unschlüssig zum Wagen um. Begeisterung sah anders aus.

Armer Rudi. Keine Ahnung, was Jo ihm erzählt hatte. Vermutlich hatte sie ihm das Blaue vom Himmel versprochen. Die Präsentation eines innovativen Sportprogramms für weiterführende Schulen hätte womöglich einen gewissen Spaßfaktor haben können, wenn er eine der Fitnessuhren oder Herzfrequenzwesten hätte ausprobieren dürfen, die Teil des Programms waren. Oder wenn zumindest ein paar Kinder in seinem Alter zum

Spielen da gewesen wären. Aber das Hightech-Spielzeug war das Herzstück von Tommys Präsentation und sein ganzer Stolz und sollte von einem Trupp ambitionierter »vielversprechender junger Sportler« vorgeführt werden, die der Leiter der Sportabteilung höchstpersönlich dazu auserkoren hatte. Der jüngste Teilnehmer war vierzehn.

Rudi drückte sich vor dem Auto herum und guckte grimmig aus der Wäsche. Jo stieg aus, um ein Wörtchen mit ihm zu reden. Und Tommy, dem es plötzlich die Sprache verschlagen zu haben schien, beugte sich rüber, um sich mit einem Blick in den Rückspiegel zu vergewissern, dass er keine Essensreste zwischen den Zähnen hatte. *Ihm graut es davor, sich gleich da vorne hinzustellen*, ging mir da plötzlich auf, und ich hätte ihn am liebsten ganz fest in den Arm genommen. Die Jungs an unserer gemischten Mittelschule waren damals nicht gerade nett gewesen zum kleinen Tommy Stenham. Einer der schlimmsten Rowdys, Matthew Martyn, hatte überall herumerzählt, Tommy wäre schwul. Da war er gerade zwölf, und seine exzentrische Mutter hatte ihm gegen seinen Willen einen ausgefallenen neuen Haarschnitt verpasst. Tommy hatte geweint, und wohl auch deshalb hatte das Gerücht an ihm geklebt wie Pattex. Jeden Morgen hatten Matthew und seine Kumpels Tommys Sitz demonstrativ mit einem »Entschwulungsspray« eingesprüht und innen an die Klappe seines Pults Bilder von nackten Männern geklebt. Und als er mit vierzehn mit Carla Franklin ging, wurde hinter seinem Rücken getratscht, er hätte sich eine Alibifreundin zugelegt. Irgendwann hatte Tommy aus schierer Verzweiflung angefangen, zu Hause stundenlang im Fitnessraum seiner Mutter zu trainieren. Aber die hart erarbeiteten Muskelpakete machten es auch nicht besser. Eher im Gegenteil. Die anderen Jungs in seiner Klasse fanden es lustig, ihn auf dem Sportplatz im Vorbeilaufen ganz beiläufig zu boxen. Als seine Familie 1995 schließlich in die USA übersiedelte, hatte Tommy einen ausgeprägten Fitnesswahn, ein leichtes Stottern und keinen einzigen männlichen Freund.

Jahre später – da war er schon längst wieder zurück in London – wurde Tommy von einer vermögenden Anwältin namens Zoe Markham als Personal Trainer engagiert. Damals waren unter seinen Klienten etliche sehr erfolgreiche Londoner Geschäftsfrauen, von denen nicht wenige mehr oder minder offensiv mit ihm flirteten. »Wenn du mich fragst, scheint das eine ziemlich verbreitete Sexfantasie zu sein«, erklärte er lakonisch und wusste anscheinend nicht so recht, ob ihm das schmeicheln oder ihn abstoßen sollte. »Für die bin ich ein wandelndes Klischee. Wie der sexy Handwerker mit Werkzeuggürtel. Ein Blaumann mit Muskeln.«

Zoe Markham allerdings war da ganz anders. Die beiden »verstanden sich blendend« und teilten »eine tiefe, innige Verbindung«. Und, ganz wichtig, sie sah ihn als »ganzen Menschen«, nicht bloß als Angestellten, der ihr helfen sollte, schlank und schön zu werden. (Beides war sie längst.)

Ein paar Monate flirteten die beiden recht unverbindlich miteinander, bis sie ihm schließlich anbot, den Kontakt zu einem guten alten Bekannten herzustellen, um ihm beim Einstieg ins Sportberater-Business zu helfen. Zum Dank lud Tommy sie abends zum Dinner ein. Und sie lud ihn anschließend zu sich nach Hause ein und zog sich dann splitternackt aus. »Wir sollten langsam mit dem Einzeltraining anfangen, meinst du nicht?«, hatte sie gesagt.

Zoe war Tommys erste ernst zu nehmende Beziehung. Seine erste echte Freundin. Und noch dazu eine, die für ihn in einer ganz anderen Liga spielte. In seinen Augen war sie eigentlich unerreichbar. Eine Göttin, ein Gottesgeschenk. Balsam für all die alten, unverheilten Wunden. »Ich wünschte, ich könnte das den Vollpfosten aus der Schule unter die Nase reiben«, meinte er an dem Tag zu mir, als sie ihn fragte, ob er nicht zu ihr nach Holland Park ziehen wolle. »Ich wünschte, ich könnte allen zeigen, dass ein Loser wie ich eine Frau wie Zoe abbekommen hat.« Und ich hatte erwidert: »Ja, wäre das nicht grandios?«, weil ich mir nicht mal im Traum vorstellen konnte, es würde irgendwann mal so weit kommen. So was passierte einfach nicht.

Aber in Tommys Fall passierte es eben doch.

Vor ungefähr einem Jahr hatte er an sämtliche Schulleiter im ganzen Vereinigten Königreich Werbebroschüren über sein neues Sportprogramm für weiterführende Schulen verschickt. Das Programm beinhaltete eine großzügige Spende hochmoderner tragbarer Sporttechnologie – Herzfrequenzwesten, Fitnessuhren, all solche Sachen – von Zoes wichtigstem Kunden, einem Tech-Multi, und war Tommys ganzer Stolz. Als die Direktorin unserer alten Schule ihn kontaktierte, war er geradezu herzergreifend gerührt. »Ich soll vorbeikommen und den Chef der Sportabteilung kennenlernen!«, verkündete er bei einem unserer Skype-Gespräche begeistert. »Ist das nicht genial?« Die ganze Geschichte wurde geringfügig weniger genial, als er erfuhr, dass der Chef der Sportabteilung sein ärgster Widersacher aus Schulzeiten war, besagter Matthew Martyn nämlich.

Aber es sei ein nettes, konstruktives Gespräch gewesen, versicherte Tommy mir glaubhaft. Ein bisschen gezwungen zuerst, aber irgendwann hatte Matthew in einem Nebensatz gesagt, was für Vollpfosten sie doch als Teenager alle gewesen seien, und hatte Tommy in den Arm geboxt und ihn »Kumpel« genannt. Und später hatten sie sich dann wie gute alte Freunde gegenseitig Geschichten aus ihrem Leben erzählt. Mein Haus, mein Auto, mein Boot. Matthew hatte Tommy ein Foto seiner Familie gezeigt, und Tommy – der sein Glück kaum fassen konnte – hatte Matthew ein Foto seiner bildschönen, eleganten, durchtrainierten Freundin in ihrer schicken Londoner Hipster-Loft-Küche präsentiert.

Als ich Tommy und Zoe Anfang Juni in besagter

Londoner Hipster-Loft-Küche gegenübersaß, schon ganz derangiert wegen der vertrackten Sache mit Eddie, hatte Tommy das Programm bereits verkauft. Er versicherte mir, die alten Schreckgespenster hätten ausgespukt. Er sei »fertig« mit dem, was sie ihm in der Schule angetan hatten. Er freue sich darauf, Matthew Martyn zum Programmstart wiederzusehen. »Zoe kommt auch mit«, verkündete er betont beiläufig und doch mit kaum verhohlenem Stolz. »Ich kann es kaum erwarten, sie Matt vorzustellen.«

Da hätte ich ihn am liebsten ganz fest umarmt. Und ihm versichert, dass ich ihn, genau so, wie er ist, ganz wundervoll und liebenswert finde. Dass er Zoe nicht braucht, um sein Image aufzupolieren. Dass er ein großartiger Mensch ist, auch ohne Vorzeigefreundin. Aber ich biss mir auf die Zunge und verkniff mir jeglichen Kommentar. Anscheinend wollte er es ja so.

Vier Tage vor der offiziellen Präsentation hatte Zoe überraschend einen Rückzieher gemacht. »Ich muss für einen meiner Klienten nach Hongkong fliegen«, hatte sie gesagt. »Es ist wirklich sehr wichtig. Tut mir leid, Tommy.«

Nicht leid genug, hatte ich gedacht. Sie wusste ganz genau, wie wichtig ihm das war. Tommys Gesicht war ganz lang geworden vor Enttäuschung und hatte die fahle Farbe von Recyclingpapier angenommen.

»Aber ... die rechnen doch fest mit dir!«

Spöttisch hatte sie das Gesicht verzogen. »Die kommen sicher auch ohne mich blendend zurecht. Die wollen sich vor der Lokalpresse wichtigmachen, nicht vor mir.«

»Kannst du nicht einen Tag später fliegen?«, flehte er sie förmlich an. Ich konnte es kaum mit ansehen.

»Nein«, entgegnete sie ungerührt. »Kann ich nicht. Aber du wirst mir noch auf Knien für diese Reise danken. Ich treffe mich dort mit einer Delegation des Ministeriums für Kultur, Medien und Sport. Und ich denke, die Chancen stehen nicht schlecht, dass sie dich in eins ihrer Beraterteams berufen.«

Niedergeschlagen schüttelte Tommy den Kopf. »Aber das habe ich dir doch schon gesagt. Ich habe kein Interesse.«

»Und ich habe dir gesagt, Tommy, das hast du wohl.«

Jo und ich hatten ihm daraufhin angeboten, ihn an Zoes Stelle zu begleiten.

Wollte ich meine alte Schule besuchen? Natürlich nicht. Eigentlich hatte ich inständig gehofft, den alten Kasten nie wiedersehen zu müssen. Aber Tommy, dachte ich, brauchte mich. Und einem Freund in Not beizustehen war die einzige sinnvolle Beschäftigung, die mir gerade einfiel. Vielleicht wäre es eine gute Ablenkung. Und außerdem, was hatte ich schon zu befürchten? Mandy und Claire waren in den Neunzigern von der Schule abgegangen. Weder sie noch irgendwelche anderen ehemaligen Mitschüler, vor denen ich damals geflüchtet war, würden heute da sein.

»Harrington.« Tommy drehte sich zu mir um und sah mich durchdringend an. »Erde an Harrington!«

»Entschuldige. Ja, bitte?«

»Hör zu, ich muss dir was sagen.«

Ich sah ihn an. Tommys verknotete Augenbrauen kündeten nichts Gutes.

»Die Nachricht vorhin wegen der Lokalzeitung… Also, Matthew hat mir noch was geschrieben. Er…« Tommy brach ab, und ich wusste sofort, es musste etwas Schlimmes sein.

»Matthew ist inzwischen mit Claire Pedlar verheiratet. Ich habe dir das nicht erzählt, weil ich dachte, du willst bestimmt nicht mal ihren Namen hören. Aber als er mir geschrieben hat, dass die Lokalpresse kommt, meinte er, dass sie auch…«

Nein.

»…dass Claire auch da sein wird. Und sie will…«

Mandy mitbringen.

»…ein paar alte Freunde aus unserem Jahrgang mitbringen. Unter anderem Mandy Lee.«

Ich sackte zusammen wie ein schlaffer Luftballon und lehnte den Kopf matt gegen die Rückenlehne seines Sitzes.

Sechstes Kapitel

Erster Tag: Das Zwölf-Stunden-Pint

»Sarah Mackey«, sagte ich. »M-A-C-K-E-Y.«

Der Wirt schob mir ein Pint Cider zu.

Der Mann vom Dorfanger lachte nur. »Stell dir vor, ich weiß, wie man Mackey buchstabiert. Trotzdem herzlichen Dank. Ich heiße Eddie David.«

»Entschuldigung«, murmelte ich und lächelte verlegen. »Ich lebe in Amerika. Es ist ein eher amerikanischer Nachname, glaube ich. Hier drüben muss ich den öfter mal buchstabieren. Außerdem bin ich ein großer Freund von Klarheit.«

»Das sehe ich«, gab Eddie grinsend zurück. Er lehnte seitlich an der Theke und sah mich aufmerksam an, einen gefalteten Zehner zwischen den kräftigen braunen Fingern. Ich mochte es, wie großrahmig dieser Mann war. Dass er so viel größer war, so viel breiter, so viel stärker als ich. Reuben und ich waren ungefähr gleich groß.

Wir setzten uns in den Biergarten des Pubs, eine grüne Oase aus üppig wuchernden blühenden Blumen und verstreut stehenden Picknicktischen in einem engen kleinen Tal unterhalb des kleinen Örtchens Sapperton. Wie ein schmales Band schlängelte sich das Flüsschen Frome ungesehen am Saum der Wiese entlang, die an den kleinen Parkplatz des Pubs anschloss. Teerosen ergossen sich wie eine vielblumige Kaskade über einen Baum. Ein paar müde Wanderer saßen gebeugt über ihren halben Pints, einen hechelnden Cockerspaniel zu ihren Füßen, der mich mit traurigem Hundeblick durchdringend ansah. Kaum hatte ich mich unter dem ausladenden Sonnenschirm niedergelassen, trottete der Hund zu mir herüber und platzierte sich zwischen meinen Füßen, wo er es sich dann mit einem herzzerreißend selbstmitleidigen Seufzen bequem machte.

Eddie musste lachen.

Irgendwo weiter drüben im Tal hörte man eine Kettensäge knirschend und rasselnd aufheulen und dann wieder verstummen. Im Wald oberhalb zwitscherten ein paar hitzematte Vögel einander benommen zu. Ich nippte am eiskalten Cider und stöhnte genüsslich auf. »Ja«, murmelte ich.

»Ja«, stimmte Eddie mir zu. Wir stießen miteinander an, und ich hatte so ein wonniges Gefühl, als räkelte sich in meinem Bauch eine Katze wohlig-warm in der Sonne. Allein im menschenleeren Haus meiner Eltern aufzuwachen hatte mir mehr zugesetzt, als ich willens war, mir einzugestehen. Und der einsame Spaziergang entlang des Broad Ride hatte nicht gerade dazu beigetragen, meine gedrückte Stimmung zu heben. Aber der eiskalte Cider und dieser ausnehmend ansprechende Mann glätteten die scharfen Ecken und Kanten der harschen Realität doch erheblich. Vielleicht würde es ja doch noch ein guter Tag.

»Ich mag diesen Pub«, meinte ich gähnend. »Als ich noch klein war, sind wir oft hierhergekommen. Meine kleine Schwester und ich sind herumgerannt wie Wildfänge, ganz allein und unbeaufsichtigt, und haben alles erkundet und unten am Bach gespielt, während unsere Eltern und ihre Freunde gemütlich zusammensaßen und hin und wieder auch ein bisschen zu fröhlich wurden.«

Eddie trank einen tiefen Schluck von seinem Pint. »Ich bin in Cirencester aufgewachsen. Mitten in der Stadt ist es als Kind schon etwas schwieriger, wild und unbeaufsichtigt herumzulaufen. Selbst wenn es nur ein kleines Städtchen ist. Aber ein paar Mal sind wir auch hier gewesen.«

»Ach, echt? Und wann war das? Wie alt bist du eigentlich?«

»Einundzwanzig«, antwortete Eddie lässig. »Die Leute meinen immer, ich sähe viel jünger aus.«

Es schien ihm nichts auszumachen, dass ich darüber herzlich lachen musste. »Neununddreißig«, sagte er schließlich. »Ich kann mich noch daran erinnern, wie ich hier im Garten herumgerannt bin. Wie alt muss ich da gewesen sein – zehn vielleicht? Ende der Neunziger ist meine Mum dann ganz hierhergezogen, also war ich ziemlich oft hier. Wie alt bist du denn? Wer weiß, vielleicht sind wir hier zusammen verwildert.«

Der winzige Hauch einer Anspielung. Meine App müsste gerade schier ausflippen.

»Eher nicht. Als Teenager bin ich nach Los Angeles gezogen.«

»Echt? Wow. Das ist aber ganz schön weit weg.«
Ich nickte.

»Wegen deiner Eltern? Mussten sie beruflich dahin?«
»So ungefähr.«

»Leben sie immer noch dort?«

»Nein. Sie wohnen hier ganz in der Nähe. Drüben Richtung Stroud.«

Ich drehte das Gesicht ganz leicht weg, als würde das entschuldigen, haarscharf an einer dicken, fetten Lüge vorbeigeschrammt zu sein. »Also, Eddie. Dann erzähl mir doch mal, was du an einem Werktag nachmittags auf dem Sapperton Green zu suchen hattest.«

Er beugte sich hinunter und streichelte den Hund der Wanderer. »Meine Mum besuchen. Sie wohnt oben, nicht weit von der Schule.« Ein winzig kleiner Haarriss zog sich durch seine Stimme. Aber das überging er geflissentlich. »Und du?«, gab er die Frage zurück.

»Ich bin von Frampton Mansell hergelaufen.« Nickend wies ich in die Richtung, in der das Dorf meiner Eltern lag.

Er schien etwas verwirrt. »Aber du bist doch gar nicht durchs Tal gekommen – du bist oben vom Hügel gekommen.«

»Na ja … ich brauchte ein bisschen Bewegung, also bin ich den Hügel rauf und hab den Pfad dort oben genommen. Den Broad Ride entlang, genauer gesagt – der hat sich ganz schön verändert«, fügte ich rasch hinzu. Das wird hier gerade ein hochexplosives Minenfeld. »Völlig überwachsen! Früher war das ein breiter, herrschaftlicher Weg. Die Leute sind mit ihren Pferden von überall her gekommen, weil man da richtig flott galoppieren konnte. Jetzt ist es kaum mehr ein Trampelpfad.«

Er nickte. »Galoppiert wird da immer noch munter rauf und runter, obwohl es inzwischen verboten ist. Vorhin hat mich ein Reiter beinahe umgemäht.«

Ich musste lachen angesichts der Vorstellung, irgendwer oder irgendwas könnte diesen großen, stämmigen Mann niedermähen, ob beritten oder nicht. Und irgendwie freute es mich, dass er auch diesen sattgrünen überwucherten Korridor entlanggegangen war.

»Ich kam mir vor wie der Moses von Sapperton«, grinste er, »der das Rote Meer aus Wiesenkerbel teilt.«

Wir nippten beide an unseren Gläsern.

»Wohnst du hier in der Nähe?«

»Ja«, sagte Eddie. »Allerdings bekomme ich auch oft Aufträge aus London und bin deshalb regelmäßig dort.« Unvermittelt schlug er mir mit der Hand auf die Wade.

»Bremse«, brummte er und schnippte das tote Insekt

von seiner offenen Handfläche. »Die wollte dir gerade ins Bein beißen. Entschuldige.«

Weil ich nicht wusste, was ich sonst tun sollte, trank ich einen großen Schluck Cider und spürte das schwindelige, benommene Sirren von Alkohol und leichtem Schock im Kopf. »Im Juni sind die eine echte Plage«, erklärte er. »Eigentlich sind sie das ganze Jahr über eine Plage, aber im Juni ist es ganz besonders schlimm.«

Er zeigte mir zwei dicke, pochend rote Stiche auf dem Unterarm. »Heute Morgen hat mich eine erwischt.«

»Ich hoffe, du hast zurückgebissen.«

Eddie lachte. »Nein. Dafür sitzen die Mistviecher mir zu oft auf den weniger sauberen Körperteilen von Pferden.«

»Ich vergaß.«

Und ehe ich mich selbst bremsen konnte, strich ich vorsichtig über die Insektenstiche. »Armer Arm«, flüsterte ich, allerdings recht nüchtern und sachlich, weil ich mich schon jetzt dafür schämte.

Eddie hörte auf zu lachen, drehte sich um und schaute mich an. Sah mir mit einem fragenden Blick unverwandt in die Augen.

Irgendwann wandte ich den Blick ab.

Später dann war ich angenehm angesäuselt. Eddie war nach drinnen gegangen und bestellte gerade das dritte oder womöglich vierte Pint. Ich hörte das Piep-piep der Registrierkasse, als der Wirt die Bestellung eingab, das

Knistern einer, wie ich inständig hoffte, kleinen Chipstüte und das träge Brummen eines Flugzeugs, das sich schwerfällig hoch oben über den Himmel schleppte.

Die raue Sitzbank des flechtenverkrusteten Picknicktischs, an dem wir saßen, schabte an meinen Beinen wie Schmirgelpapier, und ich schaute mich nach einem anderen, weniger scheuernden Tisch um, sah aber keinen. Also ließ ich mich kurzerhand wie der Hund der Wandersleute vorhin ins weiche Gras fallen. Glücklich und angeglimmert lag ich da und grinste über das ganze Gesicht. Das Gras kitzelte an meinem Ohr. Ich wollte nie wieder hier weg. Ich wollte einfach hierbleiben. Kein Telefon, keine Verpflichtungen. Nur Eddie David und ich.

Und wie ich so in den Himmel schaute, die warme Erde unter mir, erhaschte ich den Hauch einer alten Erinnerung wie ein gekräuseltes Wellenband im Wasser. *Das*, dachte ich träge. Der Geruch von warmem Gras, das sanfte Rascheln und Rauschen der Bäume, durchsetzt vom Brummen der Insekten und den Fetzen eines gesummten Liedes. Das war ich einmal. Damals. Bevor Tommy nach Amerika gezogen und die Pubertät unvermittelt unter meinen Füßen explodiert war wie eine Tretmine, war das genug.

»Mann über Bord«, rief Eddie, als er mit einem Bier, einem Cider und – lobet und preiset den Herrn! – einer Tüte Chips in der Hand die Treppe herunterkam. »Du hast doch behauptet, du wärst trinkfest.«

»Da habe ich wohl nicht die verheerende Wirkung von Cider bedacht«, entgegnete ich. »Wobei ich vielleicht anmerken sollte, dass ich mitnichten das Bewusstsein verloren habe. Ich hatte bloß die Nase voll von der kratzigen Bank.« Ich mühte mich auf die Ellbogen. »Aber egal, du musst unbedingt sofort die Chips aufmachen.«

Eddie setzte sich neben mich ins Gras und zog etwas aus der Hosentasche, das aussah wie ein dicker, unhandlicher Schlüsselbund. Zusammengehalten wurden die unzähligen einzelnen Schlüssel von einem Ring mit einem hölzernen Anhänger in Form einer kleinen Maus.

»Wer ist das denn?«, fragte ich Eddie entzückt, als er mir mein Pint reichte. »Gefällt mir.«

Eddie drehte sich um und besah sich den Schlüsselanhänger. Nach einer kleinen Weile lächelte er. »Sie heißt Maus. Ich habe sie selbst gemacht, als ich neun war.«

»Du hast sie selbst gemacht? Aus Holz geschnitzt?«

»Ganz genau.«

»Oh! Himmel, ist das süß!«

Eddie fuhr mit dem Finger über Maus. »Sie hat eine Menge mit mir durchgemacht«, meinte er lächelnd. »Sie ist meine Talisfrau. Aber egal. Cheers.« Und damit stützte er sich rücklings auf die Ellbogen und reckte das Gesicht in die Sonne.

»Wir zwei beide trinken also einfach so am helllichten Tag«, summierte ich selig. »Während alle anderen arbeiten müssen, sitzen wir einfach hier rum und trinken.«

»Sieht ganz danach aus.«

»Wir trinken am helllichten Tag, und jetzt sind wir ziemlich betrunken. Und wir amüsieren uns, glaube ich.«

»Nehmen wir das Gespräch von vorhin wieder auf oder wollen wir den restlichen Nachmittag damit verbringen, Statusmeldungen abzugeben?«

Ich musste lachen. »Wie ich vorhin schon sagte, Eddie: Klarheit. Damit ich nicht vom rechten Weg abkomme.«

»Okay. Also dann. Ich esse jetzt ein paar Chips und trinke mein Bier. Sag Bescheid, wenn du fertig bist.«

Und damit riss er die Chipstüte auf und hielt sie mir hin.

Ich mag ihn, dachte ich.

Als wir zuerst in diesen kleinen geheimen Garten gekommen waren, hatten Eddie und ich in alten Kindheitserinnerungen gekramt und Hunderte historischer Wegemarken entdeckt, an denen sich unsere Wege gekreuzt haben könnten. Wir waren in denselben Hügeln gewandert, hatten in denselben schäbig-verschwitzten Clubs getanzt, an denselben alten Treidelpfaden den Sonnenuntergang bewundert und die tanzenden Libellen über den rostroten Rohrkolben am alten Stroudwater Canal gezählt.

Alles nur um einige wenige Jahre versetzt. Ich stellte

mir vor, ich hätte mit sechzehn den achtzehnjährigen Eddie kennengelernt, und fragte mich, ob er mich damals gemocht hätte. Und fragte mich dann, ob er mich heute mochte. Und dachte, dass es durchaus sein könnte.

Vorhin hatte ich ihm schon von meiner Kinderhilfsorganisation erzählt, und er war ganz begeistert gewesen und hatte mich mit klugen Fragen gelöchert. Und er hatte auch gleich den Unterschied verstanden zwischen unseren Clowndoctors und ganz gewöhnlichen Clowns, die Gelegenheitsbesuche im Krankenhaus machten, um kranke Kinder zu bespaßen. Und er verstand auch, dass ich das machte, weil ich es nicht *nicht* machen konnte. Ganz gleich, wie oft man uns auch die Mittel kürzte, ganz gleich, wie oft unsere Leute wie alberne Partyclowns behandelt wurden. »Herrje«, hatte er gesagt, nachdem ich ihm einen kleinen Clip gezeigt hatte von zwei unserer Clowndoctors, wie sie mit einem Kind arbeiteten, das so schreckliche Angst vor der OP hatte, dass es sich partout nicht operieren lassen wollte. Ihn schien das wirklich zu berühren. »Das ist ja unglaublich. Ich… Wow! Wunderbar, wirklich, Sarah.«

Er hatte mir Fotos gezeigt von den Möbeln und Einbauschränken, die er in seiner Werkstatt am Rand von Siccaridge Wood fertigte. Das war sein Beruf – traumschöne handgemachte Dinge für das Zuhause seiner Kunden zu erschaffen: ganze Küchen, Schränke, Tische, Stühle. Er liebte Holz. Er liebte Möbel. Er liebte den

Geruch von Wachspolitur und wie das verzapfte Holz knackte, wenn es in einer Schraubzwinge trocknete, wie er mir gestand. Er hatte es aufgegeben, sich zwingen zu wollen, einer profitableren Tätigkeit nachzugehen.

Dann hatte er mir ein Foto seiner alten Scheune gezeigt: gedrungen, steingemauert, mit sanft geneigtem Dach stand sie auf einer kleinen Lichtung, die aussah wie aus einem Märchen von Hans Christian Andersen.

»Meine Werkstatt. Und mein Zuhause. Ich bin ein waschechter Einsiedler. Ich lebe in einer alten Scheune mitten im Wald.«

»Lieber Himmel! Ich wollte immer schon mal einem echten Einsiedler begegnen! Sag, bin ich der erste Mensch seit Wochen, mit dem du geredet hast?«

»Ja!« – »Nein«, korrigierte er sich hastig. Und dabei huschte ein Schatten über seine Augen, den ich nicht recht fassen konnte. »Eigentlich bin ich gar kein Einsiedler. Ich habe viele Freunde und eine Familie und ein reges Sozialleben.«

Er unterbrach sich, und dann lächelte er. »Das hätte ich nicht extra zu erwähnen brauchen, oder?«

»Eigentlich nicht.«

Er wischte das Foto von der Scheune auf dem Handy beiseite, und genau in dem Moment fing es an zu klingeln. Kurz entschlossen schaltete er es aus, obwohl es nicht den Anschein hatte, als würde das Ding ihn nerven. »Na ja, das ist jedenfalls das, was ich mache. Und ich liebe es. Wobei es auch schon Jahre gegeben hat, in denen habe ich fast gar nichts verdient. Das war weniger schön.« Ein winziges Spinnchen krabbelte seinen Arm hinauf, und er schaute ihm zu und wischte es dann sanft beiseite, als es in seinem Ärmel verschwinden wollte. »Vor ein paar Jahren war ich sogar so weit, mir einen anständigen Job zu suchen, irgendwas mit Gehaltsgarantie. Aber ein Bürojob ist einfach nichts für mich. Ich … Na ja, ich würde das vermutlich nicht lange durchhalten. Würde bestimmt eingehen wie eine Primel. Irgendwas Schlimmes würde passieren, und ich würde es nicht überleben.«

Darüber musste ich erst einmal nachdenken.

»Ehrlich gesagt finde ich es immer ein bisschen vermessen, so was zu sagen«, erwiderte ich schließlich. »Ich glaube, nicht viele Menschen würden freiwillig von acht bis vier im Büro sitzen, wenn man ihnen die freie Wahl lassen würde. Aber man darf nicht vergessen, dass die meisten Menschen es sich nicht aussuchen können. Du darfst dich also glücklich schätzen, dass du in einer Werkstatt mitten in den malerischen Cotswolds Möbel schreinern kannst und damit deinen Lebensunterhalt verdienst.«

»Ist angekommen«, murmelte Eddie nachdenklich. »Natürlich verstehe ich, was du meinst. Ich weiß nur nicht, ob ich dir da vollinhaltlich zustimmen kann. So, wie ich die Welt sehe, haben Menschen einen eigenen Willen und können sich frei entscheiden, immer und überall. Zumindest bis zu einem gewissen Grad.«

Ich schaute ihn an, als er das sagte.

»Was sie tun, was sie fühlen, was sie sagen. Es ist irgendwie fast so eine Art allgemeingültige Wahrheit geworden, dass wir keinen freien Willen haben. In allem. Beruf, Beziehungen, Glück. Alles entzieht sich unserer Einflussnahme.« Behutsam setzte er die kleine Spinne wieder ins Gras. »Es kann sehr frustrierend sein, sich anhören zu müssen, wie Menschen ständig über Probleme klagen und sich gleichzeitig standhaft weigern, über Lösungsansätze nachzudenken. Lieber reden sie sich ein, Opfer zu sein. Opfer anderer Menschen, ihrer selbst, der Umstände, der ganzen Welt.« Da war er wieder, dieser winzige Haarriss in der Stimme.

Er schwieg kurz und lächelte dann. »Ich klinge wie ein überheblicher Besserwisser.«

»Ein bisschen.«

»Ich möchte ja nicht unsensibel sein. Ich meine bloß …«

»Schon okay. Ich weiß, was du meinst. So kann man das natürlich auch sehen.«

»Kann man. Ich habe mich nur ziemlich dilettantisch ausgedrückt. Entschuldige. Ich wollte bloß …« Er unterbrach sich. »Meine Mutter macht mir in letzter Zeit große Sorgen. Ich liebe sie sehr, keine Frage, aber manchmal frage ich mich ernsthaft, ob sie überhaupt glücklich sein *will*. Und dann fühle ich mich mies, weil ich weiß, dass es an ihrer gestörten Hirnchemie liegt und sie nichts dafür kann. Natürlich will sie glücklich sein.«

Verlegen kratzte er sich am Schienbein. »Du bist bloß der erste Mensch seit Tagen, mit dem ich rede, der sich nicht andauernd selbst bemitleidet. Ich bin wohl ein bisschen zu weit gegangen. Entschuldigung. Danke. Ende der Durchsage.«

Ich musste lachen, und er lehnte sich zurück und ließ die Knie zur Seite fallen, bis sie an meinen Beinen lehnten. »Aber ich habe ganz bestimmt mehr Spaß, als ich es mit Lucy, dem Schaf, je gehabt hätte. Danke, Sarah Mackey. Danke, dass Sie Ihren kostbaren Donnerstagnachmittag geopfert haben, um mit mir ein paar Pints zu trinken.«

Ein warmes Glücksgefühl wirbelte in meiner Brust wie ein sich drehendes Windspiel. Und ich tat nichts dagegen. Weil es sich gut anfühlte, glücklich zu sein. Dann ging Eddie aufs Klo, und ich löschte kurzerhand Jennis App von meinem Handy. Lückenbüßer oder nicht, so unbeschwert wie in der Gesellschaft dieses Mannes – oder überhaupt in Gesellschaft eines anderen Menschen – war ich schon lange nicht mehr gewesen.

»Irgendwie hat dieses Tal etwas ganz Besonderes, findest du nicht?«, fragte Eddie später. Auch er klang nicht mehr ganz nüchtern. Der Wirt hatte den Pub für den Nachmittag geschlossen und uns gesagt, wir dürften herzlich gerne im Garten sitzen bleiben, solange wir wollten.

»Du meinst, eine Gluthitze wie im Höllenofen?«, fragte ich und fächelte mir Luft ins Gesicht. »Dafür, dass ich in Südkalifornien lebe, vertrage ich Hitze ganz schlecht. Wo bitte ist der Pazifik, wenn man ihn braucht? Oder ein Pool. Oder wenigstens eine Klimaanlage.«

Eddie lachte und drehte den Kopf zu mir hin. »Du hast einen Pool?«

»Natürlich nicht! Ich leite eine Wohltätigkeitsorganisation!«

»Gewisse Geschäftsführer gemeinnütziger Organisationen zahlen sich sicher ein Gehalt, das üppig genug ist, um sich davon einen eigenen Pool leisten zu können.«

»Na ja, diese jedenfalls nicht. Ich habe nicht mal eine eigene Wohnung.«

Sein Blick ging wieder nach oben zum glühend heißen Sommerhimmel. »Ja, ein Höllenofen ist es«, meinte er nachdenklich. »Aber es ist noch mehr, findest du nicht? Etwas Altes, Rätselhaftes, Geheimnisvolles. Irgendwie kam es mir immer schon vor wie ein entlegenes verstecktes Nimmerland, dieses kleine Tal. Ein Ort, der vollgestopft ist mit allen möglichen alten Geschichten und Erinnerungen. Wie eine Hosentasche voller abgelaufener U-Bahn-Fahrkarten.«

Besser hätte ich es selbst nicht sagen können, dachte ich. Dieses Tal barg mehr alte U-Bahn-Tickets, als mir lieb war. Und es war ganz gleich, wie lange ich nun schon anderswo lebte: Sie waren immer noch da. Jedes Mal, wenn ich zurückkam. Echos meiner Schwester hallten wider an jeder kleinen Biegung des Flüsschens Frome. Liedfetzen hingen in den alten Birken. Das Gefühl ihrer Hand in meiner. Der spiegelglatte See, genau wie an jenem Tag, als wir aus dem Krankenhaus nach Hause gekommen waren. Alles hier schien still und reglos, unveränderbar. Aus den Augen, aber nie aus dem Sinn.

Stundenlang lagen wir im Gras und redeten, und irgendwie berührte irgendein Teil von ihm immer irgendeinen Teil von mir. Mein Herz pochte wie weiß glühendes Metall, während es sich weitete und wieder zusammenzog.

Etwas würde geschehen. Etwas war schon geschehen. Wir beide wussten es.

Um vier kam Frank, der Farmer, um bei seinen Schafen nach dem Rechten zu sehen und das Loch im Zaun zu flicken. Als er wieder ging, ließ er uns eine Flasche Cola und einen Block Cheddar aus seinem Wocheneinkauf da. »Das bin ich euch schuldig«, meinte er, und dann zwinkerte er Eddie verschwörerisch zu, als sei ich gar nicht da.

Gierig tranken wir die ganze Flasche Cola aus und aßen beinahe den gesamten Käse. Und ich fragte mich, ob Reubens neue Freundin – die sich angeblich mit ihm zu einem Date in einer Saftbar verabredet hatte – je mehrere Pints Cider getrunken, dann mit einem wildfremden Mann im Biergarten eines Pubs versackt war und sich anschließend mit Cola und Cheddar vollgestopft hatte. Und musste mir dann eingestehen, dass es mir völlig schnuppe war.

Ich hatte das Gefühl, zu Hause zu sein. Nicht nur bei Eddie, sondern hier, in diesem Tal, wo ich aufgewachsen war. Zum ersten Mal seit meiner Kindheit hatte ich das Gefühl, irgendwohin zu gehören.

Erst als die brodelnde Sonne seitlings vom Himmel rutschte, kühlte sich unser geheimer Garten in unserem versteckten Tal endlich ein bisschen ab. In der einsetzenden Dämmerung huschte schattenhaft ein Fuchs über den Parkplatz. In kleinen Grüppchen kamen und gingen die Gäste, und das leise Klirren von Gläsern und Besteck klang gedämpft durch das schwere Rauschen der Bäume. Funkelnde Sterne tüpfelten den tintenschwarzen Himmel.

Eddie hielt meine Hand. Wir hatten uns wieder an unseren Tisch gesetzt. Wir hatten etwas gegessen – Lasagne vielleicht? –, ich konnte mich nur vage erinnern. Er erzählte mir gerade von seiner Mutter und dass die Depression sie gerade wieder in einer unaufhaltsamen Abwärtsspirale hinunterzog. In einer Woche wollte er mit einem Freund zum Windsurfen nach Spanien. Ein bisschen Urlaub machen. Und er hatte Sorge, ob er sie überhaupt allein lassen konnte. Obwohl sie ihm versichert hatte, sie käme auch ohne ihn zurecht.

»Klingt, als würdest du dich rührend um sie kümmern«, hatte ich gesagt. Worauf er nichts erwidert hatte. Aber er hatte unsere ineinander verschränkten Hände an die Lippen geführt und mir einfach einen Kuss auf die Fingerknöchel gedrückt. Ich hatte ihn angesehen, und er hatte meinen Blick erwidert, ohne rot zu werden.

Und jetzt schloss der Pub zum zweiten Mal für heute. Und obwohl wir kein Wort darüber verloren hatten und obwohl ich strenggenommen immer noch eine verheiratete Frau war und von der kürzlichen Trennung emotional tief traumatisiert sein sollte und obwohl ich noch nie einfach so mit einem wildfremden Mann mitgegangen war – vor allem nicht in seine entlegene Scheune mitten im finstersten Wald –, war es so kristallklar wie der wolkenlose Nachthimmel, dass er mich mit zu sich nach Hause nehmen würde.

Im Licht meines Handys – an seinem war das Display so spinnennetzartig zersprungen, dass die Taschenlampe nicht mehr funktionierte – spazierten wir Hand in Hand den überwucherten, stillen Treidelpfad entlang. Vorbei an längst vergessenen Schleusen und glasig glänzenden murmelschwarzen Wasserlachen.

Und dann kamen wir zu seiner Einsiedlerklause, die tatsächlich auf einer einsamen Lichtung stand, flankiert von ausladenden alten Rosskastanien und schwach schimmerndem Wiesenkerbel – nur Elfen oder Satyre oder Feen mit seidigem Haar sah ich keine. Bloß einen alten Army-Land-Rover und einen kleinen dunklen Fleck auf dem Rasen, den Eddie misstrauisch beäugte, während er den Hausschlüssel herauskramte. »Steve?«, glaubte ich ihn flüstern zu hören. Aber ich fragte nicht nach.

Er machte die Tür auf. »Komm rein«, sagte er, und wir konnten uns dabei kaum in die Augen schauen. Weil es passierte, jetzt und hier, und wir beide ganz genau wussten, dass es schon jetzt mehr war als alles, was in den nächsten Stunden noch geschehen würde.

Und dann gingen wir vorbei an den schlafenden Werkzeugen in seiner Werkstatt, und ich atmete den aromatischen Duft von Holz und Sägespänen ein und stellte mir vor, wie Eddie hier herumwerkelte: Wie er plante, hämmerte, leimte, sägte. Und dabei mit seinen großen braunen Händen aus diesem wunderschönen Material wunderschöne Dinge schreinerte. Ich stellte mir vor, wie diese Hände sich wohl auf meiner Haut anfühlen würden, und mir wurde ganz anders.

Dann passierten wir zwei schwere Türen – unerlässlich, wie er mir erklärte, damit der Sägestaub sich nicht im ganzen Haus verteilte – und gingen schließlich eine Treppe hinauf in einen großen, offenen Raum mit alten Hängelampen und dicken Deckenbalken, die sich in die Schatten duckten, und sacht knarzenden Dielen. Draußen wiegten sich die Bäume, schwarz vor schwarz, und ein dünner Wolkenschleier zog sich verschämt über den sanft schimmernden Vollmond.

Ich holte mir in der Küche ein Glas Wasser und hörte ihn hinter mir. Eine Weile blieb ich stehen, die Augen geschlossen, und spürte seinen Atem an meiner nackten Schulter. Irgendwann drehte ich mich um und lehnte mich gegen die Spüle, und dann küsste er mich.

Siebtes Kapitel

Hallo du,

ich muss dir ein Geständnis machen. Ich bin verheiratet. Und ich habe das grässliche Gefühl, du weißt es längst.

Ich habe nicht gelogen, als ich dir sagte, ich sei nicht liiert. Und ich habe ganz sicher nicht gelogen, als ich dir sagte, was ich für dich empfinde.

Reuben und ich haben uns vor ungefähr drei Monaten getrennt. Dass ich ihm kein Kind schenken konnte, war der letzte Fallstrick für unsere ohnehin schon strauchelnde Beziehung. Und ich glaube, wir wussten beide schon viel früher, dass wir längst am Ende unseres gemeinsamen Weges angekommen waren. Es ist eine lange Geschichte – zu lang für Facebook Messenger –, aber es ist ihm nicht leichtgefallen.

Ich kann kaum beschreiben, wie unglaublich erleichtert ich war, als er sich mit mir an einen Tisch gesetzt hat, um über alles zu reden. Ich wusste ganz genau, was er zu sagen hatte. Ich wünschte bloß, ich hätte den Mut gehabt, es selbst zu sagen, Jahre früher schon. Mit dem Ladegerät in der Hand saß ich ihm gegenüber und wickelte das Kabel wieder und wieder um den Finger, bis er es mir schließlich aus der Hand nahm. Und dann habe ich geweint, weil ich wusste, er braucht das.

Liegt es daran, Eddie? Rufst du mich deshalb nicht mehr an? Weil ich verheiratet bin? Sollte dem so sein, dann versuche dich bitte daran zu erinnern, wie es sich angefühlt hat, als wir zusammen waren. Alles habe ich genau so gemeint. Jeden Kuss, jedes Wort, alles.

Dreimal las ich die Nachricht, dann löschte ich sie wieder.

Lieber Eddie, schrieb ich stattdessen,
vermutlich weißt du inzwischen, dass ich verheiratet bin. Wie gerne hätte ich dir die ganze Geschichte persönlich erklärt – aber eins sollst du hier und jetzt erfahren: Ich bin inzwischen nicht mehr verheiratet. Unsere Webseite ist nicht auf dem neuesten Stand. Ich war – und bin immer noch – Single. Und ich möchte dich gerne wiedersehen und mich bei dir entschuldigen und dir alles erklären.

Sarah

Tommy, Jo und Rudi waren längst weg. Seit gut einer halben Stunde kauerte ich auf dem Rücksitz von Tommys Wagen und traute mich nicht hinaus.

Früher oder später würde ich aussteigen müssen.

Achtes Kapitel

Mutterseelenallein stand Tommy auf einem wackeligen kleinen Podest mitten auf dem Sportplatz unserer alten Schule und redete in ein Mikrofon. Krampfhaft bemüht, so zu tun, als fände er es witzig, dass die uralte Anlage seine Rede mit obszönen Rülpsgeräuschen und fiependen Rückkopplungen garnierte.

Suchend schaute ich mich um. Was hatten Mandy und Claire heute hier zu suchen? Hatten die nichts Besseres zu tun? Hatten die keinen Job? Ich konnte kaum atmen. Es fühlte sich an, als sei meine Lunge komprimiert in einer winzig kleinen Kammer gleich hinter meiner Nase zusammengepresst worden. Ich konnte den Gedanken kaum ertragen, ihnen hier so unvorbereitet über den Weg zu laufen. Nicht jetzt. Nicht in diesem Zustand.

»Hey.« Wie aus dem Nichts tauchte Jo plötzlich neben mir auf. »Wie geht's?«

»Bestens.«

»Das wird schon«, murmelte sie leise. »Selbst wenn Tommy meint, hinterher noch ein bisschen bleiben zu müssen, in spätestens einer Stunde machen wir uns vom Acker. Und bis dahin behalte ich dich im Auge.«

Wir drehten uns um und hörten schweigend zu, wie Tommy Matthew Martyn in seiner Rede über den grünen Klee lobte. »Eine Quelle der Inspiration für seine Schüler... unermüdlich an diesem Programm gearbeitet... eine große Ehre und eine Freude, mit Menschen wie Matt zusammenarbeiten zu dürfen...«

»Hör zu, ich... ähm, sind sie hier?«

Jo schlüpfte mit der Hand in meine Ellbogenbeuge. »Ich weiß es nicht, Sarah«, antwortete sie. »Ich weiß ja nicht mal, wie sie aussehen, wie soll ich sie da erkennen?«

Ich nickte und versuchte, tief durchzuatmen.

»Wo hast du eigentlich die ganze Zeit gesteckt?«, fragte sie. »Hast du dich im Auto im Fußraum hinter dem Sitz versteckt?«

»So ungefähr. Ich habe Eddie eine Nachricht geschrieben. Wegen Reuben und mir. Und dann habe ich mich ein bisschen geschminkt. Ein bisschen zu viel. Und jetzt bin ich hier.«

Kurz brandete Beifall auf. Wir schauten nach vorne und sahen, wie Tommy das Mikrofon an Matthew Martyn weiterreichte. Matthew war einer dieser Typen, denen man auf den ersten Blick ansah, dass sie zu viel Zeit im Fitnessstudio verbrachten. Die dicken, muskulösen Oberarme standen seitlich vom Körper ab wie die Stummelflügel eines übergewichtigen Pinguins. Er und Tommy tauschten auf dem Podest die Plätze und hauten sich dabei gegenseitig kumpelhaft auf die Schulter.

»Na schön«, brummte Jo. »Ich gehe wohl besser mal rüber und warte auf ihn. Nach Matthews Rede ist ein bisschen Smalltalk mit den Honoratioren angesagt.« Hilflos musste ich mit ansehen, wie sie sich einfach umdrehte und ging.

Ein paar Minuten später schlenderte Rudi nonchalant auf mich zu, ein Sektglas in der Hand. »Mir ist *so* langweilig, Sarah«, murrte er.

»Ich weiß.«

»Und Tommy ist auch ganz komisch.«

»Nur weil er nervös ist«, erklärte ich und nahm ihm das Sektglas aus der Hand. »Benimmst du dich eigentlich auch manchmal wie ein braver kleiner Junge?«

»Nö.« Grinsend sah Rudi mich an und zeigte dann auf die Allwetter-Laufstrecke. Die hatte es damals, als ich hier zur Schule gegangen war, noch nicht gegeben. Auf der Laufbahn, die uns am nächsten war, waren unterschiedliche Hürden aufgebaut. »Darf ich über die Dinger da springen?«

»Nur wenn du mir versprichst, dich an die niedrigeren zu halten.«

»Cool!«, quiekte er. Und weg war er.

Erdrückende Erinnerungen trieften mir aus allen Poren wie kalter Schweiß, als ich mich abermals umschaute. Ich hasste diesen Ort. Abgrundtief. Und selbst wenn es kindisch war, ich hasste auch Matthew Martyn. Auch wenn er damals selbst noch ein Teenager gewesen war. Er hatte andere Kinder gepiesackt bis aufs Blut. Wieder und wieder und immer wieder. Nur so aus Spaß. Und jetzt stellte er sich da vorne hin und plusterte sich auf und tat, als wäre dieses Sportprogramm ganz allein seine Idee gewesen, und nicht Tommys.

Ich hatte Rudis Sektglas gerade halb ausgetrunken, da sah ich sie. Mandy und Claire. Ganz hinten in der Menge. Keine zehn Meter entfernt. Hektisch guckte ich weg und wandte mich ab, damit sie mich nicht bemerkten. Aus den Augenwinkeln sah ich nur ein paar zusammenhanglose Details: blau-gelbes Kleid; Ponyfransen; Rückenfett, das hinten über einen BH quoll. Ich ließ das Glas sinken, und meine Arme bewegten sich starr und automatisch wie ein Roboter in einer schlechten Animation. Mein Gesicht glühte hochrot.

Und dann: »Sarah Harrington?« Eine Stimme an meiner linken Schulter, kaum mehr als ein Flüstern. »Bist du das?«

Steif drehte ich mich um und sah mich unvermittelt meiner ehemaligen Englischlehrerin, Mrs Rushby, gegenüber. Die Haare waren zwar inzwischen ein bisschen grauer, aber sie trug immer noch diese elegante Hochsteckfrisur, die all ihre Schülerinnen irgendwann nachzumachen versucht hatten.

»Ach, hallo!«, wisperte ich. Meine Stimme war mit einem Hauch Hysterie versetzt.

Und dann nahm mich Mrs Rushby einfach ohne Vorwarnung fest in die Arme. »Das wollte ich schon vor
Jahren machen«, sagte sie, »aber plötzlich warst du weg.
Wie geht es dir, Sarah? Wie ist es dir in Amerika ergangen?«

»Prima!«, schwindelte ich. »Und selbst?«

»Sehr gut, danke.« Und dann: »Es freut mich wirklich
sehr, das zu hören. Ich kann dir nicht sagen, wie sehr
ich gehofft habe, dass du in Kalifornien Fuß fassen und
noch mal ganz von vorne anfangen kannst.«

Das rührte mich sehr. Nicht dass sie gehofft hatte,
dass ich wieder auf die Beine komme. Sondern dass sie
sich überhaupt noch an mich erinnerte. Aber ich hatte
vor meinem überstürzten Abgang von der Schule ja
auch traurige Berühmtheit erlangt.

Durch die reizende Mrs Rushby ein wenig von den
anderen Gästen abgeschirmt, wurde ich allmählich ein
bisschen mutiger. Zaghaft versuchte ich mich an einigen harmlosen Witzen und freute mich wie ein kleines
Kind, als sie darüber lachte. Ob man je aufhörte, seine
Lieblingslehrer beeindrucken zu wollen?, überlegte ich.
Mehr als neunzehn Jahre war es her, dass ich in ihrem
Englisch-Leistungskurs gesessen hatte. Und nun stand
ich hier und versuchte mich an geistreichen Bemerkun-
gen über die großen Rachetragödien.

Zum Glück wechselte Mrs Rushby rasch das Thema,
als sie merkte, dass ich mich nicht mehr an John Webs-

ter erinnern konnte. Stattdessen erzählte sie mir, sie habe vor einiger Zeit beim Urlaub mit ihrer Familie in Kalifornien in den Nachrichten einen Bericht über meine Organisation gesehen. »Irgendwas mit Kinderbelustigung im Krankenhaus? Clowns, nicht wahr?«

Das Gespräch entspannte sich wieder. Das war vertrautes Terrain. Clowndoctors, erklärte ich ihr geduldig wie schon tausendfach zuvor. Nicht einfach Clowns. Speziell ausgebildet, die Kinder so gut wie möglich abzulenken und aufzumuntern. Die medizinischen Eingriffe möglichst alltäglich und erträglich zu machen. Die ungewohnte Umgebung im Krankenhaus weniger erschreckend erscheinen zu lassen.

Ich geriet fast ins Schwärmen, und irgendwann schaute ich wieder hinüber zu Mandy und Claire, die immer noch ganz hinten in der Menge standen. Das blau-gelbe Kleid und die Ponyfransen gehörten zu Claire. Das Rückenfett zu Mandy. Damals war sie ein zierliches Püppchen mit Spitzmausgesicht gewesen. Inzwischen war sie aufgegangen wie ein Hefekloß. Früher hätte ich Gott dafür auf Knien gedankt. Heute fühlte ich gar nichts. Sie guckte rüber, sah mich und schaute rasch wieder weg.

Schließlich entschuldigte Mrs Rushby sich, sie müsse einem der anderen Lehrer noch rasch etwas geben. Mit einem großen Schluck trank ich Rudis restlichen Sekt aus, gerade als in der Ferne das Warnsignal an der Bahnschranke losbimmelte. Wie lange hatte ich das nicht mehr gehört. Und für einen Moment war ich wieder zurückversetzt in die Neunziger. Ein Teenager in einem Sumpf aus Unsicherheiten, der sich einen dicken Schutzpanzer aus emotionaler Überheblichkeit zugelegt hatte. Erschöpft von der Anstrengung, einfach nur zu überleben. Eine Laufmasche am Bein, den zaghaften Versuch eines allwissenden Lächelns ins Gesicht geheftet. Ständig bemüht, bei Mandy Lee und Claire Pedlar nicht in Ungnade zu fallen.

Mrs Rushby war immer noch beschäftigt, und ich fühlte mich schutzlos ausgeliefert, wie ich so ganz allein hier herumstand. Also checkte ich demonstrativ meine Facebook-Nachrichten. Gab mir große Mühe, angespannt und hochkonzentriert zu wirken, als beantwortete ich gerade eine schrecklich dringliche berufliche Mailanfrage.

Noch immer nichts von Eddie.

Ich steckte das Handy wieder weg und beobachtete Rudi, der gerade auf eine viel zu hohe Hürde zusprintete. »Rudi«, brüllte ich, »nein.« Und machte eine Geste, als schnitte ich mir die Kehle durch.

»Ich schaffe das«, brüllte er zurück.

»Nein, schaffst du nicht«, rief ich vehement.

»Doch, wohl!«

»Wenn du noch einen Schritt auf diese Hürde zumachst, Rudi O'Keefe, dann erzähle ich deiner Mum, dass du heimlich ihr Passwort benutzt.«

Ungläubig starrte er mich an. So was Fieses würde Tante Sarah doch niemals tun!

Ich gab keinen Millimeter nach. Und *wie* Tante Sarah so was Fieses tun würde!

Wutschnaubend drehte er ab und trabte zurück zu den kleineren Hürden. Und ich bemerkte, dass ihn jemand von der kleinen Raseninsel mitten auf dem Sportplatz beobachtete. Eine schlanke, knabenhafte Gestalt in formloser Jeans und khakigrünem Regenmantel. Die Kapuze tief ins Gesicht gezogen, obwohl der Regen längst aufgehört hatte. Ein Oberstufler? Ein Fotograf? Nach kurzem Hinsehen merkte ich, dass sie nicht Rudi anschaute, sondern mich. Ja – ich drehte mich suchend um, aber die einzigen Umstehenden waren Mrs Rushby und der andere Lehrer –, seltsamerweise schien sie *mich* unverwandt anzustarren.

Mit zusammengekniffenen Augen linste ich hinüber. Männlein? Weiblein? Von hier aus schwer zu sagen. Mir schoss sogar der absurde Gedanke durch den Kopf, ob es womöglich Eddie sein könnte. Aber der war viel größer. Und kräftiger.

Wieder drehte ich mich um und vergewisserte mich, dass niemand hinter mir stand, den die vermummte Gestalt meinen könnte. Weit und breit kein Mensch zu sehen. Und dann drehte die Gestalt sich abrupt auf dem Absatz um und marschierte davon, geradewegs auf das neue Eingangstor an der Hauptstraße zu.

»Entschuldige, Sarah.« Mrs Rushby kam wieder zu mir zurück. »Also, erzähl, wie geht es deinem Mann?

Ich erinnere mich noch sehr gut an ihn aus diesem Fernsehbeitrag. Er scheint ja ein hochtalentierter Mensch zu sein.«

Ein letztes Mal schaute ich über die Schulter nach hinten, gerade als die Gestalt im khakigrünen Regenmantel sich ebenfalls umdrehte. Sie sah mich an. Gar keine Frage. Doch schon den Bruchteil einer Sekunde später hatte sie sich wieder abgewandt und stapfte entschlossen davon.

Ein elektrischer Bus sirrte die Hauptstraße entlang. Schmale Sonnenstrahlen durchbrachen die Wolken. Und irgendwas rumorte unbehaglich in meinem Magen. Wer war das?

Ich erzählte Mrs Rushby, dass Reuben und ich uns kürzlich getrennt hatten, und konnte zusehen, wie ihr Gesicht immer länger wurde. Daran, dachte ich, musste ich mich erst noch gewöhnen. »Die Organisation leiten wir aber trotzdem auch weiterhin gemeinsam. Wir haben uns in aller Freundschaft getrennt wie zwei vernünftige erwachsene Menschen!«

»Das tut mir leid.« Stirnrunzelnd und sichtlich verlegen verschränkte sie die Arme vor der Brust. »Ich hätte nicht nachfragen sollen.«

»Nicht weiter schlimm.« Ich wünschte, ich hätte ihr erklären können, wie leicht – wie beschämend leicht – es mir fiel, über Reuben zu reden. Warum werde ich von einer vermummten Kapuzengestalt beobachtet? Das interessierte mich brennend.

»Ach, Sarah, bestimmt findest du dein Glück anderswo.«

»Das hoffe ich sehr!«, platzte ich unvermittelt heraus. Und plapperte dann zu meinem eigenen wachsenden Entsetzen gleich munter weiter: »Ich habe da vor ein paar Wochen jemanden kennengelernt, aber… Es ist kompliziert.«

Mrs Rushby wusste offensichtlich nicht, was sie dazu sagen sollte. »Ach so.« Und dann, nach kurzem Zögern: »Oje.«

Was bitte war bloß los mit mir? Das war das erste auch nur annähernd normale Gespräch in den vergangenen zwei Wochen gewesen! »Entschuldigen Sie«, meinte ich seufzend. »Ich klinge bestimmt wie ein verliebter Teenager.«

Sie lächelte. »Für die Sehnsucht ist man nie zu alt«, meinte sie mitfühlend. »Ich weiß zwar nicht mehr, wer das gesagt hat, aber ich kann ihm nur aus ganzem Herzen zustimmen.«

Mir wollte partout nichts einfallen, was ich darauf erwidern könnte, also entschuldigte ich mich abermals.

»Sarah, hätten wir nicht schriftliche Zeugnisse blutender Herzen aus mehreren Jahrtausenden – und damit verbunden die heikle, immerwährende Frage nach der Treue und dem Verlust des Selbst, die die Liebe unweigerlich mit sich bringt –, ich wäre arbeitslos.«

Ja, dachte ich kleinmütig. Genau das. Der Verlust des Selbst. Niemals könnte ich mir eingestehen, es wäre mir lieber, Eddie wäre tot, als die bittere Erkenntnis zuzulassen, dass er mich schlicht nicht wiedersehen wollte. Was war ich nur für ein Monster.

Ich vermisste die alte Sarah Mackey. Sie war so *normal*. Sie würde …

»ARGHHHH!«

Abrupt drehte ich mich um. Rudi musste doch eine der viel zu hohen Hürden genommen haben. Zusammengekrümmt wälzte er sich auf dem Boden und hielt sich wimmernd das Schienbein.

»Ach, verdammte Scheiße«, zischte Jo, mitten hinein in die unvermittelt einsetzende Totenstille. Sie rannte los, zu Rudi, und sämtliche Eltern und Lehrer und Lokaljournalisten und Matthew Martyns gesamtes Junior-Sportteam – ganz zu schweigen von Matthew selbst – drehten sich geschlossen nach ihr um und spießten sie förmlich auf mit ihren wütenden Blicken, die sie wie Speere über den Platz schleuderten. Wer war überhaupt diese unmögliche Frau, die Tommy da im Schlepptau hatte? Warum war dieses ungezogene Kind nicht in der Schule? Und warum fluchte seine Mutter wie ein Bierkutscher?

»Entzückend«, hörte ich eine Frau sagen. Mandy Lee. Die Stimme würde ich überall wiedererkennen.

Schnell lief ich zu dem heulenden Häufchen Elend, das Rudi war, und half Jo, sein verletztes Bein zu untersuchen. »Mummy«, heulte er. So hatte er Jo zuletzt genannt, als er noch ein Krabbelkind gewesen war.

Schützend nahm Jo ihn in die Arme, küsste ihn und versicherte ihm, es werde alles wieder gut. Ein groß gewachsener Mann mit spitzem Gesicht marschierte zu Jo und stellte sich als der abgestellte diensthabende Ersthelfer vor.

»Lassen Sie mich kurz nach ihm sehen, bitte«, verlangte er autoritär, und Rudis Gejammer steigerte sich zu einem durchdringenden Sirenengeheul. Er machte keine halben Sachen. Wenn er sich wehtat, dann richtig.

Als Jo schließlich mit Rudi im Taxi saß, um ihn in die Notaufnahme des Stroud Hospital zu bringen, schlich ich mich mit eingezogenem Kopf aufs Schülerklo und verschanzte mich in einer der Kabinen, um mich ein bisschen zu sammeln.

Nachdenklich fuhr ich mit der Hand über die Trennwand. Irgendwo unter den unzähligen Farbschichten war mein Name eingekratzt, gleich neben dem von Mandy und Claire. Und dazu schwülstige Schwüre unverwüstlicher Treue und ewiger Freundschaft. Welch Ironie, dass sie mich nur ein paar Tage nach den gekritzelten Treueschwüren auf der Klowand aus ihrem illustren Kreis ausgeschlossen hatten und ich am Ende just in diesem Toilettenabteil gesessen und bedrückt mein Pausenbrot verdrückt hatte. Es hatte geregnet, und ich hatte nicht gewusst, wohin sonst. Ich weiß noch ganz genau, wie elend mir zumute war, als meine kleine Chipstüte beim Öffnen unüberhörbar knisterte und irgendwer – ein Mädchen, das ich nicht sehen konnte – unter der Tür hereingelinst und nachgesehen hatte, was ich da machte.

Ich betätigte die Spülung und musste wieder an die vermummte Gestalt im Mantel denken, die mich vorhin beobachtet hatte. Wer wusste überhaupt, dass ich heute in Stroud war? Von Eddie mal abgesehen. Konnte es wirklich sein, dass der- oder diejenige mich gemeint hatte? Und wenn ja, warum?

Bevor ich die Kabine wieder verließ, checkte ich noch rasch meine Facebook-Nachrichten. Noch immer nichts von Eddie. Er war seit dem Tag, an dem wir uns voneinander verabschiedet hatten, nicht mehr online gewesen. Vielleicht hatte Jo doch recht, dachte ich. Vielleicht sollte ich auf seiner Seite einen öffentlichen Hilferuf posten. Das Einzige, was mich letztendlich davon abhielt, war die Angst, was dann die Leute denken würden. Was Eddie denken würde. Aber wenn ich mir so sicher war, wie ich stets behauptete, ihm müsse etwas Schlimmes zugestoßen sein, dann sollte das doch eigentlich meine geringste Sorge sein.

Die Idee flatterte durch mein Hirn wie ein aufgescheuchter Vogel in seinem Käfig.

Nein!, widersprach eine kleine Stimme vehement. So einfach ist das nicht. Der einzige Grund, warum du bisher nichts auf seiner Seite gepostet hast, ist …

Ist *was*?

Ich musste etwas schreiben. Wenn Eddie wirklich

irgendwo sterbend im Straßengraben lag, wenn er wirklich in der Meerenge von Gibraltar ertrunken war, dann durfte ich das nicht einfach auf die leichte Schulter nehmen.

Entschlossen klickte ich auf seine Facebook-Seite und atmete tief durch.

Hat irgendjemand Eddie in letzter Zeit gesehen?, tippte ich. *Habe mehrfach vergeblich versucht, ihn zu erreichen. Mache mir ein bisschen Sorgen. Meldet euch, wenn ihr was wisst. Merci.* Und noch ehe ich mich bremsen konnte, hatte ich auf »Posten« geklickt.

Unvermittelt war die Mädchentoilette von einer allzu vertrauten Geräuschkulisse erfüllt. Hohes, schrilles Gelächter und Geplapper, Reißverschlüsse von Make-up-Täschchen, pumpende Wimperntuschebürstchen. Frauen, die mit gespitztem Mund Lippenstift auftrugen. Sich kreischend vor Lachen darüber amüsierten, immer noch auf dem Schulklo ihren Lidstrich nachzuziehen. Unwillkürlich musste ich lächeln.

»Habt ihr Sarah Harrington gesehen?«, fragte eine ganz unvermittelt. »Das war ja eine schöne Überraschung!«

Und dann Mandys Stimme: »Ich weiß! Die hat Nerven, einfach so hier aufzukreuzen.«

Zustimmendes Gemurmel. »Leihst du mir mal deine Mascara? Meine ist irgendwie ganz klumpig.« Wasserhähne wurden auf- und zugedreht, und dann hörte man den asthmatischen Handtrockner seufzen, der nie funktionierte.

»Ehrlich, ich war echt angefressen, dass sie hier so einfach reinschneit«, murrte Claire. Die anderen Mädels wurden mucksmäuschenstill. »Eigentlich wollte ich mir nur einen schönen Nachmittag machen, Matt ein bisschen unterstützen – ihr wisst schon.«

Ihr wisst schon. Das hatte ich damals auch immer gesagt. Weil ich dazugehören wollte.

»Ja«, stimmte Mandy ihr zu. »Klar hat sie genauso das Recht hier zu sein wie jeder andere auch, aber es ist… na ja, nicht leicht. Zumindest nicht für uns.«

Claire pflichtete ihr bei.

»Vorhin hat sie getan, als hätte sie mich nicht gesehen«, meinte Mandy. »Also habe ich auch weggeguckt. Das machst du am besten auch, wenn es zu belastend für dich ist, Claire.« Mit diesem kompromisslosen Führungsstil war sie damals zum beliebtesten Mädchen der Klasse geworden. *Wisst ihr was, morgen ignorieren wir Claire. Wisst ihr was, wir besorgen uns gefälschte Ausweise. Alle außer Sarah – das glaubt ihr keiner, dass sie schon so alt ist.* »Ich habe gerade genug um die Ohren – auch ohne Sarah Harrington.«

Wieder pflichtschuldig zustimmendes Gemurmel.

»Tommy Stenham sieht eigentlich ganz gut aus«, bemerkte Claire beiläufig. »Findet ihr nicht?«

Ach, wie gut sie das damals draufgehabt hatte! Mit tödlicher Präzision hatte sie das Gespräch auf irgendeinen armen Tropf gebracht – ganz unverfänglich, aber mit mörderischen Absichten – und zitternd abgewartet, dass Mandy dem bemitleidenswerten Opfer den Todesstoß versetzte.

»Das kannst du laut sagen«, meinte Mandy. »Wobei ich seine Freundin ziemlich seltsam finde.« Ihre Stimme schrammte nur haarscharf an einem höhnischen Lachen vorbei.

Ich versuchte unterdessen, nicht zu atmen.

»Oh, aber das ist nicht seine Freundin«, warf Claire ein. »Seine Freundin ist Anwältin. Er hat Matt ein Foto von ihr gezeigt. Sie sieht auch viel besser aus als die abgetakelte Tussi mit dem Kind.«

Worauf Mandy giftete: »Die größte Überraschung ist doch wohl, dass er überhaupt eine Freundin hat.«

Schadenfrohes Hexengekicher. Wieder die Wasserhähne, wieder Papierhandtücher. Und dann gruben sie, genüsslich und mit heimlichem Vergnügen, all die fiesen, widerwärtigen Dinge wieder aus, die die Jungs damals über Tommy in die Welt gesetzt hatten. Schreiend vor Lachen kamen sie zu dem Schluss, dass das wirklich *sehr gemein* gewesen war. Und wo sie schon mal dabei waren, machten sie gleich mit Jos Kleid weiter, das ihrer Meinung nach viel zu kurz und zu tief ausgeschnitten war, mit ihren üppigen Kurven und dem peinlichen Spektakel, das Rudi veranstaltet hatte. Langsam begann ich vor Wut zu kochen. Zuzuhören, wie sie über mich herzogen, war schon schlimm genug. Auch wenn es gar nichts war gegen das Gift, das sie all die Jahre in meiner Fantasie gespuckt hatten. Aber Tommy? Und Jo? Ohne mich.

Wutentbrannt riss ich die Tür zu meiner Kabine auf und baute mich vor ihnen auf. Aufgereiht standen sie da, sechsunddreißigjährige Frauen, toupierte Frisuren und Parfüm und schicke Kleidchen, von denen sie niemals zugegeben hätten, dass sie eigens zum heutigen Anlass gekauft worden waren. Wie auf Kommando drehten sie sich um, die Wimperntusche noch in der Hand, kränklich schimmerndes Gloss auf den Lippen. Und alle starrten mich an, und ich starrte sie an.

Und sagte nichts. Sarah Mackey, viel beachtete Rednerin, Lobbyistin, Aktivistin, stand schweigend vor ihren alten Schulfreundinnen. Und flüchtete dann Hals über Kopf.

Neuntes Kapitel

Siebter Tag: Der Tag, an dem ich ging

»Das war die schönste Woche meines Lebens«, murmelte Eddie, kurz bevor ich das Haus verließ.

Das liebte ich so an ihm. Immer schien er genau das auszusprechen, was ihm gerade durch den Kopf ging. Nichts war geschönt oder blieb unausgesprochen. Für mich eine ganz neue Erfahrung. Sonst war viel geschönt oder blieb unausgesprochen, wenn ich in England war.

Lächelnd legte er die großen Hände an meine Wange und küsste mich wieder. Mein Herz öffnete sich sperrangelweit, und mein Leben begann ganz von vorne. Noch nie war ich mir einer Sache so sicher gewesen.

»Ich würde deine Eltern gern kennenlernen«, sagte er. »Sie scheinen sehr nett zu sein, und sie haben dich gemacht. Wobei ich gestehen muss, ich bin eigentlich ganz froh, dass sie eine Weile wegmussten.«

»Geht mir ganz genauso.« Mit dem Finger fuhr ich über seinen Unterarm.

»Das muss doch Schicksal sein. Da sitze ich nichtsahnend auf dem Dorfanger und unterhalte mich angeregt mit einem Schaf – und plötzlich spazierst du in
mein Leben, als hättest du hinter dem Vorhang auf deinen großen Auftritt gewartet. Und gehst einfach mit
mir in den Pub und… magst mich.« Er grinste. »Zumindest macht es den Anschein.«

»Sehr sogar.« Meine Hand schlängelte sich hinter
seinen Rücken und in die Gesäßtasche seiner Shorts.
»Sehr, sehr.«

Draußen saß eine Amsel im Baum und zwitscherte
ihr tirilierendes Lied. Wir drehten uns um und lauschten hingerissen.

»Ein letztes Mal«, meinte er leise und drückte mir
einen Weißdornzweig voller cremig-milchiger Blüten
aus dem Topf auf dem Fensterbrett in die Hand. Der
Frühling war spät gekommen in diesem Jahr, und die
Bäume waren noch in Blüten gehüllt wie schneeweiße
Baisers. »Ein allerletztes Mal: Soll ich meinen Urlaub
absagen?«

»Sollst du nicht«, zwang ich mich zu sagen und wand
den zarten Stängel um die Finger. »Geh und amüsiere
dich. Erhol dich gut. Schick mir deine Flugdaten, dann
hole ich dich in einer Woche am Flughafen Gatwick
wieder ab.«

»Du hast ja recht.« Er seufzte. »Ich sollte in Urlaub
fahren, und ich sollte es genießen. Unter normalen Umständen wäre ich gar nicht zu halten beim Gedanken

an eine Woche Tarifa. Aber ich darf dich doch anrufen, oder? Aus Spanien? Ist mir egal, was es kostet. Gib mir deine Mobilnummer und die Nummern von allen, bei denen du in der nächsten Woche bist, bis wir uns wiedersehen. Wir können facetimen. Oder skypen. Und reden.«

Ich lachte und gab mit zusammengekniffenen Augen meine Nummer in sein altes, ramponiertes Handy ein. »Sieht aus, als hättest du es mit dem Traktor überfahren«, meinte ich und legte den kleinen Frühlingszweig auf das Fenstersims.

»Tippst du bitte auch noch die Festnetznummer deiner Eltern ein?«, verlangte er. »Und die Festnetznummer deiner Freunde in London, bei denen du übernachtest? Wie heißt dein Freund noch mal? Tommy? Gib mir seine Adresse, dann schreibe ich dir eine Postkarte. Wobei, zuerst fährst du nach Leicester und besuchst deinen Großvater, oder?«

Ich nickte.

»Dann gib mir auch seine Nummer und die Adresse.«

Ich musste lachen. »Glaub mir, meinen Opa möchtest du nicht in der Leitung haben.«

Ich gab ihm das Handy zurück.

»Und auf Facebook müssen wir uns auch befreunden.« Er öffnete die Facebook-Seite und tippte meinen Namen ein. »Bist du das? Da am Strand?«

»Bin ich.«

»Sehr kalifornisch.« Er guckte mich an, und mein

Magen flatterte. »Ach, Sarah Mackey, du bist hinrei-
ßend.«

Und dann beugte er sich zu mir herunter und küsste
meine Schulter. Meine Ellbogenbeuge. Den Pulspunkt
unten am Hals. Schob meine Haare nach oben und
drückte mir einen Kuss auf die Wirbelsäule, knapp
oberhalb des Unterhemds.

»Ich bin verrückt nach dir«, murmelte er.

Ich schloss die Augen und atmete seinen Duft ein.
Seine Haut, seine Kleider, die Seife, die wir unter der
Dusche benutzt hatten. Und konnte mir beim besten
Willen nicht vorstellen, wie ich sieben Tage ohne ihn
überleben sollte. Sosehr ich Reuben früher auch geliebt
hatte, nie war mir die Trennung von ihm wie eine Frage
von Leben und Tod vorgekommen.

»Geht mir genauso.« Ich umarmte ihn fest. »Aber ich
glaube, das weißt du. Du wirst mir fehlen. Sehr.«

»Du wirst mir auch fehlen.« Wieder küsste er mich
und strich mir die Haare aus dem Gesicht. »Hör zu,
wenn ich wieder da bin, würde ich dich gerne meinen
Freunden und meiner Mutter vorstellen.«

»Prima.«

»Und ich möchte deine Eltern kennenlernen und
deine Freunde hier drüben und deinen Furcht einflö-
ßenden Großvater, wenn er sich doch noch überreden
lässt, bei euch einzuziehen.«

»Gerne.«

»Und dann überlegen wir gemeinsam, wie es mit uns

weitergehen soll. Aber auf jeden Fall werden wir beide zusammen sein. Irgendwie, irgendwo.«

»Ja. Du und ich und Maus.« Meine Hand glitt in seine Hosentasche und streifte den kleinen hölzernen Schlüsselanhänger.

Er zögerte. »Nimm sie mit«, sagte er dann. Er zog den Schlüsselbund heraus. »Pass gut auf sie auf, bis ich wieder da bin. Ich habe sowieso immer Angst, sie am Strand zu verlieren. Sie ist mir wirklich wichtig.«

»Nein! Ich kann doch unmöglich deine geliebte Maus mitnehmen. Sei mir nicht böse…«

»Nimm sie mit.« Er ließ nicht locker. »Dann wissen wir, dass wir uns wiedersehen.«

Behutsam legte er Maus in meine offene Hand. Ich schaute erst ihr in die tiefschwarzen Perlaugen und dann Eddie.

»Okay.« Zärtlich schloss ich die Finger um sie. »Wenn du dir sicher bist?«

»Ich bin mir ganz sicher.«

»Ich werde gut auf sie aufpassen. Versprochen.«

Und dann küssten wir uns sehr lange. Er gegen den obersten Treppenpfosten gelehnt, ich an seine Brust gedrückt, mit Maus in der Hand. Wir hatten uns darauf geeinigt, dass er mich nicht zur Tür bringen würde. Das wirkte so endgültig. Wie ein Abschied. Als würden wir uns nie wiedersehen.

»Ich rufe dich nachher an«, sagte er. »Ich weiß nur noch nicht genau, wann. Aber ich melde mich. Versprochen.«

Ich lächelte. Süß von ihm, dass er mir die allseits bekannte, tiefsitzende Angst nehmen wollte, er könne sich einfach nicht melden. Dabei wusste ich ganz genau, bei ihm brauchte ich mir keine Sorgen zu machen. Er würde sich melden. Ich wusste, er würde all seine Versprechen halten.

»Bye«, wisperte er und küsste mich ein letztes Mal. Ich nahm den Blütenzweig und ging die Treppe hinunter, und unten drehte ich mich noch mal zu ihm um. »Sieh mir nicht nach«, bat ich ihn. »Tun wir einfach so, als würde ich nur eben Milch holen oder so.«

Er grinste. »Okay. Auf Wiedersehen, Sarah Mackey. Wir sehen uns bald. Mit der Milch oder was auch immer.«

Wir zögerten beide und schauten einander an. Dann lachte ich aus keinem besonderen Grund als aus purem, reinem Glück. Sag es, dachte ich. Sag es. Auch wenn es ein bisschen verrückt ist, weil wir uns gerade mal eine Woche kennen. Sag es!

Und das tat er dann. Gegen den Treppenpfosten gelehnt stand er da, mit verschränkten Armen, und sagte: »Sarah, ich glaube, ich habe mich in dich verliebt. Ist das zu früh?«

Ich atmete aus. »Nein. Es ist genau richtig.«

Wir mussten beide lächeln. Jetzt gab es kein Zurück mehr.

Nach einer gefühlten Ewigkeit warf ich ihm einen Kuss zu und schwebte hinaus in den strahlend hellen Morgen.

Zehntes Kapitel

Hallo du,

heute fehlst du mir ganz besonders, kleine Schwester.

Mir fehlen dein schelmisches Lachen und die Milchschokoladedrops, die du immer von deinem Taschengeld gekauft hast. Mir fehlt das Kinderklavier, das du hattest, als du ganz klein warst, das immer diese nervtötende Melodie gespielt hat, wenn du auf den gelben Knopf gedrückt hast. Und wie du immer getan hast, als würdest du selbst spielen, und dich dabei gekringelt hast vor Lachen, weil du dachtest, ich falle darauf herein.

Es fehlt mir, dass du mal wieder gründlich in meinem Schlafzimmer herumschnüffelst, wenn ich gerade nicht zu Hause bin. Es fehlt mir, wie du die Marmelade immer bis über die Brotkruste schmierst, um nur ja keinen marmeladefreien Bissen essen zu müssen.

Es fehlt mir, dir beim Schlafen zuzuhören. Manchmal, wenn ich als Teenager eine kleine Auszeit von meinen Unsicherheiten und Selbstfindungsproblemen brauchte, habe ich einfach nur vor deiner Tür gestanden und gelauscht.

Sanfte Atemzüge. Sterne an der Zimmerdecke. Das Rascheln deiner Raumschiffbettdecke, die du unbedingt haben musstest, obwohl der Verkäufer im Laden meinte, die sei nur was für Jungs.

Ach, mein Igelchen. Wie du mir fehlst.

Gerade geht es mir gar nicht gut. Ich weiß nichts mit mir anzufangen – habe das Gefühl, den Verstand zu verlieren.

Hoffentlich nicht, hm?

Wie auch immer, ich hab dich lieb. Immer. Tut mir leid, dass ich gerade nichts Fröhlicheres zu berichten habe.

Ich xxx

Elftes Kapitel

Sollten Sie mich nicht auf dem Handy erreichen, bin ich vermutlich in meiner Werkstatt in Gloucestershire, hieß es auf Eddies »Kontakt«-Seite. *Hier unten lebe ich in eher einfachen Verhältnissen: Ein Holzofen, ein kapriziöser Teekessel und ein Schreibtisch, mehr gibt es nicht an Luxusgegenständen. Abgesehen vom Telefon natürlich, nur für den Fall, dass ich von Bären oder Banditen überfallen werden sollte. Versuchen Sie es unter 01285...*

Ich markierte die Nummer. »Anrufen?«, fragte mein Telefon.

»Sarah?« Jo, die mich aus der Küche rief. »Könntest du mal nach der Suppe sehen?«

»Komme!« Ich drückte auf »Anrufen«.

Das Telefon läutete, und Adrenalin wallte in mir auf wie ein Atompilz und strömte aus meiner Haut wie Gas aus einem viel zu prallen Luftballon. Ich lehnte mich gegen die Wand. Hoffte, er würde nicht drangehen. Hoffte, er würde drangehen. Überlegte, was ich sagen sollte, wenn wir miteinander redeten. Und was ich tun sollte, wenn wir es nicht täten.

»Hallo, dies ist der Anschluss von Eddie Davids Möbelschreinerei. Leider kann ich Ihren Anruf momentan nicht persönlich entgegennehmen. Hinterlassen Sie eine Nachricht nach dem Signalton, und ich rufe schnellstmöglich zurück, oder versuchen Sie es auf meinem Handy. Bye!«

Ich legte auf. Drückte die Spülung. Fragte mich, ob das je aufhören würde.

Seit neunzehn Jahren verbrachte ich nun schon jeden Juni in England. Blieb für gewöhnlich drei Wochen bei meinen Eltern in Gloucestershire und eine bei Tommy in London. London war nahe genug an Gloucestershire, dass sich das gut einrichten ließ. Diesmal war allerdings alles ganz anders als geplant. Großvaters unerwartete Krankheit und seine daraus resultierende völlige Hilflosigkeit zwangen Mum und Dad, länger dortzubleiben. Und so saßen sie nun drei Stunden von zu Hause entfernt in Leicester fest und verbrachten den Großteil ihrer Zeit damit, Großvater zu versorgen, ihn nach Möglichkeit nicht umzubringen und einen Pfleger zu suchen, der ebenfalls sein Bestes geben würde, ihn nicht umzubringen. Jede freie Minute riefen sie mich an. »Es tut uns so leid, dass du da bist und wir hier«, seufzte Mum niedergeschlagen. »Kannst du nicht *irgendwie* doch noch ein bisschen länger bleiben?«

Schließlich ließ ich mich überreden, zwei Wochen dranzuhängen und meinen Rückflug auf den 12. Juli zu verschieben. Reuben hatte ich versprochen, gleich nach meinem Urlaub Ende Juni von hier aus weiterzuarbeiten, und hatte – wie zum Beweis meines guten Willens – eine Einladung angenommen, bei einer Konferenz zum Thema Palliativpflege, die unser bisher einziger britischer Treuhänder veranstaltete, eine Rede zu halten.

Bis ich wieder mit der Arbeit anfangen musste, wollte ich allerdings in London bleiben. Die Vorstellung, in das leere Haus meiner Eltern zurückzukehren – mit Eddie gleich um die Ecke –, war zu unerträglich, um ihn ernsthaft in Erwägung zu ziehen. Zoe war die meiste Zeit verreist, also waren Tommy und ich allein. Genau das, was ich brauchte.

Aber jetzt war die Dame des Hauses von einer ihrer ausgedehnten Geschäftsreisen zurückgekehrt, wohl ein Runder Tisch der EU-Kommission für Internetrecht. Müde, aber makellos wie immer stand sie in einer ärmellosen Seidenbluse am Herd und rührte in den Ramen-Nudeln, die ich als kleinen Willkommensgruß in ihren eigenen vier Wänden für sie zubereitet hatte.

Verlegen drückte ich mich in der Tür herum und sah ihr dabei zu. Sie gehörte zu den Menschen, die nie eine Schürze brauchten, nicht mal, wenn sie Seide trugen. Sie war Fleisch gewordene Präzision und Ökonomie, diese Zoe Markham. Nicht nur in dem, was sie sagte, sondern in allem, was sie tat. Zierlich und schmal nahm sie nicht viel Raum ein und erachtete es nur äußerst selten für nötig, diesen zusätzlich mit Gesten oder Geräuschen zu füllen. Ja, hätte sie sich zu Beginn ihrer Beziehung mit Tommy in seiner Gegenwart nicht wie ein verliebter Teenager aufgeführt, ich wäre nicht mal in der Lage zu beschwören, dass wir derselben Spezies angehörten. Beruhigend menschlich war sie damals gewesen. Hatte die Finger nicht von ihm lassen können. Hatte ihn ständig zu kitschigen Selfies gezwungen und sogar einen Fotografen engagiert, der Bilder von ihnen beim gemeinsamen Training schoss.

»Ah, Sarah«, sagte sie und schaute auf. »Ich habe gerade das Abendessen gerettet.« Und dann bedachte sie mich mit einem Lächeln, bei dem ich an eine straffende Anti-Falten-Creme denken musste.

Man weiß nie, was sich hinter verschlossenen Türen abspielt, dachte ich. Aber der Gedanke, Zoe könnte sich im Gästeklo verstecken und abends um acht versuchen, irgendeinen wildfremden Kerl – der ihr seit drei Wochen die kalte Schulter zeigte – in seiner Werkstatt anzurufen, war so absurd, dass ich laut lachen musste.

Tommy, der keine Ahnung hatte, worüber ich lachte, aber heute Abend ungewohnt angespannt wirkte, stimmte nervös mit ein.

Still und stumm wie eine Marmorstatue saß Zoe am Tisch, während ich das Abendessen servierte, und beobachtete mich aus ihren rauchgrauen Augen. Das war eine Eigenart von ihr, die mich immer wieder aus der Fassung brachte. Dieses Schweigen, diese Abwesenheit von etwas Gesagtem, dieses unablässige verdammte *Beobachten*, als sei man ein Versuchskaninchen im Labor. (Tommy meinte mal, diese Strategie mache sie als Anwältin so erfolgreich. »Ihr entgeht nichts«, hatte er bewundernd erklärt, als sei das etwas, wofür man in der wahren Welt gefeiert wird.)

»Ich habe gehört, du hast Liebeskummer«, bemerkte sie.

»Ich glaube, *Liebeskummer* ist nicht ganz das richtige Wort«, korrigierte Jo rasch. »Sie ist eher ein bisschen … durcheinander.«

Ich hatte mich nicht wenig gewundert, dass Jo heute Abend hergekommen war. Sie konnte Zoe auf den Tod nicht ausstehen und hatte nie auch nur ansatzweise einen Hehl daraus gemacht. (Ich mochte Zoe auch nicht besonders, aber ich sagte mir, ich müsste wenigstens versuchen, mit ihr auszukommen. Zoe hatte beide Eltern 1987 beim Brand am King's Cross verloren, und mit Menschen, die so ein schweres Schicksal erlitten hatten, musste man etwas nachsichtiger sein.)

Zoe strich sich eine Strähne ihrer eisblonden Haare hinters Ohr. »Was ist denn genau passiert?«

»Tommy hat dir die ganze Geschichte vermutlich schon erzählt«, entgegnete ich. »Wir haben eine Woche zusammen verbracht. Es war … na ja, etwas Besonderes. Dann ist er in Urlaub gefahren und hat gesagt, er ruft mich an, ehe sein Flieger startet. Hat er aber nicht, und seitdem habe ich nichts mehr von ihm gehört. Ich bin fest davon überzeugt, es muss ihm etwas zugestoßen sein.«

Zoe runzelte kaum merklich die Stirn. »Was denn zum Beispiel?«

Ich lächelte matt. »Ich habe Tommy und Jo schon in den Wahnsinn getrieben mit meinen wilden Theorien. Vermutlich bringt es nichts, sie noch mal auszubreiten.«

»Gar nicht wahr«, widersprach Tommy. »Wir sind alle genauso ratlos wie du, Harrington.«

Worauf Jo, die kein bisschen ratlos war, es aber nicht über sich brachte, Zoe beizupflichten, ihm zustimmte.

»Wir können es uns wirklich nicht erklären«, bestätigte sie. »Sarah hat sogar einen Aufruf auf seiner Facebook-Seite gepostet und seine Freunde gefragt, ob die was von ihm gehört haben. Bisher keine Antworten. Er war seit Wochen weder bei WhatsApp noch bei Messenger und Facebook online.«

»Soziale Medien«, meinte Zoe lächelnd. »Grammatikalisch richtig heißt es ›soziale Medien‹.« Mit einer gekonnten präzisen Drehung des Handgelenks hatte sie die Nudeln aus der Brühe zu einem perfekten kleinen Knäuel aufgewickelt. Schweigend kaute sie einen Moment und schien angestrengt nachzudenken. »Lass ihn«, meinte sie schließlich entschieden. »Klingt für mich nach einem rückgratlosen Schwächling. Du hast was Besseres verdient als einen rückgratlosen Schwächling, Sarah.«

Und dann kam das Gespräch auf die Bombenanschläge in der Türkei. Doch schon ein paar Minuten später schweiften meine Gedanken wieder ab. Zu Eddie. Was stimmt bloß nicht mit mir?, fragte ich mich verzweifelt. Was ist nur aus mir geworden? Ganz gleich, was ich auch tat – ganz gleich, wie ernst die Geschehnisse um mich herum auch sein mochten –, ich schien mich nur noch auf eine einzige Sache konzentrieren zu können.

Vielleicht muss ich ihn vergessen. Dieser Gedanke ging mir immer wieder durch den Kopf. Vielleicht muss ich mich damit abfinden, dass er mich einfach nicht wiedersehen will. Ich war wie gelähmt bei dieser Vorstellung. Wie vor den Kopf gestoßen, weil ich es einfach nicht glauben konnte. Und doch waren nun schon drei Wochen vergangen, seit wir uns voneinander verabschiedet hatten, und in dieser ganzen Zeit hatte ich kein einziges Wort von ihm gehört. Und auf meine bei Facebook gepostete Bitte, sich zu melden, wenn jemand etwas über seinen Verbleib wusste, hatte bisher auch niemand reagiert – oder meine Anfrage auch nur zur Kenntnis genommen.

»Wir haben sie schon wieder verloren«, seufzte Zoe.

Ich wurde rot. »Nein, nein, ich habe nur gerade über die angespannte Lage in der Türkei nachgedacht.«

»Wir alle haben geliebt und gelitten«, erklärte Zoe knapp. »Und immerhin ist dein BMI gesunken.«

»Ach.« Mir fehlten die Worte. »Tatsächlich?«

Unmöglich wäre das nicht. Ich hatte überhaupt keinen Appetit und ging jeden Tag joggen. Aber eigentlich nur, weil die Stiche in meiner Brust dann eine andere Ursache hatten als Eddie.

»Ein Blick, und ich kann dir den BMI jeder Frau auf der ganzen Welt sagen«, erklärte Zoe milde lächelnd.

Ich wagte es nicht, Jo anzuschauen, war mir aber ziemlich sicher, die Aussage »Ein Blick, und ich kann dir den BMI jeder Frau auf der ganzen Welt sagen« würde bei zukünftigen Gesprächen noch viele prominente Auftritte haben.

»Einer der größten Vorteile bei Liebeskummer«, fuhr Zoe unbeirrt fort, »ist, dass man abnimmt und wieder was für seinen Körper tut. Du siehst großartig aus!« Und damit schlug sie die schlanken, perfekt geformten Beine übereinander und angelte elegant einen Shrimp aus ihrer Suppenschale.

Als ich nach dem Essen schließlich den Tisch abräumte, war ich hundemüde. Zu müde, um die handgemachte Schokolade, die ich gekauft hatte, auszuwickeln, wie ich es eigentlich vorgehabt hatte, und vorzugeben, ich hätte sie selbst gemacht. Sogar zu müde, um mich einen Teufel darum zu scheren, dass die anderen mitbekamen, wie ich beim Kaffeemachen Eddies Facebook-Seite checkte.

So müde, dass ich eine ganze Weile mit leerem Blick auf sein Profil starrte, bis ich merkte, dass endlich jemand auf meine Bitte um Aufklärung reagiert hatte.

Gleich zwei User sogar. Ich las die Posts, einmal, zweimal, dreimal, dann ging ich rüber zu Tommy und schob ihm mein Handy zu.

Tommy las die Posts mehrfach, ehe er mein Handy wortlos an Zoe weiterreichte, die sie rasch überflog, keinen Ton sagte und es dann Jo gab.

In meinem Kopf drehten sich die Gedanken wie ein kreiselnder Tornado.

»Tja«, meinte Tommy. »Sieht ganz danach aus, als müssten wir uns bei dir entschuldigen, Harrington.« Sein Blick ging zu Zoe, die sich vermutlich noch nie bei irgendwem für irgendwas entschuldigt hatte.

Heiß. Mir war heiß. Hektisch riss ich mir die Strickjacke vom Leib und ließ sie achtlos auf den Boden fallen. Mein Kopf hämmerte, als ich mich bückte, um sie aufzuheben. Mir war viel zu heiß, verdammt.

»Ach herrje«, brummte Jo und schaute vom Handy auf. »Vielleicht hattest du ja doch recht.«

»Also, ich bitte euch!«, lachte Zoe. »So ein Post heißt doch gar nichts!«

Doch zum ersten Mal, seit ich mich erinnern konnte, wagte Tommy, ihr zu widersprechen. »Das finde ich nicht«, erklärte er. »Ich finde, damit sieht die Sache gleich ganz anders aus.«

Heute Nachmittag hatte jemand, den ich nicht kannte, ein Alan Soundso, auf meinen Post geantwortet:

Hab aus demselben Grund sein Profil angeklickt und deinen Post gelesen, Sarah. Seit er unseren Urlaub vor ein paar Wochen kurzfristig abgeblasen hat, ist er wie vom Erdboden verschluckt. Sag Bescheid, wenn du was hörst.

Und darunter hatte noch jemand, ein gewisser Martin, geschrieben:

Frage mich gerade dasselbe. Seit ein paar Wochen war er nicht mehr beim Fußball. Okay, er ist nicht gerade der Zuverlässigste, aber das sieht ihm gar nicht ähnlich. Muss zu unserer Schande gestehen, dass wir heute 8:1 massakriert wurden. Eine beschämende Episode in der ansonsten langen und glorreichen Geschichte unseres Vereins. Die Mannschaft braucht ihn.

Und kurz darauf hatte derselbe Typ, Martin, ein Foto von Eddie gepostet mit der Bildüberschrift:

Gesucht: dieser Mann. #WoistWalter

Und darunter:

Blöd, dass man bei Hashtags keine Satzzeichen machen kann.

Ich starrte auf das Foto von Eddie mit einem Pint in der Hand.

»Wo steckst du bloß?«, wisperte ich entsetzt. »Was ist passiert?«

Mitten in die darauffolgende Stille hinein klingelte mein Handy.

Alle schauten mich an.

Ich griff danach. Ein anonymer Anrufer. »Hallo?«

Schweigen – ein menschliches Schweigen – am anderen Ende, und dann war die Leitung tot.

»Aufgelegt«, erklärte ich meinen versammelten Zuhörern.

»Ich glaube, du hast recht«, räumte Jo nach einer langen Pause widerstrebend ein. »Hier geht was sehr Merkwürdiges vor.«

Zwölftes Kapitel

Zweiter Tag: Der Morgen danach

Eigentlich müsste ich Jetlag haben. Hundemüde sein und ein bisschen verkatert vielleicht und ganz bestimmt nicht das geringste Interesse verspüren, vor frühestens Mittag das Haus zu verlassen und einen Spaziergang zu machen. Weit gefehlt. Um sieben Uhr morgens war ich hellwach und hatte das Gefühl, ich könnte die ganze Welt umarmen.

Da war er. Schlafend lag er neben mir, eine Hand nach mir ausgestreckt. Sie ruhte auf meinem Bauch wie auf einem weichen Daunenkissen. Eddie David. Er träumte. Die Hand an meinem Nabel zuckte gelegentlich wie ein Blatt in einem halbherzigen Windstoß.

Leise schlich sich der Morgen durch ein offenes Fenster herein, vorbei an den unten ausgefransten Gardinen. Genüsslich atmete ich ein und schmeckte die frische Luft, die aus dem Tal hereinströmte wie das kristallklare Wasser eines Gebirgsbachs, und schaute mich im Zimmer um. Maus lag neben Eddies Schlüsseln auf einer alten Kommode.

Zugegeben, ich kannte diesen Mann kaum. Nicht einmal vierundzwanzig Stunden war es her, seit ich ihm zum ersten Mal begegnet war. Ich wusste nicht, wie er seine Frühstückseier am liebsten mochte, welche Lieder er unter der Dusche trällerte, ob er Gitarre spielte oder Italienisch sprach oder Comics zeichnete. Ich wusste nicht, welche Bands er als Teenager gemocht hatte oder wie er im bevorstehenden Referendum abstimmen würde.

Ich kannte Eddie David kaum, und doch kam es mir vor, als würde ich ihn schon seit Jahren kennen. Es war, als sei er dabei gewesen, als ich mit Tommy und Hannah und ihrer Freundin Alex über Felder und Wiesen gestromert war und Baumhäuser und Luftschlösser gebaut hatte.

In der vergangenen Nacht seinen Körper zu erforschen war wie die Rückkehr in dieses Tal meiner Kindheit gewesen. Alles war so vertraut gewesen und so richtig und hatte sich genauso angefühlt, wie ich es in Erinnerung hatte.

Mein erstes Mal mit Reuben war konfus gewesen, kurz und erwartungsvoll. Zwei arme verirrte Seelen, die sich in einem fremden Gästezimmer zum Brüllen einer Klimaanlage und dem schnulzigen Hintergrundgedudel einer Playlist aus dem CD-Player gefunden hatten. Wie aufgeregt wir beide waren, wie viel uns das bedeutet hatte. Alles. Aber in den darauffolgenden Jahren hatten wir oft mit einem schiefen Lächeln daran zurückdenken müssen, wie furchtbar schlecht es doch eigentlich gewesen war. Vergangene Nacht war alles ganz anders gewesen. Keine Verlegenheit, kein unbeholfenes Gefummel, keine peinlichen Fragen. Beim Gedanken daran biss ich mir auf die Unterlippe und schaute scheu in Eddies friedlich schlummerndes Gesicht.

Er schnaufte kurz auf, streckte sich und rückte, ohne aufzuwachen, ein bisschen näher an mich heran. Er streckte nur den Arm aus und schlang ihn um mich. Ich schloss die Augen und versuchte mir zu merken, wie es sich anfühlte: seine Haut auf meiner, das sanfte Gewicht seiner Hand. Ich wollte es für immer festhalten.

Die Welt und all ihre ungelösten Probleme waren sehr weit weg.

Irgendwann schlief ich wieder ein.

Als ich das nächste Mal aufwachte, war es schon nach Mittag, und es duftete herrlich nach frisch gebackenem Brot. Rasch zog ich mir eins von Eddies Sweatshirts über und tappte aus dem Schlafzimmer hinüber in den großen Wohnraum. Helles Tageslicht fiel durch die Oberlichter und die verstaubten Fenster, durchbrochen nur von dem kunterbunten Durcheinander alter Balken voller Nietnägel und Kerben und verrosteter Haken.

Eddie hantierte geschäftig in der Küche auf der anderen Seite des großzügigen Raums und sprach mit jemandem am Telefon. Feine Mehlstaubpartikel wirbelten von der Arbeitsfläche auf, die er gerade mit der bloßen Hand abwischte, und schwebten als sonnige Wolke hinauf zu den Deckenfenstern.

»Okay«, sagte er. »Okay, Derek, danke. Ja, dir auch. Bis bald, okay? Bye.«

Erst stand er ganz still da, dann schaltete er das Radio hinter einer Reihe Glasflaschen auf einem Fenstersims ein. Dusty Springfield sang gerade das Ende von »Preacher Man«.

Wieder klingelte das Telefon.

»Hi, Mum.« Er wrang einen Lappen aus und wischte damit die Arbeitsfläche ab. »Ach, sie ist schon da? Wunderbar. Gut. Ja, ich …« Er stockte und lehnte sich gegen die Arbeitsplatte. »Das klingt sehr nett. Also dann, viel Spaß, okay? Ich schaue auf dem Weg zum Flughafen kurz bei dir vorbei, wenn ich bis dahin nichts von dir höre.« Wieder eine Pause. »Natürlich, Mum. Okay. Bye.«

Er legte das Telefon beiseite und trat drüben an den Ofen, von wo er nachdenklich aus dem Fenster schaute.

»Hallo«, sagte ich schließlich.

»Oh! Hallo!« Er drehte sich auf dem Absatz um. »Ich backe gerade Brot!« Strahlend schaute er mich an, und ich fragte mich, ob das womöglich alles nur ein psychedelischer Traum war, ein verzweifelter Fluchtversuch aus dem eintönigen Alltagstrott zwischen deprimierenden Scheidungspapieren und frustrierender Wohnungssuche. Dieser unglaublich gut aussehende, herzenswarme Mann, der einfach hereingeschneit war in diesen Teil der Welt, den ich zu fürchten gelernt hatte, und sie nun in kunterbunten Farben malte wie eine idyllische Szene aus einer Glaskugel.

Aber das war kein Traum. Es konnte keiner sein. Dazu war der Aufruhr in meiner Brust viel zu groß. Irgendwie war das hier wahr. (Wie uns begrüßen? Ein Kuss auf den Mund? Eine Umarmung? Als würden wir uns schon seit Jahren kennen?)

Eine halbhohe Frühstückstheke trennte die Küche vom restlichen Wohnraum – eine ausladende, polierte Platte aus wunderschönem Holz. Ich setzte mich. Eddie lächelte, warf sich das Geschirrtuch über die Schulter und kam zu mir herüber. Lehnte sich über die Theke und beantwortete all meine Fragen mit einem sehr entschiedenen Kuss auf den Mund. »Du gefällst mir in meinem Sweatshirt«, stellte er fest.

Mein Blick ging an mir hinunter. Es war grau und an den Ärmeln abgewetzt. Es roch nach ihm.

Dusty Springfield räumte die Bühne für Roy Orbison.

»Ich bin schwer beeindruckt, dass du Brot gebacken hast«, sagte ich. »Duftet unbeschreiblich.« Ich runzelte skeptisch die Stirn. »Oh, Moment, warte mal. Du bist doch nicht etwa eines dieser einschüchternden Wunderkinder mit hunderttausend Talenten und unglaublichen Fähigkeiten?«

»Ich bin einer, der mit größter Begeisterung Dinge

sehr schlecht macht«, erklärte er grinsend. »Das könnte man als Talent oder Fähigkeit bezeichnen, wenn man so möchte. Meine Freunde nennen es ganz anders.« Er zog sich einen Hocker heran, setzte sich mir gegenüber an die Theke und schob mir ein Glas Orangensaft zu.

Unter der Theke drückte sich sein Knie gegen meins. »Erzähl mir mehr von deinen Nicht-Talenten«, verlangte ich.

Er lachte. »Ähm... ich spiele Banjo? Und Ukulele. Ich bringe mir gerade bei, Mandoline zu spielen, aber das ist wesentlich kniffeliger als erwartet. Ach ja, und kürzlich habe ich gelernt, wie man eine Axt wirft. Das war großartig.« Er machte eine ausholende Geste und ein Geräusch, als krachte eine Axt in einen Baumstamm.

Ich musste grinsen.

»Und... na ja, manchmal versuche ich, etwas aus den Kalksteinbrocken zu machen, die ich im Wald finde. Aber das kann ich besonders schlecht. Und ich backe ziemlich oft Brot, allerdings auch ohne besondere Kunstfertigkeit.«

Ich lachte laut auf. »Sonst noch was?«

Mit dem Finger fuhr er über meinen Fingerknöchel. »Bastle dir in deiner Fantasie nicht irgendeine Überflieger-Superman-Lichtgestalt zusammen, Sarah, die bin ich nämlich nicht.«

Ein Küchenwecker schrillte, und er stand auf und schaute nach dem Brot. Eddie war so erdverbunden, so

geerdet, dachte ich und stellte mir vor, wie er die Wälder ringsum durchstreifte auf der Suche nach etwas, das
er behauen oder aus dem er etwas schnitzen konnte. Es
war fast, als gehöre er zu diesem Tal, als sei er ein Teil
davon, tief und unverrückbar mit der Landschaft verwurzelt wie eine alte Eiche. Dürre Zweige oder Äste
mochten mit dem Wechsel der Jahreszeiten oder bei
rauem Wetter abgerissen und in die weite Welt hinaus-
geweht werden, aber er selbst stand fest und unerschütterlich in der Erde. Dieser Erde, diesem Tal.

Und unvermittelt kam mir der Gedanke, dass ich
selbst nichts dergleichen für L.A. empfand. Ich mochte
es sehr, es war mein Zuhause. Ich mochte die Hitze,
die Weite, den Ehrgeiz, das Gefühl von Anonymität,
das die Stadt mir vermittelte. Aber ich war nicht eins
mit ihr. Kein Sandkorn in ihren Wüsten, kein Tropfen
in ihren Wellen.

»Nur noch fünf Minuten«, meinte Eddie und setzte
sich wieder. »Woran denkst du gerade?«

»Ich dachte gerade an dich als Baum und mich als
Wüste.«

Er lächelte. »Dann sind wir beide eher einfach ge-
strickt.«

»So meinte ich das nicht. Ich habe… Ach, hör gar
nicht auf mich. Ich bin mal wieder komisch.«

»Was für ein Baum war ich denn?«, wollte er wissen.

»In meiner Vorstellung eine Eiche – eine alte, knor-
rige.«

»Mit Eichen liegt man immer richtig. Und im September werde ich vierzig, also ist alt und knorrig wohl angemessen.«

»Und ich habe gedacht, wie verwurzelt du hier bist. Auch wenn du sagst, dass du oft zum Arbeiten in London bist… ich weiß es nicht. Es ist, als gehörtest du zu dieser Landschaft. Als seist du ein Teil dieses Tals.«

Eddie schaute aus dem Fenster. Unterhalb wiegten sich dichte, duftende Lavendelkissen in der Brise.

»So habe ich das noch nie gesehen«, murmelte er. »Aber du hast recht. Ganz gleich, wie oft ich nach London fahre und Küchen einbaue und Fußball spiele und Freunde besuche – und mich dabei ertappe, wie ich denke: Ich liebe diese Stadt –, ich komme doch immer wieder zurück in dieses kleine verschlafene Tal. Ich kann einfach nicht anders. Bekommst du auch solches Heimweh, wenn du nicht in L.A. bist?«

»Also, nein. Nicht so richtig. Aber ich habe mir diese Stadt ausgesucht.«

»Verstehe.« Eine Prise Enttäuschung schwang in seiner Stimme mit.

»Aber es ist schon eigenartig«, fuhr ich fort. »Wenn ich so höre, was du alles machst, was für Hobbys du hast, dann geht mir auf, wie sehr mir das alles fehlt. Man bekommt in L.A. alles und nichts, jederzeit, Tag und Nacht, per Lieferdienst oder Download… ich meine, wir reden hier im Moment von Drohnen, die deine Bestellungen ausliefern. Das Machbare hat keine

Grenzen. Und trotz alledem kann ich mich beim besten Willen nicht daran erinnern, wann ich das letzte Mal etwas gemacht habe, von meinem Bett mal abgesehen. Ich existiere einfach nur. Ich spiele kein Instrument. Ich lerne keine Sprachen. Ich habe keine Hobbys.«

Wie platt ich klingen muss. Wie oberflächlich und eindimensional.

Eddie schien sehr nachdenklich.

»Aber was sind schon Hobbys, wenn man einen Beruf hat, den man liebt?« Er wickelte eine Strähne meiner Haare um den Finger.

»Mmmm«, brummte ich. »Ich liebe ihn, aber er ist ... anstrengend. Nonstop. Selbst wenn ich hier drüben Urlaub mache, muss ich arbeiten.«

Eddie lächelte.

»Entscheidungsfreiheit«, sagte ich schließlich. »Du sagst mir jetzt sicher, dass es meine eigene freie Entscheidung ist.«

Er zuckte die Achseln. »Na ja, es gibt nicht viele Menschen, die eigenhändig eine Kinderhilfsorganisation aufgebaut haben. Aber man muss auch mal entspannen. Zeit für sich haben. Ohne Termine, ohne Nachdenken. Nur so bleiben wir menschlich.«

Natürlich hatte er recht. Ich delegierte viel zu selten. Hielt die Zügel immer straff in der Hand. Umgab mich mit Arbeit wie mit einem schützenden Mantel, in den ich mich einhüllte. Anders kannte ich es nicht. Aber trotz aller Geschäftigkeit, trotz aller Betriebsamkeit, war ich wirklich *da*? War ich wirklich da, in meinem Leben, so wie Eddie in seinem zu sein schien?

So ein Gespräch sollte man nicht mit einem Mann führen, den man vor gerade mal vierundzwanzig Stunden kennengelernt hatte, sagte ich mir. Aber ich konnte mich nicht bremsen. Noch nie hatte ich mit irgendwem darüber gesprochen. Nicht einmal mit mir selbst. Es war, als hätte ich einen Wasserhahn aufdrehen wollen und das blöde Ding wäre in meiner Hand abgefallen.

»Vielleicht hat es gar nichts mit dem Stadtleben zu tun oder mit dem Job«, überlegte ich. »Vielleicht liegt es auch einfach bloß an mir. Manchmal schaue ich mir andere Menschen an und frage mich, wie die es schaffen, neben ihrer Arbeit noch so viele andere Sachen zu machen.« Ich zupfte an einem Nagelhäutchen. »Du dagegen... Ach, achte gar nicht auf mich. Ich rede wieder wirres Zeug. Es fühlt sich bloß so selbstverständlich an, hier zu sein. So natürlich... Was mich ein bisschen verwirrt. Denn wenn ich sonst nach Hause komme, kann ich es eigentlich kaum erwarten, wieder abzureisen.«

»Warum?«

»Ach, das erzähle ich dir ein anderes Mal.«

»Okay. Und ich bringe dir Banjospielen bei. Ich bin abscheulich schlecht. Du bist also in bester Gesellschaft.« Er drehte die Hand um und legte meine hinein. »Es ist mir egal, was für Hobbys du hast. Es ist mir egal, wie viel du arbeitest. Ich weiß nur, ich könnte den ganzen Tag hier sitzen und mit dir reden.«

Staunend schaute ich ihn an.

»Du bist großartig«, wisperte ich leise. »Nur damit du es weißt.«

Und dann sahen wir einander in die Augen, und Eddie beugte sich zu mir herüber und küsste mich. Lang, langsam, warm. Wie eine Erinnerung, die die Musik zurückbringt.

»Willst du noch ein Weilchen bleiben?«, fragte er nicht viel später. »Nur falls du sonst nichts vorhast, meine ich? Ich könnte dir die Werkstatt unten zeigen und dir auch eine Maus machen. Oder wir sitzen einfach herum und küssen uns. Oder vielleicht machen wir ein paar Schießübungen mit Steve, diesem schrecklichen Mistvieh von Eichhörnchen, das auf meinem Rasen sein Unwesen treibt.« Er legte mir die Hände auf die Oberschenkel. »Ich meine bloß... Ach, was soll's. Ich möchte einfach nicht, dass du schon gehst.«

»Okay«, murmelte ich gedehnt. Dann lächelte ich. »Das Angebot klingt wirklich verlockend. Aber deine Mutter...? Ich meine... ich dachte, du machst dir Sorgen um sie?«

»Tue ich auch«, antwortete er. »Aber sie... na ja, sie neigt nicht zu explosionsartigen Zusammenbrüchen. Es sind mehr langsame, unaufhaltsame Talfahrten. Aber meine Tante ist gerade angekommen und kümmert sich um sie, weil ich am Freitag in Urlaub fahre. In den nächsten zwei Wochen hat meine Tante ein Auge auf sie.«

»Sicher?«, fragte ich. »Mir macht es nichts aus, wenn du mal zu ihr rübergehen und nach ihr sehen möchtest.«

»Ganz sicher. Ich habe vorhin mit ihr telefoniert. Sie meinte, die beiden wollten zusammen ins Gartencenter. Sie klang ganz munter.«

»Glaub mir«, meinte er, als ich ihn zweifelnd anschaute. »Wäre die Lage auch nur halbwegs ernst, wäre ich auf der Stelle bei ihr. Ich kenne die Zeichen. Ich weiß, worauf ich achten muss.«

Ich stellte mir vor, wie sich Eddie tagein, tagaus um seine Mutter sorgte. Sie nicht aus den Augen ließ und auf die kleinsten Veränderungen achtete. Wie ein Fischer, der das Meer beobachtet.

»Okay«, sagte ich. »Dann sollten wir vielleicht damit anfangen, dass du mir was über Steve erzählst.«

Eddie gluckste. Schnippte einen Krümel oder vielleicht ein Insekt aus meinen Haaren. »Steve terrorisiert mich und so ziemlich jedes andere Wildtier, das die Frechheit besitzt, hier in der Gegend leben zu wollen. Ich weiß nicht, was er für ein Problem hat. Die meiste Zeit scheint er irgendwo im Gras zu hocken und mich zu beobachten, statt im Baum herumzuturnen, wie es sich für ein anständiges Eichhörnchen gehört. Er bewegt sich nur von seinem plüschigen Hinterteil, wenn ich das Vogelfutterhäuschen fülle. Ganz gleich, wo ich das verdammte Ding auch hinhänge, immer schafft er es, sich irgendwie reinzuquetschen und alles leerzufuttern.«

Ich musste laut lachen. »Klingt nach einer interessanten Persönlichkeit.«

»Das ist er. Er ist toll. Ich liebe ihn, aber ich hasse ihn auch. Ich habe eine Wasserpistole... na ja, eher ein Maschinengewehr – wir können ja nachher mal versuchen, ihn zu erwischen, wenn du magst.«

Ich lächelte. Einen ganzen Tag mit diesem Mann und seinem Eichhörnchen in einem der verstecktesten Winkel der Cotswolds, der mich an die schönsten Augenblicke meiner Kindheit erinnerte – und an keine der schlimmsten. Ein unwiderstehliches Angebot.

Ich schaute mich um und betrachtete die Siebensachen, die vom Leben dieses Mannes zeugten. Bücher, Landkarten, selbst geschreinerte Hocker. Eine Glasschale voller Münzen und Schlüssel und eine alte Rolleiflex-Kamera. Ganz oben auf dem Bücherregal eine Sammlung grellbunter kitschiger Fußballpokale.

Neugierig schlenderte ich zu ihnen rüber, um sie mir etwas genauer anzusehen. *The Elms, Battersea Monday*, stand auf dem ersten. *Old Robsonians – Champions, Division 1*. »Sind das deine?«

Eddie kam zu mir herüber. »Sind es.« Er griff nach dem neuesten, fuhr mit dem Finger oben am Rand entlang. Ein kleiner Staubwurm löste sich von der Kante. »Ich spiele in einer Mannschaft in London. Was vielleicht ein bisschen seltsam klingt, wo ich doch eigentlich hier wohne, aber ich bin oft da, beruflich, und... na ja, wenn man einmal zum Team gehört hat, wird man es so schnell nicht wieder los.«

»Wie das?«

»Ich bin vor Jahren zur Mannschaft dazugestoßen. Damals dachte ich noch, ich ziehe irgendwann dauerhaft nach London. Sie sind…« Er gluckste. »…ein wirklich komischer Haufen. Als ich wieder nach Gloucestershire zurückgegangen bin, habe ich es nicht über mich gebracht, die Mannschaft endgültig zu verlassen. Das schafft keiner. Dazu lieben wir sie alle viel zu sehr.«

Lächelnd betrachtete ich wieder das kunterbunte Durcheinander an Trophäen. Eine war fast zwanzig Jahre alt. Ich fand es wunderbar, wenn Freundschaften so lange hielten.

»Nein!«, keuchte ich plötzlich atemlos. Staunend zog ich ein Buch aus einem der Regale. Das Collins Gem *Book of Birds*. Ein Vogelkundebuch. Als Kind hatte ich genau dieselbe Ausgabe gehabt. Ich hatte im Garten in einem gegabelten Ast des Birnbaums gehockt und gehofft, wenn ich nur lange genug reglos dort sitzen bliebe, kämen die Vögel und würden ihre Nester auf mir bauen.

»Das hatte ich auch!«, rief ich aufgeregt und sah Eddie an. »Ich kenne es in- und auswendig und kann dir den Namen von jedem Vogel darin nennen!«

»Wirklich?« Er kam zu mir herüber. »Ich habe dieses Buch geliebt.« Er schlug es in der Mitte auf und hielt mit der flachen Hand den Vogelnamen zu. »Welcher ist das?«

Der Vogel hatte eine goldene Brust und trug eine schwarze Einbrechermaske über den Augen. »Oje... Moment... ein Kleiber!«

Er blätterte weiter und zeigte mir noch ein Bild.

»Schwarzkehlchen!«

»O Gott«, seufzte Eddie. »Du bist die perfekte Frau für mich.«

»Und das mit den Wildblumen hatte ich auch. Und die Schmetterlinge und Falter. Ich war eine richtige kleine Naturkundlerin.«

Er legte das Buch beiseite. »Darf ich dich was fragen, Sarah?«

»Aber klar doch.« Ich fand es wunderbar, wenn er meinen Namen sagte.

»Warum wohnst du in der Stadt? Wenn du doch eigentlich so naturverbunden bist?«

Ich zögerte. »Ich kann einfach nicht auf dem Land leben«, sagte ich schließlich. Irgendwie musste er bemerkt haben, dass es besser war, nicht weiter nachzufragen. Er schaute mich ein paar lange Augenblicke an und ging dann wieder zum Ofen, um nach dem Brot zu sehen.

»Ich hatte das Buch mit den Bäumen.« Suchend guckte er sich nach einem Ofenhandschuh um und griff schließlich zu dem Geschirrtuch, das er über die Schulter geschlungen hatte. »Das hat mein Dad mir geschenkt. Er hat mich auch ans Schreinern gebracht, wobei er wohl nie gedacht hätte, ich würde das zu meinem Beruf machen. Er hat mich immer mitgenommen, wenn er im Herbst Feuerholz beim Holzhändler geholt hat. Und dann hat er mich ein paar Scheite klein hacken lassen, um Kienspäne daraus zu machen.«

Er lächelte und unterbrach sich kurz. »Es war der Geruch. Zuallererst habe ich mich in den Duft verliebt. Aber irgendwann war ich fasziniert davon, wie schnell man einen massiven Holzstamm in etwas vollkommen anderes verwandeln kann. In einem Winter fing ich an, Späne zu klauen und kleine Holzmännchen daraus zu basteln. Als Nächstes kam ein Toilettenpapierhalter und dann der unhandlichste Holzhammer in der gesamten Menschheitsgeschichte.«

Er gluckste. »Und dann natürlich Maus.« Er öffnete den Ofen und zog das Backblech heraus. »Mein ganzer Stolz. Dad war nicht besonders beeindruckt. Aber Mum meinte, es sei die perfekteste kleine Maus, die sie je gesehen hat.«

Er legte einen runden, köstlich duftenden Brotlaib zum Abkühlen auf einen Gitterrost und schloss dann wieder die Ofenklappe.

»Als Dad ging, war ich neun. Er lebt jetzt an der Grenze zu Schottland, irgendwo nördlich von Carlisle, mit seiner neuen Familie.«

»Ach.« Ich setzte mich wieder. »Das muss schwer für dich gewesen sein.«

Er zuckte die Achseln. »Das ist so lange her.«

Ein behagliches Schweigen hüllte uns ein wie eine

warme Decke, während er Butter, Honig und ein Glas, wie es schien, selbst gemachter Marmelade aus dem Kühlschrank holte. Dann gab er mir einen Teller mit einem tiefen Sprung (»Sorry!«) und ein Messer.

»Weiß deine Mum, dass ich hier bin?«, fragte ich, als er das Brot anschnitt.

»Autsch!« Hastig ließ er den heißen Laib fallen. »Warum muss ich nur immer so gierig sein? Es ist noch viel zu heiß zum essen.«

Ich musste lachen. Hätte er sich nicht gleich hungrig darauf gestürzt, hätte ich es getan.

»Nein«, meinte er und legte das Geschirrtuch zum Schutz auf das heiße Brot, bevor er es anschnitt. »Mum weiß nicht, dass du hier bist. Ich will ja nicht, dass sie denkt, ihr einziges Kind vögelt herum wie ein notgeiler alter Gockel.«

»Wohl eher nicht.«

»Wobei, wenn ich ganz brav bin, könnten wir nachher vielleicht noch ein bisschen vögeln«, sagte er und warf eine glühend heiße Scheibe Brot in Richtung meines Tellers.

»Klar«, meinte ich und schnitt mit meinem Messer ein Stück Butter ab. Die war voller Krümel. Reuben, der seine Butter am liebsten vor dem Servieren hipstermäßig auf eine Schieferplatte oder einen bescheuerten flachen Stein oder was auch immer kleisterte, hätte es gehasst.

»Du bist ganz gut zu vögeln«, murmelte ich, ohne rot zu werden.

Was man von Eddie nicht sagen konnte. »Ehrlich?«

Und weil ich anscheinend überhaupt keine andere Wahl hatte, stand ich auf, marschierte um das Holzbohleninseldings herum, schlang die Arme um ihn und küsste ihn fest auf den Mund. »Ja«, murmelte ich. »Das Brot ist selbst für mich Vielfraß zu heiß. Lass uns wieder ins Bett gehen.«

Dreizehntes Kapitel

Hallo Alan,

bitte entschuldige, dass ich dich einfach so anschreibe.

Du hast vorhin auf meinen Post auf Eddie Davids Face-book-Seite geantwortet. Ich mache mir ein bisschen Sorgen und wollte dir nur sagen, was ich weiß. Viel ist es nicht.

Vor eurem geplanten gemeinsamen Urlaub habe ich mit Eddie eine Woche in Sapperton verbracht. Am Donners-tag, dem 9. Juni bin ich dann gegangen, damit er in Ruhe packen kann. Er hat mir noch versprochen, mich vom Flughafen aus anzurufen.

Seitdem habe ich nichts mehr von ihm gehört. Nachdem ich etliche Male vergeblich versucht hatte, ihn zu kontak-tieren, habe ich es irgendwann aufgegeben, weil ich davon ausgehen musste, dass er es sich anders überlegt hat. Wo-bei ich das nie so ganz glauben konnte. Und als ich deine Antwort auf meinen Post gelesen habe, wusste ich, dass ich mit meiner Vermutung wohl nicht so unrecht hatte. Unten steht meine Telefonnummer. Es wäre nett, wenn du even-tuelle Infos oder Vermutungen mit mir teilst. Ich bin kein

Stalker! Ich möchte mich nur vergewissern, dass alles in Ordnung ist.
Liebe Grüße

Sarah Mackey

Elf Uhr abends wurde unversehens zu Mitternacht. Mein Handy summte, und ich stürzte mich darauf wie ein verhungernder Löwe. Aber es war bloß Jo, die Bescheid geben wollte, dass sie gut zu Hause angekommen war. Noch immer keine Antwort von Alan. Ich legte mich wieder ins Bett und spürte, wie mein Herz von innen gegen den Brustkorb drückte. Es tat weh. Richtig weh. Warum sagte einem keiner, dass ein Herz nicht nur metaphorisch brechen kann?

Aus Mitternacht wurde eins. Dann zwei. Dann drei. Ich stellte mir vor, wie Tommy und Zoe zusammen in ihrem riesengroßen Bett am anderen Ende des Flurs lagen, und fragte mich, ob sie sich wohl im Schlaf umarmten. Ich musste an Eddie denken, an seinen warmen Körper und wie er mich umschlungen hatte, und plötzlich spürte ich so eine heftige Sehnsucht, dass es sich anfühlte, als bohrte sie sich durch meine Haut. Dann hasste ich mich eine Weile ganz arg, weil in Istanbul Menschen in Leichensäcken lagen, wohingegen Eddie – sehr wahrscheinlich – einfach bloß ein feiger Mistkerl war, der sich schlicht und ergreifend nicht meldete.

Nachdem ich mich um vier dabei erwischt hatte,

wie ich online die Todesanzeigen aus Eddies Umkreis durchsuchte, schlich ich mich leise aus Tommys Wohnung. Die Morgendämmerung wischte schon graue Schlieren in den Himmel, und ein einsamer Straßenfeger war bereits bei der Arbeit und schlurfte verschlafen an Zoes schickem georgianischem Stadthaus vorbei. Bis die Stadt erwachte und sich den Schlaf aus den Augen rieb, war es noch Stunden hin, aber ich konnte die erdrückende Stille und das unheilkündende Sirren meiner umherschwirrenden finsteren Theorien – eine düsterer als die andere – keinen Augenblick länger ertragen.

An der Holland Park Avenue fing ich an zu laufen. Eine Weile flog ich vollkommen mühelos vorbei an Bushaltestellen, die übermüdeten Migranten auf dem Weg zur Arbeit Schutz boten, Cafés mit heruntergelassenem Gitter vor dem Fenster und einem volltrunkenen Mann, der gerade stolpernd und taumelnd von Notting Hill nach Hause wankte. Ich blendete das Brummen der Nachtbusse und Taxis aus und lauschte nur auf das Tappen meiner Laufschuhe und das Zwitschern und Tirilieren des frühmorgendlichen Vogelchors.

Der federleichte Vorbeiflug währte allerdings nicht lang. Dort, wo die Straße in Richtung Notting Hill ansteigt, fing meine Lunge wie üblich an zu brennen wie Feuer, und meine Knie wurden weich. Ich trabte langsamer und ging bis zur Ecke der Portobello Road im Schritttempo weiter.

Es ist überhaupt nichts Verrücktes daran, was ich hier mache, dachte ich, als ich mich zum Weiterlaufen zwang. London ist längst wach. In einem Arbeitercafé drängten sich Bauarbeiter in neonfarbenen Warnwesten. An der Westbourne Grove öffnete ein Mann gerade seinen Kaffeewagen. London reckte und streckte sich. Warum also sollte ich weiterschlafen? Es war alles bestens.

Nur war es das natürlich nicht, denn mein ganzer Körper ächzte müde und abgeschlagen, und ich war der einzige Jogger, der zu dieser unmenschlichen Uhrzeit unterwegs war. Und weil es erst Viertel vor fünf morgens war, als ich wieder bei Tommy zu Hause ankam.

Ich duschte und schlüpfte zurück unter die Bettdecke. Und versuchte, mal fünf Minuten nicht aufs Handy zu schauen.

Ein entgangener Anruf, verkündete die Anzeige, als ich nach kurzem Widerstand aufgab und nachsah. Ich setzte mich auf. Es war eine Nummer ohne Anruferkennung, um 4.19 Uhr. Und ich hatte eine neue Nachricht.

Sie bestand aus zwei Sekunden Schweigen, gefolgt von dem Geräusch, wie jemand eine falsche Taste drückte. Nach kurzem hektischem Herumgefummel schaffte der Anrufer es schließlich aufzulegen.

Erst überlegte ich, ob das Eddies Freund Alan gewesen sein könnte, aber der hatte – Facebook zufolge – meine Nachricht noch gar nicht gelesen.

Aber wer könnte es dann gewesen sein?

Eddie?

Nein! Eddie doch nicht! Der redet! Der teilt sich mit! Der ist kein seltsamer Spinner, der nachts um vier irgendwo anruft und dann einfach auflegt!

Als ich gegen Mittag wieder aufwachte, hatte Alan meine Nachricht gelesen, aber noch immer nicht beantwortet.

Mit irrem Blick starrte ich auf mein Handy und drückte wie eine Bekloppte immer wieder auf Aktualisieren. Er konnte das doch nicht einfach ignorieren. Wer machte denn so was!

Aber er hatte es gelesen, und er hatte es ignoriert. Der Tag verging, und noch immer hörte ich nichts. Und ich bekam Angst. Weniger um Eddie, sondern mit jeder Stunde, die verstrich, mehr um mich selbst.

Vierzehntes Kapitel

Rudi rührte sich nicht.

Reglos stand er da und starrte die beiden Erdmännchen an, die ganz dicht am Zaun standen. Und sie standen da und starrten ihn an, und ihre Pfoten ruhten ganz lässig auf den weichen kleinen Bäuchlein. Ohne es zu merken hatte Rudi sich genauso kerzengerade aufgerichtet, und seine kleinen Pfoten ruhten auch auf seinem weichen kleinen Bauch.

»Hallo«, wisperte er ehrfürchtig. »Hallo, Erdmännlein.«

»Erdmännchen«, korrigierte ich.

»Sarah, sei still! Du erschreckst sie sonst.«

Tommy machte Rudi auf ein weiteres Erdmännchen aufmerksam, das neugierig immer näher kam, und Rudi wirbelte auf dem Absatz herum und vergaß ganz kurz, dass ich auch noch da war. »Hallo, Erdmännlein drei«, wisperte er. »Erdmännlein, hallo! Seid ihr alle eine große Familie? Oder nur Freunde?«

Zwei der Erdmännchen fingen an, geschäftig im Sand zu buddeln. Das dritte spazierte gelassen über den sandigen Hügel, um, wie es aussah, ein weiteres Mitglied des weitläufigen Clans zu umarmen. Rudi zitterte fast vor andächtigem Staunen.

Jo knipste ein Foto von ihrem Sohn. Vor zehn Minuten hatte sie noch mit Rudi geschimpft wie ein Rohrspatz. Jetzt strahlte sie ihn an mit einer Liebe, die keine Grenzen kannte. Und da – als ich sie so anschaute und mir diese übermächtige, unermessliche Zuneigung vorzustellen versuchte – spürte ich es wieder. Ein akutes Stechen, ein Schmerz von einem verklumpten Haufen Gefühle, die ich in eine dunkle, vergessene Ecke geschoben hatte. Natürlich war es in Ordnung, keine eigenen Kinder zu bekommen, aber manchmal nahm der Gedanke daran mir schier die Luft zum Atmen.

Ich kramte die Sonnenbrille aus der Handtasche.

Meine Eltern hatten endlich doch noch einen Altenpfleger für Großvater gefunden und wollten morgen nach Gloucestershire zurückkommen. Rudi hatte sich, ehe ich losfuhr, um sie zu besuchen, zur Feier meines Abschieds einen Ausflug in den Streichelzoo von Battersea Park gewünscht. Wobei das wohl eher mit einer Fernsehsendung über Erdmännchen zusammenhing, die er neulich gesehen hatte, als mit dem dringlichen Wunsch, seine Tante Sarah gebührend zu verabschieden.

Ich schaute aufs Handy. Ein Reflex, inzwischen so selbstverständlich wie Atmen. Nach dem seltsamen nächtlichen Anruf vergangene Woche hatte vor ein paar Tagen noch mal jemand angerufen, ohne sich zu melden, und erst nach geschlagenen fünfzehn Sekunden wieder aufgelegt. »Ich rufe die Polizei«, hatte ich gesagt, als der Anrufer standhaft weiterschwieg. Daraufhin hatte er sofort aufgelegt, und seither war nichts mehr passiert. Aber das musste ganz eindeutig mit Eddies Verschwinden zusammenhängen.

Ich schlief kaum noch.

Tommy packte den kleinen Snack aus, den er mitgebracht hatte, und Rudi kam freudig angelaufen und erzählte uns einen ziemlich schlechten Witz über Eiersalatsandwichs und Fürze, den er nicht mehr richtig zusammenbekam. Ein bisschen weiter weg stand ein Kind und heulte herum, sie hätten die Fütterung der Nasenbären verpasst. Und mittendrin saß ich mit einem schrecklich flauen Gefühl im Magen und bekam mein Sandwich nicht herunter.

Kurz bevor ich in der sechsten Klasse von der Schule abgegangen war, hatten wir im Englisch-Leistungskurs *Mrs Dalloway* durchgenommen. Abwechselnd hatten wir daraus vorgelesen, um, wie Mrs Rushby sagte, Woolfs »einzigartige Erzählstimme zu erspüren«. Zu Beginn des zweiten Kapitels war ich an der Reihe.

»Die Welt hat ihre Peitsche erhoben«, las ich laut vor. »Wo wird sie niedergehen?«

Überrascht hatte ich abgesetzt und dann den ganzen Satz noch einmal gelesen. Und obwohl all meine Klassenkameraden mir dabei zugesehen hatten, obwohl Mrs Rushby mir dabei zugesehen hatte, hatte ich den Satz dreimal dick unterstrichen und dann erst weitergelesen.

Weil diese Worte so perfekt den eigenartigen Zustand beschrieben, in dem ich mich meistens befand, dass es mich wunderte, wie jemand anderer als ich sie hatte aufschreiben können.

Die Welt hat ihre Peitsche erhoben; wo wird sie niedergehen?

Ganz genau!, hatte mein siebzehnjähriges Ich gedacht. Diese ständige Wachsamkeit! Immerzu den Himmel zu beobachten, witternd die Nase in den Wind zu halten, jederzeit auf alles und das Schlimmste gefasst zu sein. Hatte sich daran je etwas geändert? War mein entspanntes, behagliches Leben in Kalifornien nur ein Fantasiegespinst gewesen, das sich bei näherer Betrachtung auflöste wie Morgennebel in der Sonne?

Wieder ging mein Blick auf das Sandwich mit Eiersalat, und ich musste würgen.

»Oi«, rief Jo in meine Richtung. »Was ist los?«

»Nichts. Ich esse nur mein Picknickbrot.«

»Interessant«, meinte Jo. »Vor allem in Anbetracht der Tatsache, dass du dein Sandwich noch nicht angerührt hast.«

Ich stockte kurz, dann entschuldigte ich mich. Sagte ihnen, dass ich ihnen wie eine Verrückte vorkommen musste. Sagte ihnen, dass ich mir ganz, ganz große Mühe gab, mich zusammenzureißen. Aber dass ich es irgendwie nicht schaffte.

»Hat er dir das Herz gebrochen?«, erkundigte Rudi sich. »Der Mann?«

Schlagartig verstummten alle Gespräche. Weder Jo noch Tommy schauten mich an. Rudi dagegen schon. Rudi mit den kleinen mandelförmigen Augen und diesem perfekten kindlichen Verständnis der Welt.

»Hat er dir das Herz gebrochen, Sarah?«

»Ich… also, ja«, stammelte ich, als meine Stimme mir wieder gehorchte. »Ja, das hat er wohl. Leider.«

Rudi wiegte sich auf den Hacken vor und zurück und ließ mich nicht aus den Augen. »Er ist ein Halunke«, erklärte er nach sorgfältiger Überlegung. »Und ein Furz.«

»Ist er«, stimmte ich ihm zu.

Rudi umarmte mich, und ich fing beinahe an zu heulen.

Tommy hielt mein Handy in der Hand und starrte nachdenklich auf Eddies Facebook-Profil. »Dieser Mann ist mir echt ein Rätsel«, brummte er nach langem Schweigen.

»Wem sagst du das, Tommy.«

»Dieser WoistWalter-Hashtag beispielsweise«, meinte Tommy. »Ist das nicht etwas seltsam? Schließlich heißt er Eddie.«

Jo machte für Rudi eine Tüte Studentenfutter auf. »Langsam essen«, sagte sie zu ihm, dann wandte sie sich an Tommy. »Wo ist Walter? Das ist eine Bücherreihe, du Depp«, rief sie. »Weißt du nicht mehr? Diese Wimmelbilder, auf denen sich Walter irgendwo versteckt?«

Rudi fing an, die Rosinen herauszupicken und die Nüsse achtlos fallen zu lassen.

»Ich weiß, was *Wo ist Walter?* ist«, knurrte Tommy. »Ich finde es bloß etwas seltsam, so was im Zusammenhang mit jemandem zu sagen, der eigentlich Eddie heißt.«

Ich schüttelte den Kopf. »Das sagt man halt, wenn man jemanden sucht. Einen Menschen in der Menge. Die Stecknadel im Heuhaufen.«

Tommy zuckte die Achseln. »Vielleicht. Vielleicht auch nicht. Vielleicht ist er ja auch nicht der, für den er sich ausgegeben hat.«

Sofort spitzte Rudi die Ohren. »Meinst du, Eddie ist ein Massenmörder?«, fragte er mit großen Augen.

»Nein«, antwortete Tommy.

»Ein Vampir?«

»Nein.«

»Einer, der tut, als würde er den Gaszähler ablesen?« Jo hatte ihm kürzlich erklärt, was »Nepper, Schlepper, Bauernfänger« bedeutete.

Tommy holte sich mein Handy wieder zurück und beäugte gedankenverloren das Display. »Ach, ich weiß es doch auch nicht«, murmelte er. »Aber irgendwas ist faul an dem Kerl.« Dann setzte er sich unvermittelt ganz gerade auf. »Sarah!«, wisperte er. »Schau mal!«

Ich nahm ihm das Handy aus der Hand und sah, dass er den Messenger geöffnet hatte. Und dann taumelte ich plötzlich im freien Fall kopfüber in ein bodenloses Loch wie Alice in den Kaninchenbau. Eddie war online. Er hatte meine Nachrichten gelesen. Alle beide. Und er war in diesem Augenblick online.

Er war nicht tot. Er war irgendwo. »Was hast du in meinen Privatnachrichten zu suchen?«, zischte ich empört.

»Ich war nur neugierig«, entgegnete Tommy. »Ich wollte wissen, was du ihm geschrieben hast, aber das ist jetzt alles pillepalle! Er hat deine Nachrichten gelesen! Er ist online!«

»Was hat er gesagt?« Rudi versuchte, mir das Handy aus der Hand zu nehmen. »Was hat er zu dir gesagt, Sarah?«

Entschlossen konfiszierte Jo das Handy und schaute sich die Sache etwas genauer an.

»Ich sage dir das nur sehr ungern«, meinte sie schließlich. »Aber er hat deine Nachrichten schon vor drei Stunden gelesen.«

»Und warum hat er nicht geantwortet?«, wollte Rudi wissen.

Gute Frage.

»Langsam werde ich echt sauer auf deinen Freund, Sarah«, verkündete Rudi. »Ich glaube, das ist ein ganz doofer Kerl.«

Eine Weile sagte niemand mehr etwas.

»Komm, wir gehen runter in den Erdmännchen-Tunnel«, meinte Jo schließlich.

Rudi schaute erst zu mir rüber und dann zu seinen geliebten Erdmännchen zehn Meter weiter – zehn Meter zu weit.

»Na los, geh schon«, sagte ich zu ihm. »Geh zu deinen Leuten. Ich komm schon klar.«

»Dreh dich um und geh, Sarah«, wiederholte Jo, als

ihr Sohn lossauste. Sie klang plötzlich müde und abgeschlagen. »Das Leben ist zu kurz, um jemandem hinterherzulaufen, der dich nur unglücklich macht.«

Und dann ging sie rüber zu Rudi. Tommy und ich starrten wie hypnotisiert auf das Display. Ohne weiter nachzudenken tippte ich: *Hallo?*

Sekunden später rutschte das kleine Foto von Eddie bis hinunter zu der letzten Nachricht. »Das heißt, er hat sie gelesen«, erklärte Tommy.

Ich beiße auch nicht, schrieb ich.

Eddie las die Nachricht, und dann war er plötzlich – einfach so – wieder offline.

Ich stand auf. Ich musste ihn sehen. Mit ihm reden. Ich musste etwas tun. »Hilfe«, piepste ich. »Was mache ich denn jetzt, Tommy? Was soll ich denn jetzt tun?«

Nach kurzem Zögern stand Tommy auf und legte mir den Arm um die Schultern. Wenn ich jetzt die Augen zumachte, könnten wir wieder im Ankunftsbereich vom Flughafen LAX stehen, 1997. Ich wie ein Häufchen Elend in seinen Armen, er mit dem Schlüssel eines gigantischen klimatisierten Amischlittens in der Hand. Ich weiß noch ganz genau, wie er mir versprach, es würde alles wieder gut.

»Vielleicht hatte seine Mum keinen guten Tag«, überlegte ich verzweifelt. »Als wir uns kennengelernt haben, hat er mir gesagt, dass sie Depressionen hat und gerade wieder in einer Abwärtsspirale steckt. Vielleicht ist es noch viel schlimmer geworden.«

»Vielleicht«, meinte Tommy leise. »Aber, Harrington, wenn ihm das mit euch beiden ernst wäre, dann hätte er sich bei dir gemeldet. Dir alles erklärt. Dich gebeten, ein bisschen Geduld zu haben und ihm ein paar Wochen Zeit zu lassen.«

Ich widersprach ihm nicht. Da gab es nichts zu widersprechen.

»Warte ab, ob er antwortet«, sagte Tommy und drückte mitfühlend meine Schulter. »Wenn er sich nicht bald meldet und wenn nichts wirklich Krasses passiert ist, dann finde ich, du solltest dir ernsthaft überlegen, ob du ihn wiedersehen möchtest oder nicht. Es ist nicht nett, wie er mit dir umgeht, und es scheint ihm egal zu sein, wie es dir damit geht.«

Linkisch, aber sehr liebevoll gab er mir einen Kuss seitlich auf den Kopf. »Vielleicht hat Jo ja recht«, meinte er. »Vielleicht musst du ihn vergessen.«

Mein ältester Freund hatte den Arm um meine Schulter gelegt. Der Mann, der mir geholfen hatte, die Bruchstücke meines Lebens wieder zusammenzusetzen, damals, vor all den Jahren, als ich alles verloren hatte und noch mal ganz von vorne anfangen musste. Und jetzt waren wir bald vierzig, und wieder stand ich vor den Scherben meines Lebens.

»Sie hat recht«, antwortete ich stumpf. »Ihr beide habt recht. Ich muss ihn vergessen.«

Und das meinte ich auch so. Das Problem dabei war nur, ich wusste nicht, wie.

Fünfzehntes Kapitel

Das ist kein gewöhnlicher Liebeskummer, dachte ich später am selben Abend. Ich stand gerade im Pyjama in Tommys und Zoes Küche und futterte heimlich Chips aus der Tüte. Es ist viel mehr als das.

Aber was?

Der Unfall? Könnte er womöglich was mit dem Unfall zu tun haben?

Es gab so viele Lücken in meiner Erinnerung an diesen grauenhaften Tag. Abspaltung oder Trauma oder vielleicht auch nur die unglaubliche Distanz zwischen meinem früheren Leben hier in England und dem jetzt in Amerika haben mir geholfen, viel von dem auszublenden, was damals passiert ist. Und doch kannte ich diese Gefühle, die gerade in mir hochkrochen. Sie waren wie schlechte alte Freunde.

Um halb zwei nachts überlegte ich mir schließlich, diese überschüssige nervöse Energie irgendwie sinnvoll zu kanalisieren und ein bisschen zu arbeiten. Meine Kollegen waren bisher zu taktvoll gewesen, um zu meckern, aber ich wusste, wenn ich nicht bald etwas von dem Berg abarbeitete, der sich in meiner Abwesenheit aufgetürmt hatte, würde es nicht mehr lange dauern, bis ich einen von ihnen am Telefon hatte.

Ich krabbelte also aus dem Bett und öffnete meine E-Mails. Und da – endlich – sprang mein Hirn wieder an und lief und lief und lief auf Hochtouren. Ich traf Entscheidungen. Große Entscheidungen, kleine Entscheidungen. Ich autorisierte Ausgaben und schickte einen Bericht an unsere Treuhänder. Ich checkte unseren Webmail-Ordner, weil wir immer vergaßen, dort nachzuschauen, und fand darin eine E-Mail von einem kleinen Mädchen mit der eindringlichen Bitte, ob wir nicht ihre kranke Zwillingsschwester besuchen könnten, die in San Diego im Kinderkrankenhaus lag. *Selbstredend!*, schrieb ich und leitete die E-Mail auch an Reuben und Kate, meine Stellvertreterin, weiter. *Her mit den Clowns! Das Krankenhaus kennen wir! Sorgt dafür, dass unsere Leute bis spätestens Freitag da sind! Bitte, Team!*

Um drei Uhr morgens musste ich mir widerstrebend eingestehen, dass mein Gehirn auf einer Drehzahl lief, die mir selbst nicht ganz geheuer war.

Um vier Uhr hatte ich das Gefühl durchzudrehen.

Um Viertel nach vier beschloss ich, Jenni anzurufen. Jenni Carmichael – meine Kollegin und erste echte Freundin in Los Angeles – würde wissen, was zu tun war.

»Sarah Mackey!«, zirpte sie, während im Hintergrund

die schmalzigen Geigenklänge eines alten Schwarz-Weiß-Liebesfilms zu hören waren. »Warum zum Teufel bist du um diese nachtschlafende Zeit noch wach?«

Danke, dachte ich und schloss die Augen. Danke, lieber Gott, für meine liebe, süße Jenni Carmichael.

Die Hochzeit mit Reuben war für mich eine ziemlich peinliche Angelegenheit gewesen. Bei der Trauung war seine Seite proppenvoll gewesen, während auf meiner nur Mum, Dad, Tommy, Jo und ein paar Kellnerinnen aus dem Café in der Fountain saßen, wo wir unsere ersten Gründungssitzungen abgehalten hatten. Keine Hannah. Nur ein leerer Platz in der Bank neben Mum. Und auch keine Freunde, weil die alten aus England nicht wussten, was sie noch zu mir sagen sollten. Geschweige denn, dass sie um die halbe Welt fliegen würden für das zweifelhafte Vergnügen, vor mir zu stehen und immer noch nicht zu wissen, was sie sagen sollten.

Reubens Familie erklärte ich schamhaft, meine Freunde aus England hätten es »leider nicht geschafft«, und fühlte mich von dieser ungeheuerlichen Lüge so besudelt, als sei Bier aus einem übervollen Glas auf mich geschwappt.

Unsere Flitterwochen verbrachten Reuben und ich im Yosemite, und sie waren fabelhaft. Allein zu zweit wie in einen schützenden Liebeskokon gehüllt waren wir beide wunschlos glücklich. Aber als wir gegen Ende der Reise einen Zwischenstopp in San Francisco machten und unversehens von ausgelassenen Grüppchen fröhlicher junger Menschen umgeben waren, musste ich mir eingestehen, wie traurig es mich machte, keine Freunde mehr zu haben.

Und dann war Jenni ganz unvermittelt in mein Leben geplatzt, als hätte ich sie beim Universum bestellt. Jenni kam aus South Carolina. Anders als die meisten anderen Zugezogenen in L.A. interessierte sie sich nicht die Bohne für die Filmbranche. Sie wollte einfach nur »mal was anderes« machen. Reuben und ich flitterten uns gerade als Frischvermählte durch Nordkalifornien, als Jenni ihren neuen Job als Büroleiterin antrat, und zwar just in dem Gebäudekomplex, in dem Reuben und ich einen Arbeitsplatz gemietet hatten. Ein trister grauer Betonklotz, der sich in den Schatten des Hollywood Freeway duckte.

Als wir aus den Flitterwochen zurückkamen, dauerte es nicht lange, bis Jenni an unseren Platz kam und freundlich, aber sehr bestimmt nachfragte, ob wir wohl die Liebenswürdigkeit besäßen, in absehbarer Zeit die längst überfällige Miete für unseren Schreibtisch zu begleichen. Noch am selben Tag schlich ich mit dem Geld und zahllosen gestammelten Entschuldigungen zu ihr und drückte mich kleinlaut und schuldbewusst vor ihrem Schreibtisch herum, während sie emsig die Dollarscheine zählte. Vor ihr standen ein halber, in Cellophan gewickelter Kuchen und ein kleiner tragbarer CD-Player, auf dem gerade eine »Greatest Love Songs«-Compilation mit lauter schnulzigen Liebesliedern dudelte.

Sie guckte kurz hoch und lächelte verlegen, während sie mit einem Gummifingerhut die Geldnoten durchblätterte. »Ich kann ganz schlecht mit Zahlen«, erklärte sie unverblümt. »Ich zähle die Scheine bloß, damit es aussieht, als wüsste ich, was ich tue.« Und dann fing sie noch mal von vorne an, den Stapel Geldscheine zu zählen, und dann noch mal, bis sie schließlich aufgab.

»Ich vertraue Ihnen«, meinte sie und legte das Geld in eine Kassette. »Sie sehen ehrlich aus. Möchten Sie vielleicht ein Stück Kuchen? Den habe ich gestern Abend gebacken. Und ich habe Angst, wenn ich nicht aufpasse, verputze ich das Ding ganz alleine.«

Der Kuchen war köstlich, und während ich also an ihrem Schreibtisch saß und ein Stück davon verdrückte, erzählte Jenni mir von ihrem bizarren Vorstellungsgespräch beim äußerst eigenartigen Eigentümer des Gebäudes. Sie machte ihn fast perfekt nach. *Die will ich als Freundin*, dachte ich hingerissen, als sie eine moderne Powerballade auf der CD übersprang und stattdessen Barbra Streisand laufen ließ. Sie war so ganz anders als ich und als alle, die ich bisher kannte. Weshalb ich sie nur umso mehr mochte.

Irgendwann hätte ich es auch ohne sie geschafft. Irgendwann hätte ich ganz allein neue Freunde gefunden. Ich trug zwar noch die Narben meiner Vergangenheit, aber schon jetzt erhob ich mich strahlend und neu aus der verbrannten Asche. Als Sarah Mackey, Benefizvorstand, nett, umgänglich, superzuverlässig, gelegentlich ganz schlagfertig. Aber Jenni Carmichael wirkte wie ein Katalysator. Durch sie lernte ich plötzlich neue Leute kennen und begann langsam zu glauben, ich könnte wirklich hierhergehören. In diese Stadt, die ich so verzweifelt mein Zuhause nennen wollte.

Drei Jahre später war Jenni nicht nur meine beste Freundin, sondern auch eine unbezahlbare Stütze unserer Organisation. Als Reuben und ich einen unbefristeten Mietvertrag für ein Gebäude auf der Vermont unterschrieben, nur zwei Blocks vom Kinderkrankenhaus entfernt, kündigte sie Knall auf Fall ihren Job und kam einfach mit. Unser neues Hauptquartier machte nicht viel her. Die Nachbarschaft bestand überwiegend aus ominösen Privatkliniken, Münzwäschereien und Imbissbuden. Aber die Miete war erschwinglich, und das Gebäude hatte ein großes, offen gestaltetes Erdgeschoss, in dem wir Reubens Trainingsakademie für die neuen Clowndoctors unterbringen konnten. Zuerst war Jenni unsere Büroleiterin, dann »jemand, der bei den Anträgen für die Zuschüsse hilft«, und ein paar Jahre später wurde sie schließlich zur stellvertretenden Chefin unserer Spendenabteilung befördert.

Ein Jahr nachdem wir uns kennengelernt hatten, wurde auch ihr romantisches Märchen endlich wahr. Mit einem Mann namens Javier, der den Neureichen die dicken SUVs reparierte und ihr jede Woche Blumen mitbrachte, lebte sie glücklich und zufrieden an der Ecke Westlake und Historic Filipinotown. Sie liebte die kleinen spontanen Liebeswochenenden, zu denen er sie entführte, und wenn sie über Javier redete, dann nur in den höchsten Tönen.

Seit elf Jahren versuchten die beiden nun schon vergeblich, ein Baby zu bekommen. Jenni beklagte sich nicht. Sie hatte keine Zeit, sich zu beklagen. Und doch drohte der unerfüllte Kinderwunsch, sie langsam von innen aufzufressen. Hilflos musste ich mit ansehen, wie er meine liebste Freundin allmählich zermürbte. Für sie hatte ich sogar zu einem Gott gebetet, an den ich gar nicht glaubte. Bitte, schenke ihr ein Baby. Mehr will sie doch gar nicht.

Sollte auch der allerletzte Versuch einer künstlichen Befruchtung nicht funktionieren, wusste ich nicht, was sie tun würde. Weder sie noch Javier hatten genug Ersparnisse, um eine weiterführende Behandlung zu bezahlen, wenn ihre Krankenversicherung die Kosten nicht mehr übernahm. »Letzte Runde! Wer will noch mal, wer hat noch nicht!«, hatte sie gefrotzelt, als wir uns zum Abschied am LAX umarmten.

Für Jenni war meine Trennung von Reuben ein Schock gewesen. Ich glaube, sie hat ihren Glauben an die Liebe in seinen Grundfesten erschüttert. Sicher, Menschen trennten sich, gingen auseinander, ließen sich scheiden. Das war nichts Ungewöhnliches. Aber doch keins der Paare, die sie kannte. Um etwas gegen das lähmende Gefühl der Hilflosigkeit zu tun, spielte sie die Retterin in der Not. Ihre Paraderolle. Sie lud Apps auf mein Handy, ließ mich in ihrem Gästezimmer wohnen und backte im Akkord Torten.

»Also!«, sprudelte sie jetzt fröhlich. »Eddie hat sich doch noch bei dir gemeldet, oder? Alles wieder paletti?«

»Ehrlich gesagt, nein«, gestand ich kleinlaut. »Eher im Gegenteil. Er ist wieder aufgetaucht – vorausgesetzt, er war überhaupt untergetaucht –, hat aber immer noch nicht auf meine unzähligen Nachrichten reagiert. Er hat mich eiskalt abserviert.«

»Warte mal, Schatz.« Die kitschige Hintergrundmusik verstummte. »Ich hab nur kurz den Film ausgemacht. Javier, ich gehe mal eben zum Telefonieren nach draußen auf die Veranda.« Ich hörte die Fliegengittertür hinter ihr zufallen. »Entschuldige, Sarah, kannst du das bitte noch mal wiederholen?«

Ich wiederholte es. Alles. Jenni brauchte einen Moment, um zu begreifen, dass auch meine zweite Liebesgeschichte kein Happy End gefunden hatte.

»Ach du Scheiße.« Sie fluchte sonst nie. »Echt jetzt?«

»Echt jetzt. Ich bin am Boden zerstört. Wie du dir wahrscheinlich denken kannst. Wieso würde ich dich sonst um vier Uhr früh anrufen?«

»Ach, Scheiße«, brummte sie und lachte dann freudlos auf. »Erzähl mir ganz genau, was passiert ist, seit wir das letzte Mal geschrieben haben. Und Finger weg vom Computer. Du hast vorhin ein paar echt irre Nachrichten verschickt.«

Ich erzählte ihr, was passiert war.

»Das war's dann wohl«, meinte ich, als ich fertig war. »Ich glaube, ich muss versuchen, ihn mir aus dem Kopf zu schlagen. Ob ich will oder nicht.«

»Nein«, bellte sie ein bisschen zu barsch. Jenni ertrug es nicht, mit ansehen zu müssen, wie jemand der Liebe leichtfertig den Rücken kehrte. »Wage es ja nicht, einfach so hinzuschmeißen, Sarah. Ich weiß, die meisten haben dir bestimmt gesagt, du sollst es gut sein lassen. Aber … ich kann die Sache noch nicht abhaken. Ich bin mir genauso sicher wie du, dass es dafür eine plausible Erklärung geben muss.«

Ich lächelte schief. »Die da wäre?«

»Das weiß ich nicht«, murmelte sie nachdenklich. »Aber ich bin fest entschlossen, der Sache auf den Grund zu gehen.«

»War ich auch.«

Sie lachte. »Wir kriegen das schon hin. Aber erst mal Kopf hoch, Brust raus, okay? Und wo wir gerade dabei sind – was für ein Gefühl hast du bei der Sache morgen?«

»Morgen?«

»Du triffst dich doch morgen mit Reuben und Kaia. In irgendeinem Laden an der Themse. Oder nicht?«

»Reuben ist in London? Mit Kaia?«

»Ähm … ja? Er meinte, er hätte dir gemailt und wollte sich morgen mit dir auf einen Kaffee treffen. Dir Kaia vorstellen, damit ihr euch nicht erst hier in Kalifornien kennenlernt.«

»Aber warum ist sie denn in London? Warum sind die zwei in London? Ich sollte morgen eigentlich nach Gloucestershire fahren! Ich – *was*?«

»Kaia wollte wohl unbedingt mit«, erklärte Jenni etwas hilflos. »Angeblich war sie seit Jahren nicht mehr in London. Und Reuben hatte schon ein Flugticket, weil ihr beiden ja eigentlich zusammen Urlaub machen wolltet...«

Matt sank ich zurück ins Kissen. Ach ja. Reuben und ich hatten schon im Januar Flugtickets nach London gebucht, als wir noch dieses einsame Mann-und-Frau-Spiel spielten. Jedes Jahr fuhr ich zum Jahrestag des Unfalls nach Hause, und er kam mit, so oft es ging – wobei es schon eine ganze Weile her war, seit er mich das letzte Mal begleitet hatte. »Dieses Jahr bin ich wieder dabei«, hatte er mir versprochen. »Ich weiß, wie sehr deine Schwester dir fehlt. Dieses Jahr bin ich für dich da, Sarah.« Also hatten wir die Tickets gebucht.

Erst viel später hatte er mir gesagt, dass er sich scheiden lassen will. »Ich habe meinen Flug nach London umgebucht«, hatte er ein paar Tage später erklärt und mich dabei mit schuldbewusstem, traurigem Dackelblick angeschaut. »Ich gehe davon aus, du möchtest unter diesen Umständen nicht, dass ich dich begleite.«

Und ich hatte gesagt, ja, gute Idee, danke fürs Mitdenken. Und hatte keinen Gedanken daran verschwendet, dass er womöglich ohne mich fliegen könnte. Wenn ich ganz ehrlich bin, hatte ich damals überhaupt sehr wenig nachgedacht. Und wenn, dann eher darüber, ganz behutsam die Flügel auszubreiten und versuchsweise ein bisschen damit zu flattern. Neugierig ein Leben ohne Reuben zu erkunden. Die neue Leichtigkeit, dieses Fließen, das Gefühl von Zukunft und Raum in dieser schönen neuen Welt. Wofür ich mich irgendwie geschämt hatte. Sollte ich nicht eigentlich meine gescheiterte Ehe betrauern?

»Er hat Kaia mitgenommen«, erklärte Jenni. Das ganze Thema schien ihr äußerst unangenehm. »Tut mir leid. Ich dachte, er hätte es dir gesagt.«

»Hat er vermutlich auch. Ich habe die Mail wohl nur noch nicht gelesen.« Ich schloss die Augen. »Tja, das wird bestimmt ein netter Nachmittag. Ich, Reuben, Reubens neue Freundin.«

Jenni lachte freudlos auf.

»Entschuldige«, brummte ich nach kurzem Schweigen. »Ich wollte dich nicht anblaffen. Ich stehe bloß gerade ein bisschen unter Schock. Und außerdem bin ich selbst schuld. Ich hätte meine Mails lesen sollen.«

Ich konnte sie fast lächeln hören. Jenni war nicht so schnell eingeschnappt. »Du machst das alles ganz toll, Süße. Bis auf die Tatsache, dass du die ganze Nacht wach bist. Daran solltest du arbeiten.«

Ich schloss die Augen. »Ach herrje, und ich habe dich nicht mal gefragt, wie es mit deiner In-vitro-Geschichte läuft. Wo bist du gerade in deinem Zyklus? Wann entnehmen sie dir die Eizellen?«

Jenni stutzte kurz. »Ach, das ist alles längst gelaufen. Ich war schon letzte Woche da. Sie haben mich ausgenommen wie eine Weihnachtsgans. Ich hatte dir eine Nachricht geschickt? Auf WhatsApp? Sie haben mir drei Embryonen eingepflanzt, weil das der letzte Versuch ist. Nächste Woche weiß ich mehr.«

Sie holte Luft, als wollte sie noch was sagen, überlegte es sich dann aber anders. Die verzweifelte Stille, die folgte, wog schwerer als ein Tausend-Tonnen-Gewicht.

»Jenni«, sagte ich sanft. »Es tut mir so leid. Ich dachte, du bist noch in der Stimulationsphase. Ich … Himmel, es tut mir leid. Ich weiß, das ist keine Entschuldigung, aber ich stehe gerade völlig neben mir.«

»Ich weiß«, entgegnete sie fröhlich. »Mach dir deswegen keinen Kopf. Du warst immer für mich da, jedes Mal. Da kannst du dir auch mal einen kleinen Patzer leisten.«

Aber sie klang zu betont munter, und ich wusste ganz genau, ich hatte sie enttäuscht. In der rußschwarzen Finsternis von Zoes Gästezimmer brannte mein Gesicht vor Selbsthass wie Feuer.

Jenni antwortete auf irgendwas, das Javier ihr aus dem Hintergrund zurief, und meinte dann, sie müsse gleich Schluss machen. »Hör zu, Sarah, ich würde Folgendes vorschlagen«, sagte sie. »Ich finde, du solltest das mit Eddie ganz anders angehen. Tu einfach so, als hättet ihr euch gerade erst kennengelernt. Warum schreibst du ihm nicht einen Brief? Erzählst ihm ein bisschen von dir, wie beim ersten Date? Alles, was du ihm bisher nicht sagen konntest. Wie … weiß er überhaupt von dem Unfall? Von deiner Schwester?«

»Jenni – reden wir lieber über dich. Wir haben schon viel zu viele Worte über mich und mein erbärmliches Leben verloren.«

»Ach, Liebes! Ich passe ganz gut auf mich auf. Ich visualisiere und chante und mache Fruchtbarkeitstänze und esse lauter widerlich gesunde Sachen. Mehr kann ich nicht tun. Du schon.« Sie unterbrach sich. »Sarah, nie werde ich den Tag vergessen, an dem du mir von dem Unfall erzählt hast. Das war die schlimmste Geschichte, die ich je im Leben gehört habe, und ihretwegen habe ich dich nur noch mehr ins Herz geschlossen. Ganz, ganz fest. Ich finde, du solltest Eddie von der ganzen Sache erzählen.«

»Ich kann ihm doch keine schnulzige Tränendrüsen-Story schreiben, damit er es sich anders überlegt und sich aus Mitleid bei mir meldet!«

»Das sage ich doch gar nicht. Ich finde bloß …« Sie seufzte. »Ich finde bloß, du solltest ihm die Möglichkeit geben, dich wirklich kennenzulernen. Alles an dir. Selbst die Seiten, die du selbst nicht gerne siehst. Zeig ihm, was für eine außergewöhnliche, außerordentliche Frau du bist.«

Ich schwieg. Das Handy glühte an meiner Wange. »Aber Jenni, es war reine Glückssache, dass du so reagiert hast. Das würde sicher nicht jeder.«

»Das bezweifele ich.«

Ich richtete mich in meinen Kissen auf. »Also … er schweigt sich beinahe einen ganzen Monat lang aus, und ich soll einfach aus heiterem Himmel anfangen, ihm Geschichten aus meiner Kindheit zu schreiben? Der muss mich doch für komplett irre halten! Vollkommen unzurechnungsfähig!«

Jenni gluckste. »Ganz bestimmt nicht. Im Gegenteil. Er wird sich Hals über Kopf in dich verlieben. Genau wie ich.«

Ich sank zurück in die Kissen. »Ach Jenni, wem wollen wir eigentlich was vormachen? Ich muss ihn mir endgültig aus dem Kopf schlagen.«

Sie lachte schallend.

»Warum lachst du?«

»Weil du nicht die geringste Absicht hast, ihn dir endgültig aus dem Kopf zu schlagen!«

»Habe ich wohl!«

»Hast du nicht!«, meinte sie lachend. »Wolltest du deinen Eddie vergessen, wolltest du ihn wirklich vergessen, Sarah Mackey, dann wäre ich der allerletzte Mensch auf der Welt, den du mitten in der Nacht anrufen würdest.«

Sechzehntes Kapitel

Vierter Tag: Eine Buche, ein Gummistiefel

Eddie telefonierte wieder mit Derek. Ich hatte zwar keine Ahnung, wer Derek war, nahm aber an, dass er irgendwas mit Eddies Job zu tun haben musste. Wenn er mit ihm redete, klang Eddie förmlicher und geschäftsmäßiger als beispielsweise gestern, als ein Freund ihn angerufen hatte. Das Gespräch an diesem Nachmittag war kurz und knapp, und Eddie sagte kaum mehr als »verstehe« und »okay« und »klingt gut«. Ein paar Minuten später legte er auf und ging ins Haus, um das Telefon wegzubringen.

Ich saß auf der Bank vor der alten Scheune und las eine abgegriffene Ausgabe von *Unser Mann in Havanna*, die ich im Bücherregal entdeckt hatte. Wie schön es war zu merken, dass ich immer noch für mein Leben gerne las. Ich mochte die Vorstellung, dass ein vom MI6 bezahlter Autor sich diesen arglosen Staubsaugervertreter ausgedacht hatte, der sich vom Secret Service anheuern ließ, um den extravaganten Lebensstil seiner umwerfend schönen Tochter zu finanzieren. Ich mochte es, stundenlang vom Leben dieses Mannes zu lesen, ohne Pause und ohne über mein eigenes Leben nachdenken zu müssen. Ich mochte es, mich mit diesem Buch in der Hand und keinerlei Terminen oder Verpflichtungen so zu fühlen wie die Sarah, die ich längst vergessen geglaubt hatte.

Es war immer noch drückend heiß, aber ein Umschwung kündigte sich langsam an. Die Luft war dick wie geronnene Milch und schien sich an den Rändern zu kräuseln. Spannung lag darin. Wie ein Raubvogel, kurz bevor er niederstößt. Meine Sachen hingen reglos an der Wäscheleine über einem dicken Kissen Waldweidenröschen, die sich nicht das kleinste bisschen rührten. Ich gähnte. Überlegte, ob ich kurz rübergehen und nachsehen sollte, ob bei Mum und Dad zu Hause alles in Ordnung war.

Und wusste, ich würde nicht gehen. Schon in der zweiten Nacht, die Eddie und ich miteinander verbracht hatten, war klar gewesen, dass wir hierbleiben würden, in dieser kleinen geheimen schwebenden Welt. Entweder bis meine Eltern aus Leicester zurückkamen oder bis Eddie in den Urlaub fuhr. Ich wollte keine Stunde von ihm getrennt sein. Nicht mal, so lange es dauerte, um nach Hause zu gehen und wieder zurück. Das Universum, das ich kannte, hatte aufgehört zu existieren. Und ich verspürte nicht den geringsten Wunsch, es wieder zurückzuholen.

Am Rand von Eddies Rasen saß Steve, das Eichhörnchen, und beobachtete mich. »Na, du Bandit«, brummte Eddie, als er wieder herauskam. Visierte das Eichhörnchen kurz an und tat, als feuerte er ein Gewehr ab. Steve schien davon gänzlich unbeeindruckt und rührte sich nicht von der Stelle.

Eddie setzte sich zu mir. »Ich mag es, wenn du meine Sachen trägst«, murmelte er grinsend und ließ den Gummibund seiner Boxershorts gegen meine Taille schnippen. Zu der Shorts trug ich eins seiner alten T-Shirts, das an den Schultern schon ganz fadenscheinig war. Es roch nach ihm. Wieder gähnte ich und griff nach seiner Shorts und ließ den Gummibund genauso schnippen. Ich hatte Stoppeln an den Beinen. Aber das war egal. Alles war egal. Ich war wie blöde vor Glück.

»Wollen wir einen Spaziergang machen?«, fragte er.

»Warum nicht?«

Wir blieben dann noch eine ganze Weile auf der Bank sitzen und küssten uns und ließen Hosengummis schnippen und lachten über alles und nichts.

Um kurz nach zwei gingen wir schließlich los. Ich hatte meine Sachen wieder angezogen, die nach Eddies Waschmittel und Sommersonnenschein dufteten.

Ein paar Meter folgten wir dem gewundenen Bachlauf, dann verließ Eddie den Pfad und marschierte den Hügel hinauf, mitten hinein ins Herz des Waldes. Unsere Füße versanken tief im unberührten weichen

Waldboden. »Ich wollte dir hier oben etwas zeigen«, sagte Eddie. »Es ist ein bisschen albern, aber ich gehe gerne hier hinauf und sehe nach, ob es noch da ist.«

Ich lächelte. »Das kann doch das besondere Vorkommnis des heutigen Tages werden.«

Seit das mit uns angefangen hatte, hatte es nicht viele besondere Vorkommnisse gegeben. Wir hatten geschlafen, uns geliebt, gegessen. Stundenlang geredet. Stundenlang nicht geredet. Bücher gelesen, Vögel beobachtet, uns eine ausschweifende Geschichte über den ausgebüxten Hund ausgedacht, der auf Eddies Lichtung herumgeschnüffelt hatte, während wir draußen auf der Bank saßen und eine spanische Tortilla aßen.

Kurz und gut, während alles geschah, geschah eigentlich nichts.

Ich drückte seine Hand, während wir steil bergan quer durch den Wald kraxelten, und wieder staunte ich, wie herrlich einfach und unkompliziert das alles doch war. Vogelzwitschern, unser eigener Atem und tief im weichen Mulch versinken. Und sonst – von einem Gefühl tiefer wonniger Zufriedenheit abgesehen – nichts. Kein Kummer, keine Schuldgefühle, keine Fragen.

Wir waren fast ganz oben angekommen, als Eddie unvermittelt stehen blieb. »Da«, rief er und deutete in eine hohe Buche. »Der geheimnisvolle Gummistiefel.«

Es dauerte eine Weile, bis ich ihn sah, aber irgendwann hatte ich ihn entdeckt und musste lachen. »Wie hast du das denn hingekriegt?«

»Das war ich nicht«, antwortete er. »Irgendwann war er einfach da. Keine Ahnung, wie er da hochgekommen ist oder wer sich das ausgedacht hat. In all den Jahren, die ich nun schon hier lebe, bin ich in diesem abgelegenen Teil des Waldes noch nie einer Menschenseele begegnet.«

Ziemlich weit oben in einem hohen Baum – bestimmt über zehn Meter hoch – ragte ein abgebrochener Ast heraus, der wohl mal himmelwärts gezeigt hatte. Auf dem verbliebenen Stumpf steckte ein schwarzer Gummistiefel. Darunter wuchsen ein paar zarte, grüne Zweige. Davon abgesehen war der Stamm vollkommen glatt und astlos. Unmöglich, dort hinaufzuklettern.

Fasziniert starrte ich hinauf zu dem Stiefel. Rätselte, was er dort zu suchen hatte. Entzückt, dass Eddie ihn mir gezeigt hatte. Ich schlang den Arm um seine Taille und lächelte. Ich konnte ihn spüren. Seinen Herzschlag, seinen Atem. Sein T-Shirt, das leicht klamm war nach dem heißen Aufstieg den Hügel hinauf. »Ein echtes Mysterium«, murmelte ich. »Gefällt mir.«

Eddie tat, als werfe er einen Gummistiefel, mehrmals, und gab dann auf. Es war unbegreiflich. »Keine Ahnung, wie sie das geschafft haben«, meinte er. »Aber ich finde es toll.«

Dann drehte er sich zu mir um und küsste mich. »Albern, ich weiß«, sagte er. »Aber ich dachte mir, es würde dir gefallen.« Und dann nahm er mich fest in die Arme.

Ich erwiderte seinen Kuss, lang und heftig. Ich wollte nichts anderes, als ihn zu küssen.

Und fragte mich, wie um alles auf der Welt ich wieder nach L.A. zurückgehen sollte, wenn das Glück hier zum Greifen nahe schien. Hier, an diesem Ort, der mal mein Zuhause gewesen war.

Irgendwann rollten wir nackt durch das Laub.

Ich hatte Mulch in den Haaren und bestimmt auch ein paar Insekten. Aber in mir war nichts als Freude. Freude, die in alle Himmelsrichtungen aus mir herauswuchs wie starke, strahlenförmige Äste.

Siebzehntes Kapitel

Lieber Eddie,

lange und gründlich habe ich darüber nachgedacht, ob ich dir diesen Brief schreiben soll. Ob ich wirklich – zum wiederholten Mal – versuchen soll, dich zu kontaktieren. Obwohl du mir doch unmissverständlich zu verstehen gegeben hast, dass du zwar noch am Leben bist, aber nichts mehr mit mir zu tun haben willst. Doch ich bin so verzweifelt, dass ich dein Schweigen einfach nicht hinnehmen kann.

Vergangene Nacht musste ich an den Tag denken, als wir den Hügel hinaufgeklettert sind und uns den geheimnisvollen Gummistiefel angeschaut haben. Was für eine alberne, entzückende Idee von dir. Wie wir da oben standen und gelacht haben. Und da dachte ich: Ich kann einfach nicht aufgeben. Ich kann ihn nicht aufgeben. Kann uns nicht aufgeben. Noch nicht.

Das ist er also jetzt, mein allerletzter Versuch herauszufinden, was wirklich passiert ist. Zu verstehen, wie ich mich so irren konnte.

Erinnerst du dich noch an unsere letzte gemeinsame

Nacht, Eddie? Draußen auf dem Gras, ehe wir dein zeppelingroßes Zelt hinausgeschleppt und uns dann stundenlang abgemüht haben bei dem Versuch, das widerspenstige Ding aufzustellen? Erinnerst du dich noch, dass ich dir, ehe wir hundemüde von dem verflixten Gefummel eingeschlafen sind, eigentlich meine ganze Lebensgeschichte erzählen sollte?

Ich fange jetzt einfach damit an. Ganz von vorne. In allen Einzelheiten. Oder zumindest den gesammelten Höhepunkten. Ich dachte mir, das würde dich vielleicht daran erinnern, was du an mir gemocht hast. Denn was immer du mir sonst vielleicht verheimlicht oder vorgemacht hast, dass du mich mochtest, daran besteht kein Zweifel. Das war echt. Das war nicht gespielt.

Also. Ich heiße Sarah Evelyn Harrington. Geboren wurde ich am 18. Februar 1980 um 16.13 Uhr im Gloucester Royal. Meine Mum war Grundschullehrerin in Cheltenham, mein Dad Tontechniker. Er war oft mit irgendwelchen Bands auf Tour, bis er seine Familie irgendwann zu sehr vermisste. Danach hat er nur noch im Tonstudio gearbeitet und manchmal bei Konzerten hier in der Gegend. Tut er bis heute. Er kann es einfach nicht lassen.

Zusammen haben meine Eltern ein heruntergekommenes Cottage in einem Tal unterhalb von Frampton Mansell gekauft, ungefähr ein Jahr, bevor ich geboren wurde. Seitdem leben die beiden dort. Es liegt ungefähr eine Viertelstunde den Fußpfad hinter deiner Scheune entlang. Bestimmt kennst du es. Dad und einer seiner Freunde haben in dem Sommer, als er und Mum dort eingezogen sind, den alten Pfad im Schweiße ihres Angesichts wieder freigelegt. Zwei Männer, zwei Kettensägen, jede Menge Bier.

Mit dir in diesem Tal zu sein hat mein Gefühl dafür verändert. Mich an das Ich erinnert, das ich vergessen hatte. Wofür es einen guten Grund gab, wie ich am ersten Morgen schon sagte.

Tommy, mein bester Freund, wurde nur ein paar Monate später geboren. Seine Eltern, ein »etwas schwieriges« (O-Ton mein Vater) Ehepaar, wohnten ein paar Häuser weiter am Ende unserer Straße. Er und ich wurden bald beste Freunde und spielten jeden Tag miteinander. Bis zu diesem seltsamen traurigen Augenblick beim Erwachsenwerden, wenn man von heute auf morgen aufhört zu spielen. Aber vorher hatten wir viele Sommer lang zusammen Bäche gestaut, wilde Brombeeren gepflückt und Tunnel durch den dichten, undurchdringlichen Wiesenkerbel gegraben.

Ich war fünf, als Mum noch ein Baby bekam – Hannah –, und ein paar Jahre später war Hannah bei all unseren Abenteuern dabei. Sie war vollkommen furchtlos, meine kleine Schwester – viel mutiger als Tommy und ich, obwohl sie so viel jünger war. Ihre beste Freundin, ein kleines Mädchen namens Alex, himmelte sie dafür hemmungslos an.

Erst jetzt, als Erwachsene, wird mir bewusst, wie sehr ich Hannah eigentlich geliebt habe. Wie sehr auch ich sie angehimmelt habe.

Tommy war mehr bei uns als bei sich zu Hause, weil seine Mum – wie er selbst sagte – »eine Schraube locker« hatte. Da würde ich heute wohl widersprechen, aber sie kreiste tatsächlich zwanghaft und fast unaufhörlich um oberflächliche und unbedeutende, absurde Äußerlichkeiten. Als ich fünfzehn war, verfrachtete sie ihre ganze Familie nach L.A. Mir brach es das Herz. Ohne Tommy wusste ich nichts mehr mit mir anzufangen. Ich wusste nicht mehr, wer ich eigentlich war. Wer meine Freunde waren. Zu welcher Clique ich gehörte. Ich war verzweifelt. Irgendwie musste ich Anschluss finden, und zwar fix. Sonst würde ich, schneller als ich blinzeln konnte, auf dem Schulhof ins Abseits geraten und als hoffnungslose Einzelgängerin abgestempelt werden.

Also hängte ich mich an zwei meiner Klassenkameradinnen, Mandy und Claire, mit denen ich immer schon locker befreundet gewesen war. Jetzt wurde unsere Freundschaft enger. Enger und einengender. Mädchen können so grausam sein.

Zwei Jahre später hing ich morgens um fünf am Telefon und flehte Tommy förmlich auf Knien an, mich zu ihm nach Amerika kommen und bei ihm wohnen zu lassen. Aber dazu später mehr.

Das soll fürs Erste reichen. Ich möchte dir schließlich nicht meine ganze Lebensgeschichte wie alten Trödel vor die Füße werfen. Zumal du sie womöglich gar nicht hören willst. Und selbst wenn, ich möchte nicht anmaßend klingen. Als hätte ich als einziger Mensch eine Vergangenheit.

Du fehlst mir, Eddie. Ich hätte es nie für möglich gehalten, dass jemand, den ich gerade mal sieben Tage gekannt habe, mir so fehlen könnte. Aber es ist so. So sehr, dass ich kaum noch geradeaus gucken kann.

Sarah

Achtzehntes Kapitel

Da saß er. Reuben. An einem Tisch im BFI Café und unterhielt sich mit seiner neuen Freundin, deren Gesicht ich von draußen nicht sehen konnte. Eine braun verkrustete leere Kaffeetasse gleich neben der Hand auf dem Tisch. Alles an ihm verströmte Selbstbeherrschung und neue Männlichkeit.

Ich konnte mich noch zu gut an den schüchternen, mageren jungen Mann erinnern, der damals bebend vor einem mexikanischen Restaurant gestanden hatte, die Haare zurückgegelt, den Hals mit billigem Aftershave getränkt. Und wie er mich ein paar Stunden später mit gepresster, zitternder Stimme gefragt hatte, ob ich mit ihm ausgehen wolle. Und nun sah ihn sich einer an! Strotzend vor Lebenskraft. Ein kalifornischer Held wie aus dem Bilderbuch. Mit schicker Shorts, Sonnenbrille und lässig verstrubbelten Haaren. Ich konnte mir ein kleines Lächeln nicht verkneifen.

»Hallo«, begrüßte ich sie, als ich zu ihnen an den Tisch trat.

»Ach!«, rief Reuben, und für einen Wimpernschlag

sah ich den schüchternen jungen Mann, den ich vor all den Jahren geheiratet hatte. Der Mann, mit dem ich mein ganzes Leben hatte verbringen wollen. Denn ein Leben mit ihm in dieser heiteren, sonnigen Stadt war alles, was ich damals zu brauchen glaubte.

»Hey! Du musst Sarah sein.« Kaia stand auf.

»Hallo«, sagte ich und reichte ihr die Hand. »Wie schön, dich endlich kennenzulernen.« Kaia war schlank, hatte strahlende Augen und einen offenen Blick. Wie verwischt wirkten die blassen Aknenarben an ihrem Kinn, die sich bis zu den zarten Wangen zogen. Dunkle Haare fielen ihr lässig über die Schultern.

Meine ausgestreckte Hand ignorierte sie. Stattdessen nahm sie mich bei den Schultern und gab mir einen Kuss auf die Wange, und dazu lächelte sie herzlich. Womit gleich unmissverständlich geklärt war, wer heute hier das Sagen hatte. Sie war vollkommen, diese Frau, und ich war es nicht. »Prima, dass es geklappt hat«, rief sie fröhlich. »Ich konnte es kaum erwarten, endlich das Gesicht zu dem Namen zu sehen.«

Kaia musste eine wahrlich außergewöhnliche Frau sein, wenn sie das Gesicht zu meinem Namen nicht längst gegoogelt hatte. Ich war es jedenfalls nicht und hatte sie gegoogelt, sobald ich erfahren hatte, wie sie weiter hieß. Aber Kaia war, wie sollte es anders sein, online nicht zu finden. Zu rein für die schäbige Halbwelt des Internets.

Sie setzte sich und lächelte mich an, während ich

meine Handtasche umständlich unter dem Tisch verstaute und dann meine Strickjacke auszog, die viel zu warm war und mir dicke Schweißtropfen auf die Stirn trieb. Sie war eine dieser Frauen, die man manchmal bei Sonnenuntergang am Strand beim Meditieren sah, dachte ich, während ich meine Arme linkisch aus dem Klammergriff der Strickjacke befreite. Grundgut und geerdet, mit Salz auf der Haut und Wind in den Haaren.

»Also ...«, murmelte Reuben, als er sich setzte. »Da wären wir also, was?« Er holte tief Luft und klappte dann den Mund zu, weil ihm aufging, dass er nicht wusste, was er sagen sollte.

Kaia sah ihn an, und ihr Gesicht wurde ganz weich. Das ist mein Blick, dachte ich mit kindischer Eifersucht. Genauso habe ich ihn immer angeschaut, wenn er nicht weiterwusste, und dann war alles wieder gut.

»Ich habe schon so viel von dir gehört, Sarah«, sagte sie wieder an mich gewandt. Sie trug ein langes Kleid mit einem auffälligen Ikat-Muster und dazu eine ganze Kollektion silberner Armreifen und wirkte dabei irgendwie eleganter als alle anderen um uns herum. »Und ich weiß, es kommt auf die inneren Werte eines Menschen an« – konnte die Frau Gedanken lesen? –, »aber ich muss dir einfach sagen, das ist wirklich ein wunderschöner Rock, den du da trägst.«

Verlegen strich ich ihn glatt. Das war tatsächlich einer meiner hübscheren Röcke. Trotzdem fühlte ich mich irgendwie unwohl in meiner Haut. Als wäre heute offiziell uniformfreier Tag an der Schule und ich hätte es mit meinem Outfit ein bisschen übertrieben.

»Danke«, murmelte ich. Und scheiterte kläglich mit dem Versuch, etwas zu sagen, das bewies, dass ich tatsächlich über innere Werte verfügte.

Kaia zückte ihr Portemonnaie. »Ich hole uns mal eben was zu trinken. Was möchtest du?«

»Ach, das ist aber nett.« Rasch schaute ich auf meine Armbanduhr und musste enttäuscht feststellen, dass es nicht einmal Mittag war. Widerstrebend bestellte ich ein Mineralwasser mit Zitrone.

Sie schlüpfte von ihrem Platz, und Reuben sprang auch gleich auf. »Ich helfe dir!«

»Ich mach das schon«, entgegnete Kaia. »So lange könnt ihr beiden euch in Ruhe unterhalten.«

Aber Reuben ließ sich nicht abwimmeln, und so saß ich plötzlich ganz allein am Tisch.

Da wären wir also, dachte ich und tupfte mir mit einer Serviette die Stirn. Das ist meine Zukunft. Ich leite eine Wohltätigkeitsorganisation mit meinem Ex-mann, der jetzt mit einer Yogine zusammen ist. Noch dazu einer echt netten. Ich sah zu, wie die beiden zur Theke gingen. Reuben legte ihr den Arm um die Taille und drehte sich dann schuldbewusst zu mir um, als sei es ihm peinlich, dass ich das mit ansehen musste.

Das ist meine Zukunft.

Er war zu mir ins Büro gekommen, gerade mal sechs

Wochen nach der Trennung, augenscheinlich kurz vor einer Panikattacke. »Alles okay?«, hatte ich gefragt und ihn über den Computerbildschirm dabei beobachtet, wie er in einem der vollgestopften Requisitenschränke herumpolterte.

Mit wirrem Blick hatte er sich zu mir umgedreht. »Ich habe jemanden kennengelernt«, hatte er halb im offenen Schrank kauernd geblökt.

Eine große Tüte mit roten Nasen war vom Regalbrett hinter ihm gefallen, und er hatte sie eingesammelt und fest an die Brust gedrückt. »Es tut mir so leid«, stammelte er. »Das war so nicht geplant.«

Wie ein Bombenentschärfer, der sich einem hoch-explosiven Apparat näherte, war er vorsichtig auf mich zugekommen und hatte mir verzweifelt fragend ins Gesicht geschaut. Hinter sich zog er eine Spur Clowns-nasen über den Boden, aber er merkte es nicht.

»Ich fühle mich so mies, so kurz nach unserer Tren-nung«, hatte er gesagt. »Willst du dich setzen?«

Ich wies ihn darauf hin, dass ich bereits saß.

Es hatte mich selbst überrascht, wie wenig es mir ausgemacht hatte. Eigenartig war es, ja. Aber ich war eher neugierig als eifersüchtig. Reuben hatte jemanden kennengelernt! Mein Roo!

»Willst du es wirklich wissen?«, hatte er mich mehr-mals zweifelnd gefragt.

Ich hatte nur aus ihm herausbekommen, dass Kaia in einer Saftbar in Glendale jobbte, Yogalehrerin war und gerade eine Ausbildung zur Naturheilpraktikerin machte. Und dass Reuben hin und weg war.

Ich sah zu, wie sie die Getränke bestellte. Sie war bildschön auf eine sehr gefällige, westliche Art. Und sie war grundanständig, das spürte man gleich. Nett und gut. Ein scharfer Kontrast zu mir mit meinem manischen und eher düsteren Gemüt. Reuben stupste ihr mit dem Finger auf die Nasenspitze und lachte. Das hatte er bei mir auch immer gemacht.

Die ganze Geschichte wäre wesentlich einfacher zu ertragen, dachte ich griesgrämig, wenn das mit Eddie und mir gut gegangen wäre. Dann hätte Reuben von mir aus hier mitten in der Bar auf die Knie gehen und Kaia einen Antrag machen können. Und ich hätte gejubelt und geklatscht und mich vermutlich sogar freiwillig angeboten, die ganze bescheuerte Hochzeit zu organisieren.

Wenn Eddie angerufen hätte.

Mir wurde elend flau im Magen, und ich schaute auf mein Handy. Als würde das irgendwie helfen.

Unvermittelt erstarrte ich.

War das – war das …?

Eine Sprechblase. Eine kleine graue Sprechblase. Was nur bedeuten konnte, dass Eddie – der echte, lebendige, atmende Eddie irgendwo auf dieser Welt – gerade eine Antwort auf meine Nachrichten tippte. Ganz reglos saß ich da und ließ die Blase nicht aus den Augen, während das Café und das Südufer der Themse dahinter verschwanden.

»Es ist so schön, in London zu sein«, seufzte Kaia, als sie mit meinem Getränk zurückkam. Nein! Geh weg! »Ich hatte schon ganz vergessen, wie sehr ich diese Stadt liebe.« Mein Blick ging nach unten. Die Sprechblase war noch da. Er tippte immer noch. Ich war ganz kribbelig. Vor Schreck, vor Freude. Ich zwang mich, Kaia freundlich anzulächeln. Sie trug so einen Ring, der mitten auf dem Finger steckt. So einen hatte ich mir vor Jahren auch mal gekauft. Er war mir am El Matador Beach in die öffentlichen Toiletten geplumpst.

»Dann kennst du London also.« Ich musste mich zwingen, sie nicht einfach zu ignorieren.

Sprechblase: noch da.

»Ich war schon ein paar Mal beruflich hier«, antwortete sie. »Ich war früher Journalistin. Damals, in einem anderen Leben.«

Und dann schauderte es sie unmerklich, und ich wartete und hoffte insgeheim, sie würde weitererzählen. Ich hatte nämlich rein gar nichts zu sagen.

(Das! Das war genau einer dieser Augenblicke, über die ich mit Mrs Rushby gesprochen hatte. Der vollkommene Verlust des Selbst. Aller Manieren, aller Gesellschaftsfähigkeit, aller Selbstbeherrschung.)

Die Sprechblase war noch da.

»Aber dann musste ich mir eingestehen, dass dieses Leben mich nicht erfüllt.« Sie unterbrach sich bei der Erinnerung an diese Zeit. »Also bin ich in mich gegangen und habe versucht herauszufinden, was mir wirklich wichtig ist. Und das ist Ernährung, draußen sein, meinen Körper und meinen Geist stark und gesund halten. Ich bin ausgestiegen und habe eine Ausbildung zur Yogalehrerin gemacht. Das war eine der besten Entscheidungen meines Lebens.«

»Wie toll!«, säuselte ich. »Namaste.« Kaia nahm unter dem Tisch Reubens Hand. »Aber vor zwei Jahren hatte ich ein schlimmes Erlebnis, und danach habe ich noch einige viel einschneidendere Veränderungen durchgemacht…«

Sprechblase: noch da.

»Nachdem ich das irgendwie durchgestanden hatte, habe ich mir eingestehen müssen, dass es nicht ausreicht, nur mir selbst und meinen eigenen Bedürfnissen gerecht zu werden. Ich wollte über den Tellerrand hinausschauen. Ich wollte anderen Menschen helfen. Großzügig mit offener Hand und offenem Herzen geben, wenn das nicht allzu esoterisch klingt.« Ihre Wangen röteten sich. »Ach du lieber Himmel, und wie esoterisch das klingt«, sagte sie lachend, und ich musste daran denken, dass diese ganze Situation für sie sicher genauso unangenehm war wie für mich.

Reuben himmelte sie an, als säße die Muttergottes neben ihm auf der Bank. »Ich finde, das klingt überhaupt nicht esoterisch«, meinte er. »Oder, Sarah?«

Ich legte mein Handy kurz weg und sah ihn empört an. Erwartete er allen Ernstes, dass ich seiner neuen

Freundin Komplimente machte, damit sie sich noch wohler fühlte in ihrer pfirsichweichen Haut?

»Also, langer Rede kurzer Sinn, ich habe angefangen, mich ehrenamtlich im Children's Hospital zu engagieren«, beeilte sie sich zu sagen. Sie wollte offensichtlich gerne zum Ende kommen. »Als Spendensammlerin. Ich arbeite einen Tag die Woche für das Krankenhaus, oft auch mehr. Und das war's eigentlich. Jetzt weißt du alles über mich.«

»Ich arbeite immer gern mit den Spendensammlern vom CHLA zusammen«, entgegnete ich, heilfroh, wenigstens irgendeine Gemeinsamkeit entdecken zu können. »Großartige Menschen und famose Unterstützer unserer Organisation. Ich nehme an, so habt ihr beiden euch kennengelernt?«

Kaia schaute Reuben an, der etwas unsicher nickte. Schon okay, hätte ich ihm am liebsten gesagt. Ich bin eifersüchtig auf deine Freundin, ja. Aber nur, weil sie so erwachsen wirkt. So in sich ruhend und rundum zufrieden mit sich und der Welt. Nicht, weil ich dich immer noch will, du süßer kleiner Junge.

Das Schlimmste an der ganzen Sache, dachte ich, als ich wieder zum Handy griff (Sprechblase: noch da), war, dass ich mich in Eddie – mit dem ich gerade mal sieben Tage verbracht hatte – so rettungslos verliebt hatte. Ganz anders als bei Reuben, mit dem ich ganze siebzehn Jahre verheiratet gewesen war. Wenn also jemand ein schlechtes Gewissen haben müsste, dann ich, nicht Roo.

Ich legte das Handy mit dem Display nach unten auf den Tisch, während ich darauf wartete, dass Eddies Nachricht zugestellt wurde, und eine beängstigende Euphorie überkam mich. Das Warten hatte endlich ein Ende. Schon in wenigen Minuten würde ich mehr wissen.

Reuben wusste augenscheinlich nichts zu dieser Unterhaltung beizutragen, obwohl er seit Jahren in einem Job arbeitete, der ihn gelehrt hatte, auch unter nahezu unmöglichen Umständen zu kommunizieren. Er räusperte sich ein paar Mal umständlich, nur um dann unzusammenhängendes Zeug zu reden, wie dass man hier gar kein Chlor im Leitungswasser schmeckte oder sonst irgendeinen Unsinn.

Mein Handy vibrierte, und sofort stürzte ich mich darauf. Endlich. *Endlich.*

Aber es war nur eine Nachricht von Dad.

Liebes, wenn du noch nicht auf dem Weg nach Gloucestershire bist, bleib, wo du bist. Der neue Pflegedienst hat deinen Großvater im hohen Bogen rausgeworfen. Wir sind mit unserem Latein am Ende und nehmen ihn jetzt mit nach Hause und kümmern uns selbst um ihn. Er kann in Hannahs altes Zimmer ziehen. Bitte komm uns trotzdem besuchen. Wir haben dich lieb (und brauchen dich...), aber wenn du es auf morgen verschieben könntest, wären wir dir sehr dankbar. DAD x

Sofort ging ich wieder zu Messenger, ohne auf Reuben oder Kaia oder sonst wen zu achten.

Keine Nachricht. Eddie war immer noch online, aber die Sprechblase war verschwunden.

Mein Gesicht fiel in sich zusammen. Mein Herz genauso.

Ich zwang mich, Kaia anzusehen, die gerade mit mir redete. »Ich habe vor ein paar Jahren einige eurer Clowndoctors auf der Kinderkrebsstation gesehen«, sagte sie. Das durfte nicht wahr sein. Wo ist diese Nachricht? »Da war ein kleiner Junge, der war ganz schlimm krank und niedergeschlagen und stinkwütend wegen seiner Chemo, und er hat einfach dichtgemacht, als eure Jungs kamen. Hat sich mit dem Gesicht zur Wand gedreht und so getan, als seien sie gar nicht da.«

»Ich habe ihr erklärt, dass das öfter vorkommt«, meinte Reuben ganz stolz. »Darum arbeiten sie immer zu zweit.«

»So clever!«, zirpte Kaia. »Sie können einfach miteinander interagieren, und das Kind kann selbst bestimmen, ob es mitmachen will oder nicht. Stimmt's?«

»Stimmt genau«, erwiderte Reuben. »Wir überlassen den Kindern selbst die Entscheidung.«

Grundgütiger. Wer war dieses seltame Komikerduo, und wo war meine Nachricht?

»Er hat sich also demonstrativ weggedreht, und die Clowns haben angefangen, zusammen zu improvisieren, und irgendwann musste er lachen. Ich meine, sogar *ich* musste lachen! Als sie irgendwann wieder gingen, konnte er gar nicht mehr aufhören.«

Widerwillig nickte ich. Ich hatte das schon oft genug gesehen.

Verzweifelt auf der Suche nach etwas – irgendwas –, worauf ich mich konzentrieren konnte, das nicht Eddie war, fing ich an loszuplappern, wie ich Reuben das erste Mal nach seiner Ausbildung als Clowndoctor mit Kindern hatte arbeiten sehen. Kaia schaute mich freundlich interessiert an, während ich ohne Punkt und Komma herumblubberte, das kleine braun gebrannte Kinn auf eine kleine braun gebrannte Hand gestützt. Die andere hielt Reubens Hand. Irgendwann kam ich zum Ende und schaute auf mein Handy. Ich sah seine Antwort schon vor mir. Wie sie aussah. Wie lang sie war. Das grau unterlegte Feld, in dem sie stand.

Aber da war nichts. Sie war nicht da, und Eddie war wieder offline.

»Möchte jemand noch was zu trinken?«, fragte ich und kramte konfus das Portemonnaie aus der Handtasche. »Wein?« Ich schaute auf die Uhr. »Es ist Viertel nach zwölf. Da ist das völlig legitim.«

Während ich an der Theke stand und wartete, schlang ich die Arme um mich und wusste selbst nicht so recht, ob ich mich trösten oder mich irgendwie zusammenhalten wollte.

Zwanzig Minuten später, als mein einsames Glas Wein langsam den Schmerz ein wenig betäubte, entschuldigte Kaia sich, um zur Toilette zu gehen. Ich sah ihr nach, wie die schlanken Beine sich unter dem Kleid bewegten, und stellte mir vor, wie Kaia Reuben nach der Arbeit abholte, um mit ihm zum Essen zu gehen oder vielleicht einen kleinen Abendspaziergang durch den Griffith Park zu machen. Kaia bei unserer Weihnachtsfeier oder beim Grillfest im Sommer. Kaia bei Reubens entzückenden, übernervösen Eltern in Pasadena. Denn das würde alles so kommen. (*Sie passt viel besser zu dir*, konnte ich mir nur zu gut vorstellen, würde Reubens Mum zu ihm sagen. Sie hatte insgeheim immer befürchtet, ich könnte eines Tages wieder nach England zurückgehen und ihren einzigen Sohn einfach mitnehmen.)

»Sie ist wirklich allerliebst«, versicherte ich Reuben.

»Danke«, erwiderte. er und sah mich erleichtert an. »Danke, dass du so nett zu ihr bist. Das ist ihr wirklich wichtig.«

»Wir beide haben einander gebraucht«, meinte ich nach kurzem Schweigen und überraschte ihn damit genauso wie mich selbst. »Und jetzt brauchen wir uns nicht mehr. Du hast ein entzückendes Mädchen kennengelernt, und ich freu mich sehr für dich, Roo. Wirklich.«

»Ja«, seufzte er, und ich hörte die Freude ganz tief in seinem Herzen. Es war, als hätte Reuben einen dieser langen, tiefen Atemzüge gemacht, wie ganz am Anfang einer Yogastunde, und nicht mehr in den normalen Atemrhythmus zurückgefunden.

»Hey«, setzte Reuben an. Er wirkte etwas verlegen. »Hey, hör zu, Sarah, ich... ich muss schon sagen, die Mails, die du da gestern Nacht verschickt hast, so kenne ich dich gar nicht. Du klangst... nicht unbedingt sehr sachlich. Und du hast diese Dokumente an unsere Treuhänder verschickt, ohne Rücksprache mit einem von uns. Ganz zu schweigen davon, dass du einem Kind versprochen hast, unsere Clowns würden seine Schwester besuchen, ohne vorab das betreffende Krankenhaus zu kontaktieren. Ich war gelinde gesagt etwas erstaunt.«

Kaia schlängelte sich durch die Tische zu uns zurück. »Ich weiß«, entgegnete ich matt. »Ich hatte einen schlechten Tag. Wird nicht wieder vorkommen.«

Er beäugte mich sehr genau. »Ist alles in Ordnung?«

»Bestens. Nur bisschen müde.«

Er nickte bedächtig. »Tja, sag Bescheid, wenn du mich brauchst. Wir dürfen nicht den Fehler machen, eigenmächtig die Vorschriften zu umgehen.«

»Ich weiß. Hey, hör zu, wir müssen über das Hospizangebot sprechen.«

»Klar«, meinte Reuben. »Jetzt gleich?«

»Wir können doch nicht darüber reden, wenn Kaia mit am Tisch sitzt.«

Reuben runzelte die Stirn. »Ach, ihr macht das nichts aus.«

»Mir aber. Geschäft ist Geschäft, Roo.«

»Nein«, widersprach Reuben. »Nein. Was wir machen, ist Wohltätigkeitsarbeit. Kein Geschäft. Und Kaia versteht das. Sie ist Freund, nicht Feind, Sarah.«

Ich zwang mich zu einem Lächeln. Er hatte recht. In letzter Zeit hatten immer alle recht. Alle außer mir.

Vierzig Minuten später gingen Reuben und Kaia. Reuben hatte darauf bestanden, einen groben Plan für das Angebot auszuarbeiten. Allen meinen Einwänden zum Trotz. Und ich hatte gute Miene zum bösen Spiel gemacht. Denn wie sollte ich auch nicht? Kaia hatte zumindest so viel Taktgefühl besessen anzubieten, sie könne so lange draußen warten, damit wir ungestört reden konnten. (»Nein, nicht nötig!«, hatte Reuben protestiert. »Wir haben keine Geschäftsgeheimnisse.«)

Zum Abschied hatte Kaia mich auf die Wange geküsst und mich umarmt. »Es war wirklich toll, dich kennenzulernen«, hatte sie gestrahlt. »*So* toll.«

Und ich hatte »gleichfalls« gesagt, denn eigentlich hatte diese Frau nichts an sich, was nicht durch und durch liebreizend und entzückend war.

Als sie weg waren, schaltete ich das Handy aus und den Laptop ein und machte mich an die Arbeit. Gäste kamen und gingen. Thunfischsalat und Fritten, auf denen sich wabbelige Mayonnaisepyramiden türmten, wurden vorbeigetragen. Mit Bürolippenstift verschmierte Weingläser und hopfige Ales in Pintgläsern wurden geleert. Draußen versteckte sich die Sonne hinter einem grauen Laken. Regen fiel, Wind wehte, die Sonne kam wieder zum Vorschein. Das Südufer dampfte, Regenschirme wurden ausgeschüttelt.

Es war am fünften Tag unserer Affäre gewesen, als ich Eddie David angeschaut und gedacht hatte: Ich würde den Rest meines Lebens mit dir verbringen. Ich würde Ja sagen, jetzt und hier, und ich weiß, ich würde es nicht bereuen.

Das brütend heiße Wetter war schließlich brodelnd und tosend umgeschlagen, und ein Sturm wütete über das Land. Blitzend und brüllend hämmerte er gegen das Dach von Eddies Scheune. Wir lagen im Bett unter einem Oberlicht, das er, wie er sagte, eigentlich nur zum Sternegucken und Wetterbeobachten eingesetzt hatte. Kopf an Fuß wie zwei kleine Sardinen in der Büchse lagen wir da, und Eddie massierte gedankenverloren meine Zehen, während er nach oben in den tobenden Himmel schaute.

»Ich frage mich, was Lucy, das Schaf, wohl dazu sagen würde«, meinte er. Ich musste lachen, als ich mir vorstellte, wie Lucy empört unter einem Baum Schutz gesucht hatte und missvergnügt blökte.

»Die Unwetter in L.A. sind absolut apokalyptisch«, sagte ich. »Weltuntergang.«

Nach kurzem Schweigen fragte er: »Freust du dich schon auf zu Hause?«

»Eigentlich nicht.«

»Warum?«

Ich stützte den Kopf auf die Hand, damit ich ihn anschauen konnte. »Dreimal darfst du raten.«

Zufrieden schob er meinen Fuß unter seinen Kopf und meinte: »Na ja, weißt du, die Sache ist die: Ich will dich auch gar nicht gehen lassen.«

Und ich lächelte zurück und dachte: Wenn du mich bitten würdest zu bleiben, wenn du mir sagen würdest, wir könnten uns hier ein gemeinsames Leben aufbauen, ich würde nicht gehen. Obwohl ich dich erst ein paar Tage kenne, obwohl ich mir geschworen habe, nie mehr zurückzukehren. Für dich würde ich bleiben.

Es war beinahe vier, als ich schließlich meine Sachen packte, um zu gehen. Ich schaltete das Handy ein, obwohl ich eigentlich gar nichts mehr erwartete. Ich hatte eine Nachricht von einer unbekannten Nummer.

finger weg von eddie, stand da.

Keine Satzzeichen, keine Anrede, keine Großbuchstaben. Nur *finger weg*.

Ich setzte mich wieder. Las die Worte noch ein paar Mal. Die Nachricht war um Punkt fünfzehn Uhr verschickt worden.

Wie benommen hockte ich da und wusste nicht, was tun. Nach kurzem Zögern wählte ich schließlich Jos Nummer.

»Komm her«, befahl sie entschlossen. »Komm auf der

Stelle zu mir, Süße. Rudi ist bei seinem Opa. Du kriegst ein Glas Wein und dann rufen wir da an und finden raus, wer das war, und gehen der Sache gemeinsam auf den Grund. Okay?«

Draußen schüttete es schon wieder sintflutartig, und über der Themse tobte ein Unwetter wie ein steingrauer Wutanfall. Trommelnd, hämmernd, lärmend. Genau wie damals, als Eddie und ich zusammen im Bett gelegen hatten. Ich wartete ein paar Minuten ab und gab dann schließlich auf. Gottergeben trottete ich, ohne Schirm und Mantel, in Richtung Waterloo.

Neunzehntes Kapitel

Hallo du,

du hattest vorhin angefangen, mir zu schreiben. Was wolltest du mir sagen? Warum hast du es dir anders überlegt? Bringst du es wirklich nicht über dich, mit mir zu reden?

Anscheinend nicht.

Ich mache einfach da weiter, wo ich beim letzten Mal aufgehört habe.

Ein paar Monate nach meinem siebzehnten Geburtstag war ich in einen schrecklichen Autounfall auf der Cirencester Road verwickelt. An dem Tag habe ich meine Schwester verloren, und ich habe mein Leben verloren – zumindest das Leben, das ich kannte. Denn schon wenige Wochen später musste ich mir schmerzlich eingestehen, dass ich hier nicht bleiben konnte. In Frampton Mansell. In Gloucestershire. Oder überhaupt in England. Es war wirklich eine schlimme, dunkle Zeit.

Mein Leben war ein Scherbenhaufen. Verzweifelt habe ich Tommy angerufen. Der lebte da schon seit zwei Jahren in L.A. Er meinte nur: »Steig in den nächsten Flieger«, und das habe ich dann auch gemacht. Wortwörtlich. Am nächsten Tag war ich weg. Mum und Dad waren wirklich wunderbar. So unglaublich selbstlos. Mich in dieser schweren Zeit einfach gehen zu lassen. Ob sie auch so großherzig gewesen wären, wenn sie gewusst hätten, was das mit unserer Familie machen würde? Ich weiß es nicht. Aber wie dem auch sei, sie haben mein Wohlergehen über ihr eigenes gestellt, und am nächsten Morgen war ich in Heathrow.

Tommys Familie lebte in einer angesagten Wohngegend von L.A., in einer Straße namens South Bedford Drive, die so breit war wie der M4. Ihr Haus war ein seltsames graubraunes Gebilde, das aussah, als hätte man eine spanische Finca mit einem altenglischen Herrenhaus gekreuzt. Bei meiner Ankunft stand ich, mit flauem Magen und ganz schwindelig vor Hitze und Jetlag, ungläubig staunend davor und hatte das Gefühl, ich sei auf dem Mond gelandet.

Wie sich schnell herausstellte, war ich aber bloß in Beverly Hills. »Eigentlich können wir es uns gar nicht leisten, hier zu wohnen«, meinte Tommy düster, als er mich herumführte. Sie hatten einen Pool! Einen richtigen Swimmingpool! Mit Holzdeck und Tisch und Stühlen und Kletterpflanzen und Rosen und tropischen Gewächsen, die wie rosa Wölkchen in Hängekübeln schwebten.

»Die Miete ist eine Unverfrorenheit. Ich kann mir beim besten Willen nicht erklären, wie sie das schaffen. Aber Mum platzt vor Stolz, wenn sie vor ihren alten Bekannten zu Hause in England damit angeben kann, Saks sei sozusagen ihr Supermarkt.«

Und obwohl Tommys Mum eigentlich kaum wiederzuerkennen war und ihre Gedanken anscheinend nur noch um banale Oberflächlichkeiten wie Kleider und Schönheitsbehandlungen und Lunches, bei denen sie ganz sicher nie einen einzigen Bissen aß, kreisten, merkte sie doch gleich, dass ich dringend Hilfe brauchte. Freundlich versicherte sie mir, ich könne bleiben, solange ich wollte, und sagte mir, wo ich den exotisch anmutenden Frozen Yoghurt bekam, von dem Tommy mir in seinen Briefen vorgeschwärmt hatte. »Aber bitte nur in Maßen«, hatte sie mich streng ermahnt. »Wir wollen ja nicht, dass du fett wirst.«

Hinter dem akkurat gemähten Rasenrechteck ihres hoch umzäunten Gartens erstreckte sich eine Stadt, die mich zugleich faszinierte und erschreckte. Nie werde ich vergessen, wie ich das erste Mal eine von Palmen gesäumte schnurgerade Allee sah, die geradewegs bis in den Himmel zu führen schien. Gigantische Straßenschilder, die von den Ampeln baumelten. Unaufhörliches Flugzeuggeheul, Nagelstudios und zerklüftete Berge, livrierter Parkservice und Boutiquen voller unvorstellbar unerschwinglicher, aber fantastisch schöner Kleider. Ich staunte wie ein kleines Kind. Wochenlang lief ich mit großen Augen und offenem Mund durch die Stadt. Alles war neu und aufregend. Die Menschen, die bunten Lichtergirlanden, der unendliche blassgoldene Sandstrand und der Pazifik, der unablässig donnernd an die Küste vor Santa Monica brandete.

Schnell ging mir auf, dass Tommys großzügiges Angebot, ihn zu besuchen, nicht ganz selbstloser Natur gewesen war.

Er war einsam. Er war zwar den unerbittlichen Hänseleien unserer früheren Klassenkameraden entflohen, aber sonst hatte sich eigentlich nichts geändert. Weder die Beziehung zu seiner Familie oder die zu sich selbst noch sein Vertrauen in die Menschheit hatten sich irgendwie zum Besseren gewendet. Die frühen Anzeichen einer Selbstwahrnehmungsstörung, die er bereits gezeigt hatte, als er aus England weggegangen war, schienen sich verfestigt und verdichtet zu haben. Er aß entweder gar nichts oder alles, trainierte manchmal zwei- oder dreimal am Tag, und sein Schlafzimmer war vollgestopft mit Klamotten, an denen noch die Preisschilder hingen. Er schien sich dafür zu schämen, als er mich das erste Mal hineinließ. Als könnte ein Teil von ihm sich noch an den Tommy erinnern, der er früher einmal gewesen war, bevor dann irgendwie alles schiefging.

Eines Tages fragte ich ihn ganz unverblümt, ob er womöglich doch schwul war. Da waren wir gerade auf dem Farmer's Market und standen vor einem Taco-Stand Schlange, und Tommy fing an, irgendeinen Quatsch zu murmeln von wegen, er hätte eigentlich überhaupt keinen Hunger. Und ich weiß noch, wie ich da stand und mir mit unserem Parkschein ein bisschen Luft zufächelte und die Frage einfach so aus mir herausprudelte.

Keiner von uns beiden hatte damit gerechnet. Ein paar Sekunden lang starrte er mich nur an und meinte dann trocken: »Nein, Harrington. Ich bin ganz sicher nicht schwul. Und was zum Teufel hat das bitte mit Tacos zu tun?«

Hinter uns gluckste jemand und versuchte krampfhaft,

ein Lachen zu unterdrücken. Peinlich berührt zog Tommy den Kopf ein. Ich drehte mich um, und da stand ein Mädchen, vielleicht ein, zwei Jahre älter als ich, und lachte ganz ungeniert. »Sorry«, prustete sie mit unüberhörbarem Londoner Akzent. »Aber ich habe eure Unterhaltung zufällig mitgehört. Du, Süße« – noch immer lachend zeigte sie mit dem Finger auf mich – »lass dir eins gesagt sein: Manieren gehen anders.«

Tommy war ganz ihrer Meinung.

Und ich auch.

Aus der einen Stunde, die wir zusammen an einem wackligen Tisch saßen und Tacos aßen, sollte eine lebenslange Freundschaft werden. Das Mädchen, Jo, hatte sich gerade als mobile Kosmetikerin selbstständig gemacht und hauste in einem heruntergekommenen Apartment ganz in der Nähe. In den darauffolgenden Monaten ging ihr schleichend das Geld aus, bis sie schließlich wieder nach England zurückmusste. Aber vorher hatte sie uns beide mit ihrer rauen, aber herzlichen Art so weit in Richtung Glück und Normalität geschubst, geknufft und getreten, dass wir irgendwie weitermachen konnten. Sie brachte uns zum Reden – woran wir beide bisher kläglich gescheitert waren – und zwang uns erbarmungslos, zu Partys, Gratiskonzerten und an den Strand zu gehen. Sie kann so piesig sein wie ein gereiztes Stachelschwein, unsere liebe Jo Monk, aber die Frau strotzt nur so vor Mitgefühl und Löwenmut. Ich vermisse sie immer ganz schrecklich, wenn ich nicht in England bin.

Es wurde September, und eigentlich musste ich wieder nach England zurück, um meinen Schulabschluss zu machen. Aber ich konnte nicht. Immer, wenn ich mit meinen Eltern telefonierte und sie das Gespräch auf dieses Thema brachten, brach ich prompt in Tränen aus. Mum wusste dann nichts mehr zu sagen, und irgendwann ging Dad unten an den anderen Apparat vor dem Gästeklo und riss irgendwelche albernen Witzchen. Mum gab sich allergrößte Mühe, sich nichts anmerken zu lassen und heiter und unbeschwert zu wirken, aber eines Tages rutschte es ihr heraus, ehe sie sich auf die Zunge beißen konnte. »Du fehlst mir so sehr, dass es wehtut«, wisperte sie. »Ich will meine Familie wiederhaben.« Selbsthass schnürte mir die Kehle zu, und ich brachte kein Wort heraus.

Am Ende ließen sie sich dazu überreden, mich ein Schuljahr aussetzen und meinen Abschluss um ein Jahr verschieben zu lassen – ich durfte also noch ein bisschen bleiben. Später besuchten sie mich, und obwohl ich mich freute, sie zu sehen, war es für mich doch kaum zu ertragen, dass Hannah nicht dabei war. Immer wieder wollten die beiden über sie reden, aber für mich war es schier nicht auszuhalten. Insgeheim war ich erleichtert, als sie wieder in den Flieger stiegen.

Und dann lernte ich Reuben kennen und suchte mir einen Job und beschloss, dass es an der Zeit war, jemand zu werden, dem ich im Spiegel wieder in die Augen schauen konnte. Aber davon erzähle ich dir dann beim nächsten Mal.

Sarah

*PS: Morgen fahre ich nach Hause zu meinen Eltern.
Großvater ist übergangsweise bei ihnen eingezogen. Wenn
du in Gloucestershire bist und reden willst, ruf mich an.*

Zwanzigstes Kapitel

»Sarah!« Dad nahm mich fest in die Arme. Er sah ziemlich erschöpft aus. »Gott sei Dank«, brummte er. »Gott sei Dank bist du da. Die kleine, leise Stimme der Vernunft.«

Er bot mir ein Glas Wein an, das ich dankend ablehnte. Nach dem Treffen mit Reuben und Kaia gestern in dem Café an der Southbank und der Nachricht, ich solle mich von Eddie fernhalten, war ich bei Jo gewesen und hatte viel zu viel getrunken. Heute Morgen beim Aufwachen hatte mein Körper mir unmissverständlich klargemacht, dass er den Genuss alkoholischer Getränke in absehbarer Zeit nicht mehr tolerieren würde.

»Ach, Sarah.« Mum drückte mich zur Begrüßung. »Ich habe ein schrecklich schlechtes Gewissen wegen der letzten Wochen. Es tut mir so leid.« Meine Mutter entschuldigte sich immer ausgiebig für ihre vermeintlichen Fehler und Schwächen, obwohl sie sich nie etwas anderes hat zuschulden kommen lassen, als mich seit dem Tag meiner Geburt mit Liebe zu überschütten und sich aufopferungsvoll um mich zu kümmern.

»Hör endlich auf. Ich hatte einen wunderbaren Urlaub. Ihr habt mich doch in Leicester gesehen. Habe ich da nicht glücklich und zufrieden gewirkt?«

»Na ja, einigermaßen.«

Ich wusste nicht so recht, warum ich ihnen noch immer nichts von Eddie erzählt hatte. Vielleicht weil ich wegen des Jahrestags des Unfalls hier war, und nicht, um mich mit einem gut aussehenden Fremden in den Kissen zu wälzen. Oder vielleicht, weil ich mir, schon als ich in Leicester gewesen war, langsam so meine Gedanken gemacht hatte.

Oder vielleicht, dachte ich dann, während ich Mum einen bunten Blumenstrauß in die Hand drückte, weil ich insgeheim längst gewusst hatte, dass aus uns nichts werden würde. Genauso, wie ich damals, als Reuben und ich uns an unserem Hochzeitstag gegenüberstanden, gedacht hatte: Irgendwann wird er mir wieder genommen. Genau wie Hannah.

Mum stellte die Blumen in eine Vase und tauschte sie dann gegen eine andere. Und dann noch eine andere. »Guck nicht so«, sagte sie, als sie merkte, wie ich sie dabei beobachtete. »Ich bin jetzt in Rente, Sarah. Ich habe mir das Recht hart erarbeitet, meine Blumen dreimal am Tag neu zu arrangieren, wenn mir danach ist.«

Ich lächelte und war heimlich erleichtert. Das letzte Mal, als ich Mum gesehen hatte, da hatte sie so klein und zerbrechlich gewirkt. Zerdrückt wie ein Karton im Altpapier. Es war ganz eigenartig gewesen, sie so zu sehen. Denn von dem einen oder anderen Tiefpunkt abgesehen war sie in den Jahren nach dem Unfall ein nahezu unerschütterlicher Fels in der Brandung gewesen. Und nur deswegen hatten mich meine Schuldgefühle auch nicht vollends zerfressen, sie mit all dem Schmerz und dem Chaos einfach so alleingelassen zu haben.

Heute war sie – und Dad übrigens auch – so wie immer: liebenswürdig, verlässlich, gelassen. Und leicht alkoholisiert, dachte ich, als ich sah, wie Mum sich einen Wein einschenkte, obwohl wir doch gleich in den Pub gehen wollten. *Stell sie nicht auf ein Podest. Sie haben einfach ihre eigene Art, mit den Dingen umzugehen.*

Ich schaute hoch zur Decke und senkte die Stimme. »Wie ist es mit ihm? Wie geht es ihm?«

»Er ist ein hundsgemeiner alter Stinkstiefel«, erklärte Mum unverblümt. »Und ich darf das sagen, weil er mein Vater ist und ich ihn liebe und ich weiß, was für schwere Zeiten er durchgemacht hat. Aber man kann es einfach nicht anders sagen – er ist ein hundsgemeiner alter Stinkstiefel.«

»Ist er«, pflichtete Dad ihr bei. »Wir führen eine Strichliste mit seinen Beschwerden. Heute sind wir schon bei dreiunddreißig, und es ist gerade mal Viertel vor eins. Willst du nichts trinken?«

»Ich habe einen Kater.«

Mum ließ den Kopf hängen. »Ach, ich fühle mich wirklich mies, wenn ich so über ihn herziehe«, seufzte sie. »Aber er ist einfach unmöglich, Sarah. Unerträglich.

Er treibt uns alle in den Wahnsinn. Aber eigentlich tut er mir schrecklich leid. Er lebt schon so lange allein. Was ist das für ein Leben, eingesperrt ganz einsam in diesem Haus und niemand zum Reden.« Meine Großmutter, eine Frau, die so rundlich war, dass sie auf Fotos fast aussah wie eine Kugel, war mit gerade einmal vierundvierzig Jahren an einem Herzinfarkt gestorben. Ich hatte sie nie kennengelernt.

»Na ja, wenigstens hat er euch beide. Ganz sicher genießt er eure Gesellschaft, auch wenn er es sich nicht anmerken lässt.«

»Er führt sich auf, als sei er von Terroristen gekidnappt worden«, meinte Mum seufzend. »Als ich ihm heute Morgen seine Tabletten gebracht habe, meinte er doch allen Ernstes: ›Ich fasse es nicht, dass ihr mich in dieses gottverdammte Loch verschleppt habt.‹ Ich war kurz davor, seinem Leiden ein Ende zu bereiten.«

Dad musste lachen. »Du bist wie ein Engel zu ihm«, sagte er und gab ihr einen zärtlichen Kuss. Ich guckte schnell weg, leicht angeekelt, sehr gerührt und ehrlich gesagt ein kleines bisschen eifersüchtig. Sie wirkten immer noch so glücklich miteinander, meine Eltern. Dad hatte Mum als junger Kerl jeden Abend ausgeführt, bis sie endlich Ja gesagt hatte. Er hatte sie angerufen, ihr geschrieben, ihr Geschenke gemacht. Er hatte sie zu Konzerten eingeladen, und sie durfte bei ihm am Mischpult sitzen. Nie hatte er sie enttäuscht. Nie hatte er sich nicht gemeldet.

Ich fragte, ob ich nach oben gehen und Hallo sagen sollte, ehe wir zum Lunch in den Pub gingen.

»Dein Glück, er schläft gerade«, meinte Mum. »Aber er wird dich ganz sicher sehen wollen.«

Mit hochgezogener Augenbraue schaute ich sie skeptisch an.

»Insofern man behaupten kann, dass er je irgendwen sehen möchte.«

Wir saßen draußen vor dem Crown, obwohl es eigentlich zu kühl dafür war. Windböen wirbelten die Haare meiner Mutter auf wie lodernde rote Flammen, und Dad saß da wie der Glöckner von Notre-Dame. Vielleicht, weil er ein bisschen betrunken war, oder weil der Tisch auf seiner Seite schief stand und sich schräg zum Hügel hinunterneigte. Auf der Wiese, die oberhalb des Wegs steil bergan ging, war ein Schaf in die Knie gegangen und graste inmitten der pieksenden Brennnesseln. Ich lachte, und dann hörte ich auf zu lachen. Und fragte mich, ob ich Schafe wohl je wieder komisch finden würde.

»Erzähl mir von dieser Cello-Geschichte«, sagte ich zu Dad. Auf dem Weg hierher hatte Mum mir gesagt, er habe kürzlich angefangen, Unterricht zu nehmen.

»Aha! Also, es fing alles letzten Herbst an, als ich mit Paul Wise ein paar Bier getrunken habe und er meinte, er hätte gerade in der Zeitung gelesen, ein Instrument zu spielen würde das Gehirn bis ins hohe Alter fit und gesund halten …«

»Also ist er kurzerhand nach Bristol gefahren und hat sich ein Cello gekauft«, fiel Mum ihm ins Wort. »Zuerst war es ganz grauenhaft, Sarah. Furchtbar. Ein Gemetzel. Paul ist vorbeigekommen und hat ihm zugehört...«

»Und der Mistkerl stand da und hat sich kaputtgelacht«, vollendete Dad den Satz. »Also habe ich geübt wie ein Wahnsinniger, und dann habe ich mir in Brisley einen Lehrer gesucht, und bald bin ich schon auf Stufe zwei. Paul wird das Lachen noch im Halse stecken bleiben.«

Ich hob das Glas und wollte einen Toast auf Dad ausbringen, just in dem Moment, als ein Specht mit seinem steinharten Schnabel einen rasanten Trommelwirbel an einem Baumstamm hämmerte. Kraftlos sank meine Hand zurück auf den Tisch. Das Geräusch erinnerte mich so sehr an Eddie, an unsere gemeinsame Zeit, dass ich kein Wort mehr herausbrachte.

Das zähe Grummeln im Magen war wieder da.

Meine Eltern redeten über Großvater, während ich eine Familie beobachtete, die vor einem flammend rot blühenden Rittersporn saß. Die Eltern sahen aus wie meine: gesetztes Alter, leicht ergraut, Falten im Gesicht – aber noch immer fest mit beiden Beinen im Leben stehend. Mittendrin, nicht wehmütig zurückblickend. Und ihre Töchter hätten Hannah und ich sein können, wenn wir beide heute hier zusammensäßen. Die jüngere der beiden ereiferte sich gerade mit großer

Vehemenz und Leidenschaft über ein mir unbekanntes Thema, und ich starrte sie an wie hypnotisiert und stellte mir meine kleine Schwester als erwachsene Frau vor. Die erwachsene Hannah hätte sicher zu allem eine Meinung und würde die auch lautstark vertreten, überlegte ich. Nichts ginge ihr über eine hitzige Diskussion, und sie würde keinem Streit aus dem Weg gehen. Sie wäre eine dieser Frauen, die Komitees leiteten und vor denen die anderen Eltern in der Klasse insgeheim alle ein bisschen Angst hatten.

»Sarah?« Mum schaute mich eindringlich an. »Ist alles in Ordnung?«

»Alles bestens«, erwiderte ich.

Und dann: »Die Familie da drüben.«

Mum und Dad sahen hin. »Ach, ich glaube, das ist ein Freund unserer Nachbarn«, meinte Dad. »Patrick? Peter? Irgendwas mit ›P‹.«

Mum sagte nichts. Sie wusste, was ich meinte.

»*Das* ist alles, was ich will«, murmelte ich leise. »An einem Tisch zu sitzen mit euch und mit Hannah. Ich würde alles dafür geben, wenn wir alle zusammen an einem Tisch sitzen könnten. Miteinander reden, essen.«

Mum ließ den Kopf hängen, und ich spürte, wie Dad stocksteif wurde. Wie immer, wenn wir über Hannah sprachen. »Nun ja, das wünschen wir uns auch«, meinte meine Mutter. »Mehr, als wir es sagen können. Aber ich glaube, wir haben alle lernen müssen, dass es besser ist, auf das zu schauen, was man hat, nicht auf das, was man nicht hat.«

Eine dicke graue Wolkenwand schob sich vor die Sonne, und ich schauderte. Das sah mir mal wieder ähnlich. Dass ich irgendwas sagte, was meine Eltern traurig machte. Das sie daran erinnerte, wie es hätte sein können.

Um sechs Uhr konnte ich nicht mehr. Mein Herz hämmerte wie wild, und meine Gedanken stoben taumelnd in alle Himmelsrichtungen wie die zarten kleinen Flugschirmchen eines Löwenzahns im Wind. Ich sagte meinen Eltern, die gelinde gesagt bestürzt waren, ich wolle eine kleine nachmittägliche Laufrunde drehen.

»Mein neues Sportprogramm«, schwindelte ich lächelnd und hoffte, sie würden diese illusorische Seifenblase nicht zerplatzen lassen.

Ich verabscheute mich selbst zutiefst, als ich nach oben ging, um mich umzuziehen. Ich wusste nicht, was schlimmer war: Dass ich mich schon fast an dieses hibbelig-aufgeputschte Nervenbündel, das ich geworden war, gewöhnt hatte oder dass ich keine andere Lösung wusste, als mich vollkommen zu verausgaben und alle, denen ich am Herzen lag, nach Strich und Faden anzulügen.

Sagst du mir noch mal, wann du wieder nach L.A. fliegst?, hatte Tommy geschrieben, kurz bevor ich gefahren war.

Fliege Dienstag um 6.15 Uhr morgens von Heathrow. Bin auch mucksmäuschenstill.

Okay. Dann übernachtest du also am Montag hier?

Wenn euch das recht ist. Am Montag muss ich zu einer Konferenz nach Richmond. Müsste gegen halb acht abends wieder zu Hause sein. Aber wenn euch das irgendwelche Umstände macht, könnte ich auch bei Jo auf der Couch campieren? Ich könnte nur zu gut verstehen, wenn du und Zoe allmählich genug von mir habt!

Nein, alles gut. Zoe ist wieder in Manchester. Dann bist du Sonntagabend also nicht hier?

Negativ. Warum? Erwartest du Damenbesuch?

Öhm, nein.

Na prima. Also dann, bis Montagabend, Tommy. Alles okay?

Alles bestens. Wegen Montagmorgen: Fährst du direkt zu deiner Konferenz oder kommst du erst hierher?

Ich runzelte die Stirn. Tommy und Zoe waren bisher bemerkenswert großzügig gewesen, was die Bereitstellung ihres Gästezimmers betraf. Jetzt und bei all meinen vorherigen Besuchen. Sie hatten mir einen eigenen Schlüssel gegeben und mir gesagt, ich solle mich wie zu Hause fühlen. Und wenn wir nicht gerade ausnahmsweise vorhatten, gemeinsam zu kochen, konnte ich mich nicht daran erinnern, dass Tommy mich je gefragt hatte, wann ich kommen und wann ich gehen würde.

Eigentlich wollte ich zuerst zu dir, aber ich kann auch gleich nach Richmond fahren, wenn dir das lieber ist?, schrieb ich.

Nein, antwortete Tommy. *Alles gut. Wir sehen uns dann. Und denk nicht mal im Traum daran, Eddie nachzustellen, während du da unten bist, okay? Spontane Höflichkeitsbesuche, zufällige Laufrunden um sein Haus und Abstecher in diesen Pub sind absolut tabu. Verstanden?*

Verstanden. Schönes Wochenende mit deiner geheimnisvollen Damenbekanntschaft. Xx

Vorsicht!, schrieb er. Und dann: *Ich meine es todernst, Harrington. Halte dich von ihm fern, kapiert?*

Für einen kurzen Moment fragte ich mich ernsthaft, ob Tommy mir das schrieb, weil *er* sich heute Abend mit Eddie treffen wollte. Ich dachte eine ganze Weile über diese Möglichkeit nach, bis mir aufging, wie absurd und abwegig dieser Gedanke war.

Würde ich tatsächlich bis nach Sapperton laufen, in der Hoffnung, Eddie zufällig zu begegnen? Die Idee brütete ich schon seit Tagen aus. Obwohl, wer wusste schon, ob er überhaupt hier unten in Gloucestershire war oder oben in London. Oder irgendwo in den Weiten des Weltraums. Und was würde ich machen, wenn ich ihm wirklich über den Weg lief?

Aber eigentlich wusste ich schon jetzt, ich würde bis nach Sapperton laufen, und ich wusste auch, danach würde ich mich umso elender fühlen. Und doch konnte oder wollte ich es nicht anders.

Diese Laufrunde war, wie ich mir die Anfänge einer Psychose vorstellte. Wo ich auch hinschaute, überall sah ich Eddie. Er beobachtete mich aus den Zweigen eines Baums, saß auf einer alten Scheune, wanderte durch die Wiesen, die zwischen den mäandernden Armen des Flüsschens lagen. Und es dauerte nicht lange, da gesellte sich Hannah auch zu ihm. In denselben Sachen, die sie damals getragen hatte, an diesem schrecklichen Tag.

Ich hielt gerade auf den Kanal zu, als ich schemenhaft eine Frau aus Richtung Sapperton auf mich zukommen sah. Wenigstens sie wirkte echt: Regenmantel, zurückgebundene Haare, Wanderschuhe. Bis sie stehen blieb, ganz unvermittelt, und mich finster anstierte.

Aus mir unerfindlichen Gründen hörte ich auf zu laufen und starrte reglos zurück. Irgendwas an ihr erschien mir vertraut, und doch wusste ich ganz genau, ich hatte diese Frau noch nie im Leben gesehen. Sie war zu weit weg, um zu erkennen, wie alt sie war, aber sie wirkte wesentlich älter als ich.

Eddies Mutter? Konnte das sein? Mit zusammengekniffenen Augen spähte ich zu ihr hinüber, konnte
aber keine Ähnlichkeiten ausmachen. Eddie war breit-
schultrig, groß und kräftig. Diese Frau dagegen auffallend schmal und zierlich mit einem spitzen Kinn. (Und
selbst wenn es Eddies Mutter war, warum sollte sie mitten auf dem Fußpfad stehen bleiben und mich derart
ungeniert anglotzen? Eddie hatte gesagt, sie sei depressiv, nicht verrückt.) Außerdem wusste sie gar nicht, dass
es mich überhaupt gab.

Ein paar Sekunden stand sie noch da, dann drehte sie
sich abrupt um und stiefelte in die Richtung davon, aus
der sie gekommen war. Sie marschierte stramm, aber
ihre Bewegungen wirkten abgehackt, als fiele ihr das
Laufen schwer. Das hatte ich schon oft nach schweren
Unfällen bei rekonvaleszenten Kindern gesehen.

Lange stand ich da und sah ihr noch nach, als sie
schon längst verschwunden war.

War das eine Konfrontation gewesen, ein Duell, oder
hatte die Frau nur einen kleinen Spaziergang gemacht
und war hier umgekehrt, um wieder nach Hause zu-
rückzugehen? Einen anderen Rückweg gab es nicht.
Entweder man lief den ganzen Weg, der sich mehrere
Meilen durch die hügelige Landschaft schlängelte, bis
nach Frampton Mansell, oder man drehte irgendwann
um und ging zurück nach Sapperton.

Ich drehte mich ebenfalls um und lief heimwärts. Ein
paar Mal kam es mir vor, als ginge Eddie auf dem Pfad

hinter mir. Aber immer, wenn ich mich umdrehte, war der Weg menschenleer. Selbst die Vögel waren stumm.

Ich halte das nicht aus, dachte ich, als ich ein paar Minuten später auf der Veranda vor dem Haus meiner Eltern stand. Ich halte das nicht aus. Wie hatte es nur so weit kommen können? Dass ich ausgerechnet in diesem Tal jemandem nachlief, den ich längst verloren hatte?

Gleich neben der Garderobe hinter der Haustür hing ein gerahmtes Bild von Hannah und mir auf der Wiese hinter dem Haus. Ich saß in einem Karton, Hannah daneben, einen Blumenstrauß in der kleinen Faust. Ihre Hose starrte vor Schmutz und war voller Schlieren vom Schlamm und den Wurzeln der Blumen. Sie verzog das kleine Gesicht und stierte angestrengt in die Kamera. Es sah so komisch aus, dass es mir im Herzen wehtat, das zu sehen. Ich schaute sie an, meine geliebte kleine Hannah, und spürte den Schmerz des Verlustes wie einen Klumpen Kleber in der Brust.

»Du fehlst mir«, flüsterte ich und strich mit den Fingerspitzen über das kalte Glas des Bilderrahmens. »Du fehlst mir so sehr.«

Ich stellte mir vor, wie sie mir die Zunge rausstreckte, und musste weinen, als ich dann die Treppe hinaufging und oben unvermittelt meinem Großvater gegenüberstand.

Ich erstarrte. »Oh! Opa!«

Er sagte kein Wort.

»Ich war gerade ein bisschen laufen. Ich wollte nach

dem Mittagessen zu dir, aber da hast du geschlafen, also dachte ich mir ...«

Aber ich konnte es nicht. Ich konnte nichts sagen. Nicht einmal, um meinen grantigen Großvater zu besänftigen. Und so stand ich da vor ihm in meinen Joggingklamotten. Er in seinem Morgenmantel, den er nicht richtig geschlossen hatte, weil er zu schwach gewesen war, darunter der alte, verwaschene, abgewetzte blaue Baumwollpyjama. Die Kanten marineblau abgesetzt. Ich mit gebrochenem Herzen. Mein Großvater nach tiefer Müdigkeit riechend. Ich weinte lautlos, das Gesicht um den zu einem stummen O geformten Mund schmerzlich verzogen. Erst hatte ich Hannah verloren und nun Eddie. Ich wusste es, ich konnte mir nicht mehr länger etwas vormachen. Und da stand mein armer Opa, der seit beinahe fünfzig Jahren allein lebte. Seit Oma die Herzattacke gehabt hatte und mit einem Schinkensandwich vor sich auf dem Tisch einfach gestorben war. Und jetzt machte Großvater gerade wie vom Arzt verordnet seine täglichen Gehübungen, denn er hatte die Gehhilfe dabei, und wir wussten beide nicht so recht, was wir zueinander sagen sollten. Uns fehlten die Worte.

»Komm mit auf mein Zimmer«, brummte er schließlich.

Es dauerte eine ganze Weile, bis Großvater sich in den Sessel manövriert hatte, den Mum und Dad eigens für ihn dort hingestellt hatten. In der Zwischenzeit versuchte ich, mein verheultes Gesicht ein bisschen frisch zu machen.

Ganz kurz dachte ich wirklich, er wolle mit mir reden. Mich fragen, was los sei. Aber natürlich war das mein Großvater, und natürlich sagte er nichts. Er sah, wie sehr ich litt. Er wollte mir helfen. Aber er konnte es nicht. Also saß er nur da und schaute aus dem Fenster und gelegentlich auf einen Punkt an der Wand unweit meines Gesichts, bis ich schließlich von selbst anfing zu reden.

Ich erzählte ihm von der Familie mittags im Pub und dem bedrückenden Gefühl, das ich in diesen Tagen immer hatte, auch nach all den vielen Jahren noch. »Es vergeht kein Tag«, sagte ich zu ihm, »an dem ich nicht an Hannah denke. An dem ich mich nicht danach sehne, sie wiederzusehen, und sei es nur für fünf Minuten. Sie zu umarmen, weißt du?«

Großvater nickte brüsk. Ich sah, dass er das Bettlaken glatt gezogen und das Kopfkissen aufgeschüttelt hatte, ehe er zu seinem kleinen Spaziergang auf dem Treppenabsatz aufgebrochen war. Das rührte mich. Diese Sehnsucht nach Ordnung, selbst im größten Chaos, konnte ich nur zu gut nachvollziehen.

»Und dann dachte ich, alles wird anders, Opa. Ich habe einen Mann kennengelernt, hier in Gloucestershire, während Mum und Dad oben bei dir waren.«

Wenn ich nicht irrte, hatte sich eine Augenbraue gerade minimal nach oben bewegt.

»Weiter bitte«, murmelte er nach einer gefühlten Ewigkeit.

Ich zögerte. »Du weißt ja, dass mein Mann und ich uns getrennt haben.«

Wieder ein kaum merkliches Nicken. »Obwohl ich das deiner Mutter aus der Nase ziehen musste«, meinte er. »Irgendwie denken die Leute immer, wenn man über achtzig ist, stirbt man gleich vor Schreck, wenn man schlechte Nachrichten hört.« Er unterbrach sich. »Ich meine, wer in eurem Alter lässt sich heutzutage nicht scheiden? Ich staune bloß, dass ihr jungen Leute euch noch die Mühe macht, überhaupt zu heiraten.«

Eine Blaumeise flatterte zu dem Futterhäuschen, das draußen vor dem Fenster des Gästezimmers hing, pickte an dem Loch mit den Nüssen und flog wieder davon. Kaleidoskopische Sonnenflecken spielten auf der Sitzbank am Fenster. Es war warm und still im Zimmer.

»Was sagtest du gerade?«

Ich sagte gerade gar nichts, hätte ich beinahe etwas schnippisch zurückgegeben. Aber irgendwas an der Art, wie er dasaß, wie er mich ansah, verriet mir, dass er es hören wollte. Dass es ihn wirklich interessierte. Und wenn ich mit ihm reden wollte, musste ich mich auf die eine oder andere detonierende Handgranate einstellen.

Also erzählte ich ihm alles. Von Anfang an. Vom ersten Mal, als ich Eddie auf der Dorfwiese schallend lachen gehört hatte, bis zu der Joggingrunde vorhin entlang des Kanals. Und sämtliche peinlichen, erbarmungswürdigen Dinge dazwischen, die ich getan hatte, seit er sang- und klanglos verschwunden war.

»Sei froh, dass es zu deiner Zeit noch kein Internet gegeben hat«, sagte ich zu ihm. »Online-Stalking ist nichts Schönes. Nie findet man, was man sich erhofft, aber oft, was man nicht sehen will.« Es war fast schon therapeutisch, mit einem schweigenden Gegenüber zu reden. Ich konnte gar nicht mehr aufhören. »Und die Situation bekommt man dadurch auch nicht wieder unter Kontrolle.«

Großvater sagte sehr lange nichts. »Ich kann es nicht gutheißen, was du da machst«, brummte er schließlich. »Es klingt kindisch und selbstzerstörerisch.«

»Absolut.«

»Aber ich kann dich verstehen, Sarah.«

Ich schaute auf. Er sah mich geradeheraus an.

»Ich habe mich in eine Frau verliebt, für die ich Bäume ausgerissen hätte, wenn ich es gekonnt hätte. Ich habe sie geliebt bis zu dem Tag, als sie gestorben ist. Ich liebe sie immer noch, nach all den Jahren. Und es tut immer noch weh.«

»Oma.«

Er wandte sich ab. »Nein.«

Wie ein großer alter Wandschrank tat sich eine alles verschluckende Stille zwischen uns auf. Unten hörte man Mum und Dad lachen. Gedämpft dudelten die Klänge eines Patsy-Cline-Songs aus Dads Lautsprechern.

»Ruby Merryfield«, sagte Großvater schließlich. »Sie war die Liebe meines Lebens. Alle haben auf mich eingeredet, ich könne sie unmöglich heiraten, bis ich schließlich klein beigegeben habe. Sie hatte als junges Mädchen einen Liebhaber, und von dem hat sie ein Kind bekommen. Es wurde gleich nach der Geburt zur Adoption freigegeben. Ihr hat es das Herz gebrochen. Niemand wusste davon, außer meinen Eltern. Mein Vater war natürlich ihr Hausarzt. Er hat mir verboten, sie zu heiraten. Ich habe mit mir gekämpft, Sarah, aber letztendlich musste ich nachgeben, weil ich mitten im Medizinstudium steckte und auf seine Unterstützung angewiesen war.«

Er legte die Hände zu einem bebenden Dreieck zusammen. »Also habe ich den Kontakt zu ihr abgebrochen, und ein Jahr später habe ich deine Großmutter geheiratet, und wir hatten ein schönes Leben, Diana und ich. Aber ich habe jeden Tag an Ruby gedacht. Ich habe sie vermisst. Ich habe ihr Briefe geschrieben, die ich nie abgeschickt habe. Und als ich irgendwann hörte, dass sie an der Grippe gestorben war, musste ich mir ein paar Tage freinehmen, weil ich ganz krank war vor Kummer. Ich bin zum Angeln gefahren, drüben in der Nähe von Cannock. Es war einfach zu schön. Die ganze Zeit habe ich mir gewünscht, ich wäre irgendwo hingefahren, wo es hässlich ist.«

Großvaters Augen schwammen vor Tränen. »Sie hatte so ein Lachen, zuerst zwitschernd wie ein kleines Vögelchen und dann immer lauter und so gar nicht damenhaft. Wie ein Seehund. Sie hat immer das Schöne

in der Welt gesehen, wo immer sie auch hinkam.« Großvater drückte den Handrücken mit der schlaffen fahlen
Haut und den vielen Leberflecken in die Augen. Das
letzte Licht wich immer schneller aus dem Zimmer.

»Ich hätte sie nicht gehen lassen dürfen«, schluchzte
er.

Die Blaumeise kam wieder zurückgeflogen, und wir
saßen schweigend da und schauten ihr zu.

»Nicht alles an dieser Entscheidung bereue ich«, fuhr
er fort. »Wie gesagt, ich habe Diana sehr lieb gehabt,
und als sie gestorben ist, habe ich um sie getrauert. Und
ohne sie hätte ich deine Mutter nicht und auch nicht
ihre Schwester. Auch wenn deine Tante einen weiß
Gott um den Schlaf bringen kann.«

Der aktuelle Ehemann meiner Tante hieß Jazz.

»Aber wenn ich noch mal die Entscheidung treffen müsste, ich würde sie nicht gehen lassen«, erklärte
Großvater. »Wenn du mich fragst, die Liebe ist kein
Feuerwerk. Keine gewaltige Explosion. Nichts Drama-
tisches, alles Verschlingendes oder sonst was von den
albernen Vergleichen, die Schriftsteller und Sänger so
gerne benutzen. Aber ich glaube ganz sicher, wenn man
es weiß, weiß man es. Und ich wusste es, und ich habe
sie aufgegeben, ohne aufrichtig um sie zu kämpfen, und
das werde ich mir, solange ich lebe, nicht verzeihen.«

Er schloss die Augen. »Ich sollte jetzt ins Bett gehen,
Sarah. Und nein, ich brauche keine Hilfe. Machst du die
Tür bitte hinter dir zu? Danke, Sarah.«

Einundzwanzigstes Kapitel

Lieber Eddie,

da du mich bisher nicht gebeten hast, dir nicht mehr zu schreiben, mache ich einfach weiter.

Ich vereinbarte also mit meinen Eltern, noch ein paar Monate in L.A. bleiben zu dürfen, auch wenn das hieß, dass ich das letzte Schuljahr vor den Abschlussprüfungen versäumen würde. Mir war das schnuppe. Ich konnte einfach nicht nach Hause zurück.

Ich hatte auf der ganzen Welt nur zwei echte Freunde, und ich wohnte in der »Gästesuite« eines irren Anwesens in Beverly Hills mit Pool und Hausmädchen. Das Einzige, was mich hier noch vage an zu Hause erinnerte, war die Reihe Platanen auf der anderen Straßenseite des South Bedford Drive. Obwohl sie gar nicht aussahen wie die bei uns, denn es war ein brutal heißer, trockener Sommer in L.A. gewesen, und Anfang September war die Rinde ausgedörrt und spröde wie zu kross gebratener Schweinespeck.

Tommys Mum besorgte mir einen Job als Putzhilfe bei einigen ihrer Freundinnen, damit ich mir ein kleines Ta-

schengeld dazuverdienen konnte. Ohne gültige Arbeits-
erlaubnis war das die einzige Möglichkeit. Ich putzte bei
den Steins, den Tysons und den Garwins, und mittwoch-
nachmittags erledigte ich die Einkäufe für Mrs Garcia,
die mich fast auf Knien anflehte, als Au-pair für ihre Kinder bei ihnen anzufangen. Es kränkte sie unbeschreiblich,
dass ich das partout nicht wollte. Sie konnte einfach nicht
begreifen, wieso ich mich nicht um ihre Kinder kümmern
wollte, wo ich mich doch so blendend mit ihnen verstand.
Und ich brachte es einfach nicht über mich, ihr den wahren Grund zu nennen.

Ich dachte eigentlich, ich würde nicht mehr wachsen,
aber dann kam doch noch mal ein Schub, der nicht nur
in die Höhe ging. Plötzlich hatte ich Brüste und eine Taille
und einen Hintern. Die Figur, wie ich sie wohl heute noch
habe. Und ich musste mich fragen, was für eine Frau ich
sein wollte. Stark, überlegte ich. Stark, ehrgeizig und erfolgreich. Viel zu lang war ich ein Waschlappen gewesen, ein
blasses Mauerblümchen, ein schlaffer Niemand.

Irgendwann im November brach sich Mrs Garcias
Tochter Casey in der Vorschule den Arm. Mrs Garcia war
gerade bei einer Konferenz in Orange County, und das
Au-pair-Mädchen, das Mrs Garcia zwischenzeitlich eingestellt hatte, sollte mit Caseys kleinem Bruder zu Hause
bleiben, während ich das Mädchen per Taxi ins Krankenhaus brachte und Mrs Garcia den nächstbesten Flieger
nahm, um schnellstmöglich nach Hause zu kommen. Sie
bestand darauf, ich solle ihre Tochter ins CHLA-Kinder-

krankenhaus bringen, obwohl das auf der anderen Seite der Stadt lag – dort kannte sie die Ärzte, sagte sie, und sie wolle, dass Casey ein bekanntes Gesicht sah, während sie dort auf ihre Mum warten musste.

Arme Casey. Sie hatte solche Angst und solche Schmerzen. Als wir schließlich nach der langen Fahrt quer durch die Stadt im Krankenhaus ankamen, klapperte sie mit den Zähnen und war so verschlossen, dass sie nicht mal mit den Ärzten reden wollte. Ich konnte es kaum mit ansehen.

Kaum war Mrs Garcia da, stürmte ich aus dem Krankenhaus und lief schnurstracks zu einem Scherzartikelladen gleich in der Nähe, an der Ecke Vermont und Hollywood, den jemand in einem Gespräch ganz beiläufig erwähnt hatte. Ich wollte irgendwas Lustiges besorgen, um Casey wieder zum Lachen zu bringen. Kurz vor dem Laden wäre ich beinahe von einer wild gewordenen Kinderhorde über den Haufen gerannt worden, die wie eine explodierende Bombe aus einem mexikanischen Restaurant an der Ecke platzte. Mit den farbenfrohen Ballons und den bunt bemalten Gesichtern wirkten sie so unbekümmert und fröhlich. So ganz anders als die arme kleine Casey.

Kurz nachdem eine sichtlich gestresste Mutter die Rasselbande wieder nach drinnen gescheucht hatte, stolperte ein Clown aus dem Laden und lehnte sich matt gegen die Wand. Er schien am Ende seiner Kräfte und seiner Nerven. Er kramte eine Schachtel Zigaretten heraus und zog eine in eine kleine braune Papiertüte gewickelte Flasche mexikanisches Bier aus der Tasche. Ich musste lachen, als er es aufmachte und einen langen, dankbaren Schluck davon trank. Er war ein sehr merkwürdiger Clown: ungeschminktes Gesicht, keine Perücke, nur eine rote Nase und wild zusammengewürfelte Klamotten. Und in der Hand ein illegales Bier.

»Das ist nicht das, wonach es aussieht«, brummte er, als er mich sah. »Ich würde nie auf einem Kindergeburtstag rauchen und trinken.« Ich beruhigte ihn und fragte ihn dann nach dem Weg zu dem Scherzartikelladen. Er wies die Hollywood hinunter auf eine mit Wandgemälden und Graffiti verzierte Ladenfront. »Kann ich mitkommen?«, fragte der Clown. »Ich bin schwer traumatisiert. Ich habe in Frankreich gelernt, bei Philippe Gaulier. Ich wollte Theater machen, nicht Kinder belustigen.«

Ich fragte ihn, wo da der Unterschied sei. Wie sich herausstellte, war der erheblich.

»Vorschlag«, sagte ich zu ihm und blieb auf den Stufen des Scherzartikelladens stehen. »Wenn ich verspreche, niemandem zu verraten, dass du bei einem Kindergeburtstag draußen vor der Tür gestanden und geraucht und getrunken hast, tust du mir dann einen kleinen Gefallen? Besser gesagt: einen ziemlich großen Gefallen?«

Also trottete der arme Kerl, der bestimmt nach Zigaretten und Alkohol roch, gottergeben hinter mir her zum Kinderkrankenhaus, um Casey einen kleinen Besuch abzustatten.

Kaum standen wir vor Caseys mit Vorhängen abgetrenntem Krankenbett, schien er eine Verwandlung durchzumachen. Seine Energie, seine Präsenz, alles war plötzlich ganz anders. »Ab jetzt bin ich Franc Fromage. Nenn mich nicht bei meinem richtigen Namen«, wies er mich an, obwohl ich gar nicht wusste, wie er »richtig« hieß.

Franc Fromage trat also an Caseys Krankenbett und kramte seine Ukulele heraus. Dann sang er ein Lied für ihren Arm, den armen, der gebrochen war, und obwohl Casey immer noch ganz verängstigt und verschüchtert guckte, musste sie doch irgendwann lachen. Und dann sollte sie sich die nächste Strophe selbst ausdenken, und sie konzentrierte sich so arg, dass sie ganz vergaß, wo sie war und wie viel Angst sie eigentlich hatte. Es dauerte nicht lange, da war sie so weit, dass die Ärzte ihren Arm richten und eingipsen durften.

Monsieur Fromage versicherte mir, ihm habe der Besuch viel Freude gemacht. Und dann ließ er sich von seiner Begeisterung mitreißen und war plötzlich ganz aufgeregt und benutzte alle möglichen dramatischen und psychologischen Fachbegriffe, die ich nicht verstand. Schließlich rettete eine Krankenschwester mich vor seinem Redeschwall, die ihn fragte, ob Franc Fromage vielleicht bald wiederkommen und den anderen Kindern einen Besuch abstatten könne, die auch den lustigen Mann mit der Ukulele und der roten Nase kennenlernen wollten.

Irgendwann standen wir draußen vor der Tür, und er gab mir seine Telefonnummer und erklärte – sichtlich erschrocken über seinen eigenen Mut –, ich schuldete ihm einen Drink. »Ich heiße übrigens Reuben«, meinte er ganz ernst. »Reuben Mackey.«

Ein paar Tage später rief ich ihn an, und wir verabredeten uns. Reuben meinte, seit unserer letzten Begegnung hätte er viel über die Arbeit mit Clowns im Krankenhaus gelesen. Anscheinend war das eine ganz seriöse Sache, es gab verschiedene methodische Ansätze und sogar einige Studien zu dem Thema. In den Achtzigern war in New York die erste gemeinnützige Clowns-Organisation gegründet worden. Dort will ich mich ausbilden lassen, erklärte er. Ich möchte mein komisches Talent einsetzen, um Menschen zu helfen. Nicht bloß, um sie zum Lachen zu bringen.

An diesem Abend geschah nichts weiter. Ich glaube, dazu waren wir beide viel zu schüchtern. Und außerdem saßen Tommy und Jo auf der anderen Straßenseite im Café und beobachteten uns, »nur falls das einer von diesen irren Clowns ist, die wahllos Leute massakrieren«, wie Jo meinte.

Dann flehte Mrs Garcia mich an, Franc Fromage müsse noch mal ins Krankenhaus kommen, wenn Caseys Gips abgenommen werden sollte. Woraufhin er entgegnete, gerne, aber nur unter der Bedingung, dass ich ihn wieder auf einen Drink einlade.

Er stand nicht nur Casey bei, während ihr der Gips abgenommen wurde, sondern verbrachte anschließend Stunden bei den anderen Kindern in der Orthopädie. Und hörte erst auf, als er schließlich merkte, wie ihm vor Hunger die Hände zitterten. »Bitte, kommen Sie bald wieder!«, rief ihm eine der Schwestern zum Abschied nach.

Das Problem war bloß, dass er es sich nicht leisten konnte, umsonst zu arbeiten. Er wohnte in einem winzigen Apartment in Korea Town, das er sich mit einem Mitbewohner teilte, wie er mir erzählte, und konnte es sich nicht erlauben, auch nur einen Cent weniger zu verdienen.

Worauf ich herausplatzte: »Wie wäre es, wenn ich das Geld auftreibe, damit du einen Tag im Monat im Krankenhaus sein kannst?« Ich erzählte ihm, dass ich für ziemlich viele wohlhabende Leute arbeitete und die Geschichte von seinem aufsehenerregenden Auftritt im Kinderkrankenhaus sich rasch herumgesprochen hatte.

Und so fing alles an. Meine Beziehung zu einem Clown und die Gründung unserer Organisation. Er ging nach New York, um sich bei renommierten Psychotherapeuten, Kinderpsychologen und Theaterpädagogen ausbilden zu lassen. Und als er zurückkam, legten wir los. Er besuchte die kranken Kinder, und ich hielt mich im Hintergrund, sammelte Spenden und organisierte die Termine. Mir war das nur recht. Ich wollte ein Teil davon sein – mehr als er je ahnen konnte –, aber ich wollte nicht an vorderster Front stehen.

Ich war wirklich gut. Und Reuben war wirklich gut. Die Leute sahen und hörten, was wir machten, und sie wollten, dass wir ihre kranken Kinder besuchten. Wir stellten drei weitere Clowns ein, die Reuben selbst ausbildete. Es dauerte nicht lange, da gründeten wir unsere eigene Clowns-

Akademie. Wir heirateten, mieteten eine Wohnung in Los Feliz, in der Nähe der Kinderklinik. Jahre später zogen dann die Hipster nach, und Reuben fühlte sich wie ein Fisch im Wasser.

Und ich, ich hatte endlich ein Ziel, einen Zweck und keine Zeit, über das Leben nachzudenken, das ich zurückgelassen hatte. Ich hatte einen Mann, für den ich stark sein musste, wenn er schwach war, und umgekehrt. Wir brauchten einander. Unsere Liebe war ein gegenseitiges Geben und Nehmen, und das funktionierte ganz wunderbar.

Für sehr lange Zeit glaubte ich, nicht mehr zu brauchen als diese Liebe. Als ich gelobte, ihn zu lieben und zu ehren, solange ich lebte, meinte ich das genau so. Aber so blieb es nicht. Die Jahre vergingen, und irgendwann brauchte ich ihn nicht mehr. Und unser fragiles Gleichgewicht wurde unwiderruflich gestört. Wir waren einander so wichtig, Eddie, aber ohne dieses Geben und Nehmen neigte sich die Waage immer mehr zu einer Seite. Dass ich kein Baby haben konnte, war der Anfang vom Ende. Nach dem Unfall ertrug ich es einfach nicht mehr, Kinder um mich zu haben. Ich ertrug den Gedanken nicht, ein Kind leiden zu sehen. Allein die Vorstellung, ein Kind in diese Welt zu setzen – ein schutzloses, hilfloses Baby, wie meine Schwester es gewesen war –, versetzte mich in blinde kopflose Panik.

Weshalb ich weiter hinter den Kulissen blieb und alles dafür tat, kranken Kindern helfen zu können. Damit konnte ich umgehen, dabei fühlte ich mich sicher. Am besten war ich, wenn ich organisieren konnte. Aber das war nicht genug für Reuben. Er wollte ein eigenes Kind in den Armen halten, sagte er mir. Er könne sich keine Zukunft vorstellen, in der das nicht möglich war.

Als er schließlich all seinen Mut zusammennahm, um es endgültig zu beenden, musste ich einsehen, dass ich gar nicht wusste, wie wahre Liebe sich anfühlt. Aber dann habe ich dich getroffen, und da wusste ich es. Die wenigen Tage, die wir zusammen verbracht haben, waren für mich unendlich mehr als ein kleiner belangloser Flirt. Und ich glaube, für dich auch.

Bitte schreib mir.

Sarah

Zweiundzwanzigstes Kapitel

ORDNER ENTWÜRFE

Du hast recht, Sarah. Das war kein belangloser Flirt. Und es war auch nicht bloß eine Woche. Es war ein ganzes Leben.

Alles, was du empfunden hast, für dich und mich, habe ich genauso empfunden. Aber du musst aufhören, mir zu schreiben. Ich bin nicht der, für den du mich hältst. Oder vielleicht bin ich der, für den du mich nicht hältst.

Himmel, was für ein Desaster. Was für ein entsetzliches Desaster.

Eddie

✓ Gelöscht, 00.12 Uhr

Dreiundzwanzigstes Kapitel

Nach gerade mal vier Tagen bei meinen Eltern in Gloucestershire musste ich wieder zurück nach London.
Ich war mit Charles, unserem Treuhänder, in Richmond zum Lunch verabredet. Anschließend sollte ich
bei einer Konferenz zum Thema Palliativpflege sprechen, deren Mitorganisator er war. Danach wollte ich
bei Tommy übernachten und früh am nächsten Morgen
die fünfeinhalbtausend Meilen lange Rückreise nach
Los Angeles antreten.

Im Zug nach London zurück saß ich da in dieser
beschaulichen Stille und wusste nicht, war ich nur
benommen oder schlicht schon resigniert. Beim Mittagessen mit Charles sagte ich zur richtigen Zeit die
richtigen Dinge, und meine Rede bei der Konferenz
war fehlerfrei, aber leidenschaftslos. Beim Abschied
fragte mich Charles, ob alles in Ordnung sei. Seine
offenkundige Sorge trieb mir die Tränen in die Augen, also erzählte ich ihm von Reubens und meiner
Trennung.

»Bitte sag es nicht weiter«, flehte ich ihn an. »Ich

möchte das bei der nächsten Vorstandssitzung offiziell machen…«

»Natürlich«, hatte Charles leise und sehr verständnisvoll erwidert. »Es tut mir wirklich sehr leid, Sarah.«

Und ich hatte mich wie eine ganz gemeine Heuchlerin gefühlt.

Morgen, schwor ich mir, als ich im Zug zurück zur Central Station saß. Morgen würde ich wieder die Kontrolle über mein Leben übernehmen. Morgen würde ich in einen Flieger steigen und nach L.A. fliegen, wo ich mich wieder einlullen lassen würde von strahlendem Sonnenschein und zu strotzendem Selbstbewusstsein und meinem bestmöglichen Selbst zurückfinden konnte. Morgen.

Der Zug hielt in Battersea Station, und ich lehnte den Kopf gegen das schmierige Fenster und beobachtete das Gedränge auf dem Bahnsteig gegenüber. Passagiere quetschten sich in den Zug, ehe die drinnen aussteigen konnten. Ellbogen ausgefahren, Zähne zusammengebissen, Blick starr nach unten. Zornig und aufgebracht sahen sie aus.

Teilnahmslos schaute ich zu, wie sich ein Mann in rot-weißem Fußballtrikot aus dem Zug kämpfte, einen gefalteten Anzug über dem Arm. Einmal draußen, ging er zu einer der leeren Sitzbänke vor meinem stehenden Zug, und ich starrte geistesabwesend hinaus, während er seinen Anzug vorsichtig in einer Schultertasche verstaute. Irgendwann richtete er sich auf und warf einen Blick auf die Uhr. Kurz sah er auf und zu mir rüber und dann wieder weg. Warf die Tasche über die Schulter und marschierte los.

Und dann, gerade als mein Zug langsam vom Bahnsteig losrollte, drehte ich den Kopf und sah ihm nach, als er mit dem Rücken zu mir auf die Treppe zum Ausgang zusteuerte. Denn plötzlich war mir aufgegangen, was auf seinem Fußballdress gestanden hatte. *Old Robsonians. Gegründet 1996.*

In der Hoffnung auf eine alternative Google-Route, die mich zu Eddie führen könnte, hatte ich tausendfach versucht, mich an den Namen seiner Fußballmannschaft zu erinnern. Aber bis auf das »Old« war mir partout nichts mehr eingefallen. Mein Zug nahm Fahrt auf, und ich schloss die Augen und konzentrierte mich angestrengt auf die Erinnerung an Eddies Fußballpokale. *Old Robsonians?* Hatte das wirklich draufgestanden?

Ich erinnerte mich daran, wie Eddie mit dem Finger einen Staubwurm von einem der Pokale gewischt hatte. Ja! *Old Robsonians, The Elms, Battersea Monday.* Ich war mir ganz sicher!

Wieder schaute ich aus dem Fenster, obwohl wir den Bahnhof längst hinter uns gelassen hatten. Hinter dem alten Gaswerk ragten schwindelerregend hohe Baukräne über dem Skelett eines gewaltigen Gebäudeblocks auf.

Dieser Mann spielt im selben Team wie Eddie.

Old Robsonians Fussbslk, tippte ich hektisch, aber Google wusste gleich, wonach ich suchte, und bot mir eine entsprechende Webseite an. Fotos von mir unbekannten Männern. Links zu Spielpaarungen, Spielberichten, einem Artikel über eine US-Tour. (War er dort gewesen? In den Staaten?)

Ich scrollte durch den Twitterfeed in einer Ecke der Seite. Spielergebnisse, belangloses Geplänkel, weitere Fotos von mir unbekannten Männern. Und dann das Foto eines Mannes, den ich sehr wohl kannte. Datiert auf letzte Woche. Eddie im Hintergrund eines Fotos. Offensichtlich eine Pubrunde nach einem Spiel. Er stand da mit einem Pint in der Hand und redete mit einem Mann im Anzug. Eddie.

Ich starrte das Foto lange an, bevor ich auf »Über uns« klickte.

Die Old Robsonians spielten auf dem AstroTurf-Spielfeld gleich neben dem Bahnhof Battersea Park, und zwar jeden Montagabend. Anstoß war um acht Uhr.

Ich schaute auf die Uhr. Es war nicht einmal sieben. Warum war der andere Mann so früh dran gewesen?

In Vauxhall stand ich unschlüssig in der Tür und wusste nicht recht, was tun. Es gab keinerlei Garantie dafür, dass Eddie überhaupt in London war oder heute Abend zum Spiel kommen würde. Und der Webseite zufolge gehörte der Fußballplatz zum Sportgelände einer Schule: Entweder ich marschierte also todesmutig

an den Spielfeldrand, um ihn vor versammelter Mannschaft zur Rede zu stellen, oder ich konnte es gleich
bleiben lassen. Einfach ganz beiläufig vorbeizuschlen-
dern konnte ich mir abschminken.

Die Türen des Zugs schlossen sich rumpelnd, und ich
blieb vorerst an Bord.

Am Bahnhof Victoria stieg ich dann aus und blieb
wie angewurzelt in der überfüllten Bahnhofshalle stehen. Menschen liefen beinahe in mich hinein, rempelten mich rüde an und schubsten mich unwirsch beiseite. Eine Frau sagte mir ins Gesicht, ich solle nicht
»dumm in der Gegend rumstehen wie eine Kuh, wenn's
donnert«. Ich rührte mich nicht vom Fleck. Ich merkte
es kaum. Ich hatte nur einen Gedanken: Dass Eddie in
nicht einmal einer Stunde nur ein paar Minuten von
hier entfernt Fußball spielen würde.

Vierundzwanzigstes Kapitel

Hallo du,

heute ist der 11. Juli – dein Geburtstag! Heute vor zweiunddreißig Jahren hast du dich ins grelle Licht dieser Welt gekämpft, mit geballten Fäustchen, die du in der Luft geschwenkt hast wie Tentakel.

Du kamst heraus, mitten hinein in das wohlig-warme, alles umhüllende Licht der Liebe. »Sie ist zu klein«, rief ich, als sie mich zu dir ließen. Ich konnte deine Rippen spüren, diesen hoffnungslos fragilen Lattenzaun um dein winziges schlagendes Herz. »Sie ist zu klein! Wie soll sie denn überleben?«

Aber das hast du, Igelchen. Ich kann mich heute noch so gut wie damals an diese fantastische, überwältigende, übersprudelnde Liebe erinnern. Nichts auf der Welt hätte mich darauf vorbereiten können. Es machte mir nichts aus, dass Mum und Dad nur noch Zeit und Augen für dich hatten. Ich wollte es so. Ich wollte, dass deine Rippen kräftiger werden, dass sie stabil und stark wurden, um diese klitzekleine Lebensleuchte in deiner Brust zu schützen. Am liebsten hätte ich dich monatelang im Krankenhaus gelassen, nicht bloß die ersten Tage. »Es geht ihr gut«, versicherten Mum und Dad mir wieder und immer wieder. Dad backte mir einen Apfelkuchen, weil ich solche Angst um dich hatte, dass ich weinen musste. Und doch ging es dir gut. Dein Herz schlug weiter und weiter, jeden Tag und jede Nacht, weiter und weiter, während die Jahreszeiten wechselten und du wuchst und wuchst.

Wusstest du, dass heute dein Geburtstag ist, Igelchen? Hat es dir jemand gesagt? Hat dir jemand einen Kuchen gebacken, über und über voller Schokoladensterne, genau wie du es so mochtest? Hat jemand ein Lied für dich gesungen?

Wenn nicht, ich hab für dich gesungen. Vielleicht hast du mich ja gehört. Vielleicht bist du gerade hier bei mir, während ich dir diesen Brief schreibe. Kicherst, weil du eine viel ordentlichere Handschrift hast als ich, obwohl du so viel jünger bist. Vielleicht bist du auch draußen und spielst in deinem Baumhaus oder liest in eurem Versteck oben am Broad Ride Mädchenzeitschriften.

Vielleicht bist du überall. Die Vorstellung gefällt mir am besten. Oben in den rosarot schimmernden Wolken. Unten in der frischen Feuchtigkeit des anbrechenden Morgens.

Wo ich auch hingehe, ich suche dich. Und wo immer ich bin, da sehe ich dich.

Ich xxxxx

Fünfundzwanzigstes Kapitel

An meinem letzten Abend in London erschien ich als ungebetener Gast zu einem Sechs-gegen-Sechs-Fußballspiel in Battersea in der Hoffnung, einen Mann zu finden, den ich einmal gekannt hatte. Einen Mann, der nicht angerufen hatte.

Was ich an diesem Abend tat, lag weit jenseits der zersplitterten Scherben der Vernunft. Aber als ich kurz zuvor in der Bahnhofsvorhalle der Victoria Station gestanden und versucht hatte, mir diese fixe Idee aus dem Kopf zu schlagen, hatte ich mir eingestehen müssen, dass es mir wichtiger war, Eddie zu sehen, als mögliche unangenehme Konsequenzen zu bedenken. Und nun stand ich da, in eine stickige Ecke des 19.52er nach London Bridge über Crystal Palace, erster Halt Battersea Park, gequetscht. Nicht mal zwei Minuten vom Bahnhof entfernt lag der AstroTurf-Fußballplatz, und auf dem stand – mein Magen schlug einen Purzelbaum wie ein Pfannkuchen – Eddie David. Im Fußballdress. Just in diesem Moment. Wärmte sich sicher gerade für das Spiel um acht auf. Spielte einem

Mannschaftskameraden den Ball zu. Dehnte die Oberschenkelmuskeln.

Eddie David, live und in Farbe. Er, mit Haut und Haaren. Ich schloss die Augen und schob die wie eine Woge aufsteigende Sehnsucht nach ihm entschieden beiseite.

Der Zug fuhr bereits in den Bahnhof ein. Bremsenquietschen, Pendler, die mich in einer pulsierenden Welle die Treppe hinunterschoben. Und dann – plötzlich und unerwartet – stand ich mitten auf der Battersea Park Road. Hinter mir das elektronisch verstärkte Kläffen der Kartenverkäufer, das Echo eines Straßenmusikers mit seiner Gitarre. Und vor mir, irgendwo am Ende eines unbefestigten Wegs, Eddie David.

Eine ganze Weile blieb ich reglos stehen und atmete langsam ein und aus. Zwei weitere Pendlerwellen ergossen sich über mich. Einer von ihnen, ein Mann in einem rot-weißen Fußballtrikot mit der schwarzen Aufschrift »PAGLIERO« auf dem Rücken, sprintete den Weg zu den Fußballplätzen hinauf und versuchte gleichzeitig, eine Nachricht in sein Handy zu tippen und die Schienbeinschoner anzuziehen. Sein grüner Sportbeutel baumelte hin und her und traf ihn mitten ins Gesicht, aber er lief unbeirrt weiter.

Der Mann kennt Eddie, schoss es mir durch den Kopf. Bestimmt schon seit Jahren.

Vor mir tauchten die Fußballplätze auf, einer nach dem anderen, und alles war genauso, wie ich es mir vorgestellt hatte. Ringsum hohe Zähne, Bahnviadukte, Industriegebäude. Verstecken unmöglich. Und doch stand ich da, in voller Lebensgröße von einem Meter fünfundsiebzig, und marschierte in meiner schicken Kongressbluse unerschrocken drauflos.

Das muss das Haarsträubendste sein, was ich je im Leben tun werde.

Aber meine Beine liefen unbeirrt weiter.

Die Spieler auf dem ersten Platz waren gerade dabei, sich aufzuwärmen. Mit der Trillerpfeife im Mund joggte der Schiedsrichter zum Mittelpunkt. Alles ging ganz langsam wie bei einer alten VHS-Kassette, kurz bevor der Rekorder Bandsalat fabrizierte. Die Luft roch nach öligem Gummi und Abgasen.

Meine Beine bewegten sich weiter.

»Dreh dich um und lauf um dein Leben«, befahl ich mir in einem lauten Flüsterton. »Dreh dich um und lauf, und dann vergessen wir einfach, dass das je passiert ist.«

Meine Beine marschierten weiter.

Just in diesem Augenblick ging mir auf, dass, abgesehen von dem PAGLIERO-Kerl, weit und breit keine anderen Spieler im Rot-Weiß der Old Robsonians zu sehen waren. Auf dem Platz gleich nebenan standen eine Mannschaft in Blau und eine in Orange, auf dem anderen spielte Schwarz-Weiß gegen Grün.

PAGLIERO steckte die Schienbeinschoner gerade wieder in die Tasche. Richtete sich dann auf und bemerkte mich.

»Sind Sie ein Old Robsonian?«, fragte ich.

»Bin ich. Und sehr spät dran. Suchen Sie jemand Bestimmtes?«

»Na ja, alle eigentlich.«

PAGLIERO hatte ein verschmitztes Jungenlachen. »Das Spiel ist auf sieben Uhr vorgezogen worden, und ich hab's vergessen. Die sind also längst fertig.«

»Ach.«

Er nahm seine Tasche. »Aber sie sind gerade da drüben und trinken ein paar Bier. Möchten Sie vielleicht mitkommen?« Er wies auf etwas, das aussah wie ein rostiger Überseecontainer.

Ich schaute etwas genauer hin. Es *war* ein rostiger Überseecontainer. Typisch London. Bestimmt eine hippe Craftbierschänke in einem verdammten fensterlosen Kasten. »Bitte kommen Sie doch mit«, sagte er noch mal. »Wir lieben Gäste.«

PAGLIERO wirkte zu chaotisch, um ein gewissenloser Vergewaltiger oder Mörder zu sein, also trottete ich hinter ihm her und machte Smalltalk, der nicht mal meine eigenen Ohren erreichte. Ich hatte längst die Gewalt über mein Hirn verloren. Man könnte also behaupten, ich trug keinerlei Verantwortung für das, was hier gerade passierte.

»Bitte sehr«, posaunte PAGLIERO und hielt mir schwungvoll die seitlich in den Container geschweißte Tür auf.

Mit großen Augen starrte ich auf die nackte Kehrseite eines erwachsenen Mannes, und es dauerte ziemlich lange, bis ich kapierte, was ich hier tat. Nämlich unverhohlen auf die nackte Kehrseite eines erwachsenen Mannes starren, der mit einem Handtuch auf den Schultern und dem Rücken zur Tür dastand und mit maximaler Begeisterung und minimaler Musikalität irgendeinen Song grölte. Links und rechts von ihm auf den Bänken saßen weitere Männer, alle geringfügig bekleideter als er, und diskutierten das Spiel. Überall türmten sich achtlos hingeworfene Trikots mit Namen wie: »SAUNDERS«, »VAUGHAN«, »WOODEHOUSE«, »MORLEY-SMITH«, »ADAMS«, »HUNTER«.

Drüben an der Tür, wo es, wie mir jetzt aufging, wohl zu den Duschen ging, stand der nackte Mann, der jetzt in eine Boxershorts gestiegen war.

»O nein«, sagte etwas ganz tief in mir, aber die Worte schafften es nicht bis zu meinem Mund. Hinter mir, ungefähr dort, wo PAGLIERO gestanden hatte, war grölendes Männerlachen zu hören.

»Pags!«, rief einer. »Du kommst eine Stunde zu spät.« Und dann: »Oh. Hallo.«

Mit einem Ruck erwachte ich aus meiner Schockstarre. »Entschuldigung«, murmelte ich beschämt, zog den Kopf ein und drehte mich um, um möglichst unauffällig zu verschwinden. Laut lachend trat PAGLIERO einen Schritt beiseite und ließ mich durch.

»Herzlich willkommen!«, rief einer der Umstehenden gleich hinter mir. Kopflos stolperte ich nach draußen und fragte mich, wie ich dieses hochnotpeinliche Erlebnis je vergessen sollte. Ich war gerade in eine Umkleide voller halb nackter Fußballspieler geplatzt.

»Hallo?« Der Mann war mir nach draußen gefolgt. Immerhin war er vollständig bekleidet.

Er setzte eine Brille auf, während man hörte, wie die verblüffte Stille im Container sich plötzlich in brüllendem Gelächter entlud, das, wie es schien, gar nicht mehr aufhören wollte.

Er schüttelte den Kopf in Richtung Tür, als wollte er sagen: Achten Sie nicht auf die.

»Ich bin Martin. Mannschaftskapitän und Manager. Sie sind da gerade in unsere Umkleide marschiert, was vielleicht eine eher unkonventionelle Art ist, darum zu bitten, aber ich hatte das Gefühl, Sie könnten vielleicht Hilfe gebrauchen.«

»Könnte ich«, flüsterte ich und klammerte mich an meine Handtasche. »Ich glaube, ich kann alle Hilfe brauchen, die ich bekommen kann. Aber ich weiß nicht, ob Sie mir weiterhelfen können.«

»Kommt in den besten Familien vor«, meinte Martin freundlich.

»Nein, bestimmt nicht.«

Er dachte kurz darüber nach. »Nein, da haben Sie wohl recht. Es ist noch nie eine Frau in unsere Umkleide geplatzt, in zwanzig Jahren nicht. Aber die Old Robsonians sind eine moderne Mannschaft, wir befürworten Neuerungen und Wandel. Nach jedem Spiel zu duschen gehört zu unseren ältesten Grundsätzen, aber ich wüsste nicht, warum wir diese Regel nicht mit ein paar neuen Extras aufpeppen sollten – Gäste, eine Live-Band vielleicht, so was in der Art.«

Aus dem Container drangen dröhnendes Gelächter und Fetzen von Männergesprächen. Wie Kräuselband schlängelte sich heißer Wasserdampf aus den Duschen in die kühle Abendluft. Martin, der Mannschaftskapitän, schaute mich an und lachte, aber sehr nett und herzlich.

Ich holte tief Luft.

»Das war alles ein ganz großer Fehler«, flüsterte ich. »Ich suche…« Unvermittelt hielt ich inne. Scham und Schreck hatten mich vergessen lassen, warum ich überhaupt hergekommen war.

Gütiger Himmel. Ich war in eine Männerumkleide marschiert in der Hoffnung, Eddie David zu finden.

Ich verschränkte die Arme fest vor der Brust, als versuchte ich, die zerschmetterten Splitter meiner Selbstachtung zusammenzuhalten. Was hätte ich gesagt? Was hätte ich getan? Er könnte da drin sein, jetzt, in diesem Moment. Könnte sich gerade nach dem Duschen abtrocknen und mit wachsendem Entsetzen die Geschichte hören, die seine Mannschaftskameraden ihm lachend erzählten. Von einer großen, braun gebrannten Frau, die eben unangemeldet in die Umkleide geplatzt war.

Mir wurde übel bei dem Gedanken. Irgendwas stimmt

mit mir nicht, ging mir da auf. Irgendwas stimmt ganz entschieden nicht mit mir. So was macht doch kein normaler Mensch.

»Wen suchen Sie? Einen von den Old Robsonians? Oder von einer anderen Mannschaft?«

»Old Robsonians, hat sie gesagt«, erklärte PAGLIERO und trat zu uns vor die Tür. Und dann: »'tschuldigung übrigens. Das war etwas unverschämt von mir. Aber für die Jungs ist der Abend gerettet. Eins unserer Gründungsmitglieder ist gerade aus Cincinnati zu Besuch. Der glaubt, wir hätten Sie nur für ihn engagiert, als kleinen Willkommensgag.«

Betreten schaute ich zu Boden. »Ganz toller Witz«, murmelte ich. »Nicht weiter schlimm. Und ich habe mich wohl geirrt. Ich suche einen von den Old Robsonians. Ich wollte...«

»Einen von den Old Robsonians?« Martin spitzte die Ohren. »Wen denn? Die sind doch alle verheiratet! Na ja, bis auf Wally, aber der...« Er unterbrach sich und starrte mich durchdringend an, und noch ehe er den Mund aufmachte, wusste ich, was er sagen würde. »Sind Sie Sarah?«, fragte er leise.

»Ähm... nein?«

Zwei weitere Männer kamen nach draußen. »Ist hier eben wirklich...«, setzte einer von ihnen an und sah mich dann. »Oh. Tatsächlich.«

»Diese beiden Herren sind Edwards und Fung-On«, stellte Martin die zwei vor und ließ mich dabei nicht aus den Augen. »Ich muss noch entscheiden, wer von ihnen der ›Spieler des Abends‹ wird.« Dann sagte er unvermittelt: »Ich bringe Sie zurück zur Straße«, und führte mich vom Platz in Richtung Ausgang.

»Bye!«, rief PAGLIERO. Und Edwards und Fung-On, von denen einer Spieler des Abends werden würde, salutierten. Ich hörte sie lachen, als sie wieder im Container verschwanden.

Als sie weg waren, blieb Martin stehen und sah mir ins Gesicht. »Er ist heute Abend nicht hier«, sagte er schließlich. »Er kommt nicht jede Woche zum Spiel. Meistens ist er im West Country.«

»Wer? Entschuldigen Sie, ich …«

Martin musterte mich mitfühlend, und da wurde mir klar, dass er wusste, wer ich war. Und dass er wusste, warum Eddie sich nicht gemeldet hatte.

»Dann ist er also in Gloucestershire?«, platzte ich heraus. Die ganze Situation war so demütigend, dass es mir heiße Tränen in die Augen trieb.

Martin nickte. »Er …« Abrupt hielt er inne, als fiele ihm gerade wieder ein, wem seine Loyalität eigentlich galt. »Tut mir leid«, murmelte er. »Ich sollte nicht über Eddie reden.«

»Schon okay.« Ich stand da mit vor Scham gesenktem Kopf. Ich wollte gehen, nur weg von hier, aber Schock und Selbsthass lähmten mich.

»Hören Sie, es geht mich ja eigentlich nichts an«, sagte er gedehnt und fuhr sich mit der Hand über das

Gesicht. »Aber ich kenne Eddie schon seit Jahren, und er… Hören Sie auf, ihn zu suchen, okay? Sie sind sicher ein netter Mensch, und vielleicht hilft es ja, wenn ich Ihnen sage, ich halte Sie nicht für verrückt, aber… lassen Sie es gut sein.«

»Hat er das gesagt? Dass er mich nicht für verrückt hält? Was hat er sonst noch über mich gesagt?« Die Tränen liefen mir über das Gesicht und fielen auf den rasch abkühlenden Beton darunter. Es war unvorstellbar, wie ich in diese Situation hatte geraten können. Hier mit diesem wildfremden Mann zu stehen, den ich wie eine Bettlerin um Almosen anflehte.

»Sie möchten ihn nicht finden«, meinte Martin schließlich. »Bitte, glauben Sie mir. Sie wollen Eddie David nicht finden.«

Und damit drehte er sich um, stiefelte zurück zum Container und rief mir über die Schulter zu, es sei nett, mich kennengelernt zu haben, und er hoffe, von dem Anblick in der Umkleide hätte ich keinen Schock fürs Leben.

Ein Zug ratterte über den Viadukt, der an die Spielfelder grenzte, und ich zitterte. Ich musste nach Hause.

Das Problem war bloß, ich wusste nicht mehr, wo ich überhaupt zu Hause war. Ich wusste eigentlich gar nichts mehr. Außer, dass ich Eddie David finden musste. Ganz gleich, was sein Freund eben gesagt hatte.

Sechsundzwanzigstes Kapitel

Ich schlüpfte in meine Joggingshorts. Es war 3.09 Uhr morgens, ziemlich genau sieben Stunden, nachdem ich beschämt vom Spielfeld gestolpert war. Das ganze Zimmer stank nach Schlaflosigkeit.

Sport-BH, Lauftop. Mir zitterten die Hände. Adrenalin sammelte sich in sprudelnden Pfützen in meinem Körper und tanzte über der übelkeiterregenden Müdigkeit darunter. Tommy hatte mir die Tür versperrt, als ich nach dem Zwischenfall auf dem Fußballplatz in Joggingsachen aus meinem Zimmer gekommen war. Hatte mir einen heißen Kakao gekocht und mich dann ins Bett geschickt. »Ich will gar nicht wissen, was da auf dem Platz vorgefallen ist«, hatte er streng gesagt, aber es hatte keine fünf Minuten gedauert, bis er eingeknickt war und an meine Tür geklopft und mich angefleht hatte, ihm zu sagen, was passiert war.

»Es tut mir leid«, hatte er sehr sanft gesagt, als ich ihm alles erzählt hatte. »Aber gut für dich, dass du endlich einsiehst, dass da etwas... mit dir nicht stimmt. Dazu braucht man eine Menge Mumm.«

»Die Briefe, Tommy, all die Briefe, die ich ihm über Facebook geschickt habe. Der Anruf in seiner Werkstatt. Dass ich seinem Freund Alan geschrieben habe. Was habe ich mir bloß dabei *gedacht*?«

»Ein stummes Telefon bringt in uns das Schlimmste zum Vorschein«, antwortete er. »In uns allen.«

Lange saßen wir so zusammen auf meinem Bett. Wir redeten nicht viel, aber ihn bei mir zu haben, war so beruhigend, dass ich sogar den Versuch wagen wollte zu schlafen.

»Es tut mir so leid«, schniefte ich, bevor er in sein eigenes Bett ging. »Ich bin dir schon wieder eine Last. Du solltest mir nicht ständig das Leben retten müssen.«

Tommy hatte nur gelächelt. »Ich habe dir damals nicht das Leben gerettet, und das tue ich auch jetzt nicht«, hatte er gesagt. »Ich bin für dich da, Harrington – das weißt du –, aber ich bin mir sicher, du kriegst das auch alleine wieder hin. Du bist eine Überlebenskünstlerin. Eine menschliche Kakerlake.«

Irgendwie hatte ich mir ein schiefes Lächeln abgerungen.

Jetzt, drei Stunden später, versuchte ich wieder und wieder mir die Schuhe zu schnüren, aber meine Hände wollten einfach nicht, wie ich wollte. Alles war falsch.

Mein Taxi zum Flughafen kam um fünf. Ich hatte kein Auge zugetan und würde es auch nicht mehr tun. Mehr als genug Zeit also, um eine Runde zu laufen, zu duschen und das entzückende Zitronenbäumchen einzuwickeln, das ich als Dankeschön für Tommy und Zoe gekauft hatte. Und ich würde nur eine kleine Joggingrunde drehen. Gerade genug, um nachher im Flieger schlafen zu können.

Lautlos schlüpfte ich aus dem Zimmer und war heilfroh, dass Zoe nicht da war. Wenn Tommy erst mal nach oben ins Bett gegangen war, dann blieb er auch dort. Aber Zoe stand oft in aller Herrgottsfrühe auf, um E-Mails aus Asien zu beantworten, und saß dann in ihren eleganten grauen Seidenkimono gehüllt auf der Couch. Mehr als einmal hatte sie mich dabei ertappt, wie ich noch vor Sonnenaufgang aus dem Haus huschte, um eine Runde zu laufen.

Wobei *das*, dachte ich mit einem Blick auf meine Uhr – 3.13 Uhr – keine Laufrunde war. *Das* war ein Problem.

Im Vorbeigehen sah ich mich in Zoes großem Spiegel, gerahmt mit Holz von einem Baum aus dem Garten ihrer verstorbenen Eltern in Berkshire, der draußen im Flur hing. Zoe hatte recht. Ich hatte abgenommen. Meine Arme waren sehnig und mein Gesicht schmaler, als hätte ich den Stöpsel herausgezogen und einen Teil von mir in den Abfluss laufen lassen.

Ich wandte mich ab. Es war beschämend, mich so zu sehen. Und erschreckend. Oft schon hatte ich mich gefragt, wie viel gesunden Menschenverstand psychisch Kranke anfangs noch hatten, bevor sich ihr Zustand nach und nach verschlechterte. Merkten sie die

Verschlimmerung selbst? Wie deutlich war die Grenze zwischen Wahn und Wirklichkeit, bevor sie endgültig verwischte?

Krank war ich?

Ich ging in die Küche, um mir rasch ein Glas Wasser zu holen. Die Muskeln in meinen Beinen zuckten ungeduldig. Gleich, beruhigte ich sie. Gleich.

An der Schwelle zur Küche blieb ich wie angewurzelt stehen. Was? Zoe? Aber die war doch in …

»Gottverdammt!«, kreischte die Frau in der Küche.

Ich erstarrte. Die Frau war splitterfasernackt. Schon die zweite wildfremde nackte Person innerhalb von nicht mal sieben Stunden. Das künstliche orangerote Licht der Straßenlaterne streichelte Brust und Bauch, während die Fremde hektisch herumflitzte und irgendwas suchte, womit sie sich bedecken konnte. Ein Schwall Schimpfwörter sprudelte aus ihr heraus.

Ich wandte mich ab und hielt mir die Augen zu. Und dann drehte ich mich wieder um, denn in meinem Hirn begann sich gerade ein dünner Faden aufzuriffeln: Das war keine Fremde. »Sieh mich nicht an«, raunzte die Frau mich an, allerdings weniger heftig als eben, und mir entgleisten ungläubig die Gesichtszüge, als ich endlich meine älteste Freundin erkannte.

»Grundgütiger«, stammelte ich entgeistert.

»Grundgütiger«, stimmte Jo mir zu, schnappte sich einen Bluetooth-Lautsprecher von Zoes Arbeitsplatte und hielt ihn sich verlegen vor die Schamhaare.

»Jo?«, flüsterte ich. »Nein. Nein, nein. Sag mir bitte, dass es nicht das ist, wonach es aussieht.«

»Es ist nicht das, wonach es aussieht«, brummte Jo und tauschte den Lautsprecher gegen ein Kochbuch, um schließlich entnervt aufzugeben. »Ich habe dir doch gesagt, du sollst mich nicht angucken«, motzte sie und versank verschämt hinter der Kochinsel.

Wie gelähmt stand ich da, bis ein wütendes Flüstern von der anderen Seite der Küche zischte: »Sarah, Herrgott noch mal, würdest du mir bitte was zum Anziehen holen?« Wortlos tappte ich in den Flur und nahm wahllos einen Mantel von der Garderobe. Den reichte ich ihr und sank dann auf einen von Zoes Hockern.

»Was ist hier los?«, fragte ich.

Jo stand auf und zog sich, wie ich jetzt erst sah, eine riesengroße Skijacke über. Sie schnaubte nur unwillig und krempelte die Ärmel hoch, damit ihre Hände unten rausguckten.

»Möchtest du vielleicht eine Lifthose dazu?«, fragte ich benommen. »Skistöcke? Einen Helm? Jo, was soll das?«

»Das könnte ich dich auch fragen«, knurrte sie und begutachtete die Jacke mit einem verächtlichen Stirnrunzeln. »Reiche Arschlöcher«, fauchte sie, vermutlich gegen jeden gerichtet, der gerne Ski fuhr. »Was machst du hier?«

»Ich wohne hier«, sagte ich. »Wie du sehr wohl weißt. Ich gehe jetzt joggen, und danach fahre ich zum Flughafen.«

»Es ist Viertel nach drei nachts!«, zischte Jo. »Kein normaler Mensch geht um diese Uhrzeit joggen!«

»Du stehst nackt in Tommys Küche!«, zischte ich zurück. »Komm mir also nicht so!«

Jo machte die Jacke zu. »Unglaublich«, war alles, was sie herausbrachte.

Ich holte tief Luft. »Jo, schläfst du mit Tommy? Haben meine beiden ältesten Freunde eine Affäre? Zu mir kommen wir gleich«, fügte ich hinzu, bevor sie mich unterbrechen konnte.

»Ich war zu Besuch«, erklärte sie schließlich. »Tommy meinte, ich kann auf der Couch übernachten.«

»Netter Versuch«, konterte ich. »Netter Versuch, Joanna Monk. Tommy ist um zehn ins Bett gegangen. Dachte ich zumindest. Da warst du noch nicht hier. Aber jetzt bist du hier, und du bist nackt, und ich weiß, wie sehr du deinen Satinpyjama liebst.«

»Ach, verdammt«, brummte jemand. Ich schaute auf. Tommy stand in der Tür, in einen Bademantel gewickelt. Eine Hand unschlüssig vor dem Gesicht in der Luft stand er da, als wolle er das volle Ausmaß der Katastrophe abschätzen. »Ich wusste doch, dass es keine gute Idee ist«, sagte er zu Jo.

»Ich wollte nur was trinken! Ich trinke nicht aus dem Wasserhahn im Bad, Tommy, das weißt du doch!« Sie klang angriffslustig, was hieß, dass sie langsam panisch wurde. »Und sie sollte jetzt eigentlich schlafen, statt sich mitten in der Nacht zum Joggen aus dem Haus zu schleichen.« Mit dem Kopf wies sie vorwurfsvoll auf mich.

Ich stützte den Ellbogen auf die Kücheninsel. »Also gut«, sagte ich. »Ich will ganz genau wissen, was hier vor sich geht. Und wie lange schon. Und wie ihr beiden das angesichts der Tatsache rechtfertigt, dass Tommy in einer festen Beziehung ist.« Ich unterbrach mich. »Na ja, du streng genommen ja auch, Jo. Aber du siehst mir sicher nach, dass es mir um Shawn nicht leidtut.«

Tommy tappte durch die Küche und hockte sich auf die Kochinsel, genau zwischen Jo und mich.

»Also, die Sache ist die…«, setzte er an und brach dann ab.

Aus einem kurzen Stutzen wurde ein langes Schweigen, das in der Luft hing wie dichter Nebel. Betreten schaute er auf seine Hände. Knibbelte an einem Nagelhäutchen. Knabberte am Daumen.

»Und ich will wissen, wieso ich das jetzt erst erfahre«, kommandierte ich streng.

Jo setzte sich unvermittelt. »Wir hatten Sex«, sagte sie. Ihre Stimme war eine Spur zu laut.

Tommy zuckte zusammen, stritt es aber nicht ab.

»Ich glaube auch nicht, dass es dir um Zoe so leidtut, Sarah, aber – was soll's – sie schläft mit einem ihrer Klienten. Dem Vorstandschef der Firma, die sie vertritt, dieser Hersteller der Fitnessuhren. Darum ist sie nach Hongkong geflogen. Er hat sie eingeladen. Und Tommy hat kein Problem damit«, fügte sie mit voller Überzeugung hinzu. »An dem Abend, als sie es ihm gesagt hat, ist er zu mir gekommen, und wir haben zu viel getrunken, und … na ja.«

Tommy schaute Jo an, als wollte er sagen: *Echt jetzt?* Aber dann zuckte er die Schultern und ließ den Kopf hängen, wie zur Bestätigung dessen, was sie eben gesagt hatte. Er war hochrot geworden, so peinlich war ihm das alles.

Wieder betretenes Schweigen.

»Tut mir leid, aber das reicht mir nicht«, brummte ich. »Was soll das heißen: ›Wir haben zu viel getrunken, und … na ja‹? Sich zusammen zu betrinken und miteinander ins Bett zu gehen ist nicht interdependent, weißt du?«

»Komm mir nicht mit deinen Fremdwörtern«, brummte Jo.

»Ach, hör schon auf.«

Sie seufzte. »Es war an dem Abend, als wir alle zum Essen hier waren«, erklärte sie und wich meinem Blick dabei geflissentlich aus. »Die Ramen-Suppe, die du gekocht hast, Sarah. Du bist ins Bett gegangen und warst ganz außer dir wegen Eddie, und ich bin nach Hause gegangen. Dann hat Zoe Tommy gesagt, was Sache ist, und er ist stinksauer aus der Wohnung gestürmt. Aber ein paar Minuten später ging ihm auf, dass er nicht wusste, wohin. Also hat er mich angerufen, statt mit eingezogenem Schwanz nach Hause zurückzuschleichen, und ist mit einem Uber hergekommen.«

Ein Lächeln, wie ich es von ihr gar nicht kannte, ließ ihr Gesicht kurz aufleuchten. Sie schaute ihn an, womöglich hin- und hergerissen zwischen dem Wunsch, seine Privatsphäre zu respektieren und es endlich auszusprechen. Das zwischen ihnen offiziell zu machen.

Ich sah Tommy an. »Also steigst du in ein Taxi nach Ilford, und, ich meine, wolltest du ...« Ich verstummte. Ich konnte es nicht mal laut sagen.

»Nein«, antwortete er hastig. »Nein, gar nicht. Was nicht heißen soll, dass es mir leidtut«, beeilte er sich zu versichern, als er sah, wie Jo das Lächeln im Gesicht verrutschte.

»Verstehe. Und ist das jetzt ... ein ... eine einmalige Angelegenheit? Oder etwas *anderes*?«, fragte ich.

Es folgte ein sehr langes Schweigen. »Na ja, also ich liebe ihn«, murmelte Jo. »Aber ich kann natürlich nicht für Tommy sprechen.«

Abrupt schaute Tommy auf. »Wie bitte?«

»Du hast genau gehört, was ich gesagt habe«, raunzte sie ihn an. Wutentbrannt öffnete und schloss sie den Reißverschluss an einer der zahlreichen Taschen der Skijacke. »Aber das nur nebenbei. Warum wir dir nichts davon gesagt haben, Sarah, ist ganz einfach, weil wir es noch niemandem gesagt haben. Zoe hat Tommy gesagt, er kann bleiben, so lange wie nötig – bis er eine andere Wohnung gefunden hat. Sie übernachtet sowieso bei ihrem komischen Fatzken, aber das soll Tommy dir selbst erzählen. Er findet ihr Angebot sehr großzügig. Ich finde, sie will einfach nicht die Böse sein in der Geschichte.«

Nach kurzem Überlegen musste ich lächeln. Da sagte sie was.

»Aber sie ist nicht das Problem. Das Problem ist Shawn.« Sie ließ den Reißverschluss los. »Der ist das eigentliche Problem.«

»Warum? Was hat er getan?«

»Es geht mehr darum, was er tun könnte«, entgegnete Tommy, als er merkte, dass Jo die Worte fehlten. »Sie hat Angst, die Sorgerechtsgeschichte könnte ein einziger Albtraum werden, wenn er rausfindet, dass sie was mit einem anderen Mann hat. Also will sie sich erst von ihm trennen und die Sorgerechtsfrage klären und mich da raushalten. Und dann... na ja, dann werden wir ja sehen, was passiert.«

Jo verzog keine Miene, aber ich sah es – selbst in meinem Schockzustand sah ich es. Sie war wirklich in ihn verliebt. Schon lange. Und sie hatte panische Angst, für ihn nur eine belanglose Affäre zu sein. Eine Bettgeschichte. Das arme Mädel konnte ihm kaum in die Augen schauen. *Dann werden wir ja sehen, was passiert* war für sie nicht annähernd genug.

Tommy schien es auch zu merken. Er ging um die Kochinsel herum und setzte sich neben sie. Ich sah, wie ihr Blick nach unten ging, als er ihr behutsam eine Hand aufs Bein legte, und ein überwältigendes Gefühl der Zärtlichkeit schnürte mir fast die Kehle zu.

»Er ist ein unberechenbarer Scheißkerl«, wisperte Jo leise. Shawn war unverfänglicheres Terrain als ihre Gefühle für Tommy. »Er darf das nicht erfahren.«

»Ich persönlich kann mir beim besten Willen nicht vorstellen, dass er das Sorgerecht bekommt«, meinte Tommy. »Es wird immer schlimmer – holt Rudi nicht von der Schule ab, ist meistens bekifft, und vor ein paar Wochen hat er Rudi sogar ganz allein zu Hause gelassen. Rudi hätte fast die Bude abgefackelt, als er versucht hat, sich was zu essen zu machen. Heute Abend ist er bei Jos Dad.« Er schaute Jo von der Seite an, aber die hatte dichtgemacht. Wie immer, wenn sie glaubte, zu viel von sich preisgegeben zu haben.

Zoes trendige Designwanduhr mit dem Kupferrahmen sprang lautlos auf 3.30 Uhr.

»Das war's also«, murmelte Jo, die das Schweigen nicht ertragen konnte. Sie legte die Hände auf die Ablage. Zwei rote kleine Fäuste. »Und ich habe mich mitten in der Nacht nackig gemacht. Wörtlich und im übertragenen Sinn. Sorry!«, murmelte sie, halb an Tommy gerichtet. »Es ist wirklich nicht schlimm, wenn es bloß Sex ist, Schnucki. Vergiss das mit der Liebe. War nur ein Scherz. Du kennst mich ja.«

Unbehagliches Schweigen.

»Ich sollte euch beide lieber allein lassen«, sagte ich.

»Bleib«, bellte Jo.

»Oh, danke«, rief Tommy zeitgleich.

Unschlüssig verharrte ich, halb sitzend, halb stehend.

»Ich bin wirklich nicht gut in solchen Sachen«, meinte Jo. Ihr Gesicht war so rot wie eine Backsteinfassade. »Mich darf man nicht allein lassen. Wenn du jetzt gehst, sage ich nur noch mehr dumme Sachen.«

Ich setzte mich wieder und lächelte Tommy entschuldigend an, aber der war tief in Gedanken, und seine Augenbrauen machten seltsame Verrenkungen, die ich beim besten Willen nicht zu deuten vermochte. Ich schaute wieder weg. Mein Blick schweifte über Zoes Kochbuchsammlung für die ehrgeizige Karrierefrau. Ging zu dem Bild von ihr und Tommy beim gemeinsamen Training in Kensington Gardens, damals, zu Beginn ihrer Beziehung, als sie die Finger nicht von ihm lassen konnte.

Am Ende von Zoes Straße fuhr ein Nachtbus heulend die Holland Park Road entlang. Ich fragte mich, wer wohl ihr Neuer war. Wo er wohnte. Zoe wirkte auf den gemeinen Pöbel wie mich unvorstellbar wohlhabend, und ihre weitläufige Wohnung in Holland Park war etwas, wovon ich sonst nur träumen konnte. Bestimmt war er so reich, dass einem die Tränen kamen, und er kannte jeden, der jemand war. Und natürlich war er der Richtige für Zoe. So richtig, wie Tommy es nie sein könnte, ganz gleich, wie viele Stufen sie ihn die Karriereleiter noch hochschubste.

Irgendwann holte Tommy tief Luft. Er sah Jo an. »Hör zu«, flüsterte er leise. »Ich liebe dich. Ich liebe dich wirklich, Jo. Ich hätte es dir nur gerne … na ja, unter anderen Umständen gesagt.«

Jo, die, wie ich vermutete, aufgehört hatte zu atmen, sagte nichts.

Tommy fuhr mit der Fingerspitze über die Kante von Zoes Kücheninsel. »Du bist der einzige Mensch, bei dem ich ich sein kann«, gestand er. »Der einzige Mensch, mit dem ich immer und über alles reden kann. Du fehlst mir, sobald du aus dem Zimmer gehst. Obwohl du mich für meinen Geschmack viel zu oft ein ›privilegiertes Arschloch‹ nennst. Obwohl du unmöglich bist und mich auf die Palme bringst und mich dazu zwingst, dir das alles hier vor Sarah zu sagen, weil du ausgerechnet in diesem Augenblick die Nerven verlieren musstest.«

Jo erlaubte sich den Anflug eines Lächelns, konnte ihn aber noch immer nicht anschauen.

»Ich dachte, ich sei glücklich«, fuhr Tommy fort, »als ich hier eingezogen bin. War ich aber nicht. Ich war nicht glücklich und bin es seit Jahren nicht gewesen. Noch vor einem Monat konnte ich mir einreden, das hier« – er schaute sich in Zoes makelloser Küche um – »das hier sei alles, was ich brauche. Was ich mir wünsche. Ist es aber nicht. Ich wünsche mir nur, ich zu sein. Mich in meiner eigenen Haut wohlzufühlen, echt und authentisch. Lachen zu können. Mit dir lache ich, bis mir die Tränen kommen, mehrmals die Woche. Mit Zoe ging das nicht.«

Jo blieb stumm.

»Ich meine, schau dir meine Karriere an. Als Personal

Trainer war ich ihr nie genug. Und ich bin mir ziemlich sicher, dass sie mich nur unterstützt hat, damit sie den Leuten erzählen kann, ich sei Inhaber einer Sportberatungsfirma.«

Jo zupfte an ihrer Jacke herum, bis Tommy ihre Hand nahm und sie festhielt.

»*Hör mir zu.*«

»Ich höre«, brummte Jo schroff.

Tommy stutzte, dann musste er lachen. »Ich fasse es nicht, dass wir dieses Gespräch mit Harrington im Zimmer führen. Das ist… Nichts für ungut, Harrington, aber das ist ein Albtraum.«

»Nicht schlimm. Und nur so nebenbei, ich finde das wunderbar. Wenn auch etwas eigenartig.«

Jo hatte sich immer noch nicht entspannt. »'tschuldigung«, murmelte sie. »Mir macht das alles Angst. Ich… ich habe mehr zu verlieren als du.«

Tommy nahm ihre Hand. »Nein, hast du nicht. Ich… Ach, verdammt noch mal, schaust du mich jetzt endlich mal an, du verrücktes Weib?«

Widerstrebend sah sie zu ihm.

»Ich bin hier, Jo. Mittendrin. Mit dir.«

Der Adrenalinschub ließ langsam nach. Ich saß in einem Raum mit meinen beiden ältesten Freunden, die sich gerade gestanden, sich ineinander verliebt zu haben, und auf einmal ergab alles einen Sinn. Ich musste an unsere gemeinsame Zeit in Kalifornien denken, und fragte mich, warum mir das nie in den Sinn gekommen war. Die beiden hatten Stunden um Stunden miteinander verbracht. Hatten Ausflüge unternommen, waren zusammen surfen gegangen, hatten in der Garage von Tommys Eltern ungenießbare Cocktails gemixt. Vielleicht hatte ich es damals nicht gesehen, weil ich mich so tief in Trauer und Schuldgefühlen vergraben hatte. Oder weil ich mir keine zwei Menschen vorstellen konnte, die weniger zusammenpassten. Aber so war die Liebe nicht, das hatte ich inzwischen lernen müssen. Da waren sie nun und schlichen umeinander wie Katzen. Linkisch, hilflos, verletzlich. Verliebt und unfähig, etwas anderes zu tun, als zusammen zu sein, allen Risiken zum Trotz.

»Also«, sagte ich gedehnt. Ich lächelte, und aus dem Lächeln wurde ein Gähnen. »Das wird wohl noch ein bisschen dauern. Aber ich freue mich für euch.«

Jo starrte auf Tommys Hand, die ihre ganz festhielt. »Das will ich auch«, sagte sie. »Glücklich sein. Alles andere ist mir inzwischen egal.«

Mir zog sich das Herz zusammen. Noch nie hatte ich Jo so etwas sagen hören.

Zähflüssiges orangerotes Licht von den Straßenlaternen ergoss sich über uns drei. Mir war nicht annähernd warm genug in der Joggingshorts und dem Top, aber gerade wünschte ich mir nur, dieser Moment würde nie enden. Ich hatte diese beiden Menschen so schrecklich gern. Ich liebte es, dass sie sich liebten, wie ich es nie gekannt hatte. Liebte es, dass sie sich so verzweifelt nacheinander gesehnt hatten, dass Tommy Jo heimlich ins Haus schmuggelte, nachdem ich ins Bett gegangen war.

»Ich muss jetzt fertig packen«, erklärte ich widerstrebend. »Ich wünschte, ich könnte hierbleiben.«

»Okay.« Tommy gähnte, als ich meinen Hocker zurückschob. »Aber… Sarah. Ich muss dich das einfach fragen: Müssen wir uns Sorgen um dich machen?«

»Ich…« Ich verstummte. »Ich mache mir in letzter Zeit selbst Sorgen um mich.«

»Wir auch«, meinte Jo. »Du benimmst dich ziemlich schräg, Süße.«

»Ich nehme an, du hast von dem Fußball-Zwischenfall gehört?«

Sie nickte.

Ich fuhr mir mit der Hand durch die Haare. »Als ich in die Umkleide spaziert bin, hatte ich einen schrecklichen Moment der Wahrheit. Der Klarheit. Als steckte ich unversehens wieder in meiner eigenen Haut. Und es hat mir Angst gemacht.«

Jo meinte: »Vielleicht solltest du mal mit so einem Psychodoc reden.«

Süschodoc. Ich musste lächeln. »Vielleicht. Die gibt es in L.A. wie Sand am Meer.«

Tommys aufgebrachte Augenbrauen beruhigten sich allmählich. »So was Durchgeknalltes hast du noch nie gemacht«, konstatierte er. »Vergiss das nicht.«

»Aber vielleicht auch nur, weil ich damals, als ich

Reuben kennengelernt habe, noch kein Handy hatte. Oder weil es noch keine sozialen Netzwerke gab.«

»Nein – du bist nicht verrückt, Sarah. Wenn auch nur die Hälfte von dem stimmt, was du uns erzählt hast, dann hätte Eddie dich anrufen müssen.«

Ich ging um die Kücheninsel herum und umarmte sie beide. Meine Freunde, die Liebenden. »Danke, Tommy, Jo. Ihr seid unbezahlbar. Danke, dass ihr immer noch zu mir haltet.«

»Du bist schließlich meine beste Freundin«, meinte Tommy. »Von Jo abgesehen«, fügte er rasch hinzu.

Zwanzig Minuten später, als ich mit meinem Koffer aus dem Zimmer kam, saßen die beiden immer noch da und mümmelten einträchtig getoastete Weißbrotscheiben. So was hätte Zoe nie in ihrer Küche geduldet. Sie sahen aus, als seien sie schon seit Jahren zusammen.

An der Tür stellte ich meinen Koffer ab. »Also dann.«

Tommy stand auf. »Hey, hör zu, Harrington. Nur noch eins, bevor du gehst. Ich... also, ich muss schon sagen, diese ganze Geschichte mit Eddie ist mir immer noch sehr suspekt.«

»Ach, da sind wir schon zwei, Tommy. Da sind wir schon zwei.«

Er schwieg kurz. »Es kann... es kann doch kein Zufall sein, dass du ihm ausgerechnet an diesem Tag und an diesem Ort begegnet bist.«

Im Baum vor Zoes Wohnung versuchte sich ein

Vogel zirpend an den ersten unsicheren Tönen eines Liedes.

»Wie meinst du das? Weißt du was, das ich nicht weiß?«

»Natürlich nicht! Ich meine bloß, denk doch mal nach, was du gerade gemacht hast, als ihr beide euch kennengelernt habt. Der Jahrestag des Unfalls, dein Spaziergang am Broad Ride. Ich finde, du solltest dich fragen, warum Eddie auch da war. Ausgerechnet an diesem Tag, von allen möglichen Tagen.« Seine Augenbrauen verselbstständigten sich schon wieder. »Hat er vielleicht etwas zu verbergen?«

»Natürlich hat er ... Nein. Nein, Tommy.«

Ein, zwei Minuten dachte ich darüber nach, verwarf den Gedanken aber dann gänzlich. Unmöglich. Absolut ausgeschlossen.

Siebenundzwanzigstes Kapitel

Lieber Eddie,

ich schreibe dir, um dir zu sagen, wie leid mir das alles tut.

All deine Signale, mich von dir fernzuhalten, habe ich ignoriert und dich dagegen von allen Seiten regelrecht bombardiert. Ich hätte dir nie schreiben, dich nie anrufen sollen. Und ganz sicher hätte ich gestern Abend nicht unangemeldet in dein Fußballspiel platzen dürfen. (Du hast bestimmt längst davon gehört.) Ich kann dir gar nicht sagen, wie peinlich mir das ist. Und auch wenn es das nicht besser macht, das winzige Körnchen Stolz, das mir geblieben ist, zwingt mich, dir zu sagen, dass ich mich sonst nicht so aufführe.

Aus mir nicht ganz nachvollziehbaren Gründen scheint unser Kennenlernen und dein darauffolgendes Schweigen bei mir viele alte Gefühle aufgewirbelt zu haben, die mit dem Autounfall vor neunzehn Jahren zusammenhängen. Ich nehme an, das hat nicht unerheblich zu meinem verrückten Verhalten beigetragen.

Ich bin gerade am Flughafen Heathrow und steige gleich

in den Flieger nach LAX. Die Sonne scheint, und ich bin unendlich traurig, so gehen zu müssen, in dem Wissen, dich nie wiederzusehen.

Und doch bin ich erleichtert, wieder nach Hause zu kommen, wo ich einen erfüllenden Job habe, Freunde, eine Chance auf ein neues Leben als Single. Ich werde an dem arbeiten, was hier passiert ist und weswegen ich mich so benommen habe. Ich bringe das wieder in Ordnung. Ich bringe mich wieder in Ordnung.

Und trotzdem muss ich sagen, dass ich es feige und respektlos von dir finde, dich einfach so auszuschweigen. Und ich hoffe, du überlegst es dir noch mal gründlich, bevor du einer anderen Frau das Gleiche antust. Aber ich muss es hinnehmen, dass du dich diesmal für diesen Weg entschieden hast. Und ich muss annehmen, dass du gute Gründe dafür hast.

Zum Schluss möchte ich dir danken. Unsere gemeinsamen Tage waren mit die strahlend schönsten meines Lebens. Ich werde noch sehr lange daran zurückdenken.

Pass auf dich auf, Eddie, und alles Gute.

Sarah x

Achtundzwanzigstes Kapitel

ORDNER ENTWÜRFE

Bitte, geh nicht. Geh nicht weg.
  Ich habe aufgehört zu schreiben und wollte dich stattdessen anrufen, aber ich konnte es nicht.
  Bestimmt bist du schon in der Luft. Ich werde nach draußen gehen und am Himmel nach dir suchen.
  Eddie

✓ Gelöscht, 10.26 Uhr

2. Teil

Neunundzwanzigstes Kapitel

»Willkommen zu Hause!«, trompetete Jenni.

Nach all den Jahren, die ich nun schon kreuz und quer über den Atlantik geflogen bin, schaffte mich der Jetlag immer noch. Der zermalmende Druck auf der Brust beim ersten Schritt in die gleißende Sonne. Die Hitze wie eine massive Betonwand. Die Zickzackmuster am Rand des Sichtfelds im Taxi auf der I-110. 1997, als ich das erste Mal hier gelandet bin, glaubte ich zwei Tage lang, ich sei ernsthaft krank.

»Du hast mir gefehlt, Sarah Mackey.« Jenni drückte mich kurz und heftig. Sie roch nach frisch gebackenem Kuchen.

»Ach, Jenni, du hast mir auch gefehlt. Hallo, Frap«, sagte ich und streichelte Jennis Hund faul mit dem Fuß. Frap – kurz für Frappuccino, eine von Jennis großen Schwächen – versuchte wie üblich, das Bein an mir zu heben, aber ich war schneller und sprang gerade noch rechtzeitig zur Seite.

»Ach, Frap«, seufzte Jenni. »Warum willst du Sarah bloß immer unbedingt ans Bein pinkeln?«

Ich beugte mich nach vorne und fasste sie am Ellbogen. »Und?«

Sie wich meinem fragenden Blick aus.

»Die Testergebnisse? Solltest du die nicht heute bekommen?«

»Nein, morgen.« Sie drehte sich weg. »Ich bin supernervös. Je weniger wir also darüber reden, desto besser. Komm rein, mach's dir auf der Couch gemütlich.«

Ich trat ein, in diese kühle Oase schokoladig duftender Luft, und sah, dass Jenni schon wieder Kunst gekauft hatte. Ein abstraktes Gemälde einer schwangeren Frau, das aus Tausenden winzigen Fußabdrücken zusammengesetzt war. Der Therapeut, zu dem sie ging, hatte ihr geraten, das Prozedere der künstlichen Befruchtung mit positiver Visualisierung zu unterstützen. Vermutlich war das ihre Art, seinen Rat umzusetzen. Das Bild hing über dem Relaxsessel, in dem Javier jeden Tag von 17.15 Uhr bis 22.30 Uhr saß, bis er dann ins Bett ging. Auf der Theke, die das Wohnzimmer von der Küche trennte, standen eine zweistöckige Schokoladentorte und eine Flasche Rosé-Sekt im Eiskübel.

Ich lächelte, erschöpft und den Tränen nahe, als Jenni in die Küche ging und anfing, dicke Eiscremekugeln in den Mixer zu stopfen. »Jenni Carmichael, du bist sehr süß und sehr unartig. Wir bezahlen dich nicht, damit du von deinem Geld Champagner und Torten kaufst.«

Jenni zuckte bloß die Achseln, als wollte sie sagen: Wie soll ich dich denn sonst zu Hause begrüßen?

Sie gab noch einige weitere Zutaten in den Mixer –
die wenigsten davon als Lebensmittel zu erkennen –,
schaltete ihn ein und musste dann schreien, um den
Lärm zu übertönen. »Ich habe Javier mit seinen Freunden zum Billardspielen geschickt. Du kannst mir also
alles ganz in Ruhe erzählen«, brüllte sie. »Und ich kann
dich nicht ohne einen ordentlichen Zuckerschock willkommen heißen. Das geht nicht.«

Ich versank in ihrer ausladenden Couch mit den
unzähligen, marshmallowweichen Kissen, und plötzlich war ich so erleichtert, dass es sich fast wie ein stechender Schmerz anfühlte. Hier war ich sicher. Hier
konnte ich nachdenken, nachjustieren, nach vorne
schauen.

Jenni schaltete den Mixer aus. »Heute gibt's Shakes
mit Bubblegum-Geschmack.«

»Herrje, wirklich?«

Jenni lachte. »Wenn schon, denn schon.« Mehr sagte
sie dazu nicht.

Etliche Stunden später, nachdem wir unsere dickflüs-
sigen Shakes getrunken, mehrere gigantische Stücke
Torte gegessen und uns anschließend noch durch eine
riesengroße Tüte Pita-Chips gemümmelt hatten, sank
ich zufrieden in die Kissen und rülpste leise. Jenni tat
es mir nach und lachte. »Bevor ich dich kennengelernt
habe, habe ich nie gerülpst«, gestand sie.

Ich stupste ihren Fuß mit den Zehen an, weil ich viel

zu vollgefressen und zu schwerfällig war, um mich zu bewegen. »Das war ein grandioses Gelage. Danke.«

»Ach, gern geschehen«, brummte sie lächelnd und rieb sich den Bauch. »Also, Sarah, ich sollte lieber nichts trinken, aber du musst das rosa Blubberwasser unbedingt probieren, okay?«

Misstrauisch beäugte ich die Flasche, und mir wurde flau. »Geht nicht«, murmelte ich. »Danke, Liebes, aber ich habe es letzte Woche mit Jo ein bisschen übertrieben, und seitdem wird mir schlecht, wenn ich nur an Alkohol denke.«

»Echt jetzt?« Jenni wirkte ehrlich schockiert. »Nicht mal ein klitzekleines Gläschen?«

Aber ich brachte es nicht über mich. Nicht einmal für sie.

Dann erzählte ich ihr alles. Sogar die hässlichen Einzelheiten wie die Geschichte auf dem Fußballplatz, als ich mich plötzlich nicht nur mit dem nackten Hinterteil eines fremden Mannes konfrontiert sah, sondern auch mit der unwiderlegbaren Tatsache, dass ich offensichtlich den Verstand verloren hatte. Jenni murmelte »Aww« und schnalzte mit der Zunge und seufzte, und als ich ihr meine letzte Nachricht an Eddie zeigte, hatte sie sogar Tränen in den Augen. Sie machte sich nicht über mich lustig. Sie sah mich nicht mit hochgezogenen Augenbrauen an. Sie nickte nur mitfühlend, als sei alles, was ich getan hatte, absolut nachvollziehbar.

»Man muss versuchen, die Liebe mit beiden Händen

zu packen und festzuhalten«, erklärte sie. »Du hast alles richtig gemacht. Du hast alles versucht.« Sie schaute mich an. »Du hast dich in ihn verliebt, stimmt's?«

Nach kurzem Zögern nickte ich. »Dabei ist es doch eigentlich unmöglich, sich nach so kurzer Zeit…«

»Ach, ich bitte dich«, widersprach Jenni leise. »Natürlich kann man sich innerhalb von einer Woche verlieben.«

»Da hast du wohl recht.« Ich zupfte am Saum meines Tops herum. »Aber jetzt ist es vorbei, und ich muss wieder nach vorne schauen. Ich möchte die Ausschreibung für das Hospiz in Fresno gewinnen. Ich möchte George Attwood in Santa Ana mit an Bord nehmen. Ich möchte zurück in mein altes, vertrautes Leben.«

»Wenn du selbst nicht weiterweißt, hilf anderen, hm?«

»Ganz genau. Ich werde einen Schlussstrich ziehen unter alles, was in England passiert ist. Keine weiteren Versuche mehr, Eddie zu kontaktieren. Im Gegenteil, ich werde ihn sogar auf Facebook entfreunden. Jetzt sofort, mit dir als Zeugin.«

»Ach«, murmelte Jenni enttäuscht. »Aber das wird wohl das Beste sein. Es ist nur schrecklich schade. Ich dachte wirklich, er ist es, Sarah.«

»Ich auch.«

Jenni sagte nichts. Ich schaute zu ihr rüber. »Alles okay?«

Sie nickte. »Tut mir nur so leid für dich. Und ich hab Hormonwallungen.«

Ich ließ mich neben sie fallen, während ich darauf wartete, dass Facebook Eddie aus meiner Freundesliste kramte.

Unvermittelt drehte sich mir der Magen um.

»Er hat mich entfreundet«, wisperte ich. Ich lud sein Profil neu, nur für den Fall, dass es ein Irrtum war. War es nicht. *Freund hinzufügen?*, wurde ich gefragt.

»Ach, Sarah«, murmelte Jenni.

Die eiskalte Faust griff wieder nach meiner Brust, als sei sie nie weg gewesen. Diese bodenlose Sehnsucht, wie ein Brunnen, in dem ein Kieselstein in die Unendlichkeit fallen könnte.

»Ich...« Ich schluckte schwer. »Ich denke, das war's wohl.«

Und in dem Moment ging Frappuccino los wie eine Bombe, weil die Haustür aufging und Javier hereinkam. »Hey, Sarah!«, rief er und salutierte linkisch. Das machte er immer zur Begrüßung, statt mich zu umarmen. Zärtlichkeiten waren bei Javier ausschließlich für Jenni und Autos reserviert.

»Hey, Javier. Wie geht's? Danke, dass du uns ein bisschen allein gelassen hast.« Mein ganzer Körper fühlte sich schlaff und unförmig an.

»Gern geschehen«, erwiderte er und schlurfte in die Küche, um sich ein Bier zu holen. Jenni gab ihm einen Kuss und ging dann aufs Klo.

»Hast du dich gut um meine Süße gekümmert?«,

fragte er. Er setzte sich in seinen Sessel und machte das Bier auf.

»Na ja, sie sich eher um mich«, musste ich gestehen. »Du weißt ja, wie sie ist. Aber morgen bin ich für sie da, Javi. Ich kann den ganzen Tag bei ihr bleiben, wenn nötig.«

Javier trank einen großen Schluck Bier und sah mich fragend an. »Morgen?«

Ich schaute auf. Irgendwas stimmte hier nicht. »Ähm… ja«, stammelte ich. »Wenn sie die Testergebnisse bekommt?«

Javier stellte umständlich das Bier auf den Boden, und plötzlich wusste ich, was er sagen würde.

»Die Testergebnisse sind heute gekommen«, brummte er knapp. »Hat nicht geklappt. Sie ist nicht schwanger.«

Tiefes Schweigen hallte zwischen uns wider.

»Vermutlich wollte sie dich erst über deine eigenen… ähm… Probleme reden lassen«, meinte er. »Du weißt ja, wie sie ist.«

»Oh… O Gott«, wisperte ich. »Javi. Es tut mir so leid. Ich… O Gott, warum habe ich ihr bloß geglaubt? Ich wusste doch, dass heute der große Tag ist.«

Kurz schaute ich zur Küchentür. »Wie geht es ihr?«

Er zuckte die Achseln, aber sein Gesicht verriet mir alles, was ich wissen musste. Er wusste nicht weiter. Er war überfordert. Jahrelang hatte es immer noch einen kleinen Hoffnungsschimmer gegeben, an den Jenni sich verzweifelt geklammert hatte. Und Javiers Aufgabe war es gewesen, sie nach Leibeskräften zu unterstützen. Jetzt war alle Hoffnung tot, und seine Frau – die er all seinen emotionalen Unzulänglichkeiten zum Trotz mit jeder Faser seines Körpers liebte – steckte in ihrer Trauer wie in einem tiefen Loch. Für ihn blieb nichts mehr zu tun. Er hatte keine Aufgabe mehr und keine Hoffnung.

»Viel hat sie nicht gesagt. In der *clínica* war sie ganz still. Ich glaube, sie versucht gerade, nicht darüber nachzudenken. Noch nicht. Ich dachte, sie würde es dir sagen, und dann könnte sie endlich weinen. Alle Gefühle rauslassen, du weißt schon? Darum bin ich weggegangen. Wenn sie sonst nicht mit mir reden kann, redet sie mit dir.«

»O nein. Oh, Javi, es tut mir so leid.«

Er trank einen großen Schluck Bier und sank dann zurück in den Sessel und starrte aus dem Fenster.

Ich guckte rüber zur Tür. Nichts. Die Küchenuhr tickte wie eine Bombe.

Mehrere Minuten vergingen.

»Sie musste gar nicht zur Toilette«, sagte ich unvermittelt. »Sie wollte sich bloß verstecken. Weil sie wusste, dass du es mir sagen würdest. Wir sollten ... wir sollten hingehen und sie holen.« Ich stand auf, aber Javier war schneller. Mit hochgezogenen Schultern marschierte er zur Tür.

Nutzlos und unschlüssig stand ich in der Küche herum, während er an die Badezimmertür klopfte. »Süße?«, rief er. »Süße, lass mich rein ...«

Nach einer Weile ging die Tür auf, und da hörte ich es. Das erstickte Weinen seiner Frau, meiner treuen Freundin, die ihren eigenen Kummer zurückgestellt hatte, um sich um mich zu kümmern. Die schluchzend nach Luft schnappte, während Tränen und Verzweiflung unaufhaltsam aus ihr herausbrachen. »Ich halte das nicht aus«, stammelte sie. »Ich halte das nicht aus. Javi, ich weiß nicht, was ich machen soll.«

Und dann das schier unerträgliche Wimmern menschlichen Elends, gedämpft nur vom dünnen Baumwollhemd ihres Ehemanns.

Dreißigstes Kapitel

Als das Schlimmste vorbei war und sie sich ein bisschen beruhigt hatte, setzte Jenni sich zwischen mich und Javier auf die Couch und machte sich dann daran, methodisch alles Essbare zu vernichten, was wir vorhin übrig gelassen hatten. Ich ignorierte den brüllenden Jetlag und die Müdigkeit und blieb bis weit nach Mitternacht mit ihr wach. Gelegentlich musste ich ein Stückchen Torte essen, um nicht einzuschlafen.

Und jetzt wurde es Morgen. Ein strahlend heller, heißer Morgen, wie ich ihn mir erträumt hatte. Mein erster zu Hause in L.A. Während der letzten Woche in England war ich davon überzeugt gewesen, der erste Morgen würde Erneuerung und Klarheit und Hoffnung für die Zukunft mit sich bringen. Alles in ein neues Licht rücken, mich die Dinge anders sehen lassen als in London oder Gloucestershire. Und dass ich glücklich wäre. Entschlossen.

Aber nein. Ich war aufgedunsen und unausgeschlafen und fror nach einer Nacht mit voll aufgedrehter Klimaanlage. Ich ringelte mich in Jennis Gästebett zusammen, viel zu erschöpft, um aufzustehen und sie runterzudrehen. Auf der anderen Seite des Zimmers hing ein Spiegel, und ich starrte mich darin an. Verquollen sah ich aus, kreidebleich und krank. Noch ehe ich merkte, was ich tat, hatte ich schon das Handy in der Hand, um nachzusehen, ob Eddie auf meine Abschiedsnachricht reagiert hatte. Hatte er natürlich nicht, und mein Herz blähte sich auf vor Schmerz.

Freund hinzufügen?, fragte Facebook, als ich auf sein Profil ging. Nur so, um nachzuschauen. *Freund hinzufügen?*

Eine Stunde später schlich ich mich aus dem Haus, um eine Runde zu laufen. Es war noch nicht ganz acht, und Jenni und Javier lagen – ausnahmsweise – noch im Bett.

Ich wusste sehr wohl, dass es meinem Körper nicht unbedingt guttun würde, nach einem Transatlantikflug und einem emotional aufwühlenden Abend joggen zu gehen. Ganz zu schweigen von der schlaflosen Nacht, die ich davor in London gehabt hatte, oder der Tatsache, dass das Thermometer auf Jennis Veranda jetzt schon brütend heiße beinahe achtunddreißig Grad anzeigte. Aber ich konnte einfach nicht stillsitzen. Konnte nicht allein sein. Ich musste mich bewegen, und zwar so schnell, dass ich alles hinter mir lassen konnte.

Ich musste laufen.

Dreihundert Meter die Glendale Avenue hinunter fiel mir siedend heiß wieder ein, warum ich in dieser Stadt nie joggte. An der Ecke Temple lief ich ein bisschen auf der Stelle und tat, als wollte ich die Oberschenkel dehnen, damit ich mich unauffällig am Laternenmast festhalten konnte. Die Hitze war erstickend. Mein Blick ging zum Himmel, wo die Sonne heute nur verschwommen und undeutlich hinter einem Schleier feuchter Meeresluft zu erkennen war. Stur schüttelte ich den Kopf. Ich musste laufen!

Ich versuchte es also noch mal, aber als der Hollywood Freeway in Sicht kam, gaben meine Beine nach, und ich fand mich unvermittelt auf dem Grasstreifen vor den öffentlichen Tennisplätzen kauernd wieder. Mir war flau und schwindelig. Ich tat, als müsste ich mir die Schuhe zubinden, und gab mich endgültig geschlagen.

Ich konnte Jos Stimme fast hören, die mich eine taube Nuss nannte und mich fragte, ob ich überhaupt kein Mitleid mit meinem eigenen Körper hatte? Und ich musste ihr leider zustimmen, aus ganzem Herzen, als mir wieder einfiel, wie traurig und bemitleidenswert ich es immer gefunden hatte, diese mageren Joggerinnen in der sengenden Hitze die Hügel im Griffith Park hinaufhecheln zu sehen.

Ich ging zurück zu Jenni, duschte und bestellte mir ein Taxi. Es sah nicht aus, als könnte Jenni in absehbarer Zeit wieder ins Büro kommen, und ich konnte keinen Augenblick länger untätig herumsitzen.

Auf der Fahrt ins Büro in East Hollywood plante ich die anstehende Präsentation für die Direktoren eines Hospizbetreibers hier in Kalifornien. Wir waren inzwischen so sehr daran gewöhnt, dass medizinische Einrichtungen uns anfragten, dass ich, was Verkaufsgespräche anging, ein bisschen aus der Übung war. Die Vermont war völlig verstopft, also stieg ich an der Santa Monica aus und ging die letzten beiden Blocks zu Fuß. Während der Schweiß mir in dicken Perlen *pitsch, pitsch, pitsch* den Rücken hinunterlief, übte ich stumm meinen Text aufzusagen.

Doch dann plötzlich: Eddie?

Ein Mann im Taxi, das im Stau auf der Vermont stand. Unterwegs in Richtung meines Büros. Kurz geschorene Haare, Sonnenbrille, ein T-Shirt, das mir irgendwie bekannt vorkam.

Eddie?

Nein. Unmöglich.

Langsam ging ich auf den Wagen zu. Der Mann drinnen, das hätte ich auf jedes religiöse Buch dieser Welt geschworen, war Eddie David, der gerade verwirrt den wild wuchernden Schilderwald studierte und dann in den Stadtplan auf dem Handy-Display schaute.

Der Verkehr rollte wieder an, und alles hupte durcheinander. Ich stand mitten auf einer sechsspurigen Straße. Gerade, als ich gezwungenermaßen aufgeben und das Taxi fahren lassen musste, setzte der Mann die Sonnenbrille ab und schaute mich an. Doch bevor ich ihm in die Augen sehen und mich vergewissern konnte, dass es wirklich Eddie war, musste ich rasch beiseitespringen, um nicht überfahren zu werden.

Eddie?

Irgendwann später schickten meine Kollegen mich nach Hause (»Wir schaffen das schon, Sarah – ruh dich erst mal aus«), und weil ich noch immer nicht stillsitzen konnte, beschloss ich zu laufen. Eine geschlagene Viertelstunde stand ich an der Kreuzung, an der ich heute Morgen Eddie zu sehen geglaubt hatte, und beobachtete die vorbeifahrenden Autos und Taxis. Ein Rettungshubschrauber landete auf dem Dach des Kinderkrankenhauses, und ich bemerkte es kaum.

Einunddreißigstes Kapitel

Reuben und ich saßen schweigend in einem Business-Flieger nach Fresno. Draußen zerschmolzen die letzten Zipfel einer buttrigen Sonne über den Wolken. Drinnen hing der Haussegen zwischen uns windschief am seidenen Faden. Morgen früh sollten wir dem Vorstand der Hospizgesellschaft ein Angebot präsentieren, und Reuben war schon jetzt stinksauer auf mich.

Montagmorgen war er mit Kaia im Schlepptau ins Büro geschneit und hatte uns alle in den Konferenzraum gebeten. Wobei er es geflissentlich vermied, mir in die Augen zu sehen.

»Also, ich habe ganz tolle Neuigkeiten«, setzte er an.

»Ach, wie schön!«, rief Jenni. Sie klang noch immer nicht wie die alte Jenni, aber sie gab sich große Mühe.

»Als wir letzte Woche in London waren, hat Kaia einem alten Freund von ihr ein paar Mails geschrieben, einem gewissen Jim Burundo, der in L.A. eine private Förderschule betreibt. Kaia hat ihm von unserer Arbeit erzählt, ihm ein paar Videoclips geschickt, und er hat sich daraufhin bei ihr gemeldet und den Wunsch geäußert, dass die Kinder bald regelmäßig Besuch von den Clowndoctors bekommen!«

Kurzes Schweigen.

»Oh«, stammelte ich schließlich. »Großartig! Aber ... Reuben, momentan haben wir gar nicht genug Aktive, um da zuzusagen.«

Und Jenni meinte: »Reuben, Schatz, wir müssten das erst mal durchrechnen, damit ich ein Spendenziel formulieren kann. Ich brauche ...«

Reuben hob die Hand, um sie zu unterbrechen. »Die Finanzierung übernehmen sie selbst«, verkündete er stolz. »Die Spenden decken einhundert Prozent unserer Kosten. Wir können neue Clowndoctors anwerben und ausbilden, und Jims Gesellschaft bezahlt alles.«

Ich überlegte kurz. »Aber wir müssen trotzdem zuerst hingehen und die Schule besuchen, Roo. Ein paar Meetings ansetzen. Und hunderttausend andere Sachen. Wir können nicht einfach ...«

Reuben unterbrach mich mit einem Lächeln, das – zu meinem Entsetzen – zugleich eine eindeutige Warnung war. »Kaia hat etwas ganz Wunderbares eingefädelt«, erklärte er sehr bedächtig. »Ihr solltet euch alle freuen! Wir wachsen weiter!«

Jenni wirkte zu mitgenommen, um ihm zu widersprechen.

Zögerlich hob Kaia die Hand, als säßen wir im Klassenzimmer. »Eigentlich hatte ich nicht erwartet, dass

Jim sofort zusagt«, sagte sie leise. »Ich hoffe, ich habe die Sache nicht unnötig verkompliziert.«

»Ich setze ein paar Meetings an, damit wir alles genau besprechen können«, meinte Reuben. »Aber fürs Erste wäre ein dickes Dankeschön an Kaia wohl angebracht.«

Und dann fing er an zu klatschen.

Und alle klatschten mit. Mein Leben, dachte ich. Gott im Himmel, mein Leben.

Das erste Meeting war schon zwei Tage später angesetzt. Und obwohl es ganz danach aussah, als würde alles reibungslos über die Bühne gehen, obwohl Jims Leute tatsächlich zugesichert hatten, sämtliche Kosten zu übernehmen, einschließlich der Ausbildung neuer Clowndoctors – *kein Problem, sagen Sie uns nur, was Sie brauchen* –, war ich nervös und überreizt. Mir ging das alles zu schnell. Aber als ich heute Morgen versucht hatte, die Sprache auf das Thema zu bringen, hatte Reuben mich richtiggehend angeraunzt. Mir gesagt, ich solle weniger geschäftsmäßig sein und ein bisschen dankbarer.

Wir waren im Landeanflug auf Fresno, und ich guckte verstohlen aus den Augenwinkeln zu ihm rüber. Er war eingeschlafen, und sein Gesicht wirkte entspannt und offen. Wie gut ich dieses Gesicht kannte. Die langen, nachtschwarzen Wimpern, die perfekten Augenbrauen, die Adern an den tiefen Augenhöhlen. Ich schaute in dieses so vertraute Gesicht, und mein Magen zog sich schmerzhaft zusammen. Eigentlich hätte inzwischen alles wieder normal sein sollen, dachte ich, als das Flugzeug eine Schleife flog und die tiefstehende, goldene Sonne geometrische Formen über Reubens Gesicht huschen ließ. Eigentlich hätte es mir gut gehen sollen.

Später am selben Abend, nachdem wir in dem Steakhouse gleich neben unserem Hotel gegessen hatten, ging ich nach draußen und setzte mich an den kleinen, wohl schon lange ungenutzten Pool. Er war von einem hohen Metallzaun umgeben, und die wenigen klapprigen Sonnenliegen überzog ein feiner Schimmelpelz.

Zum ersten Mal nahm ich mir die Zeit, in Ruhe darüber nachzudenken, was Tommy letzte Woche über Eddie gesagt hatte. Ob es etwas zu bedeuten haben könnte, dass Eddie und ich uns ausgerechnet zu dieser Zeit, an diesem Tag und an diesem Ort über den Weg gelaufen waren? Ob er womöglich etwas zu verbergen hatte? Zuerst schien mir diese Theorie an den Haaren herbeigezogen: Eddie war an dem Morgen nur aus dem Haus gegangen, weil er ein bisschen Abstand von seiner Mutter brauchte. Und an der Dorfwiese hatte das flüchtige Schaf ihn aufgehalten. Mehr in diese zufällige Begegnung hineinzulesen, war einfach lächerlich.

Das Problem an der ganzen Sache war bloß, dass ich langsam – spät, aber besser spät als nie – jene Gedanken zu fassen bekam, die in den vergangenen Wochen ganz am Rand meines Bewusstseins herumgeflattert waren.

Allmählich begann ich, ein Muster zu erkennen. Und was ich da sah, gefiel mir ganz und gar nicht.

Gerade als die ersten silbern gezackten Blitze vom Himmel krachten, verschwand ich nach drinnen und konnte dabei das Gefühl nicht abschütteln, auf eine Katastrophe zuzuschlittern.

Am nächsten Morgen wurden wir vor dem Meeting durch das Hospiz geführt.

Wie wohl die meisten Menschen fand ich Hospize bedrückend – im Leben gibt es nur wenige Orte, an denen der Tod so allgegenwärtig, alltäglich und unausweichlich scheint. Aber ich gab mir große Mühe, eine unbeteiligte Miene aufzusetzen, die wild um sich schnappende Angst kleinzuhalten, bewusst langsam ein- und auszuatmen. Und es lief eigentlich ganz gut. Dachte ich. Bis wir in den Fernsehraum kamen und ich ein Mädchen im Sessel vor dem Fenster sitzen sah.

Fassungslos starrte ich es an.

»*Ruth?*« Die zierliche Gestalt war in eine weiche Fleecedecke gehüllt, bleich wie Wachs und erschreckend zerbrechlich.

Ruth schaute auf, und nach einem schier unendlich scheinenden Moment lächelte sie. »Ach herrje«, seufzte sie. »Mit euch habe ich ja gar nicht gerechnet.«

»Ruth!« Reuben stürzte zu ihr und umarmte sie.

»Vorsicht«, murmelte Ruth leise. »Meine Knochen sind ein bisschen brüchig. Du willst mich ja nicht durchbrechen oder so. Du weißt doch, wie gerne Mum Leute verklagt.«

Behutsam nahm Reuben sie in die Arme, und ich tat es ihm gleich.

Ruth war eine unserer ersten Patientinnen gewesen, damals, als es nur Reuben und mich gab und wir gerade erst von den Clowndoctors gehört hatten. Ein winzig kleines Baby war sie da, ständig hin- und hergeschoben zwischen Intensivstation und OP. Und wir hatten von Anfang an gewusst, dass ihre Lebenserwartung – sollte sie überhaupt überleben – sehr gering sein würde.

Aber mein Gott, wie hatte dieses kleine Mädchen gekämpft. Und ihre alleinstehende Mutter genauso, die irgendwie das Geld aufgetrieben hatte, mit ihr zum Children's Hospital in L.A. zu fliegen, weil die Neonatal-Ärzte dort die weltweit besten Spezialisten auf dem Gebiet von Ruths seltenem Gendefekt waren. Ihre Nein-gilt-nicht-als-Antwort-Haltung hatte Reuben und mich mehr als einmal angespornt, mit unserer eigenen Arbeit weiterzumachen.

Eigentlich kam ich selten in Kontakt mit den Kindern. Mir ging das einfach zu nahe. Aber Ruth hatte etwas, dem ich mich nicht entziehen konnte. Selbst als ich schon längst keine Krankenhausbesuche mehr machte, ging ich immer noch zu ihr. Ich konnte einfach nicht anders.

Und da saß sie nun, fünfzehneinhalb Jahre alt, in eine blaue Fleecedecke gewickelt, mit dünnen, brüchigen Haaren. Stocksteif stand ich da, und der Schock schnürte mir die Kehle zu.

»Na, also, das ist ja eine schöne Überraschung«, stammelte ich dann und setzte mich zu ihr.

»Was, dass ich aussehe wie ein totes Hühnchen und in einem Hospiz hocke?«, brummte sie. Ihre Stimme klang dünn. »Wie findest du meine Hände? Siehst du? Wie Hühnerfüße. Ach, bitte«, schnaubte sie, als ich schon widersprechen wollte. »Ihr werdet jetzt nicht versuchen mir einzureden, ich sähe aus wie das blühende Leben, oder? Wenn doch, könnt ihr gleich wieder gehen.« Sie lächelte mit aufgesprungenen Lippen, und ich spürte ein heftiges Reißen im Herz.

»Dann bist du also wieder nach Hause zurückgegangen«, stellte Reuben fest. »Ins sonnige Fresno.«

»Ja. Ich dachte mir, wenn ich schon den Löffel abgeben muss, dann lieber zu Hause«, meinte sie. »Ich muss es meiner Mum ja nicht schwerer machen, als es ist.«

Und dann fing sie an, ganz ohne Vorwarnung zu weinen. Still und lautlos, als fehlte ihr die Kraft für Geräusche oder Tränen.

»Das ist so ätzend«, heulte sie. »Und wo seid ihr Clowns eigentlich? Wo sind die verdammten roten Pappnasen, wenn man sie braucht?«

»Darum sind wir hier. Genau darüber wollen wir reden«, sagte Reuben und tupfte ihr mit einem Taschentuch die Tränen aus dem Gesicht. »Aber selbst wenn wir uns nicht einigen können, versuchen wir dir trotzdem einen Clowndoctor vorbeizuschicken. Natürlich nur, wenn du nicht findest, dass du dafür inzwischen zu alt bist.«

»Bin ich nicht«, entgegnete sie schwach. »Eure Clowns haben mich nie wie ein kleines Kind behandelt. Als ich Doctor Zee das letzte Mal gesehen habe, hat er versprochen, mir zu helfen, ein Gedicht für meine Beerdigung zu schreiben. Er ist ein toller Dichter, wenn er sich nicht gerade wie eine Arschgeige aufführt. Könnt ihr mir den schicken?«

»Das sprechen wir gleich als ersten Punkt beim Meeting an«, versprach ich. »Zee würde dich sicher gerne besuchen.«

»Ich liebe sie einfach«, meinte Ruth und lehnte sich erschöpft auf dem Sofa zurück. Reden schien sie schrecklich anzustrengen. »In all dem Mist waren sie die einzige Konstante. Die einzigen Typen, die größere Arschlöcher sind als ich. Nicht böse gemeint«, murmelte sie in Richtung Reuben. »Ich weiß, dass du auch als Clown angefangen hast.«

Er lächelte.

»Sollen wir dir auf dein Zimmer helfen?«, fragte ich Ruth und zog die Decke noch ein bisschen fester um sie. Ich hatte einen dicken Kloß im Hals. Wie konnte das sein? Die clevere, witzige Ruth mit dem lustigen rotblonden Pferdeschwanz und den petersiliengrünen Augen. Warum endete ihr Leben, bevor es richtig angefangen hatte? Warum konnte niemand was dagegen tun?

»Ja«, wisperte sie. »Ich muss mich ein bisschen hinlegen und schlafen. Alles eure Schuld. Was bringt ihr mich auch zum Heulen!«

Als wir ein paar Minuten später aus ihrem Zimmer gingen, wischte ich mir wütend eine heiße Träne aus dem Augenwinkel, und Reuben nahm meine Hand. »Ich weiß«, murmelte er. »Ich weiß.«

Nach der Präsentation vor dem Hospizvorstand setzten wir uns zum Kaffeetrinken alle nach draußen auf eine sonnige Terrasse. Der stellvertretende Leiter der Pflegeabteilung nahm mich zur Seite, weil er noch ein paar Fragen hatte.

Ich hätte es kommen sehen müssen. Hätte es mir von den vorangegangenen Fragen eigentlich denken können. Wie oft begegneten wir Menschen wie diesem Mann, der nur die roten Clownsnasen sieht und sich dagegen sträubt, in unseren Mitarbeitern etwas anderes zu sehen als alberne Partyclowns.

»Die Sache ist die«, erklärte der Mann mit der Glasbausteinbrille, dem schwabbeligen Kinn und der polternden Hochnäsigkeit, »mein Team besteht aus hochqualifizierten, bestens ausgebildeten Mitarbeitern. Ich weiß nicht, ob sie es begrüßen würden, Seite an Seite mit... na ja, Clowns arbeiten zu müssen.«

Die lodernde Leidenschaft, mit der wir eben noch unsere Arbeit präsentiert hatten, war verpufft. Ich wollte nur noch weg.

»Ihre Mitarbeiter sind natürlich auch weiterhin allein für die medizinische Versorgung der Kinder zuständig«, zwang ich mich leidenschaftslos herunterzubeten und beobachtete derweil einen Vogel im Baum über ihm. »Betrachten Sie unsere Mitarbeiter einfach wie jeden anderen Unterhalter, der die Kinder besucht. Der einzige Unterschied besteht darin, dass sie eine mehrmonatige intensive Zusatzausbildung absolviert haben.«

Stirnrunzelnd blickte er in seinen Kaffee und murmelte, seine Mitarbeiter seien ebenfalls bestens ausgebildet, herzlichen Dank, und bräuchten dazu weder alberne Klamotten noch Musikinstrumente. Und plötzlich – obwohl mich die vielen Jahre in meinem Beruf gelehrt hatten, mich nie, *niemals*, mit so einem Menschen anzulegen – tat ich genau das.

»Sie können sich natürlich auf die spielerische Seite unserer Arbeit fokussieren«, konterte ich. »Aber wir haben in der Vergangenheit von zahllosen Ärzten und Krankenpflegern gehört, dass sie sich von unseren Mitarbeitern wertvolle neue Herangehensweisen abschauen konnten.«

Der Mann stutzte. »Wie bitte?«, bellte er. Die Sonne spiegelte sich in seiner Brille. »Wollen Sie damit etwa andeuten, unsere Mitarbeiter könnten von einem Haufen arbeitsloser Schauspieler noch etwas lernen?«

Reuben, der mit dem Rest der Gruppe zusammenstand, drehte sich zu uns um.

»Genau das will ich damit nicht sagen«, widersprach

ich. Ich stand ihm gegenüber und starrte ihm in die Augen, als sei das ein Duell. Was machte ich denn hier?

»Was ich andeuten wollte – wie Sie wüssten, hätten Sie eben zugehört –, ist, dass wir von medizinischem Fachpersonal überwältigend positive Rückmeldungen bekommen. Aber diese Menschen verfügten zumindest über einen Hauch Demut und Bescheidenheit.«

»Mrs Mackey. Haben Sie gerade gesagt, was ich glaube, dass Sie gesagt haben?«

Hastig stürzte Reuben zu uns. »Kann ich vielleicht irgendwie weiterhelfen?«, fragte er.

»Ich glaube kaum«, entgegnete der Mann. »Ihre Geschäftspartnerin hat mir gerade mitgeteilt, meine Mitarbeiter könnten sich noch eine Scheibe von Ihren Clowns abschneiden. Einschließlich Demut und Bescheidenheit. Unglaubliche Frechheit. Das muss man sich mal vorstellen.«

»Mr Schreuder …«, setzte Reuben an, wurde aber rüde unterbrochen.

»Ich habe ein Team zu managen«, sagte Flaschenbodenbrille. »Guten Tag.«

Der Vogel im Baum über ihm flatterte auf und flog die Straße hinunter. Ich schaute ihm nach und wünschte mir, ich könnte das auch.

»Was zum Teufel ist bloß los mit dir?«, fauchte Reuben mich an, kaum dass wir im Taxi saßen.

»Sorry.«

»*Sorry?*« Reuben schäumte vor Wut. »Das könnte uns den gesamten Auftrag kosten. Was halb so schlimm wäre, Sarah, wenn es dabei nur um uns ginge. Oder um das Geld. Tut es aber nicht. Es geht um Ruth. Und um all die anderen Kinder dort. Und die in den anderen vier Hospizen, die denen gehören.«

Vorne aus dem Taxi waren Fetzen einer Latino-Stimme und Cumbia-Musik zu hören. Ich atmete ein paar Mal tief durch. An Reubens Stelle wäre ich auch stinksauer.

»Gottverdammt, Sarah!« Ihm platzte der Kragen. »Was ist bloß los?«

Der Taxifahrer beendete sein Telefonat und spitzte interessiert die Ohren. Allerdings umsonst. Ich hatte nämlich nichts zu sagen.

Nach langem Schweigen redete Reuben weiter. »Ist es wegen mir und Kaia?«, fragte er. Er starrte stur geradeaus in den entgegenkommenden Verkehr auf der anderen Seite des Highways. »Wenn ja, dann sollten wir dringend darüber reden. Ich …«

»Es ist nicht wegen Kaia«, sagte ich. »Wobei ich, wenn ich ehrlich bin, finde, sie sollte sich ein bisschen zurückhalten.«

»Und dann? Seit Wochen stehst du völlig neben dir. Sarah, wir waren siebzehn Jahre verheiratet«, sagte Reuben. »Ich kenne dich doch.«

»Nein, tust du nicht.«

Eine Mutter mit ihren beiden Kindern überquerte

vor uns an einer Fußgängerampel die Straße. Der kleine Junge im Buggy strampelte wild mit den Beinen, während seine große Schwester fröhlich vor ihnen hertanzte, in der Hand eine glänzende Spielzeugtrompete, auf der sie aus Leibeskräften herumtrötete. So eine hatte Hannah auch gehabt. Manchmal hatte sie mir damit direkt ins Ohr posaunt, wenn sie vor mir wach war. Und ich schrie vor Schreck das ganze Haus zusammen. Sie lachte sich dann immer kaputt und rannte mit ihrer Trompete herum und grölte und trötete und prustete.

Die Ampel sprang um, und wir fuhren weiter, und da merkte ich, dass ich weinte.

Später stand ich vor den schmutzverspritzten Fenstern der Abfluglounge und sah den Flugzeugen zu, die durch einen rostfarbenen Abend an mir vorbeirollten. Ein Handy klingelte dreimal, ehe mir aufging, dass es meins war.

»Jenni?«

»Ach, Sarah, ich bin so froh, dass du rangegangen bist.«

»Alles okay?«

»Nächste Frage. Hör zu, hier ist gerade was ganz Merkwürdiges passiert.«

Ich wartete.

Reuben winkte mich heran. Die letzten Passagiere verließen gerade die Abflughalle.

»Ich habe Eddie gesehen, Sarah. Hier im Haus.«

»Sarah!«, rief Reuben. »Jetzt komm schon!«

Ich hob die Hand zum Zeichen, dass er kurz warten sollte, und hielt sie dann in der Luft, als wartete ich darauf, dass jemand die Passagiere durchzählte.

»Ich habe mir das Foto von ihm oft genug angeschaut«, sagte Jenni gerade. »Verwechslung ausgeschlossen. Er hat mit Carmen an der Rezeption geredet, aber als ich rauskam, war er schon wieder weg.«

»Oh.«

Mein Arm hing dumm in der Luft, und das ganze Blut lief heraus.

»Er hat Carmen gefragt, ob du da bist, und ist dann gegangen, ohne eine Nachricht zu hinterlassen.«

»Oh.«

»Das war er, Sarah. Ganz sicher. Ich hab mir gleich danach noch mal das Foto angesehen. Und Carmen meinte, er hatte einen britischen Akzent.«

»Jenni, bist du dir ganz sicher? Bist du dir hundert Prozent sicher?«

»Hundert Prozent.«

»Okay.«

»Sarah? Was zum Teufel machst du da?«

»Ich muss los«, murmelte ich belegt. »Sonst verpasse ich meinen Flieger.«

Zweiunddreißigstes Kapitel

Lieber Eddie,

eigentlich hatte ich dir versprochen, mein voriger Brief an dich würde der letzte sein.

Die Sache ist nur die, langsam frage ich mich ernsthaft, wer du eigentlich bist. Mein Freund Tommy meinte neulich, ob du womöglich etwas mit dem Unfall zu tun haben könntest.

Die Idee habe ich zuerst abgetan, aber inzwischen bin ich mir da nicht mehr so sicher.

Warst du heute bei uns im Büro? Habe ich dich letzte Woche im Taxi an einer Ampel gesehen? Und wenn ja, warum? Was willst du hier?

Eddie, weißt du, wer ich bin? Warum ich nicht mehr nach England zurückkommen kann?

Bist du der Mensch, von dem ich fürchte, du könntest es sein?

Gut möglich, dass du jetzt denkst: Was redet die Verrückte da bloß? Warum lässt die mich nicht endlich in Ruhe? Hat die einen Sprung in der Schüssel?

Aber was, wenn du das nicht denkst? Was, wenn du ganz genau weißt, was ich da rede.

Das frage ich mich, Eddie. Immer wieder.

Sarah

Dreiunddreißigstes Kapitel

Auszug aus *The Stroud News & Journal,* 8. Juni 1997

Im Zusammenhang mit dem tödlichen Verkehrsunfall auf der A419 nahe Frampton Mansell Anfang des Monats hat die Polizei einen jungen Mann verhaftet. Der leitende Ermittlungsbeamte, PC John Metherell, hat gestern Abend offiziell bestätigt, dass ein Neunzehnjähriger aus Stroud wegen des Verdachts auf fahrlässige Tötung durch verkehrsgefährdende Fahrweise in Untersuchungshaft genommen worden ist.

Der Unfall, von dem eine Familie aus dem Bezirk betroffen ist, hat zu Forderungen nach strengeren Geschwindigkeitskontrollen auf diesem entlegenen, wenig befahrenen Streckenabschnitt geführt. Allgemein war in der Bevölkerung eine gewisse Frustration zu spüren, dass die Polizei bisher keinen dringend Tatverdächtigen im Zusammenhang mit dem Vorfall verhaften konnte.

Die Gloucestershire Constabulary hat seither den mutmaßlichen Unfallverursacher gesucht – der Fahndungsausschreibung zufolge etwa Anfang zwanzig –, der sich nach dem Zusammenprall zu Fuß über die Felder oder kleinere Fußpfade vom Unfallort entfernt haben soll. Neuere Informationen, welche die Ermittler am Montag erhalten haben, führten schließlich zur Identifizierung und erfolgreichen Ergreifung des Verdächtigen.

Der *SNJ* konnte bis zur Drucklegung nicht in Erfahrung bringen, ob der Verdächtige angeklagt worden ist.

Vierunddreißigstes Kapitel

Ich lag in Jennis Gästebett und hörte, wie Javier draußen seinen Truck belud. Im Autoradio berichtete ein Reporter in maschinengewehrfeuerschnellem Spanisch von den Waldbränden in den ausgetrockneten Hügeln Kaliforniens. »El fuego avanca rápidamente hacia nosotros«, sagte er. »Das Feuer kommt rasend schnell auf uns zu«. Als er das Wort »Feuer« sagte, wurde seine Stimme ganz langsam und umschmeichelte die einzelnen Silben, wie eine Flamme, die sich durch Papier frisst. *Fu-e-go*.

Jenni stand unter der Dusche und hörte Dina Carroll, sang aber nicht mit. Der Durchlauferhitzer ächzte. Die Nachbarskatze heulte wie ein kleines Kind, was wohl heißen musste, dass Frappuccino im Garten sein Unwesen trieb.

Ich drehte mich auf den Rücken und rieb mir den Bauch.

Irgendwo da draußen war ein Mann, ein namenloser Mann, der mich seit neunzehn Jahren verfolgte. Ich kannte weder sein Gesicht noch seine Stimme, wusste nichts über ihn außer seinem Nachnamen, aber ich hatte immer gewusst, wenn er mich findet, würde ich ihn erkennen. Ich würde ihm in die Augen schauen und würde es einfach wissen.

Weshalb Eddie David unmöglich dieser Mann sein konnte, sagte ich mir. Ungeachtet der Tatsache, dass sein Nachname ein anderer war, hätte ich es in dem Moment gespürt, als ich ihn das erste Mal sah. Ich hätte es gewusst.

Das Feuer kommt rasend schnell auf uns zu.

Ohne Vorwarnung sprang ich auf, rannte aufs Klo und übergab mich heftig.

»Ein Arbeitstagskater!« In Kaias warmen Augen blitzte ein Lächeln auf, was mir wohl ihr volles Verständnis signalisieren sollte. »Neben dir fühle ich mich steinalt, Sarah.«

Ich kauerte vor dem kleinen Kühlschrank, der vollgestopft war mit Salaten und Wraps, und schloss die Augen. Ich konnte meinen Lunch nicht essen. Ich konnte ihn ja noch nicht mal aus dem Kühlschrank holen. »Lass dich davon nicht beeindrucken«, sagte ich. »Mach mich lieber runter. Ich habe es nicht anders verdient.« Mühsam richtete ich mich auf.

»Ach, wer kennt das nicht«, meinte Kaia. Sie stand neben dem Wasserkocher, über irgendwas gebeugt, das sie wohl vor meinen Blicken schützen wollte. Neugierig spähte ich ihr über die Schulter. Wie erwartet pickte sie in einem knackig frischen Salat herum.

Ich wünschte, sie wüsste mich nicht so gut zu nehmen, dachte ich. Ich wünschte, sie wäre nicht so verdammt rücksichtsvoll. Den Salat versteckte sie bloß, damit ich mich nicht mies fühlte. Aber am allermeisten wünschte ich, sie wäre nicht hier im Büro. Gestern hatte sie als Ausrede für ihren unangekündigten Besuch Insiderinformationen aus einer Sitzung der Spendenabteilung des Kinderkrankenhauses vorgeschoben, aber heute sparte sie sich die Erklärung gleich ganz. Sie war einfach um zehn hereinspaziert und hatte sich an einen der Rechner gesetzt. Sogar Jenni war angesäuert.

Mit einem Glas Wasser in der einen Hand und einem Zittern in der anderen kroch ich zurück zu meinem Schreibtisch. Reuben und Kaia gingen gemeinsam auf unsere kleine Dachterrasse, um da ihren Lunch zu essen.

Ich versuchte, meine E-Mails zu lesen, aber die Worte fühlten sich formlos und schlaff an. Ich versuchte, einen Schluck Wasser zu trinken, aber mein Magen wollte nichts davon wissen. Eis!, schrie er. Da muss Eis ins Wasser! Kraftlos schleppte ich mich in die Küche, nur um dort festzustellen, dass der Eiswürfelbereiter leer im Gefrierfach stand. Ich setzte mich wieder an den Schreibtisch und sah meinem Mann und seiner Freundin draußen beim Knutschen zu. Kaia schmiegte sich in Reubens Armbeuge.

»Ich kann das nicht«, murmelte jemand.

Ich, wie mir einen Moment später aufging. Ich hatte das gesagt.

Fast musste ich lachen. Da saß ich nun, zitternd, flau und schwindelig an meinem Schreibtisch und führte Selbstgespräche. Was kam als Nächstes? Tierstimmen imitieren? Mir alle Kleider vom Leib reißen?

»Ich kann das nicht«, hörte ich mich erneut sagen. Die Stimme kam von irgendwo her und ließ sich nicht kontrollieren. »Ich kann das nicht. Alles.«

Schnell flüchtete ich mich in unseren Konferenzraum.

»Hör auf«, kommandierte ich streng hinter verschlossenen Türen. »Hör sofort damit auf.« Betont lässig spazierte ich um den Tisch und tat, als tippte ich eine Nachricht. Schaute wieder zu ihnen rüber. Kaia küsste Reuben auf die Stirn. Eine streunende Katze beobachtete sie vom Dach der benachbarten Botox-Klinik. Hinter ihnen ragte das Hochhausgewirr der Innenstadt in den Himmel.

»Ich kann das nicht.«

Hör auf!

Niemanden würde es kaltlassen, mit ansehen zu müssen, wie der frisch verliebte Exmann mit seiner neuen Flamme herumturtelte, versuchte ich mich zu entschuldigen. Es war okay, dass mich das mitnahm.

Aber es ging nicht um Reuben und Kaia.

Das Feuer kommt rasend schnell auf uns zu.

Ich versuchte, die Worte aufzuhalten, die sich mit aller Macht in meinen Mund schlängeln wollten. Doch mir fehlte die Kraft dazu. »Ich will nach Hause«, schluchzte ich.

Der Konferenzraum summte leise.

»Hör auf«, wisperte ich. Heiße Tränen standen mir in den Augen. »Hör auf. Das hier ist dein Zuhause.«

Nein, ist es nicht. Das hier war nie mehr als ein Versteck.

»Aber ich liebe diese Stadt! Ich liebe sie!«

Das macht sie noch lange nicht zu deinem Zuhause.

Jenni schlüpfte zur Tür herein. »Sarah«, wisperte sie. »Sarah, was ist los? Du führst Selbstgespräche.«

»Ich weiß.«

»Ist es wegen Reuben? Ich kann Kaia sagen, dass sie verschwinden soll, wenn dir das lieber ist. Die zwei führen sich auf wie notgeile Teenager. Haben die kein Zuhause?«

Ich holte tief Luft. Aber während ich noch nach Worten suchte, um ihr alles zu erklären, war Jenni bereits stinksauer zur Tür hinausmarschiert. Wie betäubt starrte ich ihr nach und verstand erst viel zu spät, was sie vorhatte.

Kaia und Reuben schauten auf. Jenni sagte etwas. Beide lächelten und nickten. Reuben pfiff vor sich hin, als er zur Tür hereinkam, aber irgendwas an seinem Gesicht verriet mir, dass er wusste, was jetzt kommen würde.

Nein, dachte ich matt. Nicht das. Das ist nicht das Problem. Aber da war Jenni schon nicht mehr zu bremsen. Entschlossen baute sie sich am Kopfende des Tisches auf und legte los mit einer autoritären Stimme, wie ich sie, seit ich Jenni kannte, vielleicht drei- oder viermal gehört hatte.

»Kaia, wir wissen es sehr zu schätzen, dass du uns unterstützen möchtest, aber ich glaube, wir sollten vorab klären, an welchen Projekten du konkret mitarbeitest und ob es irgendwo innerhalb unseres Teams ein nicht zu bewältigendes Arbeitspensum gibt oder nicht. Denn sollte das der Fall sein, müssen wir uns das genauer ansehen. Es ist jedenfalls nicht korrekt, dass du ständig hier bist und nebenbei aushilfst. Das wurde so nicht abgesegnet.«

Stille. Reubens Augen rollten zu mir, weit aufgerissen vor Schreck.

Kaia wurde leichenblass. »Klar«, stammelte sie, obwohl man ihr ansah, dass sie überhaupt nicht wusste, was sie dazu sagen sollte. »Ich … also, ich habe nur versucht, Reuben bei ein paar Sachen zu entlasten, die vom Schreibtisch mussten … Und Sarahs Stellvertreterin, Kate, schien das zu …« Sie fummelte an dem Ring herum, der mittig an ihrem Finger saß, und ich sah, wie ihr die Hände zitterten.

Das ist weder das Problem noch die Lösung, dachte ich. Ich war so müde. So unsagbar müde.

»Es tut mir leid«, flüsterte Kaia nach kurzem Schweigen. »Ich wollte nicht stören. Ich war wohl in letzter Zeit ein bisschen zu oft hier …« Ihre Augen füllten sich mit Tränen.

Ich wollte zu ihr, aber Jenni bremste mich. »Ich

mach das schon«, erklärte sie streng und reichte Kaia ein Papiertüchlein, ohne ihr den Arm um die Schultern zu legen. Entsetzt und fasziniert musste ich mit ansehen, wie meine Freundin all ihre Wut und ihre Enttäuschung auf die hilflose weinende Frau lenkte, die wie ein Häufchen Elend auf ihrem Stuhl hockte.

Reuben war wie gelähmt.

»Ich habe… ich habe… Es hilft mir sehr, hier zu sein…« Kaia zog sich zurück wie ein angefahrenes Tier. »Es tut mir leid. Es tut mir einfach gut. Ich komme nicht mehr her. Ich…« Sie machte einen Schritt auf die Tür zu.

Und da wusste ich es plötzlich. »Kaia«, murmelte ich leise. »Warte mal kurz.«

Sie zögerte.

»Hör mal, diese Geschichte, die du mir erzählt hast an dem Tag, als wir uns kennengelernt haben«, sagte ich, und ihr Gesicht erschlaffte, wurde irgendwie formlos und wellig wie ein Zelt, aus dem man die Stangen herausgezogen hat. »Die Geschichte mit dem kleinen Jungen auf der Kinderkrebsstation. Den die Clowns zum Lachen gebracht haben.« Das Zelt fiel in sich zusammen, und da war es: ein menschliches Wesen, seziert bis auf die Knochen. »War das dein Sohn?«, fragte ich vorsichtig.

Reuben starrte mich an. Kaia tat einen flachen, abgehackten Atemzug und nickte.

»Phoenix«, stammelte sie. »Das war mein Junge, ja.«

Ich schloss die Augen. Die arme Frau.

»Woher wusstest du das?«, fragte Reuben verdattert.

Als ich heute Morgen unsere Post geöffnet hatte, war ein Brief von einem Ehepaar namens Brett und Louise West dabei gewesen. Vier Monate, nachdem sie ihren Sohn verloren hatten, hatten sie es endlich geschafft, einen Stift aufs Papier zu setzen. Sie schrieben, es sei ihr erster Brief. *Wir danken Ihnen so sehr... Hat ihm die letzten Wochen unendlich erleichtert... Können wir Ihre Organisation irgendwie unterstützen?... Würden furchtbar gerne vorbeikommen und ehrenamtlich mitarbeiten... Wäre wunderbar, etwas zurückgeben zu können... Uns irgendwie nützlich zu machen...*

Da hatte ich mir so meine Gedanken gemacht über Kaia und warum sie immer hier war. Ich war nicht überzeugt, dass das nur an Reuben lag.

Ein paar Tage vorher hatten wir einen Anruf bekommen, dass ein Kind, mit dem wir mehrere Monate gearbeitet hatten, in Remission war und bald entlassen werden würde. Kaia, die das Kind gar nicht kannte, war spontan in Tränen ausgebrochen. »Eine zweite Chance«, hatte ich sie zu Kate, meiner Stellvertreterin, sagen gehört, die die frohe Botschaft verkündete. »Eine zweite Chance aufs Leben. Ach, das ist wirklich ein kleines Wunder.«

Und es war ein kleines Wunder. Wir hatten alle gejubelt. Aber ich hatte Kaia beobachtet, noch lange nachdem ich wieder an die Arbeit gegangen war. Und ich hatte mir so meine Gedanken gemacht. Und mich gefragt, ob jemand in ihrem Leben womöglich keine zweite Chance bekommen hatte.

Und als ich ihr zugesehen hatte bei ihrem hoffnungslosen Versuch, sich Jenni gegenüber zu erklären, da hatte ich plötzlich gewusst, dass der kleine Junge, von dem sie mir an dem Tag, als wir uns kennenlernten, erzählt hatte, ihr Sohn gewesen sein musste. Sie hatte ihren Sohn verloren und mit ihm einen unersetzlichen Teil ihrer selbst. Und irgendwann, als sie wieder aus dem Bett aufstehen, als sie wieder atmen konnte, da hatte sie angefangen, sich zu engagieren – genau wie die beiden Eltern, die mir heute geschrieben hatten – wie ich und so viele andere –, weil es die einzige Möglichkeit war, dem Grauen etwas Gutes abzutrotzen. Weiterzumachen.

»Es tut mir so leid«, murmelte ich.

Sie nickte. »Mir auch. Und ich muss mich dafür entschuldigen, dass ich ständig hier bei euch bin. Mein Partner und ich haben uns letztes Jahr getrennt. Er ist damit einfach nicht fertiggeworden. Und ich war ... ein bisschen einsam. Nicht, dass euch das irgendwie interessieren sollte, aber es ... es hilft mir, hier zu sein.«

Ich schloss die Augen. Ich war so verdammt müde. »Verstehe.«

Ich sah ihnen nach, als sie gingen. Jenni saß zusammengesackt am Kopfende des Tisches.

Ich ging zu ihr und legte ihr eine Hand auf die Schulter. »Hör auf«, sagte ich leise. »Das konntest du nicht wissen.«

Jenni schüttelte bloß den Kopf.

»Hör zu, Jen, es ist wirklich rührend, dass du mich verteidigst wie eine Löwin, mich und das ganze Team. Du warst höflich, du warst nett, du hast ihr ein Taschentuch gegeben. Was will man mehr von dir erwarten?«

»Ich hätte den Mund halten können«, entgegnete sie. Ihre Stimme klang klebrig vor Schuldgefühlen. »Ich hätte sie einfach in Ruhe lassen können.«

Ich tätschelte ihr die Schultern und starrte aus dem Fenster. Eins meiner Beine fing an zu zittern, also setzte ich mich neben sie.

»Das Schlimmste ist, wir sitzen im selben Boot, Kaia und ich«, murmelte Jenni matt. »Uns beiden fehlt etwas. Obwohl sie ein Kind hatte, Sarah, und es ihr wieder genommen wurde, und… o Gott, kannst du dir das vorstellen?«

Als sie sich schließlich einigermaßen beruhigt hatte, sagte ich ihr, ich müsse gehen. »Ich glaube, ich sollte zum Arzt. Ich bin nicht… Ich bin nicht ganz ich selbst im Moment, oder was meinst du?«

»Nein«, antwortete Jenni ohne Umschweife, und ich musste fast lächeln. »Aber wie soll dir da ein Arzt helfen? Du willst dir doch nichts verschreiben lassen, oder?«

Ich überlegte. »Nein«, erwiderte ich. »Ich möchte nur… ein bisschen reden.«

Sie runzelte die Stirn. »Aber du kannst doch mit mir reden, oder etwa nicht?«

»Schon. Und noch mal danke«, seufzte ich. »Für vorhin. Du hast es nur gut gemeint.«

Jenni seufzte. »Ach, ich weiß. Ich backe ihr eine gigantische Riesentorte. Ganz aus Gemüse oder grünen Pülverchen oder so was. Die wird Bombe.«

Ein paar Minuten später klickte die Tür unseres Gebäudes hinter mir zu. Wie ein gedämpfter Magenschwinger traf mich die Julimittagshitze. Ich musste mich am Türrahmen festhalten. Ich wollte nur noch schlafen, aber das Schweigen zwischen Jenni und Javier war unerträglich. Ich wollte in einem kühlen Luftschwall sitzen, aber zurück an meinen Schreibtisch konnte ich nicht. Ich wollte…

Ich erstarrte.

Eddie. Ich wollte Eddie. Und irgendwie musste es in meinem Hirn eine Fehlzündung gegeben haben, denn da stand er.

Da.

Auf der anderen Seite der Vermont Avenue. An der Fußgängerampel. Mit dem Blick zu mir.

Nein!

Doch.

Ich rührte mich nicht vom Fleck. Starrte ihn nur an.

Ein langer roter Metro-Bus schlängelte sich eine gefühlte Ewigkeit über die Straße zwischen uns. Dann war der Bus weg, und Eddie war immer noch da. Schaute mich immer noch an.

Mein Körper wurde ganz taub, als ich ihn ansah. Und eine seltsame Ruhe überkam mich, die so gar nicht zu dem tosenden Verkehr passte, der zwischen uns über die Straße rauschte. Die Ampel sprang um, und ein weißes Lichtzeichen forderte mich auf, zu ihm hinüberzugehen. Machte ich aber nicht, weil er schon zu mir herüberkam. Er sah mich noch immer unverwandt an. Er trug eine Shorts. Dieselbe, die er angehabt hatte, als wir uns das erste Mal begegnet waren. Dieselben Flip-Flops. Sie klatschten auf den kochenden Asphalt. Und darüber schlenkerten dieselben Arme, die sich im Schlaf um mich gewickelt hatten wie Geschenkband.

Eddie kam zu mir. Von der anderen Seite des Globus, von der anderen Seite der Straße.

Bis er sich unvermittelt umdrehte und wieder zurückging. Die Fußgängerampel zeigte eine rote Hand, zählte herunter, drei, zwei, eins, und der Verkehr floss weiter. Eddie warf mir noch einen Blick über die Schulter zu, dann ging er die Straße hinunter.

Als die Ampel endlich wieder umsprang und ich die Straße überqueren konnte, war er die Lexington Avenue hinunter verschwunden. Ich stand an der Ecke Lexington und Vermont, fassungslos angesichts des

Gefühlschaos, das in mir tobte. Selbst jetzt noch, nach Wochen der Demütigung.

Nichts hatte sich verändert. Ich liebte Eddie David immer noch. Nur dass ich jetzt wusste – dass ich nicht mehr leugnen konnte –, wer er war.

Ich ging zum Arzt.

Die Sonne stand tief im Westen der Stadt. Unter mir verliefen sich silbrige Straßen am Horizont und verschwanden in waberndem Dunst und Smog. Helikopter sprenkelten den Himmel, Raubvögel segelten in ihrem thermischen Sog. Wanderer liefen wie Käfer kreuz und quer die Pfade entlang, die sich wie Narben durch die Landschaft zogen.

Zwei Stunden war ich schon hier oben. Allein auf meiner Lieblingsbank unweit der Sternwarte im Griffith Park. Die meisten Touristen waren längst weg, hatten lange vor Einbruch der Dunkelheit den Heimweg angetreten. Nur eine Handvoll Menschen war noch da und wartete ungeduldig darauf, ein Foto vom perfekten Sonnenuntergang zu knipsen. Mitten zwischen ihnen hatte ich ganz still dagesessen und versucht zu vergessen, was die Ärztin mir vorhin gesagt hatte, und stattdessen nur an die eine Woche mit Eddie gedacht. Darauf gewartet, den entscheidenden Hinweis zu entdecken. Noch hatte ich ihn nicht gefunden, aber ich stand ganz dicht davor. Erstaunlich, was man alles findet, wenn man weiß, wonach man suchen soll.

Ich hatte meine Erinnerungen fast allesamt durchkämmt, und jetzt, als die Sonne sich blutrot über den unsichtbaren Pazifik ergoss, dachte ich über unseren letzten Morgen nach. Der strahlend helle Tag draußen, das Gefühl beim Abschied, etwas Wertvolles zu verlieren, und zugleich die Vorfreude auf das, was uns noch erwartete. Wie ich gegen den Treppenpfosten in seinem Haus lehnte. Das Fenster stand offen, und ich roch die muffige Süße der Weißdornblüten, den durchdringenden, sauberen Geruch nach warmem Gras. Ich hatte die Augen geschlossen. Er küsste mich, eine Hand unten auf meinen Rücken gelegt. Er drückte die Nase gegen mich mit geschlossenen Augen, und wir redeten. Er gab mir die Blumen, ließ sich meine Nummern geben, fügte mich auf Facebook als Freundin hinzu. Gab mir Maus, damit ich auf sie aufpasste, während er weg war. Sagte: »Ich glaube, ich habe mich in dich verliebt. Ist das zu früh?«

»Nein«, hatte ich gesagt. »Es ist genau richtig.« Und war dann gegangen.

Ich stellte mir vor, wie er sich umgedreht hatte, als ich weg war, und die letzten Stufen nach oben gegangen war. Die Teetasse mitgenommen hatte, die noch oben stand. Vielleicht kurz stehen geblieben war, um daran zu nippen. Das Handy noch in der Hand, weil wir eben unsere Kontaktdaten ausgetauscht hatten. Vielleicht hatte er sich auf einen Stuhl neben dem Fenster gesetzt und einen Blick in mein Facebook-Profil geworfen. Vielleicht hatte er ein bisschen heruntergescrollt, und…

Ich griff nach meinem Handy.

Seltsam ruhig durchstöberte ich meine eigene Facebook-Seite. Und natürlich, da war es. Eine kleine, unscheinbare Nachricht von Tommy Stenham vom 1. Juni 2016.

Willkommen zu Hause, Harrington! Hoffe, du hattest einen guten Flug. Kann es kaum erwarten, dich zu sehen.

Ich zog die Schuhe wieder an. Ging zurück zur Sternwarte und bestellte mir ein Uber. Während ich auf den Fahrer wartete, nahm ich das Handy heraus und fing an zu tippen. Ich hatte meine Antwort.

Fünfunddreißigstes Kapitel

Eddie,

ich weiß, wer du bist.

Jahrelang habe ich davon geträumt, dir zu begegnen.

Diese Träume spielten alle in den dunkelsten Winkeln meines Verstandes, und du hattest darin weder Gesicht noch Stimme. Aber immer warst du da, und immer war es schrecklich.

Und dann warst du auf einmal wirklich da, leibhaftig, an diesem Tag im Juni, auf dem Dorfanger von Sapperton, mit einem ausgebüxten Schaf. Hast mich angelächelt und mir Drinks spendiert und warst wunderbar.

Und ich hatte nicht die leiseste Ahnung.

Die Welt schmeckt wieder wie in dem Sommer, als ich gerade siebzehn geworden war. Nach Galle im Hals.

Wir müssen reden. Persönlich. Unten steht meine amerikanische Mobilnummer. Bitte ruf mich an, damit wir uns treffen können.

Sarah

Sechsunddreißigstes Kapitel

»Sarah Mackey«, sagte Jenni streng. »Wo hast du gesteckt? Ich habe versucht, dich zu erreichen.«

Ich schlüpfte aus den Ledersandalen und setzte mich auf die Kante eines Barhockers. »Entschuldige. Ich hatte mein Handy stumm geschaltet. Alles okay?«

Jenni wich meiner Frage aus und tappte stattdessen in die Küche, um uns ein Glas Wasser zu holen. »Ich kann dir auch eine Limo machen, wenn du magst«, meinte sie und gab mir das Glas. Ihre Augen waren blutunterlaufen, und man sah ihr an, dass sie sich im Bett verkrochen hatte, seit sie von der Arbeit nach Hause gekommen war.

Prompt brach ich in Tränen aus.

»Was ist denn los?« Jenni legte mir einen Arm um die Schulter. Sie roch nach Kokosshampoo und Marshmallow-Lotion. »Sarah...?«

Wie sollte ich der Frau, die gerade ihre letzte Hoffnung auf eine eigene Familie aufgeben musste, diese grässliche, gruselige Geschichte erklären? Unvorstellbar. Sie würde zuhören und wäre unweigerlich außer sich.

Und dann am Boden zerstört, weil es nichts – überhaupt nichts – gab, was sie für mich tun konnte.

»Raus mit der Sprache«, kommandierte Jenni.

»Beim Doktor war alles gut«, log ich nach langem Schweigen. Ich putzte mir die Nase. »Bestens. Wir müssen noch die Ergebnisse der Blutuntersuchungen abwarten, aber sonst ist alles gut.«

»Gut…«

»Aber… ich…«

Mein Telefon klingelte.

»Das ist Eddie«, rief ich und stürzte hektisch durchs Zimmer auf der Suche nach meinem Handy.

»Was?!« Jenni, die plötzlich blitzschnell wie eine Superheldin agierte, zog das Telefon aus meiner Handtasche und warf es mir zu. »Ist er das?«, fragte sie. »Ist das Eddie?«

Und meine Brust hämmerte vor Schmerzen, denn er war es, und diese ganze Situation war schier unerträglich. Ich würde nie mit ihm zusammen sein können. Endlich hatte ich ihn gefunden, und doch gab es für uns keine gemeinsame Zukunft.

»Eddie?«, hauchte ich.

Eine kleine Pause, und dann seine Stimme, die einfach nur Hallo sagte. Genau wie ich es mir erträumt hatte, nur dass es diesmal echt war. Vertraut und fremd, perfekt und herzzerreißend. *Seine Stimme.*

Meine eigene hielt gerade lange genug, um ebenfalls Hallo zu sagen und dass wir uns morgen sehen können und ja, dass Santa Monica Beach okay wäre. Um zehn vor dem Fahrradverleih am Pier zehn.

»Ich habe schon angefangen zu glauben, es sei nur eine Lüge, dass L.A. am Meer liegt«, murmelte er. Er klang müde. »Seit Tagen fahre ich schon durch die Stadt und habe es noch kein einziges Mal gesehen.«

Und dann war der Anruf vorbei, und ich ringelte mich in einer Ecke von Jennis Couch zusammen und weinte haltlos wie ein kleines Kind.

Siebenunddreißigstes Kapitel

Hallo du, mein Igelchen,

*fast zwei Wochen ist es her, seit du deinen zweiunddrei-
ßigsten Geburtstag hättest feiern sollen. Aber ich denke
jeden Tag an dich. Nicht nur an den Geburtstagen.*

*Manchmal versuche ich mir vorzustellen, was du
wohl machen würdest, wenn du noch hier wärst. Heute
habe ich mir ausgemalt, du würdest in Cornwall leben.
Eine junge, brotlose Künstlerin mit Farbe in den Haaren. In dieser Version der Geschichte hättest du in Falmouth Kunst studiert und wärst dann mit deinen Künst-
lerfreunden in eine heruntergekommene Ruine ganz oben
auf einem Hügel gezogen. Du würdest bunte Tücher um
den Kopf tragen und wärst bestimmt Vegetarierin, und du
würdest ständig darum kämpfen, irgendwelche Stipendien
zu bekommen, würdest Ausstellungen organisieren und
Kindern das Malen beibringen. Du wärst mitreißend und
unwiderstehlich.*

*Und dann schwingt das Pendel zur anderen Seite und
trifft mich mit voller Wucht, und ich muss wieder daran den-*

ken, dass du nicht in einer verrückten Villa auf einem Berg in Cornwall wohnst. Du bist in einer friedlichen Ecke von Gloucestershire verstreut, ein leises Summen der Erinnerung, wo einmal dieser Sonnenschein war. Meine kleine Schwester.

Ich frage mich, ob du weißt, was ich morgen vorhabe. Wen ich am Strand treffe. Und ob du mir vergibst. Ich muss wissen, wie es dir ging an dem Tag, als du gestorben bist. Was du gemacht, was du gesagt, was du gegessen hast. Als ich deinen Leichnam identifizieren musste, bin ich zusammengesackt wie eine Pfütze. Stunden hat es gedauert, bis ich mich aufrappeln und nach Hause fahren konnte. Dort lag ein halbes Stückchen Toast neben der Spüle. Kalt und hart und mit Einkerbungen von deinen kleinen Zähnchen. Als hättest du noch einmal reinbeißen wollen, es dir dann aber überlegt und wärst stattdessen rausgehopst, um was anderes zu machen.

Was hast du an dem Tag noch gegessen? Hast du ein Lied gesungen? Hast du dich umgezogen? Warst du glücklich, Igelchen?

Auf all diese Fragen brauche ich eine Antwort. Vor allem auf die, warum ich trotz alledem den Menschen noch immer liebe, der dich uns weggenommen hat.

Ich habe das Gefühl, dich elendig zu verraten, wenn ich morgen da hingehe. Ich hoffe, du kannst verstehen, warum ich es trotzdem tue.

Ich hab dich lieb.

Ich xxxx

Achtunddreißigstes Kapitel

Ich schaute ein paar Kindern beim Volleyballspielen zu, während ich auf Eddie wartete. Und fragte mich, ob er überhaupt kommen würde. Und ob es nicht leichter, nicht besser wäre, wenn nicht.

Es war Ebbe und der Strand fast menschenleer. Ein zarter Wolkenteppich hatte sich zwischen Santa Monica und die unerbittlich vom Himmel brennende Sonne geschoben. Die Luft roch klebrig-süß – nach geschmolzenem Zucker oder frisch gebackenen Donuts –, ein Duft aus meiner Kindheit, der alte Erinnerungen weckte. Lange Urlaube in Devon. Pieksiger Sand, salzverkrustete Arme und Beine, glitschige Felsen. Regen, der sanft auf unser Zelt prasselt. Geflüster bis spät in die Nacht mit meiner kleinen Schwester, deren Dasein in meinem Leben ich damals nie infrage gestellt hatte.

Ich schaute auf die Uhr.

Die Kinder drüben auf dem Volleyballfeld waren fertig und fingen an einzupacken. Ein einsamer Rollerblader ratterte rumpelnd über den Broadwalk. Mit schwitzigen Fingern fuhr ich mir durch die Haare.

Schluckte, gähnte, ballte die Fäuste und öffnete sie wieder.

Eddies Stimme, die zögerlich nach mir rief, kam von irgendwo hinter mir. »Sarah?«

Ich zögerte kurz, dann drehte ich mich zu ihm um. Zu diesem Mann, der so viele Jahre in meinem Kopf gelebt hatte.

Aber als ich ihn dann anschaute, sah ich nur Eddie David. Und spürte nur das, was ich für ihn empfunden hatte, bevor ich wusste, wer er ist: Liebe, Sehnsucht, Begierde. Ein *Wummp!*, als mein Körper auf ihn ansprang wie ein Durchlauferhitzer.

»Hallo«, murmelte ich.

Eddie gab keine Antwort. Er sah mir direkt in die Augen, und ich musste an den Tag denken, als ich ihn das erste Mal gesehen hatte. Wie ich bei mir gedacht hatte, dass seine Augenfarbe mich an fremde ferne Meere erinnerte, so warm und voll guter Absichten. Heute waren sie kalt und leer.

Befangen trat ich von einem Fuß auf den anderen. »Danke, dass du gekommen bist.«

Ein kaum merkliches Achselzucken. »Eigentlich versuche ich schon seit zwei Wochen mit dir zu reden. Ich habe mich bei meinem Kumpel Nate einquartiert. Aber ich...« Er brach ab und zuckte die Schultern.

»Ja. Verstehe.«

Eine Familie auf gelben Leihfahrrädern strampelte den Broadwalk zwischen uns entlang, und er trat einen

Schritt beiseite, ohne mich dabei aus den Augen zu lassen.

Wir gingen zum Strand hinunter und setzten uns in den Sand, dort, wo er sich zum Wasser hin neigte. Lange saßen wir nur da und schauten zu, wie die Wellen sich brachen. Schäumende silbergraue Wogen auf ihrem unendlichen Weg nach Nirgendwo. Eddie hatte die Arme um die Knie geschlungen. Er zog die Flip-Flops aus und spreizte die Zehen im Sand.

Unvermittelt traf mich die Sehnsucht nach ihm wie ein Schlag und nahm mir den Atem.

»Ich weiß nicht, wo ich anfangen soll, Sarah«, sagte er schließlich. Sein Blick wirkte gläsern. »Ich weiß nicht, was ich sagen soll. Du…« Hilflos breitete er die Arme aus.

Früher einmal hatte Eddie eine Schwester gehabt. Ein süßes kleines Ding namens Alex. Alex hatte blonde, strubbelige Haare. Sie sang viel. Sie hatte große blaue Augen, die sprühten vor Leben und Plänen, und sie liebte fruchtige Süßigkeiten. Sie war die beste Freundin meiner Schwester.

Mein Magen krampfte sich zusammen, als ich sie vor mir sah, und ich wusste, was jetzt kommen würde.

»Du hast meine Schwester umgebracht«, keuchte Eddie. Er schnappte nach Luft, und ich schloss die Augen.

Das letzte Mal hatte ich diese Worte auf dem großen Panasonic-Anrufbeantworter von Mums und Dads

Telefon gehört. Das musste ein, vielleicht zwei Wochen nach dem Unfall gewesen sein. Da war Hannah endlich aus dem Krankenhaus entlassen worden. Sie hatte sich standhaft geweigert, mit mir ins Auto zu steigen. Hatte sich sogar geweigert, überhaupt nach Hause zu kommen. Hatte eine unbeschreibliche Szene gemacht, bis sich schließlich ein Krankentransporter gefunden hatte, mit dem sie und Mum nach Hause fahren konnten, während Dad und ich das Auto nahmen.

Wir gingen hinein, das rote Lämpchen blinkte – mir graute schon davor –, und darauf war eine Nachricht von Alex' Mutter, die kurz zuvor in eine psychiatrische Klinik eingewiesen worden war. Ihre Stimme klang wie zerschlagenes Porzellan.

»Damit kommt Ihre Tochter nicht durch. Ganz sicher nicht. Sarah hat meine Kleine umgebracht. Sie hat Alex umgebracht, und deshalb muss sie ins Gefängnis. Dafür werde ich sorgen. Sie verdient es nicht, frei herumzulaufen. Sie darf nicht frei herumlaufen, wo Alex… Alex…«

»Sie sorgt dafür, dass du ins Gefängnis kommst«, hatte Hannah wiederholt und mich mit Tränen in den Augen wütend angefunkelt. Schnitte und Prellungen überzogen ihren ganzen Körper wie grobkörniger Kieselputz. »Du hast meine beste Freundin umgebracht. Du hast es nicht verdient, hier zu sein, wenn sie nicht hier ist.« Sie brach in Tränen aus. »Ich hasse dich, Sarah. Ich hasse dich!« Und das war das Letzte, was sie je zu mir gesagt hat. Neunzehn Jahre waren seitdem vergangen. Neunzehn Jahre, sechs Wochen und zwei Tage. Und sie hatte kein Wort mehr mit mir geredet. Ganz gleich, wie sehr ich mich auch bemühte, ganz gleich, wie oft unsere Eltern auch versuchten, zwischen uns zu vermitteln.

»Es tut mir so leid, Eddie«, wisperte ich. Mit zitternden Händen rieb ich mir die Knöchel. »Falls es dir irgendwie hilft, ich habe mir das selbst nie verziehen. Und Hannah auch nicht.«

»Ach ja, Hannah.« Er schaute mich an und wandte sich gleich wieder ab, als widerte ich ihn an. »Du hast mir erzählt, du hättest deine Schwester verloren.«

»Na ja ... habe ich ja auch.« Ich malte eine krakelige Linie in den Sand. »Hannah redet nicht mehr mit mir. Sie hat mich aus ihrem Leben gelöscht. Es ist, als hätte ich keine Schwester mehr. Sie ist wie ausradiert.«

Er sah kurz zu der Linie, die ich im Sand gezogen hatte. »Hannah hat nie wieder mit dir geredet?«

»Nein. Und ich habe es weiß Gott versucht.«

Er wurde eine Weile ganz still. »Ich kann nicht behaupten, dass mich das sonderlich wundert. Sie hat immer den Kontakt zu meiner Mutter gehalten. Du kannst dir ihre Gespräche wohl vorstellen.« Seine Stimme war hart wie Feuerstein. »Aber das nur nebenbei. Bleibt festzuhalten, du hast eine Schwester. Auch wenn sie nichts mit dir zu tun haben will, hast du eine Schwester.«

Ich stockte. Am liebsten würde ich wegrennen. Ich

bin die Frau, der er kaum in die Augen schauen kann. Ich bin die Frau, der er vermutlich all die Jahre insgeheim den Tod gewünscht hat.

»Es tut mir so leid, dass deine Schwester die beste Freundin meiner Schwester war, Eddie. Es tut mir so leid, dass ich an dem Tag mit ihnen rausgegangen bin. Es tut mir so leid, dass ich nicht richtig reagiert habe… als dieser Mistkerl…« Ich schluckte schwer. »Ich fasse es immer noch nicht, dass du Alex' großer Bruder bist.«

Eddie verzog das Gesicht. »Ich möchte, dass du mir alles erzählst«, sagte er, und ich hörte, wie schwer es ihm fiel, ganz nüchtern und sachlich zu klingen.

»Ich… ganz sicher?«

Sein Körper – dieser starke, warme, wunderbare Körper, von dem ich so oft geträumt hatte – zuckte kurz wie zur Bestätigung.

Also erzählte ich ihm alles.

Es war schwer gewesen, in dem Sommer nicht aus Mandys und Claires Clique zu fliegen. So entsetzlich, schrecklich, ermüdend schwer und anstrengend. In der Woche nach den letzten Prüfungen trafen sie sich jeden Tag, sagten mir aber nur hin und wieder Bescheid. »Himmel, Sarah, musst du immer alles überinterpretieren«, schnaubte Mandy, als ich endlich all meinen Mut zusammengenommen und sie zur Rede gestellt hatte.

Wir waren Teenager. Natürlich musste ich alles überinterpretieren.

Und da die beiden aneinanderklebten wie Briefmarken, dachten sie sich immer neue Insiderwitze und Verhaltensregeln aus, von denen ich nichts wusste. Die ersten Wochen in der Zwölften waren ein veritables Minenfeld. Ich sagte ständig die falschen Sachen, redete über die falschen Leute, trug die falschen Klamotten und merkte erst, als ich sah, wie sie entnervt die Augen verdrehten, dass ich nicht mehr dazugehörte.

Eines Tages kam ich nichtsahnend zur Schule, nur um feststellen zu müssen, dass sie nicht mehr in »unserer« Ecke im Gemeinschaftsraum der Oberstufe saßen und sich jetzt wohl woanders trafen. Und ich wusste nicht einmal, ob ich dort willkommen war.

Im Frühlingshalbjahr hatte Mandy dann plötzlich einen Freund. Einen Jungen aus Stroud, wo wir zur Schule gingen. Greggsy hieß er. Er war zwanzig und darum für uns damals heiß begehrt, obwohl er ein fieser, wieselgesichtiger Kerl mit einem zweifelhaften Verhältnis zu Recht und Gesetz war. Claire war ganz grün vor Neid und folgte ihnen überallhin wie ein eifersüchtiges Hündchen. Ich war kurz davor zu verzweifeln und war mir sicher, das war's für mich. Mädchen, die mit älteren Männern ausgingen, spielten in einer ganz anderen Liga. Die waren erotisch, erfolgreich, selbstbewusst. Der pickeligen Existenzangst der Abschlussklässler weit entrückt.

Mandy würde Claire vielleicht noch mitnehmen, bevor sie die Leiter hinter sich hochzog, dachte ich. Aber mich würden sie ganz bestimmt zurücklassen.

Doch eines Tages im März meinte Mandy – ganz beiläufig –, Bradley Steward habe nach mir gefragt. Bradley Steward war Greggsys Cousin. Er fuhr einen Astra. Er war einer der bestaussehenden Jungs in dieser gruseligen Gang, und ich war so ein erbärmliches Würstchen, dass mir das schmeichelte.

»Ach?«, meinte ich und schaute nicht von meiner Cola light auf, von der ich gerade das Etikett knibbelte. Ich musste unbedingt ganz cool bleiben. Mandy würde alles, was ich jetzt sagte, später gegen mich verwenden, sollte ich übermäßige Begeisterung zeigen. »Der ist ganz okay.«

»Ich bringe euch zusammen«, verkündete sie großspurig. Claire, mit der Mandy sich kurz vorher gezankt hatte, schäumte vor Wut, und ich sah ein, dass sich diese einmalige Gelegenheit nie ergeben hätte, wenn die beiden sich nicht gestritten hätten.

Wir verabredeten uns nicht richtig, weil das damals niemand machte. Wir trafen uns einfach in der Fußgängerzone vor dem Pelican mit all den anderen saufenden Teenagern. Wir tranken Fusel und Smirnoff Ice aus Flaschen, und ich gab mir allergrößte Mühe, schlagfertig und witzig zu sein. Bradley mit den schwarzen Haaren und den schwarzen Turnschuhen und dem durchdringenden Blick überredete mich, mit ihm »zum Trinken« in das riesengroße Parkhaus an der London Road zu gehen. Dort drückte er mich gegen die Wand und fing an, mich zu küssen. Dann schob er die Hände unter mein Top und befummelte mich, und ich ließ ihn gewähren. Ich wollte zwar nicht, aber ich hatte gar keine Erfahrung mit Jungs, und so eine Chance würde sich so schnell nicht wieder ergeben. Er wollte mit mir schlafen, ich sagte Nein. Dann fragte er, ob ich ihm einen blase, und gab sich letztendlich zähneknirschend damit zufrieden, dass ich ihm linkisch und ungeschickt einen runterholte. Was ich eher nicht so toll fand, er aber schon. Und das reichte mir.

Danach meldete er sich nicht wie versprochen bei mir, und ich war am Boden zerstört. Tagelang hockte ich zu Hause herum und wartete darauf, dass das Telefon klingelte, bis ich es schließlich nicht mehr aushielt und versuchte, ihn unter der Nummer zu erreichen, die er mir gegeben hatte. Ich rief an, aber es ging niemand ran. Verzweifelt fuhr ich mit dem Bus zu ihm nach Hause irgendwo in der Nähe von Stroud und lief innerhalb einer halben Stunde dreimal an seiner Haustür vorbei. Hoffnungsvoll, regennass und rettungslos.

»Du hättest mit ihm schlafen sollen«, kanzelte Mandy mich ab. »Er hat bestimmt gedacht, du hast noch einen anderen Kerl. Oder bist frigide.«

Claire, inzwischen wieder ihre liebste Busenfreundin, lachte hämisch.

Und ich spürte schon, wie er mir wieder aus den Händen glitt, dieser winzig kleine Fetzen Anerkennung, den ich gehabt hatte, nachdem Bradley mit mir im Parkhaus verschwunden war. Also sagte ich Mandy, ich wäre so weit, »es mit ihm zu machen« (ihre Worte), und prompt rief er mich an.

Wir wurden ein Paar. Sozusagen. Ich redete mir ein, ich sei verliebt, und wäre nie auf die Idee gekommen, etwas Besseres verdient zu haben. Und ich wollte auch gar nichts Besseres. Ich war jetzt Teil einer Gang. Ich war wer. Ich stand ganz oben, auf einer Stufe mit Mandy, und da wollte ich nie wieder runter.

Bradley erzählte mir mit schöner Regelmäßigkeit von anderen Mädels, die auf ihn standen, und mein Teenie-Herz blieb jedes Mal fast stehen vor Schreck. Oft meldete er sich tagelang nicht, nie brachte er mich zur Bushaltestelle, und immer öfter wollte er lieber allein zu Maltings, einem üblen Aufreißerschuppen, gehen, um ein bisschen »er selbst« zu sein. Mehr als einmal überlegte er sich das, als wir schon gemeinsam in der Schlange davor anstanden, wohl wissend, dass ich geliefert war, wenn ich nicht bei ihm übernachten konnte. Als ich meine Führerscheinprüfung bestand, gratulierte er mir nicht mal. Er meinte bloß, dann könnte ich ja zum Vögeln rüberkommen.

»Klingt nach einem echten Traumtypen«, stellte Eddie trocken fest.

Ich zuckte die Achseln.

Er schaute mich kurz an, und ich musste an unseren

ersten gemeinsamen Morgen denken, als wir uns an seiner Frühstückstheke gegenübergesessen hatten. Er und ich und der Duft von frischem Brot und Hoffnung in der Luft. Dann wandte er den Blick ab, als ertrage er es nicht, mich anzusehen. »Wenn es dir nichts ausmacht, komm doch einfach zum Punkt«, sagte er leise. »Ich verstehe ja, warum du mir das alles erzählst, aber ich … ich muss es einfach wissen.«

»Entschuldige. Natürlich.« Ich kämpfte mit der unaufhaltsam aufsteigenden Panik. Seit Jahren hatte ich mit niemandem mehr darüber gesprochen, was an diesem Tag geschehen war. »Ich … Wie wäre es, wenn wir ein bisschen spazieren gehen? Es ist einfach zu heiß zum Stillsitzen.«

Nach kurzem Zögern stand Eddie auf.

Wir gingen vorbei an einer himmelblauen Rettungsschwimmerhütte und hoch zum Broadwalk, der sich südlich bis hinein nach Venice zog. Radfahrer und Rollerblader sausten an uns vorbei. Am Himmel über uns überschlugen sich die Möwen. Den dünnen morgendlichen Wolkenschleier hatte die Sonne verdampft, und die Luft flimmerte vor Hitze.

Es war Sommer, ein Wochenende im Juni. Mum und Dad waren nach Cheltenham gefahren und hatten mich beauftragt, auf Hannah aufzupassen. Hannah hatte Alex mit zu uns nach Hause gebracht. Nachdem sie eine Weile ums Haus herumgestromert waren, er-

klärten sie mir, ihnen sei so todlangweilig, dass sie ernsthaft gleich sterben würden, und verlangten dann ultimativ, ich solle sie zu Burger Star nach Stroud fahren.
Ich sagte Nein. Nach langem Hin und Her einigten wir
uns schließlich auf ein Picknick am Broad Ride. Da
oben hatten sie vor Jahren mal eine Hütte im Wald gebaut, als Hüttenbauen im Wald noch angesagt war. Dafür waren sie zwar längst zu cool und erwachsen, nutz-
ten die Laube aber immer noch gerne zum Musikhören
und Zeitschriftenlesen.

Ich machte es mir ein Stückchen entfernt auf einer
Decke bequem und las ein Buch. Das Getuschel über
die Jungs in ihrer Klasse interessierte mich nicht die
Bohne, aber die beiden waren erst zwölf, also konnte
ich sie nicht einfach sich selbst überlassen. Dafür war
Hannah eine viel zu große Angeberin. Man durfte sie
nicht aus den Augen lassen, denn sie schien nicht zu
begreifen, wie zerbrechlich so ein Leben sein konnte.
Sie hatte überhaupt keinen Sinn für die Konsequenzen
ihrer kindlichen Tollkühnheit.

Es war ein warmer Tag, dünne Wolkenschleier zogen
über den Himmel, und mir war so friedlich zumute, wie
es damals nur sein konnte. Bis ich plötzlich ein Auto
hörte, mit viel zu laut aufgedrehter Musik, die hämmernd aus den dicken Boxen dröhnte. Ich schaute auf,
und mein Herz machte einen Satz, um mir dann in die
Hose zu rutschen. Bradley hatte mich vorhin angerufen
und gefragt, ob ich rüberkomme und ihn abhole. Sein

Auto wollte nicht anspringen, hatte er gesagt, ob ich ihn nicht schnell holen könne? Ihm vielleicht ein bisschen Geld für die Reparatur leihen? Nein, war meine Antwort auf beide Fragen gewesen. Dass ich auf zwei zwölfjährige Mädchen aufpassen musste und er mir außerdem schon siebzig Pfund schuldete. »Hab mir Greggsys Karre ausgeliehen«, meinte er jetzt, als er mit einem seltenen Lächeln auf den Lippen auf mich zukam. »Du warst ja zu lahm, mir zu helfen.« Sein Blick ging interessiert zu Hannah und Alex. »Alles klar, Mädels?«

»Hi«, glucksten sie und guckten ihn mit großen Augen an.

»Seit wann fährt Greggsy denn so einen Wagen?«, fragte ich. Es war ein BMW. Getuned und aufgemotzt, wie Bradley und Greggsy es mochten. Aber immer noch ein BMW.

»Er hat ein bisschen Kohle gekriegt«, meinte Bradley und tippte sich verschwörerisch an die Nase.

Hannah war ganz aufgeregt. »Ist der vom LKW gefallen?«

Bradley lachte. »Nein, Kleines. Der ist total legal.«

Er fläzte sich zu mir auf die Decke, konnte aber nicht lange stillsitzen. Nach höchstens zehn Minuten schlug er vor, ein kleines Autorennen zu fahren.

»Ganz bestimmt nicht«, erklärte ich vehement. »Nicht mit den Mädchen.« Ich hatte schon einmal bei einem Rennen neben ihm gesessen. Bradley gegen

Greggsy, die Ebley-Umgehung hoch und runter, mitten in der Nacht. Das waren die längsten zwanzig Minuten meines Lebens gewesen. Ich hatte Todesängste ausgestanden. Als sie schließlich auf dem neuen Sainsbury-Parkplatz angehalten hatten, war mein Kopf auf meine Brust gesunken, und ich war in Tränen ausgebrochen. Sie hatten mich bloß ausgelacht. Mandy auch, obwohl die genauso viel Angst gehabt hatte wie ich.

Hannah und Alex dagegen standen auf Zehenspitzen auf dem wackligen Sprungbrett in die Pubertät und fanden die Idee einfach genial. »Ja, lasst uns ein Rennen machen«, kreischten sie begeistert, als hätte Dad mir einen kleinen Sportwagen geliehen und nicht eine klapprige alte Rostlaube mit Ein-Liter-Motor und einer Zylinderkopfdichtung, die ihre besten Tage längst hinter sich hatte.

Sie ließen nicht locker, Hannah und Alex. Und Bradley feuerte sie noch an. »Das ist doch nicht der M5, verdammt, Sare. Es ist bloß ein Feldweg mitten im Nichts.« Alex warf immer wieder die blonden Haare über die Schulter, und Hannah machte es ihr nach, wenn auch nicht ganz so überzeugend.

Der Drang, Hannah zu beschützen, hatte über die Jahre nicht nachgelassen. Ganz im Gegenteil. Gerade jetzt, wo aus dem furchtlosen kleinen Mädchen ein großmäuliger Teenager geworden war. Also weigerte ich mich. Standhaft und beharrlich. Bradley wurde immer gereizter. Ich wurde immer angespannter. Dass ich auch mal Nein sagte, das war einfach niemand gewohnt.

Und dann plötzlich überschlugen sich die Ereignisse. Wild kichernd rannte Hannah zur Beifahrerseite von Bradleys Auto und sprang hinein. Bradley reagierte blitzschnell und lief zur Fahrerseite. Ich schrie ihnen nach, aber sie hörten mich nicht, weil der Wagen, den Bradley ausgeliehen hatte, einen Doppelauspuff hatte und der Motor ohrenbetäubend laut aufheulte. Und dann schoss er los, Richtung Frampton, und mir sackte der Magen in die Kniekehlen.

»Hannah!«, kreischte ich. Ich lief zu meinem Auto, Alex hinter mir.

»Scheiße!«, keuchte sie beeindruckt und verängstigt zugleich. »Die sind weg!«

Ich sagte ihr, sie solle sich anschnallen. Ich sagte ihr, sie solle nicht fluchen. Ich betete.

»Und dann fuhren wir los«, sagte ich und blieb mitten auf dem Broadwalk stehen.

Eddie wandte sich von mir ab und starrte hinaus aufs offene Meer, die Hände tief in den Hosentaschen vergraben.

»Du warst auf der Dorfwiese, weil du gerade den Broad Ride entlanggelaufen warst«, mutmaßte ich. »Oder nicht? An dem Tag, als wir uns kennengelernt haben. Du warst aus demselben Grund da wie ich.«

Er nickte.

»Ich war zum ersten Mal an ihrem Todestag da oben.«
Seine Stimme klang gepresst, als müsse er sie fest zusammenhalten, damit sie nicht in sich zusammenfiel.
»Sonst bin ich immer bei Mum, die den ganzen Tag in
alten Fotoalben blättert und weint. Aber an dem Tag
musste ich … ich konnte einfach nicht mehr. Ich wollte
raus, in die Sonne, und an all die schönen Erinnerungen
mit meiner Schwester denken.«

Ich. Ich hatte das angerichtet. Ich mit meiner Schwäche, meiner unsäglichen Dummheit.

»An jedem 2. Juni gehe ich da lang«, sagte ich zu ihm.
Ich wollte mich um ihn schlingen. Ihm den Schmerz
irgendwie nehmen. »Ich gehe immer da hin. Nicht hoch
zur Hauptstraße. Weil der Broad Ride an diesem Nachmittag ihnen gehörte. Er war ihr Königreich. Sie hatten nur Nagellack und Mädchenzeitschriften im Kopf
und waren so sorglos und unbekümmert. So sehe ich
sie immer vor mir.«

Eddie schaute kurz zu mir rüber. »Was für Zeitschriften? Weißt du das noch? Was für Nagellack? Was haben
sie gegessen?«

»Die *Mizz* haben sie gelesen«, antwortete ich leise.
Natürlich wusste ich das noch. Dieser Tag lief mein ganzes Erwachsenenleben lang wie ein Film immer wieder
vor meinem inneren Auge ab. »Den Nagellack hatten
sie von mir. Den hatte ich kostenlos zu einer Zeitschrift
dazubekommen. Sugar Bliss hieß er. Wir haben vegetarische Würstchen im Schlafrock von Linda McCartney

gegessen, weil sie beide gerade ihre vegetarische Phase hatten. Käse-Zwiebel-Chips und dazu Obstsalat aus der Dose. Und Alex hatte noch ein paar Süßigkeiten eingeschmuggelt.«

Ich erinnerte mich daran, als sei es gestern gewesen. Wie die Wespen über dem Obstsalat gekreist waren, Hannahs neue Sonnenbrille, die tausend Grüntöne, die sich sanft im Wind wiegten.

»Skittles«, murmelte Eddie. »Ich wette, sie hatte Skittles dabei. Die mochte sie am liebsten.«

»Genau.« Ich konnte ihm nicht in die Augen sehen. »Skittles.«

Auf der Hauptstraße holte ich sie ein. Bradley wollte gerade rechts abbiegen, in Richtung Stroud, aber eine lange Wagenkolonne, die hinter einem Traktor herkroch, hielt ihn auf.

Ganz ruhig, sagte ich mir, als ich aus dem Wagen stieg und zu seiner Beifahrertür joggte. Steig einfach aus, und dann tun wir so, als wäre das Ganze nur ein harmloser Scherz gewesen. Alles halb so wild, wenn…

Bradley sah mich, und bevor ich den Wagen erreicht hatte, bog er mit heulendem Motor unvermittelt nach links ab. Keuchend rannte ich zurück zu meinem Auto.

»Du kannst ruhig schneller fahren, wenn du willst«, meinte Alex. Von Bradleys Wagen war nur noch eine Staubwolke zu sehen. »Drück aufs Gas. Mir macht das nichts.«

»Nein. Dann wird er wieder langsamer und wartet, bis wir ihn eingeholt haben, damit er uns abhängen kann. Ich weiß doch, wie er ist.« Das Blut rauschte mir in den Ohren. Bitte, lieber Gott, mach, dass ihr nichts passiert. Pass auf meine kleine Schwester auf. Ich schaute auf den Tacho. Fünfundfünfzig Meilen die Stunde. Ich ging vom Gas. Dann trat ich das Pedal wieder durch. Ich hielt diese Ungewissheit nicht aus.

Alex schaltete das Radio ein. Eine amerikanische Boyband, Hanson, die einen albernen Ohrwurm sang: »MMMBop«. Auch neunzehn Jahre später konnte ich den noch nicht wieder hören.

Nach erschreckend kurzer Zeit kam Bradley mit sechzig, vielleicht sogar siebzig Meilen aus der entgegenkommenden Richtung auf uns zugerast. »Nicht so schnell!«, brüllte ich und versuchte, ihn mit der Lichthupe zum Bremsen zu bewegen. Er musste irgendwo weiter vorne auf der Strecke gewendet haben.

»Bleib cool!«, meinte Alex und schnippte nervös die Haare nach hinten. »Hannah passiert schon nix.«

Hupend schoss Bradley an uns vorbei und lenkte den Wagen dann mit quietschenden Reifen schlingernd auf unsere Spur. »Wow, ein Handbremsendrift«, hauchte Alex beeindruckt. Ich war beinahe zum Stehen gekommen und beobachtete das andere Auto im Rückspiegel. Ich hielt fast die Luft an, bis er den Wagen wieder ausgerichtet hatte und sie dann hinter uns waren. Ich konnte Hannah sehen, wie sie da neben ihm auf dem

Beifahrersitz hockte, einen ganzen Kopf kleiner als er. Ein kleines Mädchen, Herrgott noch mal.

Sie guckte stur geradeaus. So ruhig war Hannah nur, wenn sie richtig Angst hatte.

»Woher weißt du denn, was ein Handbremsendrift ist?«, hörte ich mich fragen. Ich fuhr ganz langsam mit eingeschaltetem Warnblinker. *Bitte, halt an. Gib mir meine Schwester zurück.* Ich kurbelte das Fenster herunter und gestikulierte hektisch in Richtung Randstreifen.

»Hat mir mein Bruder erklärt«, verkündete Alex stolz. »Der ist an der Uni.«

Und ich war stinksauer, dass ihr Bruder – irgend so ein Idiot – es offensichtlich witzig fand, seiner kleinen Schwester beizubringen, was ein Handbremsendrift war. Aber dann ließ Bradley sich zurückfallen, um mit heulendem Motor und quietschenden Reifen heranzurasen und in allerletzter Sekunde abzubremsen. Ich schnappte entsetzt nach Luft. Er machte es noch mal. Und noch mal. Und noch mal. Mehrmals wollte ich anhalten, aber jedes Mal versuchte er dann, mich zu überholen. Also fuhr ich immer weiter, genau wie er es wollte. Ich konnte ihn nicht wieder mit meiner kleinen Schwester im Auto losrasen lassen.

So ging es hin und her, bis wir an die Senke in der Straße kamen, nicht weit von der Kreuzung nach Sapperton entfernt und dem Wald. Ihm wurde wohl langweilig, denn diesmal bremste er nicht ab, als er von hinten angerast kam. Er fuhr uns von hinten auf. Sachte zwar, aber der Aufprall war hart genug, dass ich die Nerven verlor. Ich hatte seit gerade mal drei Wochen meinen Führerschein.

»Scheiße«, murmelte Alex, deutlich leiser als vorhin. Sie versuchte zu tun, als mache ihr das alles Spaß. Aber man sah ihr an der Nasenspitze an, dass sie Angst hatte. Mit langen schlanken Fingern krallte sie sich fest an den alten angegrauten Sitzgurt.

Wir fuhren runter in die Senke. Bradley klebte an meiner Stoßstange, wild hupend und Lichtzeichen gebend. Er lachte wie ein Wahnsinniger. Und dann – obwohl wir nach unten in die Kurve fuhren, wo man nichts sah – zog er raus und setzte an, uns zu überholen.

Die Zeit schien stillzustehen, und die Wirklichkeit hing wie ein Tropfen am Wasserhahn, der jeden Augenblick herunterfallen und zerplatzen konnte.

In der Biegung kam uns ein Auto entgegen. Genau wie ich es befürchtet hatte.

Bradley war beinahe auf gleicher Höhe mit uns. Unmöglich für ihn, noch rechtzeitig auszuweichen.

Meine Schwester. Hannah.

Was dann passierte, lief ganz automatisch ab. Als hätte der Autopilot die Steuerung übernommen. So erklärte ich es nachher der Polizei. Was ich so genau wusste, weil das, was dann kam, keine bewusste Entscheidung war. Es passierte einfach. Mein Gehirn wies meine Arme an, das Lenkrad herumzureißen, und das Auto schleuderte nach links.

»Solltest du die Kontrolle über den Wagen verlieren, musst du unbedingt versuchen, den Bäumen auszuweichen«, hatte Dad mir eingebläut, als er mir Fahrstunden gab. »Versuch lieber, eine Mauer oder einen Zaun zu treffen. Die geben nach. Bäume nicht.«

Und tatsächlich, der Baum gab nicht nach, als der Wagen mit der Beifahrerseite – der Seite, auf der die süße kleine Alex Wallace mit den fliegenden blonden Haaren und den Skittles und dem klumpigen Nagellack saß – zuerst hineinkrachte.

Der Baum gab nicht nach. Alex schon.

Ich zwang mich, Eddie anzusehen, aber der schaute immer noch stur geradeaus, raus aufs Meer. Wie eine glänzende kleine Schneekugel kullerte ihm eine einzelne Träne über die Wange, und er wischte sie weg und drückte mit Daumen und Zeigefinger oben die Nase zusammen. Dann ließ er die Hand kraftlos fallen, und mit ihr fielen auch die Tränen. Hilflos stand er da und weinte, dieser große, liebenswerte Mann. Und in diesem Moment spürte ich es stärker als seit vielen Jahren. Den Selbsthass, die Abscheu vor mir selbst, den verzweifelten Wunsch, etwas zu tun, die Dinge zu verändern, und dann die bodenlose Verzweiflung, einsehen zu müssen, dass man machtlos ist. Die Zeit war weitergegangen und hatte Alex' schlagendes Herz angehalten. Hatte Eddie in winzig kleine Fragmente zerschlagen und es meiner Schwester unmöglich gemacht, mir zu verzeihen.

»Jahrelang habe ich gegrübelt, was ich machen würde, wenn wir uns begegnen«, meinte Eddie schließlich. Mit den Unterarmen wischte er die Tränen weg und drehte sich zu mir um. »Ich habe dich gehasst. Ich konnte es nicht fassen, dass dieser Scheißkerl ins Gefängnis musste und du nicht.«

Ich nickte, denn ich hasste mich auch.

»Ich habe sie gefragt, warum sie mich nicht bestrafen«, stammelte ich hilflos. »Aber sie haben nur gesagt, ich hätte nichts Illegales getan. Ich hätte den Straßenverkehr nicht gefährdet.«

»Das musste der Sozialarbeiter uns auch erst mal erklären.« Eddies Stimme klang tonlos. »Meine Mutter konnte es einfach nicht begreifen.«

Ich schloss die Augen, denn ich wusste, was jetzt kommen würde.

»Ich weiß nur, dass du dich entschieden hast, deine Schwester zu retten. Und dass meine deshalb sterben musste.«

Ich schlang die Arme um mich. »Das war nicht meine Entscheidung«, flüsterte ich. Tränen erstickten meine Stimme. »Das war keine bewusste Entscheidung, Eddie.«

Er seufzte. »Kann sein. Aber am Ende läuft es auf dasselbe hinaus.«

Die Polizei war zu mir ins Krankenhaus gekommen. Der BMW sei gestohlen gewesen, erklärten sie.

Warum hatte ich ihm alles geglaubt, was er mir

erzählt hatte? Warum hatte ich *überhaupt* auf ihn gehört? Mir wurde speiübel bei dem Gedanken, was ich diesem Kerl alles bereitwillig hinterhergeworfen hatte. Meine Jungfräulichkeit. Mein Herz. Meine Selbstachtung. Und nun auch noch das Leben eines jungen Mädchens. Der besten Freundin meiner Schwester.

Ein Zeuge hatte nach dem Unfall gesehen, wie der Fahrer über die Felder geflüchtet war. Wer das war?

»Wer war das?«, wiederholte mein Dad konsterniert. Er saß an meinem Bett und hielt meine Hand. Mum stand auf der anderen Seite, ein menschlicher Schutzschild zwischen der Polizei und ihrer Tochter. »Wer war das, Sarah?«

»Mein Freund. Bradley.«

»Dein was?« Dad schien vollkommen perplex. »Du hast einen Freund? Seit wann? Warum hast du uns denn nichts davon gesagt?«

Und ich hatte den Kopf weggedreht und in mein Kissen geschluchzt, weil ich die Augen nicht mehr vor dem Offensichtlichen verschließen konnte. Bradley war ein widerlicher Kerl – immer schon gewesen –, und ich hatte das, ganz tief drinnen, unter einem beinahe undurchdringlichen Panzer pubertärer Unsicherheit immer schon gewusst.

Ich hatte meine Schwester zwar vor dem Tod bewahrt, aber nicht vor Schaden. Bradley war in die Lücke geschlingert, die ich ihm aufgemacht hatte, und der gestohlene Wagen war mit Hannahs Seite zuerst von hinten in mein Auto gekracht. Innerhalb von nur zwei Tagen musste Hannah zweimal operiert werden. Sie lag auf der Station ein Stockwerk über mir, schwer verletzt, und, zum ersten Mal in ihren zwölf Lebensjahren, vollkommen stumm.

Bradley, dessen Namen und Adresse ich der Polizei genannt hatte, war nirgendwo zu finden. *Versuchen Sie es bei Greggsy*, hatte ich ihnen gesagt. Dort wurde er noch am selben Nachmittag festgenommen.

Nach meiner Entlassung saß ich zwei Wochen lang jeden Tag an Hannahs Bett, bis sie endlich nach Hause durfte. Ich ging nicht zur Schule. Ich ging kaum nach Hause. Ich erinnerte mich an fast nichts. Außer an das leise Piepsen der Geräte und das Bienenstocksummen der geschäftigen Kinderkrankenstation. Die Angst, wenn einer von Hannahs Apparaten komische Geräusche machte. Die Schuldgefühle, die sich wie ein glühender Schneidbrenner in meine Brust fraßen. Meistens schlief sie. Manchmal weinte sie und sagte mir, dass sie mich hasste.

Die Polizei erklärte auf Nachfrage beharrlich, gegen mich würde nicht ermittelt, obwohl Alex' Familie nachdrücklich verlangte, ich müsse hart bestraft werden. Die Schuldgefühle wurden schlimmer. Ich sagte vor dem Gloucester Crown Court gegen Bradley aus und wurde verwarnt, als ich den Richter förmlich anflehte, auch gegen mich eine harte Strafe zu verhängen.

Alex' Familie kannte ich nicht. Mum und Dad hatten sie immer abgeholt und nach Hause gebracht, wenn die beiden zusammen spielen wollten, weil Alex' Mutter – wie Mum sich ausdrückte – »es manchmal nicht so leicht hat«. Vor Gericht hieß es, sie hätte zwischenzeitlich einen Nervenzusammenbruch erlitten. Und nicht nur das, sie war, seit Alex noch ganz klein war, alleinerziehend. Weshalb ihr erwachsener Sohn sein Studium abbrechen und nach Hause kommen und sich um sie kümmern musste. Keiner der beiden erschien zur Gerichtsverhandlung.

Eine der Geschworenen hatte mich angesehen. Eine Frau, ungefähr in Mums Alter, die sich wohl vorstellen konnte, wie es sein musste, ein Kind zu verlieren. Sie hatte mich angesehen, und ihr Blick hatte gesagt: Das ist auch deine Schuld, du kleine Schlampe. Das ist auch deine Schuld.

Carole Wallace hatte es irgendwie geschafft, dreimal bei uns anzurufen, ehe die Pfleger in der Psychiatrie dahinterkamen, dass sie nicht mit ihrem Sohn telefonierte, und ihren Telefonanschluss abstellen ließen. Ich sei eine Mörderin, hatte sie gesagt, einmal Dad, zweimal dem Anrufbeantworter. Unsere Nachbarn luden Mum und Dad nicht mehr zum Essen ein und hörten auf zu reden, wenn sie vorbeigingen. Ich konnte es ihnen nicht verdenken. Sie wussten einfach nicht, was sie sagen sollten. »Vielleicht ist zu viel Porzellan zerschlagen worden«, hatte Dad gemeint.

Hannah weigerte sich strikt, mit mir an einem Tisch zu sitzen. Im Supermarkt wurden meine Eltern angestarrt. Alex' Foto erschien immer wieder in der Lokalzeitung. Ich ging wieder zur Schule, aber schon nach ein paar Stunden wusste ich, da konnte ich nicht mehr hin. Meine Mitschüler tuschelten hinter meinem Rücken. Claire meinte, ich sollte wegen Totschlags im Gefängnis sitzen. Mandy redete überhaupt nicht mehr mit mir, weil ich die Polizei auf Greggsys Cousin angesetzt hatte. Selbst meine Lehrer konnten mir nicht mehr in die Augen schauen.

Noch am selben Abend setzten Mum und Dad sich mit mir hin und sagten, sie hätten sich überlegt, das Haus zum Verkauf anzubieten. Was ich davon hielt, nach Leicestershire zu ziehen? Mum war in Leicestershire aufgewachsen. »Wir könnten alle einen Neuanfang gebrauchen. Was meinst du?«, fragte sie. Ihr Gesicht war so blass vor Sorge und Erschöpfung, dass es fast durchscheinend wirkte. »Ich bin mir sicher, wir finden was, wo du in Ruhe deinen Abschluss machen kannst.«

Mum war Lehrerin. Sie wusste, dass das eigentlich unmöglich war. Und mir ging auf, wie verzweifelt sie sein musste.

Ich lief nach oben und rief Tommy an, und am nächsten Tag flog ich nach L.A.

Ich ging, um Alex' Familie Zeit zu geben zu trauern, ohne befürchten zu müssen, mir zu begegnen. Ich ging, damit meine Eltern nicht auf die andere Seite von England ziehen mussten und eine Chance auf einen echten Neuanfang hatten, der nicht überschattet wurde von dem Ruf, der ihrer Tochter nun vorauseilte. Ich ging, um einen sicheren Zufluchtsort zu finden, wo niemand wusste, was passiert war. Wo ich nicht *dieses Mädchen* war.

Aber mehr noch ging ich, um in L.A. die Frau zu werden, von der ich mir gewünscht hätte, ich wäre sie an dem Tag gewesen, als ich Bradley kennengelernt hatte. Stark, selbstbewusst, furchtlos. Eine Frau, die keine Angst davor hatte, laut und deutlich Nein zu sagen.

Eddie und ich waren schon fast in Venice, und der Broadwalk schlängelte sich vorbei an kleinen Läden und Verkaufsbuden, die billigen Plunder, kitschige Souvenirs und Hennatattoos feilboten. Irgendwo dröhnte Musik aus einem Lautsprecher. Obdachlose schliefen unter Palmen. Ich drückte einem Mann mit einem ringsum mit Flicken besetzten Rucksack ein paar Dollar in die Hand. Teilnahmslos beobachtete Eddie mich dabei. »Ich muss mich kurz setzen«, meinte er. »Ich muss was essen.«

Wir setzten uns draußen vor eine Bar, wo wir prompt die Aufmerksamkeit einer Verrückten mit einem Papagei und eines Straßenmusikers mit einem Akkordeon erregten. Eddie gab keine Antworten auf die Fragen der Verrückten und starrte blicklos an dem Musikanten vorbei, der sich um uns herum im Takt zu seiner Melodie wiegte.

»Wir können auch rüber in die Abbot Kinney gehen, wenn du magst«, schlug ich vor. »Das ist eine Straße ganz in der Nähe. Ein bisschen gediegener, falls es dir hier zu alternativ ist.«

Reuben liebte die Abbot Kinney.

»Nein danke«, antwortete Eddie. Kurz sah es aus, als wolle er womöglich lächeln. »Seit wann bin ich denn gediegen?«

Ich zuckte die Achseln und schämte mich. »Mir blieb nicht genug Zeit, das herauszufinden.«

Er warf mir einen kleinen Seitenblick zu, und ich sah etwas in seinen Augen aufblitzen, das aussah wie ein Funken Wärme. »Ich glaube, wir haben einen ganz guten Eindruck voneinander bekommen.«

Ich liebe dich, dachte ich. Ich liebe dich, Eddie, und ich weiß nicht, was ich machen soll.

Der Kellner brachte seinen Muffin. Ich stellte mir mein Leben vor, das nun vor mir lag, ohne Eddie David, und mir wurde schlecht und schwindelig vor Angst. Und dann stellte ich mir vor, wie es damals für ihn gewesen sein musste, sich ein Leben ohne seine Schwester vorzustellen.

Schweigend aß er seinen Muffin.

»Die Organisation«, sagte ich schließlich. »Die Organisation habe ich für Alex aufgebaut.«

»Das dachte ich mir schon.«

»Für Alex und für Hannah.« Ich zupfte an einem Nietnagel. »Hannah hat inzwischen selbst Kinder. Ich habe sie auf Fotos gesehen. Am Anfang habe ich ihnen immer Geschenke zum Geburtstag geschickt, aber irgendwann hat Hannah mir über Mum ausrichten lassen, ich solle das lassen. Mum und Dad macht das fertig. Sie haben nichts unversucht gelassen, damit wir uns wieder versöhnen. Sie dachten, irgendwann renkt sich das wieder ein. Hätte es vielleicht auch, wenn ich in England geblieben wäre… Ich weiß es nicht. Sie war schon als Kind ein sturer Esel. Daran hat sich bis heute wohl nichts geändert.«

Eddie schaute hinunter zum Strand. »Du solltest nicht unterschätzen, welchen Einfluss meine Mutter auf sie hat. Sie hat nie aufgehört, dich zu hassen. Manchmal war es das Einzige, was sie am Leben gehalten hat.«

Ich versuchte mir nicht das Haus von Eddies Mutter vorzustellen, dessen Mauern getränkt sein mussten mit kondensierter Wut wie mit Nikotinbelägen. Ich versuchte mir nicht vorzustellen, wie meine Schwester dort mit Carole Wallace zusammensaß. Die Sätze, die sie sagten, den Tee, den sie tranken. Obwohl dieses Bild auch irgendwie etwas eigenartig Tröstliches hatte. Dass die vollkommene Verweigerung meiner Schwester, ihre absolute Ablehnung, womöglich einem anderen Menschen geholfen haben könnte.

»Meinst du, es liegt auch daran?«, fragte ich, wieder mit Blick zu ihm. Meine Verzweiflung war fast greifbar. »Meinst du, deine Mum könnte sie angestachelt haben, auch nach all den Jahren noch?«

Eddie zuckte die Achseln. »So gut kenne ich deine Schwester nicht. Aber ich kenne meine Mutter. Ich hätte sicher anders auf dich reagiert, hätte ich meine Mum nicht neunzehn Jahre lang ständig über dich reden gehört.«

Er sah aus, als wolle er noch etwas sagen, klappte dann den Mund aber wieder zu.

»Seitdem fällt es mir schwer, Kinder in meiner Nähe zu haben«, erklärte ich. »Ich wollte beruflich nichts mit Kindern zu tun haben, wollte nicht babysitten und habe Reuben nur dann auf die Krankenstationen begleitet, wenn es unvermeidlich war.«

Ich hielt inne. »Ich wollte nicht mal ein Kind mit ihm haben. Er hat mich schließlich sogar zu einer Therapie überredet. Aber nichts konnte mich umstimmen. Wenn ich ein Kind sehe – irgendeins –, sehe ich immer deine Schwester. Also halte ich mich von ihnen fern. Ist einfacher.«

Eddie aß den letzten Bissen seines Muffins und stützte die Stirn in die Hand. Dann murmelte er: »Ich wünschte, du hättest dich mit deinem Familiennamen vorgestellt, als wir uns kennengelernt haben. Ich wünschte, du hättest gesagt: ›Ich bin Sarah Harrington.‹«

Mit einem Ruck riss ich den Nietnagel ab, der einen brennenden grellrosa Streifen empfindlicher Haut zurückließ. »Ich nehme meinen alten Namen nicht wieder an, auch nach der Scheidung nicht. Ich will nie wieder Sarah Harrington sein.«

Eddie tupfte mit dem Finger die letzten Krümel vom Teller. »Hätte uns beiden eine Menge Kummer erspart.«

Ich nickte.

»Und deine Eltern sollten angeblich nach Leicester gezogen sein. Wochenlang stand ein ›Verkauft‹-Schild vor dem Haus.«

»Wollten sie ja auch. Aber dann bin ich nach L.A. gegangen. Und ich war das Problem. Der Verkauf kam dann doch nicht zustande, also beschlossen sie zu bleiben. Ich glaube, da waren sich alle Beteiligten bereits darüber im Klaren, dass ich nicht mehr zurückkommen würde.«

Tiefes Schweigen.

»Darf ich fragen, warum du dich Eddie David nennst?«, fragte ich, als das Schweigen schier unerträglich wurde. »Du müsstest doch eigentlich Eddie Wallace heißen, oder?«

»David ist mein zweiter Vorname. Nach dem Unfall fing ich an, den zu benutzen. In der ersten Zeit danach hat jeder meinen Namen erkannt, und dann war es … ich weiß nicht … das Mitleid war erdrückend, wenn die Leuten kapiert haben, wer ich war. Es war einfacher, Eddie David zu sein. Den kannte niemand. Genau wie niemand Sarah Mackey kannte.«

Nach einer Weile drehte er sich zu mir um, aber seine Augen schienen sich wieder zurückzuziehen. Wie das Wasser, das sich bei Ebbe ins Meer verabschiedet. »Ich hätte alles darum gegeben zu erfahren, wer du bist, bevor es zu spät war«, flüsterte er. »Ich… ich fasse es einfach nicht, dass wir das beide nicht kapiert haben.« Ratlos kratzte er sich am Kopf. »Weißt du, dass sie ihn nach fünf Jahren vorzeitig entlassen haben?«

Ich nickte. »Ich habe gehört, er wohnt jetzt in Portsmouth.«

Eddie sagte kein Wort.

»Es war mein Facebook-Profil, oder?«, fragte ich. »Du hast Tommys Post gelesen. Den, in dem er mich Harrington genannt hat.«

»Ungefähr zwanzig Sekunden, nachdem du weg warst. Und im ersten Moment, bevor der Schock richtig einsetzte, dachte ich nur: Nein. Tu einfach, als hättest du das nicht gesehen. Mach das weg. Ich kann nicht ohne sie sein. Es war zwar nur eine Woche, aber sie ist…« Er wurde rot. »Sie ist alles«, beendete er den Satz. »Das habe ich gedacht.«

Lange saßen wir schweigend da. Mein Herz raste. Eddies Wangen waren gerötet.

Dann erzählte er mir von seiner Mutter, ihren Depressionen, dem Zusammenbruch nach Alex' Tod und wie sie sich davon nie wieder erholt hatte. Er erzählte mir, als das Schlimmste überstanden war, sei sie nach Sapperton gezogen, um »näher« bei ihrer toten Tochter zu sein. Eddie, der einsehen musste, dass sie viel zu fragil war, um allein zurechtzukommen, brach sein Studium ab und zog für eine Weile bei ihr ein. Dann überredete er Frank, den Schafzüchter, ihm seine halb verfallene Scheune am Rand des Siccaridge Wood zu überlassen, die er nach und nach zur Werkstatt umbaute. Und dann, als er seine Mutter wieder allein lassen konnte, auch zu seinem neuen Zuhause machte.

»Dad hat mir das alles finanziert«, sagte er. »Nachdem er sich aus dem Staub gemacht hatte, war Geld für ihn die Lösung aller Probleme. Uns nach Alex' Beerdigung noch mal anzurufen oder vorbeizukommen und uns zu besuchen, brachte er nicht über sich. Aber wohl um sein schlechtes Gewissen zu beruhigen, schickte er uns regelmäßig Geld. Und ich beschloss irgendwann, es ohne Reue auszugeben.«

Er erzählte von dem Tag, als ihm aufging, wer ich bin. Wie die Bäume vor der Scheune auf ihn einzustürzen drohten, als er einsehen musste, dass ich Sarah Harrington war. Die Frau, die seine Schwester auf dem Gewissen hatte. Wie er seinen Urlaub in Spanien abgesagt, all seine Aufträge auf Eis gelegt hatte. Wie er irgendwann zu seiner Mutter gegangen war, um nach dem Rechten zu sehen, und sie nicht ansprechbar gewesen war, weil sie eine Medikamentenüberdosis genommen hatte, und wie schuldig er sich gefühlt hatte, als er sie bewusstlos auffand.

»Es wäre eine Katastrophe, sollte sie je von der Sache zwischen uns erfahren«, sagte er leise. »Obwohl es auch so schon eine Katastrophe ist. Ich bin in ein tiefes Loch gefallen. Habe mich verkrochen. Bin ziemlich viel spazieren gegangen. Hab ziemlich viel nachgedacht und Selbstgespräche geführt.«

Er ließ die Fingerknöchel knacken. »Bis mein Kumpel Alan aufgetaucht ist, um nachzusehen, ob ich noch lebe, und mir gesagt hat, du hättest dich bei ihm gemeldet.«

Er seufzte. »Ich hätte mich bei dir melden sollen«, sagte er. »Es tut mir leid. Du hattest Recht – so was sollte man keinem Menschen antun. Immer und immer wieder habe ich angesetzt, dir zu schreiben, aber ich habe es einfach nicht über mich gebracht, mit dir zu reden.«

Ich hätte mich auch totgestellt, dachte ich. Wenn ich es gekonnt hätte.

»Aber deine Lebensgeschichte zu lesen war wunderbar. Deine Nachrichten. Sehnsüchtig habe ich darauf gewartet und sie immer wieder gelesen.«

Ich schluckte und versuchte, nichts hineinzuinterpretieren. »Hast du versucht mich anzurufen?«, fragte ich zögerlich.

Er schüttelte den Kopf.

»Ganz sicher? Ich hatte … ich hatte ein paar Anrufe. Als ich ranging, hat sich keiner gemeldet. Und, na ja, eine Nachricht, ich solle die Finger von dir lassen.«

Er schien verwirrt. »Ach. Hast du mir davon geschrieben? In einem deiner Briefe? Tut mir leid – vielleicht habe ich das überlesen. Oder dachte, du hättest dir das nur ausgedacht.«

Ich zog den Kopf ein.

»Tut mir leid«, murmelte er. »Hast du seitdem noch mal was gehört?«

»Nein. Aber ich habe mir gedacht… Ich habe mich gefragt, ob es deine Mutter gewesen sein könnte. Besteht irgendeine Möglichkeit, dass sie das mit uns beiden herausgefunden hat? Ich habe eine Frau gesehen, auf dem alten Kanalpfad zwischen dem Haus meiner Eltern und deiner Scheune… Und als ich zu Tommys Sportdings an meiner alten Schule war, habe ich dort jemanden in genau demselben Mantel gesehen. Ich meine, ich kann natürlich nicht mit Gewissheit sagen, dass es ein und dieselbe Person war, aber ich bin mir ziemlich sicher. Sie hat nichts auffallend Eigenartiges gemacht, aber beide Male hatte ich das Gefühl, dass sie mich, na ja, anstarrt. Richtig feindselig.«

Eddie verschränkte die Arme. »Das ist echt seltsam«, sagte er gedehnt. »Aber das kann auf gar keinen Fall meine Mum gewesen sein. Sie hat nicht den Hauch einer Ahnung von uns. Und außerdem, sie…« Er brach ab. »Sie könnte so was nicht. Telefonstreiche, Bespitzelungsaktionen – zu so was wäre sie gar nicht fähig. Allein bei dem Gedanken daran würde sie Schweißausbrüche bekommen. Ich glaube, das würde sie nicht durchstehen.«

»Und sonst kann es niemand gewesen sein?«

Eddie wirkte völlig verdattert. »Nein«, sagte er, und ich glaubte ihm. »Ich habe nur meinem besten Freund

Alan und seiner Frau Gia davon erzählt. Ach ja, und Martin vom Fußball, weil er deinen Post auf meiner Facebook-Seite gesehen hat. Und denen habe ich es im Vertrauen gesagt.«

Er beugte sich nach vorne und verzog hochkonzentriert das Gesicht. Kam aber wohl zu keinem Ergebnis, denn nach einigem Nachdenken zuckte er resigniert die Achseln und richtete sich wieder auf. »Ich weiß es wirklich nicht«, murmelte er. »Aber Mum war es ganz bestimmt nicht. Da bin ich mir sicher.«

»Okay.« Ich schlüpfte aus einem Flip-Flop und zog den Fuß auf den Stuhl. Eddie wirkte wieder ganz niedergeschlagen. Mit dem Finger drückte er auf den Tellerrand, der sich aufrichtete wie eine fliegende Untertasse. Er drehte ihn nach links und dann nach rechts.

»Warum bist du hier, Eddie?«, fragte ich schließlich. »Warum bist du hergekommen?«

Da, endlich, schaute er mich an. Sah mir ins Gesicht, in die Augen, und mein Magen hob sich bis zum Hals.

»Ich bin hergekommen, weil du mir geschrieben hast, dass du nach L.A. zurückgehst, und weil ich Panik gekriegt habe. Ich war immer noch wütend, aber ich konnte nicht zulassen, dass du einfach so wieder aus meinem Leben verschwindest. Nicht, ehe ich mit dir geredet habe. Mir angehört habe, was du zu sagen hast. Ich wusste, dass Mums Sicht der Dinge nicht die einzige sein konnte.«

»Verstehe.«

»Also habe ich einen Flug gebucht und meinen Kumpel Nate gefragt, ob ich eine Weile bei ihm auf der Couch schlafen kann. Habe meine Tante angerufen, damit sie kommt und sich um meine Mum kümmert. Es war fast, als passierte das alles nicht mir. Als würde ich mir selbst dabei zusehen. Ich wusste, ich sollte nicht herkommen, aber irgendwie konnte ich mich nicht davon abhalten. Und dich konnte ich auch nicht abhalten zu gehen. Du warst ja schon im Flieger, als du mir geschrieben hast.«

Aber hier angekommen war er wie gelähmt gewesen. Dreimal hatte er versucht, mit mir zu reden. Dreimal hatten die Schuldgefühle ihn dazu getrieben, wieder in der anonymen Großstadt unterzutauchen. Ich sackte auf meinem Stuhl zusammen. Er konnte nicht mal mit mir reden, ohne das Gefühl zu haben, seine tote Schwester zu verraten.

»Warum hast du mir nichts von dem Unfall erzählt?«, fragte er, als ich dem Kellner winkte, uns die Rechnung zu bringen. »Du hast mir so viel von dir erzählt. Warum hast du mit keinem Wort erwähnt, was damals passiert ist?«

Ich holte Geld aus dem Portemonnaie. »Weil ich das niemandem erzähle, Punkt. Der letzte Mensch, dem ich davon erzählt habe, war meine Freundin Jenni, und das ist mittlerweile siebzehn Jahre her. Wenn ich … Hätten wir …« Ich räusperte mich. »Wäre das mit uns was geworden, hätte ich dir davon erzählt. Hätte ich sogar fast schon an unserem letzten Abend. Aber dann ist uns was dazwischengekommen.«

Eddie wirkte nachdenklich. »Ich bin es gewöhnt, ständig Leuten davon erzählen zu müssen. Vor allem wegen Mums instabilem Zustand. Aber die Woche mit dir war so ganz anders. Ich war nicht mehr Eddie, Caroles Sohn, der Typ, der seine Schwester verloren hat und sich rund um die Uhr um seine depressive Mutter kümmern muss. Ich war einfach nur ich.« Er steckte das Handy in die Tasche. »Zum ersten Mal seit Jahren war die Vergangenheit nicht allgegenwärtig. Und Mums Schwester war da, weil ich ja nach Spanien wollte, also brauchte ich mir keine Sorgen um sie zu machen.«

Er stand auf und lächelte mich schief an. »Irgendwie ironisch, wenn man bedenkt, mit wem ich da gerade zusammen war.«

Ich legte ein paar Dollar auf den Tisch, und wir gingen hinunter zum Ufer. Winzige Wellen kräuselten sich seidig um unsere Füße und flossen dann zurück in die endlose blaue Weite des Pazifiks. Der Horizont kochte und waberte verschwommen.

Ich steckte die Hand in die Tasche. Maus. Mit dem Daumen streichelte ich sie ein letztes Mal, dann hielt ich sie Eddie in der offenen Hand hin.

Lange sah er sie an. »Die hatte ich für Alex gemacht«, murmelte er. »Zu ihrem zweiten Geburtstag. Maus war das erste schöne Stück, das ich aus Holz gemacht habe.«

Zärtlich nahm er sie und hielt sie hoch, als müsse er

sie noch mal mit ganz neuen Augen ansehen. Ich stellte mir vor, wie er an einem klitzekleinen Holzklotz herumwerkelte, vielleicht in der Garage seines Vaters oder einfach am Küchentisch, und es brach mir das Herz. Ein pausbäckiger kleiner Junge, der seiner kleinen Schwester zum Geburtstag eine Spielzeugmaus schnitzte.

»Als sie noch klein war, dachte Alex immer, Maus sei ein Igel. Nur konnte sie das nicht aussprechen, sie sagte immer ›Ih-eh‹. Worüber ich dann lachen musste. Irgendwann habe ich angefangen, sie Igelchen zu nennen, und irgendwie ist sie diesen Spitznamen nie wieder losgeworden.« Er machte Maus wieder am Schlüsselbund fest und steckte ihn zurück in die Hosentasche.

Mir fiel nichts mehr ein, womit ich noch ein bisschen Zeit schinden könnte. Das Meer wogte vor und zurück. Niemand sagte ein Wort.

Stumm schauten wir zu, wie die Silbermöwen und Strandläufer über einer picknickenden Familie kreisten, und dann stürzte eine Welle auf uns zu, schneller als wir zurücklaufen konnten. Seine Shorts wurden nass. Mein Rock wurde nass. Er lachte und stolperte und wäre beinahe hingefallen, und einen Augenblick konnte ich ihn riechen: seine Haut, die sauberen Haare, den unverwechselbaren Eddie-Duft.

»Morgen fliege ich wieder nach Hause«, sagte er schließlich. »Ich bin froh, dass wir miteinander geredet haben. Aber ich weiß nicht, ob es noch irgendwas zu sagen gibt. Oder zu tun.«

Nein, dachte ich verzweifelt. Nein! Du kannst dich nicht einfach umdrehen und gehen! Es ist hier! Das zwischen uns! Es ist hier, hier in der Luft! Merkst du es nicht?

Aber es kam kein Laut aus meinem Mund, weil das nicht meine Entscheidung war. Ich hatte das Auto gefahren, das Alex gegen den Baum geschleudert hatte, und sie war gestorben, gleich neben mir. Die Zeit konnte daran nichts ändern. Nichts konnte daran etwas ändern.

Er nahm meine Hände und öffnete meine geballten Fäuste. Die Fingernägel hinterließen traurige weiße Halbmonde in meinen Handflächen. »Wir könnten nie wieder zurück zu dem, was vorher war«, sagte er und strich mit dem Daumen sanft über die Nagelabdrücke, wie ein Vater über die aufgeschrammten Knie seines Kindes. »Es ist vorbei. Das verstehst du doch, Sarah, nicht wahr?«

Ich nickte und machte ein Gesicht, das Zustimmung zeigen sollte oder vielleicht auch nur Resignation. Er ließ meine Hände los und schaute eine ganze Weile hinaus aufs Meer. Und dann, ohne Vorwarnung, beugte er sich zu mir herunter und küsste mich.

Es dauerte einen Moment, bis ich begriff, was da gerade geschah. Sein Mund, der sich gegen meinen drückte. Seine Lippen, seine Wärme, sein Atem. Alles, wie ich es mir hundertfach vorgestellt hatte. Ein paar Sekunden lang hielt ich ganz still. Und dann erwiderte ich seinen Kuss, glückselig, und er schlang die Arme um mich, genau wie beim ersten Mal. Küsste mich fester, und ich küsste ihn zurück, und die kreisenden Möwen und die kreischenden Kinder um uns herum verschwanden.

Aber gerade, als ich mich ganz hingab, hörte er auf und stützte das Kinn auf meinen Kopf. Ich konnte seinen Atem hören, schnell und unstet.

»Leb wohl, Sarah«, wisperte er. »Pass gut auf dich auf.«

Seine Arme ließen mich los, und fort war er.

Ich sah ihm nach, als er ging. Die Arme hingen schlaff an den Seiten herunter. Weiter und weiter ging er. Weiter und weiter weg.

Erst als er oben am Broadwalk war, sprach ich laut aus, was ich bisher nicht hatte sagen können, nicht einmal vor mir selbst.

»Ich bin schwanger, Eddie«, flüsterte ich, und der Wind trug meine Worte davon. Genau wie ich es gewollt hatte.

Neununddreißigstes Kapitel

Ich legte eine Hand auf meinen Bauch. Ich bin schwanger. Ich trage ein Baby in mir.

Jenni erzählte Javier gerade von einem slowenischen Genforscher, den sie gestern im Wartezimmer der Akkupunkturpraxis kennengelernt hatte. Javier hörte seiner Frau aufmerksam zu, während er die Ohren in Richtung der Dame spitzte, die an der Essensausgabe die Bestellungen ausrief. Die letzte Nummer war die vierundachtzig gewesen. Unser Bon, den Javier aufgerollt in der Hand hielt, hatte die siebenundachtzig.

Ich stellte mir vor, wie die Zellen angefangen hatten, sich zu teilen. Damals, vor Wochen schon. Sarah-Zellen, Eddie-Zellen. Sarah-und-Eddie-Zellen, die sich in noch mehr Sarah-und-Eddie-Zellen teilten. Im Internet stand, inzwischen müsste es so groß wie eine Erdbeere sein. Auf der Seite war auch ein computeranimiertes Bild, das aussah wie ein winzig kleines Kind. Eine gefühlte Ewigkeit hatte ich auf dieses Bild gestarrt und dabei Dinge empfunden, die ich gar nicht kannte. Für die ich nicht mal einen Namen hatte.

Ich bin in der neunten Woche schwanger.

Aber wir hatten doch aufgepasst! Jedes einzelne Mal! Und wie konnte ich überhaupt schwanger sein, wo ich doch über ein Kilo abgenommen hatte!

»Sie haben selbst gesagt, dass Ihr Appetit zu wünschen übrig lässt«, hatte die Ärztin mir geduldig erklärt. »Bei Morgenübelkeit ist anfänglicher Gewichtsverlust ein weitverbreitetes Phänomen.«

Übelkeit. Müdigkeit. Hormonwallungen. Unerklärliche Essensabneigungen. Ein Hirn wie mit Watte vollgestopft. Die eigentliche Überraschung an der ganzen Sache war wohl nicht, dass ich schwanger war, sondern dass ich es geschafft hatte, so viele eindeutige Anzeichen zu übersehen.

Morgens war ein Päckchen für mich angekommen. Ich hatte im Bett gelegen und die Formulare für den Ultraschall ausgefüllt, und es kam mir alles so unwirklich vor, dass ich mich im ersten Augenblick ernsthaft fragte, ob es Eddie sein könnte. Eddie, zusammengefaltet in einem Karton, der gleich herausspringen und rufen würde: »Ich habe es mir anders überlegt! Natürlich will ich mit dir zusammen sein – mit der Frau, die meine Schwester umgebracht hat! Lass uns gemeinsam eine Familie gründen!«

Aber statt Eddie hatte ich ein Spielzeugschaf ausgewickelt, mit kleinen Lederhufen, einem dicken Wollpelz und einem Schild um den Hals, auf dem – in Eddies Handschrift – *LUCY* stand. Daneben ein Brief in einem

Umschlag, der eigenartigerweise dezent nach Fruchtsorbet duftete. Ich nahm ihn und ging damit nach draußen.

Auf Jennis Sonnenterrasse ringelte ich mich auf einem der Liegestühle zusammen und starrte auf das schmutzige Gewirr aus Klimaanlagen und Fernsehantennen unterhalb. Mit den Fingerspitzen fuhr ich über die leichten Rillen, die Eddies Kugelschreiber dort hinterlassen hatte, wo er meinen Namen geschrieben hatte. Ich wusste, was in diesem Brief stehen würde. Es würde der endgültige Schlusspunkt einer Beziehung sein, die schon neunzehn Jahre, bevor sie überhaupt begonnen hatte, zu Ende gewesen war. Und doch wollte ich mir noch ein paar Minuten Schonzeit gönnen, bevor ich es mit eigenen Augen sah. Nur noch ein paar Minuten törichter, toxischer Verdrängung.

Ich saß da und beobachtete eine Katze. Die Katze beobachtete mich. Ich atmete ganz langsam ein und aus. Ruhige, gleichmäßige Atemzüge wie bei jemandem, der weiß, dass das große Drama vorbei ist. Der weiß, dass er vernichtend geschlagen worden ist. Als die Katze verächtlich mit hoch erhobenem Schwanz davonstakste, fuhr ich mit dem Daumen unter die Lasche des Briefumschlags.

Liebe Sarah,

danke für deine schonungslose Ehrlichkeit gestern. Es ist tröstlich zu wissen, dass Alex an ihrem letzten Tag so unbeschwert und fröhlich war.

Gerne würde ich sagen, es ist alles gut. Aber das ist es nicht, und das kann es nicht sein. Und darum denke ich auch, es wäre besser, wenn wir den Kontakt abbrechen – Freunde zu bleiben wäre wohl zu verwirrend. Aber ich wünsche dir alles Gute, Sarah Harrington, und ich werde die Zeit mit dir nie vergessen. Sie hat mir alles bedeutet.

Was für ein grausamer Zufall, hm? Von allen Menschen auf der ganzen Welt. Ausgerechnet.

Aber egal, ich wollte dir etwas schicken, das dich zum Lachen bringt. Ich weiß, wie schwer das alles auch für dich gewesen ist.

Werde glücklich, Sarah, und pass auf dich auf.

Eddie

Dreimal las ich den Brief, dann steckte ich ihn wieder in den Umschlag.

Werde glücklich, Sarah, und pass auf dich auf.

Ich lehnte den Kopf an die Außenwand von Jennis Bungalow und starrte in den Himmel. Milchig und erwartungsvoll lag er über allem, mit zarten Wolken wie Rosengeleekonfekt überzogen. Ein Vogelschwarm schwirrte hoch oben vorbei, darunter ein Flugzeug im Landeanflug.

Ich hatte Jenni noch nichts von dem Baby gesagt. Ich konnte es einfach nicht. Ich brachte es nicht übers Herz, ihr zu sagen, dass ich trotz Verhütung schwanger geworden war, während sie zehn Jahre lang jedes Fitzelchen ihrer emotionalen, körperlichen und finanziellen Ressourcen dafür eingesetzt hatte, endlich eine eigene Familie zu gründen.

Ich starrte auf meinen Bauch und versuchte mir die winzigen Anfänge menschlichen Lebens darin vorzustellen. Und hatte dabei ein ganz eigenartiges Ziehen in der Brust. War das Freude? Oder Angst? Es hatte jetzt ein eigenes Herz, hatte die Ärztin mir erklärt. Der schlechten Ernährung, dem Wein und dem Stress zum Trotz, mit denen ich es bisher gefüttert hatte. Es hatte ein eigenes winziges Herz, das doppelt so schnell schlug wie meins, und morgen Nachmittag würde ich es im Ultraschall sehen.

Ich sah in den Himmel. Ob er schon da oben war? Oder noch in der Abflughalle? Halb stemmte ich mich aus dem Stuhl. Ich musste zum Flughafen. Ihn finden. Ihn aufhalten. Diesem Baby zuliebe musste ich ihn dazu bringen, seine Meinung zu ändern, ihn davon überzeugen, dass ...

Was? Dass ich nicht Sarah Harrington war? Dass ich seine Schwester an diesem verhängnisvollen Tag nicht gegen einen Baum gefahren hatte?

Ich saß da und trommelte mit den Fingern auf meinen Oberschenkeln herum, bis Javier irgendwann Frappuccino in den Garten ließ und der Hund mir ans Bein pinkelte. Da musste ich erst lachen und dann weinen, und dann fragte ich mich, wie um alles auf der Welt ich ein Baby großziehen sollte, wo ich doch mein ganzes Erwachsenenleben krampfhaft versucht hatte, Kindern großräumig aus dem Weg zu gehen. Fragte mich, wie ich ein Kind in die Welt setzen konnte in dem Wissen, dass sein Vater nichts mit mir zu tun haben wollte. Und doch wissend, dass es längst zu spät war, es sich noch mal anders zu überlegen. Dass ich dieses Baby unbedingt wollte, es vielleicht sogar brauchte, auf eine Weise, die ich selbst nicht ganz verstand.

Stundenlang saß ich so da und grübelte. Als Jenni sich schließlich aus dem Bett schleppte, versuchte sie mich aufzuheitern, aber sie war selbst genauso leer und verzweifelt wie ich. Zwei Stunden saßen wir nebeneinander und schwiegen uns an.

Bis Javier diese erdrückende Gefühlsschwere keinen Augenblick länger ertragen konnte und vorschlug, wir sollten alle zusammen zu Neptune's Net fahren, einem Biker-Café in Malibu, und dort frische frittierte Meeresfrüchte essen. Seine Lösung für sämtliche Probleme des Lebens. Tief über den Lenker gebeugt chauffierte er uns die gewundene Küstenstraße entlang, wobei nicht ganz klar war, ob er das machte, um uns schneller zu unserem dringend benötigten Trostessen zu bringen oder um sich vor dem unappetitlichen Gefühlschaos um sich herum zu schützen. Ich wusste es nicht.

Und da saßen wir nun wie Sardinen in der Büchse in unsere kleine Sitznische gequetscht. Das Restaurant war völlig überlaufen. Sämtliche Plätze waren besetzt, und vor dem Eingang drängten sich die Leute, um noch einen Tisch zu ergattern. Wir, die glücklichen Sitzenden, ignorierten sie geflissentlich, während sie, die unglücklichen Stehenden, uns vorwurfsvoll musterten. Die dudelnde Hintergrundmusik wurde übertönt vom ohrenbetäubenden Dröhnen fröhlich-lauter Unterhaltungen, dem Röhren der Harley-Davidson-Motoren vor der Tür und dem heftigen Gebrutzel des morgendlichen Fangs, der in der Fritteuse ins siedend heiße Öl tauchte. Das Ganze war eine große, lange Motorradfahrt entfernt von Ruhe und meditativer Stille, aber irgendwie half es. Zumindest etwas.

»Siebenundachtzig!«, rief die Dame hinter der Theke, und Javier sprang auf und brüllte mit vor Erleichterung heiserer Stimme: *»Si! Si!«*

Nur selten ließ Jenni sich angesichts der emotionalen Schwerfälligkeit ihres Mannes etwas anmerken, aber heute, nur für mich, gestattete sie es sich, ganz kurz die Augen zu verdrehen. Dann fragte sie mich, was ich bezüglich Eddie zu tun gedachte.

»Nichts«, entgegnete ich. »Es gibt nichts zu tun, Jenni. Du weißt das. Ich weiß das. Sogar Javier weiß das.«

Schweigend stellte Javier ein Körbchen mit Meeresfrüchten zwischen uns auf den Tisch, reichte Jenni eine Sprite und mir ein Mountain Dew. Dann seufzte er vor Erleichterung leise, aber unüberhörbar auf und machte sich über seinen eigenen Berg an Shrimp Tacos, blass panierten Calamari und käsigen Chili-Fritten her, im wohligen Wissen, dass es eine ganze Weile dauern würde, bis man von ihm erwarten würde, wieder etwas zu unserem Gespräch beizutragen.

»Und er hat dir wirklich keine Tür offen gelassen? Nicht das kleinste bisschen?«

»Nicht mal den allerkleinsten Spalt«, sagte ich. »Hör zu, Jenni, ich sage das jetzt zum letzten Mal. Stell dir vor, es wäre deine Schwester Nancy gewesen. Stell dir vor, ein Mann hätte deine süße kleine Nancy gegen einen Baum gefahren. Könntest du dir vorstellen, mit ihm eine Beziehung einzugehen? Ernsthaft?«

Jenni legte das Besteck beiseite, als müsste sie eine Niederlage eingestehen.

»Vierundneunzig!«, brüllte die Frau hinter dem Tresen.

Ich spießte eine Jakobsmuschel auf.

Darf ich das überhaupt noch essen?, schoss es mir unvermittelt durch den Kopf. Und war mir sicher, mich erinnern zu können, dass schwangere Freundinnen Meeresfrüchte immer gemieden hatten. Ich guckte auf die Mahlzeit vor mir. Meeresfrüchte, Schalentiere und ein großer Becher Mountain Dew. War Koffein nicht auch verboten?

Wieder spürte ich, wie sich die tektonischen Platten unter meinen Füßen verschoben. Ich bin in der neunten Woche schwanger.

»Hier«, sagte Jenni mit belegter Stimme. »Nimm dir ein paar von den Jakobsmuscheln, Sarah, bevor ich sie alle auffuttere. Ich fürchte, ich kriege gleich wieder einen Fressanfall.«

Ich lehnte dankend ab.

»Aber du liebst doch Jakobsmuscheln.«

»Ich weiß … Aber heute spüre ich diese Liebe irgendwie nicht.«

»Echt nicht? Na ja, dann nimm dir wenigstens was von der Blauschimmelkäsesoße für die Fritten. Ich glaube, die machen die hier mit richtigem Käse. Wirklich lecker.«

»Ach, mir reicht der Ketchup. Nimm du sie.«

Jenni lachte. »Sarah Mackey, du kannst Ketchup nicht ausstehen. Keine Jakobsmuscheln, kein Blauschimmelkäse – man könnte glatt meinen, du bist schwanger. Hör zu, versuchst du bitte, nicht zu verhungern, Süße? Damit ist keinem geholfen, und außerdem, das Leben ist ein Jammertal ohne Essen.«

Ich lachte auf. Ein bisschen zu laut. Nahm eine Jakobsmuschel zum Beweis, dass es mir ganz prima ging und ich ganz bestimmt nicht schwanger war. Aber ich konnte es einfach nicht. Ich konnte mich nicht dazu zwingen, das blöde Ding zu essen. Ich hatte ein Baby so groß wie eine Erdbeere im Bauch. Ein Baby, das weder geplant noch gewollt gewesen war. Und trotzdem konnte ich die verflixte Muschel einfach nicht herunterbringen. Ein leichtes Stirnrunzeln seitens Jenni.

»Achte gar nicht auf mich«, wiegelte ich mit erzwungen fröhlicher Stimme ab.

Javier schaute auf. »Du bist heute aber wählerisch.«

»Wäre das nicht der Gipfel der Ironie, hm?«, rief Jenni. »Du schwanger!«

»Ha! Kannst du dir das vorstellen?«

Jenni widmete sich ihrem Essen, aber es dauerte nicht lange, bis sie mich wieder ansah. »Ich meine, bist du doch nicht, oder?«

»Natürlich bin ich…« Ich konnte es einfach nicht. Ich konnte sie nicht anlügen.

Jenni ließ die Gabel auf den Tisch sinken. »Sarah? Du bist doch nicht etwa schwanger, oder?«

Mein Gesicht glühte. Ich senkte den Blick, nach unten zum Boden, irgendwohin, nur nicht zu Jenni.

»Darum warst du doch nicht… Darum warst du doch nicht… krank? Dein Arztbesuch…?«

Javier starrte mich an. Wage es nicht, sagte sein Blick. Wage es ja nicht.

Jenni ließ mich nicht aus den Augen, und plötzlich schwammen sie in Tränen. »Warum sagst du denn nichts? Warum antwortest du mir nicht?«

Ich schloss die Augen. »Jenni«, stammelte ich. »O Gott, Jenni, ich…«

Sie hob die Hand an den Mund. Sah mich ungläubig an, und dann liefen ihre Augen über, und die Tränen kullerten ihr übers Gesicht. »Nein, du bist nicht… du kannst doch nicht schw… Ach herrje, Sarah.«

Schützend legte Javier seiner Frau den Arm um die Schulter. Er atmete tief durch, dann schaute er mich an. Und zum ersten Mal in den vergangenen fünfzehn Jahren war seinem Gesicht eine eindeutige Gefühlsregung anzusehen: Wut.

»Jenni«, sagte ich leise. »Hör zu, Schatz. Als ich beim Arzt war, meinte sie… Sie hat ein paar Tests gemacht, und sie meinte… Jenni, es tut mir so leid…«

»Du bekommst ein Baby.«

»Ich… Ja. Ich kann dir gar nicht sagen, wie leid mir das tut.«

Mitten hinein in die Totenstille an unserem Tisch klingelte mein Handy.

»Eddie?«, wisperte Jenni, weil sie nicht mal, nachdem ihre Freundin ihr eine schallende Ohrfeige verpasst hatte, die Hoffnung aufgeben wollte.

»Ich… ich weiß es nicht. Ich habe seine Nummer gelöscht. Aber es ist eine Mobilnummer aus Großbritannien.«

»Geh ran«, murmelte sie tonlos. »Geh einfach ran. Er ist schließlich der Vater deines Kindes.«

Kurz bevor ich mit dem Handy in der Hand zur Tür kam, an der sich die Leute drängten, schoss mir ein Gedanke durch den Kopf: mich noch mal umzudrehen und ein letztes Mal Jennis Gesicht zu sehen. Ein letztes Mal, bevor was?

Ich drehte mich um und wusste selbst nicht recht, warum, aber eine bierfassdicke Frau quetschte sich gerade in einen der festgeschraubten Sitze und versperrte mir dabei die Sicht auf Jenni.

Also ging ich weiter und schlängelte mich durch die wartenden Gäste nach draußen auf die Terrasse. Vorbei an den Bikern und ihren Bikes, auf die Straße zu. Und fragte mich, ob Jenni mir das wohl je verzeihen könnte. Ob unsere Freundschaft das überstehen würde.

Resigniert ging ich ans Telefon.

Ein paar Sekunden Verzögerung, während eine Stimme durch die Kabel tief unter dem Atlantik rauschte.

Dann: »Sarah?«

»Ja.«

Es dauerte einen Moment, dann sagte die Stimme: »Hier ist Hannah.«

»Hannah?«

»Ja. Ähm … Hannah Harrington.«

Ich musste die Hand ausstrecken, um mich irgendwo abzustützen. Aber da war nichts. Also klammerte ich mich mit beiden Händen an das Telefon, das einzig Greifbare weit und breit.

»Hannah?«

»Ja.«

»Meine Schwester Hannah?«

»Ja.«

Kurzes Schweigen.

»Ich kann verstehen, wenn dich das etwas überrascht.«

»Deine Stimme«, wisperte ich. »Deine Stimme.« Ich

hielt das Handy noch fester. Sie setzte gerade an, noch etwas zu sagen, aber ihre Worte gingen in einer Salve Motorengeheul unter, weil plötzlich ein Schwarm aufgemotzter Motorräder auf den Parkplatz röhrte.

»Wie bitte?«, fragte ich. »Was hast du gesagt? Hannah?«

»Verstehst du mich jetzt?«, hörte ich sie sagen. »Ich muss schon schreien …« Die Biker waren inzwischen alle zum Stehen gekommen, ließen aber aus unerfindlichen Gründen die Motoren weiter aufheulen. Unverhältnismäßige Wut brodelte in meiner Brust. »Schnauze!«, brüllte ich. »Bitte, hört auf damit!«

Auf der anderen Seite der Straße führte ein idyllisch wirkender Pfad auf das in der Ferne aufblitzende Meer zu. Ich muss über die Straße, dachte ich verzweifelt, während vor mir die Fahrzeuge über den Highway tosten und hinter mir die Motorräder brüllten. Ich muss über die Straße. Jetzt sofort.

»Bist du noch da?«, hörte ich sie fragen.

»Ja? Hörst du mich?«

»Gerade so. Was zum Teufel ist denn da los?«

Ich wusste genau, wie Hannah aussah. Mum und Dad hatten mir immer Fotos von ihr geschickt, bis es irgendwann zu wehtat, sie mir anzuschauen. Es war beinahe unmöglich, sich vorzustellen, dass die Frau von den Bildern die Frau war, mit der ich gerade telefonierte. Die Frau mit dem lockenköpfigen Ehemann, den zwei Kindern und dem Hund. Meine kleine Schwester.

»Hör zu, Hannah, ich muss nur schnell über die Straße. Ich bin gerade in einem Biker-Café, es ist tierisch laut, aber drüben ist es bestimmt leiser...«

»Bist du neuerdings unter die Biker gegangen?« Man hörte den Anflug eines Grinsens in ihrer Stimme.

»Nein, bin ich nicht. Ich... Moment, ich laufe nur eben schnell auf die andere Seite. *Bitte* leg nicht auf...« Da war eine Lücke im Verkehr in südlicher Richtung. Und aus unerfindlichen Gründen kam ich gar nicht auf den Gedanken, nach dem aus der anderen Richtung zu sehen. Ich lief einfach los. Zum Meer, zu Hannah.

Ich hörte nichts. Ich sah nichts. Nicht den tödlichen Riesentruck, der mit hoher Geschwindigkeit direkt auf mich zukam. Nicht die kreischenden Bremsen, nicht die panischen Schreie von der Restaurantterrasse. Nicht meine eigene Stimme, die in einem tierischen Schrei aus meiner Lunge gepresst wurde und dann abrupt verstummte. Wie ein Rettungswagen, der das Martinshorn abschaltet, weil alles zu spät ist. Und auch nicht das Wimmern aus Jennis Mund, die sich rempelnd und schubsend aus dem Restaurant drängelte.

Ich hörte nichts.

3. Teil

Vierzigstes Kapitel

EDDIE

Hallo du,

es ist 3.37 Uhr, beinahe acht Stunden, nachdem ich in Heathrow gelandet bin.

Natürlich hat niemand auf mich gewartet, denn die Einzige, die wusste, dass ich heute nach Hause komme, war Mum. Ich habe versucht, so zu tun, als würde es mir nichts ausmachen, als ich in der Ankunftshalle vor einem Meer aus Willkommensschildern stand, von denen keins meinen Namen trug. Ich habe ein bisschen Bowie gepfiffen.

Auf dem Weg zum Parkhaus für Langzeitparker habe ich Mum angerufen. Aus unerfindlichen Gründen scheint es ihr diesmal mehr zugesetzt zu haben als sonst, dass ich eine Weile weg war. Vielleicht lag es an der Entfernung. Es ist ja nicht das erste Mal, dass ich für zwei Wochen verreist bin. Jedenfalls erzählte sie mir, sie habe die ganze Nacht kein Auge zugetan aus Angst, mein Flugzeug könne abstür-

zen. »Es war furchtbar«, sagte sie mir. »Ich bin so müde, ich bringe kaum ein Wort heraus.« Allerdings muss sie sich dann blitzartig erholt haben, denn gleich darauf hat sie mir geschlagene zehn Minuten lang in aller Ausführlichkeit aufgezählt, was ihre Schwester in meiner Abwesenheit alles nicht gemacht hat. »Sie hat die Wertstoffe nicht zum Container gebracht. Die stehen immer noch vorne am Tor! Ich mag gar nicht mehr aus dem Fenster schauen. Eddie, meinst du, du könntest auf dem Nachhauseweg kurz vorbeikommen?«

Arme Tante Margaret.

Mum hätte beinahe eine Panikattacke bekommen, als Margaret versuchte, sie zu einem Termin bei ihrem Psychologen zu bringen, also muss ich wohl nächste Woche mit ihr hingehen. Sie meinte, es sei ihr einfach alles zu viel: Autos und Krankenhäuser und Menschen. Das ganze Gespräch war gespickt mit schweren Schuldgefühlen. Ich, weil ich einfach abgehauen bin – obwohl Mum mir immer ausdrücklich sagt, ich solle mein eigenes Leben leben –, und sie, weil sie genau weiß, was passiert, wenn ich es tatsächlich tue.

Ich habe den Land Rover aus dem Parkhaus geholt und bin den M4 runtergefahren. Zurück nach Gloucestershire, nach Sapperton, in dieses Leben. Eine Weile habe ich Radio gehört, weil es mich davon abhielt, an Sarah zu denken. Bei Membury Services bin ich abgefahren und habe mir ein Käsesandwich geholt.

Dann bin ich die Cirencester Road hinuntergefahren,

und da ist was Komisches passiert: Ich habe vor der Ausfahrt nicht gebremst, um nach Sapperton abzubiegen. Habe nicht mal geblinkt. Sondern bin einfach weitergefahren. Bis zur Abfahrt nach Frampton. Aber auch da bin ich nicht raus. Ich bin immer weiter geradeaus gefahren. Bis nach Minchinhampton Common. Dort habe ich am Wasserspeicher geparkt und mir ein Eis geholt und bin bis nach Amberly spaziert und schließlich im Black Horse gelandet. Habe ein Orangen-Henry getrunken und dann zwei Stunden dagesessen und einfach nur über das Woodchester Valley hinausgestarrt.

Ich bin mir nicht sicher, was in meinem Kopf vor sich ging. Alles war seltsam entrückt, als schaute ich ein Überwachungsvideo von mir selbst an. Ich wusste nur, ich konnte nicht zu Mum.

Da hatte sie bereits mehrfach geschrieben und angerufen, weil sie sich sorgte, ich hätte einen Unfall gehabt. Ich sagte ihr also, es sei alles bestens, ich sei nur aufgehalten worden und habe noch etwas erledigen müssen. Aber eigentlich mehr, weil ich selbst nicht wusste, was ich hier machte. Nicht, weil ich irgendwas vor ihr zu verbergen hatte. Gegen vier war ich wieder an Tom Long's Post, und da fing ich an, mir ernsthaft Sorgen zu machen. Denn statt in Richtung Sapperton zu fahren, ertappte ich mich dabei, wie ich links nach Stroud abbog.

Ich trank im Golden Fleece ein Pint und schaute dann bei Alan und seiner Frau Gia vorbei. Sie waren toll. So nett und verständnisvoll. Sie machten Lily gerade einen kleinen Snack, den sie mit mir teilte, und sagten, es sei die richtige Entscheidung gewesen, Sarah endgültig Lebewohl zu sagen. Sie hatten keine Ahnung, dass ich mich bei ihnen vor meiner eigenen Mutter versteckte.

Lily wollte nicht ins Bett. Sie saß auf meinem Schoß und malte Meerjungfrauen. Seit ich Sarah kenne, schnürt es mir oft die Luft ab, mit Lily zusammen zu sein. Eine tiefe Traurigkeit mischt sich unter die Liebe und Zuneigung, die ich für die kleine Tochter meines besten Freundes empfinde. Sarah muss wohl irgendwo in mir ein Siegel gebrochen haben. Nach Jahren, in denen ich die Vorstellung weit von mir geschoben habe, kann ich mir plötzlich vorstellen, ein eigenes Kind zu haben. Lily malte eine Kuli-Meerjungfrau, und es war, als öffnete sich in mir ein abgrundtiefer Graben, wie ein Spalt im Meeresboden.

Ich schrieb Mum, es sei was dazwischengekommen und ich würde heute bei Alan übernachten, weil ich es nicht mehr nach Hause schaffte. Ich komme gleich morgen früh vorbei, versprach ich ihr. Worüber sie zwar nicht sonderlich erfreut war, aber sie nahm es hin. Außerdem kam es wirklich selten vor, dass ich sie versetzte.

Erleichterung und Verzweiflung, als ich endlich meine Haustür aufschloss. Ich liebe diese Scheune mehr, als ich mir je erträumt hätte, ein Ding aus Backstein und Mörtel lieben zu können. Aber sie ist auch eine düstere Erinnerung an unumstößliche unschöne Tatsachen in meinem Leben. Außenstehenden scheint meine Scheune zuzurufen: Das gute Leben! Ein Glas eisgekühlter Picpoul bei Sonnenuntergang drüben unter den uralten Bäumen! Abendessen aus selbst angebautem Biogemüse, während im Ofen der Vogel schmort! Kristallklares Cotswolds-Wasser, frisch aus der Erde gezapft!

Sie ahnen nicht, wie gefangen ich bin. Selbst wenn ich ihnen erzählen würde, wie es mit Mum ist, sie würden es mir nicht glauben.

Später räumte ich die Werkstatt ein bisschen auf und schrieb auf das Whiteboard eine Liste all der Dinge, die ich morgen zu erledigen hatte. Abendessen machte ich mir keins. Als ich in die Küche kam, bestürmten mich die Erinnerungen an Sarah von allen Seiten: wie wir hier gekocht und geredet und gelacht und unsere Gedanken wild in die Zukunft hatten galoppieren lassen. Da konnte ich mich einfach nicht an den Herd stellen und in dieser Stille etwas nur für mich allein kochen. Also aß ich ein Fertigcurry und ging dann ins Bett. Sarah gehen zu lassen war die richtige Entscheidung, sagte ich mir beim Zähneputzen. Im Spiegel fiel mir auf, dass ich ein bisschen Sonne abbekommen hatte.

Dann legte ich mich unter mein Dachfenster, während oben die Sterne langsam über den Nachthimmel zogen, und beglückwünschte mich zu meiner Tapferkeit, meiner Entschlossenheit, meiner Willensstärke. Gut gemacht, mein Lieber. Leicht war es nicht. Aber du hast getan, was getan werden musste.

Bloß, je länger ich auf den Schlaf wartete, desto weniger glaubte ich mir.

Nach einer Weile stand ich auf, um ein bisschen fern-zusehen. Mich abzulenken. Aber da kam nur ein Bericht in den Nachrichten über eine schreckliche Massenkaram-bolage auf dem M25 mit mehreren Toten und Schwerver-letzten, und ehe ich michs versah, war da diese Stimme in meinem Kopf, die mich fragte, was wäre, wenn Sarah tot wäre. (Toll. Wirklich eine große Hilfe.) Was, wenn du einen Anruf bekämst, sie hätte einen schweren Autounfall gehabt? Sei in eine Bandenschießerei geraten? Von einem LKW überfahren worden? Wärst du dann immer noch überzeugt, dass es die richtige Entscheidung war?

Rasch schaltete ich den Fernseher aus und ging wieder ins Bett. Aber der Gedanke hatte sich längst in meinem Gehirn festgesetzt. Wie ein rostiger Haken zog und zerrte er an meinem Bewusstsein. Wenn Sarah tot wäre, wärst du dann immer noch überzeugt, dass es die richtige Ent-scheidung war?

Und genau da liegt das Problem, Alex, denn – wenn ich ganz ehrlich zu mir bin – ich wäre es nicht. Wenn Sarah tot wäre, würde ich das für den Rest meines Lebens bereuen.

Ich hatte ein gutes Leben in den letzten zwanzig Jah-ren. Habe mich herausgearbeitet aus meiner abgrund-tiefen Trauer. Mich in ein neues Leben gewagt. Aber ich habe zugelassen, dass Mum wichtiger war als ich, immer und jederzeit. Weil ich das Gefühl hatte, mir bliebe keine andere Wahl. Welcher anständige Mensch wäre nicht für seine Mutter da, wenn sie Hilfe braucht? Aber als ich mich umgedreht und Sarah am Strand stehen gelassen habe, da hat sich etwas verändert. Mich für Mum zu entscheiden fühlte sich nicht richtig an. Tut es immer noch nicht.

Es ist 3.58 Uhr. Und ich bete um Schlaf.

Ich x

Einundvierzigstes Kapitel

»Der Mann da. Der starrt mich ständig an.«

Ich sehe Mum an, wie sie tief in den Sitz gedrückt dasitzt und den Hals vorschiebt wie eine Schildkröte. Dann schaue ich rüber zu dem Mann. Armes Schwein. Unglaublich fett schwabbelt er gleich über drei Sitze und trinkt Cola light aus einer Zwei-Liter-Flasche. Über seinem Kopf brummt eine blaugrün schimmernde Schmeißfliege wieder und wieder gegen das Fenster, wie ein Kind, das ständig denselben Witz erzählt, weil vor einer halben Stunde mal jemand darüber gelacht hat.

Ich beobachte den Mann eine ganze Weile, aber er würdigt Mum keines Blickes. Er ist in eine NHS-Broschüre mit dem Titel »Wir müssen reden« vertieft.

»Er starrt dich nicht an«, wispere ich. »Aber wir können uns da drüben hinsetzen, wenn dir das lieber ist.«

Ich weise auf eine Reihe grüner Sitzschalen, die von dem vollkommen unschuldigen Mann wegzeigen, weiß aber jetzt schon, dass sie nicht darauf eingehen wird. Am Ende der Reihe sitzt eine Mutter mit ihrem schlafenden Baby im Buggy, und Mum kann einfach keine Kinder um sich haben. Letzten Monat hat sie sich bei ihrem Hausarzt auf der Toilette verbarrikadiert, nachdem ein Kleinkind ihr im Wartezimmer seinen Duplo-Klotz angeboten hatte.

»Ich glaube, ich bleibe lieber hier«, erklärt sie nach reichlicher Überlegung. »Entschuldige, Eddie, ich möchte dir keine Umstände machen, aber würdest du ihn bitte im Auge behalten?«

Ich nicke und schließe die Augen. Es ist zu warm hier drin. Und das hat nichts damit zu tun, dass draußen die Sonne scheint. Es ist diese wabbelige Wartezimmerwärme, befeuert von hastigem Atem und unbeweglichen Körpern.

»Fehlt dir der Strand?«, fragt Mum. Den Tonfall schlägt sie immer an, wenn sie fürchtet, mich verärgert zu haben. Unbeschwerter als sonst, leicht überdreht vor gespielter Fröhlichkeit. »Santa Monica?«

»Ha! Nein, eigentlich nicht. Habe ich dir davon erzählt?«

Sie nickt, und ihr Blick huscht zum Cola-light-Mann, um dann zu meinem Gesicht zurückzukehren. »Klang traumhaft«, säuselt sie, und ich frage mich, welche verworrene Lügengeschichte ich ihr jetlagmüde über meinen Tag am Meer aufgetischt habe. Ich kann es nicht ausstehen, sie anlügen zu müssen. Es ist schwer, nicht früher oder später ihre Sichtweise zu übernehmen, dass das Leben sie betrogen hat. Weshalb es besonders übel ist, wenn ich das auch tue. Selbst wenn es nur zu ihrem eigenen Besten ist.

Mum wendet sich ab, und ich muss wieder an die Beerdigungsprozession denken, die ich vorhin gesehen habe, als wir an der Dorfwiese vorbei in Richtung Frampton Mansell fuhren. Der Leichenwagen war über und über mit Wildblumen geschmückt, die in üppig gebundenen Sträußen und dichten Büscheln über den Rand der Holzkiste quollen wie Blüten an einem Bachufer. Gefolgt wurde er von drei leeren schwarzen Limousinen. Muss jung gewesen sein, dachte ich. Im Alter hat man selten so viele Trauergäste. Ich frage mich, wen sie da wohl abgeholt haben. Welche gebrochene, verzweifelte Familie sich irgendwo in einem Haus ganz in der Nähe zusammengefunden hat, gerade die Kaffeetassen austrank, die unbequemen schwarzen Kleider richtete und sich wieder und wieder fragte: *Wieso gerade wir?*

Mit einem Seitenblick hatte ich Mum angesehen, als wir die Prozession passierten, und gehofft, das würde sie nicht aus der Fassung bringen.

Zu meinem Erstaunen sah ich, wie sie eine gehässige Fratze schnitt. »Sieht aus, als wollten sie nach Frampton Mansell«, stellte sie fest und klang dabei eigenartig schadenfroh. »Hoffen wir, dieses Mädchen ist gestorben. *Sarah.*« Und dann schaute sie mich an, als erwartete sie, dass ich ihr zustimme.

Mehrere Minuten brachte ich kein Wort heraus. Ich atmete nur flach durch den Mund – der Eddie-Alarm-

Reflex, der mir in den ersten Wochen nach Alex' Tod half zu überleben. Mir war schlecht. Körperlich übel. Als hätte sich ein Band um meine Brust gelegt. Mit allen mir verfügbaren Mitteln versuchte ich zu verdrängen, was sie gerade gesagt hatte. Aber es gelang mir nicht.

Kein Wunder, dass Sarah ans andere Ende der Welt geflüchtet ist, dachte ich schwach. Wie hätte sie hier weiterleben sollen?

Die Schmeißfliege gibt kurz Ruhe, und ich muss daran denken, wie schön Sarah die Vorstellung von Wildblumen auf einem Sarg gefunden hätte. In dicken Sträußen hatte sie die Blumen ins Haus geschleppt in der einen Woche, die wir miteinander verbracht hatten. Beinahe jeden Krug, den ich mein Eigen nenne, hatte sie damit gefüllt. »Gibt es irgendwas Schöneres?«, hatte sie mich gefragt und strahlend die Blütenpracht betrachtet.

Du, hatte ich gedacht. Du bist das Schönste, was je in dieses Haus gekommen ist.

Von meinem Kumpel Baz mal abgesehen, der im National History Unit in Bristol arbeitet, ist Sarah der einzige Mensch unter sechzig, den ich kenne, der sich so mit Tieren und der Natur auskennt. Ich weiß noch, wie ihre Stimme ganz kieksig wurde vor Aufregung, als ich die Vögel aus dem Collins-Gem-Buch abfragte. Kleiber! Schwarzkehlchen! Und dann dieses Lachen, so herrlich ungeniert und voller Leben.

Himmel, tut das weh. Ein Schmerz, wie ich ihn mir gar nicht hatte vorstellen können.

Ich drehe mich um und sehe Mum an, um mir selbst noch mal plastisch vor Augen zu führen, dass Sarah die allerletzte Frau auf dem Planeten ist, mit der ich eine Beziehung führen könnte. Das ist deine Mutter, sagte ich mir. Deine Mutter, die seit beinahe zwanzig Jahren in psychiatrischer Behandlung ist. Die Frau, die sich gar nicht mehr erinnern kann, wie sich das Leben anfühlt. Die den Rhythmus der Welt nicht mehr kennt, weil sie sich so isoliert hat. Die dich braucht.

Mum tut, als stütze sie den Kopf todmüde in die Hände, dabei versucht sie bloß, den Cola-light-Typen unauffällig durch die gespreizten Finger zu beobachten.

»Mum«, flüstere ich. »Es ist alles okay.«

Ich weiß nicht, ob sie mich überhaupt hört.

Als ich neulich Abend bei Alan war, meinte er, ich solle mich bei Tinder anmelden. Ich meinte, okay, weil er das hören wollte, und dann musste ich aufs Klo, fast wie um die Abscheu, die ich dabei empfand, wegzuspülen wie einen stinkenden Haufen. Tinder? Wieso sagt einem niemand, dass das Leben kompliziert bleibt, auch nachdem man das Richtige getan hat. Seit neun Tagen bin ich wieder zu Hause, und wenn überhaupt, dann fühle ich mich jetzt mieser als an dem Tag, als ich Sarah am Strand stehen gelassen habe.

Tinder! Ich meine, wirklich!

»Wo ist Arun?«, flüstert Mum. »Wir warten jetzt schon eine Ewigkeit.«

Ich schaue auf die Uhr. Wir warten seit genau zehn Minuten.

»Meinst du, er ist krank, Eddie?«, fragt sie mich. »Meinst du, er ist nicht da?« Bei dem Gedanken legt sich ein besorgter Schatten über ihr Gesicht.

»Nein.« Ich ziehe ihre Hand in meine Ellbogenbeuge. »Ich glaube, er ist einfach spät dran. Keine Sorge.«

Mums Psychologe, Arun, ist einer von nur zwei Nicht-Familienmitgliedern, mit denen sie reden kann, ohne dass es ihr gleich zu viel wird. Der andere ist Derek, unser Gemeindekrankenpfleger, der besser mit Mum zurechtkommt als jeder andere. Gelegentlich bekommt sie auch anderen Besuch – unsere Vikarin Frances schaut vorbei, wann immer sie es einrichten kann, weil Mum es inzwischen zu nervenaufreibend findet, mit »all diesen Leuten« den Gottesdienst zu besuchen. Und Hannah Harrington, Sarahs Schwester, hat sie tatsächlich lange Zeit regelmäßig besucht. Aber Mum hat sie seit Längerem nicht mehr erwähnt, weshalb ich mich frage, ob sie ihre Besuche vielleicht eingestellt hat. Aber weder Hannah noch die Vikarin bleiben lange. Nach spätestens einer halben Stunde springt Mum wieder auf die Füße und fängt an, alles wegzuräumen und nervös auf die Uhr zu schauen, als müsste sie zu einem wichtigen Termin.

Arun kommt einerseits so gut mit Mum zurecht,

weil er wirklich nett ist und ein hervorragender Therapeut, aber andererseits auch, weil sie, glaube ich, heimlich ein bisschen in ihn verschossen ist. Und natürlich ist er nicht einfach weg. Und krank ist er auch nicht. Dann hätte er ihren Termin abgesagt und uns vermutlich an seine Vertretung verwiesen. Aber sie hat sich das jetzt in den Kopf gesetzt, genau wie ich mir diesen vertrackten Gedanken an Sarah.

Was, wenn Sarah tot wäre? Wärst du dann immer noch überzeugt, dass es die richtige Entscheidung war? Die Frage begann alles zu durchdringen wie aufsteigender Dampf. Wo kam der bloß her? Warum ging er nicht mehr weg?

Sarah geht es bestens, sage ich mir streng. Bestimmt schläft sie gerade tausend Meilen entfernt im kleinen Bungalow ihrer Freundin. Atmet sanft ein und aus. Arme und Beine ausgestreckt wie ein Seestern, das Gesicht ganz entspannt.

Und dann ertappe ich mich dabei, wie ich mir vorstelle, neben ihr zu liegen und verschlafen den Arm um ihre Taille zu legen, und stehe auf. »Ich frage mal nach, wie lange es noch dauert«, sage ich meiner Mum.

Die Dame an der Anmeldung weiß, dass ich nicht meinetwegen nachfrage. *SUE*, steht auf ihrem Hausausweis. »Sie sind gleich dran«, sagt sie so laut, dass Mum es hört. Hinter ihr das Bild einer netten Familie. Ein sympathisch wirkender Mann, zwei Kinder, eins davon in einem Löwenkostüm. Ob Sue, wenn sie Familien wie meine sieht, denkt: Gott sei Dank ist das nicht meine! So ungefähr hat meine letzte Freundin Gemma es bei unserer Trennung formuliert. Nach drei Monaten hat sie mit mir Schluss gemacht. Sie kam nicht damit zurecht, dass ich mindestens einmal die Woche alles stehen und liegen lassen und mich um einen meine Mum betreffenden Notfall kümmern musste.

Das mit Gemma hatte mir eine Weile wirklich leidgetan – sie war die dritte Freundin in sechs Jahren, die Mums Bedürftigkeit an den Rand ihrer Möglichkeiten gebracht hat –, aber als wir uns vor ein paar Monaten zufällig in Bristol über den Weg liefen, hielt sie Händchen mit einem Kerl mit affigem Männerdutt, der sich Tay nannte und mir erklärte, er mache Straßenkunst. Und wie wir da so standen und Gemma und ich belanglose Nettigkeiten austauschten, ging mir auf, dass wir beide eigentlich nie so richtig verrückt nacheinander gewesen waren.

Verrückt nacheinander – so wie Sarah und ich. So musste es sich anfühlen. So gut musste es sein.

Als ich mich wieder hinsetze, prüft Mum gerade im Taschenspiegel den Sitz ihrer Haare. Ihre Frisur erinnert heute entfernt an einen Rugbyball. »Das ist ein Bienenkorb«, erklärt sie. »Den habe ich in den Sechzigern immer getragen.« Skeptisch linst sie in den Spiegel. »Meinst du, es ist zu übertrieben?«

»Nein, gar nicht, Mum. Steht dir hervorragend.«

Tatsächlich ist der Bienenkorb a) innen hohl und b)

windschief wie der Schiefe Turm von Pisa. Aber ich weiß, sie hat es nur für Arun gemacht.

Sie steckt den Spiegel weg und fummelt stattdessen an ihrem Handy herum. Nach einer Weile geht mir auf, dass sie nur so tut, als schriebe sie eine Nachricht, um heimlich Fotos von dem armen Kerl in der Ecke zu knipsen. Vermutlich als Beweismittel für den Fall, sollte er sie nachher brutal ermorden. Wenn Arun mit seinem gemeißelten Kashmiri-Gesicht und dem warmen Lächeln nicht bald rauskommt, wird das heute kein guter Tag. Und ich muss wirklich zurück an die Arbeit.

»Hallo Carole«, höre ich da plötzlich Dereks Stimme. Er trippelt herein – Derek macht immer ganz kleine Schritte –, gibt mir die Hand und setzt sich auf den freien Platz neben Mum. »Wie geht es Ihnen heute?« Er streckt die Beine von sich, und ich entspanne mich langsam, als sie ihm erzählt, sie habe schon bessere Tage gehabt, danke der Nachfrage.

»Sagenhafte Frisur haben Sie da heute«, sagt er zu ihr, als sie fertig ist.

»Finden Sie?« Sie lächelt.

»Absolut, Carole. Sagenhaft.«

Dem Himmel sei Dank für Derek! Jede Woche besucht er meine Mum, zuverlässig und beständig. Er ist wie ein Zauberer, denke ich manchmal – er sieht Dinge, die sonst keiner sieht. Er bringt sie zum Reden, wenn es sonst keiner kann. Und nie verliert er die Fassung, ganz gleich, wie schlecht ihre Stimmung auch ist.

»Hat deine Mutter eine genaue Diagnose bekommen?«, hatte Sarah eines Tages gefragt. Ich hatte gerade den Rasen auf der Lichtung gemäht, in der Hoffnung, sie mit dem Duft von frisch geschnittenem Gras nach England zurückzulocken. Als ich fertig war, hatten wir uns mit einem eiskalten Ingwerschnaps hingesetzt, und sie hatte glücklich die aromatische Luft geschnuppert. Und dann hatte sie mich einfach angesehen und sich nach Mum erkundigt – geradeaus, ohne um den heißen Brei herumzureden, und ich hatte sie dafür umso mehr gemocht.

Trotzdem hatte ich zuerst gar nicht antworten wollen. Ich wollte der Mann mit der Scheune in den Cotswolds sein, der Brot backen und Ingwerschnaps brauen konnte und ein verlockendes, unwiderstehliches einfaches Landleben führte. Nicht der Mann, der jeden Tag etliche Anrufe seiner depressiven Mutter entgegennehmen musste. Aber es war eine nachvollziehbare Frage, und sie verdiente eine nachvollziehbare Antwort.

Also wappnete ich mich dafür, die lange Liste verschiedenster Diagnosen herunterzurattern, die sie im Laufe der vergangenen Jahre erhalten hatte – chronische Depressionen, generalisierte Angststörung, Cluster-C-Persönlichkeitsstörung, die irgendwo zwischen ängstlich, abhängig und zwanghaft changierte –, aber als ich den Mund aufmachte, überkam mich plötzlich eine ungeheure Müdigkeit. Irgendwann hatte ich es aufgegeben, ihre Krankheit mit Etiketten versehen zu wollen. Etiketten bargen die trügerische Hoffnung auf Heilung oder zumindest Besserung, und Mum litt nun schon seit beinahe zwanzig Jahren unter dieser Krankheit.

»Sie hat es nicht leicht«, sagte ich schließlich nur. »Wenn meine Tante diese Woche nicht bei ihr wäre, hätte ich wohl öfter mal ans Telefon gehen müssen. Und zwischendurch auch hinfahren und nach ihr sehen.«

Jetzt wünschte ich, ich hätte ihr mehr über sie erzählt. Aber was hätte das schon gebracht, außer das Ende für unsere gemeinsame Zeit? Es hätte nur Minuten gedauert, bis wir darauf gekommen wären, wer wir waren. Und dann hätte ich nie erfahren, wie es war, sich so glücklich zu fühlen. So sicher.

»Mrs Wallace.« Ich schaue auf. Mums Hände flattern nervös zu dem Bienenkorb/Rugbyball auf ihrem Kopf. Und dann drückt sie sich, plötzlich schüchtern wie ein kleines Mädchen, an mich, als Derek und ich sie zu Arun und der geöffneten Tür bringen.

Zweiundvierzigstes Kapitel

Ein paar Stunden später bin ich endlich frei.

Allein spaziere ich durch einen Abend, der von sanftem Nieselregen weichgezeichnet wird, und summe irgendeine Melodie. Meistens laufe ich auf schmalen Fußpfaden, aber gelegentlich nehme ich auch einen Feldweg. Feuchte Erde, feuchter Asphalt, feuchtes Laub. Feuchter Eddie. Hin und wieder klatschen kleine Tröpfchen vom Rand meiner Kapuze.

Ich kicke einen Stein vor mir her und denke an die Sitzung mit Mum heute. Dereks letzten Berichten zufolge möchte Arun Mums Medikation etwas zurücknehmen. Ich halte das für eine gute Idee. Mir ist nicht entgangen, dass sie langsam in eine Paranoia abzugleiten droht – zuerst dachte ich, das sei bloß eine temporäre Überreaktion auf meine Abwesenheit, aber Derek meinte, er hätte bereits vor meiner Abreise frühe Warnzeichen ausgemacht.

Schon vor Jahren habe ich lernen müssen, dass es keine Wunder gibt. Weshalb ich auch keine bahnbrechenden Veränderungen erwarte. Aber mit etwas Glück

wird Aruns neuer Medikamentencocktail die Abwärtsspirale aufhalten und die drohende Krise abwenden.
Und damit wäre ich schon mehr als zufrieden. Aber
ganz gleich, wie großartig die Therapeuten auch sind,
wie fortschrittlich die Forschung, wie effektiv die Behandlung: Sie können Mum kein neues Hirn transplan-
tieren.

Das Beste ist, dass sie nach der Sitzung relativ guter
Dinge war. So gut sogar, dass ich sie überreden konnte,
mit mir nach Cheltenham in ein kleines Café zu Tee
und Kuchen zu fahren. Sie aß ein großes Stück Hafer-
kuchen und verdächtigte nur einen Mann, ein Mord-
komplott gegen sie zu schmieden. Und sie schaffte es
sogar, über sich selbst zu lachen.

Als ich sie dann auf dem Weg in die Werkstatt zu
Hause absetzte, sagte sie, ich sei der beste und bestaus-
sehendste Mann auf der ganzen Welt und sie sei so stolz
auf mich, dass sie es gar nicht in Worte fassen könne.

Das war wirklich sehr nett.

Später rief Derek mich an. »Wie geht es dir?«, fragte
er.

Ich sagte ihm: »Gut.«

»Sicher?«

Er meinte, ich hätte erschöpft ausgesehen. »Denk
dran, ich bin immer für dich da, Eddie, wenn's dir mal
nicht gutgeht.«

Eine halbe Stunde später bin ich in Bisley, und der

Himmel öffnet seine Schleusen. »Herrlich«, sage ich zu einer Krähe auf einem Zaunpfosten. Sie flattert auf und davon, vermutlich irgendwohin, wo es schöner ist, und ich bin glatt ein bisschen neidisch. Ich bin nicht frei, und ich kann Sarah nicht haben. Und nichts, was Derek für mich tun kann – keine Strippen, die er irgendwo ziehen könnte –, wird daran irgendwas ändern.

»Also gut, Ed«, brummt Alan ein paar Minuten später. Er macht das ernsteste Gesicht, das er hinbekommt. Also eigentlich so gar nicht ernst. »Das wird leider nicht reichen.« Alan ist einer der mitfühlendsten, warmherzigsten Menschen, die ich kenne. Heute Abend riecht er etwas säuerlich und vage nach Erdbeeren, und sein Pullover hat überall zartrosa Flecken. Lily hatte wohl einen kleinen Tobsuchtsanfall in Kooperation mit einem Erdbeerjoghurt, als er ihr sagte, er könne ihr heute Abend leider keine Gutenachtgeschichte vorlesen.

Ich grinse ihn an, obwohl ich mich nicht daran erinnern kann, wann mir das letzte Mal so wenig zum Lachen zumute war. »Ich weiß. Lass mir nur noch eine Woche oder zwei, um über die Sache mit…«

Ich kann nicht mal ihren Namen aussprechen.

»…mit… ihr… hinwegzukommen.«

Ihr?

Alan ist so nett, mich nicht auszulachen. Ich bin in den Pub bestellt worden, um meinen in nicht mal vier Wochen anstehenden vierzigsten Geburtstag zu besprechen. Bisher habe ich rein gar nichts organisiert, und Alan meint, er sei »besorgt«. *Ich glaube, ich muss mal nach dem Rechten sehen*, schrieb er mir gestern. *Ein paar Ideen ausbrüten & mich vergewissern, dass du dir keinen Bart wachsen lässt.*

Für diese Intervention hat er sich für das Bear in Bisley entschieden. Ein wirklich gemütlicher alter Pub, der uns beide an die gute alte Zeit erinnert, als wir noch jung und schön waren. Praktisch gelegen ist er für uns beide nicht. Wir werden uns nachher ein Taxi teilen müssen, und dann muss Alan morgen irgendwann sein Auto abholen. Aber er und Gia ziehen bald hierher, und da wollte er wohl das Bierangebot in der Gegend schon mal checken. Und ich konnte nach einem Tag Krankenhaus und Küchenbau einen ausgedehnten Spaziergang gut gebrauchen.

Hannah Harrington wohnt nur ein paar Häuser weiter. Vor einigen Jahren sind wir uns mal zufällig in Stroud über den Weg gelaufen, ausgerechnet in einem Bioladen. Ich habe gerade was ziemlich Ungesundes gekauft, Bananenchips oder so was, während sie den Arm voller Getreideflocken und allem möglichen anderen Krimskrams hatte, ohne den die wohlhabende Mittelklasse heutzutage anscheinend nicht mehr leben kann. Es war vielleicht das vierte oder fünfte Mal, dass wir uns begegnet sind, seit Alex gestorben ist, und wie jedes Mal war ich fassungslos angesichts der frappierenden Ähnlichkeit zwischen dem zwölfjährigen Mädchen und der erwachsenen Frau.

Ich fragte mich, wie sehr meine Schwester sich wohl verändert hätte, wenn sie noch am Leben wäre.

Hannah erzählte mir damals, sie und ihr Mann hätten gerade ein Haus in Bisley gekauft. Wir redeten über Immobilienpreise und Renovierungsarbeiten, und dann ging jeder seiner Wege. Ich wünschte, sie hätte mir von Sarahs Umzug nach Amerika erzählt. Ich wünschte, sie hätte gesagt: »Hey, erinnerst du dich noch an meine böse große Schwester? Die hat sich über den großen Teich abgesetzt, vor Jahren schon, also brauchen Carole und du euch keine Sorgen zu machen, ihr je wieder über den Weg zu laufen!«

Alan stellt mir ein Pint vor die Nase und setzt sich.

»Denkst du an sie?«, fragt er.

»Ja. Du musst dafür sorgen, dass das aufhört.«

Er verpasst mir einen Karate-Handkantenschlag auf den Unterarm und sagt: »Hör auf damit, Ed. Sofort.«

Dann guckt er mich an, und ich sehe in seinen Augen die makabre Faszination des Langzeitverheirateten aufblitzen. »Woran hast du gerade gedacht? War sie nackt?«

Ich muss grinsen. »Nein.«

»Was denn dann?«

»Nur, dass das alles vermeidbar gewesen wäre und all so was. Dass ich bestimmt gleich draufgekommen wäre, wenn ich gewusst hätte, dass sie nach Amerika gezogen ist.«

Alan wirkt nachdenklich. Er trinkt einen großen Schluck von seinem Pint, und ich sehe, dass die Joghurtflecken sich bis über die Shorts ziehen. Sogar zwischen den Haaren an seinen nackten Beinen hat er rosarote Spritzer.

»Selbst wenn du draufgekommen wärst, hätte dich das womöglich nicht aufgehalten«, meinte er. »Du hast doch selbst gesagt, du hast dich Hals über Kopf in sie verknallt.«

Ich muss an die ersten Augenblicke mit Sarah denken. Wie schlagfertig und witzig sie war, und wie hübsch. Wie ich den Witz mit dem Schaf viel zu breit ausgewalzt hatte, weil ich unbedingt wollte, dass sie bleibt.

»Aber ich habe mich doch selbst aufgehalten. Sobald ich wusste, wer sie ist. Und da war eigentlich alles längst zu spät. Hör zu, du Pfosten, ich habe dir gesagt, du sollst dafür sorgen, dass ich nicht mehr an sie denke.«

Er gluckst. »Ach ja. Sorry.«

Alan ist so, wie die Leute glauben, dass ich bin. Unverstellt, unerschütterlich. Jemand, der immer lachen kann, selbst wenn er gerade den Zug verpasst (was ihm mit schönster Regelmäßigkeit passiert) oder sein Portemonnaie verloren hat (dito). Wir freundeten uns an dem Tag miteinander an, als ich ihn dabei beobachtete, wie er während der Willkommensrede zum Schulbeginn in der Mittelschule explorativ den Zeigefinger in die Nase steckte, und er, statt rot zu werden, mich bloß ungeniert angrinste und unbeeindruckt weitermachte.

Später hat er mich zu einer Runde »Zehn wenden« herausgefordert und die daraus resultierende vernichtende Niederlage wie ein Mann getragen.

Ob wir beste Freunde waren, darüber verloren wir kein Wort. Wir waren viel zu beschäftigt damit, Fußbälle herumzukicken und alle Mädchen wie Luft zu behandeln. Aber natürlich waren wir es. Kumpels, Kameraden, Komplizen, die immer wieder Ärger bekamen. Einmal wurden wir sogar vom Unterricht ausgeschlossen, weil wir eine kotzeähnliche Substanz zusammengebraut und aus den Klofenstern geschüttet hatten, unter denen die unkonventionellen Lehrer rauchten. Die mit den Lederjacken und den zu langen Haaren. Ich dachte, Mum würde mich umbringen, aber als wir zu ihr ins Auto stiegen, fing sie an zu lachen. Damals hat sie oft gelacht. »Typisch Jungs«, meinte sie nur.

Beinahe dreißig Jahre später haben Alan und ich uns dem Anschein nach kaum verändert.

Aber ich bin nicht mehr wie Alan. Dieser jungenhafte, unbeschwerte Eddie ging unweigerlich, endgültig verloren, als ich Mum bewusstlos in einer Pfütze aus Erbrochenem entdeckte, umringt von umgeworfenen Pillenfläschchen. Und wenn nicht da, dann wurde er beim zweiten Mal ausgelöscht oder beim dritten, als ich sie mit frisch aufgeschnittenen Pulsadern fand, die lange rote Fäden in die Badewanne bluteten. Und wenn diese drei Versuche nicht ausgereicht hatten, der vierte hätte es ganz sicher geschafft. Jahre nachdem sie aus der Psychiatrie entlassen worden war, lange nachdem ich die Schnauze endgültig voll gehabt hatte von Krankenwagenfahrten und dem Psychiatriegesetz und endlos langen Nächten, in denen ich in Wartezimmern vor Getränkeautomaten stand und in den Hosentaschen nach Kleingeld kramte.

Verstehen Sie mich nicht falsch. Die vergangenen zwanzig Jahre waren kein einziger Albtraum, ganz und gar nicht. Ich habe viele Freunde, ein reges Sozialleben (für einen scheunenbewohnenden Eremiten), und ich hatte sogar hin und wieder eine feste Freundin. Ich habe einen Beruf, den ich liebe, wohne in einem märchenhaften Haus mitten in einem märchenhaften Wald, und wenn ich mal wegmuss, habe ich eine engelsgeduldige Tante, die gerne kommt und sich um meine Mum kümmert.

Aber dann habe ich Sarah kennengelernt, und sie hat mich daran erinnert, wie das Leben sich eigentlich anfühlen sollte. Die Leichtigkeit, die Unbeschwertheit, das Lachen. Leben in Dur.

Oft habe ich mich gefragt, ob ich ihr in dieser einen Woche eine geschönte Version meiner selbst gezeigt habe. Einen fröhlicheren, glücklicheren, freieren Eddie? Aber das glaube ich nicht. Ich glaube, sie hat nur einen Eddie zu sehen bekommen, den ich lange Zeit vergessen hatte. Einen Eddie, dem nur sie wieder Leben einhauchen konnte.

»Das ist echt nicht leicht, Ed«, meint Alan seufzend und beugt sich dann vornüber, um sich einen Joghurtspritzer vom Bein zu kratzen. »Tut mir leid.«

Sehr bestimmt sage ich ihm, dass ich schon drüber hinwegkommen werde.

Ich trinke einen großen Schluck Bier und lehne mich zurück, um über Lilys Probleme in der Grundschule zu diskutieren oder die verstörende Nachricht, dass unser gemeinsamer Freund Tim von seiner hochschwangeren Frau betrogen wurde.

Aber Alan ist noch nicht fertig mit mir. »Ganz sicher?«, fragt er. »Entschuldige, Ed, wenn ich das sage, aber es wirkt nicht gerade, als würdest du darüber hinwegkommen. Du siehst grauenhaft aus.«

Damit erwischt er mich eiskalt. »Ja, ganz sicher«, sage ich. Aber es klingt mehr wie eine Frage als eine Feststellung. »Aber so oder so, was bleibt mir denn anderes übrig? Würden Sarah und ich zusammenkommen, würde Mum das nicht überleben. Und das meine ich wortwörtlich.«

Alan zieht den Kopf ein. »Ich weiß. Ich sage auch gar nichts. Aber das war nicht meine Frage. Ich wollte wissen, ob du dir sicher bist, dass du darüber hinwegkommst.«

Dann schaut er mir tief in die Augen, und da spüre ich es. Direkt unter der Haut. Jahre um Jahre angestauter Emotionen, die nun mit aller Macht nach draußen drängen, zurückgehalten nur von einer dünnen Gewebeschicht.

»Nein«, sage ich nach kurzem Schweigen. »Bin ich nicht.«

Er nickt. Er weiß es.

»Ich stehe am Abgrund. Am Abgrund, gottverdammt noch mal, und ich weiß nicht mehr, was ich noch machen soll.« Ich drehe mein Pint im Kreis, wieder und wieder, und muss gegen die Hitze ankämpfen, die mir in die Augen steigt. »Ich kann nicht schlafen. Kann mich nicht konzentrieren. Kann an nichts anderes mehr denken als an Sarah. Ich bin… na ja, völlig verzweifelt, weil ich weiß, dass ich jede Hoffnung auf irgendwas zwischen uns im Keim erstickt habe. Und immer wieder ertappe ich mich dabei, wie ich denke: *Ich kann das nicht mehr.* Aber es geht nicht, Alan, denn was zum Teufel soll sie machen, wenn ich einfach austicke und abhaue? Ich… Scheiße.«

»Scheiße«, pflichtet Alan mir leise bei.

Ich traue mich nicht, noch was hinzuzufügen, aus Angst, dass mir die Stimme versagt.

Alan nippt an seinem Pint. »Ich habe mich schon oft gefragt, ob du vielleicht ein bisschen mehr Hilfe mit deiner Mum brauchst, Ed. Gia hat neulich von einer Freundin erzählt, die seit fünfzehn Jahren ihren Ehemann pflegt. Schlimme Geschichte, er hatte einen Fahrradunfall und ist seitdem komplett gelähmt… Wie dem auch sei, die Frau ist letzten Monat zusammengeklappt. Konnte einfach nicht mehr. Hat es nicht mehr ausgehalten. Und das hat nichts damit zu tun, dass sie ihn nicht mehr liebt. Sie liebt ihn aus ganzem Herzen.«

Er unterbricht sich, trinkt noch einen Schluck. »Da musste ich an dich denken, Kumpel. Ich meine, das muss dir doch auf die Dauer auch an die Substanz gehen.«

Ich schnaube vage, weil ich dieses Gespräch gerade gar nicht führen will. Gemma war die Letzte, die dieses Thema angesprochen hat – die versucht hat, mir zu sagen, dass ich irgendwann vor die Wand fahre, wenn ich mir nicht ein paar mehr Freiräume schaffe. Was ich als Kritik an meiner Mutter empfunden hatte, was dann zu einem handfesten Streit führte. Aber eigentlich wusste ich, dass sie vermutlich recht hatte.

»Aber niemand kann mich ersetzen. Niemand kann tun, was ich für sie tue«, wende ich ein. »Sie braucht ja niemanden, der sie wäscht oder für sie kocht – sie braucht einfach nur einen Menschen, dem sie vertraut, am anderen Ende der Leitung oder der vorbeikommt, wenn ihr alles zu viel wird. Ich fahre mit ihr zum Einkaufen, ich kümmere mich darum, dass alles erledigt wird, ich rede mit ihr. Ich bin ihr Vertrauter. Nicht ihr Krankenpfleger.«

Alan nickt, aber ich weiß nicht, ob er das auch so sieht. »Denk mal drüber nach«, meint er. »Aber was Sarah angeht… Das war die richtige Entscheidung, Ed. Die einzig richtige Entscheidung.«

»Mmmm.«

»Denk an Romeo und Julia. Oder Tony und Maria.«

Sonst heitert Alans große Liebe zum Musical mich immer auf, aber heute Abend bin ich nicht in der Stimmung für die *Westside Story*.

»Sie wussten, dass es falsch war, zusammenzukommen«, legt er beharrlich nach. »Aber sie haben es trotzdem riskiert, und am Ende waren beide tot. Da war deine Entscheidung wesentlich klüger. Du hast der Versuchung widerstanden. Das braucht Mut und Tapferkeit.«

»Tja, gut zu wissen, Alan. Besten Dank. Das Problem bei der Sache ist bloß, dass ich aufhören muss, sie zu lieben, und keine Ahnung habe, wie ich das anstellen soll.«

Alan wirkt nachdenklich. »Ich habe mich schon oft gefragt, wie es gehen soll, sich wieder zu entlieben«, meint er. »Wie stellt man das bitte an? Warum hat Haynes noch kein Handbuch dazu rausgebracht?« Seine Heuhaufenhaare stehen wild in alle Richtungen vom Kopf ab, während er über diese knifflige Frage nachdenkt. Alan musste sich noch nie entlieben. Er und Gia sind seit neun Jahren verheiratet und seit neunzehn Jahren zusammen. Vor ihr gab es nur Shelley, der Alan das Herz gebrochen hat, und eine Handvoll Mädels in der Schule, vor denen er hauptsächlich seine permanente Teenager-Erektion zu verbergen versuchte.

Ja, wie entliebte man sich eigentlich? Die Liebe, die ich für Sarah empfand, war nicht bloß eine andere

Variante dessen, was schon vorher in mir gelebt hatte. Es war etwas ganz Neues. Etwas, das ich gepflanzt hatte. Es kodierte Gesten, Augenblicke, Beobachtungen, Gedanken. Es kodierte *sie*. Als wir uns voneinander verabschiedeten, war es genauso greifbar wie sie selbst. Tausende DNA-Stränge, wie ein dicht gewebter Stoff.

Wie soll ich das einfach abstellen? Selbst wenn das Gewebe mit der Zeit fadenscheinig würde, kursierten immer noch unzählige Kodeketten überall in meinem Organismus. Ihr unerwartetes erdiges Lachen, ihr fächeriges Haar auf dem Kissen. Das blökende Schafsmähen. Maus zwischen ihren schlanken Fingern.

»Ich habe keine Ahnung, wie man aufhört, jemanden zu lieben«, sage ich schließlich. Alan beobachtet mich ganz genau. »Ich nehme an, einfach abwarten und Tee trinken, bis… Ich weiß es nicht. Die Intensität langsam nachlässt? Da komme ich mir ja vor wie ein Schnellkochtopf.«

»Vielleicht schreiben deshalb so viele Dichter über gebrochene Herzen. Weil das hilft, Dampf abzulassen. Wie ein Aderlass. Schnelle Entladung überwältigender Gefühle.«

»Genau«, meine ich seufzend. »Schnelle Entladung klingt gut. Erleichterung.«

Und dann Schweigen und ein Grunzen, und dann prusten wir beide vor Lachen. »Wenn du mal eben kurz nach Hause willst, um dich schnell zu erleichtern, tu dir keinen Zwang an«, grölt Alan.

Er steht auf und geht zur Theke. Mein Blick fällt auf seine Knöchel. Er ist eigentlich recht stämmig, aber seine Fesseln sind so schmal, dass man sie mit einer Hand umfassen kann. Er kann es auf den Tod nicht ausstehen, wenn ich das mache.

Der Weinkühlschrank brummt. Irgendwo in einer Küche schabt jemand Teller sauber.

Ich schaue auf die Uhr. 20.40 Uhr. Ich frage mich, was Sarah wohl zum Lunch isst, und kann den Gedanken daran kaum ertragen.

Alan kommt mit unseren Pints zurück an den Tisch und reibt sich voller Vorfreude die Hände. Er hat uns Steaks bestellt. Und ich wünsche mir so sehr, ich könnte mich einfach mitfreuen. Ich wünschte, ich wäre Alan Glover, leicht nach Joghurt riechend, mit beiden Beinen im Leben stehend, verantwortlich allein für das Wohlergehen seiner entzückenden kleinen Tochter.

»Ich muss mal aufs Klo«, sage ich zu ihm.

Auf dem Weg zurück fällt mir ein Pärchen auf, das sich an einen Tisch in der Ecke gesetzt hat. Beide tragen Schwarz, und man sieht auf den ersten Blick, dass irgendwas nicht stimmt. Sie reden nicht miteinander, aber die Frau klammert sich an den Mann, als umtose sie ein Wirbelsturm.

Dann sehe ich, dass die Frau weint. Und mir geht auf, dass ich sie kenne. Ich gehe ein bisschen langsamer, schaue etwas genauer hin, aber es dauert einen Augenblick, bis mir aufgeht, dass es Hannah Harrington ist. Sarahs kleine Schwester. Nicht mal zwei Meter entfernt sitzt sie und drückt sich fest an diesen Mann, der sicher ihr Ehemann ist. Ihr Gesicht ist rot und verquollen vor Trauer, und trotzdem sehe ich *sie*. Sarah. Genau wie sie am Strand ausgesehen hat – wie betäubt, todtraurig, starr und stumm.

Hannah sieht mich nicht, und ich gehe schnell zurück an unseren Tisch. Ich erzähle Alan von dem Leichenzug, der allem Anschein nach zu Sarahs Heimatort unterwegs war. Und weil sich mir gerade der Magen umdreht, platze ich heraus, dass es jemand gewesen sein muss, der Sarahs Familie sehr nahestand. »Vielleicht ist Sarah ja zur Beerdigung gekommen.« Meine Stimme kippt verdächtig in Richtung Wahnsinn. »Womöglich ist sie nur ein paar Meilen entfernt, Alan!«

Alan wirkt alarmiert. »Komm bloß nicht auf die Idee, sie zu suchen«, sagt er schließlich streng.

Kurz darauf werden die Steaks serviert. Am Ende isst Alan meins mit.

Als ich später noch mal aufstehe, um eine neue Runde zu holen, sind Hannah und ihr Mann gegangen. Ich kann einfach nicht aufhören zu grübeln, wer da gestorben sein könnte. Einen grässlichen Augenblick lang kommt mir gar der Gedanke, es könnte Sarah selbst gewesen sein.

Was natürlich völliger Blödsinn ist. Und doch geht

mir das den ganzen Abend nicht mehr aus dem Kopf. Die Vorstellung passt nur zu gut zu meinen ungebetenen Überlegungen auf dem Weg von L.A. nach Hause. Die Stimme, die mich fragte, ob es immer noch die richtige Entscheidung wäre, wenn Sarah tot wäre.

Bald bin ich geradezu beschämend betrunken und haue irgendwann mit der Faust auf den Tisch, weil alles so frustrierend und aussichtslos ist.

Ich bin sonst nicht der Typ Mann, der mit der Faust auf den Tisch haut. Und als Alan meint, er kommt noch mit zu mir, wir müssten Whisky trinken und Olympia gucken, versuche ich erst gar nicht zu widersprechen. Ich bin mir auch nicht sicher, ob ich mich an seiner Stelle allein lassen würde.

Dreiundvierzigstes Kapitel

Hallo du,

es reicht: Ich muss Sarah vergessen. Es mir nicht nur sagen und dann doch wieder ununterbrochen an sie denken – ich muss damit aufhören, sobald auch nur der kleinste Gedanke an sie aufkommt.

Denn diese Gedanken sind nicht nur nicht hilfreich, sie sind brandgefährlich. Einmal losgelassen verbreiten sie sich rasend schnell wie ein Virus und sind dann kaum noch aufzuhalten – und ich brauche mir nur Mum anzusehen, um zu wissen, wohin das führen kann.

Das war's also, Igelchen. Von jetzt an werde ich dir nichts mehr von Sarah erzählen. Ich werde Alan nichts mehr von Sarah erzählen. Und irgendwann werde ich mir selbst nichts mehr von Sarah erzählen. Zeit für meine vielbeschworene Entscheidungsfreiheit, über die ich mich sonst so gerne auslasse.

Danke, dass du meine Zeugin bist. Wie immer.

Ich x

Ich lese den Brief noch mal durch, bevor ich ihn in den Umschlag stecke. Als wollte ich Sarah noch einen kleinen Augenblick festhalten. Die ersten Strahlen der Morgensonne fallen schräg durchs Fenster auf das Trümmerfeld, das sich über meinen Schreibtisch erstreckt: verstaubte Kataloge, Rechnungen, ein Lineal, zahllose Bleistifte und Holzabschnitte, Tassen mit kaltem Tee. All diesen Hindernissen zum Trotz schafft es ein winziger Lichtfleck bis auf das kleine Rechteck aus lila Papier, das ich gerade beschrieben habe. Wie ein ausgestreckter Finger zeigt er auf den Brief, scheint mit den im Wind sich wiegenden Bäumen fast die Wörter nachzumalen. Dann zieht eine Wolke vorbei und verschluckt ihn, und der Brief verschwindet wieder im blassen Morgengrau.

Ich ziehe einen lila Umschlag heraus, just als ein Knarzen über mir von Alans Erwachen kündet. Eine gedämpfte Stimme: »Ed? Oi, Ed!«

Er ist gestern Abend auf der Couch eingeschlafen, während er Gia gerade eine Nachricht über meinen kritischen Gemütszustand schreiben wollte. *Ich kann ihn jetzt nicht allein lassen*, hatte er noch geschrieben. Dann war er in einen todesähnlichen Schlaf gefallen. Ich hatte die Nachricht zu Ende getippt und sie Gia geschickt, damit sie sich keine Sorgen macht. *Im Pub ist er eingeknickt*, schrieb ich. *Ich bleibe besser bei ihm*. Gia hat wirklich viel Verständnis für Alan und mich.

Alan schnarchte gelegentlich. Die britische Mannschaft gewann das Synchronspringen der Männer. Ich saß auf dem Sofa und versuchte, nicht an Sarah zu denken.

Das Schlurfen verkaterter Schritte über mir. Bald wird Alan wie ein halb verhungerter Bär auf der Suche nach etwas Essbarem, das er in die Tatzen kriegen kann, in die Küche tappen. Er wird eine große Tasse Tee verlangen, mindestens vier Scheiben Toast und dann, dass ihn jemand zur Arbeit fährt. Vermutlich auch frische Klamotten, weil seine Sachen mit Erdbeerjoghurt vollgekleckert sind.

Kann er gerne haben, schließlich ist Alan mein bester Freund. Er wusste, dass ich letzte Nacht Gesellschaft brauchte. Er wusste, dass ich unglücklich war wegen Sarah. Und er wusste auch, dass es mit Mum gerade sehr schwierig ist. Da ist es doch das Mindeste, ihm morgens einen Toast zu machen.

Ich nehme den Brief und stecke ihn in den Umschlag, auf den ich Alex' Namen schreibe. Ganz leise, damit Alan es nicht hört, schleiche ich zu den Schubladen unter meiner Werkbank und öffne die mit der Aufschrift *Meißel*.

Drinnen ein weiches wogendes Meer aus lila Papier. Meine traurige kleine Schatzkiste, mein dunkles Geheimnis. Die Schublade füllt sich langsam. Manche Briefe drohen schon in die Schublade darunter zu fallen, in der tatsächlich die Meißel liegen. Oder zerknittert oder zerdrückt oder sonst wie beschädigt zu werden.

Ich atme tief durch und stehe starr davor.

Ich schreibe nicht jeden Tag – manchmal alle zwei Wochen, wenn ich gerade viel zu tun habe noch seltener – und doch ist das schon die dritte Schublade, die ich im Laufe der vergangenen zwanzig Jahre gefüllt habe. Mit der Hand fahre ich hinein, zärtlich und beschämt zugleich. Was hat er bloß?, stelle ich mir vor, würden die Leute sagen. Hängt er immer noch an dem toten Mädchen? Er sollte sich wirklich Hilfe holen.

Eine Dame namens Jeanne Burrows, unsere Trauerbegleiterin, hat mir damals den Rat gegeben, Briefe an meine tote Schwester zu schreiben. Ich konnte den Gedanken nicht ertragen, nie wieder mit ihr zu reden. Mir wurde dann schwindelig vor Panik.

»Schreiben Sie ihr einen Brief«, hatte Jeanne mir geraten. »Erzählen Sie ihr, wie es Ihnen geht, wie sehr sie Ihnen fehlt. Sagen Sie ihr alles, was Sie ihr gesagt hätten, wenn Sie gewusst hätten, dass es so kommt.«

In den stillen Stunden zwischen den Fahrten zum Crown Court, der psychiatrischen Anstalt und meinem nun leeren Elternhaus fand ich Trost in diesen Briefen. Natürlich hatte ich Freunde. Ich hatte sogar eine neue Freundin in Birmingham, wo ich gerade mein zweites Semester beendet hatte. Mums Schwester Margaret rief jeden Tag an, und Dad kam aus Cumbria, um bei der Organisation der Beerdigung zu helfen. Aber niemand wusste so recht, was mit mir machen, was sagen. Meine Freunde meinten es gut, waren aber auch keine Hilfe, und meine Freundin verließ mich, sobald sie konnte, ohne allzu herzlos zu erscheinen. Dad versuchte seine eigene Trauer zu verdrängen, indem er die meiste Zeit mit seiner neuen Frau telefonierte.

Den ersten Brief schrieb ich in meinem leeren Zimmer im Studentenwohnheim, an dem Tag, als ich zurückfuhr, um meine Sachen zu packen. Da war Mum gerade in die Geschlossene eingeliefert worden. Zum nächsten Semester mein Studium wieder aufzunehmen, stand vollkommen außer Frage.

Nachdem ich den Brief geschrieben hatte, konnte ich endlich schlafen. Ich schlief die ganze Nacht, und obwohl ich am nächsten Morgen weinen musste, als ich den lila Umschlag sah, fühlte ich mich nicht mehr so... erstickt. Als hätte ich ein kleines Loch gebohrt, durch das der Druck ein bisschen entweichen konnte. Am nächsten Abend, als ich meine Sachen in Gloucestershire ausgepackt hatte, schrieb ich wieder einen Brief, und seitdem habe ich nie ganz aufgehört.

In ein paar Tagen habe ich einen Termin bei Jeanne. Sie praktiziert noch immer von zu Hause in der Rodborough Avenue aus. Ihre Stimme klingt noch genauso wie damals, und sie erinnerte sich nicht nur an mich, nein, sie meinte sogar, sie freue sich sehr, von mir zu hören. Ich erklärte ihr, ich wolle mit ihr sprechen, weil ein Zusammentreffen mit Sarah Harrington »alte Wunden« geöffnet hatte. Aber ich weiß nicht, ob es das trifft. Seit ich wieder zu Hause bin, habe ich das Gefühl, dass einfach alles falsch ist. Als sei ich ins falsche Leben zurückgekehrt. Das falsche Bett, die falschen Schuhe.

Aber was mich wirklich fertigmacht, ist die Befürchtung, dass schon immer alles falsch war. Die ganzen letzten zwanzig Jahre. Und ich es bloß nicht gemerkt habe.

Ich schaue auf und sehe mich um in meiner Werkstatt. Mein sicherer Hafen, mein Rückzugsort. Hier, wo ich mich durch Zorn und Verzweiflung gesägt und gehämmert habe. Hunderttausende Tassen Tee getrunken, zu den Songs aus dem Radio mitgesungen, ein ganzes Floß Splitter aus den Händen gezogen und gelegentlich vollbetrunken eine Frau gevögelt habe. Ich weiß nicht, was ich ohne diese Bude gemacht hätte.

Und eigentlich habe ich das alles nur Mum zu verdanken. Dad, der daran schuld ist, dass ich mich überhaupt für Holz begeistert habe, war strikt dagegen, dass ich das zu meinem Beruf mache. In den zehn Jahren zwischen seinem Abgang mit Victoria Arschgesicht (den Namen hat Alan ihr damals verpasst und irgendwie ist sie ihn nie wieder losgeworden) und Alex' Tod hat Dad sich immer wieder in mein Leben und meine Entscheidungen eingemischt, als säße er immer noch mit uns am Tisch. Als ich ihm sagte, ich wolle lieber Schreiner werden, als irgendwelche blöden Leistungskurse zu belegen, ist er ausgeflippt. »Du hast einen Akademikerverstand«, hatte er mich übers Telefon angebrüllt. »Wie kannst du es wagen, das einfach wegzuwerfen! Du zerstörst dir sämtliche Karrierechancen!«

Damals konnte Mum noch Kontra geben. »Und wenn er kein Buchhalter werden will, verdammt noch mal?«, hatte sie gegengehalten und mir sehr entschieden den Hörer aus der Hand genommen. Ihre Stimme zitterte vor Wut. »Hast du dir überhaupt mal angesehen, was der Junge da macht, Neil? Vermutlich nicht, so selten, wie du hier bist. Aber eins lass dir gesagt sein, dein Sohn hat eine außergewöhnliche Begabung. Also lass ihn endlich in Ruhe.«

Sie hat mir mein erstes siebener Fugeisen gekauft. Ein schönes altes Stanley. Das benutze ich heute noch. Viel von dem, was ich heute habe, habe ich ihr zu verdanken.

»Bonjour«, nuschelt Alan mit wollig-belegter Stimme. Er steht am Ende der Treppe, nur mit Unterhose und einer Socke bekleidet. »Ich brauche Tee und Toast und ein Taxi, Eddie. Meinst du, das lässt sich machen?«

Eine Stunde später halten wir vor seinem Haus oben in Stroud. Ich lasse den Motor laufen, während er fix reinflitzt, um sich was Ordentliches für die Arbeit anzuziehen (meine Sachen hat er vorhin kategorisch abgelehnt), und schaue versonnen auf den alten Friedhof unter uns. Er liegt da wie ein Schachbrett aus Liebe und Verlust. Er ist menschenleer, nur eine Katze schleicht um eine Reihe Sandsteingrabmale.

Ich lächele. Typisch Katze. Warum respektvoll über den Rasen gehen, wenn man genauso gut respektlos über menschliche Gräber laufen kann?

Irgendwo läutet eine Kirchenglocke – vermutlich schlägt sie gerade neun –, und ich muss unvermittelt wieder an den Leichenzug von gestern denken. Den Leichenwagen, poliert und lautlos und verstörend. Die pietätvolle Miene des Fahrers, die Wildblumenkaskaden, die den Sarg fast verdeckten, die Angst, die einem die Luft abschnürt, wenn man an seine eigene Sterblichkeit erinnert wird. Mir ist plötzlich flau, und ich verschränke die Arme vor der Brust.

Wer lag in diesem Sarg? Wer?

Aber dann muss ich an das Versprechen denken, das ich meiner Schwester gegeben habe, vor ein paar Minuten erst. Nicht mehr an Sarah zu denken. Nicht jetzt und nicht irgendwann. Überhaupt nicht mehr. Also ziehe ich ein Rollo vor diesen Teil meines Gehirns und zwinge mich zu überlegen, was heute alles zu tun ist. Erstens: Im Straßencafé in Aston Down ein Bacon-Sandwich besorgen.

»Miau!«, rufe ich der Katze nach. Aber die ist gerade damit beschäftigt, den Tod einiger bemitleidenswerter Spitzmäuse zu planen.

Vierundvierzigstes Kapitel

Sechs Wochen später

Der Herbst ist da. Ich rieche ihn in der Luft, rau und roh und – wie ich immer fand – seltsam schuldbewusst. Als schäme er sich dafür, unsere berauschenden Sommerträume zunichtezumachen und den Weg zu ebnen für die bevorstehende graue, grausame Jahreszeit.

Wobei ich persönlich nichts gegen den Winter habe. An manchen Tagen hat man eine erlesen andersweltliche Aussicht über dieses Tal, wenn Raureif den Boden überzieht und die Bäume lange Schatten auf die nackte Erde werfen. Ich liebe es, wenn sich der Rauch aus einem einsamen Schornstein schlängelt, und das märchenhaft schimmernde Licht in einem entlegenen Fenster. Ich liebe es, wie meine Freunde sich schamlos selbst einladen, um bei mir vor dem Kamin zu sitzen und den herzhaften Eintopf zu löffeln, den ich in ihrer Vorstellung wohl tagtäglich koche, nur weil ich in einer Scheune auf dem Land lebe.

Seltsamerweise scheint auch Mum im Winter immer ein wenig fröhlicher. Was meines Erachtens daran liegen könnte, dass es gesellschaftlich legitimiert ist, zu Hause zu bleiben, sobald die Temperaturen fallen. Im Sommer wird erwartet, dass man sich draußen mit Freunden trifft und sich so viel wie möglich im Freien aufhält. Wohingegen ihre krankheitsbedingt kleine, eingeschränkte Existenz im Winter weniger nach Entschuldigungen oder Erklärungen verlangt.

Aber es ist erst September, und ich trage noch Shorts, als ich den halb kompostierten Hang in der Hügellandschaft des Siccaridge Wood hinaufklettere. Shorts und einen Pulli, den zu waschen und entpillen ich noch immer nicht über mich gebracht habe, weil Sarah ihn zuletzt anhatte.

Ich gehe ein bisschen schneller. Ein leichtes Brennen zieht sich durch meine Wadenmuskeln, als ich den Berg hinaufstampfe, zu schnell, als dass meine Füße im viellagigen Mulch versinken könnten. Ich fange an, Merry Claytons Part von »Gimme Shelter« zu schmettern. Die Einzigen, die mich inbrünstig von Vergewaltigung und Mord singen hören, sind ein paar verstörte Vögel, die mich vermutlich ohnehin längst für vollkommen verrückt halten.

Ich komme zum Höhepunkt des Songs, da, wo Clayton alles rausschreit, und muss unvermittelt lachen. Mein Leben ist zwar alles andere als ruhig, aber das eine Weile zu verdrängen und nicht daran zu denken, verschafft mir eine dringend benötigte Atempause.

Das Problem ist nur, Jeanne Burrows hält überhaupt nichts von meinem genialen Vorhaben, sämtliche Gedanken an Sarah strikt aus meinem Hirn zu verbannen. Nach den Sitzungen bei ihr geht es mir immer besser, und ich fühle mich nicht mehr so allein. Und doch bricht sie mir jede Woche aufs Neue das Kreuz. Ich hätte nie gedacht, dass man jemandem so durch und durch mitfühlend, sanft und respektvoll das Kreuz brechen kann, aber genau das tut Jeanne.

Die heutige Sitzung verlief allerdings ganz anders.

Gerade, als ich in der Rodborough Avenue ankam, wo Jeanne wohnt, wen sah ich da vom Parkplatz fahren? Niemand anderen als Hannah Harrington. Sie war so darauf konzentriert, nicht die geparkten Autos der Nachbarn anzuschrammen, dass sie mich gar nicht bemerkte. Aber ich erkannte sie ganz eindeutig. Sie sah nicht viel anders aus als beim letzten Mal, als ich ihr begegnet bin: müde, verweint, verloren.

Ich fragte mich natürlich sofort, warum Hannah bei Jeanne war. Und ehe ich michs versah, sprang die olle Angstmaschine wieder an. Was, wenn einem von Sarahs Eltern etwas zugestoßen ist? Sarah wäre am Boden zerstört. Sie hat mir in ihren Briefen ihr schlechtes Gewissen geschildert, all die Jahre Tausende Meilen von ihnen entfernt gelebt zu haben. Ich überlegte, dass es meine Pflicht sei, ihr beizustehen.

»Ich möchte Sarah Harrington anrufen«, erklärte ich Jeanne gleich beim Reinkommen statt einer Begrüßung. »Kann ich das gleich von hier aus machen, bei Ihnen?«

»Kommen Sie erst mal herein und setzen Sie sich«, sagte sie ganz ruhig. Na toll, stellte ich mir vor, musste sie jetzt denken. Jetzt geht das wieder los.

Innerhalb weniger Minuten hatte ich mich ein wenig beruhigt und mich davon überzeugen lassen, dass es unangebracht wäre, Sarah Harrington aus heiterem Himmel anzurufen. Aber natürlich führte dieser kleine Zwischenfall dazu, dass wir wieder über sie redeten. Jeanne fragte mich, ob ich der Meinung sei, alle Gedanken an Sarah abzublocken würde mir helfen, sie endgültig loszulassen.

»Ja«, entgegnete ich stur. Und dann: »Vielleicht.« Und dann: »Nein.«

Wir sprachen über den Prozess des Loslassens. Ich sagte ihr, ich hätte die Schnauze gestrichen voll davon, mich so mies zu fühlen, wüsste aber nicht, was ich dagegen machen sollte. »Ich will einfach nur glücklich sein«, brummte ich. »Ich will frei sein.«

Jeanne lachte, als ich mich beklagte, es gebe keine Anleitung fürs Entlieben. Ich gestand, dass der Witz eigentlich von Alan war, und sie schaute mich ganz nüchtern an und meinte: »Wo wir gerade beim Thema persönliche Freiheit sind, Eddie: Ich frage mich, wie Sie das in Bezug auf Ihre Mutter sehen? Was empfinden Sie bei der Vorstellung, frei zu sein von den Verpflichtungen ihr gegenüber?«

Ich war so schockiert, dass ich sie bitten musste, die Frage zu wiederholen.

»Wie fühlen Sie sich bei dem Gedanken, sich ein wenig von dieser Bürde zu befreien?« Sie klang vollkommen unbeteiligt. »So haben Sie es letzte Woche beschrieben. Mal sehen …« Sie schaute in ihre Notizen. »Eine ›beklemmende Bürde‹ haben Sie es genannt.«

Mein Gesicht wurde heiß wie unter einem Fön. Ich zupfte an einem losen Faden ihres Sofas und war nicht dazu in der Lage, ihr ins Gesicht zu sehen. Wie konnte sie es wagen, mir so eine Frage zu stellen?

»Eddie, ich möchte Sie nachdrücklich noch einmal daran erinnern, dass es keine Schande ist – wirklich gar keine –, das anstrengend zu finden. Pflegende, die sich um kranke Familienangehörige kümmern, empfinden meistens große Liebe und Loyalität, sind aber auch immer wieder mit Verbitterung, Verzweiflung, Einsamkeit und vielen anderen Gefühlen konfrontiert, die sie sich vor dem Patienten nicht anmerken lassen wollen. Manchmal kommen sie dadurch an einen Punkt, an dem sie eine Pause brauchen. Oder die ganze Betreuungssituation von Grund auf überdacht werden muss.«

Ich starrte auf den Boden. Seien Sie still!, hätte ich sie am liebsten angeschrien. Wir reden hier von meiner Mutter! Aber es kam kein Laut über meine Lippen.

»Was denken Sie gerade?«, erkundigte Jeanne sich.

Ich werde nicht oft wütend – das musste ich mir Mum zuliebe abgewöhnen –, aber mit einem Mal war ich fuchsteufelswild. Viel zu aufgebracht, um zu erkennen, dass sie mir eigentlich nur helfen wollte. Um ihr dankbar zu sein, dass sie wochenlang geduldig abgewartet hatte, bis sie dieses sensible Thema auf den Tisch gebracht hatte. Ich hätte am liebsten die Vase mit den pfirsichfarbenen Löwenmäulchen vom Kaminsims genommen und mit Wucht gegen die Wand gepfeffert.

»Sie können sich das nicht vorstellen«, sagte ich zu meiner Therapeutin mit siebenunddreißig Jahren Berufserfahrung.

Wenn diese Bemerkung Jeanne traf, so war sie professionell genug, sich nichts anmerken zu lassen.

»Wie können Sie nur?«, empörte ich mich, und meine Stimme wurde lauter und schriller. »Wie können Sie mir allen Ernstes nahelegen, mich einfach aus dem Staub zu machen und sie im Stich zu lassen? Viermal hat meine Mutter versucht, sich das Leben zu nehmen! In ihrer Küche sieht es aus wie in einer Krankenhausapotheke, verdammt noch mal! Sie ist der instabilste, verletzlichste Mensch, den ich kenne, Jeanne, und sie ist meine *Mutter*. Haben Sie eine Mutter? Lieben Sie sie?«

Es dauerte beinahe eine halbe Stunde, bis ich mich einigermaßen beruhigt und mich bei ihr entschuldigt hatte. Jeanne stellte einige einfühlsame, respektvolle Fragen, und ich antwortete brüsk und einsilbig. Aber sie ließ sich nicht beirren. Schubste mich mit ihren verflixten, cleveren Fragen schrittchenweise auf die Einsicht zu, dass ich kurz vor einem Zusammenbruch stand.

Wegen Mum. Wegen meinem Leben im Allgemeinen. Schubste mich sanft, aber beharrlich zu der widerstrebenden Erkenntnis, dass es womöglich meine eigene Trauer war, die mich davon abgehalten hatte, schon früher etwas zu unternehmen.

Jeanne war felsenfest davon überzeugt, Derek könne mir dabei helfen. »Das ist schließlich sein Job«, meinte sie immer wieder. »Er ist der Gemeindekrankenpfleger, Eddie. Er ist für Sie beide da.«

Und ich sagte nur wieder und immer wieder, ich könne doch meine Mutter nicht einfach Derek überlassen. Ganz gleich, wie unglaublich der Mann auch sein mochte. »Ich bin der einzige Mensch, den sie anruft, wenn sie Hilfe braucht«, erklärte ich. »Sonst vertraut sie niemandem.«

»Das können Sie doch gar nicht wissen.«

»Tue ich aber! Wenn ich ihr sage, sie darf mich nicht anrufen – selbst wenn ich ihr nur sage, sie soll mich nicht ganz so oft anrufen –, sie würde nicht auf mich hören und einfach so weitermachen wie bisher. Oder sie würde ernsthaft krank werden. Sie kennen doch ihre Krankheitsgeschichte. Sie wissen, das ist nicht bloß eine pessimistische Prognose.«

Als die Stunde um war, hatten wir eigentlich überhaupt keine Fortschritte gemacht, aber ich versprach ihr, nächste Woche ohne Wutausbrüche weiterzumachen.

Jeanne lachte nur. Sie fand, ich mache das schon ganz gut.

Endlich erreiche ich die Spitze des Hügels und stehe unter einer Buche. Wegen der bin ich hergekommen. (Nur ein paar Meter entfernt ist der geheimnisvolle Gummistiefel.) Im Juni, als ich durch Wiesen und Wälder gestreift bin und wirre, wütende Gedanken über Sarah dachte, ist mir aufgefallen, dass die Feinwurzeln abzusterben scheinen – inzwischen sieht der Baum noch schlimmer aus. Ich vermute einen Käfer, da an der Rinde kein Krankheitserreger zu erkennen ist. Aber hier kommt leider jede Hilfe zu spät. Ich lege eine Hand auf den Stamm. Der Gedanke, so einen majestätischen Riesen von einer Kettensäge gefällt zu sehen, macht mich ganz traurig.

»Tut mir leid«, murmele ich, weil es sich falsch anfühlt, gar nichts zu sagen. »Und danke. Für den Sauerstoff. Und alles.«

Ich schaue nach den umstehenden Bäumen (der Gummistiefel ist noch da), dann spaziere ich, die Hände in den Taschen, wieder den Hang hinunter. Immer wieder macht mein Hirn Anstalten, um Sarah und den Kummer ihrer Schwester zu kreisen. Aber ich widerstehe tapfer der Versuchung. Stattdessen zwinge ich mich, über den Baum nachzudenken. Der Baum ist ein lösbares Problem. Morgen rufe ich beim Gloucestershire Wildlife Trust an und erkundige mich, ob sie Hilfe brauchen, ihn zu fällen.

Zuhause in meiner Scheune angekommen fühle ich mich fast schon wieder normal.

Ich gehe hinein und sehe meine Mutter vor der Schublade mit den lila Briefen stehen. Meine geheime Schublade mit den lila Briefen. Von der kein Mensch weiß, außer Jeanne. Ich sehe, dass Mum einen meiner Briefe an Alex in der Hand hat und ihn liest – ganz ruhig und ohne Hast. Und dazu macht sie ein sehr hässliches Gesicht.

Ich brauche einen Moment, bis ich verstehe, dass das kein Traum ist. Ich muss mich erst vergewissern, dass meine Mutter – meine arme liebe Mutter – derart ungeniert meine Privatsphäre verletzt. Aber just in dem Augenblick dreht Mum den Brief um und liest auch die Rückseite. Und da gibt es keinen Zweifel mehr.

Ungläubiges Entsetzen wird zu rasender Wut.

»Mum?«, keuche ich. Meine Hand klammert sich wie eine Schraubzwinge an den Türrahmen.

Rasch versucht sie den Brief mit einer geschickten Bewegung hinter dem Rücken zu verstecken und dreht sich dann zu mir um.

Ehe ich vorhin das Haus verlassen habe, hatte ich ihr eine Nachricht geschickt: *Mache einen kleinen Spaziergang, nur damit du Bescheid weißt. Ich brauche ein bisschen Ruhe und lasse das Telefon zu Hause. In ein, zwei Stunden bin ich wieder da.*

Ich bin immer sehr großzügig bei meinen Zeitangaben. Sonst bekommt sie Panikattacken, wenn sie mich nicht erreicht.

»Hallo, Schatz!« Wieder diese Stimme, die sie immer aufsetzt, wenn sie weiß, dass sie zu weit gegangen ist.

Nur, dass sie heute noch höher und schriller klingt. »Du bist aber früh zurück.«

»Was machst du da?«

»Ich …«

Schweres, fast panisches Schweigen macht sich breit, während sie wohl verschiedene Ausflüchte durchgeht. Alles ist totenstill. Selbst die Bäume vor dem Haus scheinen den Atem anzuhalten und der Bestätigung dieses ungeheuerlichen Verrats zu harren. Aber sie bringt es nicht über sich. Sie kann mir einfach nicht die Wahrheit sagen. »Ich habe etwas gehört«, flunkert sie, und ihre Stimme klingt künstlich und gestellt. Damit könnte sie glatt als überdrehte Moderatorin im Kinderfernsehen auftreten. »Es klang wie eine Maus. Hast du in letzter Zeit Probleme mit Mäusen, Eddie? Ich war gerade in der Nähe. Da habe ich mich ein bisschen umgeschaut… ein paar Schubladen aufgemacht. Das macht dir doch nichts aus …«

Und so plappert sie unverdrossen weiter, bis ich sie anschnauze – nein, sie regelrecht anbrülle: »WIE LANGE LIEST DU SCHON MEINE BRIEFE?«

Boden-der-Tiefsee-Stille.

»Ich habe tatsächlich ein paar Briefe gefunden, eben, kurz bevor du hereingekommen bist«, stammelt sie schließlich. »Aber ich habe sie natürlich nicht gelesen. Ich habe einen herausgenommen und mir gedacht: Ach, das geht mich gar nichts an, also wollte ich ihn gerade wieder zurücklegen, als …«

»Lüg mich nicht an! Wie lange liest du schon meine Briefe?«

Hektisch hält Mum sich die Hand vor den Mund und greift dann nach ihrer Brille, nimmt sie aber nicht ab, sodass sie krumm und schief auf ihrer Nase sitzt wie eine Kinderwippe auf dem Spielplatz. Ich schaue sie an und sehe nicht mehr meine Mutter. Nur Wut. Einen gigantischen brodelnden Kessel rot glühenden Zorns.

»Wie lange liest du schon meine Briefe?«, frage ich zum dritten Mal. Ich kann mich nicht erinnern, schon mal so mit ihr gesprochen zu haben. »Und keine Lügen«, füge ich hinzu. »Nicht schon wieder. Ehrlich, Mum, lüg mich nicht an.«

Auf das, was dann passiert, bin ich überhaupt nicht gefasst. Ich rechne damit, dass sie weint, wie ein Häufchen Elend auf den Boden sinkt und mich anfleht, ihr zu verzeihen. Stattdessen dreht sie sich abrupt um und wirbelt die Briefe mit beiden Händen in die Luft wie Falschparker-Tickets oder irgendeine unverschämte Beleidigung ihrer Person. Wie Konfetti regnen sie auf den Boden. »So, wie du mich angelogen hast?«, zischt sie. »So, wie du mich angelogen hast, als du mir gesagt hast, du willst in L.A. ›Urlaub machen‹? Deinen Freund Nathan besuchen und ein bisschen surfen? Wie du mich angelogen hast, Alan hätte einen ›Notfall‹ gehabt an dem Tag, als du zurückgekommen bist?«

Mit rechtschaffener Empörung, die mich irgendwie fasziniert, kommt sie auf mich zu und stemmt die

Hände auf die Werkbank, die mitten durch diesen Teil der Werkstatt verläuft. »Wie du mich angelogen hast über dieses ... dieses *Mädchen?*« Mit irrem Blick schaut sie mich an, als suche sie im Gesicht eines Serienkillers nach ihrem Sohn. »Wie konntest du nur? Wie konntest du nur mit ihr schlafen, Eddie? Wie konntest du deine Schwester nur so verraten?«

Sie muss schon seit Monaten meine Briefe lesen.

Kein Wunder, dass sie so paranoid und anhänglich war, als ich aus L.A. zurückgekommen bin. Und kein Wunder, dass sie alles in ihrer Macht stehende getan hat, um mich davon abzuhalten hinzufliegen. Wenn ich ihr sonst erzähle, dass ich eine Reise plane, freut sie sich mit mir, weil das für sie ein Beweis zu sein scheint, dass ich immer noch mein eigenes Leben führe. Beim letzten Mal hat sie sich allerdings aufgeführt, als wollte ich nach Australien auswandern.

»Diese Frau«, wiederholt sie und schüttelt sich. Sie sieht aus, als redete sie über einen Serienvergewaltiger oder Pädophilen, nicht über Sarah Harrington. Wobei die für Mum moralisch gesehen wohl alle in dieselbe Kategorie fallen. »Ich habe das ganz ernst gemeint, was ich damals gesagt habe. Ich hoffe, sie war das in dem Leichenwagen.«

»Herrgott, Mum!«, stöhne ich. Meine Stimme ist weich, wundere ich mich. »Nach allem, was du durchgemacht hast, wünschst du einem anderen Menschen denselben Schmerz? Ist das dein Ernst?«

Sie schnaubt nur abfällig. Meine Gedanken stieben in alle Richtungen, und überall werden sie fündig. Darum also ging es ihr schleichend immer schlechter. Sie weiß das mit Sarah schon seit Monaten.

»Hast du sie angerufen?«, frage ich leise. »Warst du das am Telefon? Hast du ihr die Drohnachricht geschickt? Wolltest du deshalb im Juli unbedingt ein neues Handy?«

»Ständig bekomme ich diese Werbeanrufe«, hatte sie mir gesagt. »Das stresst mich wirklich ungemein, Eddie. Ich brauche dringend eine neue Telefonnummer.«

»Ja. Ich habe sie angerufen. Und ich bereue nichts.« Sie trägt einen rosa Pullover. Und irgendwie erscheint diese ganze Gehässigkeit im Kontrast zu der zarten Farbe umso schockierender.

»Und bist du auch in ihrer alten Schule gewesen? Hast du ihr auf dem alten Pfad am Kanal in der Nähe ihres Elternhauses aufgelauert, als sie zu Besuch hier war?«

»Ja!« Sie schreit mich fast an. »Jemand musste etwas tun. Ich konnte nicht zulassen, dass sie dich infiziert. Du bist alles, was mir noch geblieben ist.«

»Jemand musste etwas tun«, wiederholt sie, als ich darauf nichts sage. »Und du hättest es augenscheinlich nicht getan. So, wie du ihr nachgeheult hast und deiner Schwester vorgeschwärmt hast, wie sehr du sie *liebst*. Ausgerechnet die Frau, die sie auf dem Gewissen hat…« Sie bricht ab. Sie zischt wie ein Drache. Ich höre die Worte gar nicht mehr. Ich kann nur noch denken:

Weißt du überhaupt, was ich durchgemacht habe, um dir das alles hier zu ersparen? Wie einsam ich gewesen bin? Hast du überhaupt eine Ahnung, welche Opfer ich dir zuliebe gebracht habe?

Irgendwann geht mir auf, dass sie aufgehört hat zu reden. Ihre Augen sind groß und glänzen vor Tränen.

»Wie bist du an Sarahs Telefonnummer gekommen?«, höre ich mich fragen, obwohl ich die Antwort längst weiß. »Woher wusstest du, dass sie an dem Tag in ihrer alten Schule ist? Hast du etwa auch in meinem Handy herumgeschnüffelt?«

Sie sagt Ja. »Und das ist alles ganz allein deine Schuld, Eddie. Also wage es nicht, mir deswegen böse zu sein. Ich musste irgendwie eingreifen. Ich musste versuchen, Alex zu schützen vor… vor *all dem*.«

Eine Träne rinnt ihr über die Wange, aber ihre Stimme bleibt fest. »Das ist alles deine Schuld«, wiederholt sie. »Du mit deinem freien Willen! Du konntest dich frei entscheiden, und du hast dich für diese Frau entschieden. Dieses Mädchen.«

Ich schüttele den Kopf, und mir wird übel. Ihr Hass ist so lebendig und lodernd wie in den Wochen nach Alex' Tod. Ungemindert selbst nach all den Jahren.

»Das ist alles deine Schuld«, wiederholt sie erneut. »Und ich werde mich nicht dafür entschuldigen.«

Und plötzlich ist es, als platze meine Haut auf – all die vielen Schichten, so dünn und gespannt, all die vielen Jahre, geben einfach nach, und alles quillt heraus.

All die Verbitterung, die Wut, die Einsamkeit, die Angst, die Anspannung, was auch immer – alles sprudelt aus mir heraus wie aus einer geborstenen Hauptwasserleitung. Und in dem Moment weiß ich, so kann es nicht weitergehen. Ich kann nicht mehr. Ich bin am Ende.

Erschöpft lehne ich mich gegen die Tür. Und als ich schließlich meine eigene Stimme höre, klingt sie seltsam unbeteiligt. Als läse ich den Wetterbericht.

»Nein«, sage ich nüchtern. (*Golf von Biskaya: heiter.*) »Nein, Mum, das kannst du mir nicht anhängen. Ich bin nicht dafür verantwortlich, was du tust. Ich bin nicht dafür verantwortlich, wie es dir geht oder was du denkst. Das kommt alles aus dir. Du hast bewusst entschieden, das, was ich in den vergangenen Monaten durchgemacht habe – was, nur fürs Protokoll, die Hölle war –, zu einem großen Verrat aufzubauschen. Das hast du ganz allein zu verantworten. Damit habe ich nichts zu tun.«

Worauf sie in Tränen ausbricht, obwohl sie immer noch aussieht, als schäumte sie innerlich vor Wut.

»Ich bin nicht verantwortlich für deine Krankheit, Mum. Und Sarah auch nicht. Ich habe mein Bestes gegeben – mein Allerbestes –, um für dich da zu sein, und du hast das letzte bisschen Privatsphäre, das mir noch geblieben ist, mit Füßen getreten.«

Sie schüttelt bloß den Kopf.

»Ja, ich habe Sarah kennengelernt, und ja, ich habe mich in sie verliebt. Aber in dem Moment – in der Sekunde –, als ich herausgefunden habe, wer sie wirklich ist, habe ich sie aufgegeben. Und trotzdem gibst du mir die Schuld dafür?«

Ich kann zusehen, wie sie versucht, sich eine Antwort zurechtzulegen. Langsam wird sie panisch. Nicht, dass sie mir zugehört oder darüber nachgedacht oder (Gott bewahre) vielleicht sogar eingesehen hat, dass ich womöglich nicht ganz unrecht habe. Nein, weit gefehlt. Aber eigentlich ist sie es gewohnt, dass ich irgendwann nachgebe und einlenke, und allmählich dämmert es ihr, dass das diesmal nicht so sein wird.

Also tut sie, was sie früher oder später immer tut: das arme Opfer spielen.

»Okay«, schluchzt sie, und die Tränen laufen ihr nur so übers Gesicht. »Okay, Eddie, es ist meine Schuld. Es ist meine Schuld, dass ich so ein entsetzliches, elendes Leben führe, dass ich in meinem eigenen Haus gefangen bin, dass ich all diese scheußlichen Medikamente nehmen muss. Das ist alles meine Schuld.«

Suchend schaut sie mir ins Gesicht, aber ich verziehe keine Miene. »Du kannst dir ruhig was vormachen, Eddie. Aber du hast wirklich keine Ahnung, wie schwer mein Leben tatsächlich ist.«

Wenn man bedenkt, dass ich mich nun schon seit neunzehn Jahren um sie kümmere, finde ich das doch ein wenig vermessen.

Wir stehen uns gegenüber wie zwei Bauern bei einem Schachduell. Mum schaut zuerst weg. Zweifellos, damit ich mir vorkomme wie der böse Aggressor.

Jämmerlich steht sie da über die Werkbank gebeugt, und die Tränen tropfen und triefen in die tiefen Kerben und Sägespuren im Holz.

»Verlass mich nicht, Eddie«, jammert sie schließlich, genau, wie ich es erwartet habe. »Es tut mir leid, was ich gemacht habe. Aber der Gedanke, dass du und sie ... Ich ertrage das nicht.«

Ich schließe die Augen.

»Verlass mich nicht, Eddie«, fleht sie mich an.

Ich gehe um die Werkbank herum und nehme sie in den Arm. Diesen winzigen Spatz von einem Menschen, so leicht und zerbrechlich. Ich halte sie, stocksteif, und muss an meine Exfreundin Gemma denken. Dieser Moment war es, den sie beim besten Willen nicht verstehen konnte. Der Moment, wenn ich, obwohl Mum mich bis weit über meine Grenzen getrieben hatte, sie trotzdem trösten und ihr sagen musste, dass alles gut ist. Diese bedingungslose Kapitulation konnte Gemma nicht begreifen. Aber wie die meisten war sie bisher nie für das geistige Wohlergehen eines ihr nahestehenden Menschen verantwortlich. Sie hat nicht ihre Schwester verloren und kurz danach auch fast ihre Mutter.

Diesmal allerdings ist es anders. Ich nehme Mum zwar in die Arme, weil ich es muss, aber irgendwas in mir hat sich unwiederbringlich verändert.

Es regnet, als ich sie schließlich in den Land Rover setze und nach Hause bringe. Am Himmel drängen sich dicke graue Wolken, die sich übereinanderschieben wie wütende Gedanken. Ich entschuldige mich stumm bei Sarah. Wo auch immer sie gerade sein mag. Ich wünsche nicht, du wärst tot, sage ich ihr. Ich wünsche dir nur Gutes.

Bei Mum zu Hause drehe ich die Heizung auf und mache ihr einen Toast, bevor ich sie ins Bett bringe. Ich gebe ihr die Schlaftablette und halte ihre Hand, bis sie eingeschlafen ist. Ich weiß zwar nicht, wie es ist, dem eigenen Kind beim Schlafen zuzusehen, aber ich stelle mir vor, dass es ein ganz ähnliches Gefühl sein muss. Sie sieht irgendwie verloren und friedlich zugleich aus, wie sie daliegt, an meine Hand geschmiegt wie an eine Kuscheldecke, der Atem kaum hörbar.

Dann gehe ich nach draußen und wähle Dereks Nummer und hinterlasse ihm eine Nachricht auf dem Anrufbeantworter, in der ich ihm sehr sachlich erkläre, dass ich am Ende bin und dringend Hilfe brauche.

Zu Hause angekommen schaue ich drei Folgen einer Netflix-Serie und verbringe – todmüde, aber nicht in der Lage zu schlafen – die restliche Nacht damit, in meine Bettdecke gewickelt auf der Gartenbank zu sitzen und eine sehr einseitige Unterhaltung mit Steve, dem renitenten Eichhörnchen, zu führen.

Fünfundvierzigstes Kapitel

Dezember – drei Monate später

Hallo du,

hohoho! Frohe Weihnachten!!!
Bin ich erleichtert, dass dieses Jahr endlich zu Ende ist.
Mein erster Brief an dich seit drei Monaten. Ich musste wohl über vieles nachdenken. Außerdem hatte ich alle Hände voll damit zu tun, einiges mit Mum zu verändern, ohne dass sie es merkt. Das war Dereks Idee: die geheime Kommandosache »Eddies Befreiung« mit List und Tücke einzufädeln. Er war, wie nicht anders zu erwarten, grandios. Wie immer.
Er hat ein Treffen mit Frances arrangiert, der Vikarin, die Mum schon seit Jahren besucht. Sie meinte, es gebe einige Ehrenamtliche im Ort, die gerne sozial isolierte Gemeindemitglieder besuchen. Derek erklärte dann, Sinn und Zweck des Ganzen sei, eine Freundschaft zwischen Mum und einem der Ehrenamtler zu initiieren – ganz gleich, wie

lange es auch dauern würde –, bis sie ihm genug vertraute, dass sie mit ihm einkaufen gehen oder sich von ihm zum Arzt begleiten lassen würde. Jemanden außer mir, den sie anrufen, dem sie sich anvertrauen konnte.

So kam es dann, dass ein Freiwilliger namens Felix Mum zusammen mit Frances regelmäßig einmal die Woche besuchte. Felix ist Golfkriegsveteran. Er hat einen Arm verloren. Dann hat seine Frau ihn verlassen, weil sie mit der ganzen Situation nicht zurechtkam. Und dann hat er 2006 seinen Sohn im Irak verloren. Wenn jemand Schmerz und Verlust kennt, dann Felix. Aber weißt du was, Igelchen? Er ist so fröhlich! Ich habe ihn erst zweimal getroffen, aber er wirkt so positiv und optimistisch. Zuzuhören, wie er und Mum sich unterhalten, ist unnachahmlich – sie sieht immer alles schwarz, und er hat so ein sonniges Gemüt. Manchmal, wenn er redet, kann ich ihr ansehen, wie sie denkt: Hat der vollkommen den Verstand verloren?

»Lassen wir ihr noch ein paar Wochen«, hat Derek neulich zu mir gesagt. »Ich glaube, bald ist sie so weit, mit ihm aus dem Haus zu gehen.«

Derek hat sie sogar überredet, Weihnachten bei ihrer Schwester zu verbringen, damit ich ein bisschen ausspannen kann.

Und so … schaffe ich mir peu à peu ein paar neue Freiheiten. Mehr Raum. Mehr Luft zum Atmen. Gelegentlich erhasche ich einen flüchtigen Blick auf mich, wie ich vor alledem war. Wie ich in der Woche mit Sarah war. Wie ich war, als ich jung war. Und es fühlt sich gut an.

Aber genug davon! Es ist Weihnachten, und ich sitze in Alans neuem Gästezimmer in Bisley. Es ist Viertel vor sechs morgens, und Lily ist schon wach und hämmert an Alans und Gias Schlafzimmertür. Ich hab's ein bisschen übertrieben und ihr einen ganzen Weihnachtsstrumpf voller Geschenke gekauft. Alan meint, ich sei ein egoistischer Mistkerl und ließe ihn schlecht dastehen.

Gerade jetzt schaue ich aus dem noch auf Gardinen wartenden Fenster in den bleigrauen Himmel und denke an dich. Meine liebste, meine wunderbarste Alex.

Ich weiß nicht, ob du da bist. Ob du all die Jahre an meiner Seite warst und alle Worte gelesen hast, die ich dir geschrieben habe. Oder ob du nicht mehr warst als ein Zucken verbrauchter Energie. Wie dem auch sein mag, ich hoffe, du weißt, wie sehr du geliebt wurdest und wie sehr du vermisst wirst.

Ich weiß nicht, ob ich es ohne dich und diese Briefe geschafft hätte. Im Tod warst du wie im Leben: süß, bunt, warm, freundlich. Ich habe dich gespürt durch diese lila Seiten. Deine Lebendigkeit und deine Albernheit, deine Neugierde, deine Güte, deine Unschuld, deine Liebenswürdigkeit. Deinetwegen habe ich nicht aufgehört, einen Fuß vor den anderen zu setzen. Du hast mir geholfen zu atmen, als das Leben mich zu ersticken drohte.

Aber Jeanne meint, es sei an der Zeit, allein weiterzugehen. Auf eigenen Füßen zu stehen. Und darum, mein kleines Igelchen, soll das unser letzter Brief sein.

Ich schaffe das. Da ist Jeanne sich ganz sicher. Und

ich – ich bin es eigentlich auch. Was bleibt mir auch anderes übrig? Jeden Tag sehe ich an deiner Mutter, wie es wäre zu kapitulieren.

Ich habe sogar vor, auf Alan zu hören, der mich ständig bearbeitet, dass ich mich wieder verabreden soll. Eigentlich habe ich keine Lust dazu, aber ich sehe ein, ich sollte mir zumindest die Gelegenheit geben, mich in eine andere Frau zu verlieben.

Denn es ist doch so: Mum kann sich nicht ändern. Ich mich schon. Und das werde ich auch. Ich werde den Winter über weiter meinen Weg gehen, werde meine Aufträge erledigen und neue annehmen. Im Sommer will ich Workshops für junge Leute anbieten. Ich werde dieses dämliche Tinderdings ausprobieren. Ich werde mich wieder in Form bringen und ein immer besserer Steinmetz und der denkbar beste Patenonkel für Lily sein. Und das alles mit einem Lächeln im Gesicht. Denn das ist der Eddie, für den die Leute mich halten, und das ist der Eddie, der ich sein will.

Das verspreche ich dir, Igelchen. Dir und mir selbst.

Ich werde dich nie vergessen, Alex Hayley Wallace. Nicht mal einen Tag. Ich werde dich bis an mein Lebensende lieben. Du wirst mir immer fehlen, und ich werde immer dein großer Bruder sein.

Danke, dass du da bist. Im Leben wie im Tod.

Danke und Lebewohl, mein liebstes Igelchen.

Ich xxxxxxxxxx

Sechsundvierzigstes Kapitel

Anfang März – drei Monate später

Der Tag, der mein Leben für immer verändert. Ich mache mich gerade fertig für mein erstes Tinder-Date – und bin lächerlich nervös. (Da hilft es auch nicht, dass Alan mir stündlich schreibt, nur um sich zu vergewissern, dass ich nicht doch noch einen Rückzieher mache.) Sie heißt Heather, und sie hat hübsche Haare und wirkt klug und witzig. Und trotzdem will ich nicht. Vorhin habe ich mich bei dem Gedanken ertappt, ob ich mir vielleicht einen Nagel in die Hand schlagen könnte, weil ich den Nachmittag lieber in der Notaufnahme verbringen würde als bei einem Date.

Alan habe ich das lieber nicht erzählt.

Außerdem ist heute Mums siebenundsechzigster Geburtstag. Also habe ich sie zum Mittagessen eingeladen. Wir sind nach Stroud gefahren, ins Withy's Yard, wo sie sich immer schon wohl und geborgen gefühlt hat – vermutlich, weil es versteckt am Ende einer alten steingemauerten Gasse liegt und von der Straße nicht einsehbar ist –, und heute hat sie in einem fort munter drauflosgeplappert. Felix war gestern mit ihr einkaufen, und mit ihm geht das sogar besser als mit mir. Der einzige Nachteil ist, dass er nicht so viele Einkaufstüten tragen kann, weil er nur einen Arm hat.

Ehrlich gesagt habe ich nur mit einem Ohr hingehört, weil ich mir ständig das peinliche Schweigen und das schrille gestellte Gelächter heute Abend ausmalte – weshalb ich es erst gar nicht merke, als Mum nichts mehr sagt.

Ich schaue auf. Stocksteif und starr sitzt sie da und starrt nach rechts, der Suppenlöffel Zentimeter über dem Teller. Ich folge ihrem Blick.

Zuerst erkenne ich sie nicht. Sie sitzen am Tisch und essen Salat und sehen aus wie jedes andere ältere Ehepaar. Sie, in einem karierten Rock, spricht in ein Handy. Er trägt eine Cordjacke und schaut sie an. Wie Mum haben die beiden aufgehört zu essen. Irgendwie kommen sie mir vage bekannt vor, wenn ich mir den Mann so von der Seite ansehe. Aber ich weiß nicht so recht, woher.

Aber dann schaue ich zurück zu Mum, und mir geht auf, wer die beiden sind. Die einzigen Menschen, die diesen lähmenden Effekt auf sie haben. Der Löffel ist in die Suppe gefallen, und der Griff versinkt langsam wie der Bug eines havarierten Schiffs.

Ich schaue rüber zu Sarah Harringtons Eltern. Jetzt

erkenne ich sie. Wie oft haben sie Alex zum Spielen abgeholt oder die kleine Hannah nachmittags zu uns gebracht. Ich weiß noch, wie nett sie immer waren. So nett, dass ich am liebsten auch zum Spielen mit nach Frampton Mansell gefahren wäre. Sie wirkten so geeint, so unerschütterlich, wie eine richtige Familie. Wohingegen meine aus einem Vater bestand, der Hunderte Meilen entfernt mit seiner neuen Frau ein neues Baby erwartete, und einer Mutter, die Verbitterung und Depression kaputt gemacht hatten.

Ich habe zwei sehr klare Gedanken: Erstens, was mache ich mit Mum? Sie kann nicht zwei Tische neben den Harringtons sitzen. Und zweitens, wenn nicht Michael oder Patsy letztes Jahr gestorben sind, wer dann?

Ich höre ganz genau, wie sie sagt: »Wir sind schon auf dem Weg.« Und dann springen beide auf und gehen, ohne auch nur die Stühle an den Tisch zu rücken oder sich bei der Dame hinter dem Kuchentresen zu entschuldigen. Sarahs Mutter zieht im Gehen die Jacke über, während sie runter zur Hauptstraße laufen. Mum und ich sitzen eine Weile reglos da, schweigend inmitten des Gesprächsgesumms und Besteckklapperns. Erst als der Milchaufschäumer laut loskreischt, schauen wir uns wieder an.

Schließlich gehen wir zum Bauernladen auf der Cirencester Road und besorgen uns eine gute Suppe, die wir

bei Mum zu Hause essen können. Nachdem die Harringtons gegangen waren, meinte sie, nun sei ihr Geburtstags-
essen ruiniert und sie wolle nie wieder hier essen.

Unsere bisherige Unterhaltung verlief wie folgt:

Ich: »Alles okay?«

Mum: »Ich will nicht darüber reden.«

Ich lasse sie in Ruhe. Aber ich kann an nichts anderes mehr denken. Sarahs Eltern. Die Menschen, die sie
gemacht haben. Wo wollten sie hin? Was war da los?
Das sah nicht gerade nach guten Nachrichten aus.

Sarah sieht aus wie ihre Mutter. Aber irgendwie auch
wie ihr Vater. Stundenlang hätte ich mir ihre Gesichter
anschauen und nach winzigsten Ähnlichkeiten suchen
können.

Wir gingen zurück zu Mum nach Hause, wo ich die
Suppe aufwärme und ein paar Scheiben köstlich duf-
tendes Sauerteigbrot unter den Grill lege. Aber sie wird
nichts essen wollen. Sie scheint wütend auf mich zu
sein, obwohl ich nicht weiß, warum. Wollte sie, dass ich
hingehe und Sarahs Eltern einen rechten Haken verpasse, weil sie sie gemacht haben? Ich stehe in Mums
Küche und fühle mich leer und bedrückt, und wieder
frage ich mich, wer da letzten August gestorben ist. Am
anderen Ende ihres Gartens, unter dem Pflaumenbaum,
schimmert eine kleine goldene Pfütze aus Schöllkraut,
das sich mutig durch das noch spärliche Gras geschoben hat. Ich muss an die Wildblumen auf dem Sarg
denken, und dann muss ich mich sehr streng ermah-

nen, weil diese Gedanken eine sehr ungute Richtung zu nehmen drohen.

Wie erwartet will Mum nichts essen. »Sie haben mir den ganzen Tag verdorben«, klagt sie wieder. »Mir ist der Appetit vergangen.«

»Okay«, sage ich. »Ich esse meine Suppe jetzt. Du kannst dir deine ja dann später noch mal aufwärmen.«

»Damit ich eine Lebensmittelvergiftung bekomme? Man darf Sachen nicht zweimal aufwärmen.«

Gerade will ich schon sagen: »Mum, es ist eine Tomatensuppe!«, aber ich lasse es sein. Es ist sinnlos.

Und dann sitze ich da und esse mit einsam gegen das Porzellan klapperndem Löffel meine Suppe, in die ich dicke Brocken Sauerteigbrot tunke. Als ich fertig bin, spüle ich ab, gebe Mum ihr Geschenk, das sie erst später öffnen will, und hole schließlich meinen Mantel.

»Ich kann auch bleiben und wir unterhalten uns noch ein bisschen«, biete ich ihr an. Mum hat sich wie eine Katze an einem Ende der Couch zusammengerollt.

»Schon gut«, entgegnet sie steif. »Danke, dass du vorbeigekommen bist.«

Ich gehe zu ihr und gebe ihr einen Kuss auf die Wange. »Bye, Mum. Alles Gute zum Geburtstag.«

In der Tür bleibe ich noch mal stehen. »Ich hab dich lieb.«

Ich bin schon zur Tür hinaus, als sie nach mir ruft: »Eddie?«

»Ja?«

Ich gehe wieder rein, und das ist der Augenblick, der alles verändern wird. Auch wenn ich das da noch nicht weiß.

»Es gibt da etwas, das du wissen solltest«, sagt sie. Sie meidet meinen Blick.

Misstrauisch setze ich mich in einen Sessel ihr gegenüber. Hinter ihr auf dem Beistelltisch steht ein Foto von Alex auf der Schaukel, kurz nachdem sie in die Schule gekommen ist. Sie schreit vor Vergnügen und scheint schwerelos auf den Fotografen zuzufliegen. Pure Glückseligkeit. In der Vergangenheit habe ich mich manchmal gefragt, ob Mum absichtlich schwanger geworden ist, damit mein Vater uns nicht verlässt – die Affäre mit Victoria Arschgesicht zog sich da schon über Jahre –, aber immer, wenn ich dieses Foto sehe, denke ich mir, es ist egal. Alex hat nichts als Freude in unser Leben gebracht, ob nun mit Dad oder ohne.

»Vorhin die Harringtons zu sehen hat mir den ganzen Tag verdorben«, wiederholt Mum nach kurzem Schweigen. Sie knabbert an einem Fingernagel.

»Ich weiß«, erwidere ich müde. »Das sagtest du bereits.«

Sie sieht sich um und fährt mit der Hand über den Beistelltisch, um zu kontrollieren, ob er staubig ist. »Ich verstehe einfach nicht, wie sie ihrer Tochter das je verzeihen konnten …«

Ich stehe auf und will schon gehen, aber irgendwas

an ihrem Blick lässt mich wieder auf die Sessellehne sinken. Sie weiß etwas.

»Mum, was wolltest du mir gerade sagen?«

»Wenigstens Hannah ist gut geraten«, murmelt Mum und überhört geflissentlich meine Nachfrage. »Sie besucht mich immer noch, weißt du? Ihr bin ich nicht egal, anders als ihren Eltern.« Sie unterbricht sich und ballt die Hände abwechselnd zu Fäusten und öffnet sie wieder. »Wobei ich sie seit Weihnachten auch nicht mehr gesehen habe. Es gab eine kleine Meinungsverschiedenheit.«

»Weshalb?«

Mum schaut immer noch überall hin, nur nicht zu mir. »Wegen dieser Hexe von ihrer Schwester.«

»Sarah?« Ich beuge mich vor und starre sie an. »Was hat sie über Sarah gesagt?«

Mum zuckt verächtlich mit den Schultern. Ihr Gesicht ist verkniffen, und plötzlich wird mir angst und bange beim Gedanken daran, was sie mir womöglich verheimlicht.

»Mum …?« Mir schlägt das Herz bis zum Hals. Es muss etwas damit zu tun haben, weshalb Sarahs Eltern vorhin so überstürzt aus dem Café gestürmt sind. »Mum, bitte sag es mir.«

Mum seufzt. Sie streckt die Beine aus, stellt die Füße auf den Boden und setzt sich aufrecht hin. Fast wie bei einem Polizeiverhör. Die Hände hat sie fest im Schoß gefaltet. »Hannah war kurz vor Weihnachten hier. Sie hat mir gesagt, es gebe Neuigkeiten, die für mich womöglich schwer erträglich sein könnten. Nun ja, zumindest damit hatte sie recht.«

Sie unterbricht sich, findet nicht die richtigen Worte, und mir wird übel. Was ist mit Sarah? O Gott, was ist mit Sarah? Meine Hände kriechen herum wie Vogelspinnen, ohne dass ich weiß, wonach sie eigentlich suchen.

»Was hat sie dir erzählt?«, frage ich.

Mum sagt kein Wort.

»Mum, es ist wirklich wichtig, dass du mir das sagst.«

Sie beißt die Zähne zusammen, und die Ader an den Schläfen tritt hervor. Ich kann mich nicht daran erinnern, wann ich das letzte Mal so nervös war. Schließlich sagt sie: »Sarah ist wieder in England. Seit August vergangenen Jahres.«

Das Blut schießt mir in den Kopf, und ich lehne mich im Sessel zurück. Ich dachte, sie erzählt mir jetzt… Ich dachte, sie sagt jetzt…

Wieder und wieder habe ich mich gefragt, wer das im Leichenwagen war. Wessen Leben da gefeiert und betrauert wurde mit all den wunderschönen Wildblumen. Ich habe mir allergrößte Mühe gegeben, mir meine paranoiden Hirngespinste auszureden. Aber diese hartnäckigen Fragen sind nie ganz verschwunden. Was, wenn sie tot ist? Was, wenn Sarah in diesem Sarg lag?

Sarah ist gesund und munter. Sie ist in England.

Es dauert eine Weile, bis das wirklich bei mir ankommt. »Moment«, sage ich und setze mich auf. »Mum ... sagtest du, sie ist wieder hier? In England?«

Mit einer ungeahnten Energie springt Mum von der Couch. Baut sich vor mir auf, eine winzige Gestalt, stocksteif in ihrem selbstgerechten Zorn. »Wie kannst du bloß so zufrieden gucken?«, zischt sie mich an. »Was du für ein Gesicht machst, Eddie. Was hast du bloß? Sie ...«

»Wo ist sie?«, falle ich ihr ins Wort. »Wo ist Sarah jetzt?«

Mum schüttelt nur den Kopf und geht ans Fenster. »Bei ihren Eltern, habe ich gehört«, murmelt sie. Dann dreht sie sich wieder um und geht zurück zum Sofa, den Blick stur auf Alex' Foto geheftet. Vermutlich, damit ich es sehe. Denk nur an deine arme kleine Schwester.

»Wie ein Parasit hat sie sich bei ihren Eltern eingenistet. Ohne einen Penny in der Tasche und – angeblich – schwanger.« Rasch hält sie sich die Hand vor den Mund, als sei ihr das versehentlich herausgerutscht. Dann setzt sie sich wieder, schließt die Augen und sinkt ins Sofa. Schüttelt sich widerwillig. »Ich meine, wenn man in ihrem Alter den Platz im Leben noch nicht gefunden hat, ist doch alles zu spät, oder nicht?«

Ich starre sie nur an. »Schwanger? Sarah ist schwanger?«

Ein stechender Schmerz, als hätte man mir eine Klinge zwischen die Rippen gestoßen.

Mum gibt keine Antwort.

»Mum!«

Sie nickt, einmal nur und mit unübersehbarer Abscheu. »Schwanger«, bestätigt sie.

»Nein«, flüstere ich, aber das Wort kommt mir nicht über die Lippen.

Nein. Nein, nein, nein.

Sarah kann doch nicht das Kind eines anderen bekommen. Mum verschwimmt vor meinen Augen, und mir ist, als spaltete es mir schier den Schädel und mein Hirn spritzte in Hunderten verschiedener Nuancen des Elends heraus. Aber dann neigt sich die Achterbahn wieder, und ein ganz neues Gefühl kommt in mir auf: Hoffnung. Mir wird ganz schwindelig von der rasenden Geschwindigkeit, mit der meine Emotionen wechseln. Aber die Hoffnung bleibt – zwei Sekunden, drei, vier, fünf... Sie geht nicht mehr weg. Es könnte von mir sein, denke ich. Es könnte von mir sein.

»Sie ist zurückgekommen, als ihr Großvater gestorben ist«, erklärt Mum schmallippig. »Die Beerdigung, die wir damals gesehen haben. Das war wohl seine.«

Fast bin ich erleichtert, dass es nur ihr Großvater war. Und viel zu schockiert, um deshalb ein schlechtes Gewissen zu haben. Sarah ist schwanger, und das Kind könnte von mir sein.

»Was weißt du sonst noch, Mum? Bitte sag es mir.«

Mum nimmt ihre immer noch randvolle Suppenschale und geht damit in die Küche. Ich folge ihr wie ein kleines Hündchen. »Mum.«

»Hannah hat ihrer Schwester die schlimme Nachricht wohl am Telefon überbracht«, erzählt sie widerstrebend. Ihre Stimme ist ein kaum hörbares Wispern. »Der Schock, Hannah so unvermittelt am Telefon zu hören, hat sie anscheinend beinahe das Leben gekostet. Sie ist blind auf die Straße gelaufen und fast von einem LKW überfahren worden, die blöde Kuh. Aber...« Sie stellt die Suppenschale ab und schaut sich in der makellosen Küche um. »Aber so oder so, sie ist nicht tot.«

Mum unterbricht sich. Sie regt sich zusehends auf. Atmet ganz flach und kann einfach nicht still stehen. Sarah ist hier in England, und sie ist schwanger. Gut möglich, dass das Kind von mir ist. Ich folge Mum zurück ins Wohnzimmer. Sie bekommt kaum noch Luft.

Mechanisch fange ich an, ihr Anweisungen für Dereks Atemübungen zu geben. Leite sie an, bis sie tiefe, ruhige Atemzüge macht, und frage mich, warum sie mir das ausgerechnet jetzt sagt, nachdem sie es mir monatelang verschwiegen hat. Sie kann doch nicht wollen, dass ich erfahre, dass Sarah wieder hier ist. Geschweige denn, dass sie schwanger ist. Mum hasst die Vorstellung, dass ich auch nur an Sarah Harrington denke.

Es muss irgendwas mit Sarahs Eltern zu tun haben, überlege ich. Damit, dass sie das Café so überstürzt verlassen haben. Verzweifelt starre ich sie an, während Mum versucht, ihre Atmung wieder unter Kontrolle zu bringen. Sag es mir!, will ich sie am liebsten anschreien. Sag mir alles, was du weißt! Stattdessen frage ich ganz vorsichtig: »Und weißt du sonst noch irgendwas? Wie es ihr geht? Wie es ihr ergangen ist?«

»Sie ist wohl ziemlich niedergeschlagen«, meint Mum schließlich. »Wollte niemandem sagen, wer der Vater ist.«

Die Hoffnung keimt und treibt erste Blättchen.

»Bei der Beerdigung hat sie Hannah zum ersten Mal seit zwanzig Jahren wiedergesehen. Hannah hat mir gesagt, sie und ihre Schwester… sie… sie seien sich einig gewesen, dass sie genug verloren haben. Sie wollen versuchen, sich wieder zu versöhnen.«

Mum wirkt angewidert von den Worten, die da aus ihrem Mund kommen. Und jetzt verstehe ich auch, warum sie sich mit Hannah überworfen hat. All die Jahre hatte Mum in Hannah eine Verbündete. Das muss ihr nun wie ein ungeheuerlicher Verrat vorkommen.

»Und Sarah wohnt also seitdem in Frampton Mansell? Seit einem halben Jahr schon?«

Mum nickt und mustert mich. »Ich nehme an, du hast sie noch nicht gesehen.« Die Antwort auf diese Frage steht mir sicher überdeutlich im Gesicht geschrieben.

»Und sie ist schwanger? Bist du dir da ganz sicher, Mum?« Die Worte bleiben mir fast im staubtrockenen Hals stecken.

Mum guckt mich an, und ihr Gesicht verdunkelt sich vor Enttäuschung. Man kann mir sicher ansehen, was das mit mir macht. »Ich bin mir ganz sicher.«

»Wann kommt es? Das Baby?«

»Weiß ich nicht.« Mum wringt die Hände. Ich sehe ihr an, dass sie nicht lügt.

Was auch immer sie veranlasst hat, mir das alles zu erzählen, es muss in ihr einen unerbittlichen Kampf ausgelöst haben. Sie macht mit ihren Atemübungen weiter.

»Du weißt wirklich nicht, wann es kommen soll?«, versuche ich ihr auf die Sprünge zu helfen. »Nicht mal ungefähr? Ich werde es sowieso herausfinden«, murmele ich. »Du kannst es mir also auch gleich sagen.«

Mum schließt die Augen. »27. Februar. Vor sechs Tagen«, sagt sie schließlich. »Was heißt, das Kind muss letztes Jahr im Juni gezeugt worden sein.« Sie zuckt zusammen, als sie sich das sagen hört.

Totenstille.

»Und niemand weiß, wer der Vater ist?«

»Irgendein dahergelaufener wildfremder Kerl vermutlich«, bemerkt Mum spitz. Aber natürlich meint sie das nicht ernst. Sie weiß ganz genau, was das heißt.

Ich zittere am ganzen Körper, als ich vor ihr in die Hocke gehe, und meine Beine geben nach, weshalb ich schließlich seitlich auf dem Hintern sitze. Auf dem Teppich vor ihr wie ein kleines Kind zur Märchenstunde. »Sagst du mir das alles, weil du denkst, dass es von mir ist? Mum? Denkst du das?«

Sie macht die Augen auf, und sie füllen sich mit Tränen. »Sarah Harrington kann nicht mein Enkelkind bekommen«, krächzt sie mit leiser, brüchiger Stimme. »Eddie, das ertrage ich nicht… Aber ich…« Ihre Stimme zittert. »Aber ich muss immer daran denken, dass das Kind jetzt sicher schon da ist, und es könnte…«

Ich sehe sie an, ohne sie zu sehen. Sarah. Mein Baby. Alles um mich herum wogt wie ein Weizenfeld im Wind.

Ich versuche, meine Gedanken zu ordnen. »Was meinst du, warum ihre Eltern so schnell wegmussten? Meinst du, es ist was passiert?« Ich muss mich mit dem rechten Arm abstützen.

Von irgendwo höre ich Mums Stimme: »Ich weiß es nicht. Aber seitdem mache ich mir große Sorgen. Darum habe ich es dir auch gesagt.« Zum dritten Mal versucht sie, ruhig und tief durchzuatmen.

Ich lege ihr eine zitternde Hand aufs Knie, während sie ein paar unsichere Atemzüge macht. Ich muss zu Sarah. »Mum…«, setze ich an. »Hilf mir.«

Nach schier endlosem Schweigen holt Mum lang und hörbar Luft und weist dann nickend auf das Telefon, das auf dem Beistelltisch liegt. »Die Nummer der Harringtons ist sicher noch da drin. Im Adressverzeichnis.«

Ich rappele mich auf und gehe durchs Zimmer, wohl wissend, welche Überwindung sie das gekostet haben muss. Sie ist immer noch ein guter Mensch, meine

Mutter. Sie kann noch immer lieben. Ganz gleich, wie trostlos ihr Leben auch geworden sein mag.

Es ist Jahre her, seit ich so für sie empfunden habe.

Die Nummer ist noch da. Zwischen »Nigel Harlyn«, einem alten Kollegen von Dad, und »Harris Klempnerei Cirencester«. Hineingekritzelt in einem anderen Leben von einer gestressten Mutter: *Patsy Harrington – Hannahs Mum aus der Spielgruppe – 02185…*

Ich will die Nummer in mein Handy tippen, aber das kennt sie – natürlich – schon. Sarah hat sie mir letzten Juni gegeben, als dieses Baby kaum mehr gewesen sein kann als ein klitzekleiner Zellklumpen.

»Mum«, sage ich behutsam. »Ich muss jetzt los. Okay? Ich muss los und herausfinden, was passiert ist. Es kann sein, dass du mich eine Weile nicht erreichst. Aber wenn was ist, hast du ja deine Notfallnummer und Dereks Nummer und die von Felix. Du schaffst das schon, Mum. Du kriegst das hin. Ich muss los. Ich muss…« Meine Stimme verliert sich. Mühsam komme ich auf die Beine, gebe meiner Mutter einen Kuss auf den Kopf und taumele mit zitternden Knien zum Auto.

Und Mum sagt keinen Ton. Sie weiß, dass es ihr Enkelkind sein könnte. Und sie weiß, dass irgendwas nicht stimmt. Und das ist größer und wichtiger als alles andere. Sie kann es nicht aussprechen – lieber würde sie sterben, als sich das einzugestehen –, aber eigentlich möchte sie, dass ich herausfinde, was los ist.

»Ich hoffe für dich, du rufst mich nicht an, weil du den Schwanz einziehen willst«, knurrt Alan, als er ans Telefon geht. »Echt jetzt, Ed...«

»Sarah hat ein Kind bekommen«, keuche ich. »Oder bekommt es bald. Und ich bin mir sicher, dass es von mir ist. Ich habe schon versucht, ihre Eltern anzurufen, aber es geht niemand ran. Ich brauche Hannahs Mobilnummer. Hast du die vielleicht?«

Langes Schweigen.

»Was?«, fragt Alan. Wie üblich isst er gerade irgendwas. Alan arbeitet in einem Architekturbüro, und seine Kollegen sind immer wieder aufs Neue fasziniert und fassungslos angesichts der Unmengen an Nahrungsmitteln, die er in seinem Schreibtisch bunkert. Für »Notfälle«, wie er meint. »Machst du Witze?«

»Nein.«

»Wow«, brummt er nach reiflicher Überlegung.

»Ich brauche Hannahs Nummer.«

»Oh, Kumpel, du weißt doch, ich kann keine Kundendaten weitergeben.« Alan hat kürzlich Pläne für den Anbau eines Wirtschaftsraums an der Rückseite von Hannahs Haus in Bisley gezeichnet. Als er mir von dem Auftrag erzählte, waren wir uns einig gewesen, nicht weiter darüber zu reden. Aber die Abmachung zählt jetzt nicht mehr.

»Gia und Hannah sind doch nach dem Yoga immer zusammen Kaffee trinken gegangen«, sage ich rasch. (Vor ungefähr sieben Jahren.) »Gia hat bestimmt noch ihre Telefonnummer. Du könntest mir ein bisschen Zeit sparen und sie mir rasch aus dem Rechner vor deiner Nase ziehen, statt mich zu zwingen, deine Frau anzurufen. Alan, echt jetzt, rück diese Nummer raus.«

Alan fängt an zu flüstern, als mache ihn das in einem stillen Büro weniger verdächtig. »Also gut. Aber du schreibst Gia eine Nachricht und fragst sie nach der Nummer. Sollte ich je dazu befragt werden, kann ich mit Fug und Recht behaupten: ›Nein, die Nummer hat er von meiner Frau.‹«

Ich muss mich beherrschen, ihn nicht anzuschreien. »Gib mir diese gottverdammte Nummer, Alan!«

Was er dann auch tut.

»Dann gehst du wohl nicht zu deinem Date«, seufzt er.

Hannahs Handy ist ausgeschaltet. Ihre Mailbox-Ansage klingt verblüffend nach Sarah. Nur etwas brüsker, geschäftsmäßiger. So klingt Sarah vermutlich, wenn sie bei einer Konferenz spricht oder im Fernsehen.

Ein Kind. Mein Kind. Mir schwimmt der Kopf. Der Himmel ist schmutzig weiß. Meine Hände zittern immer noch.

Ich schaue auf die Uhr. 15.45 Uhr. Mir fällt ein, dass Hannahs Kinder inzwischen aus der Schule nach Hause gekommen sein müssten. Und dass, mit ein bisschen Glück, sie oder ihr Mann sie abgeholt haben. Unzählige Gefühle schießen durch meinen Körper, schneller, als ich sie erfassen kann. Ich weiß nur, dass ich sie finden muss.

Ich starte den Land Rover und mache mich auf den Weg nach Bisley. Versuche, nicht an Mum zu denken, die ganz allein zu Hause sitzt und mit dieser Situation kämpft, die für sie der reinste Albtraum sein muss. Aber dann denke ich: Fast drei Monate weiß sie es schon. Drei gottverdammte Monate!

Immerhin hat sie es mir schließlich doch erzählt, sage ich mir. Weil ich es muss. Sarah zu hassen hat Mum für sehr, sehr lange Zeit davor geschützt, den schlimmsten – den beinahe unerträglichen – Schmerz zu spüren. Er war die beste Medizin für sie. Dieses Nicken in Richtung Telefon, als würde sie mir widerstrebend ihren Segen erteilen, das sollte ich nicht unterschätzen.

Die Winterlandschaft fliegt draußen vorbei, dürr und triefend. Ich versuche mir Hannah vorzustellen, wie sie zum ersten Mal ihre Schwester wiedersieht, nach all den Jahren, in denen Mum ihr unablässig Galle ins Ohr geträufelt hat. Und ich stelle mir Sarah vor, verunsichert und verängstigt und doch voller Hoffnung. Wie sie unbedingt das Richtige sagen und Hannah für sich einnehmen will.

Kein Wunder, dass sie niemandem erzählt hat, wer der Vater ist. Das wäre, als werfe man eine Handgranate mitten in diese gerade wieder zusammenwachsende Familie.

3.51 Uhr. »Bitte mach, dass Hannah keine Nanny

hat«, murmele ich am Stadtrand von Bisley angekommen. »Bitte mach, dass Hannah oder ihr Mann mir die Tür aufmachen.«

Ich fahre viel zu schnell, aber das ist mir zu meinem eigenen Erstaunen vollkommen egal. Die letzten Monate stoischer Ergebenheit, des Das-Richtige-Tun, fallen von mir ab und legen den blinden Masochismus und den Wahnsinn frei, die darunter verborgen lagen. Ich weiß seit gerade mal fünfzehn Minuten, dass Sarah mit meinem Kind schwanger ist, und schon ist alles vergessen, was ich mir eingeredet habe, um mich von ihr fernzuhalten. Ich will nur noch zu ihr.

Ein Baby. Sarah ist mit meinem Baby schwanger.

Ich erkenne Hannahs Mann gleich, als er mir die Haustür öffnet. Von dem Abend, als ich im Pub mit der Faust auf den Tisch gehauen habe. »Stinki!«, schreit er, als ein schwarzer Labrador an ihm vorbeigaloppiert und in mich hineinkegelt, eine verschlissene Schmusedecke in der Schnauze. Der Hund springt an mir hoch und kreist vor Freude mit dem Schwanz wie ein Rotorblatt.

»Stinki!«, schimpft Hannahs Mann. »Lass das!«

Er zerrt am Halsband und versucht, den Hund von mir wegzuziehen.

»Stinki?«, frage ich. So kurz davor zu lachen war ich schon lange nicht mehr.

»Blöde Idee, die Kinder den Namen für den Hund aussuchen zu lassen.« Er grinst entschuldigend. »Kann ich Ihnen irgendwie helfen?«

Stinki versucht sich zu befreien und mich wieder anzuspringen, und ich tätschele ihm den Kopf, während ich diesem wildfremden Menschen das Unmögliche zu erklären versuche.

»Entschuldigung, ja. Ich bin Eddie Wallace. Ich kenne Hannah schon sehr lange. Sie…«

»Ach ja«, entgegnet der Mann. »Ja, ich weiß, wer Sie sind. Sie sind der ältere Bruder von Hannahs Sandkastenfreundin…« Er unterbricht sich verlegen, wobei ich nicht weiß, ob das daran liegt, dass er Alex' Namen vergessen hat oder meine tote Schwester nicht erwähnen will.

»Alex«, helfe ich ihm auf die Sprünge. Ich habe keine Zeit für peinliche Gesprächspausen.

Er nickt. Irgendwo im Haus hinter ihm hört man ein lautes *Rums* und dann Kindergeschrei. Nervös schaut er sich um, scheint aber beruhigt, als eine Piepsstimme von hinten irgendwas schreit, der Unwürdige soll sich bereit machen, durch das Schwert zu sterben.

Er dreht sich wieder zu mir um, und ich verliere vor Verzweiflung fast den Verstand. Ich muss auf der Stelle alles erfahren.

Stinki schnüffelt mir im Schritt.

»Also, das klingt jetzt vielleicht ein bisschen eigenartig, aber… soweit ich weiß, hat Hannahs Schwester kürzlich ein Kind bekommen oder bekommt bald eins. Ich meine, womöglich liegt sie sogar gerade in den Wehen…«

Der Mann lächelt. »Stimmt! Hannah ist gerade bei ihr im Krankenhaus. Die arme Sarah hat seit zwei Tagen Wehen. Sind Sie ein Freund von ihr?« Dann verstummt er, augenscheinlich irritiert, dass ich Eddie Wallace sein soll und gleichzeitig ein Freund von Sarah. Sein perplexes Gesicht wirkt alarmiert. Als fürchtete er, womöglich etwas verraten zu haben, das ich nicht wissen soll.

Im ersten Moment kann ich gar nichts sagen. Weshalb ich nur stumm dastehe und Stinki streichle. Grinsend blickt der Hund mir entgegen, und ich muss sein Grinsen erwidern. Dann sehe ich Hannahs Mann unverblümt an. Ich habe keine Zeit, mir eine glaubhafte Ausrede einfallen zu lassen, die er mir abkauft. »Freund würde ich nicht unbedingt sagen … eher der Vater des Kindes.«

Schweigen.

Ungläubig starrt der Mann mich an. »Wie bitte?«

»Ich habe es selbst erst vor ungefähr einer halben Stunde erfahren …« Der Mann runzelt die Stirn. Es scheint ihm schleierhaft, wie um alles auf der Welt ich der Vater von Sarahs Baby sein kann. Ich schlucke. »Es ist eine lange Geschichte. Aber ich hätte nicht an Ihrer Tür geklingelt, wenn ich mir nicht sicher wäre, dass es von mir ist.«

Schweigen.

»Hören Sie – ich bin ein grundanständiger Kerl, der gerade erfahren hat, dass er Vater geworden ist oder es bald wird. Und ich möchte mich Sarah ganz bestimmt nicht aufdrängen, aber ich ...« Ich verstumme, weil mir zu meinem eigenen Entsetzen die Stimme zu versagen droht. »Ich will einfach nur für sie da sein. Wenn ich darf.«

»Verstehe«, brummt der Mann irgendwann.

Stinki sitzt zu meinen Füßen und guckt mich an. Ich scheine eine Riesenenttäuschung zu sein.

»Ich möchte Sie ja wirklich nicht unnötig unter Druck setzen, aber ich flippe gleich aus. Ich will einfach nur da hin und helfen oder Sarah zumindest sagen, dass ich an sie denke. Oder ... ich weiß es doch auch nicht. Ich wollte Sie nur bitten, mir zu sagen, ob sie in Stroud im Krankenhaus ist oder in Gloucestershire oder ganz woanders.«

Der Mann verschränkt die Arme vor der Brust. »Da muss ich erst Hannah fragen«, meint er schließlich. »Ich hoffe, Sie verstehen das.«

Natürlich verstehe ich das. Trotzdem will ich ihm am liebsten mit der Faust ins Gesicht schlagen.

Ich hole tief Luft und nicke. »Ich verstehe das. Wobei, falls es Ihnen hilft, Hannah hat das Handy ausgeschaltet. Ich habe vorhin schon versucht sie anzurufen.«

Der Mann nickt. »Ja, das kann ich mir denken.« Aber er besteht trotzdem darauf, es zu versuchen, und geht in den Flur, damit ich nicht höre, was er sagt. »Du wirst es nicht glauben ...«

Es dauert nicht lange, bis er wieder da ist. »Sie geht nicht ran«, sagt er. Spielt mit dem Handy herum und scheint nicht zu wissen, was tun. Er als Vater versteht mich – man sieht ihm an, wie gern er mir helfen möchte. Aber das ist eine wirklich delikate Angelegenheit.

Langsam werde ich panisch. Womöglich sagt er es mir nicht.

»Ich kann auch auf gut Glück nach Stroud fahren oder nach Gloucester … Aber sagen Sie mir wenigstens, wie es ihr geht?«, frage ich. Ich bin völlig verzweifelt und nehme, was ich kriegen kann. Jedes Krümelchen, das er die Gütigkeit besitzt, mir vom Tisch zuzuwerfen. Stinki seufzt und lehnt den großen dicken Kopf gegen mein Bein.

Er zögert. »Ich weiß nur, dass sie seit zwei Tagen Wehen hat. Und dass sie von der Hebammenstation in den Facharztbereich verlegt wurde.«

»Und was heißt das?«

»Das war bei Elsas Geburt genauso, und das heißt, dass es nicht so gut läuft«, gibt er widerstrebend zu. »Aber das könnte verschiedene Ursachen haben – vermutlich ist sie einfach erschöpft und braucht ein anständiges Schmerzmittel. Ich an Ihrer Stelle würde mir nicht allzu viele Sorgen machen.«

»Bitte sagen Sie mir, wo Sarah ist.« Meine Stimme ist zu laut, aber ich glaube, ich klinge einfach nur verzweifelt, nicht bedrohlich oder irre. »Bitte. Ich bin ein ganz normaler Kerl. Kein Psychopath. Ich will einfach nur zu ihr.«

Er seufzt und gibt schließlich auf. »Okay … Okay. Sie

sind im Gloucester Royal. Ich glaube, die Geburtsstation nennt sich Frauenzentrum. Aber ich warne Sie, die lassen Sie nicht durch die Tür, wenn Sarah das nicht möchte. Ich schreibe Hannah eine Nachricht und sage ihr, dass Sie kommen. Ich sollte das eigentlich nicht machen, aber … na ja, wenn ich in Ihrer Lage wäre …«

Ich sacke zusammen und lege Stinki die Hand auf den glänzenden schwarzen Kopf. Der ist wie ein tröstlicher Holzklotz, warm und – ja – bestimmt auch ein bisschen stinkig. »Danke«, flüstere ich leise. »Vielen lieben Dank.«

»Dad?« Eine Kinderstimme von oben. Hinter dem Mann sehe ich einen Kopf auftauchen, kopfüber am Geländer. Kastanienrote Locken fallen um das Gesicht nach unten. »Was ist das für ein Mann?«

»Viel Glück«, sagt er und überhört die Frage seiner Tochter. Sarahs Nichte, Elsa, von der sie glaubte, sie würde sie nie kennenlernen. »Ich bin übrigens Hamish.«

»Eddie«, sage ich, obwohl ich mich eben bestimmt schon vorgestellt habe. »Ich kann Ihnen gar nicht sagen, wie dankbar ich Ihnen bin.«

Und dann bin ich auch schon auf dem Weg.

Siebenundvierzigstes Kapitel

Die Autofahrt ist die längste halbe Stunde meines Lebens. Auf der A417 angekommen stehe ich schon völlig neben mir.

Alex hätte sich schrecklich über eine kleine Nichte gefreut, denke ich, als ich am Kreisverkehr warten muss. (Und: Wie kann es sein, dass die Ampel immer noch rot ist?) Und noch mehr hätte sie sich über eine Nichte gefreut, über die sie mit Hannah verwandt wäre.

Und ich? Natürlich wollte ich ein Kind. Ich glaube, das wusste ich schon seit Jahren. Aber ich hätte nicht gedacht, dass es jemals so kommen würde – zumindest nicht, bis ich Sarah kennengelernt habe. Da fühlte es sich plötzlich nicht mehr wie eine weit entfernte Wunschvorstellung an, sondern wie eine erfüllbare Sehnsucht.

Ich liebe sie, denke ich, als ich aufs Gaspedal trete und in den Kreisverkehr schieße. Mit ihr war plötzlich alles möglich.

Sarah Harrington war all die Monate mit meinem Kind schwanger. Neben all dem Kummer und der

Trauer und dem Verlust ihres Großvaters. Sie ist auf die andere Seite der Welt gezogen. Zurück an den Ort, an den sie nie wieder wollte. Und irgendwie hat sie es geschafft, die Wunde heilen zu lassen, die ihre ganze Familie zerrissen hatte. Ganz allein. Obwohl ich nicht mal mit ihr befreundet sein wollte.

Ich erinnere mich nur zu gut an diese unerträgliche Traurigkeit in ihren Augen, als sie von Hannah und ihren Kindern erzählt hat, und wieder frage ich mich, wie es wohl für die beiden gewesen sein muss, unter derart außergewöhnlichen Umständen eine ganz neue Beziehung zueinander aufzubauen. Ich hoffe, das hat Sarah glücklich gemacht. Ich hoffe, dass Hannah ihre Geburtsbegleiterin ist, heißt, dass sie sich wieder so nahestehen, wie Schwestern es sollten.

KRANKENHAUS 1 MEILE, steht auf einem Schild. Eine Meile zu weit. Ich fahre unter einer Eisenbahnbrücke hindurch und einen Hügel hinauf und verfluche den Verkehr. Dann passiere ich, viel zu langsam, einen Fish-and-Chips-Laden. Ein Mann steht im Dämmerlicht davor, und eine Plastiktüte mit warmen Papierpäckchen baumelt an seinem Handgelenk. Er telefoniert und lacht und bemerkt nicht den verzweifelten Autofahrer, der mit seinem im Schneckentempo weiterkriechenden Land Rover im Feierabendverkehr feststeckt.

Etwa eine Minute später zeigt ein Schild an, dass das Krankenhaus noch eine halbe Meile entfernt ist. Immer noch viel zu weit. Die nächste Ampel springt auf Rot. Ich komme aus dem Fluchen nicht mehr heraus.

Der Land Rover läuft ganz leise, und man hört nur das altmodische Ticken des Blinkers. Ich stelle mir Sarah vor, meine wunderschöne Sarah, wie sie erschöpft im Bett liegt. Ich denke daran, was ich aus Filmen über Geburten weiß: schreckliche Schreie, panische Hebammen, brüllende Ärzte, schrilles Alarmpiepsen. Es kommt mir vor, als hätte mich jemand mit einem Eisportionierer ausgehöhlt. Vor Angst habe ich das Gefühl, die Bodenhaftung zu verlieren. Was, wenn etwas schiefgeht?

Ich biege links ab und sage mir selbst, dass Frauen auf der ganzen Welt jeden Tag Kinder gebären. Müssen sie ja, sonst wäre die Menschheit längst ausgestorben. Vor mir erscheint das gedrungene braune Gebäude des Gloucester Royal.

Vor dem Krankenhaus geht es zu wie in einem Bienenstock. Krankheit scheint keine Geschäftszeiten zu kennen. Etliche Leute kreuzen vor mir die Straße. Überall sind Geschwindigkeitshemmer. Der erste Parkplatz ist überfüllt. Ich möchte am liebsten laut schreien. Ich möchte zum nächsten Eingang rennen und mein Auto einfach irgendwo abstellen.

Und jetzt weiß ich auch, wie Sarah sich an dem Tag gefühlt haben muss, als sie hinter ihrem Freund und ihrer kleinen Schwester hergefahren ist. Ich weiß, was für eine Angst sie ausgestanden haben muss und was für

ein Impuls sie dazu gebracht hat, das Lenkrad herumzureißen, um den Zusammenprall zu vermeiden, den Hannah nicht überlebt hätte. Ich weiß, dass sie nicht ausge-
wichen ist, weil Alex ihr egal war. Aus Liebe und aus
Angst hat sie das Auto herumgerissen. Ich würde auch
den Parkplatz des Krankenhauses blockieren. Ich würde
die zulässige Höchstgeschwindigkeit überschreiten. Und
ich würde, genau wie Sarah 1997, den Wagen nach links
herumreißen, um den Menschen zu retten, den ich am
meisten liebe.

Achtundvierzigstes Kapitel

Hamish hat natürlich recht. Sie lassen mich nicht rein. Die Dame auf der anderen Seite der Gegensprechanlage scheint irritiert, dass ich die Dreistigkeit besitze, es überhaupt zu versuchen.

»Kann ich denn irgendwo warten?«, frage ich. »Ich habe Sarahs Geburtsbegleiterin gesagt, dass ich hier bin... Ähm, und ich bin der Vater, falls das irgendwie weiterhilft... Oder nehme es zumindest stark an...« An diesem Punkt beendet die Dame das Gespräch. Ich frage mich, ob sie jetzt den Wachdienst ruft.

Hinter dem Eingang gibt es einen kleinen Wartebereich, da setze ich mich unter eine Rolltreppe, gleich gegenüber von den beiden Aufzügen. Würde ich versuchen, die zu benutzen, würde das vermutlich meine sofortige Verhaftung zur Folge haben. Und hier, in diesem neonröhrenbeleuchteten Krankenhauskorridor – um mich herum, wo ich auch hinschaue, überall Paare, richtige Familien – habe ich die Dämlichkeit dieses ganzen Unternehmens plötzlich so gleißend hell vor Augen, dass ich beinahe laut lachen muss.

Was hatte ich mir denn bitte erhofft? Dass Hannah zwischen den Wehen ihr Handy checken, vielleicht ein paar E-Mails beantworten würde? Dass sie Hamishs Nachricht lesen und denken würde: Ach, wunderbar! Eddie Wallace ist der Vater des Kindes! Und er ist hier, im Krankenhaus – ist das nicht traumhaft! Und würde dann rasch den Kopf zur Tür herausstrecken und mich hineinrufen?

Ich vergrabe das Gesicht in den Händen und frage mich, ob Hamish in Bisley wohl gerade genau dasselbe macht.

Wenn überhaupt noch eine Chance besteht, Sarah zurückzugewinnen, dann wird es dazu mehr brauchen als einen spontanen Abstecher zum Gloucester Royal. Ganze sechs Monate hat sie nicht mal eine Meile von mir entfernt gewohnt. Sechs Monate hätte sie Zeit gehabt, sich bei mir zu melden. Mir zu sagen, dass ich Vater werde. Und ich habe keinen Pieps von ihr gehört.

Aber obwohl ich weiß, dass es eigentlich vollkommen zwecklos ist, bleibe ich da. Ich kann nicht weg. Ich kann sie nicht noch mal im Stich lassen.

Der Aufzug pingt, und ich zucke zusammen und gucke hoch. Aber natürlich ist es nicht Sarah mit dem Baby im Arm, sondern ein müde wirkender Mann mit einem Schlüsselband um den Hals und einer Schachtel Zigaretten, die er schon halb aus der Tasche gekramt hat.

Wir können uns frei entscheiden, habe ich zu ihr

gesagt an dem Tag, als wir uns kennenlernten. Wir sind nicht Opfer der Umstände. Wir können uns entscheiden, glücklich zu sein. Und doch habe ich mich entschieden, unglücklich zu sein. Trotz allem, was ich gesagt habe. Ich habe Sarah Harrington und diesem Einmal-im-Leben-Ding zwischen uns den Rücken gekehrt, und ich habe mich für die Pflicht entschieden. Das halb gelebte Leben.

Heute entscheide ich mich für sie. Uns. Ganz gleich, welche Konsequenzen das auch haben mag: Wenn Sarah mich noch will, entscheide ich mich für sie.

Wenn sie mich noch will.

Eine Stunde vergeht. Zwei Stunden. Drei. Menschen kommen und gehen und bringen eiskalte Winterluft mit herein, die schnell warm und abgestanden ist. Eine Glühbirne geht kaputt. Sie flackert unstet, und gleich darauf taucht ein Mann auf und repariert sie, noch bevor ich überhaupt auf die Idee gekommen bin, jemandem Bescheid zu sagen. Ich schicke ein stilles Dankgebet für den staatlichen Gesundheitsdienst gen Himmel. Ein Stoßgebet für Sarah. Für meine Mutter, deren momentane Gefühlslage ich mir nicht einmal ansatzweise vorzustellen vermag. Vielleicht ist Felix bei ihr. Felix mit seinem sonnigen Gemüt und dem unerschütterlichen Optimismus, ganz gleich, welche Steine ihm das Leben auch in den Weg legt.

Irgendwann, nachdem die Dunkelheit sich über das

Frauenzentrum gelegt hat, kommt eine Familie in den kleinen Wartebereich. Vater, Mutter, Kind. Der Junge hat einen blonden Afro und ein schelmisches Koboldgesicht, das mir gleich sympathisch ist. Er schaut sich neugierig um, erklärt das Krankenhaus für sterbenslangweilig und fragt seine Mum, was sie dagegen zu unternehmen gedenkt. Sie tippt ganz vertieft auf ihrem Handy herum. Sagt irgendwas zu ihrem Mann bezüglich der Besuchszeiten.

Dann fragt das Kind: »Warum hat Sarahs Kind keinen Dad, Mum? Warum ist Sarahs Schwester bei ihr und nicht der Vater von ihrem Kind?«

Mir bleibt fast das Herz stehen. Mit hochroten Wangen starre ich in meinen Schoß.

Die Mutter entgegnet: »Das solltest du vor Sarah lieber nicht sagen, Schatz. Wenn wir reingehen und sie besuchen, kannst du sie alles fragen, was du willst, nur nichts über den Daddy von ihrem Kind. Rudi, hörst du mir überhaupt zu?«

»Ja, aber...«

»Wenn du mir versprichst, dass du den Mund hältst, gehe ich morgen mit dir in die Eisdiele. Die neue Ice-Cream-Factory in Stroud, von der ich dir erzählt habe.«

Mir schlägt das Herz bis zum Hals. Verstohlen linse ich rüber zu dem Jungen, doch der interessiert sich nicht die Bohne für mich.

»Ist das der gemeine Mann, der ihr das Herz gebrochen hat? Wegen dem sie geweint hat, weil er sie nicht angerufen hat?«

Mir ist, als würde man mir bei lebendigem Leib die Haut abziehen.

Das Handy der Frau – offenkundig Sarahs Freundin Jo – klingelt. Sie läuft rüber zu den Aufzügen, bevor sie rangeht, während Rudi mit seinem Vater spielt. Der allerdings gar nicht sein Vater sein kann. Denn als er ihn bei Stein, Papier, Schere vernichtend schlägt, nennt Rudi ihn Tommy.

Tommy! Sarahs alter Schulfreund! Wobei das nicht ganz zu dem passt, was sie mir in ihren Briefen geschrieben hat. Nie hat sie mit einem Wort erwähnt, Jo und Tommy wären ein Paar. Vielleicht habe ich das überlesen? Ich wünschte, ich wüsste mehr über Sarah und ihr Leben. Ich wünschte, ich wüsste, was sie zum Frühstück gegessen hat an dem Tag, als die Wehen einsetzten. Wie die Schwangerschaft verlaufen ist. Wie es sich anfühlt, sich nach all den Jahren mit ihrer Schwester zu versöhnen. Ich wünschte, ich wüsste, dass es ihr gutgeht.

Jo kommt zurück und fängt an, ihre Sachen zusammenzupacken. Über Rudis Afro hinweg schaut sie Tommy an und schüttelt leicht den Kopf.

»Mum? Wo gehen wir hin? Mum! Ich will zu Sarah!«

»Wir fahren zu Sarahs Mum und Dad«, erklärt sie ihrem Sohn. »Sie haben gerade angerufen und uns eingeladen, bei ihnen zu übernachten. Es wird langsam spät, du musst ins Bett, und Sarah darf heute keinen Besuch bekommen. Vielleicht morgen auch noch nicht.«

»Und wann können wir dann zu ihr?«

Jos Miene ist nicht zu deuten. »Ich weiß es nicht«, gesteht sie schließlich.

Danach gibt es eine hässliche Szene. Rudi liebt seine Tante Sarah wohl sehr und will partout nicht unverrichteter Dinge wieder gehen. Aber irgendwann lässt er sich – stinksauer – doch überreden, die Jacke anzuziehen. Als sie sich auf den Rückweg machen und Tommy an mir vorbeikommt, stutzt er plötzlich und bleibt stehen. Geht zögerlich weiter und bleibt dann wieder stehen. Ich spüre seinen prüfenden Blick, und nach kurzem Zögern gucke ich hoch. Ich bin so verzweifelt, dass ich selbst ein hochnotpeinliches Gespräch mit Sarahs ältesten Freunden nicht scheue.

»Entschuldigen Sie«, sagt er, als ich aufschaue. »Ich muss Sie wohl verwechselt haben ...«

Er dreht sich wieder um. Bleibt wieder stehen. »Nein, Sie ... Sind Sie Eddie?«

Jo, die vor den Aufzügen steht, dreht sich auf dem Absatz um. Starrt mich durchdringend an. Alle beide. Rudi guckt kurz zu mir rüber. Aber er ist so beschäftigt, fuchsteufelswild zu sein, dass er kaum Notiz von mir nimmt. Ich sehe, wie Jo zu ihm ein paar wohlgewählte Worte sagt – ob vor Wut oder Schreck –, um ihren Sohn dann durch die automatische Schiebetür nach draußen zu bugsieren.

Ich stehe auf und reiche Tommy die Hand. Er zögert merklich, nimmt sie dann aber doch.

»Woher wissen Sie …?«, fragt er. »Hat Sarah sich bei Ihnen gemeldet?« Er ist puterrot angelaufen, und ich weiß gar nicht, warum. Wenn sich jemand schämen sollte, dann ich.

»Ich habe es erst heute Nachmittag erfahren. Lange Geschichte. Aber Hannah weiß, dass ich hier bin. Glaube ich.«

Bevor er irgendwas sagen kann, platze ich heraus: »Wie geht es ihr? Ist alles okay? Ist das Baby schon da? Geht es Sarah gut? Es tut mir leid – ich weiß, ich muss wie ein Wahnsinniger klingen, und ich habe dafür gesorgt, dass Sarah einen schrecklichen Sommer hatte, aber … ich ertrage das nicht. Ich will einfach nur wissen, ob alles in Ordnung ist.«

Tommys Gesicht glüht noch etwas heftiger. Seine Augenbrauen haben ein Eigenleben entwickelt und scheinen sich gerade eine Rede auszudenken oder ein vertracktes Rätsel zu lösen.

»Ich weiß es wirklich nicht«, murmelt er schließlich. »Jo hat gerade eben mit Sarahs Mum telefoniert. Ich nehme an, sie wollte mir vor Rudi nicht sagen, was los ist.«

»Scheiße«, keuche ich. »Heißt das, es sieht nicht gut aus?«

Tommy wirkt hilflos und in die Ecke gedrängt. »Ich weiß es nicht«, wiederholt er. »Ich hoffe nicht. Ich meine, ihre Eltern waren vorhin hier und sind wieder nach Hause gefahren, es wird also nicht so… Hören Sie, ich muss los. Ich…« Er bricht ab und schiebt sich in Richtung Ausgang. »Sorry, Kumpel«, murmelt er, dann ist er weg.

Es ist mitten in der Nacht, und ich tigere unruhig auf und ab, wie man es in Filmen immer sieht. Jetzt verstehe ich das. Still sitzen wäre wie stillhalten, während einem ein rot glühendes Eisen auf die Haut gedrückt wird.

Ich teile mir den Wartebereich mit einem älteren Herrn im Pyjama, aber keiner von uns macht Anstalten, irgendwie mit dem anderen ins Gespräch zu kommen. Er wirkt genauso nervös wie ich. Vielleicht ein Patenonkel. Genau wie ich kann er wenig mehr tun als gähnen, mit den Knien wippen und immer wieder auf den Eingang zum Kreißsaal starren.

So stelle ich mir das Fegefeuer vor. Unendlicher Aufschub. Angestrengtes Warten in Schiss Moll. Nichts bewegt sich, außer den schleichenden Zeigern der Uhr.

Alan hat versucht, mich zu beruhigen – und mir unter anderem mehrere Artikel über Geburten geschickt. *Gia meint, ich soll dir sagen, eine Geburt muss nicht zwangsläufig eine Horrorshow sein, wie man sie im Fernsehen sieht*, schrieb er mir vorhin. *Frauen gebären alle*

Tage Kinder, überall auf der Welt. *Sie meint, du sollst dieses ganze verkopfte Drama vergessen und dir stattdessen vorstellen, dass Sarah ein ganz wunderbares Geburtserlebnis hat. Wie sie mit langen, tiefen Atemzügen das Kind zur Welt bringt.*

Oder so was in der Art. Ich sollte auf die beiden hören und mir nicht so viele Gedanken machen. Aber ich bin längst jenseits von Gut und Böse.

In meiner Verzweiflung lese ich all die Nachrichten, die Sarah mir letzten Sommer geschrieben hat, noch mal von vorne. Von dem Tag an, als sie aus meiner Scheune gegangen ist, bis zu dem Tag, als wir uns am Santa Monica Beach wiedergesehen haben. Ich lese sie einmal, zweimal, dreimal. Als suchte ich darin etwas, von dem ich weiß, dass ich es nicht finden werde.

Dann geht die Tür zum Kreißsaal auf, und mein Herz bleibt stehen. Aber es ist bloß eine Krankenschwester, die sich im Gehen eine Mütze aufsetzt, während sie gähnend und die Hände tief in den Taschen ihres Mantels vergraben hinausgeht. Erschöpft, wie sie ist, würdigt sie uns keines Blickes.

Ich halte das nicht aus. Ich scrolle zurück zu der ersten Nachricht, die Sarah mir geschrieben hat, zwanzig Minuten nachdem wir uns verabschiedet haben.

Wieder zu Hause, stand da. *War wirklich wunderschön mit dir. Danke für alles. X*

Fand es auch wunderschön mit dir, schreibe ich ihr jetzt zurück. *Das war die schönste Woche meines Lebens.*

Kann immer noch nicht glauben, dass das wirklich wahr ist.

Auf dem Weg nach Leicester und denke an dich, hatte sie ein paar Stunden später geschrieben.

Habe auch an dich gedacht, schreibe ich. *Auch wenn meine Gedanken da schon nicht mehr so romantisch und rosarot waren wie deine. Aber ich war trotzdem rettungslos in dich verliebt. Deshalb hat es auch so wehgetan – ich hatte mich in dich verliebt: rettungslos, hoffnungslos, kopflos. Konnte gar nicht glauben, dass es so was wie dich überhaupt gibt. Kann ich bis heute nicht.*

Ab da merkt man ihren Nachrichten an, dass sie sich langsam Sorgen machte. *Hey – alles okay? Rechtzeitig in Gatwick gewesen?*

Ich schlucke. Kann kaum ertragen, tatenlos mit anzusehen, wie die Angst sie langsam erfasst, wissend, dass ich es hätte aufhalten können.

Ich lese noch ein paar Nachrichten und muss dann aufhören, weil ich mich so mies fühle.

Du bist der wunderbarste, wunderschönste Mensch, den ich kenne, schreibe ich ihr. *Das wusste ich gleich am ersten Tag. Du bist eingeschlafen, und ich habe gedacht: Ich will diese Frau heiraten.*

Ich liebe dich, Sarah, schreibe ich. *Ich glaube, ich weine. Ich wünschte, ich wäre jetzt bei dir und könnte dich unterstützen. Ich will nur, dass es dir und dem Baby gutgeht.*

Tut mir so leid, dass ich nicht für dich da war. Ich wünschte, es wäre anders gewesen. Ich wünschte, wir wären zusammen gewesen. Ich hätte mutiger sein sollen. Hätte darauf vertrauen sollen, das mit Mum irgendwie hinzubekommen. Hätte mich durch nichts aufhalten lassen sollen.

Ich weine tatsächlich. Eine einzelne Träne tropft auf das Handydisplay und hinterlässt eine kleine Pfütze. Ich versuche, sie mit meinem schmuddeligen Ärmelbündchen wegzuwischen, und mache es nur noch schlimmer, weil alles verschmiert. Dann kullert noch eine Träne von meiner Nase, und ich bekomme plötzlich Angst, unkontrolliert loszuschluchzen. Also springe ich auf und laufe wieder im Kreis. Gehe dann nach draußen. Die Luft ist kalt wie das arktische Meer. Aber die Tränen versiegen augenblicklich, also bleibe ich dort. Der Parkplatz ist menschenleer. Kupferstichiges Licht, laublose Bäume, die sich in der bitterkalten Brise wiegen.

Ich schicke dir alles an Kraft und Mut, was ich habe. Obwohl du sie nicht brauchen wirst. Du bist eine außergewöhnliche Frau, Sarah Harrington. Die liebenswerteste, die ich kenne.

Meine Finger zittern. Schneidend wie ein Messer fährt die Kälte in meinen offenen Dufflecoat, aber mir ist schon alles egal.

Bitte, meinst du, wir können es noch mal miteinander versuchen? Können wir einen Schlussstrich ziehen unter alles, was passiert ist – selbst das, von dem ich dachte, ich würde nie darüber hinwegkommen? Können wir noch mal ganz von vorne anfangen? Nichts würde mich glücklicher machen, als mit dir zusammen zu sein. Du, ich, das Baby. Eine kleine Familie.
Ich liebe dich, Sarah Harrington.

Das Martinshorn eines Rettungswagens heult auf, und ein frostig-kalter Windstoß trifft mich wie eine Ohrfeige.

Ich liebe dich. Es tut mir leid.

Neunundvierzigstes Kapitel

SARAH

Ich drehe mich langsam um mich selbst, schwebend über meinem Leben. Hexagone sind da und Oktagone. Vielleicht Deckenfliesen oder vielleicht auch nur Details von diesem Ding, auf das ich vorhin die Unterarme gestützt habe. Dieses Dings, auf dem man sitzt.

Da waren viele Möbeldetails in dieser Parallelzeit. Dinge, die ich so lange angestarrt habe, bis sie zu Makroaufnahmen wurden und Muster bekamen und anfingen zu tanzen: ein Kaleidoskop im Himmel.

Schöne Zeiten. Schöne Bilder. Alles, was die Oxytozinbildung anregt. Daran sollte ich denken. Ich spiele schöne Erinnerungen auf dem Bildschirm vor meinem Brauenknochen. Da ist das kleine dicke Pony, das der Frau gehörte, die in dem Haus hinter Tommy gewohnt hat.

Schmerz. Wie ein brutaler brüllender Wasserfall. Aber: Ich vertraue meinem Körper. Ich vertraue meinem Körper. Mein Körper bringt mir mein Baby.

Da ist Hugo, Tommys Katze, die komische, die im Sommer nicht genug getrunken hat.

Die Hebamme macht wieder irgendwas an meinem Bauch. Befestigt Bänder. Seit sie mich in dieses Zimmer gebracht haben, überwachen sie den Herzschlag des Babys mit einem Gerät, das aussieht wie ein Laborexperiment. Ein Sensor für die Wehen, einer für das Baby, erklären sie mir geduldig, als sie mein Gesicht sehen. Ich nicke und versuche, wieder an was Schönes zu denken.

Da ist ein Kind namens Hannah, sie ist vielleicht zwölf Jahre alt. Sie trägt den Arm in einer Schlinge. Sie hat ein blaues Auge. Ihre Haut ist übersät von Schnitten und Prellungen. Ihre beste Freundin ist tot, und sie hasst mich.

Nein, das ist keine schöne Erinnerung. Unter den vielen Schichten Schmerz und Erschöpfung suche ich nach etwas Besserem. Auf vier atme ich ein, auf sechs wieder aus. Oder war es acht? Vertraue deinem Körper, hieß es in dem Kurs. Vertraue deinem Körper. Vertraue den Geburtswehen.

Aber ich bin in einem Tunnel, und der ist so lang und tief, dass ich nicht mehr weiß, wo ich bin. Ich glaube, das sind die Medikamente. Stimmt: Ich habe eine Spritze in die Hüfte bekommen, und dann ist da dieses Ding an meinem Mund. Ich beiße drauf und atme liebliche Geschichten ein, während ich den nächsten Berg erklimme. Er treibt ab – jemand versucht ihn wegzuziehen, also klammere ich mich daran fest.

Der ganze Raum ist voller medizinischer Apparate, und das Mädchen von eben, Hannah, ist auch da. Nur anders. Sie ist wieder meine Schwester, aber sie ist eine erwachsene Frau mit eigener Familie und Karriere. Sie ist meine Geburtsbegleiterin. Sie geht zur Therapie, weil sie sich selbst nicht so richtig lieb hat. Sie meint, sie war schrecklich zu mir.

Aber sie war nicht schrecklich. Sie war nie schrecklich. Hannah ist ein unerschöpflicher Quell traumschöner Erinnerungen, die mich durch diesen Schmerz tragen.

Ich atme das Erstaunen ein, das mein ganzes Herz erfüllt hat, als ich sie wiedersah. Damals, am Tag von Großvaters Beerdigung, als sie morgens zu Mum und Dad ins Haus kam. Wie sie stocksteif vor mir stand und mir dann plötzlich um den Hals fiel. Und dann die explosive, fast überirdische Freude, als ich meine Schwester zum ersten Mal seit beinahe zwanzig Jahren umarmte.

Noch mehr Formen und Muster: ein bewegliches Erinnerungsalbum. Ich nehme die anderen Menschen um mich herum und was sie mit meinem Körper machen und die sanften Kommandos nur halb wahr.

Ich erinnere mich an das Café in Stroud, wo Hannah und ich uns das erste Mal als Erwachsene verabredet haben. Schweigen und nervöses Lachen. Entschuldigungen von beiden Seiten und mein Vater, der weinte, als ich ihm und Mum sagte, dass Hannah mich zu sich nach Hause eingeladen hat, damit ich ihre Familie kennenlerne.

Aber … mein Baby. Wo ist mein Baby?

Das Meer bricht sich in seinen eigenen Wellen, wieder und wieder, und ein Kuckuck singt zwei Töne in einem dämmrigen Wald. Eddie lacht. Jetzt untersuchen sie mich wieder. Menschen, sehr viele, schauen auf einen Bildschirm, der eine gezackte Linie ausgespuckt hat …

Wo ist mein Baby?

Mein Baby. Das Baby, das ich mit Eddie gemacht habe.

Eddie. Ich habe ihn so geliebt.

Eddie. Den Namen sagt Hannah zu mir. Sie erzählt mir von Eddie. Sie sagt, er ist draußen. Sie wirkt erschrocken, erstaunt, aber ich muss der Ärztin zuhören, oder vielleicht ist es auch die Hebamme. Sie nimmt mir die Schläuche ab und fängt an, sehr langsam und deutlich mit mir zu reden. »Wir können leider nicht mehr warten …«, sagt sie. »Wir müssen das Baby rausholen. Sie sind immer noch nicht vollständig geöffnet … haben eine fetale Blutprobe genommen … Sauerstoff … Sarah, verstehen Sie, was ich sage?«

»Eddie?«, frage ich. »Draußen?« Aber es kommen nur noch mehr Worte vom medizinischen Personal, und dann fängt der Bettstuhl an, sich zu bewegen. Er fährt aus dem Zimmer.

Der Tunnel verschwindet langsam. Da sind Deckenfliesen. Hannahs Stimme ganz nahe an meinem Ohr. »Du hast einem Kaiserschnitt zugestimmt«, erklärt sie mir. »Du liegst schon zu lange in den Wehen, und das Baby bekommt nicht genug Sauerstoff. Aber keine Sorge, Sarah, das kommt öfter vor. Du kommst jetzt sofort in den OP, und in ein paar Minuten ist das Baby da. Alles wird gut…«

Ich frage sie nach Eddie, weil das womöglich auch nur eine Geschichte aus dem Kaleidoskop-Tunnel war. Ich bin so müde.

Nicht genug Sauerstoff?

Aber es ist kein Tunnelgespinst. Es ist wirklich wahr: Eddie wartet auf mich. Er ist draußen. Er hat mir geschrieben. Er sagt, er liebt mich. »Und er sagt dauernd, dass es ihm leidtut«, meint Hannah zu mir. »Eddie Wallace«, brummt sie, dann fasst jemand sie am Ellbogen und sagt ihr, dass sie einen OP-Kittel anziehen muss. »Der Vater deines Kindes. Ich meine, was?«

Eddie sagt, er liebt mich. Mein Kind kommt.

Und dann stürzen sich die Ärzte alle gleichzeitig auf mich und reden auf mich ein, und ich muss ihnen zuhören, denn es ist ernst.

Fünfzigstes Kapitel

EDDIE

Ich setze mich kerzengerade auf: Die Tür zum Kreißsaal geht auf. Ich muss kurz eingeschlafen sein. Mir ist
hundeelend. Und eiskalt. Ich zittere am ganzen Leib.
Warum habe ich bloß keinen ordentlichen Mantel mitgenommen? Warum habe ich nicht mal einen Augenblick nachgedacht, ehe ich Hals über Kopf losgerast
bin? Warum habe ich einfach alles vor die Wand gefahren, seit Sarah im Juni aus meinem Haus gegangen ist?

»Ist hier ein Eddie Wallace?«, fragt die Frau in der
Tür. Sie trägt OP-Kleidung.

»Ja! Das bin ich!«

Sie zögert kurz, dann weist sie nickend zu den Aufzügen, wo wir ungestört reden können, ohne dass mein
Wartezimmergenosse mithört. Er war auch eingeschlafen, beäugt mich aber nun neidisch.

Angstpfeile schießen durch meinen Körper, und ich
gehe viel zu langsam. Die Dame im OP-Outfit wartet

mit verschränkten Armen auf mich, und ich sehe, dass sie angestrengt auf den Boden schaut.

Das gefällt mir ganz und gar nicht.

Und ich denke nur, wenn sie jetzt schlechte Nachrichten für mich hat, wird mein Leben nie wieder so sein wie vorher.

Weshalb ich in den ersten ein, zwei Sekunden gar nicht mitbekomme, was sie sagt. Ich bin fast taub vor Angst.

»Es ist ein Junge«, wiederholt sie, als sie merkt, dass ich nichts von dem mitbekommen habe, was sie gerade gesagt hat. Dann lächelt sie. »Sarah hat vor ungefähr einer Stunde einen wunderhübschen kleinen Jungen auf die Welt gebracht. Wir untersuchen Mutter und Kind noch gründlich, aber Sarah hat mich gebeten, Ihnen zu sagen, dass es ein Junge ist und es allen Beteiligten gutgeht.«

Mit bodenlosem Erstaunen starre ich sie an. »Ein Junge? Ein Junge? Sarah geht es gut? Sie hat einen Jungen bekommen?«

Sie lächelt. »Sie ist sehr müde, aber es geht ihr gut. Sie war wirklich sehr tapfer.«

»Und sie wollte, dass Sie mir das sagen? Sie weiß, dass ich hier bin?«

Sie nickt. »Sie weiß, dass Sie hier sind. Sie hat es kurz vor dem Kaiserschnitt erfahren. Ihre Schwester hat es ihr gesagt. Und Ihr Sohn ist wirklich herzig, Eddie. Ein ganz entzückendes kleines Kerlchen.«

Ich knicke nach vorne ein, und ein Schluchzen, vor Freude, vor Erleichterung, vor Erstaunen, vor einer Million Dinge, die ich nie benennen könnte, bricht aus mir heraus. Es klingt wie Lachen. Es könnte ein Lachen sein. Ich vergrabe das Gesicht in beiden Händen und weine haltlos.

Die Frau legt mir eine Hand auf den Rücken. »Glückwunsch«, sagt sie irgendwo über mir. Ich höre sie lächeln. »Glückwunsch, Eddie.«

Irgendwann schaffe ich es, mich aufzurichten. Sie will schon wieder gehen. Es sprengt meine Vorstellungskraft, dass sie geht, um noch mehr neues Leben auf die Welt zu holen. Dass dieses unfassbare Wunder für sie alltäglich ist.

Ein Junge! Mein Junge!

»Sarah erholt sich auf der Station. Wir behalten sie und das Baby noch ein bisschen im Auge. Heute Nacht dürfen Sie leider nicht mehr zu ihnen, aber die Besuchszeit beginnt um vierzehn Uhr«, sagt sie. »Wobei das letztendlich Sarah entscheiden muss.«

Ich nicke. Benommen, glückselig. »Danke«, wispere ich, als sie sich umdreht und geht. »Vielen lieben Dank. Sagen Sie ihr bitte, dass ich sie liebe. Ich bin so stolz auf sie. Ich ...«

Ich habe nicht mehr geweint seit dem Tag, als ich erfahren habe, dass meine kleine Schwester tot ist. Aber das war der schlimmste Augenblick meines Lebens. Und das hier ist der schönste.

Nach einer Weile stolpere ich nach draußen. Der Wind hat nachgelassen, und durchscheinendes Grau sickert langsam in den Nachthimmel. Es ist still, bis auf meine Tränen und mein Schniefen. Nicht mal ein entferntes Auto. Nur ich und diese überwältigende, unbegreifliche Nachricht. »Ich bin Vater«, flüstere ich ins Nichts des Morgengrauens. »Ich habe einen kleinen Jungen.«

Das wiederhole ich noch ein paar Mal, weil mir ansonsten die Worte fehlen. Ich lehne mich gegen die Mauer des Frauenzentrums und versuche, meine Sicht des Universums neu zu definieren, um dieses kleine Wunder zu erfassen. Aber es ist unmöglich. Es ist einfach unvorstellbar. Ich kann es nicht begreifen, ich kann es nicht glauben. Ich kann gar nichts.

Ein einsames Auto fährt auf den Parkplatz und steuert langsam zu dem Behindertenparkplatz gegenüber. Das Leben geht weiter. Die Welt erwacht. Die Welt mit meinem Sohn darin. Das ist alles seins. Seine Luft, seine Morgendämmerung, dieser heulende Mann, den er eines Tages vielleicht Dad nennen wird.

Dann brummt meine Hosentasche, und ich sehe Sarahs Namen und das Wort »Nachricht«, und wieder breche ich in Tränen aus und heule haltlos, noch bevor ich überhaupt gelesen habe, was sie schreibt.

Er ist wunderschön, steht da. *Er ist das größte Wunder, das ich je gesehen habe.*

Atemlos sehe ich zu, wie sie noch etwas schreibt.

Er sieht aus wie du.

Bitte komm morgen her, damit du unseren Sohn kennen-lernst.

Und dann als Letztes: *Ich liebe dich auch.*

Einundfünfzigstes Kapitel

SARAH

Es ist der 2. Juni. Wieder ein 2. Juni am Broad Ride. Mein zwanzigster, wie mir aufgeht, als ich die Haare mit einem Gummi zusammenbinde. Heute weht eine steife Brise, die die Wolken schnell über den Himmel schiebt und sie zu engen Wirbeln dreht und windet. Der Wind packt eine Strähne meiner Haare und zerrt daran, sodass ich sie nicht zu fassen bekomme.

Ich muss an das Jahr denken, als es so geregnet hat, dass die Nesseln platt am Boden lagen. Und das Jahr, als ein tosender Sturm mir den Hut vom Kopf gerissen hat. Ich muss an letztes Jahr denken, als es so heiß war, dass die Luft dick wie Sirup war und selbst die Vögel stumm und halb tot mit schlaffen Flügeln in den Bäumen saßen. In dem Jahr habe ich Eddie kennengelernt. Da hat alles angefangen.

Eddie. Mein Eddie. Obwohl ich erschöpft bin und so unausgeschlafen, dass es jeglicher Beschreibung spottet, muss ich lächeln. Ich lächele heillos, und mein Magen schlägt einen Purzelbaum.

Das passiert mir immer noch. Ein ganzes Jahr, nachdem wir uns zufällig auf der Dorfwiese von Sapperton über den Weg gelaufen sind. Er sagt, ihm ginge es genauso. Manchmal frage ich mich, ob das noch die Nachwirkungen des Kampfes sind, den wir ausfechten mussten, um zusammen sein zu können. Aber eigentlich glaube ich, es liegt vielmehr daran, dass es sich so anfühlen sollte.

Als spürte er, wie seiner Mutter das Herz aufgeht, schnufft Alex leise und kuschelt sich noch fester an meine Brust. Er schläft tief und fest, trotz der vielen Leute, die ihn in der letzten Stunde gedrückt, getätschelt, geherzt und angegurrt haben. Ich lege die Arme um ihn in seiner Babytrage und küsse seinen warmen kleinen Kopf wieder und wieder. Ihn im Arm zu halten – selbst wenn ich so müde bin, dass ich sogar in einem Hundenapf einschlafen würde –, ist, als knipse man ein Licht an. Ich hatte ja keine Ahnung, dass ich etwas oder jemanden so lieben könnte. Am Tag nach Alex' Geburt, als Eddie mit einem Plüscheichhörnchen in den zitternden Händen und kalkweißem Gesicht in unser Zimmer stolperte, wusste ich, wir hatten es geschafft. Ich drückte ihm seinen Sohn in den Arm, und er starrte ihn mit großen Augen staunend an, weinte hemmungslos und nannte Alex »Rabauke«. Später, als eine Schwester Eddie Alex mit sanfter Gewalt wieder abgenommen hatte, schaute er mich kurz an und sagte mir, dass er mich liebt. Ganz gleich, was vorher war. Er sei mein. Wenn ich ihn noch wollte.

Als ich wieder nach Hause durfte, fuhr er mit mir zu Mum und Dad. Ein paar Wochen später sind wir dann zu ihm in die Scheune gezogen. (Er hat Alex eine Wiege gebaut. Eine Wiege! Maus haben wir oben drangehängt.) Und obwohl seine Mutter partout nicht mit ihm über mich reden will, obwohl sie ihn mehrmals täglich angerufen hat, obwohl uns das Geld ausgegangen ist und Eddies Dach ein Leck hatte und ich eine Brustdrüsenentzündung bekam und meine Brüste höllisch wehtaten, war ich so glücklich wie noch nie. Am ersten Morgen sind wir überhaupt nicht aus dem Bett gekommen. Wir lagen einfach nur da, mit unserem Sohn zwischen uns, haben ihn gefüttert, mit ihm gekuschelt, sind zwischendurch eingenickt, haben uns geküsst und Windeln gewechselt und übers ganze Gesicht gestrahlt.

Anfangs ging Eddie zwei-, dreimal am Tag ans Telefon, wenn seine Mutter anrief. Irgendwann dann nur noch einmal. Es fiel ihm sehr schwer – »schrecklich schwer«, wie er meinte, als er eines Morgens drei verpasste Anrufe von ihr auf dem Handy hatte. »Die nächtlichen Anrufe sind die schlimmsten.« Mit zitternden Händen rief er sie zurück, noch im Bett, während ich im Sessel saß und Alex stillte, und kurz darauf fuhr er zu ihr. Sie war »okay«, wie er versicherte, als er zurückkam. »Hatte nur eine schlimme Nacht. Aber sie hat seit zwanzig Jahren mindestens einmal im Monat eine schlimme Nacht, und sie hat es überlebt. Darauf muss ich vertrauen.«

Auch wenn ich mich jahrelang mit der Vorstellung gequält habe, wie sehr die Familie Wallace unter ihrer Trauer um Alex leiden muss, ist das Ausmaß von Eddies Verantwortung für seine Mutter ein echter Schock für mich gewesen. Aber als er sich für ihre vielen Anrufe, die vielen Besuche bei ihr entschuldigen wollte, versicherte ich ihm, das sei nicht nötig. Von allen Menschen auf der Welt bin ich wohl diejenige, die das am besten versteht.

Ich verstehe aber auch, dass Eddie etwas noch Wichtigeres, Größeres erlebt hat als die Krankheit seiner Mutter. Und das ist, Vater zu werden. Vatersein und die unerklärlichen damit verbundenen Instinkte und Emotionen. Alex platzte mitten hinein in Eddies Leben, winzig und warm und mit einem Gesichtchen, als müsste er alle Geheimnisse der Welt aufklären. Und ohne ein Wort – ohne auch nur den kleinen Finger zu heben – hat er Eddies Verantwortlichkeiten vollkommen und unverrückbar auf den Kopf gestellt.

Wenn seine Mum ihn anruft, drückt er sie weg und schreibt ihr später eine Nachricht. Alex hat seine ungeteilte Aufmerksamkeit. Und ich auch. »Ich muss einfach beten, dass Mum ohne mich zurechtkommt«, sagte er eines Tages. »Dass das, was ich ihr geben kann, reicht.

Denn mehr kann ich ihr nicht geben, Sarah. Mehr will ich nicht. Dieser kleine Kerl hier, der braucht mich. Um den muss ich mich kümmern, für den bin ich verantwortlich.«

Trotzdem. Ich weiß, wie sehr es ihn verletzt, dass seine Mum heute nicht gekommen ist. Ich wusste, dass sie nicht kommen würde. Er wusste, dass sie nicht kommen würde. In drei Monaten hat sie Alex nur sechsmal gesehen, und jedes Mal hat sie darauf bestanden, dass nur Eddie dabei ist. Aber zu sehen, wie er mit hängenden Schultern dastand, als wir ohne sie anfangen mussten, hat mir das Herz gebrochen.

Jenni und Javier haben den Anstoß für dieses Fest gegeben. Als sie mir sagten, sie wollten im Juni nach England kommen und uns besuchen, haben Eddie und ich uns überlegt, eine kleine Willkommensfeier für Alex zu geben. Bei zwei Atheisten als Eltern ist es eher unwahrscheinlich, dass er irgendwann getauft wird, also haben wir eine eigene kleine Zeremonie für ihn arrangiert. Ein paar liebe Freunde, die ein paar liebe Worte sagen, und dann zum wirklich Wichtigen: Essen und Trinken und Fröhlichsein.

Für Jenni waren die vergangenen zehn Monate nicht leicht. Wir haben mindestens zweimal die Woche miteinander telefoniert, und es gab einige herzzerreißende Tiefs, aber ich habe das Gefühl, sie hat das Schlimmste überstanden. Gestern sind sie angekommen, und sie ist der reinste Sonnenschein. Vorhin meinte sie zu mir, sie und Javier versuchten gerade, ein Leben ohne Kinder zu planen (»Reisen vielleicht?«, sagte sie) – und sie überlegt sogar, sich noch mal an der Uni einzuschreiben und »irgendwas Cooles« zu studieren. Armer Reuben, er wird außer sich sein, wenn er sie auch noch verliert.

Es war Eddies Idee, es hier zu machen. Auf dem Broad Ride. Am 2. Juni. Da, wo Alex und Hannah ihre Hütte hatten. Ich fand es perfekt.

Aber natürlich lief es, wie immer bei uns, nicht ganz rund. Stinki, der Hund meiner Schwester, fraß während der Zeremonie beinahe das gesamte Büfett leer – einschließlich der mehrstöckigen Schokoladentorte –, weshalb Hamish ihn zum Nottierarzt bringen musste und Hannahs Kinder die ganze Zeit heulten vor Angst, er könnte sich zu Tode gefressen haben. Alan, Eddies bester Freund, war etwas aufgeregt, weil er eine kleine Rede halten sollte, und hatte so viel Bier getrunken, dass er, als er schließlich an der Reihe war, fest eingeschlafen war. Seine Frau redet nicht mehr mit ihm. Und dann ließ Rudi sich dabei erwischen, wie er in einer geheimen Wiesenkerbelhöhle heimlich die Tochter einer meiner Yogafreundinnen küsste. Obwohl er gerade mal acht Jahre alt ist und Mädchen eigentlich noch ein paar Jahre lang doof finden sollte. Und obwohl meine Yogafreundin mir erst neulich noch sagte, wie froh sie sei, dass ihre Tochter nicht so frühreif und übersexualisiert sei wie die meisten anderen Kinder heutzutage.

Jo kriegte sich nicht mehr ein vor Lachen. Was nicht unbedingt zur Entschärfung der Situation beigetragen hat.

Trotzdem, alle sind da, bis auf Hamish. Und natürlich Eddies Mum. Jenni, Javier, meine Schwester und ihre Familie, Alan und Gia, die mich so herzlich aufgenommen haben – und Tommy und Jo, die gerade ihre eigene Liebesgeschichte erleben. Die beiden sind so glücklich, wie ich sie noch nie gesehen habe. Auch wenn das mit Shawn ziemlich unschön wurde, nachdem Jo ihm das mit Tommy gebeichtet hatte. Aber sie hat etwas, das sie bisher nicht kannte: ein Team, das hinter ihr steht. Sie kriegt das hin. Sie schafft das irgendwie.

Und meine Eltern sind natürlich auch da. Offen und strahlend schauen sie dem bunten Treiben zu und sind glücklich, ihre beiden Töchter zusammen zu sehen. Sie können es noch immer nicht so recht glauben, dass ich wieder da bin und dass Hannah und ich uns versöhnt haben und dass wir alle eine große Familie sind. Und selbstredend sind sie verrückt nach Alex. Dad hat sogar ein Cello-Stück für ihn geschrieben. Ich habe das ungute Gefühl, dass er es nachher zum Besten geben will.

Ich nehme mir ein Stückchen Quiche, solange es noch geht – Alex wird jeden Augenblick aufwachen –, und schaue mich nach Eddie um.

Da. Er kommt auf uns zu, lächelnd, die Hände in den Hosentaschen. Ich glaube, von diesem Lächeln werde ich nie genug bekommen.

»Hallo«, murmelt er. Und küsst mich. Einmal. Dann noch mal. Schaut auf unseren winzig kleinen Sohn. »Na, du Rabauke«, flüstert er. Tatsächlich. Alex wird langsam wach. Er macht ein Auge halb auf, verzieht das Gesicht, haut mit dem Kopf gegen meine Brust und schläft wieder ein. Sein Vater gibt ihm einen Kuss auf den Kopf, der so lieblich duftet wie sonst nichts auf der Welt, und beißt beherzt und beiläufig in meine Quiche.

Alex wacht wieder auf, aber diesmal sieht es aus, als sei es ihm ernst. Verschlafen starrt er seinen Vater an, dessen Gesicht direkt vor Alex' Nase schwebt und an einen debil grinsenden Kürbiskopf erinnert – nach sorgfältiger Überlegung strahlt Alex ihn an. Eddie schmilzt, wie immer, wie Eis in der Sonne dahin.

Behutsam holt er seinen Sohn aus der Trage, und plötzlich sehe ich uns beide: die zwei, die letztes Jahr ein entlaufenes Schaf gehütet haben. Große Hoffnungen und Erwartungen und eine Vergangenheit, von der wir nichts ahnten und die uns doch bald einholen sollte. Seitdem hat sich vieles verändert. Vieles wird sich noch verändern. Doch nun kann mich nichts mehr aufhalten. Keine dunklen Geheimnisse, keine drohende Erinnerungslawine. Nur das Leben selbst.

Und wer hätte gedacht, dass ausgerechnet Eddie Wallace die Lösung sein würde? Dass Eddie der Mensch ist, der mich dazu bringt, nicht mehr wegzulaufen vor dem, was ich getan habe? Der es möglich macht, dass ich still sitzen, atmen, mich selbst lieben kann? Wer hätte gedacht, dass ausgerechnet Eddie Wallace, vor dem ich mich all die Jahre versteckt hatte, in mir den brennenden Wunsch weckt, nach Hause zurückzukommen? Der mir hilft, Wurzeln zu schlagen und endlich irgendwo hinzugehören?

Ich schaue auf und entdecke Carole Wallace.

Dort, am Rand unserer kleinen Gesellschaft, den Arm untergehakt bei einem Mann, dessen anderer Ärmel leer herunterhängt. Das muss Felix sein. Mein ganzer Körper wird stocksteif, und mein Herz galoppiert. Ich weiß nicht, ob ich das kann. Selbstsüchtig, ich weiß. Aber ich weiß nicht mal, ob ich das *will*. Ich kann heute keine Szene ertragen, nicht an Alex' großem Tag.

Aber sie ist da, schlängelt sich durch die anderen Gäste und kommt direkt auf uns zu.

Sie will zu Eddie, sage ich mir. Mich wird sie gar nicht beachten. Eddie hebt Alex über den Kopf in die Luft und lacht, als er das staunende, verblüffte kleine Gesicht sieht, das sein Sohn dabei macht. Ich beobachte, wie Caroles und Mums Blicke sich kreuzen. Meine Mutter geht auf sie zu, spricht sie an, legt ihr kurz die Hand auf den Arm, lächelt. Carole wirkt konsterniert. Blinzelnd schaut sie Mum an, steht starr da und ringt sich schließlich eine einsilbige Antwort ab. Vielleicht sogar ein Lächeln, aber wenn, dann nur sehr flüchtig. Mum sagt noch etwas, deutet auf das Picknick, und Felix strahlt sie an, nickt und bedankt sich. Dann schaut er zu Carole, aber die hat sich schon wieder zu mir und Eddie umgedreht und kommt auf uns zu.

»Eddie«, sage ich leise. Er redet mit seinem Sohn. »Eddie. Deine Mum ist hier.«

Er dreht sich auf dem Absatz um, und ich spüre, wie sein ganzer Körper plötzlich in Alarmbereitschaft ist. Er zögert kurz und scheint zu überlegen, was er tun soll. Erst will er auf sie zugehen und sie abfangen, doch dann überlegt er es sich anders. Bleibt stehen, stellt sich kerzengerade hin und nimmt meine Hand. Mit der anderen drückt er Alex fest an sich, und sein Daumen streichelt über den weichen Baumwollstoff des Babystramplers.

Ich schaue ihn an. Die Ader an seiner Schläfe pulsiert. Die Halsmuskeln sind gespannt, und ich weiß, eigentlich will er loslaufen und sie aufhalten. Aber er bleibt. Hält meine Hand so fest wie noch nie. Wir gehören zusammen, sagt er ihr damit, und ich liebe ihn dafür. Ich bin nicht mehr nur ich. Ich bin wir.

»Hallo Eddie, mein Schatz«, begrüßt sie ihn, als sie vor uns steht. Erst da scheint sie zu merken, dass Felix nicht mehr bei ihr ist. Nervös schaut sie sich um, aber er rührt sich nicht vom Fleck, und sie scheint ebenso entschlossen, nicht nachzugeben. »Ich dachte, ich schaue kurz vorbei und besuche Alex an seinem großen Tag.«

Eddie hält meine Hand noch fester. Langsam tut es weh.

»Hey, Mum«, ruft er. Fröhlich und entspannt, als sei alles in bester Ordnung. Und ich denke: Du bist so ein guter Mensch. So viele Jahre bist du immer für sie da gewesen. Gibst ihr Sicherheit, ganz gleich, wie es in dir aussieht. Du bist wirklich außergewöhnlich.

»Alex!«, wispert er. »Alex, deine Oma ist da!«

Alex bekommt langsam Hunger. Immer wieder schiebt er das Gesicht an Eddies Brust. Aber da ist nichts zu holen. »Willst du ihn mal nehmen?«, fragt Eddie seine Mutter. »Ich glaube, bald möchte er gestillt werden. Aber vielleicht hast du Glück und er bleibt noch ein paar Minuten friedlich.«

Carole sieht mich nicht an, aber sie lächelt und breitet die Arme aus. Vorsichtig, behutsam reicht Eddie ihr unser Baby. Wartet, bis sie ihn hat, und drückt ihm dann einen Kuss auf den Kopf.

Er geht einen Schritt zurück und nimmt wieder meine Hand. Carole strahlt plötzlich. Nie hätte ich in diesem Gesicht so ein Lächeln erwartet. Diesem Gesicht, das mir so lange im Kopf herumgespukt ist. »Hallo, mein Liebling«, wispert sie. Sie hat Tränen in den Augen, und plötzlich sehe ich, dass Eddie seine wunderschönen Meeraugen von ihr hat. »Hallo, mein süßer kleiner Kerl. Ach, deine Oma hat dich so lieb, Alex. Oh, und wie!«

Eddie streckt die Hand aus und kneift Alex zärtlich in die pummelige kleine Wange. Dann schaut er mich von der Seite an und drückt meine Hand.

»Mum«, sagt er ganz ruhig. »Mum, ich möchte dir gerne Sarah vorstellen. Die Mutter meines Sohnes.«

Eine lange Pause, während Carole Wallace auf Alex einflüstert, der versucht, sich an ihrer Brust herunterzuhangeln. Eddie lässt meine Hand los und legt mir den Arm um die Schultern. Carole schaut nicht auf. »Du bist ein guter Junge«, murmelt sie Alex zu. »Du bist *so* ein guter kleiner Junge.«

»Mum.«

Und dann, ganz langsam und unsicher, schaut Carole Wallace mich an. Über den Kopf meines Sohnes hinweg, über zwei Jahrzehnte von Kummer und Schmerz, die ich erst jetzt, als Mutter, wirklich begreifen kann. Und für den Bruchteil einer Sekunde – kürzer als das Zucken eines Blitzes – lächelt sie. »Danke für meinen Enkel«, flüstert sie. Ihre Stimme zittert. »Danke, Sarah, für diesen kleinen Jungen.«

Sie küsst Alex und dann geht sie. Zurück zu Felix, in Sicherheit. Die Gespräche gehen weiter. Der Wind hat sich gelegt. Die Sonne scheint wärmer. Die Gäste ziehen Jacken und Pullover aus. Der Wiesenkerbel wiegt sich, als sich ein Kind unter ihm hindurchwühlt, und ein winziger Schwarm Schmetterlinge tanzt über das wilde Gras ringsum, das uns schützend abschirmt vor der Vergangenheit, vor all den Geschichten, die wir uns selbst erzählt haben.

Ich lege den Arm um Eddies Taille und spüre, wie er lächelt.

Danksagung

Mein Dank gilt zuallererst George Pagliero und Emma Stonex für diesen eigenartigen heißen Tag, an dem wir uns plötzlich einig waren, dass ich auf der Stelle dieses Buch schreiben muss. Für die unglaubliche Unterstützung und nimmermüde Begeisterung.

Mein liebster Dank geht an Pam Dorman, meine Verlegerin, für großartige redaktionelle Klugheit und ihre klare Vorstellung und das tiefe Verständnis für dieses Buch. Dem gesamten Team von Pamela Dorman Books/Viking für harte Arbeit und Begeisterungsfähigkeit. Es ist mir eine außerordentliche Ehre, zu einem derart außergewöhnlichen Team zu gehören.

Unendlicher Dank gilt Allison Hunter, meiner unermüdlichen US-Agentin, die mich in einer Trainingsstunde beinahe umgebracht hätte, nur um dann den Buchvertrag meiner Träume für mich an Land zu ziehen. Meiner UK-Agentin Lizzy Kremer, die alles so überragend gemanagt hat und ohne die ich vollkommen aufgeschmissen wäre. Danke auch an Harriet Moore und Olivia Barber.

Dank geht an Sam Humphreys von Mantle, UK, die diese Geschichte von Anfang an geliebt und sie durch entschiedene und durchdachte Bearbeitung um ein Vielfaches besser gemacht hat, als sie hätte sein können. Dank auch den anderen Lektoren weltweit, die es eingekauft haben. Ich kann es immer noch nicht fassen! Mein Dank gilt Alice Howe von David Higham Associates und ihrer allmächtigen Übersetzungsrechteabteilung: Emma Jamison, Emily Randle, Camilla Dubini, Margaux Vialleron und Annabel Church.

Herzlichen Dank an die Old Robsonians, eine real existierende Fußballmannschaft, die ich ganz schrecklich mag. Sie haben eine ganz beträchtliche Summe an die Kinderhilfsorganisation CLIC Sargent gespendet, um in diesem Buch erwähnt zu werden. Ich habe ihnen eine tragende Rolle gegeben, weil sie meine Helden sind.

Mein Dank geht an Gemma Kicks und die wunderbare Organisation Hearts & Minds, für die großzügige Unterstützung bei meiner Recherche über Clowndoctor-Organisationen. Die Leidenschaft, mit der Clowndoctors jeden Tag kranken Kindern ein Lächeln schenken, hat mich tief beeindruckt und beflügelt. Dank auch an Lynne Barlow vom Bristol Children's Hospital.

Mein Dank gilt Emma Williams, Gemeindekrankenschwester, James Gallagher, Möbelschreiner, und Victoria Bodey, Mutter kleiner Jungs. Dank meinen vielen Freunden, die auf Facebook mit Engelsgeduld einen nicht abreißen wollenden Strom (oft sehr persönlicher) Fragen beantwortet haben.

Danke, Emma Stonex, Sue Mongredien, Katy Regan, Kirsty Greenwood und Emma Holland für das unbezahlbare Feedback zu meinem Manuskript in seinen verschiedenen Entwicklungsphasen. Und vor allem meiner lieben Schreibfreundin Deborah O'Donoghue; ich weiß nicht, ob ich dieses Buch ohne dich hätte schreiben können. So viele wunderbare Ideen in diesem Buch stammen von dir, Deb – danke. Ich kann es kaum erwarten, deinen eigenen Roman im Regal stehen zu sehen.

Danke meinen SWANS – South West Authors and Novelists – für Unterstützung, tolle Lunches und viel Gelächter. Gleiches gilt für die Damen des CAN. Danke, Lindsey Kelk für meinen Trip nach L.A. und die größtenteils sehr un-schriftstellerischen Diskussionen. Danke, Rosie Mason und Familie für die vielen unvergesslichen Tage, die wir spielend in diesem traumhaften Tal verbracht haben. Und Ellie Tinto dafür, dass sie den Geist von Margery Kempe lebendig und sehr pietätlos erhält.

Danke meiner Familie Lyn, Brian und Caroline Walsh, die mich in allem, was ich getan habe, immer ermutigt haben und die so stolz zugesehen haben, wie ich mir als Autorin einen eigenen Namen gemacht habe. Und danke, vor allen anderen, meinem liebsten George und unserem winzigen, witzigen, perfekten kleinen Kerl, der für immer mein Verständnis von Liebe verändert hat.

Quellennachweise

Seite 589
Alain de Botton, *Versuch über die Liebe*. Aus dem Englischen von Helmut Frielinghaus, S. Fischer Verlag GmbH, F.a.M., 1994.

Seite 743
Virginia Woolf, *Mrs Dalloway*. Aus dem Englischen von Walter Boehlich, Fischer Taschenbuch, F.a.M., 1997.

Autorin

Die britische Autorin Rosie Walsh lebt mit ihrem Lebensgefährten und zwei Kindern in Bristol. Ihr Debüt »Ohne ein einziges Wort« stand wochenlang an der Spitze der Spiegel-Bestsellerliste. Rosie liebt lange Spaziergänge, spielt Violine in einem Orchester, kocht und tanzt, so oft sie kann.

Rosie Walsh im Goldmann Verlag:

Ohne ein einziges Wort. Roman
Ein ganzes Leben lang. Roman

(☛ alle auch als E-Book erhältlich.)